Hohendahl
Literarische Kultur

PETER UWE HOHENDAHL

Literarische Kultur im Zeitalter des Liberalismus
1830–1870

VERLAG C. H. BECK MÜNCHEN

CIP-Kurztitelaufnahme der Deutschen Bibliothek

Hohendahl, Peter Uwe:
Literarische Kultur im Zeitalter des Liberalis-
mus : 1830 – 1870 / Peter Uwe Hohendahl. –
München : Beck, 1985.
 ISBN 3 406 30424 9

ISBN 3 406 30424 9

Inhaltsverzeichnis

Vorwort

Die Anfänge der vorliegenden Untersuchung gehen bis in die Mitte der siebziger Jahre zurück. Die ersten Pläne schlossen an meine früheren Arbeiten zur Literaturkritik und zur Rezeption der Literatur an. Es war meine Absicht, als Ergänzung – und gleichzeitig als Korrektur – zur damals dominierenden theoretischen Position, der Rezeptionsästhetik, eine Sozialgeschichte des Lesers zu schreiben. Meine Aufmerksamkeit galt besonders der Epoche des Realismus (1850–1890) als einer entscheidenden literaturgeschichtlichen Wende (Lukács, Sengle). Bei der Ausarbeitung erwies sich dieser Ansatz in den folgenden Jahren als zu eng. Einmal stellte sich heraus, daß sich eine kritische Lesergeschichte nicht ohne eine theoretische Begründung entfalten ließ, die über die historistische Darstellung des Materials hinausgeht. Ferner zeigte sich, daß die Untersuchung nicht ohne Zwang auf die Jahrzehnte nach der gescheiterten Revolution einzuschränken war. Weder sozial- noch ideologiegeschichtlich konnten die Jahrzehnte vor 1848 ausgespart werden, während es auf der anderen Seite deutlich wurde, daß die Jahrzehnte nach 1880 bereits in einen neuen Zusammenhang gehören. Diese konzeptionellen Veränderungen haben sich in der Darstellung niedergeschlagen – theoretisch vor allem durch die Einführung der Kategorie der *Institution* Literatur, die mir im Vergleich mit rezeptionstheoretischen Begriffen systematisch vorteilhafter erscheint. Die Begriffe der Institution und der Institutionalisierung erlauben es, den inneren Zusammenhang von Literaturgeschichte und Sozialgeschichte zu entfalten. Dieser Ansatz hat, wie ich hoffe, zu einer veränderten Konzeption von Literaturgeschichte geführt, in der nicht mehr die einzelnen Werke und ihre Autoren, sondern die Strukturen des literarischen Lebens im Vordergrund stehen.

Ohne Unterstützung von außen wäre diese Untersuchung vermutlich nicht zum Abschluß gekommen. Mein Dank gilt zunächst der Deutschen Forschungsgemeinschaft und der Freien Universität Berlin, die es mir durch eine Gastprofessur im Sommersemester 1976 ermöglichten, in zwei Seminaren meine Hypothesen zum ersten Mal zu erproben. Nicht weniger bin ich dem Zentrum für interdisziplinäre Forschung der Universität Bielefeld verpflichtet, wo ich im Frühjahr und Sommer 1981 mein Projekt weiter verfolgen konnte. Und schließlich schulde ich der Guggenheim Foundation Dank dafür, daß sie es mir durch ein großzügiges Forschungsstipendium (1983/84) möglich machte, die Darstellung abzuschließen (wenn man bei einem solchen Projekt jemals von einem

Abschluß sprechen kann!). Versagt blieb mir freilich aus Zeitgründen – und das wäre der nächste Schritt – die Rückwendung zum ästhetischen Text, zur Untersuchung der konkreten Beziehung zwischen Institutionalisierung und literarischer Produktion, beziehungsweise Rezeption.

Für die Herstellung des endgültigen Manuskripts bin ich Rolf Schütte und Susanne Rohr verpflichtet, deren ausdauernde Hilfe sich vor allem auf die Überprüfung der Quellen und Zitate erstreckte. Die Bibliographie wurde von David Martyn zusammengestellt und überprüft. Ihm, wie auch Esther Verheyen und Jennifer Hymoff, die das Register bearbeitet haben, gilt mein Dank. Teile der Einleitung erschienen bereits in englischer Fassung in der Zeitschrift *New German Critique* (Nr. 28, Winter 1983), ein Teil des siebten Kapitels in dem von Peter Bürger herausgegebenen Band *Zum Funktionswandel der Literatur* (Frankfurt/Main 1983).

Oktober 1984   Peter Uwe Hohendahl

I. Einleitung:
Die Institution der Literatur

Die folgende Untersuchung beschäftigt sich weder mit individuellen literarischen Texten (Interpretation oder Formanalyse) noch mit der Wirkung oder Rezeption literarischer Werke (Konkretisation). Sie liegt daher nach traditioneller Einteilung außerhalb des Kerngebietes der Literaturwissenschaft. Im Rahmen eines hermeneutischen Modells, aber auch im Zusammenhang eines rezeptionsästhetischen Ansatzes, sind die Fragen, denen ich nachgehe, „außerliterarisch", sie bilden den Hintergrund für den „eigentlichen" Gegenstand. Es scheint sich um Beziehungen und Umstände zu handeln, die dem Literaturwissenschaftler bei der Deutung von Texten helfen können, die jedoch für die Arbeit nicht unerläßlich sind. Es bleibt herkömmlich der Forschungspraxis überlassen, in welchem Maße eine konkrete Untersuchung derartiges „Hintergrundmaterial" einzubeziehen hat. Offensichtlich begünstigt diese konventionelle Dichotomie (literarisch versus außerliterarisch) den Begriff der Literatur gegenüber anderen Gegenstandsbereichen, ferner aber – und dies ist von besonderer Bedeutung für den Stellenwert „außerliterarischer" Untersuchungen – werden alle anderen Gegenstände undifferenziert in den Supplementbereich des Nicht-Literarischen verwiesen. Sie sind in erster Linie dadurch ausgezeichnet, *nicht* Literatur zu sein. Diese Strategie, die der traditionellen Literaturwissenschaft so selbstverständlich ist, daß sie nicht einmal in Frage gestellt werden kann, hat zur Folge, daß zwischen der Literatur und dem anderen (z.B. auch nicht-ästhetischen Textsorten) ein *prinzipieller* Unterschied angenommen wird.

Solange diese Dichotomie vorherrscht, bleiben die Fragen, auf die diese Untersuchung eingeht, für die Literaturwissenschaft marginal – sowohl in bezug auf ihre Wichtigkeit als auch in bezug auf ihre begrifflich-theoretische Erfassung und Durchdringung. Die Verdrängung ist offensichtlich: Studien, die sich nicht mit ästhetischen Texten beschäftigen, werden zu hilfswissenschaftlichen Beiträgen erklärt. Die begrifflich-theoretischen Hindernisse sind weniger offenbar, jedoch langfristig schwerwiegender. Durch die Hegemonie eines bestimmten Literaturbegriffs, dessen Ausdifferenzierung als die eigentliche Aufgabe der Literaturwissenschaft erscheint, reduziert sich das außerliterarische Feld (Religion, Politik, Gesellschaft, Wirtschaft etc.) auf spezifische Beziehungen, die als kausale Bedingungen, beziehungsweise funktionale Zusammenhänge verstanden werden, durch die der zu verstehende Text besser gedeutet oder analysiert werden kann. Zu diesen anerkannten Hilfswissenschaften gehören die Soziologie des Autors und des Publikums, die Psychologie des Lesens, die Ökonomie des Buchwesens etc. Es charakterisiert die traditionelle Literaturwissenschaft, daß sie diese Hilfsdisziplinen, zu denen auch die Linguistik und die Geschichte zu zählen wären, weitgehend als eine ungeordnete Menge betrachtet. Auf Grund der literatur-zentrischen Betrachtungsweise bleibt ihre systematische Beziehung zueinander unbefragt. Im Rahmen des traditionellen Modells – sei es nun historisch oder formalistisch akzentuiert – ist die Zusammenarbeit nur so zu erreichen, daß die angrenzenden Disziplinen ihre Daten und Ergebnisse gleichsam zur Verfügung stellen. Die eingeschliffene Dichotomie von Literatur und Nicht-Literatur macht einen übergreifenden theoretischen Rahmen unmöglich. Unter dieser Inkompatibilität hat vor allem die historische und empirische Leserforschung gelitten. Wohl wurde ihr von der Hermeneutik und der Rezeptionsästhetik zugestanden, daß sie einen Beitrag leisten kann, doch wird er als supplementär angesehen. Auch die entschieden aufgeschlossenere Rezeptionsästhetik, die sich von dem hermeneutischen Modell ein gutes Stück entfernt hat, unterstellt eine prinzipielle Differenz zwischen dem Begriff des textimmanenten Lesers und dem historisch-empirischen Leser. Die historische Rezeption bleibt logisch nachgeordnet.

Die Fruchtbarkeit einer wissenschaftlichen Kooperation, bei der die verschiedenen Disziplinen ihre Ergebnisse einander zur Verfügung stellen, im übrigen jedoch abweichenden Theorien und Methoden folgen, ist begrenzt. Es wäre vorteilhafter, Modelle zu entwickeln, welche das Untersuchungsfeld neu bestimmen und in diesem Zusammenhang auch die Möglichkeit der Zusammenarbeit klären. Im Rahmen eines solchen Paradigmenwechsels wäre zunächst und vor allem die traditionelle Definition von Literatur zu überprüfen, denn sie ist weitgehend für die genannten Probleme verantwortlich. Der überlieferte Literaturbegriff verweist auf den Begriff der Kunst. Anders gesprochen: Literatur besteht aus Texten mit (näher zu definierenden) ästhetischen Merkmalen. Ferner werden literarische Texte als fiktive bestimmt, d. h. es wird ihnen ein besonderer Referentenbezug (Selbstreferentialität) zugesprochen, durch den sie sich von anderen Texten unterscheiden. Es wäre fruchtbarer, diese durch die angegebenen Merkmale umschriebene Literarität nicht als Axiom, sondern als offenes Problem zu begreifen, denn solange Literarität dogmatisch festgelegt wird, bleibt der Blick der Literaturwissenschaft auf die genannten Merkmale fixiert. Wird dagegen die eingangs besprochene Dichotomie aufgelöst, kann das Untersuchungsfeld neu strukturiert werden. (Dieser Schritt wäre übrigens nicht gleichbedeutend mit der Einebnung des Unterschiedes zwischen Literatur und Nicht-Literatur.) Die Folge wäre, daß der Begriff der Literatur nicht nur bestimmte, was als nicht-literarisch anzusehen sei, sondern umgekehrt definierte auch ein ausdifferenzierter Begriff des Nicht-Literarischen, was als literarisch zu gelten habe.

Die Suche nach einem neuen Paradigma, das diese Aufgabe bewältigen kann, hat die Literaturwissenschaft seit den sechziger Jahren beschäftigt, und keinesfalls, wie wir sehen werden, nur in Deutschland. Diese Suche äußerte sich vornehmlich in der Auseinandersetzung mit dem hermeneutischen Modell, das Dilthey in die Germanistik eingebracht hatte. Daran beteiligte sich die linguistisch und semiotisch orientierte Literaturwissenschaft, aber auch die Rezeptionsästhetik und die empirische Rezeptionsforschung. Daß ähnliche Auseinandersetzungen innerhalb der marxistischen Theorie stattgefunden haben, sei hier nur angemerkt. Es genügt, auf die Namen von Althusser und Macherey hinzuweisen. Hinter den gemeinsamen Angriffen auf die hermeneutische Tradition verbergen sich freilich verschiedene Prämissen und Motivationen. Während die Semiotik wie auch die empirische Literaturwissenschaft vor allem an der Verwissenschaftlichung der literarischen Kritik interessiert sind und daher die Vermengung von Leser und Wissenschaftler ablehnen, richtete sich der Angriff der Rezeptionsästhetik in erster Linie gegen das substanzialistische Textverständnis der hermeneutischen Tradition, behält jedoch in der Nachfolge von Hans Georg Gadamer einen Text- und Leserbegriff bei, welcher der hermeneutischen Tradition nähersteht als dem Wissenschaftsideal der Semiotik und der empiristischen Theorie. Aus diesem Grunde hat es bisher keinen Konsens darüber gegeben, wie das post-hermeneutische Modell beschaffen sein muß. Während die Rezeptionsästhetik die Versuche der empirischen Rezeptionsforschung als einen Rückfall in den Positivismus kritisiert hat, bleiben die Modellentwürfe der Rezeptionsästhetik aus der Sicht der empiristischen Literaturwissenschaft auf halbem Wege stehen. So hat Norbert Groeben geltend gemacht, daß weder Hans Robert Jauß noch Wolfgang Iser grundsätzlich mit dem hermeneutischen Modell brechen: „(...) die Rezeptionsästhetik hält trotz der kommunikationstheoretischen Perspektive ihres Textbegriffs die Vermischung von Rezeption und Interpretation, von Rezipient und Interpretator aufrecht, die von mir als ‚Subjekt-Objekt-Konfundierung' kritisiert wird."[1] Groeben deutet die Rezeptionsästhetik als eine Immunisierungsstrategie, die das alte Paradigma durch seine Radikalisierung noch einmal rettet. Angesichts der vehementen Polemik der Rezeptionsästhetik gegen empirische Modelle, die den historischen Leser in die Untersuchung einbeziehen, hat dieser Vorwurf eine gewisse Plausibilität.

Der Bruch mit dem herkömmlichen Text- und Werkbegriff steht im Zentrum der rezenten Diskussion. Dieser Bruch ist bereits vorbereitet worden durch die Ästhetik der Moderne, die das Werk als ein offenes, polyvalentes und polyfunktionales Gebilde behandelt. Die Radikalisierung dieses Aspektes führt dann zu der Frage, welche Rolle dem Rezipienten bei der Strukturierung von Texten zukommt. Im Anschluß an den russischen Formalismus und die Phänomenologie (Husserl, Ingarden) hat die Konstanzer Schule (Jauß, Iser) die Offenheit des literarischen Textes hervorgehoben und mit Erfolg das traditionelle substanzialistische Textverständnis angegriffen. Durch die Berücksichtigung des Lesers verläßt die Rezeptionsästhetik das werkorientierte Modell der Hermeneutik, aber sie verlagert den Leser in den Text und bleibt damit dem dialogischen Modell doch noch verpflichtet. Durch die Trennung nämlich zwischen dem impliziten und dem externen Leser wird die bekannte Dichotomie fortgeschrieben. Durch diese Strategie, die auch bei Hannelore Link deutlich zu verfolgen ist,[2] entsteht eine defensive Konstellation, „die empirische Untersuchungen für literatursoziologische und -psychologische Fragestellungen zuläßt, die Werkinterpretation aber dem hermeneutischen ‚Verstehen' vorbehält".[3] Diese Arbeitsteilung bewahrt die konventionelle Unterscheidung von innerliterarischen und außerliterarischen Untersuchungen. In der Tat ändert die neue Fassung des Werkbegriffs nicht die Priorität des Textes, der nicht anders als in der werkimmanenten Interpretation zum primären Gegenstand erklärt wird, während die sinnkonstituierenden Leistungen des Lesers, sofern sie nicht im Text selber aufzuweisen sind, außerhalb der Betrachtung bleiben. Diese Kritik beschränkt sich nicht auf den phänomenologischen Ansatz, sie trifft auch radikalere Modelle, die die bedeutungskonstituierende Leistung des Lesers in den Vordergrund stellen. Man kann daher in der Tat mit Groeben die Frage stellen, ob der Versuch, die kommunikationswissenschaftliche Perspektive in das hermeneutische Modell einzubringen, an seinen internen theoretischen Widersprüchen gescheitert ist. Wichtiger scheint mir freilich das Argument zu sein, daß die Rezeptionsästhetik wie die amerikanische Reader-Response Theorie (Stanley Fish) sich an Fragestellungen bindet, die dem alten Paradigma angehören und folglich auch die Lösungen in das alte Paradigma zurückbiegen.

Jenseits der Rezeptionstheorie

Es wäre interessant zu untersuchen, warum dieser Angriff gegen die traditionelle Hermeneutik und die Literaturgeschichte etwa zur gleichen Zeit in Europa und den Vereinigten Staaten formuliert wurde.[4] Diese historischen Aspekte werde ich freilich im folgenden weitgehend vernachlässigen, weil ich in erster Linie den theoretischen Implikationen der Rezeptionstheorie nachgehen möchte. Es läßt sich zeigen, daß ein radikal ausformulierter rezeptionstheoretischer Ansatz zu Aporien führt, die innerhalb des vorausgesetzten theoretischen Modells nicht mehr zu lösen sind. Anders formuliert: denkt man die rezeptionstheoretischen Prämissen zu Ende, so tauchen Fragen auf, die nach einem veränderten theoretischen Rahmen verlangen. Wie auch immer der Begriff des Lesers bestimmt sein mag, er erweist sich als zu partiell, um literarische Strukturen und Prozesse zu erklären. Die Rezeptionstheorie, wo sie mehr ist als eine positivistische Rezeptionsgeschichte, überwand die traditionelle Hermeneutik, indem sie den Status des literarischen Textes in Frage stellte, aber gerade durch diesen Schritt band sie sich, wie ihr ihre Gegner mit Grund entgegengehalten haben, erneut an den Text. Die Kritik der konventionellen Hermeneutik erwies sich als eine neue Stufe der Hermeneutik. Die Überwindung des Formalismus und der Immanenz führt zu einem neuen Formalismus – so bei Iser, der nicht nur zwischen dem empirisch-historischen und dem impliziten Leser unterscheidet, sondern ausdrücklich Fragen der historischen Rezeption aus der Rezeptionsästhetik verbannt,[5] so auch bei Stanley Fish, der schließlich, nachdem er die objektive Struktur des literarischen Textes radikal in Frage gestellt hat, diesen wieder in seine Rechte einsetzt.[6] Die Reader-Response Theorie teilt, wie Jane P. Tompkins mit Recht eingewandt hat, wesentliche Prämissen mit dem älteren Formalismus; sie ist ohne diesen überhaupt nicht denkbar.[7] Dieses Argument widerlegt freilich die rezeptionstheoretischen Ansätze nicht, es zeigt nur, daß auch der Bruch mit der traditionellen Hermeneutik und Ästhetik, den wir als den Impuls der neuen Theorie ansehen dürfen, bereits in einer Tradition steht; er ist Teil einer geschichtlich situierten Auseinandersetzung.

Die Rezeptionstheorie hat die Generalisierbarkeit ihrer Modelle in der polemischen Auseinandersetzung überschätzt. Wir stehen heute vor der Aufgabe einer kritischen Bilanz, um die Fragestellungen der Zukunft zu formulieren. Ich beginne damit, daß ich die Prämissen und zentralen Argumente der Rezeptionstheorie referiere. In einem zweiten Schritt werde ich darzulegen versuchen, welche Folgerungen sich bei konsequenter Argumentation aus diesen Prämissen ergeben. Damit ist die Basis für Kritik vorbereitet, die den dritten Schritt bildet. Im Anschluß an diese Kritik handelt es sich darum, ein neues Modell zu entwickeln, das die rezeptionstheoretischen Ansätze nicht so sehr ausscheiden als dialektisch aufheben wird. Dieses Modell, in dessen Mittelpunkt der Begriff der Institution steht, zeichnet sich bei einer Reihe von Forschern bereits in Umrissen ab, ohne bisher freilich eine befriedigende Form erreicht zu haben. In einem vierten Schritt möchte ich die verschiedenen Lösungsvorschläge diskutieren, wobei es mir nicht so sehr um die Auseinandersetzung mit einzelnen Theoretikern als um die Entfaltung der zu lösenden Probleme geht. Der Institutionsbegriff bringt uns notwendigerweise mit soziologischen Theorien in Berührung. Daraus ergibt sich eine Frage, der die Rezeptionstheorie beharrlich ausgewichen ist: Wie verhält sich die Institution Literatur zu anderen Institutionen des sozialen Systems? Oder, im Diskurs der Marxschen Theorie: Wie ist die Institution Literatur auf die Produktivkräfte und Produktionsverhältnisse zu beziehen? Begreiflicherweise hat die formalistische Theorie auf die Fragen keine Antworten parat, bemerkenswert ist jedoch, daß diese Fragen am Horizont der Rezeptionstheorie auftauchen.

Die Rezeptionsästhetik

Mit Recht ist wiederholt darauf hingewiesen worden, daß es so etwas wie *die* Rezeptionstheorie nicht gibt, sondern nur eine Reihe von distinkten Ansätzen. Gleichwohl lassen sich eine Reihe von gemeinsamen Grundannahmen feststellen, die die theoretische Strategie weitgehend bestimmen, insofern sie gewisse Argumente eröffnen und andere ausschließen. Sowohl bei Iser und Jauß als auch bei Holland und Fish, um nur einige Theoretiker zu nennen, ist in Übereinstimmung mit dem Formalismus der Ausgangspunkt der literarische Text, beziehungsweise das literarische Werk. Was für die ältere Hermeneutik die unbezweifelte Basis aller Operationen war, wird nunmehr freilich in Zweifel gezogen: die Objektivität des Textes, genauer gesagt, die objektive Gegebenheit der Bedeutung. Während es für den New Criticism und die werkimmanente Deutung selbstverständlich ist, daß die Bedeutung eines Kunstwerks mit dem Text selber gegeben ist, also gewissermaßen nur noch freigelegt zu werden braucht, verschiebt sich für die Rezeptionstheorie der Ort der Bedeutung dadurch, daß sie den Leser als eine neue Kategorie einführt. Nun ist es nicht so sehr die Tatsache, daß es Leser gibt, welche die traditionelle Hermeneutik unterminiert – der Begriff des Lesers ist durchaus kompatibel mit der traditionellen Hermeneutik oder dem Historismus –, vielmehr die Annahme, daß der Leser als der unumgängliche Adressat des Textes die Bedeutung dieses Textes mitbestimmt oder, in einer radikaleren Version, diese Bedeutung überhaupt erst generiert. Dadurch verliert der Text seine herkömmliche Stabilität, durch die er zur ausschließlichen Quelle der Interpretation werden konnte.

Die Kategorie des Lesers, die ungefähr zur gleichen Zeit bei Fish, Jauß und Iser auftaucht, wenn auch in unterschiedlichen Argumentationszusammenhängen, hat die Funktion, den literarischen Text zu destabilisieren und zu dezentralisieren. Das theoretische Modell wird verändert mit dem Zweck, die Besonderheit literarischer Texte und die Eigenart der Literaturgeschichte (im Unterschied zur politischen Geschichte) genauer bestimmen zu können. Diese aus dem New Criticism vertraute Fragestellung ist besonders bei Iser in den Anfängen noch festzustellen,[8] bei Jauß drückt sich eine ähnliche Absicht aus in dem Wunsch, durch die Kategorie des Lesers eine autonome Literaturgeschichte zu konstruieren.[9] Es ist für die Anfänge der Rezeptionsästhetik bezeichnend, daß sie in der Nachfolge des Formalismus die Autonomie des Kunstwerks für selbstverständlich hält. Erst durch die Weiterentwicklung dieses Ansatzes ergaben sich Fragen, die diese Selbstverständlichkeit untergruben und zu der Annahme führten, daß der literarisch-ästhetische Diskurs nicht an sich anders ist als andere Diskurse, sondern erst durch die Teilnehmer in seiner Eigenart bestimmt wird.

Der Versuch, die Literarität von Texten zu definieren, nimmt bei Iser die Form an, daß er mit Hilfe der Sprechakttheorie zwischen expositorischen und fiktionalen Texten unterscheidet. Literarische Texte zeichnen sich Iser zufolge dadurch aus, daß sie sich nicht auf eine bestimmte Bedeutung festlegen lassen. (An dieser Position hat Iser auch später festgehalten.)[10] Eine Interpretation, die aus dem Text eine bestimmte Bedeutung herausliest, reduziert diesen Text, sie verwechselt ihn mit der zugeordneten Bedeutung. Der literarische Text ist dadurch charakterisiert, daß er keinen Gegenstand vorstellt, der eine vom Text unabhängige Existenz besitzt. „Ein literarischer Text bildet weder Gegenstände ab noch erschafft er solche in dem beschriebenen Sinne, bestenfalls wäre er als die Darstellung von Reaktionen auf Gegenstände zu beschreiben."[11] Der Leser muß die durch den Text entfaltete Ansicht nachvollziehen, um das Werk zu konkretisieren. Er übernimmt damit bei Iser eine entscheidende Aufgabe: Seine Lektüre entschlüsselt den Text nicht nur, um festzustellen, was seine Bedeutung ist, vielmehr ist er daran beteiligt, die möglichen Bedeutungen des Textes zu konstituieren. Die Bedeutung des Textes kann, anders gesprochen, gar nicht realisiert werden ohne die Aktivität des Lesers. Dieser Satz mag auch für expositorische Texte gelten, für literarische gewinnt er zugespitzte Bedeutung dadurch, daß der Akt der Lektüre Signifikanz generiert, die über die Struktur des Textes hinausgeht. Was Iser im Anschluß an Roman Ingarden die Konkretisation eines Textes nennt, ist ein schöpferischer Akt, der die Produktion des Textes allererst vollendet. „Jede Lektüre wird daher zu einem Akt, das oszillierende Gebilde des Textes an Bedeutungen festzumachen, die in der Regel im Lesevorgang selbst erzeugt werden."[12]

Sobald die Rolle des Lesers aktiviert wird, liegt der Einwand nahe, daß die Generierung von Bedeutung willkürlich ist, daß mit anderen Worten die Objektivität des Textes nicht beachtet wird. Demgegenüber versucht Iser zu zeigen, daß die Vieldeutigkeit in der Struktur von literarischen Texten angelegt ist; diese enthalten Leerstellen, die durch den Leser ausgefüllt werden müssen.[13] Literarische Texte führen ein bestimmtes Maß an Unbestimmtheit mit sich, und diese Unbestimmtheit ist der Grund für die Vielfalt der möglichen Konkretisierungen. Insofern enthält jede Deutung wie Bedeutung ein subjektives Element, doch das Ausmaß der Subjektivität ist objektiv bestimmt (begrenzt) durch die Struktur des Textes. „Der Leser wird die Leerstellen dauernd auffüllen beziehungsweise beseitigen. Indem er sie beseitigt, nutzt er den Auslegungsspielraum und stellt selbst die nicht formulierten Beziehungen zwischen den einzelnen Ansichten her."[14] Der Auslegungsspielraum ist nicht unbegrenzt; wir können folglich zwischen akzeptablen und nichtannehmbaren Lektüren unterscheiden. An dieser Position hat Iser auch bei der Weiterentwicklung seiner Theorie festgehalten, im Gegensatz etwa zu Stanley Fish, der in dieser Auffassung einen Überrest von Objektivismus sieht.

Ist für Iser der Status literarischer Texte der Ausgangspunkt seiner theoretischen Überlegungen, die Argumentation folglich primär auf Probleme der Synchronie angelegt, geht es Jauß bei seinem Versuch, die Besonderheit der Literaturgeschichte zu definieren, vor allem darum, die Bedeutungsveränderung von literarischen Texten in der Geschichte zu bestimmen. Folglich liegt der Nachdruck auf der Diachronie. Beide Theoretiker berühren sich freilich in der Annahme, daß Texte nicht objektiv gegeben sind, sondern nur in der Kommunikation mit dem Leser ihre Eigenart darbieten. Dazu bemerkt Jauß: „Das literarische Werk ist kein für sich bestehendes Objekt, das jedem Betrachter zu jeder Zeit den gleichen Anblick darbietet. Es ist kein Monument, das monologisch sein zeitloses Wesen offenbart."[15] Folglich hat das Werk in der Geschichte seiner Rezeption, in der seine Bedeutung sich allererst entfaltet, seine eigentümliche Geschichte. Wiederum verweist dieses Argument auf die Gefahr des Subjektivismus: Wie sind die legitimen Rezeptionen von illegitimen zu unterscheiden? Ist nicht durch die Destabilisierung des Textes der Willkür Tor und Tür geöffnet? Es charakterisiert die Theorie von Jauß, daß sie das subjektive Verständnis des Lesers nicht zum Eckpfeiler macht, sondern nach einer Fundierung der Lektüre sucht, die „der psychologischen Reaktion wie auch dem subjektiven Verständnis des einzelnen Lesers noch vorausliegt".[16] Jauß fundiert die individuelle Lektüre in einer Theorie der literarischen Kommunikation, die den Begriff des Erwartungshorizontes in den Mittelpunkt rückt. Jede individuelle Lektüre ist in mehrfacher Hinsicht vorstrukturiert, nämlich durch die Gattungs- und Formkonventionen ihrer Zeit, durch das Vorhandensein von anderen Werken (Intertextualität), mit denen das neue verglichen wird, und schließlich durch den Gegensatz von Fiktion und Wirklichkeit.

Es geht in diesem Zusammenhang nicht um die Stimmigkeit der Jaußschen Theorie, etwa um den Begriff des Erwartungshorizontes, der zeitweilig in der Debatte eine Rolle gespielt hat. Wichtiger ist vielmehr die Feststellung, daß Jauß im Unterschied zu Iser bei der Bestimmung der literarischen Kommunikation, der Beziehung zwischen Text und Leser, Elemente berücksichtigt, die außerhalb des Textes liegen, nämlich litera-

rische wie soziale Konventionen. Die Kategorie des Lesers ist nicht ausschließlich eine textimmanente, sie schließt bis zu einem gewissen Grade
gesellschaftliche und historische Elemente ein. Damit verändert sich
gleichzeitig die Konstitution von Bedeutung, beziehungsweise Sinn. Ist
bei Iser die Generierung von Signifikanz bestimmt durch die Struktur
des Textes einerseits und einem rein phänomenologisch gefaßten Akt des
Lesens andererseits, so ist bei Jauß der Akt der Konstitution vermittelt
durch intersubjektive soziale und literarische Konventionen. Sie tragen
dazu bei, die Herstellung von Bedeutung zu stabilisieren. Dieser Schritt
erlaubt Jauß, die Geschichte der Literatur als einen Prozeß der Vermittlung zwischen literarischer Rezeption und dadurch motivierter Produktion zu begreifen. Der jeweils im Horizont einer bestimmten Rezeption
erschlossene Sinn eröffnet Fragen, von denen die neue literarische Produktion ausgeht. Mit den Worten von Jauß: „Im Schritt von einer Rezeptionsgeschichte der Werke zur ereignishaften Geschichte der Literatur zeigt sich diese als ein Prozeß, in dem sich die passive Rezeption des
Lesers und Kritikers in die aktive Rezeption und die neue Produktion
des Autors umsetzt oder in dem – anders gesehen – das nächste Werk
formale und moralische Probleme, die das letzte Werk hinterließ, lösen
und wieder neue Probleme aufgeben kann."[17] Dieser Schritt führt indes,
genau betrachtet, nicht zum Leser, sondern zum Text zurück, nämlich
zur Rekonstruktion derjenigen Fragen, auf die der Text eine Antwort gewesen ist. Jedenfalls wird die Subjektivität der Sinnkonstitution auf diese
Weise, wenn nicht zurückgenommen, so doch wesentlich eingeschränkt.
Die Aktivität des Lesens und Schreibens ist kontrolliert durch intersubjektiv stabilisierte Problemstellungen, zu denen der Text sich äußert. Auf
diese Weise soll die Evolution der Literatur nicht mehr substantialistisch,
sondern funktional begriffen werden.

Die Reader-Response Theorie

Im Gegensatz zu Iser und Jauß, die an einem hermeneutischen Dialog-
modell festhalten, versucht Stanley Fish nicht, die Konsequenzen seines
lektüreorientierten Ansatzes zu begrenzen; im Gegenteil, seine Position
hat sich auf Grund der in seiner Theorie enthaltenen Implikate verändert
und schließlich den Punkt erreicht, wo die Aporien des rezeptionsästhetischen Modells nicht mehr zu übersehen sind. Aus diesem Grunde ist es
für uns wichtig, die Evolution seiner Theorie zu skizzieren. Die Theorie
von Fish ist in ihrer ersten Phase nicht mehr als eine Fortentwicklung des
New Criticism, sie geht von den Akten des Lesens und der Interpretation
aus. Freilich verändert sich bereits in dem grundlegenden Aufsatz „Literature in the Reader" (1970) der Stellenwert der Interpretation. Während
der New Criticism die Interpretation als die objektive Auslegung eines

Textes betrachtet, also den Leser dem Text logisch nachordnet, vollzieht Fish eine kopernikanische Wende, indem er die Kategorie des Lesers privilegiert und entsprechend die Bedeutung des Textes abhängig macht vom Akt der Interpretation. (Genau genommen ist es nunmehr nicht mehr zulässig, von *der* Bedeutung des Textes zu sprechen.) Nicht nur wird hier die Bedeutung allererst durch den Leser generiert, sondern diese Bedeutung wird bei Fish explizit vom Text abgelöst und in den Leser verlegt. Der Leser wird die alleinige Quelle aller Bedeutung, denn der Sinn erstellt sich im Kopf des Lesers und nicht auf der Seite des Buches.

Fish betont indessen, daß der offenkundige Subjektivismus seines Ansatzes nicht mit Willkür zu verwechseln ist, da die Kategorie des Lesers stabilisierende Elemente enthält. Der Begriff des informierten Lesers (informed reader), auf den sich Fish zurückzieht, enthält die Sicherung, daß die Erfahrung, von der der Leser berichtet, dem Text gerecht wird. Dieser Begriff ist ausgezeichnet durch drei wesentliche Aspekte: (1) Sprachkompetenz, (2) semantische Fähigkeit und (3) literarische Kompetenz. Unter literarischer Kompetenz versteht Fish die Vertrautheit mit der Eigentümlichkeit des literarischen Diskurses, so daß der Leser die Signale des Textes verorten kann. Präzisiert man auf diese Weise den Begriff des Lesers, wird verständlich, warum verschiedene empirische Leser zum gleichen oder einem ähnlichen Verständnis eines Textes gelangen, jedoch bleibt zu erklären, wie es möglich ist, daß Leser, denen die literarische Kompetenz nicht abzusprechen ist (z. B. Kritikern), zu stark divergierenden Interpretationen gelangen können. Diese Frage erweist sich als die entscheidende Provokation für Fish' Theorie, denn die zunächst gegebene Antwort, man müsse zwischen Lesen und Interpretieren unterscheiden, stellt sich als unbefriedigend heraus. Die Unterscheidung zwischen Lektüre und Interpretation hat die Funktion, den rezeptionstheoretischen Ansatz gegen den Vorwurf des Relativismus abzusichern, sie enthält jedoch kein Erklärungsmodell für einander widersprechende Deutungen desselben Textes.

Es scheint, daß Fish die Konsequenzen seines Ansatzes zunächst falsch beurteilt hat. Die Bewegung vom Text zum Leser führte, wie Fish sich später eingestand, nicht anders als bei Iser und Jauß, zum Text zurück. „In order to argue for a common reading experience, I felt obliged to posit an object in relation to which readers' activities could be declared uniform, and that object was the text (...); but this meant that the integrity of the text was a basic to my position as it was to the position of the New Critics."[18] Der entscheidende Schritt, der Fish aus diesem Dilemma herausführt, ist die Einsicht, daß der literarische Text nicht einfach gegeben ist, sondern im Akt des Lesens konstituiert wird. Die Eigenart der Literatur wird allererst durch den Leser definiert: „The conclusion is that while literature is still a category, it is an open category, not definable by fictionality, or by a disregard of propositional truth, or by a predominance of tropes and figures, but simply by what we decide to put into it."[19] Die Frage, was Literatur ist, beruht auf einer *Entscheidung*, und diese Entscheidung wird nunmehr durch die Gemeinschaft der Leser (community of readers, interpretive community) getroffen.

Die Kategorie des informierten Lesers ist ersetzt worden durch diejenige der Gemeinschaft der Leser, d. h. eine potentiell soziale Kategorie. In jedem Fall schließt sie die Erörterung von Gewohnheiten und Konventionen ein. Der individuelle Leseakt erweist sich als immer schon strukturiert durch den sprachlich-literarischen wie gesellschaftlichen Kontext. Das Ergebnis dieses entscheidenden Schrittes ist, daß die Fundierung der Hermeneutik im Leser zu einem intersubjektiven Verständnis der Literatur führt und nicht zu der befürchteten Anarchie der Deutung.

Seine neue Lesertheorie hat Stanley Fish 1979 in den Ransom-Memorial Lectures dargelegt. Unterschied er 1970 systematisch zwischen Lektüre und Interpretation, um für die Lektüre eine subjektive Basis zu beanspruchen, so geht er 1979 davon aus, daß Lektüre und Interpretation nur analytisch zu differenzieren sind, daß, anders gesprochen, jede Lektüre mit einer Deutung des Textes verbunden ist. Mehr noch: die individuelle Lektüre setzt immer schon eine interpretative Aktivität voraus. Durch diese Umpolung glaubt Fish ein Problem lösen zu können, für das er früher keine überzeugende Antwort parat hatte: Wie kann es zu divergierenden Interpretationen kommen, wenn die Interpreten als informierte Leser ausgewiesen sind? Die Erklärung ergibt sich aus der Priorität der Interpretation: Die objektiv feststellbaren Elemente eines Textes lassen sich in verschiedene Deutungsansätze schlüssig einfügen. Der individuellen Lektüre liegen Vorentscheidungen zugrunde, die auf den gemeinsamen Prämissen der Lesergemeinschaft beruhen. Der Text wird auf diese Weise zur Funktion der Interpretation. Gesteht man Fish diesen Schritt zu, wird freilich die Frage unausweichlich, wie und wodurch sich eine bestimmte Deutung eines Textes gegenüber anderen, mit ihr konkurrierenden legitimiert. Wenn der Text als der Gegenstand entfällt, an dem die divergierenden Deutungen gemessen werden können, dann scheint der Relativismus unvermeidlich zu sein. Eine Interpretation scheint so gut wie die andere zu sein, solange sie ihre Konsistenz nachweisen kann.

Im Gegensatz zu Iser ist Fish bereit, diese Konsequenz zu akzeptieren – wenn auch nicht als die von der traditionellen Literaturwissenschaft befürchtete Anarchie. Schon der Begriff des informierten Lesers enthielt die Einsicht, daß der Akt des Lesens nicht unvermittelt ist, vielmehr verbindliche transsubjektive Voraussetzungen enthält. Fish führt für diesen Zusammenhang 1979 den Begriff der *Institution* ein. Die Gemeinschaft der Leser ist mehr als eine Menge von Personen, die sich einem bestimmten Text zuwendet, sie ist eine Institution, die das Verhalten der Leser zu literarischen Texten, aber auch zueinander bestimmt. Übereinstimmungen wie Meinungsverschiedenheiten lassen sich Fish zufolge erklären, wenn wir annehmen, daß alle Akte des Lesens Teil eines Spiels mit (meist ungeschriebenen) Regeln sind, denen niemand ausweichen kann, der mit Texten umgeht. Die Richtigkeit einer Interpretation beruht, wenn wir diesem Argument folgen, auf Normen und Konventionen, die von den Teilnehmern des Spiels eingehalten werden. Überzeugend ist eine Deutung daher immer nur im Rahmen einer bestimmten interpretativen Gemeinschaft (interpretive community), die durch gemeinsame Werte und Regeln zusammengehalten wird. Stanley Fish beschreibt den gegenwärtigen Zustand der amerikanischen Literaturwissenschaft angemessen, wenn er konstatiert: „Within the literary community there are subcommunities (what will excite the editors of *Diacritics* is likely to distress the editors of *Studies in Philology*), and within any community the boundaries of the acceptable are continually being redrawn."[20] Die erlaubten Lektürestrategien werden durch Lesergruppen bestimmt, die sich als interpretative Gemeinschaften konstituiert haben.

Die Aporien der Rezeptionstheorie

Mit diesem Schluß erreicht der rezeptionstheoretische Ansatz den Punkt, wo er sich selbst partialisiert – er ist nicht mehr die neue Methode, die die Fehler des Historismus und New Criticism korrigiert, sondern eine Reflexion auf die Möglichkeit der Interpretation von Texten, denn die Interpretation ist für Fish immer noch „the only game in town".

Es sieht auf den ersten Blick so aus, als habe Fish im Rahmen eines Methodenpluralismus den Anspruch auf Wahrheit zurückgenommen. Dies ist jedoch nicht der Fall. Durch die Einführung des Institutionsbegriffs hat sich vielmehr, ohne daß sich Fish dessen bewußt zu sein scheint, die Ebene der Argumentation geändert. Während seine früheren Aufsätze zu zeigen versuchten, daß der Akt des Lesens und nicht der Text das literarische Werk konstituiert, ist er seit 1979 damit beschäftigt darzulegen, daß Lektüren und Interpretationen nicht aus individuellen Akten bestehen, vielmehr immer schon fundiert sind in dem, was er die Institution Literatur nennt. Folglich richtet sich die Untersuchung, sofern es um die Wahrheit der Theorie geht, nicht mehr auf den Akt des Lesens und sein Subjekt, sondern auf die Struktur der Institution. Der Akt des Lesens ist für Fish durch die Konventionen der Lesergemeinschaften weitgehend festgelegt, auf dieser Ebene kann es folglich keinen objektiven wissenschaftlichen Diskurs geben. Die Literaturkritik kann nach der Ansicht von Fish nur im Rahmen eines praktischen, rhetorischen Modells argumentieren; und eine Interpretation unterscheidet sich von der anderen dadurch, daß sie für die Gemeinschaft der Leser einleuchtender ist. „In a model of persuasion (...) our activities are directly constitutive of those objects (of our intention, P. U. H.), and of the terms in which they can be described, and of the standards by which they can be evaluated."[21] Mit Recht macht Fish darauf aufmerksam, daß dieses Modell die Praxis und die Geschichte der Literaturkritik besser beschreibt als ein demonstratives wissenschaftliches Modell, aber er scheint zu übersehen, daß sein Diskurs sich auf einer Ebene bewegt, die möglicherweise nicht mehr im Rahmen der Opposition von „persuasion" und „demonstration" zu erfassen ist. Anders gesprochen: bei der Wahl des angemessenen Modells geht es nicht mehr um die Subjektivität der Interpretation, sondern um die Bedingungen, unter denen Interpretationen überhaupt zustande kommen.

Gehen wir mit Fish davon aus, daß die Interpretation von literarischen Texten ermöglicht wird durch intersubjektiv festgelegte Regeln und Konventionen, dann muß sich unser Erkenntnisinteresse erweitern. Es handelt sich nicht mehr ausschließlich um die Begründung von Deutungen, vielmehr um die Begründung der Normen und Konventionen, die diese Deutungen ermöglichen. Da Fish diese Ebenen nicht konsequent unterscheidet, wird ihm die Aufgabe nie voll bewußt. Es genügt ihm, durch eine relativ unsystematische Beschreibung dieser Konventionen zu erläutern, warum Kritiker und Wissenschaftler sich im gegenwärtigen Amerika so verhalten, wie sie sich verhalten. Die Institution Literatur wird nicht systematisch und historisch begründet. Der Grund dafür ist ein zweifacher: erstens ist Fish' Beschreibung in hohem Grade partiell, sie richtet sich aus an der akademischen Kritik der USA, die mit der Literaturkritik überhaupt gleichgesetzt wird. Ob sie auf andere Gesellschaften zutrifft, wäre jedoch zu fragen. Das gleiche gilt für den diachronischen Aspekt: Die Muster, die Fish beschreibt, sind bereits im neunzehnten Jahrhundert so nicht gegeben – gar nicht zu reden von früheren Jahrhunderten. Grundlegender ist freilich der systematische Aspekt. Die Institution der Literatur wird von Fish definiert als die Gemeinschaft der Leser mitsamt ihren „subcommunities". Nirgends wird der Versuch gemacht, nach dem Zusammenhang dieser Institution mit anderen Institutionen zu fragen. Im Rahmen dieser Theorie ist es möglich, Konsens und Dissens zu erklären. Darüber hinaus lassen sich im Rahmen des Modells Veränderungen beschreiben: Wenn sich innerhalb einer interpretativen Gemeinschaft die Normen und Regeln ändern, wird es zu neuen Interpretationen kommen. (Bekannte Texte werden neu gelesen und gedeutet.) Doch wie kommt es zu den Veränderungen der Normen und Regeln? Fish nimmt an, daß sich bestimmte Auslegungen auf Grund der Autorität eines Interpreten durchsetzen, bis sie durch andere abgelöst werden. Doch wer verleiht dem Interpreten seine Autorität? Und worin besteht diese Autorität? Angesichts solcher Fragen er-

weist sich das Modell von Fish als zu abstrakt. Die Evolution der Lektüren und Deutungen wird nur formalistisch beschrieben. Es kommt etwas
anderes, doch was sich ereignen wird, ist nicht vorauszusehen oder zu
erklären. Interpretationen haben folglich den Status von Moden – sie
kommen und gehen, ohne daß die Gründe recht einsehbar werden. Im
Grunde bleibt alles beim alten: „Interpretation is the only game in town."
An Fish lassen sich die Grenzen der Lesertheorie exemplarisch aufzei-
gen. Dort, wo sie aus ihrem Ansatz radikale Konsequenzen zieht, wo sie
nämlich das Generieren von Bedeutung nicht mehr an den Text bindet,
sondern an den Akt des Lesens, stößt sie auf die institutionellen Voraussetzungen der Lektüre. Sie ist jedoch nicht in der Lage, ihre formalistische Herkunft abzustreifen und auf die Vermittlungen zwischen dem
sprachlich-literarischen und dem gesellschaftlichen Bereich einzugehen.
Es scheint mir bezeichnend zu sein, daß auch Jauß, der diese Aufgabe
sehr wohl gesehen hat und 1967 in seinen Thesen auch auf sie eingegangen ist, in der weiteren Entwicklung seiner Theorie von diesem Projekt
wieder abgerückt ist und in diachronischen Untersuchungen durch das
Frage-Antwort-Modell den *innerliterarischen* Aspekt hervorhebt oder eine Typologie entwickelt, die auf verschiedene Epochen und gesellschaftliche Formationen anwendbar ist.²² Wenn ich recht sehe, kann nur ein
funktionalistischer, beziehungsweise ein materialistischer Ansatz diese
Grenzen der dialogischen Lesertheorie überwinden.

Der Beitrag der Semiotik

Dieser Punkt ist beispielhaft an Jonathan Cullers semiotischer Theorie
nachzuweisen. Cullers Modell einer literarischen Institution berührt sich
in mancher Hinsicht mit der Position von Fish, freilich unterscheidet er
schärfer zwischen der Ebene der Interpretation und der Institution, welche die individuellen Auslegungen reguliert und legitimiert. In dem Aufsatz „Beyond Interpretation" (1976) spricht er sich für eine Literaturwissenschaft aus, die sich systematisch mit dem Diskurs der Kritik
beschäftigt. So wirft er Fish konsequenterweise vor, daß dieser sich trotz
seines Bruchs mit dem New Criticism noch zu sehr am Begriff der Interpretation orientiert. Ob dieser Einwand zutrifft oder nicht (auf die späteren Aufsätze von Fish trifft er wohl nicht mehr zu), mag dahingestellt
bleiben. In jedem Fall kennzeichnet er die Richtung, in die sich die Literaturwissenschaft zu entwickeln hat: Konzentration auf das System der Regeln und Konventionen, auf denen die individuellen Lektüren beruhen.
Culler beruft sich bei der Begründung seines Modells auf die grundlegenden Unterscheidungen der Saussureschen Linguistik, d.h. Sprache
und Rede (langue et parole), Zeichen und Bezeichnetes, Kompetenz und
Performanz. So wie die Sprecher einer Sprache diese benutzen, ohne

notwendig über ihre Grammatik Auskunft geben zu können, so können wir literarische Texte lesen und deuten, ohne notwendig die Regeln des literarischen Diskurses zu kennen. Es genügt, wenn wir mit ihnen vertraut sind, d. h. die literarische Performanz besitzen. Literarische Kompetenz dagegen definiert Culler als „a set of conventions for readings of literary texts", die von den Mitgliedern einer Gesellschaft geteilt werden und auf die sie sich bewußt beziehen, wenn sie einen literarischen Text lesen oder interpretieren. Der semiotische Ansatz unterstellt, daß ein Gedicht als sprachliche Äußerung nur eine Bedeutung hat in bezug auf ein System von sprachlichen und literarischen Konventionen (Gattungen, Stilarten), die der Leser assimiliert hat. Diese Annahme führt zu dem Schluß: „The conventions of poetry, the logic of symbols, the operations for the production of poetic effects, are not simply the property of readers but the basis of literary forms."[23] Ich verstehe diesen Satz so, daß die genannten Regeln und Konventionen intersubjektiv fungieren, wobei es offen bleibt, ob sie als objektive Gegenstände aufgefaßt werden oder nur als subjektive Konstrukte, die sich nur im Geist des Lesers abspielen. Im ganzen scheint Culler eine objektive Auffassung der Metaebene zu favorisieren, denn auf diese Weise kann sich die wissenschaftliche Analyse von Literatur an der linguistischen ausrichten.

Der Vergleich mit Chomskys Transformationsgrammatik macht freilich zugleich deutlich, daß Cullers Projekt auf größere Schwierigkeiten stoßen muß als das der Sprachwissenschaftler; während die grammatischen Regeln dem kompetenten Sprecher einer Sprache vertraut sind, scheint es einen Standard für literarische Kompetenz nicht im gleichen Maße zu geben. Jedenfalls wird ihre Annahme durch divergierende Lektüren desselben Textes problematisiert; um diese Schwierigkeiten zu überwinden, schlägt Culler vor, einen idealen Leser anzunehmen. Der ideale Leser ist ein Konstrukt für das, worauf sich die Gemeinschaft der Leser intersubjektiv geeinigt hat. Die Tatsache, daß auf Grund eines Dialogs zwischen den Lesern eine Einigung über die Interpretation möglich ist, spricht Culler zufolge für ein solches Konstrukt. „(...) The possibility of critical argument depends on shared notions of the acceptable and the unacceptable, a common ground which is nothing other than the procedures of reading."[24] Cullers erfahrener Leser weiß, was man mit einem literarischen Text anfangen kann, d. h. er kennt die gängigen Interpretationsregeln, die zu einer annehmbaren Deutung führen.

Culler scheint die Institution Literatur für kulturgebunden zu halten, d. h. das literarische System einer Gesellschaft beruht auf konventionellen, veränderbaren Setzungen. Doch worin genau diese Kulturgebundenheit besteht, wie sie sich auf die Produktion und Rezeption von Texten auswirkt, bleibt ähnlich unerforscht wie bei Fish. Dies hängt damit zusammen, daß der Institutionsbegriff auf der Basis eines common-sense-Verständnisses eingeführt wird und keine rigorose Analyse erfährt. Culler schwankt zwischen einer strukturalistischen und einer interaktionistischen Auffassung. Solange die Institution Literatur im wesentlichen als ein Bündel von Normen und Konventionen verstanden wird, die die Rolle des Lesers definieren, liegt ein interaktionistisches Modell vor, das abstrakt bleiben muß. Nicht in den Blick kommt, daß Leser sowie Akte des Lesens und Interpretierens nicht nur durch literarische Konventionen präformiert, sondern gleichzeitig durch materielle Interessen und ideologische Positionen bestimmt werden. Die semiotische Analyse stellt das begriffliche Instrumentarium für eine solche Situierung der Institution Literatur bisher nicht zur Verfügung.

Wenigstens ein Schritt in diese Richtung ist das Projekt einer Semiotik des Lesens, das Culler in dem Aufsatz „Semiotics as a Theory of Reading" (1980/81) entwickelt hat.[25] Er schlägt vor, dem Effekt literarischer Texte nachzugehen, und Interpretationen – besonders widersprüchliche – einer semiotischen Analyse zu unterwerfen. Studiert werden sollen die Operationen, die zu einer bestimmten Deutung führen. In der kritischen Auseinandersetzung mit Jauß räumt Culler ein, daß die Ideologien einer Epoche, also Annahmen über das Verhältnis der Geschlechter, die Ehe und andere soziale Institutionen, bei dem Verstehen des Textes eine gewisse Rolle spielen, aber er argumentiert: „(...) It is easier and more plausible to explain these varying responses as the result of different interpretive operations and the application of different conventions than as the product of different beliefs."[26] Die analytische Unterscheidung von Deutungsstrategien und Ideologien ist fruchtbar, aber sie sollte nicht als ein Gegensatz konstruiert werden. Es kommt vielmehr darauf an zu zeigen, in welcher Weise Ideologien die hermeneutischen Strategien mitbestimmen. Das Lesen ist weniger unschuldig, als die formale Semiotik anzunehmen bereit ist. Mit Recht hebt Culler hervor, daß der Testfall für eine Semiotik des Lesens die Erklärung von Dissens ist, aber diese Aufgabe wird zu eng bestimmt, wenn sie vornehmlich auf die Ebene der operativen Schritte verlegt wird.

Der soziologische Institutionsbegriff

Wir haben nunmehr den Punkt erreicht, wo wir die Richtung angeben können, in die sich die Literaturtheorie bewegen muß, um die Grenzen des rezeptionstheoretischen Modells zu überwinden. Der Hinweis, daß die Beschäftigung mit der Rezeption nicht genüge, daß der Zusammenhang von Produktion und Rezeption zu bewahren sei, ist zwar berechtigt, aber nicht übermäßig fruchtbar. Die Kategorie der Institution scheint mir mehr zu versprechen, da sie die Bedingungen der literarischen Produktion wie Rezeption umschreibt. Der Begriff bedarf freilich noch weiterer Klärung. Die Literaturwissenschaft hat ihn verschiedentlich eingeführt, ohne sich seine Eigenart hinlänglich zu verdeutlichen. Als Harry Levin vor mehr als einer Generation den Begriff gebrauchte, um die Gesellschaftlichkeit von Literatur zu beschreiben, war es seine Absicht, das expressive und mimetische Verständnis von Literatur zu überwinden: Literatur ist nicht etwas, das auf die Gesellschaft bezogen werden muß, sie ist selbst ein soziales Faktum.[27] Daher hört Levins Argumentation auf, wenn er gezeigt hat, daß eine Abbildtheorie der Literatur nicht gerecht werden kann. Es genügt ihm festzuhalten, daß die Literatur im gleichen Maße eine Institution ist wie das Recht oder die Kirche. So bemerkt er: Die Literatur „cherishes a unique phase of human experience and controls a special body of precedents and devices; it tends to incorporate a self-perpetuating discipline, while responding to the main currents of each succeeding period."[28] Das Problematische dieser Formulierung – ob man ihr zustimmt oder nicht – ist: Sie bleibt so allgemein, daß sich neue Einsichten aus ihr nicht ableiten lassen. Der Vergleich mit der Kirche und dem Recht ist aufschlußreich, aber zugleich verwirrend. Was ist gemeint – die Normen oder die Organisation? Der Gebrauch des Institutionsbegriffs bei Culler und Fish ist nicht frei von diesen Problemen. Durch den Ausdruck wird ein vager Zusammenhang zwischen literarischen und gesellschaftlichen Phänomenen hergestellt, ohne daß der sozialwissenschaftliche Gebrauch der Kategorie erläutert wird. Es empfiehlt sich daher, die sozialwissenschaftliche Theorie heranzuziehen, um die Verwendung des Begriffs zu klären und zu verschärfen.

In der neueren sozialwissenschaftlichen Diskussion lassen sich drei Ansätze unterscheiden: (1) der interaktionistische Institutionsbegriff bei Talcott Parsons und seinen Schülern, (2) der materialistische bei Antonio Gramsci und Louis Althusser und (3) der normentheoretische Gebrauch in der Frankfurter Schule.

Der interaktionistische Institutionsbegriff

In der Theorie von Talcott Parsons nimmt der Institutionsbegriff eine entscheidende Stelle ein, und zwar als Verbindungsglied zwischen der Ebene der sozialen Rolle und der Ebene der Subsysteme, aus denen sich das soziale System zusammensetzt. Parsons definiert die Institution in folgender Weise: „An *institution* will be said to be a complex of institutionalized role integrates which is of strategic structural significance in the social system in question."[29] Institutionen entstehen dort, wo Rollenerwartungen, auf denen jede soziale Interaktion beruht, sich so verfestigen, daß sie die Handlungen des Subjekts bestimmen und zugleich legitimieren. Dazu gehört die Internalisierung von Standards, Normen und

Werten, auf die die agierenden Subjekte sich gemeinsam beziehen können. So folgert Parsons: „The institutionalization of a set of role-expec-
tations and of the corresponding sanctions is clearly a matter of degree.
This degree is a function of two sets of variables; on the one hand those
affecting the actual sharedness of the value-orientation patterns, on the
other those determining the motivational orientation or commitment to
the fulfillment of the relevant expectations."[30] Die Funktion solcher Institutionen ist es, die soziale Interaktion innerhalb eines existierenden sozialen Systems zu stabilisieren. Sie tragen mithin entscheidend bei zur Integration der handelnden Subjekte.

Der Begriff der Institution ist bei Parsons deutlich geschieden von materiellen Kollektiven. So differenziert er ausdrücklich zwischen dem
Kollektiv der Kirche und dem Glaubenssystem, das er als eine religiöse
Institution betrachtet. Die Institution ist für Parsons ihrer Natur nach ein
„evaluative phenomenon". Aus der Sicht der Literaturwissenschaft ist
nicht nur diese Abgrenzung wichtig. Aufschlußreich ist auch die Differenzierung von drei Institutionstypen. Parsons unterscheidet relationale,
regulative und kulturelle Institutionen. Die relationalen definieren für
die handelnden Subjekte die reziproken Rollenerwartungen im sozialen
Bereich; die regulativen bestimmen die Legitimität von Interessen; die
kulturellen schließlich determinieren den Bereich der kognitiven Glau-
benssätze (Ideologien), das System der expressiven Symbole (Kunst) und
letztlich den Bereich der individuellen Moral. Die Aufgliederung der Institutionen nach ihrem systematischen Stellenwert hat unübersehbare
Vorteile: Sie erlaubt die Lokalisierung einzelner Institutionen und die
Herstellung von systematischen Bezügen – zum Beispiel im Verhältnis
zwischen Ideologien und expressiven Symbolen. Der Nachteil ist freilich
ebenso wenig zu übersehen. Die Ableitung bleibt bei Parsons im wesentlichen formal und besagt wenig über die tatsächliche Funktion von Institutionen in konkreten historischen Situationen. Der Institutionsbegriff
führt nicht zu objektiven materiellen Strukturen, sondern zu sozialen
Subsystemen, unter denen Parsons Orientierungs- und Handlungssyste-
me versteht, die sich aus subjektiven Leistungen aufbauen.

Der materialistische Institutionsbegriff

Der materialistische Institutionsbegriff unterscheidet sich in mehrfacher
Hinsicht von dem interaktionistischen. Erstens betont er den transsub-
jektiven Charakter von Institutionen, zweitens versucht die marxistische
Theorie dort, wo sie den Begriff der Institution verwendet, ihn mit der
gesellschaftlichen Struktur zu vermitteln. Der ältere Marxismus kannte
die Kategorie der Institution nicht, eingeführt wurde sie, freilich noch
ohne systematische Konsequenz, durch Antonio Gramsci; ausgebaut

wurde sie später vor allem in der Theorie Althussers, der allerdings den Ausdruck nur gelegentlich gebraucht. Im britischen Marxismus hat neuerdings vor allem Raymond Williams, von Gramsci ausgehend, die Kategorie der Institution verwendet. Williams entwickelt seinen Institutionsbegriff im Anschluß an Gramscis Begriff der Hegemonie. Während die herrschende Klasse im Staat einen Machtapparat besitzt, mit dem sie ihre Ziele durch Zwang und Gewalt durchsetzen kann, dient die Hegemonie Gramsci zufolge im Bereich der bürgerlichen Gesellschaft, d. h. im Bereich der kulturellen und politischen Öffentlichkeit dazu, die Vorherrschaft der Klasse indirekt zu sichern. Hegemonie ist mit den Worten von Williams „a whole body of practices and expectations, over the whole of living: our senses and assignments of energy, our shaping perceptions of ourselves and our world. It is a lived system of meanings and values (…).“[31] In dieser Definition kommt freilich der Stellenwert der Hegemonie im Klassenkampf nicht genügend zum Ausdruck. Erst wenn die herrschende Klasse nicht nur den Staatsapparat kontrolliert, sondern gleichzeitig die kulturellen und politischen Institutionen der bürgerlichen Gesellschaft in den Händen hat, ist ihre Position legitimiert und folglich gesichert. Der Klassenkampf spielt sich, wie Gramsci unterstrichen hat, nicht nur im politischen und ökonomischen Bereich ab, sondern gleichermaßen und möglicherweise mit größerer Intensität in der kulturellen Sphäre.[32]

Gramscis Unterscheidung zwischen Staat und Zivilgesellschaft kehrt bei Althusser wieder in der Differenzierung zwischen Staatsapparat und Ideologischem Staatsapparat.[33] Freilich ist Althussers Terminologie mißverständlich, weil sie zu suggerieren scheint, daß diejenigen Phänomene, die unter dem Begriff des Ideologischen Staatsapparats subsumiert werden, tatsächlich Teile des Staates seien. Der systematische Ort dieses Begriffs in Althussers Theorie ist jedoch deutlich. Althusser geht davon aus, daß jede Klasse zur Aufrechterhaltung ihrer Produktionsverhältnisse ihre Produktionsmittel reproduzieren muß, einmal die materiellen Produktionsmittel, ferner aber auch die Arbeitskraft. Die Reproduktion der Arbeitskraft enthält wiederum mehr als die Sorge für die physische Erhaltung der Arbeiter, sie erstreckt sich, wie Althusser unterstreicht, auf die Einübung und Durchsetzung von Gewohnheiten, Einstellungen und Überzeugungen, die für die Durchführung der Produktion unerläßlich sind. Dieser Teil der Reproduktion der Arbeitskraft wird übernommen von Instanzen und Institutionen, die im Überbau angesiedelt sind. Ausdrücklich nennt Althusser die Schule und die Kirche; andere Institutionen wie die Presse, das Theater etc. sind ohne weiteres hinzuzudenken. Die gesellschaftliche Funktion dieser Institutionen besteht darin, „die *Unterwerfung unter die herrschende Ideologie* oder die Beherrschung ihrer ‚Praxis‘ (zu) sichern“.[34] Indem alle Mitglieder der Gesellschaft, diejenigen der herrschenden wie diejenigen der unterworfenen Klasse, die Ideologien und die damit verbundenen Praktiken teilen, sind sie in der Produktion ohne große Schwierigkeiten einzusetzen; sie funktionieren als quasi-verantwortliche Teilnehmer einer akzeptierten Sozialordnung.

Diese Überlegungen zur Reproduktion der Produktivkräfte und Produktionsbedingungen sind deshalb so wichtig für Althusser, weil sie erlauben, die klassische marxistische Topik von Basis und Überbau angemessener zu bestimmen. Staat und Ideologie erweisen sich nicht nur – wie in der traditionellen marxistischen Theorie – als abhängige Größen, sondern gleichzeitig als für die Reproduktion unerläßliche Instanzen, die ihrerseits auf die Basis zurückwirken. Althusser interpretiert die marxistisch-leninistische Staatstheorie so, daß der Kampf der Klassen sich auf die Macht im Staat konzentriert: Die rivalisierenden Klassen versuchen, den Staatsapparat (der nicht mit der Staatsgewalt identisch ist) zu besetzen. Neben den Staatsapparat, der im Normalfall direkt von der herrschenden Klasse kontrolliert wird, treten diejenigen Instanzen, die Althusser mit dem Terminus Ideologische Staatsapparate bezeichnet. „Wir bezeichnen als Ideologische Staatsapparate eine bestimmte Anzahl von Realitäten, die sich dem unmittelbaren Beobachter in Form von unterschiedlichen und spezialisierten Institutionen darbieten."[35] Die von Althusser angeführten Institutionen schließen neben der Schule und der Religion, das Recht, das politische System und kulturelle Institutionen wie Kunst und Literatur ein.

Die hier unter einem Begriff zusammengefaßten Institutionen sind so verschiedenartig, daß man sich fragen muß, ob sie überhaupt eine sinnvolle strukturelle Einheit bilden. Daß sie größtenteils nicht zum Staat gehören, räumt Althusser ein, benutzt jedoch das Argument, daß sie in den Bereich der Zivilgemeinschaft fallen, den Gramsci vom Staatsapparat im engen Sinne unterscheidet. Gemeinsam ist den genannten Institutionen zweierlei: Einmal gehören sie zu der Sphäre, die Jürgen Habermas als die bürgerliche Öffentlichkeit bestimmt hat,[36] ferner haben sie eine identische Funktion. Die Ideologischen Staatsapparate operieren alle durch das Medium ideologischer Praktiken, d.h. durch das Bewußtsein der Subjekte, und nicht durch materielle Gewalt.

Althussers Begriff des Ideologischen Staatsapparates scheint auf den ersten Blick auf eine Reduktion der sozialen Praxis hinauszulaufen, denn der affirmative Zweck dieser Institutionen scheint von vornherein festzustehen. Althussers Theorie gesteht diesen Institutionen jedoch relative Autonomie zu, d.h. sie sind nicht einfach von den Produktionsverhältnissen abzuleiten, sondern bestehen in einem Verhältnis der Interdependenz zu diesen. Folglich haben sie ihre eigene Geschichte. Gleichwohl hält Althusser an einer funktionalen Definition der Institutionen fest: Sie reproduzieren letzten Endes die bestehende gesellschaftliche Formation.

Dieser Theorie fehlt nicht so sehr die Fähigkeit, komplexe gesellschaftliche Situationen zu erklären (dies ist durch die Annahme relativer Autonomie der Ideologischen Staatsapparate formal durchaus möglich), als ein Instrumentarium für die gesellschaftliche Dynamik. Sie beschreibt das tatsächliche Funktionieren der Institutionen in avancierten kapitalistischen Gesellschaften, doch weniger genau die Bedingungen, unter denen Veränderungen eintreten können.

Mit Grund hat Raymond Williams gegen Althusser eingewandt, daß dieser Gramscis Begriff der Hegemonie durch die Kategorie des Ideologischen Staatsapparates zu sehr verengt hat. Die Eigenart hegemonialer Institutionen besteht darin, daß sie nicht direkt zur Klassenherrschaft beitragen, sondern ihren eigenen Prozessen folgen und sich an ihrer immanenten Problematik abarbeiten, bis zu dem Punkt, wo selbst die interne Opposition das gesellschaftliche System im ganzen stabilisieren kann. Dazu bemerkt Williams: „The true condition of hegemony is effective *self-identification* with the hegemonic forms: a specific and internalized ‚socialization‘ which is expected to be positive but which, if that is not possible, will rest on a (resigned) recognition of the inevitable and the necessary."[37] Um die Reduktion des Institutionsbegriffs aufzuheben, schlägt Williams vor, zwischen Institutionen und Formationen zu unterscheiden. Unter Formationen versteht er wissenschaftliche, literarische und philosophische Tendenzen, die die intellektuelle Produktion beeinflussen. Solche Formationen können sich an Institutionen anschließen, sind jedoch nicht mit diesen identisch. Die Formationen stellen spezialisierte Praktiken dar, die sich innerhalb oder am Rande der Institutionen entfalten.

An dieser Stelle wird spätestens deutlich, daß Althusser und Williams den Institutionsbegriff in einer Weise bestimmen, die mit Parsons' Theorie wenig gemein hat. Williams denkt bei Institutionen an Organisationen, während Parsons diese gerade nicht als Institutionen betrachtet. Diese Einstellung geht zurück auf Althussers Theorie (in gewisser Weise auch auf Gramsci), die die Institution mit der Organisation gleichsetzt. Unter dem Begriff der Schule zum Beispiel faßt Althusser sowohl die Lehrinhalte und die Vermittlungsmethoden (Didaktik) als auch die formale Organisation und die materielle Struktur (Gebäude etc.) zusammen. Für ihn besteht die Bedeutung von Institutionen gerade darin, daß sie Ideologie und Praxis verbinden, daß sie auf Grund ihrer formalen Organisation imstande sind, ihre Ideologie in der Form von konkreten Praktiken durchzusetzen. Bei einigen Institutionen, etwa der Religion/ Kirche, liegt diese synthetische Auffassung nahe. Im Falle der Literatur und Kunst dürfte es freilich für die Analyse sinnvoll sein, zwischen der materiellen und formalen Organisation und der ideologischen Formation zu unterscheiden. Löst man die Verbindung jedoch ganz auf und hält sich entweder an den organisatorischen Aspekt oder an den ideologischen, verliert der Institutionsbegriff viel von seiner Erklärungskraft. Vor allem wird dann nicht mehr sichtbar, auf welche Weise sich Ideologien in der Gesellschaft durchsetzen – nämlich als Praktiken. Bei Williams wird zum Beispiel nicht deutlich, wie die Formationen sich zu den Institutionen verhalten. Wie entfalten sich die Formationen im sozialen Prozeß, wie werden sie Teil der Lebenspraxis, wenn angenommen wird, daß sie von den Institutionen (relativ) unabhängig sind?

Für die Literaturtheorie wurde Althussers Ansatz vor allem fruchtbar gemacht durch Pierre Macherey und Renée Balibar. Was bei Williams nur als Programm auftaucht, wird von Balibar und ihren Mitarbeitern konkret untersucht, zum Beispiel in der Arbeit über die Herausbildung der französischen Nationalsprache nach der Revolution von 1789.[38] Freilich haben sich Macherey und Balibar in ihren neuesten Arbeiten von Althussers Literaturbegriff entfernt. Besonders Macherey legt Wert darauf, nicht mehr von *der* Literatur zu sprechen, sondern von konkreten literarischen Praktiken, die in verschiedenen Gesellschaften und verschiedenen Epochen unterschiedliche Gestalt annehmen können. Die Distanzierung von der traditionellen Ästhetik, die bei Althusser noch nicht vollkommen vollzogen ist, schärft den Blick für die institutionellen Aspekte. Macherey schließt in seinen jüngsten Arbeiten vor allem an Althussers Theorie der Ideologischen Staatsapparate an und versteht daher Ideologie als ein System materieller sozialer Praktiken. Folglich besteht die Aufgabe der Literaturwissenschaft nicht mehr darin, die literarische Produktion in ihrer Entstehung zu verfolgen oder sie ästhetisch zu bewerten, ihr Ziel ist vielmehr, die Wirkung literarischer Texte in bestimmten historischen Situationen zu untersuchen, und zwar im Rahmen von Institutionen wie der Schule, der Universität etc. Es handelt sich darum, wie Étienne Balibar und Macherey in der Einleitung zu *Les français fictifs* (1974) darlegen, die marxistische Literaturtheorie so umzuformulieren, daß zwei Problemstellungen klar hervorgehoben werden: einmal der Charakter und der Ausdruck von Klassenpositionen in der Literatur und zum anderen der ideologische Modus von Literatur. Beide Aspekte erweisen sich als wesentlich identisch. In der Wirkung bestimmt sich sowohl der ideologische Modus als auch die Stellung zu den Klassen. Balibar und Macherey definieren Literatur als eine ideologische Form, die sich im Kontext von und durch Ideologische Staatsapparate manifestiert. Die Objektivität der literarischen Produktion ist untrennbar von den sozialen Praktiken innerhalb eines bestimmten Ideologischen Staatsapparates. Wenn hier von literarischer Produktion die Rede ist, ist nicht der einzelne Text oder das individuelle Werk gemeint, vielmehr die soziale Praxis, unter anderem die gemeinsame Sprache, aus der die Literatur ihr Material nimmt und die sie ihrerseits durch literarische Werke bereichert.[39] An die Stelle des idealistischen Literaturbegriffs, der die Autonomie des Kunstwerks unterstreicht, ist hier ein materialistischer Begriff getreten, der sich auf die sozialen Praktiken beruft. Was unter Literatur zu verstehen ist, wird in konkreten gesellschaftlichen Institutionen wie der Schule bestimmt. So betonen Étienne Balibar und Macherey, daß die sprachlichen Praktiken, welche in den Schulen durchgesetzt werden, auf der einen Seite die Ursache für die literarische Produktion bilden, gleichzeitig jedoch ihr Ergebnis sind, insofern diese Produktion von Literatur auf die sprachlichen Konventionen zurückwirkt.[40]

Welche Funktion hat die Literatur als eine ideologische Form? Für Balibar und Macherey – und damit unterscheiden sie sich von Althussers Auffassung – steht die Glättung und scheinbare Lösung ideologischer Widersprüche im Vordergrund. Die tatsächlichen, in konkreten historischen Situationen nicht lösbaren gesellschaftlichen Widersprüche werden so verschoben, daß sich imaginäre Lösungen finden lassen. In dieser Konstellation verkehrt sich die Beziehung zwischen Realität und Literatur: Die Literatur spiegelt nicht die Wirklichkeit, sie schafft vielmehr als eine soziale Praktik einen fiktiven Realitätseffekt. Realismus und Fiktionalität sind mit anderen Worten Begriffe, die durch die Praxis der literarischen Produktion konstituiert werden. Die Institution Literatur, beziehungsweise die verschiedenen Apparate, durch die sie vertreten wird, ist nicht die Summe der vorgefundenen literarischen Texte und ihrer Autoren, sie muß vielmehr verstanden werden als der Ort, wo durch literarische Praktiken Autoren, Texte und Leser überhaupt erst konstituiert werden. Für den Begriff der ästhetischen Autonomie bleibt in dieser Theorie kein Platz. Die Idee des autonomen Kunstwerks erscheint als ein besonderer literarischer Effekt, durch den der ideologische Charakter der literarischen Prozesse verschleiert werden soll.

Halten wir fest: Subjekt und Objekt der Literatur, Autoren, Leser und Texte, werden durch soziale Praktiken generiert. Individuen werden zu literarischen Subjekten (Autoren, Leser) im Zusammenhang von Apparaten. Insofern verwechselt jede empirische Analyse, die sich unmittelbar auf die „Wirklichkeit" bezieht, die Ebenen. Sie hält die ideologische Formation für die Realität. Und auf der anderen Seite übersehen Untersuchungen, die von einem impliziten Leser ausgehen, daß der Text und der in ihm enthaltene implizite Leser nicht einfach etwas Gegebenes sind, sondern durch literarische Praktiken erzeugt worden sind und zur Ideologie gehören, denn der implizite Leser als eine im Text vorgegebene Rolle ist eine der Stellen, in die sich das Individuum als Subjekt einschreibt.

Der Ansatz von Balibar und Macherey verlegt den Nachdruck auf den Aspekt der Wirkung (Effekte). Hier wird der Leser – im Unterschied zu empirischen Rezeptionsstudien – nicht als das Primäre aufgefaßt, sondern als durch den Ideologischen Staatsapparat konstituiertes Subjekt.

Der literarische Effekt kann folglich auf drei Ebenen beschrieben werden, nämlich (1) der Erzeugung der Wirkung unter bestimmten gesellschaftlichen Bedingungen, (2) der Reproduktion der dominanten Ideologie und (3) der Wirkung als eines Herrschaftseffektes. Zu den Wirkungen rechnen Balibar und Macherey schließlich auch die Kritik, d.h. Texte, die sich kommentierend und bewertend mit Literatur beschäftigen. Diesen Texten wird der Status eines Metakommentars freilich ausdrücklich abgesprochen. Sie werden vielmehr als Äußerungen behandelt, die auf der gleichen Ebene stehen wie die Texte, auf die sie sich kommentierend beziehen. Literarische Texte und kritische Kommentare erscheinen somit als Agenten, deren Aufgabe es ist, die herrschende Ideologie zu reproduzieren. Diese Funktion analysiert Renée Balibar in ihrer Untersuchung über den Gebrauch literarischer Texte in der Schule. Die Sprache, die benutzt wird, um literarische Texte auszulegen, zwingt den scheinbar freien Leser, eben die Fragen zu stellen, durch die die herrschende Ideologie fortgeschrieben wird – was interne Differenzen und divergierende Deutungsansätze nicht ausschließt.

Offensichtlich hat diese Theorie keinen Raum für die kritische Funktion von Kunst. Auch und gerade durch ihren ästhetischen Charakter bleiben die literarischen Texte an die Ideologie gebunden. Daß ein Text gegen den Strich gelesen werden kann, daß eine Leseformation (Konvention) durchbrochen werden kann, ist im Rahmen dieses Ansatzes bisher nicht darstellbar. Der Althussersche Ideologiebegriff beschränkt die Funktion der Literatur. Da Balibar und Macherey die Dichotomie von Wissenschaft und Ideologie von Althusser übernehmen, doch Althussers Kunstbegriff (die Kunst steht zwischen Ideologie und Wissenschaft) ablehnen, bleibt die Literatur Teil der Ideologie. Sie kann mit wissenschaftlicher Erkenntnis nicht gleichgesetzt werden und kann daher ihre affirmative Funktion nicht überwinden.

Der Institutionsbegriff in der Kritischen Theorie

Das traditionelle Basis-Überbau-Modell des Marxismus steht immer in der Gefahr, reduktionistisch ausgelegt zu werden. Auch die bekannten Bemerkungen von Engels, daß der Überbau relativ autonom sei und sich die ökonomische Basis nur in letzter Instanz durchsetze, kann diese Schwierigkeit nicht lösen. Das hat in der Kritischen Theorie zunehmend zu der Abwendung von diesem Modell geführt, ohne daß der Begriff der gesellschaftlichen Vermittlung aufgegeben wurde. Sowohl Adorno als auch Habermas bestehen darauf, daß die kulturelle Sphäre Teil des gesamtgesellschaftlichen Prozesses ist. Während Adorno in seiner *Ästhetischen Theorie* im wesentlichen eine Theorie des Kunstwerks vorgelegt hat, bewegen sich die Versuche von Habermas im Anschluß an Herbert

Marcuse und Max Horkheimer eher in Richtung auf eine zusammenhängende Kulturtheorie. Aus ihrem Zusammenhang läßt sich der Institutionsbegriff entwickeln. Auszugehen wäre im Frühwerk von Habermas von der zentralen Kategorie der Öffentlichkeit. Öffentlichkeit wird von Habermas definiert „als (eine) zwischen Gesellschaft und Staat vermittelnde Sphäre, in der sich das Publikum als Träger öffentlicher Meinung bildet".[41] Auf der einen Seite steht der Staatsapparat (Verwaltung, stehendes Heer), auf der anderen die bürgerliche Gesellschaft mit ihrer „Permanenz der Beziehungen, die sich inzwischen mit der Börse und der Presse im Waren- und Nachrichtenverkehr entwickelt hatten".[42] Die Funktion der bürgerlichen Öffentlichkeit, wie sie sich im achtzehnten Jahrhundert konstituiert, ist die Artikulation der öffentlichen Meinung, d.h. die Deliberation über die Kontrolle der staatlichen Macht. „Das Prinzip der Kontrolle, das das bürgerliche Publikum diesem (dem Staat, P.U.H.) entgegensetzt, eben Publizität, will Herrschaft als solche verändern, nicht nur eine Legitimationsgrundlage gegen eine andere auswechseln."[43] Öffentlichkeit ist mehr als die Summe der die öffentliche Meinung tragenden Bürger; sie ist die Sphäre, in der sich die Institutionen ansiedeln, die Althusser als die Ideologischen Staatsapparate bezeichnet – die Presse, die Schule, die Literatur etc. Freilich akzentuiert Habermas anders als Althusser; es liegt ihm daran zu zeigen, daß diese Institutionen historisch ihren Ursprung haben in der Aufgabe, die Macht des absolutistischen Staates zu beschränken und erst im Laufe des späten neunzehnten Jahrhunderts im Zusammenhang mit der Ausbildung des Monopolkapitalismus diejenigen Funktionen übernommen haben, die ihnen Althusser generell zuschreibt.[44]

Obgleich die Ansätze divergieren, ergeben sich in der Einschätzung und Beschreibung kultureller Institutionen bei Althusser und Habermas interessante Parallelen. Maßgebend ist jeweils die prinzipielle Abgrenzung von Staat und Staatsapparat auf der einen Seite und einem Bereich, in dem sich die ideologischen Auseinandersetzungen artikulieren. Unter anderem erscheint die Literatur als eine der Institutionen, in denen sich diese Kämpfe abspielen. Während die Literatur von Althusser nicht besonders hervorgehoben wird und in der Hauptsache als ein Apparat erscheint, den die dominierende Klasse errichtet, um die eigene Herrschaft zu stabilisieren, ist das Verhältnis von Klassenherrschaft und Literatur bei Habermas (der Marcuse und Adorno folgt) komplexer und auch historisch differenzierter. Die literarische Öffentlichkeit steht Habermas zufolge gerade nicht im Dienste der feudalen Klasse oder des absolutistischen Staates, sie ist vielmehr der Raum, in dem das aufsteigende Bürgertum sein moralisch-politisches Selbstbewußtsein entwickelt. Der literarische Diskurs, institutionalisiert als Kunstkritik,[45] bereitet die politische Kritik am Absolutismus vor.

Habermas' Theorie der Öffentlichkeit enthält den Begriff der Institution nicht, doch läßt sich dieser aus den gegebenen Elementen unschwer ableiten. Die Institution Literatur bestimmt sich als ein Teil der Öffentlichkeit. In dem Maße, wie sich die Öffentlichkeit wandelt, verändert sich auch die Struktur der Literatur. Das bedeutet nicht, daß sich die Organisation von individuellen Kunstwerken unmittelbar mit der Öffentlichkeit verändert, es handelt sich vielmehr darum, daß die Struktur der Öffentlichkeit die Bedingungen der literarischen Produktion und Konsumtion determiniert. Die Öffentlichkeit gibt, anders gesprochen, den Rahmen vor, in dem sich literarische Diskurse strukturieren und entfalten. Als Beispiel sei der Unterschied zwischen dem frühen achtzehnten und dem späten neunzehnten Jahrhundert genannt. Während die Literatur beim Übergang von der feudal-absolutistischen zur bürgerlich-liberalen Gesellschaft nach dem Urteil von Habermas die Funktion hat, die psychologische wie soziale Selbstverständigung der neuen Klasse zu fördern, trennt sich unter den Bedingungen der spätbürgerlichen Öffentlichkeit die kritische und die unterhaltende Funktion der Literatur: diese nimmt weitgehend die Gestalt eines Konsumgutes an. Der Markt gewinnt Einfluß auch auf die Qualität der literarischen Produkte. Literatur wird nicht nur formal zur Ware (dadurch, daß sie über den Markt vermittelt wird), sondern auch in ihrem Gehalt. An diesem Beispiel sind die Fundierungsverhältnisse klar abzulesen. Habermas unterstellt, daß letzten Endes die Produktionsverhältnisse die Struktur der Öffentlichkeit bestimmen. (Der Übergang vom liberalen zum Organisierten Kapitalismus im späten neunzehnten Jahrhundert verändert die Struktur der bürgerlichen Öffentlichkeit.) Die Struktur der Öffentlichkeit wiederum bestimmt die Gestalt der Institution Literatur. Und schließlich wirken die Bedingungen, unter denen die Kommunikation über Literatur stattfindet, auf die Struktur der einzelnen literarischen Texte ein. Es wird also zwischen Basis und Überbau bei Habermas eine mehrfache Vermittlung angenommen, gleichzeitig jedoch unterstellt, daß die Stufen des Überbaus überdeterminiert sind. Folglich ist die Institution Literatur als Teil der Öffentlichkeit relativ eigenständig, ihre Geschichte daher auch nicht identisch mit der ökonomischen Evolution der Gesellschaft.

Institution und Literatur

Der sozialwissenschaftliche Institutionsbegriff berücksichtigt in einigen Fällen die Literatur, doch in der Regel nur am Rande, als eine unter mehreren kulturellen Institutionen. Ob er für die Literaturwissenschaft fruchtbar gemacht werden kann, wird davon abhängen, ob es gelingt, die sozialwissenschaftliche Theorie und die Theorie der Literatur kompatibel zu machen. Der erste Schritt besteht darin zu fragen, welcher literaturwissenschaftliche Institutionsbegriff auf welchen sozialwissenschaftlichen Institutionsbegriff abbildbar ist. Danach können wir die Fruchtbarkeit der rivalisierenden Ansätze diskutieren.

Rezeptionstheorie und Semiotik

Sowohl für Stanley Fish als auch für Jonathan Culler ist die Kategorie der Institution Literatur im wesentlichen eine immanente Kategorie, sie bezeichnen mit ihr weniger die Rahmenbedingungen als die Normen und Konventionen selbst, nach denen die Lektüre und die Interpretation von Texten abläuft. Da sie, und ähnliches gilt für den phänomenologischen Ansatz von Wolfgang Iser, in erster Linie an der Literarität der Texte interessiert sind, entzieht sich in ihren Untersuchungen das Verhältnis der Institution Literatur zu anderen Institutionen der Analyse. Freilich enthalten ihre Theorien Voraussetzungen, die die literaturwissenschaftliche Immanenz überschreiten. Es läßt sich meines Erachtens zeigen, daß die Kategorie der Institution bei Fish und Culler gesellschaftstheoretische Prämissen enthält, die den Autoren nicht bewußt werden, da sie sie für selbstverständlich halten. Beide Theoretiker setzen ein interaktionistisches Modell des sozialen Systems voraus, wie es die Theorie von Parsons am vollständigsten entwickelt hat. Zu seinen Elementen gehören, vor allem in Cullers semiotischer Theorie, die handelnden Subjekte, festgelegte und voraussehbare Rollenbezüge, Werte und Verhaltensmuster, durch welche die Subjekte in das soziale System integriert werden. Jedenfalls setzen Fish und Culler im Sinne der interaktionistischen Sozialtheorie voraus, daß die individuellen Subjekte die Träger der Handlungen, zum Beispiel des Schreibens und Lesens, sind, wenn auch im Rahmen des sozialen Systems und seiner Subsysteme, die die Möglichkeiten des Handelns jeweils definieren. Obgleich Culler darauf besteht, daß die Akte der Lektüre nicht individuell isoliert werden dürfen, sondern gerade in ihrer institutionellen Determiniertheit begriffen werden müssen, hält er an einem primären Subjektbegriff fest. Das kommt besonders an den Stellen zum Ausdruck, wo er die Möglichkeit des Konsens und des Dissens behandelt. Die Leser können sich einigen, weil sie sich auf gemeinsame Normen und Konventionen beziehen können; vor allem aber können sie im Falle von Meinungsverschiedenheiten darüber nachdenken, wie es zu divergierenden Auffassungen gekommen ist. Die Subjekte sind, um überhaupt kommunizieren und handeln zu können, auf Konventionen angewiesen, aber sie können sich als autonome Subjekte in einem rationalen Diskurs über die Konventionalität des Lesens verständigen. „If the distinction between understanding and misunderstanding were irrelevant, (...) there would be little point to discussing and arguing about literary works and still less to writing about them."[46] Jenseits der Konventionen, die unsere Lektüre bestimmen, gibt es Culler zufolge einen rationalen Diskurs, in dem man sich über die Richtigkeit und Falschheit von Interpretationen verständigen kann. Mit dieser Voraussetzung, daß ein rationaler Diskurs immer zur Verfügung stehen muß, steht Cullers *Structuralist Poetics* in der Tradition der Aufklärung und damit in der Nachbarschaft von normenorientierten Kommunikationstheorien wie denjenigen von Habermas und Karl Otto Apel.[47]

Im Unterschied zu Culler nimmt Fish an, daß die handelnden Subjekte restlos den Konventionen ihrer Institutionen unterworfen sind. In keiner Situation haben sie die Möglichkeit, aus diesen Strukturen auszubrechen. Aus diesem Grunde ist der literaturkritische Diskurs nicht beweisend, sondern überredend (persuasive). Fish' Subjekte sind Spieler in einem Spiel, aus dem sie nicht ausbrechen können; wenn es ihnen nicht gefällt, können sie allenfalls die Regeln ändern, möglicherweise gegen den Willen anderer Spieler.

Offensichtlich enthalten die Lesertheorien von Fish und Culler nicht mehr als Rudimente einer Sozialtheorie; immerhin lassen sich die Grundmuster erkennen. Der von Fish eingeführte Begriff der Gemeinschaft der Leser (interpretive communities) kann seine Herkunft nicht verleugnen. Das konkrete Vorbild ist die Universität, d.h. die Gemeinschaft der Wissenschaftler, die nach gemeinsam anerkannten Regeln Forschungsprojekte ausführen. Dieses Modell wird stillschweigend auf die ganze Gesellschaft übertragen, mit der Folge, daß diejenigen Strukturelemente, die mit der akademischen Gemeinschaft nicht übereinstimmen, verschwinden. Fish wie auch Culler machen die sozialen Beziehungen am Modell der Kleingruppe (face-to-face-group) fest, in der Widersprüche und Antagonismen im Verfahren der Diskussion zu überwinden sind. Begann die Lesertheorie um 1970 mit der Kritik der traditionellen Hermeneutik, so kommt Fish in dem Aufsatz ,Demonstration vs. Persuasion' (1979/81) zu dem Schluß, daß es im Rahmen der Institution Literatur nach wie vor Texte, Leser und Interpreten gibt. Es hat sich also nichts geändert, nur daß wir nunmehr wissen, warum es so ist, wie es ist. Fish' theoretischer Konventionalismus, der bewußt auf transzendentale Normen verzichtet, kann nur bestätigen, was ohnehin der Fall ist. Das ist nicht wenig, wenn er uns zeigen kann, daß unser herkömmliches Verständnis des Lesens mit unserer Praxis nicht übereinstimmt. Aber, und das ist seine Grenze, er kann der Praxis keine Richtung anweisen. Der Konventionalismus verhält sich gegenüber geschichtlichen Prozessen indifferent. Und das bedeutet: Er unterstützt, wie radikal auch seine Rhetorik sein mag, in letzter Instanz das bestehende „belief system", also den status quo. Die soziale Funktion derjenigen Konventionen und Normen, die den Leser bestimmen, bleibt jenseits des Horizontes einer kritischen Analyse.

Das materialistische Modell

Das interaktionistische Institutionsmodell erreicht seine Grenze dort, wo die Funktion zur Diskussion steht. Die funktionale Einstellung ist in diesem Modell nicht vorgesehen, denn es ist vorausgesetzt, daß die Institution in singulären Subjekten fundiert ist, deren Interaktion die Institution überhaupt erst realisiert. Es sind die individuellen Subjekte, die Normen und Regeln bilden, die Entscheidungen treffen, sich einigen oder verschiedener Meinung sind in bezug auf einen literarischen Text. Legen wir dagegen den Institutionsbegriff zugrunde, wie er von Althusser entwikkelt wurde, ist die Frage nach der Funktion zentral, denn sie gibt die Antwort darauf, wie die Institution Literatur innerhalb der Gesellschaft operiert. Für Althusser und Macherey sind es nicht die Subjekte, die die Apparate konstituieren, sondern die Ideologischen Apparate, durch die die Subjekte konstituiert werden. Insofern sind die Institutionen wie die Schule oder das Recht die entscheidenden Instanzen zwischen der Basis und den Individuen. Für Althusser ist die Institution zweifellos das Primäre. Die Literatur ließe sich folglich mit Macherey und Balibar beschreiben als ein System von Praktiken, Normen und Regeln, durch das die Produktion und die Konsumtion von Texten geregelt wird. Freilich käme es darauf an, diese Normen und Konventionen nicht zu isolieren von den konkreten materiellen Organisationen, die den Apparat ausmachen, der sie gesellschaftlich durchsetzen kann. In diesem Sinne hat Brecht das bürgerliche Theater des frühen zwanzigsten Jahrhunderts als einen Apparat beschrieben, der die bürgerliche Ideologie vermittelt, was auch immer auf der Bühne gespielt wird.[48] Ähnlich hat Walter Benjamin in dem Essay ‚Der Autor als Produzent' argumentiert, daß eine wirkliche Veränderung der Literatur nicht durch neue Dramen und Romane erreicht wird, vielmehr nur dann, wenn die Produktionsmittel nicht mehr in den Händen der bürgerlichen Klasse sind.[49]

Die in Althussers Theorie vorgenommene Zusammenfassung von Apparat und Ideologie im Begriff der Institution hat neben den genannten Vorteilen auch Nachteile. Es fehlt eine präzise Differenzierung zwischen *Apparat* und *Institutionalisierung*. Es scheint mir vorteilhaft zu sein, die Institutionalisierung nicht mit dem Apparat (Organisation) gleichzusetzen. So wäre die Religion als Glaubenssystem von der kirchlichen Organisation zu trennen. Entsprechend wäre es aus analytischen Gründen wahrscheinlich sinnvoll, zwischen der Institutionalisierung der Literatur als einem System und ihrem Apparat zu unterscheiden. Im Falle der Institution Literatur dürfte es übrigens schwieriger sein, die Organisation zu beschreiben als die Institutionalisierung, denn die Organisation ist keinesfalls gleichzusetzen mit konkreten Einrichtungen wie dem Verlagswesen, dem Buchhandel, der Presse etc., wie dies gelegentlich behauptet worden ist. Unter der Organisation wäre vielmehr die Weise zu verstehen, wie Literatur gesellschaftlich reguliert wird. Dies geschieht in der bürgerlich-kapitalistischen Gesellschaft beispielsweise über den Markt. Die Organisation bleibt auf die Produktionsverhältnisse bezogen, während die Institutionalisierung im Bereich der ideologischen Praktiken erfolgt, die den betroffenen Subjekten nahelegen, wie Werke und Gattungen zu verstehen und zu gebrauchen sind.

Auf der Ebene der Organisation würden dann im einzelnen Einrichtungen wie der Buchhandel, das Bibliothekswesen etc. zu untersuchen sein, auf der Ebene der Institutionalisierung Instanzen wie Kritik, Literaturgeschichte, Ästhetik etc. Wir werden annehmen, daß zwischen der Institutionalisierung und der Organisation ein Zusammenhang besteht, wenn auch nicht notwendig ein mechanischer: Die beispielsweise in der kapitalistischen Gesellschaft dominierende Vermittlung der literarischen Werke über den Markt, durch den sie formal zur Ware werden, bestimmt gleichzeitig den Rahmen der Institutionalisierung, jedoch nicht so, daß jeder ihrer Aspekte dadurch festgelegt wird. Instanzen wie Literaturkritik oder Literaturgeschichte haben auch ihre eigene Geschichte. Ein Ansatz, der ausschließlich die Organisation in Betracht zieht und von dort mechanisch auf die Gestaltung der individuellen Texte schließt, wie dies in der Warenästhetik der Fall war, vernachlässigt die Transmission durch die Institutionalisierung, wie umgekehrt ein Ansatz, der primär von den Konventionen und Normen ausgeht und sie als die allein determinierenden Instanzen ansieht, für den Apparat keinen Platz läßt und die Kategorie der Institution entsprechend verkürzt.

Das Modell der Kritischen Theorie

Die Möglichkeiten und Grenzen einer Theorie, die den Nachdruck auf die *Kunstauffassung* legt, wäre vor allem im Anschluß an Habermas' Theorie zu untersuchen, obgleich Habermas versucht, die Kategorie der Öffentlichkeit (und damit auch der Literatur) in den Produktionsverhältnissen zu fundieren. Dieser Ansatz könnte sich Peter Bürgers Definition zu eigen machen, die unter der Institution Kunst „die in einer Gesellschaft (bzw. in einzelnen Klassen/Schichten) geltenden allgemeinen Vorstellungen über Kunst (Funktionsbestimmungen) in ihrer sozialen Bedingtheit" versteht.[50] In dieser Begriffsbestimmung wird die Institution Kunst gleichgesetzt mit der dominierenden Kunstauffassung einer Klasse, beziehungsweise einer Schicht oder Gruppe. Die allgemeinen Vorstellungen determinieren die Produktion wie auch die Rezeption der einzelnen Werke. Daher hat die Institution genetisch wie logisch die Priorität gegenüber dem individuellen Kunstwerk. „Die Ausdifferenzierung der Funktionsbestimmungen erfolgt, vermittelt über ästhetische Normen, auf der Produzentenseite durch das *künstlerische Material,* auf der Rezipientenseite durch die Festlegung von *Rezeptionshaltungen.*"[51] In dem Maße, wie die Kunstauffassung sich ändert, wird sich in Bürgers Theorie auch die Herstellung wie der Umgang mit Kunstwerken ändern.

Bürgers Definition nähert sich einer interaktionistischen Auffassung, wie wir sie bei Fish und Culler gefunden haben: Die Kategorie der Institution wird an immateriellen Vorstellungen festgemacht, nicht am Begriff des Apparats. Doch auch die Unterschiede sind nicht zu übersehen. Bürgers Ansatz bewegt sich von vornherein auf einer höheren Ebene der Abstraktion: Es sind nicht die Normen und Konventionen, die die Institution ausmachen, sondern *generelle Vorstellungen über die Funktion* von Kunst oder Literatur. Das aber heißt: die Konventionen erscheinen nicht einfach als ein *factum brutum,* sie werden vielmehr aus einer generellen Funktionsbestimmung abgeleitet. Das klassische Beispiel für eine solche generalisierte Vorstellung ist die Kategorie der ästhetischen Autonomie, die Bürger zufolge die Kunstproduktion wie auch -rezeption seit dem späten achtzehnten Jahrhundert reguliert. Der Autonomiebegriff (auf der Ebene der Institution und nicht des einzelnen Werkes) impliziert die Herauslösung der Kunst aus den sozialen Lebensbezügen; für die Kunst wird ein Bereich geschaffen, in dem zweckrationales Denken keine Anwendung findet. Ob diese Annahme historisch zutrifft, ob die literarische Produktion während des neunzehnten Jahrhunderts tatsächlich durch die Kategorie der Autonomie ausschließlich oder hauptsächlich bestimmt wurde, sei in diesem Zusammenhang dahingestellt. Für die grundsätzliche Argumentation ist vielmehr entscheidend, daß es jeweils eine *hegemoniale Kategorie* gibt, durch die die Einstellung der an der Literatur beteiligten Subjekte festgelegt wird. Nimmt man mit Bürger an, daß zwischen dem ausgehenden achtzehnten Jahrhundert und dem Dadaismus in Deutschland die Ästhetik des autonomen Kunstwerks die herrschende ist, dann folgt daraus, daß divergierende oder rivalisierende Anschauungen sich mit der Autonomieästhetik auseinandersetzen mußten. Ihre Eigenart ist, anders gesprochen, nur vor dem Hintergrund der hegemonialen Anschauung zu verstehen.

Der Vorteil einer funktionalen Auffassung der Institution Literatur gegenüber einer interaktionistischen liegt auf der Hand: Die Theorie bleibt nicht bei Gruppen und „reader communities" stehen, sondern orientiert sich am Begriff von gesamtgesellschaftlichen Funktionen. Von dort her werden die Normen und Konventionen abgeleitet, die die literarische Produktion und Rezeption gestalten. Dieser Ansatz ist nicht auf den Begriff des individuellen Subjekts angewiesen, er kann vielmehr unterstellen, daß die einzelnen Subjekte über das Kollektiv einer Klasse oder Gruppe an den generellen Anschauungen teilnehmen. Ferner erlaubt ein funktionales Modell die Erklärung historischer Prozesse jenseits ihrer bloßen Beschreibung.

Der letzte Punkt bedarf der Erläuterung. Bürgers Modell kann historische Prozesse freilich nur dann erklären, wenn es zusätzliche Annahmen über den Verlauf gesellschaftlicher Prozesse macht. Dies gilt besonders für den Zusammenhang zwischen der Institution Kunst und der gesellschaftlichen Formation. Ein solcher Zusammenhang kann gestiftet werden auf der Ebene der handelnden kollektiven Subjekte – z. B. der Zusammenhang zwischen dem aufsteigenden Bürgertum und der Autonomieästhetik. Er ließe sich ebenfalls herstellen auf der Ebene der Produktionsverhältnisse – etwa zwischen der Durchsetzung des Warenmarktes (Kapitalismus) und der Herauslösung der Institution Kunst. Ferner wäre es möglich anzunehmen, daß die Institution Kunst ihre eigene Dynamik hat und auf Anstöße von außen nicht angewiesen ist.

Bürger greift bei der Entfaltung seiner Theorie auf jeden dieser Erklärungstypen zurück, favorisiert jedoch aus Gründen, die noch zu behandeln sind, die Hypothese, daß die Institution ihre eigene Dynamik hat. So nimmt er in der *Theorie der Avantgarde* an, daß die Autonomieästhetik gemäß ihrer eigenen Logik in ihrer letzten Phase über sich selbst hinausweist und im Surrealismus das Stadium ihrer Selbstkritik erreicht. „Die Totalität des Prozesses der Entwicklung der Kunst wird erst im Stadium der Selbstkritik deutlich. Erst nachdem die Kunst sich tatsächlich gänzlich aus allen lebenspraktischen Beziehungen herausgelöst hat, wird die fortschreitende Herauslösung der Kunst aus lebenspraktischen Kontexten und die damit einhergehende Herausdifferenzierung eines besonderen Bereichs der Erfahrung (eben der ästhetischen) als Entwicklungsprinzip der Kunst in der bürgerlichen Gesellschaft erkennbar."[52] Ausdrücklich lehnt Bürger hier die Stiftung eines direkten Zusammenhangs zwischen Gesellschaftsformation und der Kategorie der Institution Kunst ab und fordert statt dessen die Untersuchung der Entwicklung von Teilen des sozialen Systems, die jeweils ihre eigene Logik haben und sich folglich auch ungleichzeitig zu anderen Teilsystemen verhalten. Durch diese Umformulierung des Problems weicht Bürger der Frage aus, wie sich die Institution Kunst zur gesellschaftlichen Struktur verhält (vermittelt über welche Instanzen) und wie die Evolution der Institution Kunst spezifisch auf die Evolution des sozialen Systems zu beziehen ist.

In einer späteren Reflexion über das Problem der Institutionalisierung (1979) ist Bürger vorsichtiger bei der Annahme einer durchgehenden Eigendynamik und greift entsprechend bei der Diskussion auf kausale Fundierungsmodelle zurück.[53] Bei dem Versuch, den Unterschied zwischen der Institutionalisierung von Kunst in einer höfisch-feudalen und einer bürgerlichen Gesellschaft zu erklären, rekurriert er nunmehr auf den Begriff der Klasse (Adel-Bürgertum), aber auch auf den der Produktionsverhältnisse (Warenproduktion-kapitalistischer Markt-Kommerzialisierung der Literatur). Dieses Wechseln des Bezugsrahmens – zu dem noch als eine dritte Strategie die Begriffe der Modernisierung und der Rationalisierung hinzukommen – zeigt die Schwierigkeiten an, mit denen eine funktional argumentierende Theorie zu rechnen hat.

Während Bürger in seinem ersten Theorieentwurf die Institution Kunst noch definiert hat sowohl als den „kunstproduzierende(n) und -distribuierende(n) Apparat als auch die zu einer gegebenen Epoche herrschenden Vorstellungen über Kunst",[54] wird der Apparat später als ein bloß empirisches Element ausdrücklich ausgeschlossen. Die Folge ist, daß die Institution Kunst gleichgesetzt wird mit den Vorstellungen über die Funktion. Die Vorstellungen über den Zweck der Kunst (dazu können solche gehören, die ihre Zwecklosigkeit behaupten) sind sicher ein wichtiges Moment der Institution, sie sollten jedoch nicht mit der Institution verwechselt werden. Das Selbstverständnis einer Klasse wird den Inhalt der ästhetischen Normen und Konventionen bestimmen, darf aber nicht als die Institution selbst ausgegeben werden. Diese schließt, wie Bürger 1974 mit Recht betonte, den Apparat ein. Die Ausklammerung des Apparats – und damit der sozialen Praktiken – verschärft das Problem der materiellen Fundierung, um das sich Bürgers Theorie bemüht. Es ist der Punkt, an dem der geheime Idealismus des funktionalen Ansatzes offenbar wird. Während er sich mit Recht gegen die Gleichsetzung von Institutionalisierung und empirischen Instanzen zur Wehr setzt, weil dadurch der funktionale Gesichtspunkt nicht zu begreifen ist, behandelt er mit Unrecht den Apparat als eine bloß empirische Instanz. Der Idealismus von Bürgers Theorie ist begründet in der Furcht vor einer reduktionistischen Argumentation. Durch den Begriff der Norm versucht Bürger das Problem der Fundierung zu lösen: Die Norm vermittelt zwischen dem Einzelwerk, der Institution Kunst und dem gesellschaftlichen System. Dieser Lösungsvorschlag nähert sich dem interaktionistischen Modell insofern, als er über den Begriff des Subjekts (wenn auch stillschweigend) die Beziehung zwischen dem sozialen und dem ästhetischen Bereich herstellt. Die Normen werden im Bewußtsein der vergesellschafteten Subjekte vermittelt: als moralische verweisen sie auf die Gesellschaft (regulieren sie), als ästhetische werden sie angewandt im Bereich der Kunst. Sind die ästhetischen Normen aus den sozialen ableitbar, dann läßt sich die Beziehung zwischen der Institution Kunst und der Gesellschaft als die Anwendung von bekannten Normen auf einen besonderen Bereich beschreiben. Diese Strategie benutzt Bürger bei der Darstellung der Institutionalisierung der Kunst im siebzehnten Jahrhundert. „In der höfisch-feudalen Gesellschaft gehen die ästhetischen Normen entweder unmittelbar auf soziale Normen zurück (man denke an die *biense-ances* und an die Ständeklausel), oder sie treten doch mittelbar in den Dienst gesellschaftlicher Interessen (dies wäre an den dramatischen Einheiten zu zeigen). Die ästhetischen Normen vermitteln den Gehalt des Einzelwerkes mit den herrschenden sozialen Normen und sichern dessen relative Konformität."[55] Dagegen, so nimmt Bürger an, sind in der bürgerlichen Gesellschaft die sozialen Normen nicht mehr direkt in ästhetische zu übersetzen, da durch die Autonomieästhetik der Gehalt des Kunstwerks von der sozialen Sphäre abgekoppelt wird. Was freilich nichts daran ändert, daß auch hier, vermittelt freilich über mehrere Instanzen, ästhetische und soziale Normen aufeinander bezogen werden – zum Beispiel in der Problematisierung sozialer Normen im Gehalt des Kunstwerks, um den Autor und seine Leser zu humanisieren.

Wird die Definition des Institutionsbegriffs revidiert in dem Sinne, daß der immaterielle Charakter hervorgehoben wird (Kunstanschauung und deren soziale Funktion), dann ist eine Veränderung des Subjektbegriffes impliziert. Die normentheoretische Orientierung führt entweder zu einem kollektiven Subjekt (Klasse oder Gruppe) als dem Träger der Institution oder zu einem individuellen Subjektbegriff (das Publikum als die Menge von Subjekten). Jedenfalls geht die Priorität der Institution verloren. Damit wäre der Unterschied zu Althussers Begriff der Institution angegeben, der vom Apparat ausgeht und das, was das normentheoretische Modell die Institution nennt, als die Ideologie des Apparats auffaßt.

Sowohl eine Theorie, die von sozialen und literarischen Normen ausgeht, als auch eine Theorie, die den Begriff des Apparats in den Mittelpunkt stellt, ist mit bestimmten Problemen belastet. Während Althussers Ansatz sehr wohl imstande ist zu zeigen, wie die Institution Literatur in der Gesellschaft funktioniert, so bleibt diese Bestimmung doch pauschal und undifferenziert gegenüber anderen kulturellen Institutionen. Die Spezifität literarischer Praktiken, die ein semiotischer (Culler) und normentheoretischer (Bürger) Ansatz genau artikuliert, wird nicht hinreichend erfaßt. Das normentheoretisch-funktionale Modell ist entschieden besser ausgerüstet, mit diesen Fragen umzugehen. Seine Problematik besteht dagegen darin, daß es entweder diese Normen als autonom behandelt und ihnen dann eine eigene Geschichte zuschreibt, aus der dann die Geschichte der Institution abzuleiten ist, oder nach Vermittlungen suchen muß, um die Normen und Werte gesellschaftlich zu fundieren. Dieser Lösungsversuch führt dann leicht zu einem interaktionistischen Ansatz zurück. Werden die Normen aus Trägergruppen abgeleitet, partikularisiert sich der Institutionsbegriff und schwächt damit den Wert der Kategorie für die Beschreibung literarischer Strukturen und Prozesse entschieden ab. Wir wären wieder bei den Lesergemeinschaften des Konventionalismus. Eine Theorie aber, die die Institution Literatur nicht

gesamtgesellschaftlich erklären kann (Funktion in bezug auf das gesellschaftliche Ganze), ist nur von begrenztem Wert, sie enthält jedenfalls
kein Modell für die Rekonstruktion der Literaturgeschichte.

Auf dem Wege zur Institutionstheorie

Abschließend müssen wir uns fragen, welche Anforderungen an eine ad-
äquate Institutionstheorie zu stellen sind. Zunächst wird man erwarten
müssen, daß die Institution Literatur sich kategorisch unterscheidet von
der Form und dem Gehalt der individuellen Werke. Sie hat es nicht (unmittelbar) mit der Analyse von Texten zu tun und auch nicht mit der Entstehung und Dissemination von individuellen Werken, sondern mit den
Bedingungen, unter denen das Schreiben und Lesen stattfindet. Diesen
Unterschied haben unabhängig voneinander Culler und Bürger hervorgehoben. Man wird ferner von einer Theorie der Institution erwarten,
daß sie diese Rahmenbedingungen systematisch behandelt. Sprechen wir
von Konventionen und Normen, so sind nicht die einzelnen Züge, sondern ihr System zu erfassen. Drittens wird man die Besonderheit der Institution Literatur im Vergleich mit anderen kulturellen und sozialen Institutionen erläutern müssen, d. h. ihre spezifische Signifikanz und
Funktion innerhalb der Gesellschaft zu erklären haben. Und schließlich
ist die historische Spezifität zu berücksichtigen, nämlich einmal die Unterschiede zwischen verschiedenen geschichtlichen Epochen und Gesell-
schaftsformationen und ferner die Frage der Evolution der Institution
Literatur selbst.

Gemessen an diesen Fragestellungen, gibt es bisher, soweit ich sehe,
keine Theorie, die allen Anforderungen gerecht wird. Offensichtlich ist
der Konventionalismus nicht befriedigend – weder systematisch noch historisch. Ein semiotisches Modell, wie Culler es vorgeschlagen hat, ist
dem Ansatz von Fish bereits überlegen. Freilich ist in diesem Modell der
gesamtgesellschaftliche Stellenwert der Literatur nicht genügend berücksichtigt. Überschaut man die bisherige Diskussion, scheint mir ein
materialistischer Ansatz, der von der Funktion ausgeht, am aussichts-
reichsten zu sein. Hier ist an die Untersuchungen der Kritischen Theorie, namentlich Walter Benjamins, anzuknüpfen, gleichzeitig aber sind
die Überlegungen Althussers und seiner Schule zu berücksichtigen. Es
ging Benjamin bekanntlich darum, die Veränderungen der Kunst- und
Literaturgeschichte im ausgehenden neunzehnten Jahrhundert als einen
grundlegenden Wandel der Funktion und der Fundierung zu erklären.[56]
Ausgehend von der Reproduktion argumentiert Benjamin, daß sich der
Stellenwert der Kunst im Zusammenhang mit der technischen Reproduzierbarkeit wandelt. So verändert sich, wie Benjamin erläutert, im späten

neunzehnten Jahrhundert die Fundierung, die Existenz und die Rezeption von Kunstwerken. An die Stelle der kultischen Fundierung tritt die politische, an die Stelle der Einmaligkeit (Aura) tritt die Massenhaftigkeit und an die Stelle der individuellen Rezeption tritt die kollektive Aufnahme, die nicht mehr die Versenkung in den Gegenstand kennt, sondern eine zerstreute ist. Das strategisch Entscheidende dieses Ansatzes ist nicht die problematische Periodisierung und die umstrittene Begründung der strukturellen Veränderung der Institution durch die veränderten Reproduktionsverfahren, sondern vielmehr die Konzeption eines Modells, in dem die Veränderung von Form und Gehalt festgemacht wird an der Veränderung der Funktion. Auch wenn man Benjamin in der Erklärung der literarischen Evolution nicht folgt, bleibt die Möglichkeit, sein Modell für die Theorie der Institution fruchtbar zu machen.

Dies war die Leistung von Peter Bürger, der Adornos und Habermas' Kritik an Benjamin übernahm, aber an der Unterscheidung von genereller Funktion von Kunst – für die er den Begriff der Institution gebraucht – und individuellem Gebrauch (gegen Adorno) festhielt. Seine Theorie, die offensichtlich von einem am frühen Marx orientierten ideologiekritischen Begriff von Kunst geleitet wird, kritisiert an Benjamins Modell die mangelnde Einsicht in die Funktion von Kunst in der bürgerlichen Gesellschaft.[57] Sie unterstreicht die Emanzipation vom religiösen Ritual, die sich seit der Renaissance vollzogen hat. Während Benjamin annimmt, daß sich der Funktionswandel gleichsam hinter dem Rücken der Produzenten und Rezipienten abspielt, hebt Bürger die Rolle des Bewußtseins und der Intention des Künstlers hervor: „Der Verlust der Aura ist hier nicht auf eine Veränderung der Reproduktionstechniken zurückgeführt, sondern auf eine Intention der Kunstproduzenten."[58] Damit verschiebt sich das Schwergewicht des Arguments in Richtung des Überbaus (Normen, Ideologie). Bürger ist überzeugt, daß eine Begründung des funktionalen Wandels aus den Widersprüchen zwischen den Produktivkräften und den Produktionsverhältnissen nicht möglich ist. Statt dessen möchte er die Erklärung des funktionalen Wandels auf die Ebene der Institution verlegen und sie als Differenzierung innerhalb der literarischen Produktion beschreiben (Ausdifferenzierung des Teilsystems Kunst). Mit Recht hat bereits Bernhard Zimmermann dagegen eingewandt, daß diese Verlagerung das von Benjamin gestellte Problem nicht ohne weiteres löst. „Statt Periodisierungen nur im Bereich der Institution Kunst aufzusuchen, hätte eine polyperspektivische historische Arbeitsweise die Frage zu klären, in welcher Weise der Wandel der Institution Kunst die Bedingungen künstlerischer Gestaltung verändert und in welcher Form die künstlerische Produktion den Wandel der Institution Kunst reflektiert und provoziert."[59] Die berechtigte Kritik an Benjamins Periodisierung darf nicht dazu führen, den Funktionswandel auf die Ausdifferenzierung der Kunst als eines Teilsystems zu beschränken, ohne die weitere Frage zu stellen, wozu diese Isolierung eines Teilsystems im Rahmen des gesamten Systems gut ist. Auf einer Metaebene stellt sich dann die Frage nach der Funktion der Funktion.

Benjamins Theorie versucht, die Evolution der Kunst und Literatur durch die Veränderung ihres gesellschaftlichen Gebrauchs zu erklären. Die Frage nach dem Stellenwert, wie immer man Benjamins Antwort einschätzen mag, eröffnet den Blick auf die sozialen Praktiken und die Anschauungen wie Formen, in denen diese Tätigkeiten organisiert sind. Die Institution Literatur stellt sich dann als eine Struktur dar, deren Elemente interdependent sind. Dabei müssen *variable Zuordnungen* unter den Elementen angenommen werden, z. B. stärkere und schwächere Zusammenhänge. Die Isolierung eines einzelnen Elementes mit der Absicht, es hierarchisch zum entscheidenden zu erklären, hätte zur Folge, daß die Institution entweder idealistisch abstrakt oder materialistisch mechanisch reduziert wird. Die Historizität des Institutionsbegriffs kann keineswegs nur als ein äußeres Moment angesehen werden (nach dem Schema: es ist zu berücksichtigen, daß die Literatur im achtzehnten Jahrhundert anders institutionalisiert ist als im zwanzigsten). Die Geschichtlichkeit der Kategorie besagt vielmehr, daß sie ihren Ursprung im historischen Prozeß hat und ihre Existenz nicht außerhalb der Geschichte zu denken ist. Insofern ist es nicht unproblematisch anzunehmen, daß sie zu jeder Zeit einen Inhalt hat. Es ist kein Zufall, daß die Diskussion über den Institutionsbegriff sich an der modernen Literatur (achtzehntes bis zwanzigstes Jahrhundert) entfaltet hat. Im Zusammenhang mit der Autonomieästhetik wird die Institution gleichsam erst sichtbar. Ob die Anwendung auf mittelalterliche Verhältnisse sinnvoll ist, scheint mir eine legitime Frage zu sein. Man braucht nicht einmal mit Benjamin und Bürger anzunehmen, daß die Kunst im Mittelalter vornehmlich Kultobjekt und daher Teil des Rituals ist, um sich zu fragen, ob und wie weit in dieser Epoche die Institutionen Religion und Kunst zu trennen sind.

Am Schluß sind einige Fragen aufzuwerfen, die sich mit der inneren Struktur des Institutionsbegriffes beschäftigen. Sowohl das semiotische Modell Cullers als auch der normentheoretische Ansatz Bürgers arbeiten mit der Hypothese, daß die Institution Literatur jeweils eine Einheit darstellt, die alle Texte und Lektüren subsumiert. Abgesehen von der Möglichkeit, analytisch zwischen der Institutionalisierung und der Organisation (Apparat) zu unterscheiden, erhebt sich die Frage, ob und in welchem Maße die Institution in Subinstitutionen zerfällt, die jeweils ihre eigene Dynamik haben. Wie verhalten sich ferner die Kollektive, d. h. die sozialen Klassen und Gruppen zur Institution Literatur? Müssen wir annehmen, daß die Institution jeweils in der Hand einer Klasse ist, oder aber daß rivalisierende Klassen jeweils eigene Institutionen entwickeln?

Eine sozialgeschichtliche Ableitung der Institution Literatur von Trägerschichten (Klassen oder Gruppen) könnte diese Hypothese favorisieren. Es wäre beispielsweise möglich, für die sich seit dem neunzehnten Jahrhundert konstituierende Arbeiterliteratur eine eigene klassengebundene Institution anzusetzen. Gerade dieses Beispiel aber zeigt, daß diese Annahme nicht sinnvoll ist. Zwar unterscheidet sich die proletarische Literatur nach Form und Inhalt von der bürgerlichen und richtet sich sicher auch an ein anderes Publikum, doch partizipieren ihre Gattungen, Konventionen etc. zweifellos an einem Begriff von Literatur, der auch die bürgerliche einschließt. Daher wäre es fruchtbarer, innerhalb der gesamtgesellschaftlich verankerten Institution Literatur die Existenz von widersprüchlichen Tendenzen anzunehmen. Das Verhältnis zwischen bürgerlicher und proletarischer Literatur ließe sich auf der Ebene der Institution als Rivalität beschreiben: Die neue Klasse kämpft auch mit literarischen Mitteln um ihre Anerkennung und Gleichstellung, während die bürgerliche ihre Hegemonie durch die Unterdrückung und Denunzierung gegensätzlicher Auffassungen und Praktiken unterstreicht. In ähnlicher Weise ließe sich auch die Institutionalisierung des frühen achtzehnten Jahrhunderts als Rivalität zwischen der höfischen und der „bürgerlichen" Konzeption begreifen, bis die neue Konzeption sich um 1770 durchgesetzt hat und nunmehr die dominante geworden ist.

Die Institution Literatur ist nicht mit einer Klasse identisch, aber sie kann von einer Klasse beherrscht werden. Eben dies drückt Althusser aus, wenn er von einem ideologischen Apparat spricht, dessen Funktion es ist, die Reproduktion der Produktionsverhältnisse zu gewährleisten. Für Althusser ist der Normalfall, daß eine Klasse die kulturellen Institutionen kontrolliert; literaturgeschichtlich bedeutsamer sind freilich gerade die Wendepunkte, wo die Führung von einer Klasse an die andere übergeht. Diese Wendepunkte brauchen indessen nicht mit den Markierungen der politischen oder ökonomischen Geschichte übereinzustimmen. Der „Verbürgerlichung" der deutschen Literatur im achtzehnten Jahrhundert entspricht bekanntlich noch nicht die Verbürgerlichung der Produktionsverhältnisse (Kapitalismus) und keinesfalls die Erreichung der politischen Herrschaft der Bourgeoisie. Folglich ist es vorteilhaft, den Begriff der Institution nicht schichtenspezifisch aufzulösen, wie Bürger dies für die französische Literatur des siebzehnten Jahrhunderts vorschlägt. In der Auseinandersetzung der Klassen, in denen kulturelle Antagonismen eine wichtige Rolle spielen, kommt es darauf an, die strategisch entscheidenden Positionen zu besetzen. Wer die Entscheidung darüber trifft, was geschrieben, gedruckt und gelesen werden darf, kontrolliert weitgehend das Bewußtsein des Publikums. Die literarische Zensur gehört zu den offensichtlichen Herrschaftsinstrumenten.

Die systematische Analyse von Klassenkämpfen in der Institution Literatur kann bei der Beschreibung einzelner Phänomene freilich nicht stehen bleiben. In diesem Zusammenhang ist die Frage nach der Ausdifferenzierung der Institution bedeutsam. In welchem Maße bilden sich *Subinstitutionen*, die als Kontrollinstanzen wirksam werden können? Seit dem achtzehnten Jahrhundert ist die Literaturkritik eine solche Instanz – eine Institution innerhalb der Institution. Da ihr im Rahmen der Öffentlichkeit die Aufgabe übertragen ist, die Regeln für die Bewertung literarischer Texte zu generieren und sie gleichzeitig anzuwenden, hat sie strategisch eine zentrale Position inne. An der Stellung des Kritikers in der literarischen Öffentlichkeit ist abzulesen, daß das Kunsturteil, obschon der Kritiker Privatperson ist, mehr enthält als eine private Meinungsäußerung. Hinter ihm steht die Autorität der Institution und der Klasse, die diese Institution besetzt.

Im neunzehnten Jahrhundert tritt neben die Institution der Kritik die Literaturgeschichte. Wiederum handelt es sich um mehr als um die Produktion einer bestimmten Textsorte. Der rapide Aufstieg der Literaturgeschichte im frühen neunzehnten Jahrhundert erschließt sich erst, wenn man ihre Funktion untersucht. Jenseits der vorgeblichen Aufgabe, die Evolution einer Nationalliteratur zu beschreiben, ist ihr Zweck, die *literarische Tradition* abzusichern. In diesem Zusammenhang ist die Selektion der wichtigen Autoren und die Erklärung der Filiation von strategischer Bedeutung. Die Kanonisierung der vergangenen Literatur sondert sich von der Literaturkritik ab und entwickelt sich zu einer selbständigen Institution. Diese neue Subinstitution schafft sich im Rahmen der Universität ihren eigenen Apparat. Dadurch rückt sie übrigens näher an den Staatsapparat heran als die Literaturkritik, denn die Universität ist, wenigstens in Deutschland, staatlich kontrolliert. Der Staat kann zum Beispiel über die Besetzung von Lehrstühlen die Methode und die Inhalte der Literaturgeschichte indirekt beeinflussen.

Literarische Normen und Konventionen sind ein wichtiges Element der Institution Literatur. Folglich wird man sich fragen müssen, in welcher Weise sie institutionell verankert wird. Gibt es, mit anderen Worten, eine Instanz, die für die Literaturtheorie zuständig ist? Während die literaturtheoretische Arbeit im achtzehnten und noch im frühen neunzehnten Jahrhundert weitgehend Hand in Hand geht mit der kritischen (wenn man einmal von der universitätsgebundenen allgemeinen Ästhetik absieht), absorbiert seit dem ausgehenden neunzehnten Jahrhundert die akademische Literaturgeschichte als Literaturwissenschaft mehr und mehr die theoretische Arbeit (Positivismus). Sie beherrscht zumindest die permanente professionelle Reflexion darüber, worin Literarität besteht und wie Literatur in der Gesellschaft wirksam ist. Nicht nur die literarische Tradition wird heute weitgehend durch die Universität und die Schule vermittelt, sondern ebenfalls die Vorstellungen über die Funktion

der Literatur, denn die literarische Intelligenz wird zum guten Teil an
den Universitäten ausgebildet.

Am Beispiel der Literaturtheorie ließe sich auch zeigen, daß die Beziehung zwischen einer Subinstitution und dem sie fundierenden Apparat
nicht automatisch festgelegt ist und sehr wohl wechseln kann. Der Literaturtheorie scheint der Apparat zu fehlen, über den die Literaturkritik
und die Literaturgeschichte verfügen. Sie partizipiert im achtzehnten
und neunzehnten Jahrhundert am Apparat der Kritik (Journale, Zeitungen), während sie sich im zwanzigsten Jahrhundert überwiegend des Apparates der Literaturwissenschaft bedient (Universität). An diesem Beispiel wird ebenfalls deutlich, daß die Subinstitutionen die Instanzen sind,
die die Institution Literatur mit anderen Institutionen verbindet – über
die Literaturgeschichte mit der Institution Erziehung, über die Literaturkritik mit der Presse. So ließe sich die Literaturwissenschaft auch im
Rahmen der Institution Erziehung analysieren im Hinblick auf die Aufgaben und Funktionen, die das Erziehungssystem für die Gesellschaft
hat. (Vermutlich würde Althusser diesen Gesichtspunkt als den gesellschaftlich wichtigeren bezeichnen.) Die Literaturkritik auf der anderen
Seite könnte als Teil der Institution Presse behandelt werden. Es spricht
einiges für die Annahme, daß das Schicksal der Literaturkritik stärker
durch die strukturellen Wandlungen der Presse bestimmt worden ist als
durch die internen Wandlungen der literarischen Normen. Die Stelle, die
die Presse der Literatur und Kritik im Aufbau der Zeitung anweist
(Feuilleton), hat seit dem ausgehenden neunzehnten Jahrhundert den
Diskurs der Literaturkritik weitgehend bestimmt. Daß dieser Platz peripher ist, läßt erkennen, daß die Institution Kritik im Zusammenhang mit
der Presse eine entschieden geringere Priorität hat als politische und
wirtschaftliche Fragen.

Sobald man sich klar gemacht hat, daß die Institution Literatur aus
Teilinstitutionen besteht, die relativ selbständig sind und ihre eigene Entwicklung haben, ergeben sich weitere Fragen: Einmal ist damit zu rechnen, daß die Evolution innerhalb der Institution Literatur sich ungleichmäßig vollziehen kann. Die positivistische Literaturgeschichte um 1900,
um ein Beispiel zu geben, orientiert sich an einem Begriff des literarischen Werkes, der dem chronologisch gleichzeitigen Werkbegriff der
Avantgarde nicht entspricht. Literaturgeschichte und Literaturkritik haben zu diesem Zeitpunkt divergierende Normen. Ferner ist es möglich,
daß verschiedene soziale Gruppen beziehungsweise Klassen über die
entsprechenden Apparate Subinstitutionen besetzen. Während es beispielsweise dem Proletariat im neunzehnten Jahrhundert unmöglich war,
auf die Literaturgeschichte irgendwelchen Einfluß zu nehmen, konnte es
über die Zeitschriften und Zeitungen der Arbeiterparteien und Gewerkschaften in den literaturkritischen Diskurs eingreifen und seinen An-

spruch auf eine eigene Literatur gegenüber der bürgerlichen Presse artikulieren. Sicher kann keine Rede davon sein, daß die Arbeiter die Institution Kritik jemals dominiert hätten, so wie die russischen Revolutionäre 1917 auch die Literaturkritik übernahmen, aber sie erwarben ein Mit-
spracherecht und durch wichtige Theoretiker (Mehring, Lukács) Einfluß
auf die kritische Debatte.

Exkurs: Institution und Leseformation

Neuerdings hat Tony Bennett versucht, die Grenzen der Althusserschen
Theorie zu überwinden. Obgleich er sich bei seiner Kritik vor allem auf
Balibar und Macherey beruft, unterscheidet sich sein Ansatz nicht unwesentlich vom französischen Marxismus und nähert sich in mancher Beziehung wieder Raymond Williams – besonders in der Betonung der historischen Konkretheit. Seine Einwände gegen Althusser treffen, mehr
als ihm bewußt ist, auch dessen Schüler. An die Stelle von abstrakten
Strukturen (Ideologie, Literatur) hat Bennett zufolge die Untersuchung
von konkreten Praktiken zu treten, in denen historische Individuen sich
ausdrücken. „What is needed is not a theory of literature *as such* but a historically concrete analysis of the different relationships which may exist
between different forms of fictional writing and the ideologies to which
they allude."[60] Mit Recht wendet er gegen Althusser ein, daß ein allgemeiner Begriff von Literatur nicht in der Lage ist, die Vielzahl der historischen Textprodukte in verschiedenen Kulturen zu begreifen. Althusser
hat nicht anders als die von ihm kritisierten Vorgänger einen bestimmten
Begriff von Literatur verallgemeinert, nämlich den der bürgerlichen Gesellschaft. Um dieser Gefahr zu entgehen, schlägt Bennett vor, den Begriff der Literatur und des literarischen Textes im Sinne von Marx als eine dialektische Relation zwischen Produktion und Konsumtion zu
definieren. Daraus ergibt sich: „For the process of the consumption of literary texts is necessarily that of their continuous *re-production;* that is, of
their being produced as different objects for consumption."[61] Dieses Argument führt Bennett zu dem Schluß, daß die Lektüre, beziehungsweise
die Interpretation mehr enthält als eine Aneignung, die den fixierten Text
jeweils neu beleuchtet: „The way in which the literary text is appropria-
ted is determined not only by the operations of ciriticism upon it but also,
and more radically, by the whole material, institutional, political and
ideological context within which those operations are set."[62] Diese Formulierung bewegt sich in die Richtung einer institutionellen Bestimmung
der literarischen Konsumtion (Aneignung, Lektüre, Deutung).

In welcher Weise kann dieser institutionelle Kontext genauer beschrieben werden? In *Formalism and Marxism* (1979) macht Bennett einige Andeutungen, die sich vor allem auf Balibar und Macherey stützen. In dem

Aufsatz ‚Texts, Readers, Reading Formations' (1983) versucht er, mit Hilfe von linguistischen Theoremen eine Theorie der Leseformation (reading formation) zu entwerfen, welche den Prozeß der Lektüre nicht mehr positivistisch oder phänomenologisch isoliert. Die Kategorie der Leseformation unterstreicht zwei Aspekte: Erstens hebt sie die aktive Rolle des Lesens und Interpretierens hervor, d. h. der Kritiker entdeckt nicht eine oder mehrere Bedeutungen, beziehungsweise Spannungen in einem Text, sondern seine Lektüre legt dem Text diese Bedeutung zu; zweitens verweist sie auf den gesellschaftlich-ideologischen Kontext jeder Lektüre. In radikalerer Weise als Balibar und Macherey destabilisiert Bennett den literarischen Text. Im Rahmen einer Leseformation erhält die Deutung gegenüber dem Text die Priorität: „Ultimately, there is no such thing as ‚the text'. There is no pure text, no fixed and final form of the text which conceals a hidden truth which has but to be penetrated for criticism to retire, its task completed. There is no once-and-for-all, final truth about the text which criticism is forever in the process of acquiring. The text always and only exists in a variety of historically concrete forms."[63] Die Kriterien für die Angemessenheit einer Lektüre können sich folglich nur aus dem ideologischen und institutionellen Kontext ergeben. In dieser Hinsicht folgt Bennett offensichtlich Macherey und Balibar, doch setzt er die Akzente anders. Mit Renée Balibar nimmt er an, daß der Begriff der Literatur durch die sozialen Institutionen determiniert wird, die direkt oder indirekt mit der Herstellung und Bearbeitung von Texten beschäftigt sind (z. B. die Schule). Daher sind auch die Akte des Lesens und Deutens Tätigkeiten, die bestimmt werden durch gesellschaftliche Institutionen (ideologische Apparate in der Sprache Althussers) und die ihrerseits den Text durch den Prozeß der Bearbeitung und kulturellen Zubereitung determinieren. So unterscheidet Bennett zwischen der Leseformation der Universität, d. h. den Strategien, die an der Universität geübt werden, um einen literarischen Text zu bearbeiten, und der volkstümlichen *(popular)* Leseformation, die ohne solche methodischen Strategien auskommen muß.

Die Tragfähigkeit dieser Unterscheidung wäre genauer zu untersuchen. Sicher läßt sie sich nicht verallgemeinern. Wenn Bennett das volkstümliche Lesen mit dem ungeschulten Lesen (untutored reading) gleichsetzt, um es gegen das geschulte Lesen (tutored reading) der Universität abzugrenzen, ergeben sich zwei Probleme: Zum ersten ist es fraglich, ob es überhaupt so etwas wie „ungeschultes Lesen" gibt, denn jede Lesefähigkeit ist kulturell erworben. Lesen beruht auf Schulung, freilich in verschiedener Form. Zweitens verwischt der Gegensatz von geschultem und ungeschultem Lesen den implizierten Klassengegensatz. Geschultes Lesen ist nicht, wie Bennett unterstellt, notwendig mit bürgerlicher Lektüre gleichzusetzen, und das ungeschulte Lesen ist nicht auf das Proletariat beschränkt. Auch dem Kleinbürgertum fehlte – selbst im zwanzigsten Jahrhundert – weitgehend die literarische Schulung.

Mag Bennetts Unterteilung im einzelnen auch problematisch sein, so ist der Begriff der Leseformation zweifellos fruchtbar, insbesondere als eine notwendige Kritik der Rezeptionsästhetik, die sich auf den Begriff des impliziten Lesers beschränkt. Ein marxistischer Ansatz kann in der Tat auf den *historischen Leser* nicht verzichten. Freilich wird diese Kategorie nur fruchtbar, wenn man gleichzeitig mit dem substantialistischen Begriff des Textes (oder Werkes) und des Rezipienten bricht. Wenn dies nicht geschieht, bleibt das Studium der Rezeption der Untersuchung des Textes immer nachgeordnet. In diesem Fall bleibt der Text der Orientierungspunkt, der dem Literaturwissenschaftler verrät, welche Deutung die angemessenere ist. Die Lektüre hat dann gegenüber dem Text den gleichen (geringeren) Stellenwert wie bei Saussure die *parole* gegenüber der *langue*. Sobald aber der Akt der Entschlüsselung an die erste Stelle tritt, entsteht die Notwendigkeit, die verschiedenen miteinander konkurrierenden Deutungen, die nicht mehr an dem „objektiven" Test gemessen werden können, in eine Beziehung zueinander zu bringen. „It is precisely such a dissolution that I wish to recommend: *not* the dissolution of the ‚text itself‘ into the million and one readings of individual subjects, however, but rather its dissolution into reading relations and, within those, reading formations that concretely and historically structure the interaction between texts and readers."[64] Die Leser-Text-Beziehung stellt sich demgemäß dar als die Relation zwischen dem kulturell aktivierten Leser (culturally activated reader) und dem kulturell aktivierten Text.

Freilich gelingt es Bennett noch nicht, genau zu klären, wie sich die Leseformation zum lesenden Subjekt und zu den sozialen Institutionen verhält. Es scheint, daß das Konzept der Leseformation systematisch zwischen Leser und Institution angesiedelt ist: Die lesenden Subjekte erscheinen als geprägt von einer bestimmten Leseformation; ohne eine solche Formation können sie überhaupt keine Texte dekodieren, das aber heißt, Sinn produzieren. Auf der anderen Seite ist die Formation nicht etwas Vorgefundenes, sondern das Ergebnis institutioneller Praktiken. Eine Leseformation könnte folglich verstanden werden als das Ergebnis der Praktiken, Konventionen und Standards, die ein ideologischer Apparat gegenüber Autoren, Texten und Lesern durchsetzt. Diese Definition würde uns erlauben, die Leseformation des Gymnasiums oder der Universität zu beschreiben. Doch in welchem Zusammenhang wäre die volkstümliche Leseformation zu beschreiben? Bennett räumt ein, daß er über diese Leseformation gegenwärtig wenig Genaues zu sagen hat,[65] doch sind wir wirklich so schlecht informiert? In der Nachfolge von Theodor W. Adornos und Max Horkheimers Beschreibung der Kulturindustrie[66] sind Verfahren entwickelt worden, um den Zusammenhang von ideologischem Apparat und Rezeptionsmustern zu analysieren. Der Begriff der volkstümlichen Leseformation ist indes zu unspezifisch für die konkrete historische Analyse, denn er beschreibt wenigstens zwei verschiedene Sachverhalte: auf der einen Seite eine ältere Volkskultur, auf der anderen Seite eine durch den Kapitalismus geprägte „Massenkultur", für die Horkheimer und Adorno den Begriff der Kulturindustrie eingeführt haben. Während es zutrifft, daß wir über die ältere volkstümliche Leseformation relativ schnell informiert sind, ist die Leseformation der Kulturindustrie nur in ihren Grundformen bekannt. Wie sie sich zueinander verhalten, wenn sie sich (im neunzehnten Jahrhundert) berühren, erfordert noch detaillierte Untersuchungen.

II. Bürgerliche Öffentlichkeit

Die Bedeutung der Öffentlichkeit

Die bürgerliche Revolution von 1848/49 gilt mit Grund als einer der entscheidenden Wendepunkte der deutschen wie der kontinental-europäischen Geschichte. Der Ausgang der Revolution, der die Vorherrschaft der konservativen, legitimistischen Kräfte in Preußen wie in Österreich bestätigte, schuf die Rahmenbedingungen für die weitere Evolution, nicht zuletzt für die deutsche Einigung. Wir wiederholen nur Bekanntes, wenn wir auf den besonderen Charakter der kleindeutschen Lösung hinweisen; sie ergab sich aus dem Bündnis zwischen dem von Bismarck geführten monarchischen Staat und der auf wirtschaftliche Emanzipation eingestellten Bourgeoisie, die auf die politische Macht nach 1866 weitgehend verzichtete und auf den Dualismus von Freiheit und Einheit mit der Bevorzugung der nationalen Einheit reagierte. Im Zusammenhang dieser Argumentation fällt dann der nachmärzlichen Literatur fast notwendig eine legitimierende Funktion zu. Zur Diskussion stünde der Wandel der bürgerlichen Dichtung von einer humanistischen, am Begriff der Menschheit orientierten Literatur zu einer Literatur, die die Sonderinteressen der bürgerlichen Klasse formulierte. Dieser Ansatz hat zweifellos dort sein Recht, wo die politische Situation literarisch thematisiert wurde, etwa in der politischen Lyrik, die in der Tat durch die politische Reaktion nach 1848 entscheidend geprägt wurde.[1] Im übrigen sollte jedoch nicht übersehen werden, daß die offenkundigen Wandlungen der Literatur nicht ausschließlich mit der gescheiterten Revolution in Zusammenhang zu bringen sind. Die entscheidenden Veränderungen der literarischen Öffentlichkeit müssen vielmehr in einem weiteren Zusammenhang gesehen werden, der die ökonomische Sphäre, namentlich die Interdependenz wirtschaftlicher und politischer Faktoren, berücksichtigt. Die Industrielle Revolution, die in Deutschland in den vierziger Jahren einsetzte, aber erst nach 1850 ihre eigentliche Dynamik entfaltete, prägte im gleichen Maße, wenn nicht stärker, die Bedingungen literarischer Produktion wie Rezeption. Zwischen 1850 und 1870 hat sich die Institution der Literatur in Deutschland nicht weniger verändert als die Gesellschaft, wenn ihr auch die entscheidende Wandlung zur industriellen Massenkultur noch bevorstand. Wir können diese Veränderungen am besten verstehen, wenn wir uns nicht darauf beschränken, einzelne ökonomische wie politische Faktoren als einflußreich herauszustellen, son-

dern ihre Vermittlung über die öffentliche Sphäre zu verfolgen. Die in
der Öffentlichkeit angesiedelte Institution Literatur steht unter dem indirekten Druck der auf diese Öffentlichkeit einwirkenden politischen wie
wirtschaftlichen Probleme. Zur Lösung dieser Frage wird die herkömmliche Literaturgeschichte, die sich an Autoren, Werken oder Gattungen
orientiert, wenig beitragen können, da sie gegenüber dem institutionellen Charakter der Literatur blind bleibt und daher auch die diachronischen Prozesse nur als isolierte Reihen begreifen kann.

Die Diskussion über den Strukturwandel der Öffentlichkeit ist seit
1962 wesentlich durch die Thesen von Jürgen Habermas bestimmt worden.[2] Habermas' Theorie unterscheidet im wesentlichen drei Phasen
bürgerlicher Öffentlichkeit: (1) die frühbürgerliche Öffentlichkeit der
Aufklärung wird festgemacht anhand der Theorien von Rousseau und
Kant, (2) die Phase liberal-kapitalistischer Öffentlichkeit in der ersten
Hälfte des neunzehnten Jahrhunderts, die vor allem geprägt ist durch die
Vorherrschaft des Parlaments, wird exemplarisch dargestellt am Beispiel
der englischen Geschichte, (3) die spätkapitalistische Öffentlichkeit bildet sich im ausgehenden neunzehnten Jahrhundert in allen westlichen
Industriestaaten heraus und bestimmt bis heute das politische wie kulturelle Leben dieser Nationen. Während die ersten beiden Phasen bei Habermas nicht streng geschieden werden, da er davon ausgeht, daß die
klassische bürgerliche Öffentlichkeit sich im Zusammenhang mit oder
verursacht durch den Kapitalismus konstituiert hat, sieht er zwischen der
zweiten und der dritten Phase eine signifikante Zäsur, die im wesentlichen zusammenfällt mit dem Übergang vom liberalen zum Organisierten
Kapitalismus. Sobald der Kapitalismus sich in Theorie und Praxis von
dem Gesichtspunkt des freien Marktes und der durchgehenden Konkurrenz löst, sobald er sich mit anderen Worten monopolistisch organisiert
und politisch wird, indem er versucht, über den Staat regulierend in die
Gesellschaft einzugreifen, verändert sich Habermas zufolge notwendig
die Struktur der Öffentlichkeit. Für die klassische Öffentlichkeit war
konstitutiv, daß die Sphären des Warenverkehrs und der gesellschaftlichen Arbeit gegen den Staat strikt abgegrenzt wurden. Die Autonomie
der bürgerlichen Gesellschaft erscheint als das Ergebnis eines ökonomischen Systems, in dem die konkurrierenden Interessen sich von selber
ausgleichen können und folglich nicht politisch werden. Daraus ergibt
sich stringent die These, daß der Übergang zum Organisierten Kapitalismus im späten neunzehnten Jahrhundert sich strukturverändernd in der
Öffentlichkeit niederschlagen mußte. In Deutschland wäre folglich als
Wendepunkt die 1873 einsetzende Wirtschaftskrise anzunehmen, durch
die der Liberalismus seine Legitimation verlor. Habermas argumentiert
daher: „Entgegen diesen Erwartungen konzentriert sich aber nun, bei
unvollständigem Wettbewerb und abhängigen Preisen, gesellschaftliche

Macht in privater Hand. Im Geflecht der vertikalen Beziehungen zwischen kollektiven Einheiten bilden sich Verhältnisse teils einseitiger Abhängigkeit, teils gegenseitigen Drucks. Konzentrations- und Krisenprozesse ziehen den Schleier des Äquivalententausches von der antagonistischen Struktur der Gesellschaft."³ Die sichtbar werdenden Klassengegensätze und -konflikte verändern nunmehr das Verhältnis zwischen Gesellschaft und Staat: Dieser wird mehr und mehr als Schiedsrichter herangezogen, der einen Ausgleich der Kräfte sicherstellen soll. Daraus leitet Habermas seine zentrale These ab: Der Strukturwandel der Öffentlichkeit vollzieht sich als ein Prozeß, bei dem auf der einen Seite der Staat mehr und mehr in den gesellschaftlichen privaten Bereich hineingezogen wird und auf der anderen Seite sich die ökonomischen und sozialen Sonderinteressen im Staat einnisten. „Erst diese Dialektik einer mit fortschreitender Verstaatlichung der Gesellschaft sich gleichzeitig durchsetzenden Vergesellschaftung des Staates zerstört allmählich die Basis der bürgerlichen Öffentlichkeit – die Trennung von Staat und Gesellschaft."⁴ Diese These ist in folgender Weise auf die Literatur auszudehnen: Insofern die Literatur herkömmlich in der bürgerlichen Öffentlichkeit der privaten Sphäre zugeordnet war, nämlich als Selbstverständigung der Bürger in ihren menschlichen Beziehungen, wird die Literatur durch den Strukturwandel der Öffentlichkeit mitbetroffen. Es entstehen die Bedingungen für den Eingriff des Staates in die Institution Literatur, und zwar in der Form einer allgemeinen Kulturpolitik. Diese Beeinflussung wäre prinzipiell zu unterscheiden von der Zensurpolitik der halbabsolutistischen Staaten des Vormärz, die sich noch gegen die Konstitution von Öffentlichkeit zur Wehr setzten. Von einer Kulturpolitik kann erst gesprochen werden, wo der Staat den Apparat der Literatur in Dienst nimmt, um anstehende soziale wie politische Konflikte auf der kulturellen Ebene zu lösen. Eine solche für den spätkapitalistischen Staat konstitutive Kulturpolitik ist vor 1870 nicht nachzuweisen. Sie übersteigt die Möglichkeiten der staatlichen Verwaltung, die zwar das Erziehungswesen weitgehend reguliert und von dort her Einfluß auf die Literatur ausüben kann, sich im übrigen aber mit einer politisch motivierten Pressepolitik bescheidet.

Folgen wir Habermas' Theorie, wäre die epochale Wende erst um 1870 zu konstatieren, während die Revolution von 1848 keine tiefgreifenden Spuren hinterlassen haben könnte, denn die Entwicklung zwischen 1850 und 1870 erfolgte noch unter dem Vorzeichen des liberalen Konkurrenzkapitalismus, wenn er auch in manchen Zügen (Bedeutung der Banken) schon von dem englischen Muster abweicht. Doch sowohl im politischen als auch im literarischen Bereich sind die Veränderungen zu zahlreich und zu bedeutend, als daß sie als bloße Randerscheinungen ausgegeben werden können. Folglich ist das Problem des Strukturwan-

dels neu zu stellen, um die historische Validität von Habermas' Modell
zu überprüfen. Zunächst fällt auf, daß Habermas nicht an allen Stellen
die orthodoxe These vertritt, die Öffentlichkeit habe sich im Zusammenhang mit dem aufkommenden Monopolkapitalismus strukturell verändert. Dort, wo er Tocquevilles und Mills Auffassung der Öffentlichkeit
darlegt, zeigt sich, daß die Krise der bürgerlichen Öffentlichkeit nicht
mit der Krise des liberalen Kapitalismus zusammenfällt. Tocquevilles Betrachtungen über die Struktur der amerikanischen Demokratie, die ihn
zu einer skeptischen Neueinschätzung der Öffentlichkeit führen, beziehen sich auf eine konkurrenzkapitalistische Gesellschaft und zweifellos
nicht auf die Phase des Organisierten Kapitalismus. Ähnliches gilt für
John Stuart Mills Analysen, auch sie beziehen sich auf Zustände, die
durch den freien Wettbewerb geprägt sind. An diesen Beispielen wird
deutlich, daß die Krise der liberalen bürgerlichen Öffentlichkeit sichtbar
wurde, bevor sich die neuen Strukturen des avancierten Kapitalismus abzeichneten. Habermas' Sicht ist möglicherweise durch die Eigentümlichkeit der deutschen Geschichte beeinflußt. Da hier die volle Entfaltung
des Industriekapitalismus erst nach 1850 voll einsetzte und schon 1873 in
eine fundamentale Krise einmündete, werden in der Tat die Krise der
bürgerlichen Öffentlichkeit und die Krise des liberalen Kapitalismus so
eng zusammengerückt, daß sie als identisch erscheinen können.

Schon 1973 hat Wolfgang Jäger in seiner Kritik darauf aufmerksam
gemacht, daß sich Habermas' Modell der klassischen Öffentlichkeit auf
die englischen Verhältnisse des neunzehnten Jahrhunderts nicht recht
anwenden lasse, da es zu sehr auf die kontinental-europäischen, besonders die deutschen Umstände bezogen sei.[5] Wir werden diesem Hinweis
nachgehen müssen. Vorerst geht es uns um die Bedeutung der englischen
Geschichte für die Theorie der Öffentlichkeit. Habermas beschreibt die
englischen Verhältnisse des frühen neunzehnten Jahrhunderts als das
Modell für die Entwicklung einer bürgerlichen politischen Öffentlichkeit. Das Parlament hat sich in ein „Organ der öffentlichen Meinung"
umgewandelt. Habermas schließt sich damit der liberalen Interpretation
des englischen Parlamentarismus an, wie sie noch bei Richard Crossman
in seiner Einleitung zu Bagehots *The English Constitution* (1963) zum
Ausdruck kommt. Dem hält Jäger entgegen, daß die wirklichen Verhältnisse sich mit diesem harmonisierenden Bild nicht decken. Gerade in der
Epoche zwischen den großen Wahlreformen von 1832 und 1867 beeinflußten die wirtschaftlichen Interessen die Struktur der öffentlichen Meinung stark. Am Beispiel der Eisenbahngesellschaft läßt sich nachweisen,
daß der englische Kapitalismus das Parlament (also die Öffentlichkeit)
benutzt, um seine Interessen durchzusetzen. Wenn es für das Modell der
klassischen Öffentlichkeit konstitutiv ist, daß private Interessen nicht in
der öffentlichen Deliberation berücksichtigt werden dürfen, dann ist es

in der Tat fraglich, ob England den Modellfall bilden kann. Eher ließe sich hier schon vor 1850 von der Krise der Öffentlichkeit sprechen, die Habermas mit dem Aufstieg des Monopolkapitalismus in Verbindung bringt; denn sowohl soziale als auch ökonomische Konflikte werden in den öffentlichen Bereich hineingetragen. Die breiten, vom Wahlrecht noch ausgeschlossenen Massen bleiben ein ständiges Problem, für das sich erst nach 1867 eine Lösung andeutet. Habermas' Modell paßt auf den deutschen Frühliberalismus besser als auf die englischen Verhältnisse. Freilich zieht Jäger aus dieser berechtigten Kritik nicht die notwendigen Konsequenzen. Die ökonomische Basis für Habermas' Modell ist eine Gesellschaft von Kleinwarenproduzenten, die ihre Waren auf dem freien Markt austauschen. Die klassische Ökonomie beschreibt diesen Markt, auf dem sich langfristig Angebot und Nachfrage ausgleichen müssen und der den konkurrierenden Warenbesitzern keine Macht übereinander gestattet. Daher kann der Markt von Habermas als politisch herrschaftsfrei konzipiert werden. »Als Waren gelten dabei die produzierten Güter und die produzierende Arbeitskraft gleichermaßen. Da diese Bedingung nur erfüllt ist, wenn jeder Anbieter seine Waren selber herstellt, umgekehrt jeder Arbeiter die Produktionsmittel selber besitzt, läuft die zweite Voraussetzung auf eine soziologische hinaus: auf das Modell einer Gesellschaft von Kleinwarenproduzenten.«⁶ Obgleich Habermas an dieser Stelle die ökonomischen wie gesellschaftlichen Bedingungen der klassischen Öffentlichkeit rigoros definiert, übergeht er den Widerspruch zwischen diesen vorkapitalistischen Bedingungen und dem Konkurrenzkapitalismus des neunzehnten Jahrhunderts, in dem die Mehrzahl der Arbeiter die Produktionsmittel nicht mehr selbst besitzt. Indem Habermas im Anschluß an Max Weber den Rationalismus als die wesentliche Eigenschaft des Kapitalismus hervorhebt und die sichere Berechenbarkeit der Verhältnisse zum Kriterium nimmt, läßt sich das frühbürgerliche Modell in die Phase des industrialisierten Kapitalismus verlängern, ohne daß die tiefgreifenden Unterschiede sichtbar werden.

Für die Analyse der deutschen Entwicklung zwischen 1850 und 1870 ist es unabdingbar, Habermas' Modell der bürgerlichen Öffentlichkeit historisch genauer zu situieren, als dies bisher geschehen ist. Insbesondere ist die Grenze zwischen der frühbürgerlichen Öffentlichkeit und der Phase des Hochliberalismus genauer zu unterscheiden. Diese Differenzierung deckt sich im wesentlichen mit dem Unterschied zwischen der liberalen Theorie des Vormärz und der im Nachmärz vorherrschenden Auffassung. Da sich in den deutschen Staaten die Institutionalisierung der politischen Öffentlichkeit bis 1848 hinzieht und zum Teil erst durch die Revolution von 1848 die konstitutionelle Grundlage erreicht wurde, stellen sich die deutschen Verhältnisse anders dar als die westeuropäi-

schen. In einem vorwiegend agrarischen und industriell unterentwickel-
ten Land wie Deutschland, das aber gleichzeitig über ein avanciertes Erziehungssystem verfügte, konnte die politische Theorie noch weitgehend
anschließen an die vorrevolutionäre Aufklärung, d. h. an die Vorstellungen von Rousseau und Kant, ohne mit der gesellschaftlichen Wirklichkeit in Widerspruch zu geraten. Um es zugespitzt zu formulieren: Gerade weil Deutschland vor 1850 nur bedingt eine kapitalistische Gesellschaft war, weil sich die führende bürgerliche Schicht aus Professoren
und Juristen, aus Theologen und Beamten zusammensetzte und nicht
aus Fabrikanten und Kaufleuten, konnte sich hier das Modell bürgerlicher Öffentlichkeit, das auf vorkapitalistische Bedingungen zurückging,
länger halten als in England oder Frankreich, wo die Parlamente den
Charakter von Klassenvertretungen angenommen hatten. Die Theorie
des deutschen Frühliberalismus zwischen Humboldt und Gervinus ist ihrer Intention nach, wie Lothar Gall mit Recht hervorgehoben hat, keine
Theorie des Kapitalismus.[7] Sie kann zwar Elemente der Freihandelslehre
aufnehmen, doch sie sind nicht zentral für den Gesellschaftsbegriff. Das
Manchestertum gehört im ganzen eher zum nachmärzlichen Liberalismus, der sehr viel deutlicher bürgerliche Klasseninteressen ausformulierte und legitimierte. Für das Wirtschaftsbürgertum war die frühliberale
Theorie überhaupt nur bedingt brauchbar, denn sie unterstellte eine Gemeinschaft von selbständigen Produzenten. Diese Theorie blieb im wesentlichen eine kleinbürgerliche, auf den Handwerker und Gewerbetreibenden zugeschnittene Lehre, auch wenn sie von Intellektuellen
formuliert wurde. Der Frühliberalismus beruhte auf Wertvorstellungen –
auch in seinen radikalen demokratischen und sozialistischen Varianten –, die nicht einzulösen waren, sobald sich das Kapital konzentrierte
und die Mehrzahl der Arbeiter nicht mehr über die Produktionsmittel
verfügte. Die Begründer des wirtschaftlichen Liberalismus wie Adam
Smith waren nicht Vertreter und Theoretiker des Kapitalismus. Mit
Recht warnt Hans Medick davor, Smith als den Fürsprecher des Industriekapitalismus zu betrachten. „Statt den uneingeschränkten Eigennutz
zu propagieren, fordert er dessen Restringierung (…) und die Gestaltung
der gesellschaftlichen Beziehungen nach dem Maßstab universeller Brüderlichkeit. Nichts wäre demnach unzutreffender, als wenn man Smith
als einen simplen Utilitaristen qualifizieren wollte und seine Auffassung
vom Menschen als eine pure Doktrin des ‚economic man‘ bezeichnete.“[8]
Die durch den gerechten Tausch vereinigte Gesellschaft ist zwar arbeits-
teilig, aber auf Gleichheit aufgebaut. Die Spitze dieser Theorie richtete
sich gegen den absolutistischen Staat und feudale Privilegien, dagegen
wurde sie dort borniert, wo die Vorrechte nicht mehr als politische erscheinen, sondern ökonomisch fundiert sind. Doch solange das Verhältnis zwischen den führenden gesellschaftlichen Gruppen, besonders zwi-

schen Grundbesitz, kapitalistischem Bürgertum und den Arbeitern als harmonisch verstanden werden kann, kann der Liberalismus an seiner Öffentlichkeitstheorie festhalten, die zwischen staatlichem und privatem Bereich einerseits und zwischen politischer und wirtschaftlicher Sphäre andererseits streng scheidet.

Der deutsche Frühliberalismus konstituierte sich gegenüber dem monarchisch-bürokratischen Anstaltsstaat, an dem er sich beständig rieb. Dessen Verwaltung ist oft bereit zu modernisieren, aber im Rahmen einer politischen Verfassung, die der Staat selbst bestimmt. Die Interessen des liberalen Bürgertums mögen sich mit den staatlichen berühren, im Prinzip jedoch werden die Eingriffe des Staates als Bevormundung abgelehnt. Bei seinem Versuch, den Begriff des politischen Liberalismus neu zu bestimmen und gegen die staatlichen Reformbewegungen auf der einen Seite und die Manchestertheorie auf der anderen abzugrenzen, kommt Gall auf die Voraussetzungen der liberalen Theorie zu sprechen: „Ausgangspunkt aller sozialpolitischen Vorstellungen der politischen Aufklärung und des frühen Liberalismus und zugleich Grundlage ihrer vehementen Kritik an der bestehenden sozialen Ordnung und an dem auf ihr aufruhenden wirtschaftlichen und politischen System war der Gedanke einer ,natürlich' vorgegebenen und in geheimnisvoller Weise durch die sich ergänzenden Bedürfnisse und Fähigkeiten ihrer Mitglieder harmonisch prästabilierten gesellschaftlichen Ordnung."[9] Diese Theorie stand nicht im Dienst der Großbourgeoisie, sondern zielte auf eine klassenlose Bürgergesellschaft, die utopisch den vorgefundenen Verhältnissen gegenübergestellt wird. Gall unterstreicht, daß der deutsche Frühliberalismus, auch dort, wo er radikal wurde, im ganzen weit konservativer war, als im allgemeinen angenommen wird. Die frühliberale Theorie operierte mit Ordnungsvorstellungen, die noch weitgehend auf eine alteuropäische Gesellschaft rekurrierten. Wie weit tatsächlich im Frühliberalismus noch altständische Vorstellungen wirksam bleiben und in die strenge Theorie der gleichen Bürgergesellschaft eingefügt werden, soll hier nicht untersucht werden, da es für unseren Zusammenhang nicht von Bedeutung ist. Die Idee einer natürlichen Ordnung, die auch Gall hervorhebt, verweist freilich eher auf die klassische Ökonomie. In jedem Fall ist die deutsche Theorie nicht vorbereitet auf die dem Kapitalismus entspringenden sozialen Konflikte. So wurde auch nicht so sehr England, sondern die Schweiz als das Orientierungsmodell angesehen.[10] Insofern die reale gesellschaftliche und wirtschaftliche Entwicklung nach 1850 diese Theorie nicht bestätigte, standen ihre Vertreter vor einer grundlegenden Entscheidung. Sie konnten die Richtigkeit der Theorie behaupten und folglich die gesellschaftliche Entwicklung in Frage stellen, sich opportunistisch der Tendenz zur Klassengesellschaft anschließen oder revisionistisch die liberale Theorie neu begründen.

Wie sehr sich die kontinental-europäische Variante des politischen Liberalismus von der englischen unterschied, wird auch an der Rolle des Parlaments deutlich. Der deutsche Parlamentarismus des Vormärz war in seiner Form und Begründung das Resultat der politischen Theorie der Aufklärung und nicht das Ergebnis historischer Kämpfe. In den deutschen Staaten des Südwestens sind die Parlamente weit mehr als in England als Organe der öffentlichen Meinung konzipiert. Im Parlament, so lehrte Karl Theodor Welcker, werden die Rechte des Volkes gegenüber der Regierung gesichert.[11] Regierung und Parlament, Staat und Öffentlichkeit müssen folglich streng geschieden bleiben, denn durch ein Zusammengehen von Parlament und Regierung, so folgerte Welcker, würde die Kontrollfunktion des Parlaments eingeschränkt werden.

Dort, wo der deutsche Frühliberalismus seine Position streng entwickelt, erscheint das Parlament als Organ der Öffentlichkeit und nicht als Partner der Regierung. Diese bekämpfte Auffassung wurde eher von denjenigen Kräften vertreten, die vom Staat in erster Linie die Modernisierung der Gesellschaft erwarteten. So stand man auch dem Gedanken von interessengebundenen Parteien feindlich gegenüber, da eben der Gesamtwille und nicht die Partikularinteressen im politischen Räsonnement des Parlaments ausschlaggebend sein soll. Diese schroffe Gegenüberstellung von Staat und Öffentlichkeit läßt für die konstitutionelle Monarchie, in der die Rechte von Krone und Parlament gegeneinander abgewogen werden, eigentlich keinen Raum, denn die strenge Durchsetzung des öffentlichen Räsonnements muß letzten Endes die Monarchie als eine historisch, aber nicht moralisch legitimierte Herrschaftsform verstehen. Jede pragmatische Betrachtung muß freilich, wie am Beispiel von Welcker zu zeigen wäre, zu einer Revision dieser dogmatischen Position führen, da eine Revolution nicht im Interesse des gemäßigten Liberalismus lag. Gleichzeitig aber ist hier der Beginn für die Auflösung der klassischen Öffentlichkeit zu erkennen, da die Beteiligung der Parteien an der Regierung die strenge Trennung von Staat und Öffentlichkeit verwischt. Eben diese Tendenz ist nach 1848 zu beobachten, und zwar bei dem Versuch, in der Phase der Liberalisierung die politische Emanzipation und die eigenen wirtschaftlichen Interessen zur Deckung zu bringen.

Die Bedeutung der Wahlrechtsfrage

Das Modell klassischer Öffentlichkeit unterstellt, daß am Räsonnement jeder Bürger beteiligt ist. Die Bürgerschaft besteht aus der Gemeinschaft der Hausväter, wie Kant auch noch selbstverständlich Frauen, Kinder und abhängige Personen wie Diener und Arbeiter von der Beteiligung ausschließt. Für die vormärzlichen Kammern war diese Frage nicht zentral gewesen, da durch die traditionalistische gesellschaftliche Struktur Deutschlands die politische Beteiligung der breiten Massen nicht akut wurde. Dies änderte sich in den vierziger Jahren durch die Umschichtung und die Pauperisierung großer Teile des Kleinbürgertums sowie das Aufkommen radikaler demokratischer und sozialistischer Bewegungen, die sich von den gesellschaftlichen Ordnungsvorstellungen des Liberalismus trennten. Es entstand ein Druck von unten, der sich in der Revolution von 1848 deutlich bemerkbar machte. Seinen Niederschlag fand er in den Wahlrechtsdebatten. Anläßlich dieser Frage wurde das klassische Modell der Öffentlichkeit überprüft, und es stellte sich heraus, daß die Liberalen die konsequente Auslegung ihrer eigenen Theorie vorsichtig zurücknahmen. Entgegen den zeitgenössischen Aussagen, die im allgemeinen unterstellen, daß das Frankfurter Parlament durch eine allgemeine freie Wahl zustande gekommen ist, ist mit Theodore S. Hamerow daran festzuhalten, daß dies nicht der Fall war.[12] Es wurden indirekte Formen bevorzugt, durch die die bürgerlichen Mittelschichten begünstigt wurden. „Als Tatsache kann festgehalten werden, daß die Wahlen zum Frankfurter Parlament nicht in Übereinstimmung mit dem Prinzip der indirekten Wahlen abgehalten worden sind, was immer auch Politiker der Mittelklasse nach diesem Ereignis vorgebracht haben mögen. Dieses Prinzip stand nämlich in direktem Gegensatz zur praktischen Erfahrung wie auch zur politischen Theorie der Liberalen."[13] Nach den Bestimmungen des Vorparlaments hielt man daran fest, daß nur diejenigen wählen dürften, die selbständig seien, sich also nicht im Dienst eines anderen befänden. Diese Bestimmung wurde dann von den Ländern ausgenutzt, um die Zahl der Wahlberechtigten weitgehend einzuschränken – eine Tendenz, die dem Besitzbürgertum zugute kam. Durch die Regierungsmaßnahmen und die liberale Propaganda wurden die breiten Massen der Arbeiter und Handwerksgesellen entmutigt, sich an der Wahl zu beteiligen. Diese Beteiligung lag nach den Berechnungen Hamerows regelmäßig unter 20%, gelegentlich konnte sie sich auf 2% beschränken.[14]

Auch der Verfassungsausschuß des Frankfurter Parlaments schloß sich unter der Führung der gemäßigten Liberalen wie Dahlmann und gegen die Ansicht der Linken der Meinung des Vorparlaments an, daß die ökonomische Selbständigkeit die Voraussetzung für das Wahlrecht sein müsse. Daß auf diese Weise etwa die Hälfte aller potentiellen Wähler ausgeschlossen würde, war der bürgerlichen Mitte eher angenehm. Diese Einstellung war indes nicht mehr die logische Konsequenz der altliberalen Theorie, sondern unverkennbar ein strategischer Gesichtspunkt, um die sozialen Konflikte aus dem Parlament herauszuhalten. Nach den Worten des Abgeordneten Lassaux hieße es, „den Bock zum Gärtner (zu) machen, wenn man die Besitzlosen entscheiden läßt über den Beutel der Besitzenden".[15] Ähnlich vertraten die Liberalen der Mitte und der Rechten in der Wahlrechtsdebatte von 1849 die Position, daß die Einführung des allgemeinen und gleichen Wahlrechts, sofern nicht qualifizierende Momente eingebracht würden, den Staat dem Pöbel ausliefern müßte, beziehungsweise in den Händen eines geschickten und skrupellosen Politikers einen neuen Absolutismus heraufbeschwören könnte. Im Namen der Freiheit forderte Welcker ein eingeschränktes Wahlrecht, und Scheller von der Casino-Partei wehrte sich gegen das gleiche Wahlrecht mit dem Argument, daß es den konservativen Kräften in die Hände spielen würde. Daß diese Furcht nicht unbegründet war, daß der Liberalismus in der Tat nicht notwendig auf die Unterstützung der ländlichen Massen rechnen durfte, zeigte später die Politik Bismarcks und der Konservativen. Nicht anders als der westeuropäische wich auch der deutsche Liberalismus vor den Konsequenzen seines Programms aus, als sich zwischen dem Mittelstand und den Massen soziale Konflikte abzeichneten, die in der liberalen Doktrin nicht vorgesehen waren. In diesem Zusammenhang muß die Äußerung Heinrich von Gagerns verstanden werden, der sich gegen die Unterstellung aussprach, das Bürgertum wolle die unterprivilegierte Stellung des Proletariats festschreiben. Die Kategorie des Klassenantagonismus widersprach den harmonischen Grundvorstellungen des Liberalismus, folglich wehrte sich Gagern gegen die Strategie der Linken, die den Gegensatz zum Konflikt zuspitzen wollte.[16] Da das Modell der klassischen Öffentlichkeit ökonomische Fragen ausschließlich dem privaten Bereich zuweist, waren die Liberalen 1849 eher bereit, den Umfang der Öffentlichkeit zu modifizieren, als die anstehenden sozialen Konflikte als Gegenstände der Politik im Parlament zu behandeln. Offenkundig lag Gagern daran, die Bereitschaft des Bürgertums beim Lösen sozialer Probleme deutlich zu machen, doch dies muß auf der gesellschaftlichen Ebene geschehen – wie auch der spätere sozial engagierte Liberalismus immer wieder betonte, daß die soziale Frage eine ökonomische sei und daher nicht mit den Mitteln der Politik zu lösen sei.

Die politische Schwenkung ließ sich rechtfertigen, wenn man das Wahlrecht aus dem Katalog der politischen Grundrechte strich, also die Verbindung mit dem Naturrecht kappte und es statt dessen als ein historisches Recht ausgab. So setzte sich Rudolf Haym für eine „ständische" Lösung ein, und Friedrich Daniel Bassermann befürwortete eine Differenzierung des Wahlrechts durch den Zensus, weil nur auf diese Weise eine beruhigende Wirkung auf die Arbeiter ausgeübt würde. Im ganzen überwogen im Frankfurter Parlament freilich noch die Stimmen, die ein gleiches und direktes Wahlrecht forderten und durchsetzten. Doch schon während der Revolutionsjahre – und darauf kam es hier an – gab es im liberalen Lager Kräfte, die mit Hilfe eines modifizierten Wahlrechts das Prinzip der generellen Öffentlichkeit bewußt einschränken wollten, weil sie die gesellschaftliche Destabilisierung befürchteten. Noch bevor die Industrielle Revolution in Deutschland einsetzte, zeigten sich die Widersprüche des liberalen Modells und zugleich die ersten Versuche, seine Konsequenzen zu verhindern. Dies konnte noch mit gutem Gewissen geschehen, da sich die Klassenteilung noch nicht endgültig vollzogen hatte, so daß die Ansprüche des Proletariats hinter dem Bild einer ungezähmten Masse verborgen blieben, die die kaum erworbenen bürgerlichen Freiheiten wieder in Frage stellen würde.

Industrialisierung und Öffentlichkeit

Was sich in der Revolution von 1848 andeutete, wurde infolge der rapiden Industrialisierung zwischen 1850 und 1870 zu einer strukturellen Gegebenheit, die nicht mehr zurückzunehmen war und die auf die lange Sicht das Schicksal des Liberalismus besiegelte. Die Industrialisierung, deren technologischer Aspekt hier außer Betracht bleiben kann, führte schrittweise zu einer Absonderung des Industrieproletariats als einer eigenen Klasse und auch schon zu einer deutlicheren Trennung zwischen dem alten Mittelstand und der wirtschaftlichen Großbourgeoisie. Diese gesellschaftlichen Verschiebungen schlugen sich in der Theorie der Öffentlichkeit deutlich nieder. Der Liberalismus bemüht sich um eine systematische Neuformulierung der Theorie, durch die die Kategorie der Öffentlichkeit als eine klassengebundene durchgesetzt werden soll. Auf der Gegenseite zeigen sich die Ansätze zu einer proletarischen Theorie der Öffentlichkeit, die freilich in mancher Hinsicht noch an die traditionellen Begriffe gebunden blieb. Wir werden diesen Prozeß der Aufspaltung verfolgen, indem wir zunächst auf die Folgen der Industrialisierung eingehen, die für die Umgestaltung der öffentlichen Meinung ausschlaggebend waren.

Nach traditioneller liberaler Geschichtsschreibung – der sich aber auch Teile der marxistischen Historiographie der DDR angeschlossen haben – verzichtete das deutsche Bürgertum nach 1849 auf die Durchsetzung der politischen Emanzipation in der Form einer demokratisch-liberalen Staatsordnung zugunsten des wirtschaftlichen Ausbaus, der ihm durch die rapide Industrialisierung nahegelegt wurde. So ergab sich zwischen den alten politischen Eliten, zum Beispiel den Junkern in Preußen, und dem Bürgertum ein Bündnis, durch das Deutschland von der gemeineuropäischen Entwicklung abgedrängt wurde. Helmut Böhme hat diese These in folgender Weise entfaltet: Sobald das Bürgertum seine dringlichsten Forderungen erfüllt sah, wandte es sich von der Revolution ab und wurde konservativer. „So kennzeichnete nach 1848 die politischen Verhältnisse in Deutschland eine erneute Koalition alter und neuer Kräfte, die durch die – wenn man will – Arbeitsteilung von Adel, Grundbesitz und Bürgertum bestimmt war: die wirtschaftlich Führenden anerkannten die traditionelle politische Führungsschicht in Adel, Grundbesitz und Verwaltung, und diese ließ die Unternehmer wirtschaften und versuchte gleichzeitig, für den von der Industrie bedrohten ländlichen und gewerblichen Mittelstand zu sorgen."[17] Für Böhme erfolgte die Industrialisierung mit Billigung einer konservativen politischen Führung, die die bürgerlichen Machtansprüche in den wirtschaftlichen Bereich lenkte. Da die administrativen Reformbestrebungen sich fortsetzten und die reaktionären innenpolitischen Maßnahmen sich mit einer liberalen Wirtschaftspolitik vereinten, konnte das Bürgertum seine Interessen durch die staatliche Politik Preußens gefördert sehen. Böhme schreibt dem deutschen Liberalismus folglich eine ausschließlich ökonomische Kraft zu: „Aus der Konzentration aller bürgerlicher Kräfte auf den industriellen Fortschritt, auf Naturwissenschaft und Technik ging keine wirkliche liberale Politik hervor. Vielmehr wurden die traditionellen Rechte der Führungsschicht der Agrarier konserviert, und trotz allen unternehmerischen Erfolgen war und blieb die industrielle Wandlung gebunden an die Interessen der Großlandwirtschaft."[18] Aus dieser Analyse folgert Böhme, daß die Industrielle Revolution in Deutschland nicht eigentlich eine kapitalistische Ordnung hervorbrachte und dem Volk entsprechend die politische Selbstbestimmung versagt blieb. An diese Sicht schließt sich die Feudalisierungsthese nahtlos an. Die nicht gebrochene Macht der feudalen und monarchischen Kräfte zwang die deutsche Bourgeoisie zur Anpassung an die Ideologie und den Lebensstil der alten Eliten. Die liberalen Politiker, die vor allem die wirtschaftlichen Interessen ihrer Klasse im Auge hatten, arrangierten sich Böhme zufolge mit Bismarck und dem Norddeutschen Bund, um durch die nationale Einheit die politische Freiheit zu erreichen.

Auch Hans-Ulrich Wehler geht in seiner Darstellung des Kaiserreichs davon aus, daß die Niederlage des Bürgertums in der Revolution von 1848 den landbesitzenden Adel in seiner führenden politischen und gesellschaftlichen Position bestätigte, während die politische Ohnmacht des Bürgertums durch den Sieg Bismarcks im Verfassungskonflikt 1866 besiegelt wurde.[19] Insofern stellt sich für Wehler das Jahr 1866 als die entscheidende Wende der deutschen Geschichte dar. Im Verfassungskonflikt scheiterte der liberale Parlamentarismus am spätabsolutistischen Militärstaat. Wehler betrachtet die Auseinandersetzung zwischen Bismarck und dem Parlament als das grundlegende Ereignis, das die Machtverteilung zwischen dem Bürgertum und den alten Eliten für die nächsten sechzig Jahre festlegte. Indem er den Verfassungskonflikt zur prinzipiellen Auseinandersetzung stilisiert, erscheint das Einlenken der Liberalen nach den außenpolitischen Erfolgen Bismarcks gegen Österreich als ein moralischer Zerfall, der die Liberalisierung Deutschlands für zwei Generationen verhinderte. „Eine Lösung (der Verfassungsfrage, P.U.H.) wurde vielmehr fast 60 Jahre lang verschoben. Insofern stellte dieser taktisch glänzend lancierte Schachzug einen nur fadenscheinig verhüllten Sieg der traditionellen Gewalten dar. Die Struktur des autoritären Obrigkeitsstaats mit seinem autonomen Militärwesen blieb im Kern unangetastet."[20] Der Akzent liegt hier mehr auf der bürgerlichen Niederlage, im wesentlichen jedoch stimmen Böhme und Wehler überein: Das Bürgertum erwies sich als zu schwach, um sich politisch gegen den bürokratischen Staat und die adeligen Eliten durchzusetzen, daher blieb die Industrielle Revolution ohne Folgen für das politische System. Ausgeblieben ist nach dieser Argumentation der Schub der Demokratisierung, der zu einer alternativen Entwicklung hätte führen können. Am schärfsten hat diese These Ralf Dahrendorf formuliert, wenn er schreibt, in Deutschland habe die Industrialisierung das liberale Prinzip verschlungen statt es zu entfalten.[21] Diese Position setzt stillschweigend voraus, daß die kapitalistische Industrialisierung im Regelfall zur Liberalisierung und Demokratisierung des politischen Systems führen muß. Diese Betrachtungsweise nimmt die kapitalistische Industrialisierung in Schutz, die, richtig angewandt, zur liberalen modernen Gesellschaft hätte führen sollen. Die Fehlentwicklung wird folglich auf ein Versagen des deutschen Bürgertums zurückgeführt. Zu einem ähnlichen Ergebnis gelangt die Geschichtswissenschaft der DDR, wenn sie im Anschluß an Äußerungen von Marx und Engels den Verrat der deutschen Bourgeoisie für die spätere Katastrophe verantwortlich macht.[22] Diesen Positionen ist gemein, daß sie den historischen Prozeß aus dem Klassenbewußtsein ableiten.

Im Unterschied zu den genannten Auffassungen haben Annette Leppert-Fögen und Michael Gugel versucht, die ideologischen Veränderungen als Folgen des Kapitalisierungsprozesses selbst auszuweisen.[23] Es geht ihnen nicht darum, die Behinderung des Liberalismus durch die konservativen Kräfte zu verfolgen, sondern darum, die Veränderung des Liberalismus im Zusammenhang mit der Industrialisierung zu begreifen. Unter diesem Gesichtspunkt nimmt die bürgerliche Niederlage, beziehungsweise der bürgerliche Kompromiß eine andere Bedeutung an, sie erweisen sich als die stringenten Ergebnisse der bürgerlichen Interessen. Dabei legt Leppert-Fögen den Nachdruck auf das Auseinanderbrechen des Bürgertums in Bourgeoisie und Kleinbürgertum, das sich seinerseits nach 1850 schärfer von den proletarischen Schichten abhebt. Durch diesen Prozeß der gesellschaftlichen Ausdifferenzierung, der die sozialen

Gegensätze und Konflikte zunehmend sichtbar macht, wird der mittelständische Liberalismus zwischen 1850 und 1870 obsolet. Um es zugespitzt zu formulieren: Der Liberalismus wird im Zuge der Industriellen Revolution zur Ideologie des Mittelstandes, also des Kleinbürgertums, während sich auf der einen Seite die Großbourgeoisie lostrennt und den Liberalismus verläßt und sich auf der anderen Seite das Proletariat seit den sechziger Jahren selbständig macht und die ideologische Bevormundung durch den Liberalismus abstreift. Leppert-Fögen verweist auf die gesellschaftlichen Ziele, die hinter dem liberalen Programm aufleuchten, aber sie kennzeichnet diese Bedürfnisse nicht genauer und legt den Nachdruck eher auf die kleinbürgerlichen Interessen, die diese Gruppen zum Abfall vom Liberalismus führen (Unterstützung Bismarcks). Unerklärt bleibt auf diese Weise die Einstellung der Fortschrittspartei im Verfassungskonflikt. Diese kritisierte ja keineswegs nur den autoritären Militärstaat, sondern vertrat gleichzeitig bestimmte wirtschaftliche und gesellschaftliche Interessen. Die Schwäche der These liegt in ihrer mangelnden historischen Konkretheit; sie qualifiziert den Liberalismus des Nachmärz vorschnell als kleinbürgerlich ab und verliert damit den Umwandlungsprozeß aus den Augen, der im Verfassungskonflikt erkennbar wurde. Eine genauere Untersuchung verdient besonders die Verbindung zwischen der bürgerlichen Intelligenz, die ideologisch und strategisch im Parlament die Führung übernahm, und dem Wirtschaftsbürgertum, dessen Interessen auf dem Spiel standen. Denn aus der prominenten Rolle der liberalen Intelligenz in den Parlamenten darf nicht geschlossen werden, daß die wirtschaftliche Elite apolitisch und an der Durchsetzung ihrer Ziele nicht interessiert war. Weitgehend artikulierte in dieser Epoche die Intelligenz noch die Forderungen der bürgerlichen Klasse, nicht zuletzt bei der prekären Abgrenzung nach unten. Sie benutzten das Arsenal der klassischen liberalen Theorie, um auf eine entschieden veränderte gesellschaftliche Lage zu reagieren – mit dem Ergebnis, daß sie zentrale Prämissen des kontinental-europäischen Liberalismus eliminierten.

Der Gegensatz zwischen einer Politik der staatlichen Modernisierung und einer Politik der Liberalisierung spitzte sich vor allem in Preußen zu. Obgleich Preußens außenpolitische Position nach 1850 schwächer war als die Österreichs, verfügte der nördliche Staat über das größere wirtschaftliche Potential und erwies sich im ganzen beim Einsetzen der Wirtschaftspolitik für seine machtpolitischen Ziele als sehr erfolgreich. Vor allem Helmut Böhme hat nachgewiesen, wie sehr die preußische Handelspolitik das Instrument war, mit dem der österreichische Gegner ausgeschaltet wurde, um die kleindeutsch-preußische Lösung durchzusetzen. Freilich sollte diese Politik nicht ausschließlich als eine Form der Gängelung des deutschen Bürgertums betrachtet werden. Gleichzeitig ist zu fragen, in welchem Maße die preußische Wirtschaftspolitik von den kapitalistischen Kräften getragen und gefördert wurde, weil sie mit deren Interessen übereinstimmte. Auch Böhme unterstreicht, daß der österreichische Vorstoß unter der Leitung von Rechberg, der die Schwierigkeiten der preußischen Regierung während des Verfassungskonfliktes ausnutzen wollte, keinen Erfolg haben konnte, weil die liberale Opposition, die die Heeresvorlage bekämpfte, in wirtschaftlichen Fragen durchaus hinter der Regierung stand. So urteilt Böhme zusammenfassend: „Das Preußen von 1862, mit Bismarck als Ministerpräsidenten, entsprach, nachdem Bismarcks konsequente Fortsetzung der Handelspolitik deutlich wurde, ihren materiellen Interessen, und die Ablösung der ‚Neuen Ära‘ konnte eine Angelegenheit des Landtages werden, da Bismarcks wirtschaftspolitisches Vorgehen im engsten Einvernehmen mit der von Delbrück geschmiedeten freihändlerischen Interessenfront von Landwirtschaft, Handel, mobilem Kapital und der Exportindustrie geschah."[24] Bismarck war im Oktober 1862 erfolgreich, weil er die Wirtschaftspolitik Preußens entschieden fortsetzte und damit einen wichtigen Teil des Bürgertums, dessen Interessen durch diese Politik vertreten wurden, auf seine Seite zog. Sowohl der deutsche Handelstag als auch der Kongreß deutscher Volkswirte stellte sich hinter die preußische Wirtschaftspolitik, die einen Vertrag mit Frankreich anstrebte, um den Zugang zum Westen zu öffnen und die Vorherrschaft Österreichs zu brechen.

Daß Bismarck die Dynamik der rapiden Industrialisierung und der wirtschaftlichen Expansion Deutschlands ausnutzte, um eine gesellschaftliche und politische Ordnung durchzusetzen, die den Interessen des grundbesitzenden Adels entsprach oder zumindest nicht widersprach, liegt auf der Hand. Komplexer war die Lage der Liberalen, die in der preußischen Regierung, namentlich einer durch Bismarck geführten, unmöglich die Ideen vertreten sehen konnten, die für die eigene politische Konzeption maßgebend waren. Im Gegensatz zum Frühliberalismus konzentrierten sich die Liberalen in der Neuen Ära (1858–1862) bewußt auf die anstehenden praktischen Fragen und verzichteten auf die prinzipiellen Argumente, die den klassischen Liberalismus ausgezeichnet hatten. So sprach sich Carl Twesten in der Schrift *Woran uns gelegen ist* (1859) für eine nüchterne Politik aus, die von theoretischen Streitigkeiten und grundsätzlichen Auseinandersetzungen über Verfassungsfragen so weit als möglich absieht. Der entschiedene Liberalismus stellte sich von Anfang an auf den Boden der Tatsachen und damit auch auf die Grundlage der oktroyierten Verfassung. Er wollte die Probleme von 1848 nicht wieder aufrollen. Zu den konkreten Fragen, auf die sich die Liberalen konzentrieren wollten, gehörte dagegen das Verhältnis der Wirtschaft zur staatlichen Politik. Hier zeigte sich ein wesentlicher Unterschied gegenüber dem Frühliberalismus: Nicht mehr die vormals postulierte Trennung von Staat und Gesellschaft steht im Zentrum der Diskussion, sondern die mögliche Kooperation zur Durchsetzung einer maximalen ökonomischen Expansion. Dazu gehört auf der einen Seite die Abschaffung von staatlichen Kontrollen, die den wirtschaftlichen Ausbau hindern, auf der anderen Seite aber ebenfalls, trotz der freihändlerischen Grundeinstellung, die Forderung, daß der Staat als Ordnungsfaktor präsent zu sein habe. Die Fortschrittspartei war keineswegs, wie aus ihrer Position im Verfassungskonflikt geschlossen werden könnte, gegen den Staat eingestellt. Gerade um die kapitalistische Wirtschaftsordnung voll durchzusetzen, wird der Staat aufgefordert, durch die nationale Vereinheitlichung des Marktes die Voraussetzungen dafür zu schaffen. Der nachmärzliche Liberalismus instrumentalisierte seine Theorie und seine politische Position, er richtete sich auf einen Erwartungshorizont ein, der sich von dem vormärzlichen wesentlich unterscheidet. Es ging um „die machtstaatliche Unterstützung der nationalwirtschaftlichen Interessen auf den auswärtigen Märkten",[25] wo die deutsche Wirtschaft sich im Vergleich mit den Vertretern anderer Nationen oft benachteiligt fand, da ihr die politische und militärische Unterstützung fehlte. Für den Nationalismus der Fortschrittspartei ist bezeichnend, daß er nicht mehr von der nationalen Selbstbestimmung ausging, sondern von der europäischen Machtkonstellation und der deutschen Position in ihr. Die eher vorsichtige und ängstliche Politik der Konservativen war den Liberalen zuwider. Man dachte nicht legitimistisch, sondern im Rahmen einer konstitutionellen Lösung machtpolitisch. Man kann von einer „Instrumentalisierung der liberalen Reformwünsche auf nationale und machtpolitische Ziele hin"[26] sprechen. Gugel hat diesen Zusammenhang prägnant formuliert: „Es geht bei den innenpolitischen Forderungen nicht primär darum, die Konterrevolution der fünfziger Jahre zu revidieren, nicht darum, das 1849 Verlorengegangene zurückzugewinnen, noch ist bezweckt, sonst in irgendeiner Weise die Weichen für eine demokratische Entwicklung der Gesellschaft zu stellen. Vielmehr gewinnen die liberalen Forderungen ihre eigentliche Legitimation erst durch die zweckrationale Begründung und Hinordnung auf die an erster Stelle stehende nationale Frage bzw. durch den Nachweis ihrer Nützlichkeit für die nationalwirtschaftliche Entwicklung."[27] Diese Position weicht von der herrschenden Meinung dadurch ab, daß sie die emanzipatorischen Absichten der Liberalen in Abrede stellt, so daß der Verfassungskonflikt seine prinzipielle Bedeutung verliert.

Wir werden auf diese Frage zurückkommen. Zunächst geht es uns um das Verhältnis von Staat und Gesellschaft in der Konzeption der Fortschrittspartei. Bei der Forderung nach politischer Mitbestimmung beriefen sich die Liberalen nicht mehr auf naturrechtliche Grundsätze, sondern auf die logische Entwicklung der vorgefundenen historischen

Verhältnisse. So argumentierte Twesten 1862 in einer Rede vor dem Preußischen Landtag, daß zwischen der Repräsentation des landbesitzenden Adels im Herrenhaus und seiner tatsächlichen Macht ein Hiat bestehe, der auf einen Widerspruch hinausläuft. „Alle wirkliche Macht im Staate, abgesehen von der Regierungsmacht, beruht nur auf der Zahl und dem Reichtum. Der Reichtum aber ist nicht mehr in den Händen des Grundbesitzes allein; er ist in sehr verschiedenen Kreisen vorhanden, und das Übergewicht, welches dem Grundbesitz im Herrenhaus verstattet ist, steht nicht im Einklang mit den realen Verhältnissen. Darum können wir das Herrenhaus als einen Anachronismus in den heutigen preußischen Zuständen bezeichnen."[28] Der Staat erscheint nicht mehr als Bedrohung der bürgerlichen Gesellschaft, sondern eher als Garant der gesellschaftlichen Ordnung, da er als Vollzieher des Rechts über den streitenden Parteien steht. Möglicherweise unter dem Einfluß der Hegelschen Staatsphilosophie wird den partikularen gesellschaftlichen Kräften die Gleichrangigkeit abgesprochen. Der Staat dagegen erhält bei der Lenkung der Gesellschaft eine zentrale Funktion. Damit wird die Bedeutung der Öffentlichkeit als der letztlich kontrollierenden politischen Instanz deutlich abgeschwächt. Während der klassische Liberalismus von der Souveränität der Bürger ausging, sah der Liberalismus der sechziger Jahre im Staat eine primäre Größe, mit der man nicht nur zu rechnen hat, dem vielmehr eine eigene institutionelle Dignität zukommt, weil er die divergierenden gesellschaftlichen Interessen integriert. Die Liberalen der Neuen Ära wünschten noch keine direkten Interventionen, doch schon hier waren tendenziell die Weichen für eine Verschränkung von Staat und Gesellschaft gestellt, sowohl auf der ideologischen wie auf der praktischen Ebene.

Die Konzeption der öffentlichen Meinung im Nachmärz

Noch bevor der nachrevolutionäre Liberalismus sich neu formierte und die Auseinandersetzung mit den konservativen Kräften in der Neuen Ära wieder aufnahm, gab es einen Versuch, nach der gescheiterten Revolution die Ziele des politischen Liberalismus neu zu formulieren, gerade auch in der Auseinandersetzung mit der klassischen liberalen Theorie. 1853 erschien der erste Teil von Ludwig August von Rochaus *Grundsätzen der Realpolitik,* mit denen die Revision des klassischen Liberalismus in Deutschland eröffnet wurde. Rochau betrachtete diese Revision als die notwendige Selbstkritik der liberalen Doktrin, der er sich selbst verpflichtet fühlte. Während der Revolutionsjahre war er aus dem französischen Exil zurückgekehrt und hatte seine Feder der liberalen Mitte zur Verfügung gestellt, während er die Rechte wie auch die Linke scharf angriff. Sobald die Reaktion in Preußen die Zügel wieder fest in der Hand hatte, fand er sich als Redakteur der *Constitutionellen Zeitung* aus Berlin ausgewiesen. Im Unterschied zu anderen Exulanten jedoch blieb er mit der deutschen Situation in Verbindung und griff mit seinen *Grundsätzen* entscheidend in die Diskussion ein. Rochaus Schrift wurde als ein wichtiger Beitrag verstanden. „Ich wüßte kein Buch, das vorgefaßte Illusionen mit schneidenderer Logik zerstörte." So Heinrich von Treitschke, der zu dieser Zeit noch zu den radikalen Liberalen zählte.[29]

Rochaus Plädoyer für eine Form der Politik, die sich an den tatsächlichen Machtverhältnissen und nicht an abstrakten Prinzipien orientiert, war in der Tat in erster Linie der Versuch, den Schlüssel für die Niederlage von 1849 zu finden. Aus diesem Grunde empfiehlt es sich, von seiner Auseinandersetzung mit den konkurrierenden Parteien des Frankfurter Parlaments auszugehen und vor diesem Hintergrund seine Schlüsse zu analysieren, die als Naturgesetze der Politik dargeboten werden. Im Grunde war seine Reaktion nicht weniger Ideologie als der Liberalismus, dem er abgeschworen hatte, doch erfaßte sie Aspekte der Wirklichkeit, die der klassische Liberalismus ausgeblendet hatte. Rochaus Sympathien lagen zweifellos nicht auf der Seite der Konservativen. Es fällt ihm nicht schwer, den grundsätzlichen Widerspruch aller konservativen Ideologien aufzudecken: Um den status quo gegen liberale und demokratische Theorien zu verteidigen, muß der Konservativismus selbst Ideen und Begriffe aufgreifen. Folglich gerät er auf die Bahn eben des Idealismus, den er bekämpft. Sobald die wirklichen Verhältnisse sich verändert haben, können sie auch durch Begriffe wie z. B. Autorität nicht mehr restauriert werden. Gegen die Anwendung von staatlicher Gewalt zur Stützung dieser Autorität reagiert Rochau noch einmal mit dem klassischen Argument des Frühliberalismus: „Mit Hilfe einer guten Gendarmerie kann man die Staatsangehörigen möglicherweise wie Drahtpuppen lenken, die Kritik jedoch, die den Gegensatz der Autorität bildet, muß man ihnen lassen."[30] Im Anschluß an die Tradition der Aufklärung rechnet Rochau an dieser Stelle damit, daß sich das Räsonnement in der bürgerlichen Gesellschaft schließlich durchsetzen muß, so daß der menschliche Fortschritt letzten Endes nicht aufzuhalten ist. Rochau vertraut als Liberaler auf den aufgeklärten Staat, der sich nicht auf Autorität oder materielle Gewalt verläßt, sondern seine Gebote durch Vernunft einsichtig machen kann. „Die dem Staat unentbehrliche Achtung vor Recht und Gesetz und vor den Dienern derselben kann heutzutage nur aus freier, vernünftiger Überzeugung hervorgehen, aus der Überzeugung, daß Recht und Gesetz ihrem Ursprung und Inhalt nach dem öffentlichen Bedürfnis entsprechen und daß die Behörden in Handhabung von Recht und Gesetz ihre Schuldigkeit tun."[31]

Rochaus Abgrenzung nach rechts entspricht seine Abgrenzung nach links, d. h. gegenüber den demokratischen und sozialistischen Kräften. Die demokratische Partei, die im Frankfurter Parlament den Liberalismus konsequent durchsetzen wollte, verwickelte sich Rochau zufolge in einen Grundwiderspruch: Sie glaubte an „eine selbständige Macht von Ideen und Prinzipien",[32] sie glaubte an die Wirksamkeit der Volkssouveränität, der Öffentlichkeit, an den allgemeinen Volkswillen und Mehrheitsentscheidungen, aber sie konnte niemals die materiellen Kräfte aufbieten, um diese Ideen durchzusetzen. Für Rochau stellt sich der Widerspruch so dar, daß die Demokraten das Prinzip des allgemeinen Wahlrechts benutzten, um die eigenen Parteiinteressen durchzusetzen. „Der Charakter der aus allgemeinem Wahlrecht hervorgegangenen Nationalversammlung konnte von jeder Partei angefochten werden, nur von derjenigen nicht, die sich die demokratische nannte. Mit der Nationalversammlung verleugnete die demokratische Partei ihr eigenes Prinzip und sich selbst."[33] Gegen diese formale Konstruktion ließe sich sehr wohl einwenden, daß die Nationalversammlung eben nicht aus allgemeinen und direkten Wahlen hervorging, daß die bürgerliche Mitte durch den Wahlmodus begünstigt wurde, doch berührt das nicht die Substanz von Rochaus Vorbehalten. Dieser fühlt sich nicht als Verteidiger der Bourgeoisie, die es nach seiner Ansicht in Deutschland nicht gibt, sondern als Sprecher des Mittelstandes, des gebildeten und aufgeklärten Bürgertums. „Man wird wenige Verbesserungen der öffentlichen Zustände bezeichnen können, die nicht unter eifriger Mitwirkung des Mittelstandes zustande gekommen wären."[34] Rochau wirft der demokratischen Partei Mangel an Realismus vor, wenn sie dieses gebildete Bürgertum als Bourgeoisie denunzierte und von der politischen Mitwirkung ausschließen wollte: „Die Politik kann den Mittelstand nicht ungestraft verachten wie den Anhang einer Doktrin, sie kann ihn nicht im Notfall entbehren und sich selbst überlassen, wie etwa den Bauernstand, sie kann ihn nicht ausrotten wie allenfalls eine Aristokratie; sie muß sich notwendigerweise mit ihm *abfinden.*"[35] Obgleich Rochau Theoreme des klassischen Liberalismus benutzt und geltend macht, wenn er die konservativen Mächte und den Staat behandelt, verkehrt er das Verhältnis von Doktrin und Klassenzugehörigkeit. Während der Frühliberalismus mit Hilfe seiner Theorie eine freie Bürgergesellschaft entfalten wollte, ist für Rochau der Liberalismus bereits die Weltanschauung des Mittelstandes. Auch das Auftreten des Proletariats ändert für Rochau an diesem Verhältnis wenig, da es als eine bloße Ergänzung des Mittelstandes angesehen wird: „Statt im Proletariat bloß eine *Ergänzung* des Mittelstandes zu erkennen, statt dem Proletariat lediglich diejenigen Kräfte zu entlehnen, welche es vor dem Mittelstand voraus hat, die Kühnheit, den Mut, die Aufopferungsfähigkeit, glaubte man, mit Hilfe des Proletariats den Mittelstand entbehren zu können."[36] Mit erstaunlicher Offenheit setzt Rochau auseinander, daß nicht politische, sondern nur ökonomische Gründe das Bürgertum von demokratischen Gesichtspunkten abbringen können. Damit widerspricht er freilich sich selbst, da er kurz zuvor behauptet hatte, daß das deutsche Bürgertum im Unterschied zum französischen keine ökonomische Klasse sei, sondern eine durch Bildung ausgezeichnete Statusgruppe. Die wirtschaftlichen Interessen des Bürgertums widersprechen, wie Rochau klar erkennt, einer radikalen Auslegung der liberalen Grundsätze.

Daß Rochau hier nicht nur der analysierende Beobachter ist, sondern gleichzeitig eine Position bezieht – die übrigens auf den Liberalismus der Neuen Ära vorausdeutet –, wird anläßlich seiner Auseinandersetzung mit dem Sozialismus deutlich. Rochau wehrt sich nicht gegen soziale Reformen, solange sie als soziale und wirtschaftliche durch den Staat vorgenommen werden. Er verwahrt sich dagegen mit Entschiedenheit gegen die Politisierung der sozialen Frage, wie sie durch den Sozialismus vorgenommen wird. Das Eigentumsrecht bleibt für Rochau die klare Grenze aller sozialen Maßnahmen, eine Grenze, die er als moralische, politische und ökonomische versteht. Auf Grund seiner Erfahrungen in Frankreich spricht sich Rochau gegen staatliche Eingriffe in die Wirtschaftsordnung aus, weil er überzeugt ist, daß die durch den Kapitalismus entfalteten Produktivkräfte auf lange Sicht das soziale Problem überwinden werden. „Nochmals, das große Mittel der sozialen Reform, welches der deutschen Nationalpolitik zu Gebote steht, ist die Freiheit der wirtschaftlichen Bewegung. Der größtmögliche Spielraum für den Assoziationsgeist ist damit einbegriffen."[37] Durchaus in der liberalen Tradition werden hier öffentlicher und privater Bereich getrennt, die anstehenden gesellschaftlichen Probleme, deren Existenz nicht geleugnet wird, werden aus dem politischen Bereich verdrängt, indem sie entweder sich selbst überlassen bleiben oder der staatlichen Verwaltung anvertraut werden – wodurch sie indirekt doch politisiert würden. Die Unentschiedenheit in dieser Frage, das Schwanken zwischen der Forderung nach einem starken Staat und einer autonomen Wirtschaftsgesellschaft, ist bezeichnend für den Übergangscharakter von Rochaus Schrift.

Rochaus Apologie des Mittelstandes schließt freilich Kritik an dessen politischer Theorie nicht aus. Und gerade durch diese Kritik wurde das Buch für den nachrevolutionären Liberalismus wichtig. Der gemäßigte vorrevolutionäre Liberalismus erblickte in der konstitutionellen Monarchie die Erfüllung der eigenen politischen Forderungen – die Kontrolle des Staates durch ein Parlament, in dem die Öffentlichkeit sich konstituieren kann. Abgeleitet wurde diese Konstruktion aus der Vertragstheorie. Gegen diese abstrakte Theorie macht Rochau in seiner Auseinandersetzung mit der konstitutionellen Partei den historischen und politischen Gesichtspunkt geltend und kommt dadurch zu einer abweichenden Be-

wertung. Die konstitutionelle Monarchie erscheint ihm als ein historischer Kompromiß, der die Lage der kämpfenden Parteien spiegelt. In
prononcierter Abwendung von naturrechtlichen Vorstellungen beschreibt Rochau die Auseinandersetzung zwischen Krone und Parlament als einen reinen Machtkampf, der der rationalen Deliberation entzogen bleibt. „Die politische Macht kennt keine Grenze als eine andere
Macht, und zwischen Mächten, die einander ausschließen, ist der Ver-
nichtungskampf eine durch kein Räsonnement zu beseitigende Notwendigkeit."[38] Die innere Brüchigkeit des Konstitutionalismus als einer politischen Theorie besteht nach Rochau darin, daß der Ausgleich zwischen
Monarch und Bürgern nicht zu garantieren ist. Ist der Monarch stark genug, kann er die Verfassung jederzeit außer Kraft setzen, ist dagegen das
Volk stärker als der Monarch, wird dieser im Grunde überflüssig. So
schließt Rochau: „Der Konstitutionalismus hat sich also in der bisherigen Praxis des deutschen Staatslebens nicht bewährt, und nur eine ab-
sichtliche Selbsttäuschung kann verhehlen, daß es innerhalb der gegenwärtigen Machtverhältnisse in Deutschland keinen Boden für ihn gibt."[39]
Dieser Satz wurde geschrieben zu einer Zeit, als in Preußen die Verfassung auf dem Papier stand, ohne die Reaktion bei der Knebelung der liberalen Kräfte im geringsten zu behindern. Welche Konsequenzen zieht
Rochau aus dieser Beobachtung? Er argumentiert historisch und gesteht
dem Konstitutionalismus die Rolle einer vorbereitenden Kraft zu. Mehr
als eine vorbereitende Funktion kann der Konstitutionalismus freilich
nicht übernehmen, da er sonst in der Verfolgung seiner liberalen Grundsätze die Monarchie abschaffen müßte. Rochau benutzt hier, ohne es
auszusprechen, das Prinzip der Volkssouveränität als Maßstab der Beurteilung, er zeigt die Inkonsequenz der konstitutionellen Monarchie,
doch folgt daraus nicht der zu erwartende Schluß, daß sich der Liberalismus als Demokratie schließlich durchsetzen muß; denn dieses Argument
hat sich Rochau verstellt, indem er von der geschichtlichen Situation und
nicht von der Theorie ausgehen will. Folglich ist seine Antwort unklar –
eine halbe Verteidigung des Konstitutionalismus der Gothaer Partei, den
er zuvor theoretisch widerlegt hatte. Rochau sieht für den kleindeutschen, pro-preußischen Standpunkt eine Chance, sobald sich der preußische Staat wieder seinen eigenen Interessen zuwendet. Dann müßte es zu
einer Konstellation kommen, die an 1848 erinnert, d.h. zur Liberalisierung, zum Bündnis zwischen Staat und liberaler Theorie. Diese Progno-
se sollte sich fünf Jahre später erfüllen, und zwar im Rahmen eben jenes
Konstitutionalismus, dessen Brüchigkeit Rochau nachgewiesen hatte.

Rochau durchschaut die Schwäche des deutschen Mittelstandes, der
im Gegensatz zur französischen Bourgeoisie niemals die herrschende
Klasse geworden ist. Dieser Mittelstand ist stark genug, um den absolutistischen Staat in Frage zu stellen, aber nicht kräftig genug, um ihn zu

überwinden. Gleichwohl hält Rochau 1853 daran fest, daß ohne diesen Mittelstand Politik in Deutschland nicht zu machen sei. So ergibt sich eine Position, deren Widersprüchlichkeit Rochau offenbar nicht durchschaut. Auf der einen Seite wendet sich Rochau, wie wir sehen werden, gegen den Idealismus der liberalen Partei und möchte den Liberalismus durch die ökonomische Stärkung des Bürgertums absichern, auf der anderen Seite entgeht ihm nicht, daß dem deutschen Bürgertum die politische Stoßkraft fehlt, weil es keine geeinte Klasse ist. Um diesen Widerspruch zu lösen, vertraut Rochau auf die gesellschaftliche Evolution, in der sich schließlich das Bürgertum als die vernünftige Klasse durchsetzen muß. Dem rationalen, aufgeklärten Bürgertum muß schließlich gegenüber dem engstirnigen Adel und dem irrationalen Proletariat die Führung zufallen. Das historische Argument wendet sich besonders gegen den Adel, dem eine sinnvolle gesellschaftliche Funktion abgesprochen wird. „Die deutsche Aristokratie hat sich selbst hingerichtet; sie ist untergegangen an der Unfähigkeit, ihre Rolle den wechselnden Forderungen der Geschichte anzupassen."[40] Rochaus politischer „Realismus" hat nichts zu tun mit einer Verteidigung der ständischen Ordnung, doch ebenso wenig mit einem Plädoyer für das Volk, dem vielmehr die Fähigkeit des Regierens abgesprochen wird. „Dagegen ist es eine eitle Spielerei, den souveränen Willen eines Volkes anzurufen, dem entweder das Können oder das Wollen fehlt, das vielleicht noch nicht einmal zum Bewußtsein seiner selbst gekommen ist."[41]

Diese Abgrenzungen schlagen sich in Rochaus Konzeption der Öffentlichkeit nieder. Setzte der klassische Liberalismus voraus, daß sich der Allgemeinwille in der Öffentlichkeit durch rationale Deliberation bilden soll, zieht Rochau aus dieser Prämisse den Schluß, daß die Öffentlichkeit entweder eingeschränkt oder als letzte Instanz der politischen Willensbildung abgewertet werden muß. Vor allem ändert sich die Begründung für die Wirksamkeit der öffentlichen Meinung. Bei Rochau wird sie aus einer emphatischen Konstruktion zu einer realen Menge von Meinungen, die sich verbinden müssen, um eine Wirkung auszuüben. „Eine vereinzelte Meinung, eine vereinzelte Intelligenz, ein vereinzelter Reichtum bedeutet im Staat wenig oder gar nichts; um politisch zu gelten, muß die Meinung zur öffentlichen, die Intelligenz zum Gemeingut, der Wohlstand wenigstens in einer Klasse heimisch werden."[42] Nicht mehr die Idee gibt den Ausschlag, sondern die Zusammenfassung der empirisch vorhandenen Meinungen. „Die Ideen haben immer gerade so viel Macht, wie ihnen die Menschen leihen, denen sie innewohnen."[43] Diese Umkehrung des klassischen Modells, in dem die Idee als das Vernünftige das Primäre war, führt dazu, daß für Rochau in der Öffentlichkeit zwischen richtigen und falschen Ideen nicht mehr zu unterscheiden ist. „Daher ist eine Idee, welche, gleichviel ob richtig oder unrichtig, ein ganzes Volk oder Zeitalter erfüllt, die realste aller politischen Mächte, eine Macht, die nur der Unverstand geringschätzen oder gar verspotten kann."[44] Indem Rochau die Unterscheidung zwischen richtigen und falschen Ideen durch die Unterscheidung zwischen erfolgreichen und nicht-erfolgreichen Ideen pragmatisch ersetzt, sprengt er, ohne es vielleicht zu wollen, das klassische Konzept der Öffentlichkeit, in dem vorausgesetzt war, daß praktische Fragen wahrheitsfähig sind.

Die Bedeutung der öffentlichen Meinung wird relativiert; sie ist zu berücksichtigen, weil sie jeweils den geistigen Zustand des Volkes ausdrückt. Die logische Konsequenz dieser Deutung wäre, der öffentlichen Meinung jede normative Kraft abzusprechen und sie als einen bloßen Faktor des politischen Lebens gelten zu lassen. Bezeichnenderweise schwankt Rochau an dieser Stelle. Er äußert sich skeptisch gegenüber der Hoffnung, der Wahrheit und dem Recht eine besondere Kraft zuzutrauen, aber er gibt auf der anderen Seite die Idee der bürgerlichen Freiheit nicht auf. Der Ausweg besteht in einem historischen Relativieren: Während es unmöglich wäre, den Gedanken bürgerlicher Freiheit auf „unterentwickelte" Nationen zu übertragen, ist es andererseits nicht sinnvoll, eine europäische Nation an feudale Begriffe wie Legitimität zu binden. So besteht für Rochau eine Kraft, die jenseits der öffentlichen Meinung für die Durchsetzung der Ideen verantwortlich bleibt – eben die Geschichte selbst.

Freilich gibt es noch ein zweites Mittel, um die Vernunft der öffentlichen Meinung zu garantieren: die Ausschaltung der irrationalen Elemente. Entschieden spricht sich Rochau daher gegen ein allgemeines und gleiches Wahlrecht aus; denn das allgemeine Wahlrecht gibt den „ärmeren Volksklassen" ein bedenkliches Übergewicht und damit einen gefährlichen Einfluß auf das Parlament, auf das Organ der Öffentlichkeit. Unterstellt wird von Rochau hier ein innerer Zusammenhang zwischen Vermögen und Rationalität auf der einen Seite und Armut und Irrationalität auf der anderen. So begründet er ein eingeschränktes Wahlrecht (Zensus) damit, daß die Stimmen der Massen den Volkswillen verfälschen und damit den Weg für die Diktatur vorbereiten. Um dieses Argument zu veranschaulichen, verweist Rochau auf den Bonapartismus in Frankreich. So schließt er: „Die geschichtliche Erfahrung spricht *für* den Zensus, und die politische Vernunft spricht wenigstens *nicht gegen ihn.*"[45] Die politische Vernunft, auf die Rochau sich hier beruft, ist nicht mehr das Räsonnement der klassischen Öffentlichkeit, sondern das vorsichtige Abwägen der realen politischen Kräfte. In diesem Sinne spricht sich Rochau für eine angemessene Beteiligung des Volkes an der politischen Willensbildung aus, nämlich für eine solche, die die Vorherrschaft der Vernunft, d. h. des Mittelstandes, nicht gefährdet.

Die Abwertung der Öffentlichkeit verbindet sich bei Rochau bezeich-

nenderweise mit der Aufwertung des Staates, dessen Existenz nicht mehr
über die Vertragstheorie aus dem Naturrecht abgeleitet, sondern als eine
geschichtliche Gegebenheit behandelt wird. „Die Verfassungspolitik hat
es auf diesem Wege in der Praxis nicht über verunglückte Versuche, und
in der Theorie nicht über Phantasiebilder hinausgebracht, fratzenhaft
wie die Platonische Republik oder idyllisch wie der Rousseausche Ge-
sellschaftsvertrag, in jedem Falle aber historisch unwahr, staatlich un-
brauchbar und selbst philosophisch unhaltbar."[46] An die Stelle der klassischen Vertragslehre, die sich an den Rechten des Individuums und der
Volkssouveränität orientiert, tritt eine pragmatische Begründung, die
den Begriff der Macht nach dem Vorbild naturwissenschaftlicher Gesetze als grundlegend einführt. „Das Studium der Kräfte, welche den Staat
gestalten, tragen, umwandeln, ist der Ausgangspunkt aller politischen
Erkenntnis, deren erster Schritt zu der Einsicht führt: *daß das Gesetz der
Stärke* über das Staatsleben eine ähnliche Herrschaft ausübt *wie das Gesetz der Schwere* über die Körperwelt."[47] Parallel zu der Abwertung der
öffentlichen Meinung wird die Bedeutung des Rechtes abgewertet. Rochau unterstreicht die Priorität des Staates gegenüber dem Recht.

Die entscheidende Frage ist dann freilich, wer den Staat kontrolliert,
oder, abstrakt gesprochen, wie sich das Verhältnis von Staat und Gesellschaft darstellt. Bei Rochau wird der Liberalismus in der Tat konkret, insofern er die gesellschaftlichen Kräfte als das Primäre begreift – von ihnen hängt der Staat ab, so daß seine politische Form immer nur die
wirklichen Kräfte widerspiegeln kann. Die gesellschaftlichen Kräfte, auf
deren Durchsetzung Rochau hofft, sind nicht die konservativen Eliten,
sondern die bürgerlichen Gruppen, die sich mit Hilfe der öffentlichen
Meinung den Staat aneignen sollen. Insofern verteidigt Rochau nicht,
wie gelegentlich behauptet worden ist, eine reine Machtpolitik, die sich
auf Verwaltung und Armee stützt, er will vielmehr die Artikulation der
bürgerlichen Kräfte in der öffentlichen Meinung, die dann wiederum
zum Treibriemen der Machtpolitik genutzt werden kann. Mit diesem
Wunsch steht Rochau zweifellos in der liberalen Tradition, freilich mit
der Einschränkung, daß die öffentliche Meinung nur dann einen bleibenden Einfluß auf die Politik ausüben kann, wenn sie gesellschaftlich
verankert ist. „Eine schwächliche, ihrer selbst ungewisse Meinung des
Tages hat keinen Anspruch auf politische Berücksichtigung, in dem Maße aber, in welchem sie sich zur stetigen Ansicht festigt und zur wahrhaf-
ten Überzeugung steigert, in demselben Maße wächst ihre staatliche
Wichtigkeit."[48] Wir müssen festhalten, daß für Rochau eine Politik ohne
Berücksichtigung der öffentlichen Meinung undenkbar ist, da der Staat
langfristig nicht gegen das Volk regieren kann. „Eine *Staatspolitik,* welche sich von dem Nationalgeist lossagt, erzwingt die Opposition einer
nationalen *Volkspolitik.*"[49] Rochaus politisches Denken ist bestimmt von

der Idee eines politischen Gleichgewichts zwischen den staatlichen und den gesellschaftlichen Kräften. So kann von einer Staatsvergottung 1853 noch nicht die Rede sein, freilich von einer Verschiebung der Grundvorstellungen. Der Staat und seine materielle Macht rücken zunehmend ins Zentrum, während die Öffentlichkeit instrumentalisiert wird in bezug auf die Formulierung politischer Machtansprüche. Rochau spricht von der Macht und der Größe des Staates, „welche wesentlich bedingt ist durch die Unterstützung eines mächtigen öffentlichen Geistes".[50] Diese Formulierung richtet sich gegen den reaktionären preußischen Staat, konzediert jedoch gleichzeitig Größe und Macht des Staates als relativ selbständige Werte.

Die Annäherung von Staat und Gesellschaft, die wir in Rochaus Theorie beobachten konnten, wird vor allem bei der Lösung sozialer Probleme akut. Der nachrevolutionäre Liberalismus der fünfziger Jahre befindet sich in einer Übergangsphase, in der sich die sozialen Probleme als Klassengegensätze deutlicher abzeichnen. Freilich wird dieser Antagonismus nicht immer offen zugestanden. Bezeichnend ist Rochaus Versuch, das Proletariat noch einmal als einen brauchbaren Rammbock für den Mittelstand in Anspruch zu nehmen, ein Instrument, das je nach der politischen Lage eingesetzt oder zurückgehalten werden kann. Gefährdet sahen sich die Liberalen vor allem durch die französische Konstellation, d.h. den Bonapartismus, der in einer nachrevolutionären Situation die demokratischen Formen ausgenutzt hatte, um eine Halbdiktatur durchzusetzen. Daher war die Wahlrechtsfrage zwischen 1850 und 1870 immer zugleich die Frage, wie die Massen zu beherrschen seien. Bereits in den Debatten der Nationalversammlung spielte dieser Gesichtspunkt eine Rolle; in den folgenden Jahren wurde er sowohl von den Liberalen als auch von den Konservativen sorgfältig verfolgt. Die Konservativen konnten auf die Zuverlässigkeit der ländlichen Wahlkreise vertrauen, die Liberalen fürchteten die ökonomische Abhängigkeit der Massen von den konservativen Eliten und wollten daher ihren Einfluß beschränken. In der Neuen Ära näherten sich die Standpunkte der Demokraten und Konstitutionellen einander an; auch ehemalige Linke wie Waldeck, Jacoby, Rodbertus und Schulze-Delitzsch stellten sich nunmehr auf den Boden der oktroyierten Verfassung und sprachen sich nicht mehr für eine grundsätzliche Veränderung des Wahlrechts aus. Zwar bekämpfte man anläßlich der Novelle zur Städteordnung noch das Dreiklassenwahlrecht, weil es die Wähler in soziale Klassen trennte, aber es bildete sich keine einheitliche Position mehr heraus. In ihrer Mehrheit befürworteten die Liberalen eine Form der Beschränkung. Und bei der Gründung der Fortschrittspartei als einer Koalition von oppositionellen Liberalen und Demokraten wurde das Wahlrecht als ein unlösbares Problem ausgeklammert.

In der Zeit des Verfassungskonfliktes nahm die Wahlrechtsfrage eine neue Bedeutung an. Nunmehr standen Regierung und Besitzbürgertum – wenigstens in bestimmten Fragen – gegeneinander. Da das Dreiklassenwahlrecht nicht nur den landbesitzenden Adel, sondern auch das Wirtschaftsbürgertum förderte, wurde die konservative Partei mißtrauisch. Die Konservativen begannen, die möglichen politischen Vorteile des gleichen Wahlrechts in Erwägung zu ziehen. Sobald sie den Gedanken des allgemeinen Wahlrechts aufgriffen, um das ländliche Wählerreservoir für sich zu mobilisieren, fanden sich die Liberalen, namentlich ihr linker Flügel, in einer unbequemen Lage. Sie bemerkten, daß die ländlichen und städtischen Massen ihrem Einfluß entzogen wurden. Auf der einen Seite beeinflußten die Konservativen die Massen der ländlichen Wähler, auf der anderen agitierten Lassalle und die Arbeiterbewegung in den Städten. Lassalle forderte 1862 in Berlin öffentlich das allgemeine Wahlrecht in Preußen, um für die Durchsetzung sozialer Forderungen eine politische Basis zu haben. Diese Politisierung der sozialen Frage empfanden die Liberalen als eine ernsthafte Bedrohung. Die liberale Partei wehrte sich gegen die politische Organisation der Arbeiter, wie sie Lassalle anstrebte, besonders gegen eine Form, die den Einfluß der liberalen Intelligenz mindern würde. Angesichts des ungelösten Verfassungskonflikts vertraten die Liberalen die Position, daß man eine einheitliche Front bilden müsse. So lehnte man im Dezember 1862 die Forderung der Arbeiterführer aus dem Bildungsverein *Vorwärts* (Leipzig) nach dem gleichen Wahlrecht ab. Durch diese Schwenkung zum Dreiklassenwahlrecht, dem die Fortschrittspartei nach dem Druck von links und rechts nunmehr positiver gegenüberstand, war der politische Zusammenhang mit den proletarischen Massen aufgegeben. Das Konzept allgemeiner politischer Beteiligung, das für das klassische Modell der Öffentlichkeit konstitutiv gewesen war, wurde in der folgenden Zeit bewußt eingeschränkt, um die parlamentarische Mehrheit zu sichern. Die Liberalen verteidigten ein Wahlrecht, in dem nicht mehr als fünfzehn Prozent der Wahlberechtigten (535 000 von 3,549 Millionen) hinter den Liberalen standen.[51]

Unter dem Druck von rechts und links brach der gesamtgesellschaftliche Horizont des Liberalismus in den sechziger Jahren zusammen. Der Anspruch auf politische Gesamtvertretung, der immer noch erhoben wurde, wurde dadurch verteidigt, daß die Bürgergesellschaft mit dem Mittelstand gleichgesetzt wurde, beziehungsweise den besitzenden Klassen eine größere politische Reife zugesprochen wurde. Die Strategie der Liberalen in Fragen des Wahlrechts und der politischen Opposition war, wie besonders Gugel hervorgehoben hat,[52] schon weitgehend von der Furcht bestimmt, von den proletarischen Massen majorisiert zu werden. Auch wenn gegen Gugel einzuwenden ist, daß er den Gegensatz zwi-

schen Adel und Bürgertum in den sechziger Jahren unterschätzt, so kann
er glaubhaft machen, daß die Liberalen sich in der Tat als Mittelklasse
bedroht fühlten. Der organisierte Sozialismus wird als grundsätzliche
Verletzung des eigenen Gesellschaftsbildes registriert, da er die bürgerliche Eigentumsordnung nicht mehr anerkennt.[53] Dort, wo – wie auf dem
linken Flügel der Partei – die festgeschriebene materielle Benachteiligung der Arbeiter ernst genommen wurde, gelangte man zu einer wirtschaftlich akzentuierten Genossenschaftspolitik, die das Proletariat
langfristig in gesellschaftlich integrierbare Kleinbürger verwandeln will.
Denn erst dann, so lautet das Argument, wenn ein gewisser Grad von
Bildung und Wohlstand Gemeingut geworden sind, kann man mit der
Wirksamkeit demokratischer Staatseinrichtungen rechnen.

Exkurs: Der Begriff der öffentlichen Meinung in den zeitgenössischen
Handbuchartikeln

Der ausführliche Artikel von Karl Theodor Welcker im *Staatslexikon*
(10. Bd., 1848) faßt den vorrevolutionären Diskussionsstand zusammen
und macht zugleich deutlich, welche zentrale Bedeutung der Kategorie
der Öffentlichkeit in der deutschen liberalen Theorie zukommt. Wir
müssen uns Welckers Position vergegenwärtigen, um anschließend die
Veränderungen des Nachmärz rekonstruieren zu können, wie sie sich
beispielsweise in Johann Kaspar Bluntschlis *Deutschem Staats-Wörterbuch*
finden. Bei Welcker ist die Stoßrichtung des Öffentlichkeitsbegriffs gegen den Absolutismus noch unverkennbar. Die Einleitung stellt die freien
Nationen den Völkern gegenüber, die von Geheimregierungen beherrscht werden und daher auf die belebende Kraft der öffentlichen
Meinung verzichten müssen. „Ist es nun die Öffentlichkeit und die Freiheit der öffentlichen Meinung, deren Unterdrückung dort Schmach und
Elend der Völker, deren siegreiches Walten hier solche staunenswerthe
politische Größe und Macht bewirkten, gewiß so verdienen Beide die
sorgfältigste Beachtung der Staatsmänner."[54] Die Perspektive, aus der
der Artikel geschrieben ist, ist offensichtlich die Situation einer Nation,
die die freie Meinung nicht mehr oder noch nicht besitzt. „Uns Deutschen aber ist jetzt das Bedürfnis einer Untersuchung der Fragen über
Wesen und Werth der Öffentlichkeit und Meinungsfreiheit überhaupt
nahe genug gelegt. Wir besitzen weder sie noch die politische Freiheit."[55]
Bei der Herleitung des Begriffs bezieht sich Welcker interessanterweise
nicht auf die Theorie des achtzehnten Jahrhunderts, etwa auf Rousseau,
sondern auf die antike Staatstheorie, namentlich auf Cicero, obgleich für
Welcker bei der Funktion der Öffentlichkeit die Idee eines lebendigen
Gesamtwillens eine zentrale Rolle spielt. Ausdrücklich grenzt sich
Welcker vielmehr gegen Rousseau und die französischen Jakobiner ab,

denen eine vulgäre Theorie der Volkssouveränität unterstellt wird. Abgewehrt werden soll nämlich die Auffassung, daß die Verwirklichung der Öffentlichkeit, d. h. die Kontrolle des Staates und der Gesetzgebung durch die öffentliche Meinung, notwendig auf die republikanische Regierungsform hinauslaufen muß. Statt dessen soll es möglich sein, daß die Konzeption von Öffentlichkeit sich mit der Aristokratie oder der Monarchie verbindet.[56] Das Ziel ist der Nachweis, daß die monarchische Regierungsform und die Institution der Öffentlichkeit durchaus vereinbar sind. „Weit entfernt also, mit einer rechtlichen monarchischen Verfassung in unvereinbarem Widerspruche zu sein, sind vielmehr der freie Consens des Volks und die freie öffentliche Meinung ihre breiteste Grundlage, ihre festeste Stütze."[57] Ausdrücklich geht Welcker hier hinter Kants naturrechtlich begründete Staatstheorie zurück (ihr wird Einseitigkeit vorgeworfen) und spricht sich für einen Gesamtwillen aus, der „eben so wenig blos Form, oder blos die Summe oder die Mehrheit getrennter Einzelwillen (ist), als er denkbar ist ohne die freie Mitwirkung der Staatsglieder."[58] Um die Öffentlichkeit des Volkes gegen den Vorwurf ihrer Beliebigkeit abzusichern, wird sie ausdrücklich von den Meinungen der einzelnen oder auch zufälliger Mehrheiten getrennt. „Die wahre öffentliche Meinung ist vielmehr das dem wahren Sein und Wesen, dem Endzwecke und dem höchsten Gesetze des ganzen historischen und politischen Volkslebens entsprechende öffentliche oder gemeinsame Bewußtsein, Gewissen und Wollen und die dadurch bestimmte und damit zusammenstimmende Ansicht und Absicht (Consensus) des Volks in Beziehung auf seine öffentlichen Angelegenheiten."[59] Diese formale Bestimmung wird inhaltlich gefüllt durch den Hinweis auf eine sittliche und rationale Tradition Europas, in der die Institution der öffentlichen Meinung begründet ist.

Sobald sich Welcker jedoch mit spezifischen Problemen der Öffentlichkeit beschäftigt, richten sich seine Ausführungen gegen die Unterdrückung der öffentlichen Meinung durch den Staat – er betont die Freiheit der Meinungsäußerung, der freien Organisation, der Pressefreiheit und der Mitsprache der Bürger bei Strafsachen durch das System der Geschworenen. Der anvisierte Gegner bleibt der Absolutismus: die durch die konstitutionelle Monarchie niemals abgewendete Gefahr, daß der Herrscher die Verfassung widerrufen kann. So ist die Öffentlichkeit für Welcker nach wie vor der rocher de bronce, auf den die Bürgerfreiheit begründet ist. Die möglichen Einwände kommen für Welcker aus dem Lager der Bürokratie: die Abwertung der öffentlichen Meinung als einer bloßen Zusammenfassung privater Äußerungen, die vorgebliche Unmündigkeit des Volkes, die nach dem starken, unabhängigen Staat verlangt, und die Bedrohung der gesellschaftlichen Ordnung durch eine nicht hinreichend aufgeklärte öffentliche Meinung.

Das Argument nationaler Größe und staatlicher Stärke, das nach 1848 eine so bedeutende Rolle spielen wird, tritt nur gelegentlich in den Vordergrund, im allgemeinen verteidigt Welcker emphatisch die Wichtigkeit einer entfalteten politischen Öffentlichkeit für die freie Bürgergesellschaft. Sein Patriotismus ist noch in erster Linie der Bürgersinn, der Gemeinsinn der älteren Theorie. „Die Öffentlichkeit vereinigt mit der Gesamterfahrung und Einsicht und mit dem freien, liebenden, patriotischen Gemeingeiste der Bürger auch ihren Willen, ihre Kräfte und ihre Opfer für die Staatszwecke und gibt daher dem Staate die größte Stärke."[60] Dieser Satz richtet sich gegen den reinen Verwaltungsstaat, der dem Bürger fremd und nur befehlend gegenübersteht, während Welcker das Verhältnis von Staat und Öffentlichkeit als ein sich ergänzendes betrachtet. In der Nachfolge von Montesquieu und im ausdrücklichen Widerspruch gegen Rousseau rechnet Welcker mit der Kontrolle der Gewalten durch ihre Teilung. In der Anwendung bedeutet dies, daß Welcker die Öffentlichkeit der Legislative (Ständeversammlungen), der Gerichte und der Regierung fordert. Das Vorbild ist freilich nicht Frankreich, sondern England, dessen Parlament und Verwaltung als exemplarisch empfohlen werden.

Mit der Aufklärung teilt Welcker noch die Priorität der Moral über die Politik. Habermas' Kommentar zu Kant trifft auch auf Welckers Artikel zu: „Vor der Öffentlichkeit müssen sich alle politischen Handlungen auf die Grundlage der Gesetze zurückführen lassen, die ihrerseits vor der öffentlichen Meinung als allgemeine und vernünftige Gesetze ausgewiesen sind."[61] In diesem Sinn kann auch bei Welcker 1848 die Politik grundsätzlich in Moral überführt werden, auch wenn Kants Begründung der Öffentlichkeit nicht übernommen wird. Welckers Konzeption der Öffentlichkeit ist ihrem Charakter nach noch normativ und ahistorisch. Seiner Theorie liegt die Auffassung zugrunde, daß Öffentlichkeit nicht das Ergebnis bestimmter politischer oder gar gesellschaftlicher Zustände ist, sondern eine unverzichtbare Kategorie darstellt, die wohl in bestimmten historischen Momenten zerstört werden, aber jederzeit rekonstruiert und reaktiviert werden kann.

Der von Johann Kaspar Bluntschli geschriebene Artikel „öffentliche Meinung" im *Deutschen Staats-Wörterbuch* (1862) ist nicht nur entschieden kürzer, sondern im Ansatz auch ungleich pragmatischer. Der emphatische Charakter ist weitgehend verlorengegangen. Auch wenn Bluntschli einräumt, daß der Einfluß der öffentlichen Meinung sich in den letzten hundert Jahren bedeutend erweitert hat, so steht ihr doch nur bedingt normative Kraft zu. „Es ist eine radikale Übertreibung, wenn die öffentliche Meinung für untrüglich erklärt und geradezu ihr die Herrschaft von Rechts wegen zugeschrieben wird."[62] Um diese Abwertung zu begründen, führt Bluntschli die Unterscheidung zwischen der kleinen

Zahl der Wissenden und daher zum Regieren Befähigten und der großen Masse ein. „Die Männer, welche eine tiefere Einsicht haben auch in das politische Leben und seine Bedürfnisse sind in allen Zeiten nicht zahlreich und es ist sehr ungewiß, ob es ihnen gelingt, ihre Meinung zur öffentlichen Meinung auszubreiten."[63] Hier deutet sich bereits eine Elitetheorie an, die nicht einmal die Gesamtheit der Mittelklasse als politisch mündig ansieht und daher zwischen der bloßen Meinung, dem gemeinen Urteil, das oberflächlich sein wird, und der informierten Kenntnis unterscheidet. Gleichwohl möchte Bluntschli die öffentliche Meinung nicht aus dem politischen System eliminieren. Ihr wird eine kontrollierende Funktion zugesprochen, die freilich weniger politischen als moralischen Charakter hat. Folgende Formulierung macht dies deutlich: „Es ist nicht wahr, daß die öffentliche Meinung herrsche, da sie weder herrschen kann noch herrschen will. Sie überläßt die Regierung den damit betrauten Organen. Sie ist keine schöpferische, sondern zunächst eine *kontrolierende* Macht."[64] Wenn Bluntschli die Öffentlichkeit mit dem Chor der griechischen Tragödie vergleicht, weist er ihr eher eine betrachtende als handelnde Funktion zu. Die öffentliche Meinung artikuliert, klärt und reflektiert die Stimmung und Ansicht des Volkes.

War der innere Zusammenhang von Moral und Politik die Voraussetzung der klassischen Öffentlichkeit gewesen, so deutet sich im *Staats-Wörterbuch* die Tendenz an, diesen Nexus aufzulösen, indem die öffentliche Meinung entpolitisiert wird. Doch auch in einer anderen Form kann sich die Trennung vollziehen: die Öffentlichkeit kann vollkommen in den pragmatisch-politischen Bereich hineingezogen werden. Die öffentliche Meinung wird dann zur empirisch feststellbaren Meinung von Gruppen und Klassen, so daß die moralisch-normative Fundierung sich auflöst. Diese Möglichkeit ist in Bluntschlis Artikel wenigstens angelegt, wenn er davon spricht, daß die öffentliche Meinung im wesentlichen die Meinung des Dritten Standes ist und zusammen mit dieser sozialen Gruppe auch an Einfluß gewonnen hat. Daß diese soziologische Deutung nicht problemlos ist und nicht dem ursprünglichen Gehalt des Begriffs entspricht, ist Bluntschli nicht entgangen. In dem Artikel „Dritter Stand" spricht er davon, daß die öffentliche Meinung „wesentlich die Meinung des dritten Standes" ist; sie schließt den vierten nicht ein: „Der größere vierte Stand kümmert sich nur um die großen Begebenheiten und spricht sich auch dann nur in der Noth aus ..."[65] So neigt, wie Bluntschli hervorhebt, das gebildete Bürgertum dazu, die hinter ihm stehenden Massen zu vergessen. So im Frankfurter Parlament: „Eben damals hat er (der Dritte Stand, P.U.H.) denselben Fehler gemacht, den die Franzosen 60 Jahre früher gemacht hatten. Er hat sich selber mit der Nation identificirt und eine Verfassung gemacht, welche sowohl den höheren Stand der deutschen Fürsten als den untern Stand der arbeitenden

Klassen völlig ignorirte."[66] Die steigenden Spannungen zwischen Bürgertum und Proletariat schlagen sich im *Staats-Wörterbuch* bereits nieder, wobei Bluntschli dem Dritten Stand wohl die Fähigkeit zur kulturellen Führung, aber nicht die politische Kraft zuspricht. Das Eintreten der Massen in die Politik verändert Bluntschli zufolge die Struktur des politischen Lebens. Die Forderung nach einer repräsentativen Demokratie, die für den Dritten Stand eigentümlich war, wird politisch wirkungslos, sobald es sich um Großstaaten wie Frankreich oder Deutschland handelt: „Die Erfahrungen der letzten Jahrzehnte in diesen Ländern haben gezeigt, daß der dritte Stand (...) zwar *fähig* sei zur *Verwaltung* und fähig zur *Kontrole* der Regierung, daß er aber *nicht fähig* sei, *große Völker zu regieren* und *große Politik zu üben.*"[67] Verdeckt wird hier auf die Gefahr des Bonapartismus angespielt – auf eine Konstellation, in der der politische Führer mit Hilfe des Vierten Standes den Dritten entmachtet, weil dieser unfähig ist, die Macht in den Händen zu halten. Mit dem Vierten Stand meint Bluntschli indes noch nicht ausschließlich das Proletariat, sondern die Masse der arbeitenden Bevölkerung. Die Chance für die Beteiligung des Vierten Standes an der Demokratie sieht Bluntschli nicht als günstig an, da es ihm an Bildung und Muße fehlt, er hebt jedoch seine Bedeutung für den Staat hervor: „Der vierte Stand ist die Grundlage des modernen Staates und zugleich der Hauptgegenstand seiner Sorge."[68] Durch die in der Gegenwart erfolgte Aufspaltung der Klassen wird die öffentliche Meinung selbst Teil und Instrument einer Klasse. Diese Tendenz wird von Bluntschli angedeutet, doch nicht konsequent verfolgt, da er die Funktion der Öffentlichkeit stärker in den moralischen Bereich verlegt.

Bürgerliche Freiheit und Staat im Verfassungskonflikt

Der Verfassungskonflikt zwischen 1862 und 1866 wurde die Phase der preußischen Geschichte, in der der nachrevolutionäre Liberalismus in der Auseinandersetzung mit einer autoritären Regierung seine Position darlegen mußte. In unserem Zusammenhang sind nicht alle Aspekte dieses Konfliktes gleich wichtig. Im Vordergrund steht die Frage der bürgerlichen Freiheiten sowie der Stellung des Parlaments gegenüber dem Staat. Die Abfolge der Ereignisse muß weitgehend außer Betracht bleiben.[69] Obgleich Heinrich August Winkler im wesentlichen die Auffassung vertrat, daß der Verfassungskonflikt die entscheidende Auseinandersetzung zwischen Adel und Bürgertum darstellte, macht er darauf aufmerksam, daß diese Sicht, die von den zeitgenössischen Liberalen vertreten wurde, die tatsächliche Lage nicht exakt beschreibt, weil die liberale Partei weder das ländliche noch das städtische Proletariat vertrat.[70] Dieser Hiat zwischen Selbstdarstellung und politischer Wirklichkeit bestimmte weitgehend die Strategie der Fortschrittspartei im Kampf mit Bismarck. Man wollte die bürgerlichen Freiheiten sicherstellen und die Rolle des Parlaments neu bestimmen, ohne gleichzeitig Staat und Regierung prinzipiell in Frage zu stellen. Der Begriff des Rechtsstaates, der über den politischen Parteien steht, erlaubte den Liberalen, zwischen der aktuellen Regierung und dem Staat so zu differenzieren, daß eine revolutionäre Einstellung streng vermieden werden konnte.

Der Streit zwischen Parlament und Krone spitzte sich besonders in zwei Bereichen zu: in der Frage des Budgetrechts, die für die Heeresvorlage entscheidend war, und in der Frage der Ministerverantwortlichkeit, die den Charakter der konstitutionellen Monarchie im ganzen berührte. Zum Zusammenstoß zwischen Regierung und Landtag kam es, als die Zweite Kammer am 23. September 1862 beschloß, die für die neue Heeresorganisation geforderten Mittel nicht zu bewilligen. Bismarck als der neue Ministerpräsident ließ, gestützt von der Krone, das Parlament wissen, daß die Regierung notfalls entschlossen sei, ohne ein bewilligtes Budget zu regieren. Dem Landtag sprach er das Bewilligungsrecht ab, es gelte vielmehr das Vereinbarungsprinzip. Durch Bismarcks Strategie war aus der militärischen Frage, die natürlich schon gesellschaftliche und politische Probleme enthalten hatte, eine grundsätzliche Verfassungsfrage geworden. Den Liberalen war diese Veränderung durchaus deutlich. So sprach sich Gneist scharf gegen einen Kompromiß aus, wie ihn Bismarck suggeriert hatte, und bestand auf dem Recht des Landtags, an die Bewilligung des Budgets Bedingungen zu knüpfen. „Wir würden das Budgetrecht und den verfassungsmäßigen Anteil an der Gesetzgebung Preis geben, wenn wir anders handelten. Wir würden durch jeden Mittelweg einen verworrenen Zustand nur verworrener, einen widerspruchsvollen Zustand nur widerspruchsvoller machen. Aber eben deshalb dürfen wir erwarten, daß auch die Staatsregierung nach der Verfassung und nach ihrem Eide handeln werde."[71] Im gleichen Sinne äußerte sich Twesten am 16. September 1862 vor dem Landtag, wo er sich entschieden gegen den Versuch wandte, militärische Fragen der Zustimmung des Parlaments zu entziehen. Den Liberalen lag zu diesem Zeitpunkt daran, wie Twesten hervorhob, die Verfassung zu prüfen; der radikale Flügel zog ihre Kassierung einem Kompromiß vor, der ungeklärt läßt, welche Mitbestimmungsrechte dem Landtag zukommen. Die *Preußischen Jahrbücher* schließlich sprachen im Oktober 1862 von einem prinzipiellen Verfassungskonflikt, bei dem es sich darum handelte, ob die Regierung auf die Nation und ihre gewählte Vertretung Rücksicht zu nehmen habe oder nicht. „Mit einem Wort, es handelt sich in diesem Conflict darum, *die Traditionen aus der Zeit des absoluten Staats zu vergessen* und die Resignation und die Selbstbeschränkung zu üben, welche jedes freie Staatswesen zu seinem Bestehen erfordert."[72] Die *Preußischen Jahrbücher* deklarierten den Konflikt zuspitzend als den „Kampf des Bürgerthums gegen das mit den absolutistischen Tendenzen verbündete Junkerthum."[73] Nicht zu übersehen ist freilich, daß unter den Liberalen in der prinzipiellen Frage der verfassungsmäßigen Rechte keine Einheit bestand. Während die linksliberale Gruppe um Waldeck, Schulze-Delitzsch und Jacoby das Budgetrecht als eine politische Waffe verstand, die gegen die verfassungsbrüchige Regierung eingesetzt werden konnte, stand die Mehrheit auf dem Standpunkt, daß es vor allem die sachlichen und finanziellen Gründe seien, die das Parlament im Falle des Militärhaushalts zur Mitbestimmung berechtigten. Man wollte sich gegen eine Auffassung des Konflikts abgrenzen, die als Verlassen der rechtlichen Basis ausgelegt werden konnte. Gleichwohl ist Ernst Rudolf Huber im Prinzip zuzustimmen, wenn er, unter Berufung auf den linksliberalen Standpunkt, die Logik des Konflikts als die Auseinandersetzung zwischen monarchischem und parlamentarischem Prinzip definiert.[74] Der preußische Konstitutionalismus war, wie Huber hervorhebt, unklar; er konnte unter Umständen als ein parlamentarisches System gedeutet werden. Es ist jedoch bezeichnend, daß die Mehrheit der liberalen Opposition bei aller Bereitschaft zum Widerstand sich nicht für diese radikale Auslegung entschied.

Eine Möglichkeit, die Konstitution im Sinne des parlamentarischen Systems zu verändern, bot die Frage der Ministerverantwortlichkeit. Nach der preußischen Verfassung von 1850 bestand eine solche Verantwortlichkeit nur gegenüber dem Monarchen. In der Kammer hatten die Minister zwar das Recht, sich zu Wort zu melden und Stellung zu nehmen, doch sie unterlagen nicht der Disziplinargewalt des Parlaments. Die Auseinandersetzung zwischen Bismarck und der Zweiten Kammer anläßlich des Streites um den Abgeordneten Unruh führten zum Entwurf eines Gesetzes über die Ministerverantwortlichkeit. Demnach sollten Minister im Falle von Bestechung, Verrat oder Verfassungsverletzung unter Anklage gestellt werden. Die Annahme dieses Entwurfs durch die Zweite Kammer änderte zwar wenig an der politischen Lage, da die Ablehnung durch das Herrenhaus und die Krone vorauszusehen war, aber sie zeigt, wie begrenzt die Reformabsichten der Liberalen waren, denn die parlamentarische Ministerverantwortlichkeit wurde hier nicht gefordert, vielmehr verlegte man den Konflikt zwischen Regierung und Opposition in die Sphäre der Rechtsprechung, der damit eine politische Aufgabe zugeschoben wurde.

Dieses Ausweichen vor der machtpolitischen Auseinandersetzung bezeichnet die Haltung der Liberalen im Verfassungskonflikt, die letztlich von einer harmonischen Konzeption des Verhältnisses von Staat und Parlament (Öffentlichkeit) ausgingen. Wenn die Liberalen gegenüber

Bismarck immer wieder den Rechtsstandpunkt hervorhoben, entsprach dies liberaler Tradition, da im Zusammenhang liberaler Theorie die Begründung von politischer Herrschaft nicht aus sich selbst geschehen kann wie bei den Konservativen, sondern aus der konstitutionellen Garantie von allgemeinen Rechten und Pflichten. So darf man wohl nicht, wie Gugel unterstellt,[75] in der Strategie der Liberalen nur Mangel an politischer Entschlossenheit erblicken, sondern muß zugleich sehen, daß die liberale Theorie auf eine Auseinandersetzung mit einer konservativen Gewalt nicht vorbereitet war und ihr auch nicht gewachsen war, solange sie nicht bereit war, im Konfliktfall revolutionäre Konsequenzen zu ziehen. Daß die liberale Opposition zu einer solchen prinzipiellen Gegnerschaft, die sich dann auf alle Bereiche erstrecken mußte, nicht bereit war, dürfte seine Gründe vor allem darin gehabt haben, daß wirtschafts- und außenpolitische Interessen auf dem Spiel standen, die die Kooperation mit der Regierung nahelegten. Die Führer der Fortschrittspartei erklärten sich weitgehend mit Bismarcks gegen Österreich gerichteten Außenpolitik einverstanden. Hinter diesen Sympathien standen freilich von Anfang an wirtschaftliche Interessen, nämlich das Bedürfnis, einen einheitlichen nationalen Markt herzustellen.[76] Der Verfassungskonflikt kam für die preußische Wirtschaft ungelegen. Besonders die Handelskammern vertraten die Auffassung, daß die Gewerbetätigkeit durch die politischen Auseinandersetzungen nicht geschädigt werden dürfe. Daher wäre die Ausdehnung des Verfassungskonflikts auf die Wirtschaftspolitik auf den entschiedenen Widerstand der Wirtschaft gestoßen. Dies wurde deutlich am Fall des Kieler Hafens, als die Handelskammern der Küstenstädte lebhaft den Ausbau forderten, während die Liberalen die Unterstützung ablehnten.

Der Ausgang des Verfassungskonflikts ließ keinen Zweifel daran, daß die nationalen und wirtschaftlichen Interessen für das Bürgertum wichtiger waren als die grundsätzliche Opposition, die die in der Verfassung angelegten Möglichkeiten ausgeschöpft hätte. Der Sieg der preußischen Armee bei Königgrätz und die vernichtende Niederlage der Fortschrittspartei in den Landtagswahlen (3. Juli 1866) signalisierten einen allgemeinen Umschwung zugunsten der Regierung und ihrer Politik der Stärke. Twesten sprach die Einstellung des gemäßigten Flügels aus, als er in dem Aufsatz „Der preußische Beamtenstaat", der 1866 in den *Preußischen Jahrbüchern* erschien, davon sprach, daß die parlamentarische Verfassung in Preußen eben doch nicht mehr sei als ein äußerer Anhang des bürokratischen Staates.[77] Dieses Eingeständnis der eigenen Schwäche bereitete den Kompromiß mit der Regierung vor und deutete gleichzeitig die Abspaltung des linken Flügels an, der an den verfassungsmäßigen Rechten des Landtags gegenüber der Regierung festhalten wollte. Die Bereitschaft Bismarcks, um die Indemnität nachzusuchen, wurde vom rechten Flügel positiv aufgenommen, während die Gruppe um Waldeck auf dem Bewilligungsrecht der Kammer bestand und folglich den Kompromiß ablehnte. Der rechte Flügel erblickte in der Indemnitätsvorlage eine Art Sühne der Regierung für die ungesetzlichen Handlungen und wandte sich daher gegen eine Fortsetzung der Opposition. Man sprach sich statt dessen für eine konstruktive Teilnahme an der Politik aus.[78] Die Annahme des Indemnitätsgesetzes (3. September 1866) mit 230 gegen 75 Stimmen besiegelte das Schicksal der Opposition und bestätigte nachträglich das Einverständnis der Zweiten Kammer mit der Regierungspolitik zwischen 1862 und 1866. Auf der anderen Seite machte Bismarck durch das Nachsuchen um die Indemnität klar, daß er die Zusammenarbeit mit dem Landtag wünschte und nicht, wie dies auch möglich gewesen wäre, die Gelegenheit nutzen wollte, um das Parlament zu demütigen. Durch die Indemnitätsvorlage sicherte sich Bismarck die Möglichkeit, das Bürgertum für seine Politik zu gewinnen, und grenzte sich merklich gegen die konservativen Ideologen ab. Huber möchte in der Indemnitätsvorlage weder die Selbstpreisgabe des Bürgertums (die klassische liberale Deutung) noch die Unterwerfung der Krone unter den Liberalismus (konservative Deutung bei Carl Schmitt), sondern ein Bündnis sehen, von dem beide Seiten profitierten.[79] Neuere Arbeiten haben dieses Bild bestätigt, wenn auch in einem anderen Sinn, als es bei Huber gemeint ist: Die Opposition der Liberalen enthielt von Anfang an Elemente des Kompromisses, da der Führungsanspruch des Staates nicht eigentlich bestritten wurde und man die Zusammenarbeit in wirtschaftlichen Fragen ausdrücklich suchte. Man überzeugte sich von der praktischen Wirkungslosigkeit der prinzipiellen Forderungen und sah in der Beilegung des Konflikts die Möglichkeit, erneut bei praktischen politischen Aufgaben mitzuwirken.

Das Ergebnis des Verfassungskonfliktes konsolidierte eine Tendenz, die sich bereits in der Neuen Ära abzeichnete, wenn sie auch noch nicht eindeutig war: die Veränderung der politischen Öffentlichkeit zu einer Gestalt, die sich selbst in ihren Zielen gegenüber dem Staat einschränkt und eine Ausweitung auf die proletarischen Massen nicht mehr zuläßt. Auf der anderen Seite spaltet sich in diesen Jahren eine proletarische Gegenöffentlichkeit ab. Auch wenn man der These vom prinzipiellen Kampf der Liberalen für die politische Emanzipation des Volkes skeptisch gegenübersteht, so ist nicht zu übersehen, daß sich das Klima zwischen 1860 und 1866 nicht zugunsten emanzipatorischer Forderungen verschob. Dies wäre gegen die These einzuwenden, daß die Liberalen im wesentlichen 1866 die gleichen Ziele und Interessen vertraten wie 1860.[80] Der Umschwung der öffentlichen Meinung nach dem preußischen Sieg über Österreich muß als Index dieser Wandlungen gelesen werden. Man braucht nur Rochaus 1853 formulierte Auffassung mit der späteren Kri-

tik Baumgartens am Liberalismus zu vergleichen, um das Ausmaß der
Veränderung zu ermessen. Baumgarten, der 1848 zur gemäßigten Rechten gehörte (Erbkaiserliche) und später dem badischen Kreis um Rog-
genbach nahestand, zog 1866 nicht nur die praktischen Konsequenzen
aus der veränderten Situation, sondern erweiterte sie zu prinzipiellen
Überlegungen über die Bedeutung und Funktion des Bürgertums, die
sich nicht unerheblich von dem Standpunkt Rochaus abhoben. Während
Rochau noch daran festhielt, daß Politik in Deutschland ohne die Mittelklasse nicht möglich sei, bestritt Baumgarten bereits die Notwendigkeit der bürgerlichen Beteiligung an der Macht.

III. Die Kritik
der liberalen Öffentlichkeit

Die Selbstkritik des Liberalismus

Hermann Baumgartens Schrift *Der deutsche Liberalismus. Eine Selbstkritik* erschien zuerst 1866 in den *Preußischen Jahrbüchern*, wurde aber noch im gleichen Jahr als selbständige Veröffentlichung auf den Markt gebracht.[1] Das Echo auf Baumgartens Thesen war vielfältig und kontrovers. Für den rechten Flügel des Liberalismus sprachen Heinrich von Treitschke und Julian Schmidt, die Baumgartens Kritik lebhaft begrüßten und für den Liberalismus eine neue Basis forderten.[2] Für Baumgarten war die Geschichte des deutschen Liberalismus die Geschichte eines Versagens. Wenn er die Entwicklung des Liberalismus in Deutschland rekapituliert, steht der Gesichtspunkt der staatlichen und nationalen Stärke im Vordergrund. Die Anstrengungen des südwestdeutschen Kammerlieberalismus finden daher nicht mehr als herablassende Billigung; denn Emanzipationsbestrebungen und Politik werden nicht mehr im Sinne des vorrevolutionären Liberalismus als identisch, sondern als gegensätzlich begriffen. Während die Tüchtigkeit der südwestdeutschen Verwaltungen von Baumgarten eingeräumt wird, „so war doch das platterdings unmöglich, daß diese Scheinstaaten ein wirklich politisches Leben entwickeln halfen".[3] Verglichen mit der Enge der deutschen Kleinstaaten, zieht Baumgarten den gemäßigten preußischen Absolutismus vor, der wenigstens den Vorteil hat, machtpolitisch wirken zu können. Die Lage des vormärzlichen Liberalismus faßt Baumgarten folgendermaßen zusammen: „Wer alle diese Umstände unbefangen würdigt, wird die Erfolglosigkeit der liberalen Bestrebungen bis zum Jahre 1848 natürlich finden. Eingeschlossen in eine Menge kleiner Staaten, die nur kleine Kräfte auf die politische Bühne lockten, unter dem Druck des österreichischen und preußischen Absolutismus, bekämpft von Dynastien, deren Naturwidrigkeit sich nur behaupten konnte, wenn der Nation ein gesundes politisches Leben versagt blieb, bekämpft von dem mit diesen Dynastien, in denen er selber herrschte, unlöslich verwachsenen Adel, bekämpft endlich von einer vielfach verdienten Bürokratie, welche die beste politische Kraft des Bürgertums in sich schloß, so konnte der Liberalismus nie zu einer herrschenden Macht im Staat werden."[4] Baumgarten hat sich bereits so weit von den Grundvorstellungen des klassischen Liberalismus entfernt, daß ihm bei dieser Rekonstruktion entgeht, daß die liberale Theorie sich nicht als eine herrschende Kraft, sondern als eine öffentliche Instanz verstand, die Herrschaft unter Kontrolle bringen will. Die Rolle der Opposition ist dem Frühliberalismus auf Grund seiner Theorie wesentlich zugeschrieben. Indem jedoch Baumgarten die nationale Einheit als die vornehmliche Aufgabe ausgibt und dies auch in die Phase vor 1848 zurückprojiziert, behandelt er die klassischen emanzipatorischen Forderungen der Liberalen als „Beschwerden zweiten Ranges".[5] In der Art, wie Baumgarten sich von seinem Lehrer Gervinus absetzt, kommt die Veränderung schlagend zum Ausdruck. Während dieser nach der gescheiterten Revolution die Demokratisierung des Staatslebens dringlicher fordert, spricht sich Baumgarten eben gegen diese Konsequenz aus. „Vom deutschen Liberalismus unserer Zeit läßt sich das (die demokratische Neigung, P.U.H.) allerdings im höchsten Maße sagen. Es fragt sich nur, ob das eine rühmliche und wünschenswerte Eigenschaft ist. Ich behaupte, solange er in dieser einseitig demokratischen Weise unter der Herrschaft monarchischer Staatsformen operiert, wird er darauf verzichten müssen, seine eigenen Gedanken je selbst zu realisieren, d.h. mit voller Kraft in das Staatsleben einzugreifen."[6] Der Verzicht auf die kritische Tradition ist für Baumgarten die Voraussetzung für die Teilnahme am Staatsleben, da es der Politiker mit positiven, auf Handlungen angelegten Gedanken zu tun hat.

Diese Position wird die Basis für die Beurteilung des Verfassungskonfliktes: Die Liberalen in Preußen und den kleineren Staaten erscheinen als eine beschränkte Partei, während Bismarck sich dadurch auszeichnet, daß er nicht nur die preußischen, sondern zugleich die nationalen deutschen Interessen vertritt. Mit einer gewissen masochistischen Genugtuung zeigt Baumgarten, daß die öffentliche Meinung in der Schleswig-Holsteinischen Frage gegen Bismarck stand, sich aber nicht durchsetzen konnte. Im wesentlichen identifiziert sich Baumgarten mit der Position Bismarcks, die er als die nationale ausgibt, während er den Liberalismus als kleinstaatlichen Partikularismus behandelt. Bezeichnenderweise streift Baumgarten die innenpolitische Seite des Verfassungskonflikts kaum noch, für ihn ist der angestrebte Nationalstaat bereits in der Hauptsache identisch mit dem vorgefundenen preußischen Staat. Daß er sich weder zur Heeresorganisation noch zur Budgetfrage äußerst, läßt erkennen, daß er nach dem preußischen Waffensieg und der Niederlage der Fortschrittspartei die nationale Einheit mit Hilfe der preußischen Regierung und auf der Grundlage der Verfassungswirklichkeit von 1866 erringen will. Der Stolz über den militärischen Sieg verdeckt vollkommen die Sicht auf die innenpolitischen Umstände, mit denen sich der neue Liberalismus verbündet. Baumgarten redet unumwunden einer Realpolitik das Wort, die aus der Macht der Verhältnisse das Recht ableitet. „Mit gesetzlichen Mitteln hätten wir immer den kürzeren gezogen gegen den zähen Partikularismus des hannoverschen oder schleswig-holsteinischen Bauern oder des Frankfurter Reichsstädters."[7] Dieses Bündnis mit dem preußischen Staat schließt das Bündnis mit dem Adel ein. Dagegen werden die emanzipatorischen Forderungen des Bürgertums von Baumgarten skeptisch beurteilt. Da er dem Bürgertum auf Grund von dessen Herkunft und Ausbildung die Fähigkeit des politischen Herrschens abspricht, nähert er sich einer neo-ständischen Auffassung.

Das politische Räsonnement, so schlägt Baumgarten vor, soll erneut auf den Kreis der Eingeweihten beschränkt werden: „Es ist einer der verderblichsten Irrtümer, in welche uns unsere ganz unpolitische Art und der Mangel aller großen politischen Erfahrungen verstrickt hat, zu meinen, jeder tüchtige Gelehrte, Advokat, Kaufmann, Beamte, der Interesse habe an öffentlichen Dingen und fleißig die Zeitung lese, sei befähigt, aktiv in die Politik einzugreifen, es bedürfe dafür durchaus keiner besonderen Vorbereitung, keines speziellen Studiums und die Politik lasse sich vortrefflich neben den sonstigen Berufspflichten treiben."[8] Eben dies war die frühliberale Auffassung, für die die Politik Sache aller Staatsbürger ist. Wenn Baumgarten zwischen dem Bürger und dem Politiker eine Scheidung trifft, steht er nicht mehr auf dem Boden der klassischen Theorie der Öffentlichkeit.

In der Fortsetzung der *Grundsätze der Realpolitik* von 1869 hat sich Rochau dem Standpunkt Baumgartens entschieden genähert. Die Bedeutung der öffentlichen Meinung wird nunmehr noch weiter eingeschränkt als 1853. Für Baumgarten war 1866 die nationale Einheit der zentrale Gesichtspunkt der liberalen Politik – ein Gesichtspunkt, der nicht hinterfragt werden konnte und durfte. Aus der Perspektive des Jahres 1869 stellt sich dieser Gedanke schon als ideologische Legitimation handfester Interessen heraus. Die nationale Einheit der Deutschen entspricht nicht so sehr ideellen und emotionalen als materiellen Bedürfnissen: „Nicht aus der Sympathie der Seelen stammt, wie gesagt, das Einheitsstreben der Deutschen, sondern aus einem mehr oder weniger rechtmäßigen Eigennutz; nicht auf eine Befriedigung von nationalen Gemütsbedürfnissen geht dasselbe hinaus, sondern auf Sicherstellung dieses und jenes gemeinschaftlichen Interesses. (...) Kurz, die Einheit ist für die Deutschen im Grunde genommen eine reine Geschäftssache, bei welcher niemand einbüßen, jedermann hingegen so viel wie irgend möglich für sich herausschlagen will – Steuerverminderungen, Erleichterung der Militärlasten, öffentliche Freiheiten, Bürgschaften für innere Rechtsordnung und äußeren Frieden."[9] Dieser Ka-

talog beschreibt angemessen die Bedürfnisse der deutschen Bourgeoisie
in den sechziger Jahren. Und trotz des zynischen Tons steht Rochau
hinter diesen Forderungen, die für ihn das politische Ziel der nationalen Einheit überhaupt erst sinnvoll machen. Dabei verschiebt sich die
Problematik der politischen Einheit ähnlich wie bei Baumgarten nunmehr so, daß der gemäßigte Liberalismus mit seiner Vorliebe für die
konstitutionelle Monarchie mit dem Partikularismus gleichgesetzt wird
und daher als der Gegner der nationalen Einheit erscheint. Die Diskri-
minierung des kleinstaatlichen Liberalismus erlaubt dann die Aufwertung des vorkonstitutionellen Preußens und seiner konservativen Ein-
heitspolitik, wie sie von Bismarck vertreten wurde.

Rochau macht dem großdeutschen Lager im Süden den Vorwurf,
daß es von abstrakten Forderungen ausgeht, anstatt sich an die reale
politische Entwicklung zu halten. Insofern ist für ihn der Widerstand
der Demokraten gegen eine Einheit ohne politische Freiheit eine Illusion: „Diesem Protest würde höchstens dann eine gewisse Berechtigung zuzusprechen sein, wenn es sich bei dem Eintritt in den Norddeutschen Bund um irgendein nennenswertes Opfer an bestehenden
öffentlichen Rechten handelte. Wer aber die bisherigen Verfassungszu-
stände in den deutschen Einzelstaaten nur einigermaßen kennt und
mit einigem Verständnis beurteilt, der muß sich selbst belügen, um zu
dem Schluß zu gelangen, daß dieselben auch nur eine einzige Gewähr
der Volksrechte enthalten, welche nicht durch das bloße Dasein der
neuen Bundesordnung und des auf derselben ruhenden Reichstags
weit überwogen würde."¹⁰ Rochau rechnet damit, daß der „Egoismus
des Staats"¹¹ im Falle einer Großmacht die Freiheit der Verfassung garantieren würde, während umgekehrt im Kleinstaat der Egoismus des
Fürsten den letzten Ausschlag gebe, sich also gegen die Verfassung
richtet. Schließlich kehrt Rochau doch wieder zu einer idealistischen
Interpretation zurück, denn er argumentiert, daß erst durch die nationale Einheit die innere Freiheit garantiert werden kann, während er
die andere Möglichkeit, nämlich die Erreichung der nationalen Einheit
ohne Grundrechte und bürgerliche Freiheiten nicht in Erwägung zieht.
Trotz der Polemik gegen den politischen Idealismus, die Neigung der
Deutschen, ihre Politik nach Theorien und nicht nach Erfahrungs-
grundsätzen einzurichten, bleibt Rochau der liberalen Tradition ver-
haftet, die er modifiziert und abschwächt, aber nicht auflösen kann.
Wo sich Rochau zu einer bestimmten politischen Verfassung bekennt,
ist es die konstitutionelle Monarchie, die sich mit dem Mittelstand ar-
rangiert und die Masse des Volkes wenigstens berücksichtigt, weil sie
nicht mehr zu leugnen ist. Dagegen warnt er vor einer Staatsform, die
„die Zahl als das einzige Prinzip des öffentlichen Rechts und der öffentlichen Macht ausrufen und demnach die Staatsgeschäfte lediglich

der Entscheidung durch die Mehrheit anheimgegeben wissen" will.[12] Die Übermacht der Menge verbürgt keine Stabilität.

Dieses Urteil wirkt sich auf die Einschätzung der öffentlichen Meinung aus; noch entschiedener als 1853 wird ihre Funktion eingeschränkt. Sie hat den Zweck, die politischen Ansichten der Mittelklasse gegenüber dem Staat zu artikulieren; darin besteht ihre unbestreitbare Berechtigung: „Der Anspruch der öffentlichen Meinung auf Geltung im Staatswesen bedarf kaum einer Begründung. Die Einrichtungen und die Handlungsweise des Staats müssen im Einklang mit der Erkenntnis, mit den Wünschen und dem Wollen des gebildeten Bürgerstandes stehen, wenn die gemeine Sache nicht notleiden soll, und überdies hat dieser Bürgerstand in der heutigen Welt die mannigfachsten Zwangsmittel zur Herstellung des fehlenden Einklangs."[13] Das Eindringen der politischen Massen in die politische Öffentlichkeit wird dagegen als eine ausdrückliche Gefahr beschrieben: „In den meisten Fällen (...) erweist sich die Meinung des großen Haufens als ein Hemmschuh des Fortschritts, wenn nicht gar als ein Werkzeug der Reaktion."[14] Für Rochau ist die öffentliche Meinung in erster Linie ein wirksames Instrument des Mittelstandes, um die eigenen rechtlichen Forderungen gegen vorkonstitutionelle oder halbkonstitutionelle Kabinettsregierungen durchzusetzen. So betrachtet er die Erreichung der persönlichen Freiheit, der Gewerbefreiheit, die Vereinheitlichung der Gesetze und die Abschaffung partikularer Polizeiordnungen ausdrücklich als das Ergebnis der öffentlichen Meinung. Die eigentlichen machtpolitischen Probleme lassen sich dagegen Rochau zufolge nicht mit Hilfe der öffentlichen Meinung lösen. Als Waffe des Bürgertums gegen den absolutistischen Staat hat die Öffentlichkeit ihre Rolle ausgespielt.

Rochau geht an dieser Stelle über das Reflexionsniveau Baumgartens hinaus, indem er das Verhältnis von Politik und Moral, das im Begriff der Öffentlichkeit von Anfang an zentral war, neu überdenkt. Rochau unterscheidet zwischen staatlicher und privater Anwendung der Moral: Während das Individuum moralischen Gesetzen generell unterworfen ist, ist die Existenz des Staates für die Gesellschaft von so fundamentaler Wichtigkeit, daß er an moralische Normen nicht strikt gebunden werden kann. „Mit der Anerkennung der Selbsterhaltung, als der obersten sittlichen Pflicht des Staates, ist für die Untersuchung der Frage von dem Verhältnis der Politik zu der Moral ein Gesichtspunkt genommen, von welchem sich das Gebiet derselben einigermaßen übersehen läßt."[15] Der Grundsatz der Selbsterhaltung, den Rochau durch die notwendige Funktion des Staates für die Gesellschaft begründet, erlaubt die Anwendung von Gewalt und erklärt das unersättliche Machtbedürfnis des Staates. Zwar wird der Staat bei Rochau noch nicht prinzipiell aus dem Bereich der Moral entlassen und seiner eigenen Machtgesetzlichkeit überantwortet, doch wird ihm eine Sonderstellung zugestanden, die das Geschäft der Politik eigenen Regeln unterordnet. Folglich erscheint der Politiker bei Rochau auch nicht mehr als der seine Pflichten ausübende Staatsbürger, sondern als der Spezialist, der mit einem Amt betraute Fachmann, der die Interessen des Staates wahrnimmt. Durch diese Argumentation wird jedoch, ohne daß sich Rochau dessen bewußt zu sein scheint, der öffentlichen Meinung die Legitimation entzogen. Wird das Selbsterhaltungsrecht des Staates hoch angesetzt, so verliert die Öffentlichkeit als kontrollierende Instanz weitgehend ihre raison d'être. Die bestehende öffentliche Meinung hat nur noch eine sekundäre Artikulationsfunktion.

Zwischen 1853 und 1869 verschiebt sich in Rochaus politischer Theorie der systematische Stellenwert des Staates. In der späteren Phase ist der Staat nicht mehr das ausführende Organ der gesellschaftlichen Kräfte, sondern tendenziell eine Größe, die der Gesellschaft unabhängig gegenübersteht. Dem Staat wird 1869 eine Autonomie zugesichert, die ihm 1853 in Rochaus Theorie noch nicht zukam. Diese Autonomie wird das Bollwerk der bürgerlichen Interessen gegen die Massen, denen Rochau die Fähigkeit zum Räsonnement und den Gemeinsinn abspricht. Die Menge wird dargestellt als „Handlanger der konservativen Mächte oder in Verfolgung unverständig selbstsüchtiger Zwecke".[16] „Der große Haufen verlangt vor allen Dingen möglichst geringe Steuern, wohlfeiles Brot, hohen Tagelohn, unmittelbaren Anteil an den öffentlichen Nutzungen (...), nachdrückliche Staatshilfe in jeder Bedrängnis, Gewährleistung der leiblichen Existenz durch das Gemeinwesen und dergleichen mehr."[17] Bezeichnenderweise werden gerade die sozialen Forderungen des Proletariats als unzumutbar empfunden.

Konservative und sozialistische Kritik

Die logische Schwäche der liberalen Position blieb den Beobachtern aus dem konservativen und sozialistischen Lager nicht verborgen. Sehr deutlich sah man, was sich die Liberalen nicht zugestehen wollten: die liberale Theorie legitimierte nicht mehr allgemeine, sondern besondere Interessen. Daher wurde die konsequente demokratische Interpretation der Öffentlichkeit für den Liberalismus zunehmend schwieriger. Die posthum 1863 veröffentlichten Vorlesungen *Die gegenwärtigen Parteien in Staat und Kirche* des konservativen Staatstheoretikers Friedrich Julius Stahl setzten sich ausführlich mit dem Liberalismus auseinander. Stahl unterstreicht vor allem die Widersprüchlichkeit der liberalen Doktrin, deren politische Postulate im Unterschied zu der konservativen Auffassung generellen Charakter haben, aber nicht allgemein angewendet werden sollen. So beschreibt er den Liberalismus als die Herrschaft des Mittelstandes: „Sie (die liberale Partei, P.U.H.) behauptet die Volkssouveränetät insoweit, daß der König nicht von Gottes Gnaden, sondern durch den Willen des Volkes sei (...). Allein, wenn es nun darauf ankommt, den Gedanken der Volkssouveränetät positiv durchzuführen, (...) auch innerhalb des Volkes nicht eine Klasse der Autorität der andern zu unterwerfen, da verläßt sie diesen Gedanken, sie beruft zur Herrschaft nur den Mittelstand, die Vermöglichen, die Gebildeten, das ist eben nur sich selbst. – Eben so behauptet die liberale Partei den Gedanken der Gleichheit gegen den Adel, gegen alle Stände als solche (...). Allein, soll die Gleichheit positiv durchgeführt werden, soll die Klasse der Besitzlosen dieselben Rechte mit ihr erhalten, dann gibt sie den Gedanken auf und macht politisch rechtliche Unterschiede zu Gunsten der Vermöglichen. Sie will Census für die Repräsentation, Kaution für die Presse, läßt nur den Fashionablen in den Salon, gewährt dem Armen nicht die Ehre und die Höflichkeiten wie dem Reichen."[18] So ist auch die bürgerliche Öffentlichkeit nicht, was sie für sich in Anspruch nimmt: der Ort für die Beratung über die allgemeinen Interessen, sondern das Instrument für die Durchsetzung von Klasseninteressen. „Öffentliche Meinung ist aber der Wille des Mittelstandes."[19]

Am Beispiel der französischen Monarchie versucht Stahl zu zeigen, daß Grundsätze wie die Pressefreiheit immer eingeschränkt blieben auf den Gebrauch der Bourgeoisie. Nicht daß Stahl aus dieser Kritik den Schluß ziehen will, die Öffentlichkeit solle tatsächlich erweitert werden; im Gegenteil, als Konservativer möchte er sie zu einer ständischen zurückbilden. Doch mit Genugtuung stellt er fest – und das bezeichnet die Situation des Nachmärz –, daß die Spannungen zwischen dem Mittelstand und den unteren Klassen zugenommen haben. Daraus leitet Stahl seine konservative Strategie ab: Zurückdrängung der Mittelklasse und namentlich ihres Versuches, durch das Parlament die politische Herrschaft an sich zu reißen. Noch bevor es zum preußischen Verfassungskonflikt kam, kennzeichnete Stahl mit Präzision den Konfliktbereich zwischen Krone und Parlament: „Als Kern des Systems jedoch, als oberster Glaubensartikel der konstitutionellen Partei gilt immer die Steuer- und Budgetverweigerung. Sie ist der Zauberstab, nach welchem sie ausgeht, und hat sie ihn errungen, so bedarf es nur einer Berührung, um den Staat stille stehen zu machen, und, da der König, um sich vom Banne zu lösen, alles gewähren muß, das Heil der parlamentarischen Regierung hervorzurufen."[20] Stahl unterstellt dem Liberalismus nicht weniger als die Absicht der Entmachtung des Königs und der Durchsetzung der parlamentarischen Herrschaft.

Die Kritik des Liberalismus führt Stahl nun nicht, wie man erwarten
könnte, zu einer Revision der konservativen Position, die den Interessen der Massen größere Berechtigung einräumte. Der Vorwurf der Inkonsequenz ist ein formales Argument, denn Stahl fürchtet die Massen
nicht weniger als die Liberalen. Die Herrschaft des Volkes ist für ihn
das schlechthin revolutionäre Prinzip, das in der Französischen Revolution die Jakobiner vertraten. Durch die Gleichheitsforderung wurde
damals der Boden der gesellschaftlichen Ordnung aufgerissen und der
dämonische Untergrund von Gewaltsamkeit und Grausamkeit freigelegt. Nicht anders als je ein gemäßigter Girondist beklagt sich Stahl
über den Mangel an Gesetzlichkeit und Ordnung: „... alles das ist der
Ausbruch zur Gewaltsamkeit, die das innerste Wesen der Demokratie
bildet, ist Ausbruch einer dämonischen Macht der Vernichtung, die
unter den gottgegründeten Fundamenten der gesellschaftlichen Ordnung vulkanisch lauert, und wo diese freventlich oder leichtfertig
durchbrochen werden, ihre verheerenden Ströme hervorbrechen
läßt."[21] In praktischen politischen Fragen steht Stahl den denunzierten
Liberalen gar nicht so fern, da auch er die konstitutionelle Monarchie
als die beste Staatsform der Gegenwart ansieht, freilich nur solange
die Souveränität des Monarchen respektiert wird. Eine bonapartistische Lösung, die die Monarchie und die Massen zusammenbringt, um
die bürgerliche Mitte zu bezwingen, liegt dem Konservativismus eines
Stahl noch fern, da er konsequent an der theologischen Legitimation
des Herrschers festhält.

Ferdinand Lassalles Polemik gegen den Liberalismus berührt sich
mit Stahls Kritik in der Feststellung, daß die liberale Theorie die Ideologie einer Klasse ist und letztlich spezifischen materiellen Interessen
dient. Freilich ist dieser Versuch einer radikalen Kritik den Absichten
des Legitimismus durchaus entgegengesetzt. Stahl bestand nicht anders
als der Liberalismus auf der Priorität der Theorie, während Lassalle in
seinen 1862 gehaltenen Vorträgen über das Verfassungswesen gerade
aufweisen möchte, daß die Verfassung, politisch und gesellschaftlich
betrachtet, nichts anderes ist als die Umschreibung der tatsächlichen
Machtverhältnisse, die sich in politischen Institutionen ausdrücken.
„Die tatsächlichen Machtverhältnisse, die in einer jeden Gesellschaft
bestehen, sind jene tätige wirkende Kraft, welche alle Gesetze und
rechtlichen Einrichtungen dieser Gesellschaft so bestimmt, daß sie im
wesentlichen *gar nicht anders sein können, als sie eben sind.*"[22] Für Lassalle ist der Text der Verfassung nie mehr als die Rechtfertigung der
tatsächlichen Verhältnisse. Daher ist der Verfassungskonflikt für ihn,
im Unterschied zum Selbstverständnis der Fortschrittspartei, nicht eine
legale Frage, sondern eine Machtfrage, die sich als rechtliche Auseinandersetzung verkleidet hat.

Lassalle zog sich durch seine Interpretation des Verfassungskonfliktes nicht nur den Zorn der Konservativen zu, auch die Liberalen lehnten Lassalles entschieden demokratische Auslegung des parlamentarischen Anspruchs als gefährlich und destruktiv ab. Lassalle wollte den
Verfassungsstreit zu einem politischen machen, indem er die legalisti-
sche Form abstreifte und die wirklichen Machtverhältnisse hervortreten ließ. Der Scheinkonstitutionalismus der preußischen Regierung soll
beim Namen genannt werden. So schlägt Lassalle vor, nicht die Steuern zu verweigern, was ohne Effekt bleiben müsse, sondern „die Sit-
zungen auf unbestimmte Zeit, und zwar auf so lange auszusetzen, bis
die Regierung den Nachweis antritt, daß die verweigerten Ausgaben
nicht länger fortgesetzt werden."[23] Durch die Verweigerung der parlamentarischen Mitarbeit soll die Gewalt der Regierung bloßgelegt werden. Dabei geht Lassalle offenbar davon aus, daß die Regierung ohne
die Kammer nicht regieren könne, weil sie die konstitutionelle Form
nicht entbehren könnte. An diesem Punkt erweist sich Lassalle als der
Gefangene der liberalen Theorie, die er bekämpft, denn es entgeht
ihm erstens, daß die Regierung auf die Hülle des Konstitutionalismus
verzichten könnte, und zweitens, daß die konkreten materiellen Interessen das Bürgertum nicht gegen, sondern an die Seite der Regierung
führen mußten, weil ihre Durchsetzung ohne den Staat nicht möglich
war. Lassalles Hoffnungen, eine demokratische Lösung des Verfassungskonfliktes dadurch zu erzwingen, daß man die preußische Regierung als verfassungsfeindlich denunzierte, beruhte auf der Annahme,
der Druck der öffentlichen Meinung werde die Regierung zum Einlenken zwingen – also eben nicht auf der Einsicht in die materiellen
Machtverhältnisse, sondern auf dem Glauben an die radikalisierte öffentliche Meinung. So erklärt Lassalle: „Es soll eine Wechselwirkung
bestehen zwischen den Abgeordneten und der öffentlichen Meinung.
Erheben Sie das Mittel, das wir gefunden haben, zur Agitationsparo-
le."[24] Die Kammer wird also, durchaus im Sinne der ursprünglichen liberalen Deutung, begriffen als der verlängerte Arm der Öffentlichkeit,
als das Organ, das sich selbst eliminieren muß, wenn es seine opposi-
tionelle Funktion nicht mehr erfüllen kann. Lassalle unterstellt, daß die
Abgeordneten tatsächlich sind, was sie nach der Verfassung sein sollen: Vertreter des ganzen Volkes; und er übersieht, daß sie als Sprecher des Bürgertums auf dessen partikulare Interessen Rücksicht nehmen müssen und folglich nicht gänzlich mit der Regierung brechen
können.

Bürgerliche und proletarische Öffentlichkeit

Als Ergebnis der bisherigen Untersuchung können wir zusammenfassen, daß bereits zwischen 1850 und der Reichsgründung, also vor dem Einsetzen monopolkapitalistischer Tendenzen, sich signifikante Veränderungen in der Struktur der Öffentlichkeit abzeichnen, die vor allem an der liberalen Staats- und Verfassungstheorie sowie an der Strategie der Fortschrittspartei im Verfassungskonflikt aufzuweisen waren. Allgemein wurde zugestanden, daß die klassische liberale Theorie und die in ihr enthaltene Kategorie der Öffentlichkeit nicht mehr anwendbar war – nicht nur auf der konservativen Seite und im radikaldemokratischen Lager, sondern auch von den führenden liberalen Theoretikern wie Rochau und Baumgarten. Sehr viel schwieriger ist es freilich, den Charakter dieser Veränderung zu erfassen, weil er sich den zeitgenössischen Kategorien weitgehend entzog. Man bemerkte zwar, daß sich die Konfliktzonen verschoben hatten, aber es ergab sich in der zeitgenössischen politischen Theorie, mit wenigen Ausnahmen, noch kein Gesamtbild der gewandelten Struktur. Als neue Konflikherde erscheinen in erster Linie die sich verschärfenden Gegensätze zwischen Bürgertum und Proletariat (der vierte Stand kann nicht mehr in die bürgerliche Gesellschaft integriert werden), ferner zeichnete sich in der Beziehung zwischen Staat und Gesellschaft eine Veränderung ab (das Angewiesensein der Wirtschaft auf den Staat, eine langfristige Kooperation, die die Autonomie des ökonomischen Systems in Frage stellt). Daß die ökonomischen Probleme, die sich aus der rapiden Industrialisierung ergeben hatten, gleichzeitig politische waren, war weitsichtigeren politischen Beobachtern deutlich. Weil die liberale Mitte den Zusammenhang zwischen den politischen und den wirtschaftlichen Zielen begriff, war für sie die radikaldemokratische Lösung, nämlich der vollständige Bruch mit dem Staat, die totale Verweigerung der Zusammenarbeit, wie sie Lassalle vorgeschlagen hatte, nicht mehr möglich, denn man rechnete mit der staatlichen Hilfe ebensosehr, wie die Regierung auf die Unterstützung ihrer Außen- und Wirtschaftspolitik durch die Bourgeoisie baute.

Der beschriebene Zerfall der klassischen Öffentlichkeit läßt sich am ehesten als der Übergang zu einer bonapartistischen beschreiben. Auf diese Weise wird schärfer zwischen den verschiedenen Varianten der nachliberalen Öffentlichkeit differenziert. Einige der von Habermas hervorgehobenen Merkmale gelten schon für die bonapartistische Phase, freilich nicht alle.[25] Wir gehen davon aus, daß die klassische liberale Theorie in vorkapitalistischen Verhältnissen verwurzelt ist, daß sie im wesentlichen nicht die Interessen des Großbürgertums, sondern diejenigen des Kleinbürgertums in überhöhter Form ausformulierte. Die Wirtschaftsbourgeoisie konnte freilich an der klassischen Öffentlichkeit teilnehmen und sie weitgehend zu ihrer eigenen Theorie machen, da sie individuelle Freizügigkeit und Autonomie des wirtschaftlichen Handelns sicherte, Aspekte, die in der Frühphase der westeuropäischen Industrialisierung erwünscht waren. Für den gebildeten Mittelstand in Deutschland lag die ökonomische Ausnutzung der Öffentlichkeit ferner, da er durch seine Nähe zum Staat (Beamtentum) eher die staatliche Modernisierung befürwortete. Aber auch hier zeichnete sich im Vormärz die Tendenz ab, die klassischen Grundrechte durch die Institutionalisierung der politischen Öffentlichkeit (Parlament) gegen den spätabsolutistischen Staat zu erzwingen. In dieser Hinsicht wurde die bürgerliche Intelligenz im wesentlichen der Sprecher des breiteren Mittelstandes. Dieses gemeinsame Interesse an einer voll entwickelten Öffentlichkeit zerbröckelte nach 1850, obgleich der monarchistische Anstaltsstaat nicht geschlagen war. Sowohl der gebildete Mittelstand als auch die Bourgeoisie wandten sich von dem klassischen Modell der Öffentlichkeit ab, das die Kontrolle der politischen Herrschaft vorgesehen hatte, und versöhnten sich mit dem Gedanken, daß politische Herrschaft an sich notwendig sei. Man wünschte eine Stärkung der Exekutive, um die wirtschaftlichen Interessen sichern zu können und im Falle von sozialen Konflikten geschützt zu sein.

Während die Bedürfnisse der Bourgeoisie verhältnismäßig leicht zu erfassen sind, ist die Wende des gebildeten Mittelstandes nicht direkt aus den materiellen Interessen zu erklären. Eine wichtige Rolle spielt die Furcht vor der destruktiven Kraft des Vierten Standes. Seit der Aufklärung hatte das gebildete Bürgertum kulturell wie politisch die Führung beansprucht – man wollte die Bevölkerung aufklären durch Bibliotheken, Bildungsvereine etc., aber eben im Sinne der liberalen Theorie. Die Unterschichten sollten in die Bürgergesellschaft eingegliedert werden. Die kulturelle Öffentlichkeit, die als Transmissionsriemen dienen soll, ist nicht weniger eine bürgerliche als die politische. Sie ist im Vormärz das Organ für Ideen und Postulate, die weit über die Bedürfnisse der bürgerlichen Klasse hinausgehen (Möglichkeit der Radikalisierung durch die Intelligenz), aber als Institution, wie sich gerade im Nachmärz zeigen sollte, an das Bürgertum gebunden, und im besonderen an die Bedürfnisse des gebildeten Mittelstandes. Die Ablösung des Proletariats von der bürgerlichen liberalen Führung, die sich in den sechziger Jahren deutlich vollzieht, markiert einen Wendepunkt. Das Auftreten einer neuen Klasse, die antagonistisch der bür-

gerlichen entgegentritt, wird zu einer Bedrohung auch dort, wo eine
enge Verbindung mit dem kapitalistischen System nicht vorhanden ist,
beziehungsweise sogar eine skeptische Einstellung zum Manchestertum vorherrscht. Die Mentalität des handwerklichen und gewerbetreibenden Kleinbürgertums schließlich verändert sich, sobald es durch die
industrielle Revolution existentiell verunsichert wird. Die gesellschaftliche Entwicklung nach 1850 entspricht so wenig den Erwartungen des
Kleinbürgertums, daß es abzuschwenken beginnt und sich zunehmend
konterrevolutionären Gesellschaftstheorien zuneigt. Diese Tendenz
macht sich freilich vor allem nach 1873 unter dem Eindruck der großen Depression bemerkbar.[26]

Aus diesen verschiedenen Tendenzen ergibt sich die neue Struktur
der Öffentlichkeit. In ihr sollen die latenten Interessengegensätze
überbrückt werden, indem das Verhältnis von Staat und Gesellschaft
neu bestimmt wird. Die *bonapartistische Konstellation* läßt sich auf folgende Weise definieren: Das von Bismarck in Zusammenarbeit mit
den nationalistisch gesonnenen Liberalen aufgerichtete politische System entspricht im wesentlichen dem in Frankreich von Napoleon III.
entwickelten Herrschaftssystem, mag dieses auch auf die Zeitgenossen
theatralischer und exotischer gewirkt haben als die preußisch-deutsche
Variante. Wir folgen hier, in Abgrenzung gegen die Feudalisierungs-
theorie, der Interpretation der Bismarckschen Politik durch Hans-Ulrich Wehler, die den Zusammenhang von expansiver Außenpolitik und
innenpolitischer Notwendigkeit betont.[27] Wehler unterstellt zwar keinen wirtschaftlichen Zwang bei der Reichsgründung, aber immerhin
einen Zusammenhang zwischen den wirtschaftlichen und politischen
Interessen des Bürgertums, den Interessen der Industriearbeiter und
der Bismarckschen Politik der Reichseinigung. Als bonapartistisch erscheint eine Lösung der gesellschaftlichen Strukturprobleme, die die
unausweichliche Revolution durch eine staatlich verordnete „Revolution von oben" ersetzt. Der Bonapartismus Bismarcks ist ein System,
das die Ansprüche der Arbeiter eindämmt und gleichzeitig die Wünsche des Bürgertums nach Ruhe und Ordnung unterstützt. Die Jahre
zwischen 1862 und 1879 erscheinen in der Deutung Wehlers als die
Vorbereitung einer staatlichen Interventionspolitik im Hinblick auf ein
soziales System, das seine Konflikte und Widersprüche selbst nicht
mehr lösen kann.

Exkurs: Marx' Deutung des Bonapartismus

Mit Recht bezieht sich Hans-Ulrich Wehler auf die klassische Analyse des Bonapartismus durch Karl Marx. Bei dem Vergleich zwischen den beiden großen Revolutionen in Frankreich kommt Marx zu dem Schluß, daß die spätere (1848) rückläufig war, weil sie nur noch die begrenzten Interessen der verschiedenen bürgerlichen Fraktionen vertrat. Der Staatsstreich Napoleons III. erscheint bei Marx als die Folge einer gesellschaftlichen Logik, bei der der Druck des revolutionären Proletariats, das in den Juni-Kämpfen geschlagen wurde, sukzessiv auf die bürgerlichen Gruppen zurückwirkt – zunächst auf die Demokraten und strengen Republikaner, dann auf die bürgerliche Mitte, d. h. auf die Vertreter der konstitutionellen Monarchie, und schließlich auf die Legitimisten, die sich für die Wiederherstellung der bourbonischen Dynastie einsetzten: „Die proletarische Partei erscheint als Anhang der kleinbürgerlich-demokratischen. Sie wird von ihr verraten und fallengelassen am 16. April, am 15. Mai und in den Junitagen. Die demokratische Partei ihrerseits lehnt sich auf die Schultern der bourgeois-republikanischen. Die Bourgeois-Republikaner glauben kaum fest zu stehn, als sie den lästigen Kameraden abschütteln und sich selbst auf die Schultern der Ordnungspartei stützen. Die Ordnungspartei zieht ihre Schultern ein, läßt die Bourgeois-Republikaner purzeln und wirft sich auf die Schultern der bewaffneten Gewalt. Sie glaubt noch auf ihren Schultern zu sitzen, als sie an einem schönen Morgen bemerkt, daß sich die Schultern in Bajonette verwandelt haben."[28] So bewegte sich die Revolution nach Marx in „absteigender Linie".[29] In diesem Prozeß wurde das Ergebnis der Februarrevolution, d. h. die konsequente Durchsetzung der politischen Öffentlichkeit im Parlament, schrittweise zurückgenommen, und zwar von eben den bürgerlichen Kräften, die diese politische Öffentlichkeit vor 1848 unterstützt hatten. Die Republikaner (die zwischen dem 24. Juni und dem 10. Dezember 1848 am Ruder waren) forderten die uneingeschränkten Grundrechte für alle Bürger und sprachen sich für ein allgemeines und gleiches Wahlrecht ohne Zensus aus, freilich erst, nachdem sie das Proletariat niedergeworfen hatten und Paris im Belagerungszustand hielten. In diesem Sinne garantierte die neue Verfassung die humanen und politischen Grundrechte jeweils mit dem Zusatz, daß ihre Ausübung durch die Rücksicht auf die öffentliche Sicherheit eingeschränkt werden könne. „Die Konstitution weist daher beständig auf zukünftige *organische* Gesetze hin, die jene Randglossen ausführen und den Genuß dieser unbeschränkten Freiheiten so regulieren sollen, daß sie weder untereinander noch mit der öffentlichen Sicherheit anstoßen. Und später sind

die organischen Gesetze von den Ordnungsfreunden ins Leben gerufen und alle jene Freiheiten so reguliert worden, daß die Bourgeoisie
in deren Genuß an den gleichen Rechten der anderen Klassen keinen
Anstoß findet."[30] Die Absichten der neuen Verfassung sind widersprüchlich, da sie die Geltung der öffentlichen Meinung zugleich sichert und einschränkt auf ihren bloß parlamentarischen Gebrauch. Mit
den Mitteln des parlamentarischen Systems jedoch wurde, wie Marx
zeigt, die bürgerliche Öffentlichkeit schrittweise ausgehöhlt, bis sie
sich als eine nachrevolutionär-bonapartistische entpuppte, die ihre
Substanz weitgehend verloren hatte. Da die Nutzung der bürgerlichen
Freiheiten nicht mehr im Interesse der Bourgeoisie lag (weder der
Landbesitzer noch der Industrialisten und der Financiers), benutzte sie
den Formalismus des parlamentarischen Systems, um die Grundrechte
und schließlich die Verfassung selbst aufzulösen. Für Marx liegt das
Schwergewicht der Untersuchung gar nicht bei Napoleon, sondern bei
den Widersprüchen der bürgerlichen Gesellschaft, die schließlich den
Staatsstreich möglich machen: „Wenn die *parlamentarische Ordnungspartei* (die Vertreter der konstitutionellen Monarchie, P.U.H.) (...)
durch ihr Schreien nach Ruhe sich selbst zur Ruhe verwies, wenn sie
die politische Herrschaft der Bourgeoisie für unverträglich mit der Sicherheit und dem Bestand der Bourgeoisie erklärte, indem sie im
Kampfe gegen die andern Klassen der Gesellschaft alle Bedingungen
ihres eigenen Regimes, des parlamentarischen Regimes, mit eigner
Hand vernichtete, so forderte dagegen die *außerparlamentarische Masse
der Bourgeoisie* durch ihre Servilität gegen den Präsidenten, durch ihre
Schmähungen gegen das Parlament, durch die brutale Mißhandlung
der eignen Presse Bonaparte auf, ihren sprechenden und schreibenden
Teil, ihre Politiker und ihre Literaten, ihre Rednertribüne und ihre
Presse zu unterdrücken, zu vernichten, damit sie nun vertrauensvoll
unter dem Schutze einer starken und uneingeschränkten Regierung ihren Privatgeschäften nachgehen könne."[31] Die Bourgeoisie war bereit,
ihre politische Herrschaft preiszugeben, sich einer diktatorischen Gewalt zu unterwerfen, um die Klassengegensätze zu sistieren. Der Sieg
Napoleons war der Sieg der Exekutive und der Bürokratie über das
Parlament und die bürgerliche Öffentlichkeit. Es ergibt sich eine Konstellation, wo durch den Staatsstreich sich der staatliche Apparat ver-
selbständigt und der gespaltenen Gesellschaft als ausgleichende Autorität gegenübertritt. Diese Autorität konnte sich in Frankreich auf die
Masse der konservativen Kleinbauern stützen, für die Napoleon den
Schein einer politischen Vertretung schuf. Zugleich jedoch verstand
sich Napoleon als der ausführende Wille des Wirtschaftsbürgertums,
das seinen Geschäften nachgehen wollte. Das bonapartistische System
schränkte die politische Macht des Bürgertums ein, um die materielle

zu sichern: „Aber indem er ihre materielle Macht beschützt, erzeugt er von neuem ihre politische Macht."[32] Da aber Napoleon die den bürgerlichen Wünschen entgegengesetzten Interessen der Bauern nicht vernachlässigen durfte, ergaben sich widersprüchliche Eingriffe in das soziale System. Marx beschreibt das frühe bonapartistische System als einen staatlichen Apparat, der eine prekäre Balance zwischen konkurrierenden gesellschaftlichen Gruppen herstellen muß, die jeweils dadurch beruhigt werden, daß ihre Bedürfnisse temporär befriedigt werden. Da die bürgerliche Gesellschaft auf Grund ihrer eigenen Widersprüche nicht mehr in der Lage ist, eine autonome Öffentlichkeit auszubilden und zu bewahren, wird diese im bonapartistischen System von der politischen Exekutive absorbiert. Sie wird damit freilich nicht zur ständischen zurückgebildet, wie dies der Wunsch der Konservativen war, sondern sie nimmt eher plebiszitäre Züge an, die gerade die konservativen Legitimisten am meisten gefürchtet haben. In der politischen Diskussion der Zeit bestand Einigkeit darüber, daß der Bonapartismus, ob man ihn begrüßte oder ablehnte, etwas Neues darstellte, das nicht mehr mit vertrauten Kategorien wie Feudalismus oder Absolutismus erfaßt werden konnte.[33] Das bonapartistische System ist nicht legitim; der ihm von konservativen wie liberalen Kritikern zugeschriebene Immoralismus besagt genau dies: das System leitet sich weder aus der monarchischen Tradition ab noch rechtfertigt es sich durch die liberale Theorie und den Parlamentarismus. Mochte Bonaparte auch die bürgerlichen Freiheiten nach 1860 zum Teil wiederherstellen, so war dies nicht gleichbedeutend mit der Restauration der bürgerlichen Öffentlichkeit, deren traditionelle Rolle ausgespielt war. Der französische Bonapartismus stellte eine Übergangsform dar, die begrenzt war auf die Zeit, als die bürgerliche Gesellschaft dem Staat die Stabilisierungsfunktion überließ, die sie selber nicht ausüben konnte. In der Dritten Republik konnte die französische Bourgeoisie ihre Herrschaft erneut mit Hilfe des parlamentarischen Systems durchsetzen.[34]

Bismarcks System und die Öffentlichkeit

Ob Bismarcks System eine Variante des Bonapartismus darstellt, ist umstritten. Während Hans-Ulrich Wehler und Michael Gugel im Prinzip auf der Vergleichbarkeit bestehen, hat Lothar Gall neuerdings die Kategorie des Bonapartismus grundsätzlich in Frage gestellt und ihren komparatistischen Wert kritisiert.[35] Gall sieht das Schwergewicht der Bismarckschen Politik im Ausgleich zwischen traditionellen Führungsschichten (Adel) und dem Bürgertum. Die Verfassung des Norddeutschen Bundes enthält seiner Meinung nach einen solchen durch den Staat garantierten Gleichgewichtszustand, der sich von der französischen Situation dadurch unterscheidet, daß er wesentliche vorkapitalistische Elemente enthält, die in Frankreich bereits überwunden waren. Insofern ist das Bismarcksche System nach der Interpretation Galls durch den Kapitalismus gefährdet. Gegen diese Argumentation ist mit Wehler einzuwenden, daß sie die strukturellen Wandlungen nach 1850 unterschätzt.[36] Durch die Industrielle Revolution entstand eine moderne Klassengesellschaft, die noch nicht durch eine erfolgreiche bürgerliche Revolution gegangen ist. Eben daraus ergibt sich die preußisch-deutsche Variante des Bonapartismus: Sie ist das Ergebnis einer nachrevolutionären Industriegesellschaft, die während eines Modernisierungsschubs einen Ausgleich suchen muß und diesen in der Staatsgewalt findet. So begreift Wehler den Bonapartismus als die typische Herrschaftsform einer frühen Industriegesellschaft, die die Revolution hinter sich hat, ohne die Ziele der bürgerlichen Freiheiten und der parlamentarischen Regierungsform erreicht zu haben. Diese Bestimmung trifft auf die deutschen Zustände zu, hat jedoch den Nachteil, auf die französische Situation nicht anwendbar zu sein, weil dort gerade die erfolgreiche Revolution, die über die materiellen Interessen der Bourgeoisie hinausschoß, auf den Staatsstreich Napoleons hinauslief.

Eine vergleichende typologische Definition des Bonapartismus muß diesen besonderen Umständen Rechnung tragen. Der springende, auch von Marx hervorgehobene Punkt ist die Selbstabdankung des Bürgertums, das seine politische Herrschaft einschränkt, um die materielle zu sichern. Es suchte sowohl in Frankreich als auch in Deutschland nach einem Agenten, der die politische Führung übernehmen konnte, ohne die feindlichen Klassen zu unterstützen. Diese Situation wurde 1866 im preußischen Verfassungskonflikt erreicht, als die erfolglose liberale Opposition schließlich in Bismarck den Garanten ihrer eigenen Interessen zu finden glaubte. Das ist freilich keine einfache Wiederholung der französischen Ereignisse von 1850, da in Preußen die Monarchie und der Adel eine Stabilität besaßen, die sie in Frankreich seit 1789 und 1830 nicht mehr hatten. Die Vergleichbarkeit besteht darin, daß erstens das nachdrängende Proletariat vom Bürgertum als Gefährdung empfunden wurde, gegen die man sich durch eine starke Exekutive absichern wollte, und daß zweitens die rivalisierenden gesellschaftlichen Gruppen sich politisch neutralisierten und nach dem starken Staat riefen. Man darf freilich auch die Differenzen nicht übersehen: Der preußische Staat konnte sich auf eine traditionelle Elite stützen, die an seiner Erhaltung interessiert war. Jenseits dieser Unterschiede gibt es eine strukturelle Identität, die es erlaubt, das Bismarcksche System als eine Variante des Bonapartismus zu begreifen.

Unsere These ist, daß die Struktur der Öffentlichkeit bereits vor der Reichsgründung signifikant von ihrem klassischen Modell abwich. Dies soll gezeigt werden am Beispiel der Presse unter Bismarck. Für die Struktur der vormärzlichen Publizistik war kennzeichnend, daß sie überwiegend als Meinungspresse auftrat – also an der kommerziellen Auswertung nur sekundär interessiert war. Auch Cottas *Allgemeine Zeitung* blieb trotz ihres großen Einflusses ein Zuschußunternehmen. Dies hinderte den Verlag nicht, die Zeitung und ihre relativ unabhängigen Redakteure zu unterstützen. Charakteristisch für die Situation der Publizistik war der permanente Abwehrkampf gegen die Eingriffe der staatlichen Zensur, der den taktischen Gebrauch der Schreibweise notwendig machte. Der Kampf um die politische Öffentlichkeit war vor 1848 zum großen Teil ein Kampf um die Pressefreiheit. Liberale, demokratische und sozialistische Kräfte vereinigten sich im Streit gegen den staatlichen Zensor, der die Wahrheit unterdrückt. Noch vor der Revolution bahnte sich durch einen überspitzten österreichischen Entwurf, der die scharfen Zensurbestimmungen Österreichs für alle Staaten des Deutschen Bundes gültig machen sollte, die Wende an: Die anderen Bundesstaaten, vor allem Baden und Sachsen, widersetzten sich dem Entwurf. Die weitere Entwicklung innerhalb der alten Verfassung wurde durch die Ereignisse im Frühjahr 1848 bald überholt. Die Einschränkung der Pressefreiheit wurde aufgehoben. Gemäß Artikel IV, Paragraph 13, der Verfassung erhielt jeder Deutsche das Recht, „durch Wort, Schrift, Druck und bildliche Darstellung seine Meinung frei zu äußern". Ausdrücklich wird im Paragraphen 13 sichergestellt, daß die „Preßfreiheit" nicht durch politische oder andere Maßnahmen eingeschränkt werden darf.[37] Obwohl es an tatsächlichen Einschränkungen nach der Zerschlagung der Revolution nicht gefehlt hat und die konservativen Regierungen zur Zensurpraxis zurückkehrten, wurde die Pressefreiheit im Prinzip nicht wieder zurückgenommen. Dadurch unterscheidet sich die nachmärzliche Situation grundsätzlich von den vierziger Jahren. Die politische Presse war als Organ der öffentlichen Meinung anerkannt – auch von den konservativen Kräften, die ihrerseits nicht mehr auf dieses wichtige Instrument der Meinungsbildung verzichten wollten. Die Öffentlichkeit wurde als eine Sphäre angesehen, in der die Meinungen konkurrieren durften, bis sich die stärkste als die öffentliche durchsetzte. Auch die Konservativen begriffen die Möglichkeiten der Beeinflussung der öffentlichen Meinung durch die Presse und gründeten die *Kreuzzeitung* als ihr Sprachrohr. Im ganzen verschob sich das Problem der Pressefreiheit. Nicht mehr die Zensur erscheint als der eigentliche Gegner, im Mittelpunkt steht vielmehr die Frage, auf welche Weise die Öffentlichkeit beeinflußt wird. Die Pressefreiheit wurde vorausgesetzt, wie auch der

Artikel „Preßfreiheit" des *Deutschen Staats-Wörterbuchs* feststellte:
„Welches System der Staat seinen Gesetzen über die Behandlung der
Presse zu Grunde zu legen habe, darüber herrscht heut zu Tage unter
den urtheilsfähgen Männern kaum noch eine Meinungsverschieden-
heit; die Preßfreiheit entspricht allein dem Rechte sowohl als dem politischen Interesse."[38]

Die Bismarcksche Politik, die sich darin deutlich von den reaktionären Maßnahmen des Kabinetts von Manteuffels unterschied, zielte
darauf ab, durch die Beeinflussung der Presse positiv auf die öffentliche Meinung einzuwirken. Trotz der Feindseligkeit, mit der Bismarck
als Ministerpräsident die Presse oft behandelt hat, hat er ihre Bedeutung als politisches Instrument nicht unterschätzt. Diese Pressepolitik
haben wir als einen wesentlichen Aspekt der bonapartistischen Öffentlichkeit zu untersuchen. Bismarck benutzte, wenn notwendig, die klassischen Mittel der Unterdrückung der öffentlichen Meinung, zum Beispiel im preußischen Verfassungskonflikt, als er die durch die Verfassung gegebenen Mittel der Einschränkung voll ausschöpfte und auch
vor klaren Verstößen gegen die Konstitution nicht zurückschreckte.
Bezeichnender war jedoch der Versuch Bismarcks, sich die Presse gefügig zu machen, um die öffentliche Meinung im Sinne der Regierung
zu beeinflussen. Obgleich es vor Bismarck bereits Ansätze zu einer solchen Pressepolitik gab, wurden sie erst unter seiner Leitung systematisch ausgebaut. Mit bescheidenen organisatorischen Mitteln schuf sich
Bismarck ein wirkungsvolles Instrument, mit dem er jederzeit in die
öffentliche Diskussion eingreifen konnte. Ein großer bürokratischer
Aufwand wurde schon deshalb vermieden, um die systematische Manipulation nicht allzu sichtbar werden zu lassen. „Er hielt es für den Erfolg seiner Pressearbeit für entscheidend, daß der staatliche Einfluß
getarnt blieb und die amtliche politische Steuerung nach außen nicht
spürbar wurde."[39] Zu den Maßnahmen Bismarcks in den sechziger
Jahren gehörte der Ausbau des Nachrichtenbüros, dessen Aufgabe
darin bestand, Informationen zu sammeln und an einen festen Emp-
fängerkreis zu verteilen. Dies geschah in Verbindung mit Korrespon-
denzbüros, vor allem dem Wolffschen, dessen englische Konkurrenz
Bismarck im Interesse der preußischen Politik weitgehend beseitigte.
Durch die Beziehungen zum Wolffschen Büro hatte er den Einfluß
auf die Nachrichtendistribution und war folglich in der Lage, die Reaktion der deutschen Presse zu manipulieren und entsprechend bestimmte Wirkungen in der Öffentlichkeit zu erzielen. Flankiert wurden diese Maßnahmen durch die Gründung eines amtlichen Nachrich-
tenblatts, der *Provinzialkorrespondenz*, die von allen preußischen Zeitungen zu beziehen war. Eine weitere wichtige Institution der Bismarckschen Pressepolitik war das Literarische Büro, seit 1862 dem

Innenministerium angegliedert, dem es oblag, amtliche Publikationen herauszugeben und die auswärtigen Blätter mit Korrespondenzen zu versorgen. Daneben bestand seit dem Eintritt Bismarcks in die Regierung eine eigene Stelle für Presseangelegenheiten, die dem Ministerpräsidenten direkt unterstand und in erster Linie der Unterstützung der preußischen Außenpolitik diente. Diese verschiedenen Organisationen waren nur locker miteinander verbunden. Obgleich sich Bismarck gelegentlich über den Mangel an Konzentration beklagte, hat er die Struktur des Apparats nie verändert. Die Konzentration lag nicht im Interesse Bismarcks, da ein zentraler Apparat sich leicht hätte selbständig machen können, während Bismarck es vorzog, die verschiedenen Organisationen ausschließlich als seine persönlichen Instrumente zu erhalten.

Bismarcks Pressepolitik beschränkte sich freilich nicht auf den Aufbau und den Gebrauch eines internen Apparats. Noch wichtiger war ihr, in die „freie" Presse einzudringen und sie zu Organen der Regierung umzugestalten. Dies konnte durch persönlichen Einfluß auf die Redakteure oder durch finanzielle Unterstützung geschehen. Naturgemäß bestanden solche Beziehungen vor allem zu konservativen Zeitungen wie der *Allgemeinen Preußischen Zeitung* und der für die Außenpolitik wichtigen *Norddeutschen Allgemeinen Zeitung*. Die liberalen Blätter blieben der preußischen Regierung während des Verfassungskonflikts naturgemäß verschlossen. Erst nach 1866 trat ein Wandel ein; der Ausgleich zwischen den Liberalen und Bismarck schlug sich auch in der Publizistik nieder. Liberale Organe boten Bismarck die Zusammenarbeit an, so die *Leipziger Allgemeine Zeitung,* die *Schwäbische Volkszeitung* und die *Grenzboten.*[40] Wo der Wille zur Zusammenarbeit nicht vorhanden war, konnte er – sofern nicht weltanschauliche Gründe ihn ausschlossen – durch den Entzug wichtiger Nachrichten erpreßt werden, so daß die betroffenen Zeitungen ihre Aktualität verloren. Bismarck schreckte vor diesem Druckmittel nicht zurück.

Die breit ausgefächerte Pressepolitik Bismarcks, die freilich erst in den siebziger und achtziger Jahren ihre volle Wirkung erreichte, war auf die systematische Manipulation der Öffentlichkeit angelegt. Bismarck benutzte sie, ohne ihre Aufgabe zu respektieren. Er ließ die Institution soweit gelten, als sie den Eindruck einer freien und unabhängigen Meinungsbildung bewahrte. Daher kam es Bismarck darauf an, nicht nur über offiziöse Organe zu verfügen, sondern Einfluß auf Zeitungen zu haben, deren Unabhängigkeit in der Öffentlichkeit allgemein anerkannt war. Bismarcks Verhalten blieb stets pragmatisch: Wo die öffentliche Meinung seine Politik unterstützte, war sie willkommen, wo sie sich widersetzte, sollte sie umgebogen werden. Die öffentliche Meinungsbildung wird damit prinzipiell der staatlichen Zielsetzung untergeordnet, das aber heißt, es wurde ihr von Bismarck aberkannt, was sie für den Liberalismus wichtig machte: das Räsonnement, aus dem die politischen Entscheidungen hervorgehen sollen. Folglich finden wir bei Bismarck nicht wenige Äußerungen, in denen er verärgert auf feindselige Stellungnahmen in der Presse reagiert oder auch grundsätzlich der Presse eine kritische Funktion abspricht.[41] Skepsis, ja Abneigung gegen Journalisten, eine Haltung, die deren Manipulation freilich nicht ausschloß, gehören zu den hervorstechenden Merkmalen des Bismarckschen Stils.[42]

Die Bismarcksche Pressepolitik läßt die Struktur der bonapartistischen Öffentlichkeit erkennen. Es ist charakteristisch für das Bismarcksche System, wenn möglich die bestehenden liberalen Institutionen nicht anzutasten (Parlament, Presse), sich ihrer vielmehr zu bedienen, wobei es Bismarck gleichgültig ist, wenn diese Einwirkung der ursprünglichen Funktion der Institution grundsätzlich widerspricht. Es findet deutlich eine Umfunktionierung der Öffentlichkeit statt, durch die die im klassischen Modell unterstrichene Autonomie der Öffentlichkeit gegenüber dem Staat unterminiert wird. Bismarck liegt am Konsens und nicht am Räsonnement, er sucht Publizität, aber keine Deliberation der Bürger. Daher ist ihm ein plebiszitäres Element durchaus willkommen, wenn es sich steuern läßt, so etwa im Kampf gegen die Zweite Kammer während des Verfassungskonflikts. Bekanntlich sprach Bismarck dem Parlament das Recht ab, sich als Vertreter des Volkes zu verstehen, da es nur von einem kleinen Teil der Bevölkerung gewählt worden sei.

Charakteristisch für das Bismarcksche System ist eine hergestellte Öffentlichkeit, die von der Regierung weitgehend abhängig ist, auf jeden Fall keine eigene Initiative entwickelt. Sie wird zum Resonanzboden für die publizistische Selbstentfaltung des Staates. Tatsächlich kann nur von einer Tendenz gesprochen werden, da Bismarcks Apparat niemals stark genug war, um die öffentliche Meinung durchgehend zu manipulieren. Er konnte die Gesinnungspresse der Rechten und der Linken auf die Dauer nicht verdrängen. In der bonapartistischen Phase der Umstrukturierung handelte es sich noch in erster Linie darum, eine ökonomisch nicht sehr starke Meinungspresse gefügig zu machen. Zu diesem Zweck setzte Bismarck Mittel aus dem nicht kontrollierbaren Welfen-Fonds ein. Auf diese Weise wäre die kommerzialisierte Tagespresse, die seit den achtziger Jahren den Markt beherrschte, nicht mehr zu beeinflussen gewesen. In diesem Fall, wie auch bei der Verbandspresse, spielten dann Interessengemeinsamkeiten eine größere Rolle.

Ansätze zu einer Gegenöffentlichkeit

Die Reduktion der klassischen Öffentlichkeit durch Selbstbeschneidung oder staatlich geförderte Aushöhlung zu einer bonapartistischen Öffentlichkeit, in der sich Staat und Gesellschaft schon tendenziell verschränken, warf die Frage auf, ob und in welcher Form das kritische Moment restituiert werden konnte. Unter den deutschen Sozialisten sah Ferdinand Lassalle dieses Problem am schärfsten. In seinem „Arbeiterprogramm", einem Vortrag vor einem Berliner Handwerkerverein, erklärte er 1862: „(...) auch die öffentliche Meinung, meine Herren – ich habe Ihnen bereits angedeutet, durch welche Vermittlung, nämlich durch die Zeitungen – empfängt heutzutage ihr Gepräge von dem Prägstock des *Kapitals* und aus den Händen der privilegierten großen Bourgeoisie."[43] Diese Bemerkung bezieht sich kritisch auf die Unterstellung, daß die unteren Volksklassen für die Öffentlichkeit eine Gefahr darstellen, weil sie ungebildet seien. Gegen diese Ansicht führt Lassalle an, daß historisch gesehen die Öffentlichkeit sich gerade als Waffe gegen den Staat und die privilegierten Klassen konstituiert habe und sich daher nicht gegen das Volk richten könne. Aus dieser Kritik der kapitalistischen Öffentlichkeit könnte man den Schluß ziehen, daß Lassalle nicht mehr an der Institution der Öffentlichkeit interessiert gewesen sei und daher keine eigene Theorie entwickelt habe. Diese Folgerung ist voreilig, denn sie übersieht, daß Lassalle in seinem „Arbeiterprogramm" gerade am normativen Aspekt von Öffentlichkeit festhält. Die dem Dritten Stand eigentümliche Unsittlichkeit, dessen Eigennutz, muß dem Vierten Stand, so argumentiert Lassalle, fehlen, weil er die Gesamtheit der Staatsbürger vertritt. In der Arbeiterklasse fehlt mit anderen Worten der Gegensatz von privatem Interesse und allgemeiner Kulturentwicklung, vielmehr fallen Interesse und Sittlichkeit beim Vierten Stand zusammen. Die Emanzipation des Vierten Standes wird daher nicht zur Auflösung der Öffentlichkeit führen, sondern zu ihrer sozialistischen Verwirklichung.

Bei Lassalle spitzt sich diese Überwindung der bürgerlichen Öffentlichkeit darauf zu, das Verhältnis von Staat und Gesellschaft neu zu deuten. Der liberale Staat in seiner äußersten Reduktion auf den sprichwörtlichen Nachtwächterstaat ist nicht mehr, als die Sicherung der „ungehinderten Selbstbestätigung seiner Kräfte jedem einzelnen zu garantieren (...)."[44] Lassalle ist weit entfernt davon, die Bedeutung des Staates mindern zu wollen. Im Gegenteil, er nimmt den Apparat des Staates dafür in Anspruch, *„diese Entwicklung der Freiheit, diese Entwicklung des Menschengeschlechts* zur Freiheit zu vollbringen."[45] Da Lassalle dem Staat eine zentrale Bedeutung bei der Entfaltung der freien Gesellschaft einräumt, verliert der Gesichtspunkt der Kontrolle, der kritischen Überprüfung, seine frühere Bedeutung. Der staatliche Wille erscheint als identisch mit dem Willen der Arbeiterschaft, die sich gleichsam selbst durch die Tätigkeit des Staates antreibt und emanzipiert.

In der Beurteilung des Liberalismus und der parlamentarischen Regierungsform stimmte Lassalle weitgehend mit Bismarck überein; auch er war von der Schwäche und der Unbrauchbarkeit der bürgerlichen Öffentlichkeit überzeugt. In einem Brief an Huber (24. Februar 1864) sprach er sich scharf gegen den Parlamentarismus aus.[46] So suchte er neue, unorthodoxe Wege, um seine demokratischen Ziele durchzusetzen. Dazu gehörten nicht zuletzt seine Verhandlungen mit Bismarck über die Möglichkeit eines Bündnisses zwischen dem Proletariat und der Monarchie – unter Umgehung der bürgerlichen Parteien. Das ins Auge gefaßte Ziel war eine radikale Demokratie, die sich mit einem starken monarchischen Staat verbündet, wie er dies in seinem „Arbeiterprogramm" schon entworfen hatte, freilich ohne dort die Möglichkeit zu diskutieren, daß dieser Staat der bestehende preußische sein könnte. Gustav Mayer spricht von Lassalles cäsaristischen Neigungen, der im Arbeiterverein seine Führungsrolle rigoros durchsetzte.[47] Damit ist das Problem nicht erschöpft. Die wirkliche Frage ist, ob und in welchem Maße man von einem bonapartistischen Sozialismus sprechen kann. Lassalle war davon überzeugt, daß das historische Bündnis zwischen den fortschrittlichen Kräften des Bürgertums und den Arbeitern, an dem der linke Flügel der Fortschrittspartei festhalten wollte, nicht mehr im Interesse der Arbeiter lag. Die Gründung einer unabhängigen und politisch eigenständigen Arbeiterbewegung sollte eine neue politische Kraft schaffen, die zwischen dem Adel und der Bourgeoisie ihre eigenen Interessen verfolgt und dabei auch ein Bündnis mit der Monarchie eingehen kann.

Lassalles politische Agitation im September 1863 (Wahlkampf), die gegen die Fortschrittspartei gerichtet war, konnte, wie Gustav Mayer mit Recht festhält,[48] nur den parlamentarisch schwachen Konservativen und Bismarck nützen, da an eine selbständige politische Vertretung der Arbeiter nicht zu denken war. Indem Lassalle argumentierte, das Dreiklassenwahlrecht sei illegal in Preußen eingeführt worden und müsse daher widerrufen werden, wollte er Bismarck eine plebiszitäre Wahlreform nahelegen, durch die die politische Öffentlichkeit des Bürgertums unterminiert worden wäre. So grenzte er sich auch unmißverständlich gegen die räsonierende bürgerliche Öffentlichkeit ab: „Eine Bewegung der Bourgeoisie freilich, *die* wäre ganz und gar unmöglich ohne Zeitungsorgane, denn der Philister ist gewohnt, sich seine Meinung von den Zeitungen machen zu lassen, er schwätzt abends beim Wein wieder, was er früh beim Kaffee gelesen hat, und *kann* gar nicht anders. Im Wesen des Arbeiterstandes aber liegt es notwendig, sich von der Herrschaft der Presse emanzipieren zu können. Im Arbeiterstande lebt bereits ein tiefer *Klasseninstinkt,* welcher ihn fest und selbständig macht gegen alles, was eine elende Presse sagen möge.“[49] Daß diese Darstellung von der wirklichen Sachlage weit entfernt war, ist in unserem Zusammenhang nicht von Belang. Es kommt hier vielmehr darauf an, daß Lassalle die Arbeiterbewegung aus der bürgerlichen Öffentlichkeit herausführen und sie gleichzeitig mit dem Staat in Verbindung bringen wollte. Lassalle attackierte die Liberalen und nicht Bismarck, er griff ihre Mäßigung und Inkonsequenz an, die Rücksicht auf ihre materiellen Interessen, die sich in der Presse in der Verbindung von politischer Meinung und Anzeigengeschäft niederschlug.[50] Die kapitalistische Presse, so hielt Lassalle seinen Hörern entgegen, hat ihre fortschrittliche Kraft verloren. Mit Genugtuung zitierte er Bismarcks Ausspruch: „Die Zeitungen werden von Leuten geschrieben, *die ihren Beruf verfehlt haben.“*[51]

Auffallend ist der Widerspruch, der bei Lassalle auftritt, sobald er zu positiven Lösungen übergeht. An diesem Punkt werden die bonapartistischen Elemente sichtbar. Um die Korruption der bürgerlichen Presse zu überwinden, forderte Lassalle erstens die Aufhebung der Kaution, durch die es nur dem Kapitalisten möglich ist, eine Zeitung zu gründen, zweitens die Abschaffung der Stempelsteuer und drittens das Verbot aller Anzeigen, durch die die Presse überhaupt erst kommerziell verwertbar wurde. Diese radikalen demokratischen Forderungen sollen eine rein politische Meinungspresse wiederherstellen; sie laufen auf die Restauration einer idealen frühbürgerlichen Öffentlichkeit hinaus. Lassalles Argumentation ist hier durchaus idealistisch: „Es sind alles Blätter, welche keine Annoncen haben noch bringen, noch jemals zu bringen hoffen oder streben. Es sind daher auch Blätter, geschrieben von Männern, welche aus *wirklichem* Interesse an den geistigen Kämpfen und nicht um ihrer Bereicherung willen sich diesem Berufe widmen (...).“[52] Auf die Frage, wie denn diese neue Presse innerhalb einer kapitalistischen Gesellschaft zu finanzieren wäre, antwortet er mit dem Hinweis auf den Staat. Er verspricht sich eine Befreiung der Presse davon, daß der Staat die Zeitungen als öffentliche Ausrufer benutzt und daher finanziert.

Dieses Vertrauen in den Staat ist erstaunlich und überhaupt nur zu rechtfertigen, wenn man ihn als eine neutrale, übergesellschaftliche Gewalt begreift. Lassalle wünschte im September 1863 den Wahlsieg der Fortschrittspartei, aber nur, damit diese in der Kammer ihre Unfähigkeit beweisen würde. Er agitierte im Grunde also für den von Bismarck geführten preußischen Staat. Das Ziel dieser Strategie war eine radikale Demokratie mit monarchischer Spitze und starker Exekutive – jedenfalls ein Staat, der die anstehenden sozialen Probleme aufgreift und löst. Dieses Programm entwickelte Lassalle bereits in seinem „Offenen Antwortschreiben" an das Leipziger Zentralkomitee vom März 1863, in dem er zum ersten Mal eindeutig die Bourgeoisie und nicht den konservativen Adel als den eigentlichen Gegner bezeichnet. Lassalle erwartet, daß der Staat die Arbeiterassoziationen fördern wird, d. h. er rechnet mit einem intervenierenden Staat, von dessen Dynamik der gesellschaftliche wie der kulturelle Fortschritt im wesentlichen ausgeht.[53] Indem Lassalle mit fragwürdigen Argumenten den Staat mit der Masse der Bevölkerung gleichsetzt („Ihre, der ärmeren Klassen, große Assoziation – das ist der Staat!"[54]), entzieht er sich der offensichtlichen Frage, wie dieser Staat sich in den Händen der Konservativen befinden kann. Die Arbeiterassoziationen sind Lassalle zufolge auf den Staat angewiesen, wenn sie sich von der kapitalistischen Bourgeoisie befreien wollen. Diese Position führt ihn auf eine bonapartistische Lösung zu. Lassalle sieht im Gegensatz zu den Linksliberalen, daß die soziale Frage sich nicht durch wirtschaftliche Hilfe allein beseitigen läßt. Er erkennt mit anderen Worten den beschränkten Wert der bürgerlichen Öffentlichkeit für den Kampf des Proletariats, aber seine Lösung bewegt sich in Richtung auf eine gelenkte plebiszitäre Öffentlichkeit. Mit Hilfe des allgemeinen Wahlrechts will Lassalle einen proletarisch kontrollierten Staat konstituieren, der zugunsten der Arbeiter eingreifen wird: „Wenn die *gesetzgebenden Körper Deutschlands aus dem allgemeinen und direkten Wahlrecht hervorgehen* – dann und *nur* dann werden Sie den Staat bestimmen können, sich dieser seiner Pflicht zu unterziehen."[55]

Das Bündnis zwischen Lassalle und Bismarck, von beiden letztlich nur taktisch gemeint, wirft ein bezeichnendes Licht auf die tendenzielle Veränderung der Öffentlichkeit: auf der Seite Bismarcks der Versuch, die preußische Monarchie und den Staat zu modernisieren und von der Politik des konservativen Adels abzukoppeln, auf der Seite Lassalles die Absicht, die Krise der liberalen Öffentlichkeit durch die Konstituierung einer diktatorischen Macht für das Proletariat auszunutzen.[56]

Gab es jenseits der reduzierten bonapartistischen Öffentlichkeit eine Alternative? Jürgen Habermas kommt zu dem Schluß, daß die von Marx konzipierte sozialistische Alternative nur in der Theorie bestanden habe. Da er den Zerfall der klassischen Öffentlichkeit mit dem Entstehen des Organisierten Kapitalismus und des Interventionsstaates in Verbindung bringt, ist für ihn die Richtung der Veränderung bereits vorgezeichnet: Die nachliberale Öffentlichkeit ist im wesentlichen bestimmt durch die veränderte ökonomische Struktur, durch die das Verhältnis von Staat und Gesellschaft sich grundlegend wandelt. In der Tat ist es der sozialistischen Bewegung im Kaiserreich nicht gelungen, den Charakter der politischen Öffentlichkeit durchgreifend zu verändern. Je mehr sie als organisierte politische Partei auf Grund ihrer Wahlerfolge im Reichstag mitwirken konnte, desto mehr wurde sie gleichzeitig in das bestehende politische System integriert, das sie in der Theorie bekämpfte. Hätte es Möglichkeiten zur Entfaltung einer plebejischen oder proletarischen Gegenöffentlichkeit gegeben? In der Revolution von 1848 bildete sich auf dem linken Flügel eine demokratisch-plebejische Öffentlichkeit heraus, in der sich die radikalen Handwerker und Gewerbetreibenden sammelten. Aber eben diese radikale Variante der Öffentlichkeit erwies sich eher als ein Ausläufer der frühbürgerlichen denn als ein Ansatz zu einer neuen proletarischen Gegenöffentlichkeit. Die progressiven Ansätze vertrauten zunächst noch weitgehend auf Grundvorstellungen der liberalen Theorie, auch wenn sie sich von dem gemäßigten bourgeoisen Liberalismus absetzten. An diese demokratische Tradition konnte die Arbeiterbewegung in den fünfziger Jahren anschließen. Erst in den sechziger Jahren schieden sich dann, und keinesfalls geradlinig, die demokratische und die proletarische Konzeption. Die Grenzen der Aufklärung, dessen Modell von einer Bürgergesellschaft und nicht von Klassenkämpfen ausging, wurden sichtbar, so daß die Arbeiterbewegung sich auf alternative Formen einlassen mußte.

Die Diskussion setzte in den frühen fünfziger Jahren ein mit der Entscheidung von Marx, sich von der demokratischen Bewegung scharf abzugrenzen. Er forderte vom Proletariat die klare Trennung von der kleinbürgerlichen Demokratie. In seinem Rundschreiben unterstrich Marx: „Diesem Zustand muß ein Ende gemacht, die Selbständigkeit der Arbeiter muß hergestellt werden."[57] Marx unterschied die kleinbürgerlich-demokratische und die großbürgerlich-liberale Bewegung und versuchte zu zeigen, welche Anknüpfungsmöglichkeiten und welche Gefahren es für das Proletariat gab. Vor allem fürchtete er, daß die Arbeiterbewegung zum Teil einer politischen Bewegung werden würde, die auf Grund ihrer Klassenlage die Grenzen der bürgerliche Ideologie nicht sprengen kann: „Die kleinbürgerliche demokratische Partei in Deutschland ist sehr mächtig, sie umfaßt nicht nur die große Mehrheit der bürgerlichen Einwohner der Städte, die kleinen industriellen Kaufleute und die Gewerksmeister; sie zählt zu ihrem Gefolge die Bauern und das Landproletariat, so lange dieses noch nicht in dem selbständigen Proletariat der Städte eine Stütze gefunden hat."[58] Diese Koalition konnte die Postulate der bürgerlichen Öffentlichkeit ausschöpfen, man konnte Gleichheit und Gerechtigkeit fordern, die Verbesserung der vorgefundenen Gesellschaft anstreben, aber nicht ihre Aufhebung. Daher warnte Marx vor den Grenzen der demokratischen Bewegung. Freilich überschätzte er die Stoßkraft des deutschen Kleinbürgertums, dem es nach 1850 nicht mehr gelingen sollte, die politische Führung zu übernehmen. Nicht mit den Demokraten, sondern mit den Liberalen hatte sich die Arbeiterbewegung in den sechziger Jahren auseinanderzusetzen – nicht selten noch mit Hilfe demokratischer Ideale. Überdies entsprach die Schärfe der theoretischen Abgrenzung nicht der Diffusität der wirklichen Verhältnisse. Die frühe Arbeiterbewegung war sowohl klassenmäßig als auch ideologisch so eng mit der Handwerkerbewegung verbunden, daß eine Scheidung praktisch kaum zu treffen war. Die politisch bewußten und organisierten Arbeiter waren meistens Handwerksgesellen, die noch in den zünftischen Traditionen und Bräuchen handwerklicher Verbrüderungen ausgebildet worden waren. Die Absicht, eine Gegenöffentlichkeit zu errichten, konnte an diesen Erfahrungen gar nicht vorbeigehen.

Die Entscheidung dieser Gesellen, sich Arbeiter zu nennen, enthielt freilich einen wichtigen Schritt: die Suche nach Gleichheit und Freiheit unter Aufgabe der ständischen Sicherungen und Privilegierungen. So richteten sich die frühen Arbeiterverbrüderungen der Revolutionsphase auch nicht so sehr gegen eine unterdrückende Klasse als auf die Gewinnung eines angemessenen Status' in der Gesellschaft. Man forderte die Beteiligung an der politischen und kulturellen Bürgergemeinschaft. So sprach Franz Schwenniger 1849 in einem Aufruf davon, daß die Arbeiter 1848 zum ersten Mal als Menschen hervortraten, „die in vollem Bewußtsein ihres Rechtes und ihrer Kraft sich selbst helfen wollten, wo ihr im gemeinsamen Wirken den Grundstein legtet zum erhabenen Bau des heiligen Tempels der Menschheit, der mit seinen Zinnen der Zukunft noch angehört."[59] Hier wird man eher von einer plebejisch-demokratischen als von einer proletarischen Öffentlichkeit sprechen können; sie schließt an die klassische an und zieht radikale Konsequenzen, stellt sich ihr aber noch nicht entgegen, um eine separate Öffentlichkeit zu schaffen. Scheinbare Kleinigkeiten wie der Wunsch, von den Meistern und Behörden nicht mehr geduzt zu werden, sondern an den bürgerlichen Verkehrsformen teilzuhaben, zeigen deutlich, daß die Gesellschaft noch als eine einheitliche konzipiert wurde, in der die Arbeiter ihren Platz erringen können.

Die Organisation der von Stephan Born geführten Arbeiterverbrüderung schloß entsprechend an die Vorbilder der bürgerlichen Parteien und Vereine an, ging freilich im Aufbau eines straff geführten Apparats einen Schritt über das liberale Modell hinaus. Während der Liberalismus auch im Nachmärz kaum über die Form der Honoratiorenpartei hinauskam, schuf die Arbeiterverbrüderung sogleich einen festeren Rahmen für die eigene politische und soziale Arbeit. Zu dessen charakteristischen Merkmalen gehörte die Bildung eines nationalen Zentralkomitees und eines Verwaltungsrates. Es bildeten sich also Ansätze zu einer professionellen Parteibürokratie, die der demokratischen und der liberalen Bewegung fehlten. Bezeichnenderweise ging die Gründung der Verbrüderung Hand in Hand mit der Gründung einer Zeitung, die die Organisation nach außen publizistisch vertreten sollte und gleichzeitig die innerparteiliche Kommunikation übernahm. Da die Arbeiterverbrüderung unter Born eine sozialistische Theorie nicht ausarbeitete – was ihr die negative Beurteilung durch Marx und Engels eintrug –, kam es nicht zu einer grundsätzlichen Debatte über die Beziehung zwischen der eigenen Gruppe und bürgerlichen Emanzipationsbewegungen. Daß der Gedanke der Verbrüderung mit liberalen Konzepten nicht übereinstimmte, ist freilich an der Opposition eines Linksliberalen wie Schulze-Delitzsch abzulesen, der sich gegen die Verbrüderung mit dem Argument wandte, sie habe keine materiellen Anreize für den Arbeiter zu bieten. Auf der anderen Seite zeigen die Vorwürfe des konservativen Sozialpolitikers Viktor Aimé Huber gegen die politische Betätigung der Arbeiter, daß die Gegner die potentielle politische Stärke der Arbeiterbewegung durchaus begriffen. Schulze-Delitzsch hoffte, sie in eine Genossenschaftsbewegung verwandeln zu können, in der die Prinzipien des Konkurrenzkapitalismus als Basis akzeptiert werden. Gegen solche Zielsetzungen grenzte sich die frühe Arbeiterbewegung ab; man wollte nicht ständisch und gewerblich denken und handeln, sondern menschlich. So zeigten umgekehrt diejenigen Arbeiterverbände, die sich aus Berufsgruppen gebildet hatten und primär wirtschaftliche Forderungen vertraten wie die Zigarrenarbeiter und die Buchdrucker wenig Neigung, sich der Arbeiterverbrüderung anzuschließen.[60]

Die Assoziierung sollte von der lokalen Ebene ausgehen und den Arbeitern eine unabhängige Stellung in der Gesellschaft sichern – unabhängig sowohl gegen die konservativen Zünfte als auch gegen das Kapital. Dies sollte durch Produktions- und Konsumgenossenschaften verwirklicht werden, die auf staatliche Hilfe rechnen könnten. So wurden in einer Petition für die Arbeiter-Assoziationen 10 Millionen Taler für die Verbrüderungen gefordert. Sozialistisch waren diese Ziele nur, wenn man den Begriff weit auslegt und nicht gleichsetzt mit den Theorien von Marx und Engels. Für die Vertreter des wissenschaftlichen Sozialismus, die den *Bund der Kommunisten* gerade von den demokratischen Strömungen trennen wollten, lag die Schwäche der Verbrüderungen eben darin, die revolutionäre Umgestaltung der Gesellschaft nicht ins Auge zu fassen. In den Ansprachen der Zentral-

behörde an den *Bund* vom März und Juni 1850 wandten sie sich ausdrücklich gegen die demokratische Partei, die sich aus der avancierten
Bourgeoisie, den konstitutionellen Kleinbürgern und den Republika-
nern zusammensetzte: „Die demokratischen Kleinbürger, weit entfernt, für die revolutionären Proletarier die ganze Gesellschaft um-
wälzen zu wollen, erstreben eine Änderung der gesellschaftlichen
Zustände, wodurch ihnen die bestehende Gesellschaft möglichst er-
träglich und bequem gemacht wird. Sie verlangen daher vor allem
Verminderung der Staatsausgaben durch Beschränkung der Bürokratie
und Verlegung der Hauptsteuer auf die großen Grundbesitzer und
Bourgeois. Sie verlangen ferner die Beseitigung des Druckes des großen Kapitals auf das kleine, durch öffentliche Kreditinstitute und Gesetze gegen den Wucher, wodurch es ihnen und den Bauern möglich
wird, Vorschüsse von dem Staat statt von den Kapitalisten zu günsti-
gen Bedingungen zu erhalten."[61] Diese Beschreibung der kleinbürgerlichen Ziele trifft auf die Forderungen der Verbrüderung nur zum Teil
zu. Sie leidet darunter, daß sie strikt zwischen Kleinbürgern und Proletariern scheidet, während sich diese Trennung in Deutschland noch
nicht vollzogen hatte. Die Arbeiterverbrüderung sah in der Tat nicht
die Notwendigkeit einer prinzipiellen Konfrontation mit der bestehenden Gesellschaft, aber sie beschränkte sich auch nicht auf die Unterstützung kleinbürgerlicher Interessen. Die Forderung nach gleichen
Menschenrechten, das jakobinische Erbe also, darf nicht bloß als Fas-
sade kleinbürgerlicher Interessen verstanden werden; für die hand-
werklich ausgebildeten Arbeiter bot sich in der Assoziation eine Lebensform, in der sie durch Solidarisierung gegen die Zersplitterung
und Verdinglichung des Kapitalismus gesichert waren. In der Verbrüderung bewahrten die Arbeiter den demokratischen Kern frühbürger-
licher Öffentlichkeit – freilich auch die idealistischen Prämissen. Indem sie die Ideen der Gleichheit und Brüderlichkeit auf ihre Fahnen
schrieben, beharrten sie auf einer harmonischen Lösung der sozialen
Probleme, die frühsozialistisches Gedankengut aufgriff und den eigenen Bedürfnissen anpaßte.

Während die demokratische Bewegung die plebejischen Momente
der Öffentlichkeit hervorhob und dadurch zweifellos eine Korrektur
der liberal-kapitalistischen Auffassung anbot, kam es Marx und Engels nach der gescheiterten Revolution darauf an, den Rahmen bürgerlicher Öffentlichkeit überhaupt zu sprengen. Daher wird die Unterstützung demokratischer Forderungen zu einer taktischen Frage.
Sobald die demokratische Bewegung ihr Ziel erreicht hat und die politische Dynamik einfrieren will, wollen Marx und Engels den gesellschaftlichen Konflikt durch weitergehende Forderungen verschärfen,
denen sich die kleinbürgerlichen Demokraten entgegenstellen müssen,

da sie nicht mehr ihren Interessen entsprechen. Durch die Radikalisierung der demokratischen Bewegung sollen ihre Widersprüche hervorgetrieben werden, so daß die Entscheidung unausweichlich wird. Da Marx und Engels 1850 von einer deutlichen Trennung der kleinbürgerlichen und der proletarischen Kräfte ausgingen, antizipierten sie die Konfrontation zwischen den radikal-demokratischen Kräften und dem Proletariat. Die revolutionäre Umgestaltung der Gesellschaft, wie sie Marx und Engels projizieren, zielt auf die Übernahme der Staatsgewalt, d.h. auf eine zentralistische Lösung, nicht auf eine föderalistische (Schweiz): „Die Demokraten werden ferner entweder direkt auf die Föderativrepublik hinarbeiten oder wenigstens, wenn sie die eine und unteilbare Republik nicht umgehen können, die Zentralregierung durch möglichste Selbständigkeit der Gemeinden und Unabhängigkeit der Gemeinden und Provinzen zu lähmen suchen. Die Arbeiter müssen diesem Plane gegenüber nicht nur auf die eine und unteilbare deutsche Republik, sondern auch in ihr auf die entschiedenste Zentralisation der Gewalt in die Hände der Staatsmacht hinwirken.“[62] Diese Forderung negiert ein wesentliches Moment der demokratischen Arbeiterbewegung, die in ihrer Organisation von der Basis ausging.

Die Übernahme des Staates ist für Marx die Bedingung der Revolution, daher wird die Beziehung des Proletariats zum staatlichen Apparat eine entscheidende Frage der neuen proletarischen Öffentlichkeit. Die liberale bürgerliche Öffentlichkeit hatte sich in der Auseinandersetzung mit dem absolutistischen Staat konstituiert. Das marxistische Modell einer Gegenöffentlichkeit, die die bürgerliche aufhebt, rechnet mit dem Verschwinden dieses Gegensatzes. Die zentralistische Staatsgewalt, die sich in den Händen des Proletariats befindet, wird zum Instrument der gesellschaftlichen Revolution. So muß sich die Öffentlichkeit des revolutionären Proletariats in zwei Phasen herausbilden. Vor der revolutionären Eroberung des Staates konstituiert sie sich als Geheimbund, der sich gegen die Durchdringung durch die Staatsgewalt schützt, danach als Öffentlichkeit einer zentralistisch organisierten und straff geführten Partei. In ihr beruht der Fortschritt nicht mehr auf dem Konsens der Bürger, sondern auf dem der Partei, die ihre revolutionäre Aufgabe durchführen muß.

Die Annahme einer revolutionären Situation, wie sie Marx und Engels im Juni 1850 im zweiten Rundschreiben aussprachen, erwies sich als falsch. Rückblickend auf den Kommunistenprozeß sprach Marx 1875 von der praktischen Gefahrlosigkeit der Bewegung: „Nach dem Untergange der Revolution von 1848 existierte die deutsche Arbeiterbewegung nur noch unter der Form theoretischer, zudem in enge Kreise gebannter Propaganda, über deren praktische Gefahrlosigkeit die preußische Regierung sich keinen Augenblick täuschte.“[63] Die Ar-

beiterbewegung setzte sich nicht über die Strategie eines revolutionären Geheimbundes, sondern auf der Basis und in der Auseinandersetzung mit der vorgefundenen liberal-bürgerlichen Öffentlichkeit durch.
Sobald die Arbeiterbewegung in den frühen sechziger Jahren ihre politischen Organisationen auf nationaler Ebene aufzubauen begann und
sich definitiv von der liberalen Partei trennte, entstand eine eigentümliche Situation: Das Proletariat stieß, um den politischen Kampf aufnehmen zu können, in die bonapartistische Öffentlichkeit vor, bildete
aber gleichzeitig ein Lager, in dem es sich solidarisch gegen die bürgerliche Klasse abgrenzen konnte.[64]

IV. Die Institutionalisierung der Literatur und der Kritik

Seit den grundlegenden Arbeiten von Georg Lukács gehört es zum Wissensbestand der Literaturwissenschaft, daß das Scheitern der bürgerlichen Revolution von 1848 die Evolution der europäischen und deutschen Literatur entscheidend beeinflußt hat. An Autoren wie Heine, Keller und Fontane in Deutschland sowie Balzac, Flaubert und Zola in Frankreich hat Lukács diesen Unterschied zwischen der vorrevolutionären und der postrevolutionären Situation aufgezeigt.[1] Der Übergang von der Darstellung zur Beschreibung, beziehungsweise zum Lyrizismus, ist für Lukács Indiz dafür, daß die literarische Produktion nach 1848, pauschal gesehen, in eine Phase der Dekadenz eingetreten sei, die der ideologischen und gesellschaftlichen entspricht. Der literarische Überbau folgt in dem von Lukács entworfenen Entwicklungsschema mit Genauigkeit der wirtschaftlichen und gesellschaftlichen Basis (Übergang zum Monopolkapitalismus). Die theoretischen Schwächen dieser Position sind nicht zu übersehen. Die Verknüpfung von literarischer und historischer Evolution bleibt mechanisch. Sie unterstellt eine Gleichzeitigkeit der Entwicklungsstränge, ohne diese Annahme eigentlich zu beweisen. Die Folge ist, daß einzelne Autoren und Werke herausgegriffen und als repräsentativ behandelt werden. Dagegen käme es darauf an, den unterstellten Wandel sowie die vermutete Korrelation mit der politischen Veränderung an der literarischen Produktion und Rezeption insgesamt festzumachen. Die Veränderung wäre, anders gesprochen, auf der Ebene der Institution zu behandeln und nicht auf der der Werke.

Die Frage ist demnach, ob das Jahr 1848 für die *Institution Literatur* einen Bruch oder eine signifikante Wende darstellt, ob mit anderen Worten das Scheitern der bürgerlichen Revolution nicht nur auf einzelne Schriftsteller und ihre Werke, sondern auf die Institutionalisierung einen bestimmenden Einfluß gehabt hat. Es handelt sich hier um den inneren Zusammenhang zwischen dem Staat und dem ideologischen Apparat der Literatur. Als Hypothese ist Lukács' Interpretation, der sich Forscher wie Fritz Martini und Friedrich Sengle angeschlossen haben,[2] plausibel. Unschwer läßt sich zeigen, daß die postrevolutionäre Institution Literatur geprägt worden ist durch die Niederlage der bürgerlichen Kräfte. Die Institution Literatur war seit dem ausgehenden achtzehnten Jahrhundert weitgehend von der bürgerlichen Klasse besetzt – während dies im politischen Bereich sicher nicht der Fall war. Die literarische Öffentlichkeit war das Feld, auf dem sich vor 1848 die liberale und demokratische Opposition formieren konnte. Der Sieg der konservativen Kräfte mußte sich daher auch auf die Literatur auswirken. Zu untersuchen ist freilich, in welcher Form sich die Krise und die konservative Stabilisierung des politischen Systems in der Institution Literatur ausprägte. Die Veränderung, so unsere These, berührt das ästhetische Programm, also die literarischen Normen und Konventionen – was sich in der Literaturkritik niederschlägt –, sie bezieht sich ferner auf die Auffassung der Kunst und ihrer Funktion in der Gesellschaft, aber sie berührt die materielle Seite der Institution kaum. Die Veränderungen im Apparat hängen weniger mit der Revolution als mit der Industrialisierung zusammen und sind entsprechend langfristig. So kann man von Wandlungen innerhalb der Institution Literatur sprechen, aber nicht von einer Zerstörung und einem Neuaufbau.

Der Umbau vollzieht sich im ganzen – und daher läßt er sich rekonstruieren – als bewußte Auseinandersetzung in der kritischen Sphäre. Die Teilinstitutionen Literaturkritik und Literaturgeschichte sind die Orte, an denen die Kämpfe ausgetragen werden. Zur Diskussion steht die Abrechnung mit der vorrevolutionären Literatur, mit ihren führenden Autoren wie Heine und Börne und ihren Ansprüchen und Zielen gegenüber dem gesellschaftlichen und politischen Bereich. Der Nerv der Auseinandersetzung ist der Zusammenhang von literarischer und politischer Öffentlichkeit, den die radikale Literatur des Vormärz so zugespitzt hatte, daß er in der Kritik und Literaturgeschichte die Definition der Literatur beherrschte. Indem man den politischen Anspruch der Literatur als eine Überspitzung beziehungsweise als eine grundsätzliche Verfehlung anprangert, wird innerhalb der Institution Literatur eine wichtige Umbesetzung vorgenommen: Sie betrifft die Beziehung zwischen ideologischer Formation (mit ihren Praktiken) und dem politischen Apparat. Hier wäre dann zu unterscheiden zwischen den konservativen Kräften, die eine Refeudalisierung der Literatur versuchen, und den Liberalen, die sich den veränderten politischen Bedingungen anpassen und einen Teil ihres Programms zu retten versuchen, indem sie die konsequente Ausschöpfung des liberalen Modells aufgeben. Nationalliberale wie Gustav Freytag und Julian Schmidt wären hier zu nennen. Diese Umfunktionierung bleibt nicht folgenlos. Sie entfaltet auf dem Felde der ästhetischen und poetischen Theorie ihre eigene Logik. Sowohl die Realismusdiskussion als auch die Gattungstheorie der fünfziger Jahre muß im Zusammenhang mit der Umfunktionierung der Institution Literatur gelesen werden.

In der neueren Realismusforschung ist umstritten, in welchem Maße die Theorie des Realismus durch die gescheiterte Revolution geprägt worden ist. Man hat einerseits auf die Verbindung des Realismus mit der Ideologie des nachrevolutionären Liberalismus verwiesen,[3] andererseits ist die These vertreten worden, die grundsätzlichen Gesichtspunkte der Realismustheorie seien dem Idealismus verpflichtet, sie könnten daher nicht spezifisch nachrevolutionär sein.[4] Für unsere Fragestellung ist freilich der historische Ort der Ideen und Begriffe von sekundärer Bedeutung, entscheidend ist vielmehr ihr systematischer Stellenwert, nämlich die Frage nach der Funktion von Kunst und Literatur. Die Rekonstruktion von Traditionen und Einflüssen, so berechtigt sie für eine geistesgeschichtliche Darstellung ist, kann den Blick für strukturelle Veränderungen verstellen, da sie die Annahme von linearen Entwicklungen nahelegt, während die eigentliche Aufgabe darin besteht zu erkennen, auf welche Weise Ideen und Begriffe in systematische Kontexte eingefügt werden.

Unser Nachweis dieser Veränderung wird sich daher in mehreren Schritten vollziehen. Wir werden zunächst das Literaturverständnis des Vormärz und die Auseinandersetzung mit der konservativen Theorie entfalten, und anschließend vor dem Hintergrund der vorrevolutionären Institutionalisierung die nachmärzliche Institution Literatur, namentlich die Teilinstitution Literaturkritik, entwickeln.

Die Literaturkritik des Vormärz

Paradigmatisch für die Wende vom radikalen vorrevolutionären Liberalismus zum moderierten, nationalistisch orientierten Liberalismus des Nachmärz ist der Linkshegelianer Robert Prutz, der durch kritische und historische Arbeiten sowohl vor 1848 als auch nach der Revolution aktiv an der literarischen Diskussion beteiligt war. Daß Prutz heute zu den fast vergessenen Kritikern gehört, zeigt an, wie sehr die Tradition, in der er stand, im späten neunzehnten Jahrhundert verdeckt, wenn nicht ausgelöscht wurde.[5] Prutz' Konzeption der Literatur und ihrer öffentlichen Funktion ist typisch für die linkshegelianische Position. Sie zeichnet sich kaum durch Originalität aus, aber eben dadurch wird Prutz' Wende nach 1848 zu einem beispielhaften Vorgang. Was Prutz vor den meisten seiner zeitgenössischen Kritiker auszeichnete, ist ein scharf entwickeltes historisches Bewußtsein – nicht nur in bezug auf literarische Texte, sondern gleichzeitig in bezug auf die Aufgaben der Literaturkritik und -geschichte. Das Schreiben der Literaturgeschichte wird begleitet von dem Prozeß der Selbstreflexion, dem die Veränderung des kritischen Standortes infolge der politischen und gesellschaftlichen Wandlungen nicht entgeht. So thematisiert Prutz in *Die deutsche Literatur der Gegenwart* (1859) gleichzeitig die eigene Aufgabe, indem er die Entwicklung der Historiographie seit den zwanziger Jahren aufarbeitet. Die Praxis der Literatur-

geschichte selbst steht Prutz zufolge im weiteren Kontext der allgemeinen geschichtlichen Evolution, sie wird sich also mit den sich wandeln-
den öffentlichen Aufgaben und Bedürfnissen verändern. Diese historische Bewußtheit schützt Prutz freilich nicht vor der Anpassung an eine
gewandelte öffentliche Meinung. Im Gegenteil: die historische Methode
erlaubt, sobald der Glaube an den Fortschritt der Menschheit durch Ide-
en schwankend geworden ist, eine relativistische Einschätzung der eigenen Position und Aufgabe.

Prutz' kritische Arbeiten vor 1848 stehen deutlich im Zeichen einer
Hegel verpflichteten Geschichtsphilosophie. Sie gehen davon aus, „daß
die Philosophie allerdings die Welt bewegt und daß jede andere Gewalt
ohnmächtig ist gegen die Energie einer geistigen, einer sittlichen Überzeugung".[6] Da Prutz die Literatur sowohl als Ausdruck des Zeitgeistes
versteht, als auch als Ausdruck der geistigen und sittlichen Überzeugungen einer Epoche, unterstellt er sie prinzipiell den gleichen Forderungen
wie die Philosophie: Die Literatur ist wirkungsorientiert, sie steht unter
dem Anspruch, die gesellschaftlichen und politischen Zustände zu verändern. Das von Hegel aufgeworfene und von Heine weitergeführte Problem, ob die Kunst in der Gegenwart überhaupt noch einen entscheidenden Beitrag leisten kann, wird dagegen von Prutz nicht aufgenommen,
da die Funktion der Kunst für ihn nicht primär in der Ausbildung und
Vollendung des Schönen besteht, sondern auf den politischen Fortschritt
der Menschheit bezogen ist. Die Literatur ist Prutz zufolge Teil des humanen Fortschritts, und zwar in einem doppelten Sinne: Sie reflektiert
jeweils den Standort des Geistes und sie ist auf der anderen Seite selbst
bewegende Kraft der geschichtlichen Entwicklung.

Vor 1848 betont Prutz in erster Linie den wirkenden und prägenden
Aspekt der Literatur. Die literarische Bewegung ist die Avantgarde der
politischen und gesellschaftlichen. Die aufklärerische Vorstellung von
der literarischen Diskussion als dem Vorhof der politischen bestimmt
noch einmal die Anschauung von Prutz. In diesem Sinne schreibt er 1859
rückblickend über die Funktion der Literaturgeschichte in den Jahren
der Reaktion: „In der öden Zeit der zwanziger Jahre, zur Blütezeit der
Restauration, war sie (die Literaturgeschichte, P. U. H.) es hauptsächlich,
wenn nicht ausschließlich, welche die patriotischen Hoffnungen der Nation wach erhielt und an der sich überhaupt noch eine Art von öffentli-
chem Leben entzündete."[7] Es kommt in unserem Zusammenhang nicht
darauf an, ob dieses Urteil zutrifft – leicht ließe sich einwenden, daß
Heines Prosa zur Belebung der literarisch-politischen Diskussion mehr
beigetragen habe –, bedeutsam wird diese Aussage durch den Zusammenhang, den sie zwischen Literatur, Kritik und Öffentlichkeit herstellt.
Was hier für die Literaturgeschichte behauptet wird, gilt für die Literatur
überhaupt: sie hat für Prutz vorbereitenden Charakter, sie ist der erste

Schritt zur politischen Tat, und das heißt, zur politischen Revolution. Dieses aktivistische Element ist freilich nicht zu abstrahieren von der konkreten geschichtlichen Situation. So spricht Prutz mit Bezug auf das Junge Deutschland von einer geschichtlich bedingten Unvollkommenheit seiner literarischen Produktion. Seine einseitige Subjektivität war zu verstehen als ein gerechtfertigter Angriff auf die Restauration, der freilich später seinen legitimen Zweck verlor. Die Historisierung der Literatur und der Ästhetik erlaubt Prutz, jeweils konkrete Aufgaben für eine Epoche auszuformulieren, Aufgaben, die begrenzt sind und durch neue überholt werden können. Dieser Ansatz spitzt sich in den vierziger Jahren für Prutz zu – einmal im Programm einer politischen Poesie, d. h. einer radikalen politischen Lyrik, zum andern im Programm einer volkstümlichen Romanliteratur.

Exkurs: Robert Prutz' Konzeption der politischen Lyrik

In dem Aufsatz „Die politische Poesie, ihre Berechtigung und Zukunft" (1847) faßt Prutz seine Erfahrung als Lyriker und Journalist zusammen. Er geht davon aus, daß in der deutschen literarischen Tradition Poesie und Politik in der Regel getrennt werden. Diese Voraussetzung kann sich natürlich nicht mehr auf das Junge Deutschland beziehen, sondern auf die konservativen Autoren des Biedermeier oder die Vertreter des klassizistischen Autonomiebegriffs. Auf Schiller spielt Prutz vermutlich an, wenn er ironisch formuliert: „Die Heimat der Poesie, sagen sie, ist ausschließlich das Ideal, mit dessen goldenem Abglanz sie unsre geplagten, von der Welt ermüdeten und zerstückelten Herzen erleichtert und erquickt; ihr schlimmster und unversöhnlichster Feind ist die Wirklichkeit; aber sie überwindet ihn, indem sie ihn ignoriert."[8] An dieser Auffassung stört Prutz weniger die Trennung von Idee und Wirklichkeit als die unpolitischen Konsequenzen, die sich aus dem abstrakten Gegensatz ergeben. Wenn Prutz die politische Lyrik der vierziger Jahre beurteilt, also die Gedichte von Dingelstedt, Hoffmann von Fallersleben und Herwegh, so kann er und will er den modischen Charakter dieser Tendenz nicht verkennen: sie spiegelt den Zeitgeist in einem oberflächlichen Sinn. Prutz zieht daraus jedoch nicht die Konsequenz, daß eine ästhetisch anspruchsvolle Literatur auf die politische Tendenz zu verzichten habe, sondern vertritt umgekehrt die Meinung, daß dort, wo das politische Leben des Volkes sich ausweitet, wo sich eine politische Öffentlichkeit bildet, auch eine politische Poesie entstehen muß, denn „mit dem erweiterten Inhalt des Subjekts (erweitert sich) auch der Inhalt der Kunst (...)".[9] So erscheint die radikale politische Lyrik der frühen vierziger Jahre als eine Art von Vorlauf, die erste Stufe zu einer wirklich demokratischen Literatur. Ihr ästhetisch mißlungener Charakter, den Prutz sogleich einräumt, nämlich ihr Mangel an Plastik, ihre Sprünge und Brüche und ihre Abstraktheit, spiegeln die politische Unreife des deutschen Volkes unter monarchischen Regierungen. „Wenn unsre Dichter hohl, bombastisch, großsprecherisch waren, lag dies nicht daran, daß die Nation gleichfalls hohl, bombastisch, großsprecherisch war?"[10] Indem Prutz auf Grund seiner Zeitgeisttheorie eine Korrelation zwischen literarischen und politischen Strukturen annimmt, kann er eine erweiterte „volkstümliche historische" Poesie postulieren, sobald die Nation ihren Willen durchgesetzt hat, d. h. durch eine Revolution die Macht übernommen hat.[11] Im Zusammenhang mit den revolutionären Ereignissen von 1848 wurde Prutz freilich deutlich, daß die unterstellte Korrelation nicht mechanisch zu errechnen war. Die Verwirklichung der politischen Ziele hob das Interesse an der politischen Poesie auf.

Robert Prutz' Kritik des Vormärz

Das nachrevolutionäre Literaturprogramm, das Prutz in der von ihm redigierten Zeitschrift *Deutsches Museum* entfaltete, weicht beträchtlich von seinen vorrevolutionären Schriften ab. Unverkennbar erlebte Prutz das Scheitern der Revolution – trotz seiner Vorbehalte gegen die radikalen revolutionären Kräfte – als eine Art Schiffbruch.[12] Die Forderung nach einer realistischen volkstümlichen Literatur wird wieder aufgenommen, aber dieses Ziel erhält einen veränderten Sinn: Es fehlt die aktivistische Komponente, der Glaube, daß aus der Literatur politische Veränderung hervorgehen kann. Statt dessen tritt die andere Seite des historischen Ansatzes deutlicher hervor; Prutz unterstreicht nunmehr, daß die Literatur der Ausdruck der geschichtlichen Situation sein muß und folglich nicht mehr so beschaffen sein kann wie vor der Revolution.

Prutz' Kritik der bürgerlichen Revolution, ihre Abwertung als eines jugendlichen, dilettantischen Unternehmens nimmt die Selbstkritik des deutschen Liberalismus durch Baumgarten (1866) vorweg. Der von der Revolution enttäuschte Prutz blickt auf den Vormärz zurück mit dem Gefühl, daß der Mangel an politischer Erfahrung eine wesentliche Ursache für das Scheitern der liberalen und demokratischen Kräfte gewesen sei. Der vor 1848 geforderte literarische Radikalismus, die Vorstellung, daß die Schriftsteller die Avantgarde zu bilden hätten, wird nun als abstrakter Subjektivismus und Idealismus kritisiert, der mit den Machtverhältnissen nicht genügend vertraut war. „Wir waren eben noch Neulinge im politischen Leben; wir sprachen von den Stürmen der Geschichte noch, wie der Binnenländer von den Stürmen des Meeres spricht, die er auch noch niemals mit Augen gesehen und von denen er daher ebenfalls nur die großartige und malerische Seite im Gedanken hat, ohne sich zu erinnern, wie viel Menschenleben dabei zu Grunde gehen, und daß Derjenige, der leibhaftig in solchem Schiffbruch steckt, gern alle Malereien der Welt darangebe für einen einzigen sichern und trockenen Fleck."[13] In bezeichnender Weise wird hier die Sturmallegorie, auf die sich die politische Dichtung des Vormärz so gern berufen hatte, umgekehrt. Die im Bild des Sturmes angelegte Notwendigkeit der Ereignisse hat ihren ansprechenden Charakter gänzlich verloren. Die radikale Variante der Hegelschen Geschichtsauffassung, derzufolge aus dem Geist die politische Tat hervorgehen muß, wird zurückgenommen. Prutz möchte nunmehr den Zusammenhang zwischen literarischer und politischer Sphäre, für den die *Hallischen Jahrbücher* eingetreten waren, streichen. Die Annahme eines solchen inneren Zusammenhangs beruhte auf der geschichtsphilosophischen Prämisse, daß Literatur und Politik aus dem gleichen Zeitgeist hervorgehen. Eben diese Einheit zieht Prutz nunmehr in Zweifel, wenn er auf die Diskrepanz zwischen den Ereignissen der Französischen Revolution und der Freiheitskriege und ihrem dürftigen Ausdruck in der Literatur verweist. Selbst das nachrevolutionäre Frankreich stand noch im Banne des Klassizismus. Diese Zweifel führen freilich nicht zu einer entschiedenen Kritik seines vorrevolutionären Ansatzes, sondern nur zu einer relativierenden Umdeutung der Grundmaxime über die Korrelation von Kunst und Leben. „Denn im Großen und Ganzen geht die Literatur immer denselben Gang wie das Leben, nur daß sie zuweilen etwas vorauseilt und wieder ein andermal etwas zurückbleibt."[14]

Daher gibt Prutz die Hoffnung nicht auf, aus der Revolution werde schließlich doch eine neue Literatur hervorgehen. Doch das Verhältnis von politischer und literarischer Öffentlichkeit wird nunmehr umgekehrt. Während der junge Prutz die Literatur als den Motor der Revolution gefeiert hatte, erblickt der nachrevolutionäre Prutz die politischen Reformen als die Basis für die neue Blüte der deutschen Literatur. Das Argument lautet: „Aber auch in der Literatur werden die Spuren einer neuartigen Entwicklung schon jetzt keineswegs völlig vermißt: freilich sind dieselben zum großen Teil noch sehr schwach, ja bei einigen kann man fürs erste noch im Zweifel darüber sein, ob sie der Literatur zum Vorteil oder zum Nachteil gereichen."[15] Auch wenn Prutz in solchen Sätzen an seine früheren Theorien anknüpft, darf nicht übersehen werden, daß sie eine veränderte Funktion übernommen haben: Die Literatur ist in den Überbau verwiesen, der selbst keine wirkende Kraft hat. Das Leben benötigt die Literatur gleichsam nicht mehr, nachdem die politische Revolution stattgefunden hat. Zugespitzter hat Rudolf Haym 1857 in seinem Hegelbuch diese postrevolutionäre Situation zum Ausdruck gebracht: „Der allmächtig geglaubte Idealismus hatte sich ohnmächtig erwiesen. Wir standen und stehen mitten in dem Gefühle einer großen Enttäuschung. Ohne Respect vor den siegreichen Wirklichkeiten, vor

der triumphirenden Misere der Reaction, haben wir doch gleichzeitig
den Glauben an die einst gehegten Ideale eingebüßt. Wie durch einen
scharfgezogenen Strich ist die Empfindungs- und Ansichtswelt des vorigen Jahrzehnts von unserer gegenwärtigen getrennt (. . .) Die Interessen,
die Bedürfnisse der Gegenwart sind über sie mächtig geworden."[16] Dieses Urteil, das durchaus zeittypisch ist, darf nicht als Einverständnis mit
den reaktionären Kräften in Preußen verstanden werden. Haym hält,
wie nicht zuletzt an seiner liberalen Hegelkritik abzulesen ist, am Begriff
des Fortschritts und der politischen Selbstbefreiung fest und wendet ihn
gegen das konservative Preußen, das er auch in Hegel verkörpert sieht.
Die Stoßrichtung der kritischen Bemerkung richtet sich vielmehr gegen
die junghegelianische Ausdeutung der Hegelschen Geschichtsphilosophie, nämlich die Ableitung der politischen Revolution aus der philosophischen Theorie. Daher glaubt Haym auch nicht an ein neues philosophisches System, das das Hegelsche überwinden wird, sondern an ein
neues Verhältnis von Theorie und Geschichte: Hegels Philosophie „ist
nicht durch ein System – sie ist einstweilen durch *den Fortschritt der Welt*
und durch *die lebendige Geschichte* beseitigt worden".[17] Es sind die technischen Erfindungen, durch die „die Materie lebendig geworden zu sein
scheint",[18] die Haym gegen den Idealismus ins Feld führt. Sowohl der
Begriff der Geschichte als auch die Kategorie des Fortschritts erhalten in
dieser Weise einen veränderten Sinn. Die Unterscheidung zwischen der
wirklichen Geschichte, d. h. den materiellen Veränderungen, und der Geschichte des Geistes schafft für die Konzeption der Literatur eine gewandelte Situation, die sich auch in der Literaturtheorie niederschlagen sollte.

Die nachrevolutionäre Literaturdebatte

Die postrevolutionäre Debatte über die Funktion der Literatur spielt sich
im Rahmen der Realismustheorie ab. Bei dieser intensiven Diskussion,
deren Bedeutung erst seit den siebziger Jahren von der Forschung wirklich erkannt worden ist, geht es keinesfalls nur um die Frage der richtigen
Darstellung von Wirklichkeit. Die Diskutanten waren nur bedingt an einer Ausformulierung einer Widerspiegelungstheorie interessiert, gleichzeitig stand die Frage nach der Funktion der Literatur zur Diskussion.
Damit wurde ihre Institutionalisierung berührt. Es erübrigt sich, die Rea-
lismusdebatte des Nachmärz noch einmal ausführlich darzustellen,[19] unser Interesse richtet sich auf die für die Institutionalisierung entscheidende Frage, ob und in welchem Maße die Realismustheorie die Autonomie
des Kunstwerks, d. h. auch eine qualitative Differenz zwischen Kunst
und Wirklichkeit voraussetzt. Daran anschließend wäre zu fragen, welche Bedeutung diesem Theorem nach 1848 zukommt.

Unschwer läßt sich zeigen, daß die Theoretiker und Kritiker des Nachmärz nicht unmittelbar an die Klassik und Romantik anschließen. Julian Schmidt steht sowohl Weimar als auch Jena mit beträchtlichen Vorbehalten gegenüber. Der Einwand gegen die Abgehobenheit von Kunst und Philosophie im Idealismus, die Spaltung von Kunst und Leben, setzt zunächst noch die vorrevolutionäre Kritik fort: Der gesteigerte ästhetische Anspruch der Klassik hat eine Kehrseite, nämlich die Flucht aus der Wirklichkeit. Es war den Weimarianern versagt, die ästhetischen Visionen, die sich in Kunstwerken auskristallisierten, in die geschichtliche Wirklichkeit zu überführen, so daß sie eine unproduktive, resignative Sehnsucht hinterließen, die politisches Handeln unmöglich macht. Mit Recht erinnert Hermann Kinder daran, daß diese Polemik an das Junge Deutschland gemahnt.[20] Diese Argumente stehen in der liberalen Tradition des Vormärz. Die Zusammenarbeit zwischen Schmidt und Ruge bricht erst ab, als jenseits der Romantikkritik, auf die man sich durchaus einigen konnte, die literaturpolitische Position genauer zu bestimmen war. Nicht anders als bei dem von Schmidt denunzierten Heine wird die Romantik mit einem religiösen Supranaturalismus in Zusammenhang gebracht, der die Kunst prinzipiell aus der konkreten geschichtlichen, durch politisches Handeln beeinflußbaren Wirklichkeit herausnimmt. Der Einspruch Schmidts gegen die Romantik wendet sich gegen die staatsbürgerliche Unzuverlässigkeit des Ästhetizismus, der die Kunst um ihrer selbst willen pflegt und ihr eine moralisch-politische Funktion abspricht.

Die Ablehnung der Romantik ist keineswegs auf den *Grenzboten*-Kreis beschränkt, ähnliche Anschauungen findet man bei Marggraff und Gottschall. Indem man die Jungdeutschen, namentlich aber Heine, der Romantik mit dem Argument zuschlägt, sie folgten einer gefährlichen Subjektivität, entsteht ein Bild der deutschen Literaturgeschichte, in der der entscheidende Bruch der literarischen Avantgarde der dreißiger Jahre mit der romantischen Literaturkonzeption unterschlagen wird. Dieses Unvermögen, zwischen der romantischen und der jungdeutschen Literaturtheorie und -praxis zu unterscheiden, ist nicht zufällig. Dahinter steht der Versuch der frührealistischen Theorie, wichtige Bestandteile des klassisch-romantischen Modells (Autonomie) für die eigenen Zwecke zu retten, indem man sie aus dem Zusammenhang der Subjektivismuskritik herausnimmt. Vollkommen unverstanden bleibt daher – und entsprechend als Subjektivismus kritisiert – Heines Prosa, die den Begriff des geschlossenen, organischen Kunstwerks sprengt und folglich nicht nur durch den Inhalt, sondern zugleich und vor allem durch die Form die Forderung der Avantgarde nach Politisierung der Kunst einlöst. Der Ruf nach Objektivität, nach Sachlichkeit und Wirklichkeit im Kunstwerk schließt – dies darf als Ereignis der neueren Realismusforschung zusammengefaßt werden – die Vorstellung von der Besonderheit des Kunstwerks keineswegs aus. Insofern besteht trotz aller Polemik gegen die klassische und romantische Kunsttheorie, die in den sechziger Jahren bezeichnenderweise abnimmt, ein Zusammenhang mit der Ästhetik der Goethezeit, der sich in systematischen Fragen durchsetzt. Diese Verbindung kommt nicht zuletzt dort zum Ausdruck, wo die Rechte der Poesie gegen die Ansprüche der Wirklichkeit in der Theorie des Realismus aufgeboten werden. Es ist ein Gemeinplatz geworden, daß der deutsche Realismus eine konsequente realistische Theorie nicht ausgebildet habe, sondern die Präsentation der Wirklichkeit sowohl inhaltlich als auch formal eingeschränkt wissen wollte.[21] Nicht selten wird dies als ein Versagen der deutschen Literatur ausgelegt, die zu zaghaft war, um die Bindungen der älteren idealistischen Ästhetik abzuwerfen (Erich Auerbach). Tatsächlich ist der historische Prozeß ein gutes Stück komplizierter. Es ist nicht zuletzt die Polemik gegen die jungdeutsche und linkshegelianische Avantgarde, die bei den Realisten zur Supposition der Kunstautonomie zurückführt.

Das Verwirrende der nachrevolutionären Situation besteht darin, daß die führenden Kritiker auf der einen Seite die Kritik des Subjektivismus und Ästhetizismus fortsetzen und auf eine *volkstümliche Literatur* drängen, und auf der anderen Seite, unter dem Vorzeichen einer neuen Objektivität, die Eigengesetzlichkeit der Kunst unterstreichen. Man wünscht zugleich eine größere Praxisnähe der Literatur und die ästhetische Autonomie des Kunstwerks, die die Überführung in die Praxis ausschließt. Durch einen zugegebenermaßen abstrakten Vergleich mit der Avantgarde des zwanzigsten Jahrhunderts kann der Sinn dieses Widerspruchs möglicherweise erhellt werden. Die literarische Avantgarde (Dadaismus, Futurismus, Surrealismus) hatte die Absicht, das Modell der ästhetischen Autonomie als die herrschende Form der Institutionalisierung zu unterminieren und zu destruieren. An die Stelle der ästhetischen Distanz, welche im späten neunzehnten Jahrhundert zum Selbstkult wird, soll die Lebenspraxis treten, jedoch so, daß diese Praxis durch die literarischen „Akte" verändert wird.[22] Dieser grundsätzliche Angriff auf die bürgerliche Kunst wurde motiviert durch die Erfahrung des avancierten Kapitalismus und seiner Folgen im Ersten Weltkrieg. Die realistische Theorie und ihre Formulierung der Lebenspraxis fällt dagegen in die fünfziger Jahre des neunzehnten Jahrhunderts, also in die erste Phase der Industriellen Revolution Deutschlands. In dieser Epoche formuliert das deutsche Bürgertum zum ersten Mal seine Lebenspraxis in ökonomischen Begriffen. Die literarische Elite steht dieser materialistischen Stimmung der Bourgeoisie eher zustimmend als kritisch gegenüber, nachdem das idealistische Projekt des Frühliberalismus gescheitert war. Haym und Prutz seien noch einmal als Beispiele erwähnt. So erhält die Forderung, die Kunst müsse auf das Leben zurückbezogen werden, beziehungsweise das Kunstwerk dürfe nicht um seiner selbst willen geschaffen werden, affirmativen Charakter. Der von der realistischen Theorie bemühte Begriff des Lebens ist nicht mehr der vorrevolutionäre, der politisch begründet war, sondern ein ökonomisch fundierter, der in der industriellen Expansion seinen Ausdruck findet. Während die linkshegelianische Kritik des Subjektivismus und Ästhetizismus (Romantik) gesellschaftliche Veränderung überhaupt erst produzieren wollte, beruft sich die nachrevolutionäre Forderung nach Lebensnähe auf vorhandene Entwicklungsprozesse, denen sich die Literatur anschließen muß, um ihre soziale Funktion nicht zu verlieren.

Die zu beantwortende Frage läßt sich so formulieren: Wie kommt es zur Ausbildung von Theoremen, die die Eigengesetzlichkeit von Kunst (Autonomie) unterstützen, wenn ihre Integration in die Lebenspraxis für die nachrevolutionären Kritiker an erster Stelle steht? Das richtige, d. h. objektive Erfassen der Wirklichkeit hängt für Freytag und Schmidt entscheidend zusammen mit dem Begriff der *Arbeit,* durch die der bürgerlich-liberale Nationalstaat realisiert werden soll. „Erst das Jahr 1848", heißt es bei Freytag, „welches dem Volk die Theilnahme am Staate gab, und jeden Einzelnen in hundertfache neue Beziehungen zu dem großen Strome unseres Culturlebens setzte",[23] erlaubt den Schritt in die Praxis und die Befreiung vom vormärzlichen Subjektivismus. Die neue Synthese kann nur durch die politische, „bürgerliche Arbeit" erreicht werden.[24]

Die gesuchte Lebenspraxis des *Grenzboten*-Kreises versteht sich als Synthese von Idee und Wirklichkeit. Folglich kann sich die Realismustheorie Schmidts und Freytags – doch könnte man auch Prutz und Gottschall heranziehen – nicht mit der Kopie von empirischer Wirklichkeit begnügen. Die Kopie würde nur rohe Wirklichkeit enthalten. Objektiv wird die Nachahmung erst durch die poetische Überhöhung, nämlich durch eine Behandlung des Sujets, in der sich die ästhetische von der empirischen Wirklichkeit deutlich abhebt.[25] Die dem deutschen Realismus immer wieder zur Last gelegte Poetisierung der Wirklichkeit hat weniger mit Borniertheit als mit dem Glauben zu tun, daß die noch unvollkommene empirisch-historische Wirklichkeit in der ästhetischen Sphäre harmonisch vollendet werden muß. Es soll im Kunstwerk eine Totalität geschaffen werden, die über die empirischen Realitätselemente hinausgeht.[26] Anders gesprochen, die Kunsttheorie des *Grenzboten*-Kreises geht aus von der Hoffnung auf eine bessere, noch zu verwirklichende Lebenspraxis, die in der Kunst antizipiert wird. Die Kunst kann wahrnehmen, was in der Wirklichkeit erst in Ansätzen vorhanden ist.

Die Forderung nach Wirklichkeit und treuer Nachahmung widerspricht also nach dem Urteil der realistischen Kritiker nicht einer Auffassung, in der das Kunstwerk einen besonderen Status erhält. Der Künstler bildet das Material der Wirklichkeit „zu einem harmonischen Ganzen" um,[27] das seinen eigenen Strukturgesetzen gehorcht. Durch die Verklärung wird nicht, wie gelegentlich vorschnell angenommen worden ist, die Welt verschönt, sondern – dies hat Wolfgang Preisendanz unterstrichen[28] – die Kunst als eigenwertiges Medium bewahrt werden. Freilich übersieht Preisendanz, daß die Restauration der ästhetischen Autonomie nach 1848 unter einem anderen Vorzeichen steht als um 1800. Mit Recht ist die Frage der Funktion in der neueren Diskussion hervorgehoben worden.[29] Trotz des Rückschlags, den man nach der gescheiterten Revolution hinnehmen mußte, hielt der liberale Flügel der Kritik daran fest, daß die Kunst eine öffentliche Aufgabe habe, daß sie ein Medium ist, an dem alle teilhaben können. Daher die Forderung der Volkstümlichkeit. Diese politische Funktion soll aber gerade durch eine Konzeption der Kunst geleistet werden, die den Begriff der Autonomie korrektiv benutzt und nicht kritisch hinterfragt wie die Avantgarde des Vormärz. Das theoretische Modell des Frührealismus fällt hinter Heine zurück, der die Problematik der Kunstperiode und ihres ästhetischen Anspruchs klarer durchschaute. Der Autonomiebegriff verliert nach 1848 seine ihm in der Klassik und frühen Romantik eigene Negativität, und zwar gerade deshalb, weil die realistischen Kritiker nicht bei dem Gegensatz von Ideal und Wirklichkeit stehenbleiben wollen, sondern nach einer Synthese verlangen. Diese Synthese vertraut auf den historischen Prozeß. Man ist sich des Ziels, d.h. des nationalen Humanismus, sicher und liefert daher die Literatur diesem Ziel vorbehaltlos aus.

Konkret festzumachen ist dieses Defizit an der Rezeption des englischen und französischen Realismus. Während Schmidt Dickens noch vorwiegend lobt, steht er Thackeray skeptischer gegenüber und weist die Romane Balzacs als Darstellungen der „allergemeinsten Wirklichkeit des Irdischen" zurück.[30] Die desillusionierende Darstellung gesellschaftlicher Probleme, überhaupt der Gesellschaft als einer widersprüchlich-kapitalistischen, die nicht mehr harmonisch ausgeglichen werden kann, ist für Schmidt und Freytag, aber auch für Prutz und Gottschall nicht mehr annehmbar. Schmidt kann sich die trübe Stimmung, die über dem westeuropäischen Roman liegt, überhaupt nur als Folge einer sophistischen Moral erklären.[31] An diesen Stellen, wo die literarischen Normen auf ein bestimmtes Werk angewandt werden, zeigt sich bereits allzu deutlich, daß die Geschichte, auf die man hofft, die falsche Geschichte ist, eine Illusion, der die westeuropäischen Realisten mit Recht widersprechen.

Strukturwandel der Teilinstitution Kritik

Für eine Geschichte der Literaturkritik, die sich nicht mit individuellen Charakteristiken oder Ideenreferaten zufrieden gibt, ist die Frage entscheidend, in welcher Weise durch die historisch sich verändernde Institutionalisierung der Literatur die Funktion und Aufgabe der Literaturkritik jeweils bestimmt wird. Die Geschichte der Literaturkritik ist bisher weitgehend durch die Unterstellung eingeengt worden, daß sich zwar die Normen und Werturteile ändern könnten, daß jedoch das Wesen der Kritik konstant bleibe. So können wir uns nicht damit begnügen, die Normen und die ästhetischen Urteile vorzustellen, sondern müssen vorerst den Zusammenhang klären, in dem sie operieren. Erst vor dem Hintergrund der Institution Literatur, wie sie sich in einer bestimmten Epoche und in einer bestimmten Gesellschaft darstellt, läßt sich sinnvollerweise über den Charakter und die Bedeutung der Literaturkritik konkret sprechen. Damit wird sie indessen nicht zu einem Teil der Ästhetik (angewandte Ästhetik), sondern vielmehr zu einer Teilinstitution, die zusammen mit anderen Teilinstitutionen die Institution Literatur bildet.

Unsere Frage lautet: In welcher Weise und in welchem Maße wurde die Institution Kritik durch die Revolution von 1848 verändert? Gemeint ist hier die Kritik als eine öffentliche Einrichtung und nicht die Menge der individuellen Kritiker. Wenn sich zeigen ließe, daß Robert Prutz oder Julian Schmidt ihre literarischen Ansichten zusammen mit ihren politischen nach 1848 geändert haben – was nachweislich der Fall war –, wäre damit noch nicht ausgemacht, daß sich gleichzeitig die Kritik als Institution gewandelt hätte. Unsere These, die zu erläutern sein wird, lautet: Die Situation der Kritik hat sich nach 1848 im Zusammenhang mit der veränderten Auffassung von den Aufgaben der Literatur gewandelt. Diese Veränderung ist freilich keine grundsätzliche, eher eine Modifikation der früheren Struktur, die den Veränderungen der Öffentlichkeit Rechnung trägt. Die führenden Zeitschriften des Nachmärz, wie die *Grenzboten,* das *Deutsche Museum* oder die *Blätter für literarische Unterhaltung,* setzen die Tradition des frühen neunzehnten Jahrhunderts fort, sie halten sich an die herkömmliche Auffassung von der Aufgabe der Literaturkritik. Ungeachtet ihrer divergierenden politischen Ideologien halten sie an dem Modell fest, das von der Aufklärung entwickelt wurde; sie berufen sich auf die öffentliche Funktion der Kritik, ohne sich freilich die Frage vorzulegen, ob die Öffentlichkeit des neunzehnten Jahrhunderts noch wesensgleich ist mit der Öffentlichkeit der Aufklärung. Nicht zufällig bezieht man sich auf Lessing und bemüht ihn als das Vorbild für die eigene Arbeit.

Dieses Festhalten am liberalen Modell und seinen Voraussetzungen war nicht unproblematisch, weil seine Voraussetzungen, die nur selten reflektiert und ausformuliert wurden, allenfalls noch bedingt zutrafen. Insofern die Struktur der Öffentlichkeit im Begriff war, sich im Zusammenhang mit der Industriellen Revolution weitgehend zu verändern, verlor dieses Modell seine gesellschaftliche Basis. Symptomatisch für diesen Prozeß ist es, daß auf der einen Seite ein Organ wie das *Deutsche Museum*, in dem Robert Prutz noch einmal den rationalen Diskurs der liberalen Kritik (wenn auch modifiziert) vorführte, kaum mehr als sechshundert Abonnenten fand, während auf der anderen Seite eine so überaus erfolgreiche Zeitschrift wie *Die Gartenlaube* auf einen kritischen Literaturteil verzichtete. Im ganzen ist damit zu rechnen, daß die führenden Kritiker und Theoretiker des Nachmärz das Interesse des allgemeinen Lesepublikums an Literaturkritik überschätzten. Der Anspruch, für das ganze Publikum zu sprechen und nicht nur für eine kleine Elite, ein Anspruch, den die realistische Literaturkritik durchaus noch aufrecht erhielt, wurde zunehmend fragwürdiger. Zwischen der propagierten Volkstümlichkeit der realistischen Literatur und der wirklichen Verbreiterung des literarischen Publikums, die sich mit der rapiden Urbanisierung der Bevölkerung abzeichnete, bestand ein Hiat, der nur durch eine Revision des kritischen Modells hätte überwunden werden können. Diese Revision jedoch lehnten die Vertreter der realistischen Literaturtheorie ab. In dem Maße, wie ihr Begriff der Volkstümlichkeit, der ja als Kritik des Jungen Deutschland gemeint war, obsolet wurde, stand auch das liberale Modell der Kritik in Gefahr zu versteinern. Daß Kritiker wie Prutz, Gottschall, Marggraff und Schmidt diese Gefahr nicht bemerkten, hängt damit zusammen, daß sie ihre Position – wenn auch in verschiedener Weise – gegenüber der politisierten Literaturkritik des Vormärz bestimmten. Durch den Schock der gescheiterten Revolution zur Konfrontation mit dem revolutionären Anspruch der vormärzlichen Literaturkritik gezwungen, konzentrierte sich ihre Aufmerksamkeit auf einen Aspekt des liberalen Modells, während dessen Voraussetzungen, die den Jungdeutschen und Linkshegelianern bewußt waren, unbefragt im Hintergrund blieben.

Das Modell liberaler Literaturkritik ist seit seinem Ursprung im achtzehnten Jahrhundert von der bürgerlichen Öffentlichkeit nicht zu trennen.[32] Die Kategorie der Öffentlichkeit schuf überhaupt erst den Rahmen für den Begriff literarische Kritik. Die Einrichtung von Kritik als eines Diskurses, in dem mündige Leser sich über den Charakter und den Wert von literarischen Texten auseinandersetzen – und zwar nach bestimmten Regeln –, beruht auf der Annahme eines Freiraums, eben der öffentlichen Sphäre, in dem sich die mündigen Bürger ohne Rücksicht auf den Staat und die Mächte der Tradition versammeln können, um sich über ihre Lebenspraxis zu verständigen. Diese Öffentlichkeit hebt sich ab von ständischen Gruppierungen und Autoritäten. Das Prinzip der Kritik in seiner aufklärerischen Formulierung richtet sich gegen die traditionellen, das gesellschaftliche Leben bestimmenden Gewalten wie Kirche und Staat. In diesem Sinne ist der Begriff der Kritik, wie Reinhart Koselleck hervorgehoben hat,[33] das entscheidende Instrument, um die Autorität der überkommenen Gewalten zu destruieren und durch das Vernunftprinzip zu ersetzen. Der literarischen Diskussion fällt in diesem Zusammenhang eine besondere Rolle zu: Die Selbstverständigung der diskutierenden Bürger durch das Medium der Literatur bereitet den Boden für die politische Selbstverständigung vor. Insofern ist die literarische Öffentlichkeit unter anderem der Vorhof der politischen. Das politische Implikat der aufklärerischen Kritik besteht nicht in erster Linie in der Politisierung des literarischen Gesprächs; die Politisierung vollzieht sich vielmehr indirekt auf dem Wege über die Moral, insofern die literarische Debatte die Bedingungen einer besseren Lebenspraxis thematisiert. Die moralischen Fragen werden zu politischen, sobald sie aus dem privaten in den öffentlichen Bereich verschoben werden. Das Modell des Frühliberalismus, wie es sich im Zusammenhang mit der aufklärerischen Öffentlichkeit konstituiert, ist auf moralisch-politische Veränderung angelegt. Dies geschieht, indem die Kritik einerseits die ästhetischen und poetischen Normen jeweils kritisch hinterfragt und gemäß den Gesetzen der Vernunft kritisch überprüft und andererseits in der Diskussion der einzelnen Werke die Intersubjektivität des Geschmacks immer wieder zur Diskussion stellt. Die Subjektivität des Geschmacksurteils rechtfertigt sich durch den anthropologischen Konsensus, der notwendig von allen Beteiligten einzusehen ist. Der normative Charakter dieser Kritik, den sie mit dem absolutistischen Klassizismus (Boileau) noch teilt, leitet sich entweder von allgemeinen Vernunftgesetzen ab, denen das kritische Urteil nur zu folgen braucht, um die Wahrheit zu finden, oder aus Einsichten in die allgemeine Verbindlichkeit subjektiver Geschmacksurteile.

Wir müssen freilich noch einen Schritt weiter gehen und die selten ausformulierten Prämissen des aufgeklärten Diskurses hervorheben. Das frühliberale Modell versteht die literarische Diskussion als einen Teilbereich der Öffentlichkeit, d.h. es sollen die gleichen Grundsätze gelten, die für die Bildung der öffentlichen Meinung überhaupt zutreffen: Gleichheit und allgemeine Zugänglichkeit. Die frühliberale Öffentlichkeit verweigert im Prinzip die Berufung auf Privilegien, die sich aus dem gesellschaftlichen Status oder traditionellen Autoritäten ableiten. Folglich kann der Kreis der Diskutierenden theoretisch nicht auf bestimmte Gruppen eingeschränkt werden. Daß im achtzehnten Jahrhundert zwischen diesem Anspruch und dem tatsächlichen literarischen Publikum ein Widerspruch bestand, ist offensichtlich. Doch die Diskrepanz zwischen dem Ideal und der Wirklichkeit wirkte sich nicht als hinderlich aus, weil man davon ausging, daß das Publikum sich in der Zukunft so erweitern würde, daß es alle Menschen umfassen würde. Obgleich die Literaturkritik der Aufklärung normativ ist, ist sie im Prinzip weder exklusiv noch dogmatisch. Sie kann nicht dogmatisch sein, da jeder Grundsatz, auf den sie sich beruft, kritisch befragt werden kann; und sie kann nicht exklusiv sein, da es in der öffentlichen Diskussion keine privilegierten Rollen gibt. Der Kunstrichter urteilt im Auftrag der zum Publikum versammelten Privatleute, sein Räsonnement reflektiert im Idealzustand das Ergebnis einer öffentlichen Diskussion, die beispielsweise in Zeitschriften ausgetragen wird.

Die weitere Entwicklung dieses Modells soll nur so weit skizziert werden, als sie für die Entwicklung der Literaturkritik nach 1848 von Bedeutung ist. Dabei soll zunächst das Problem ausgeklammert werden, wie sich die klassisch-romantische Kategorie der ästhetischen Autonomie zu diesem Modell verhält.[34] 1839 schrieb der junge Georg Herwegh in dem Aufsatz „Die neue Literatur": „Ächte Kritik ist ja nichts Anderes als Vermittlung der Produktion an die Masse."[35] In diesem Satz spitzt sich die radikale Auffassung zu, welche die vierziger Jahre bestimmen sollte. Kritik wird als Vermittlung zwischen dem Kritiker und dem lesenden Publikum definiert, aber es handelt sich nicht mehr ausschließlich um das gebildete bürgerliche Publikum, sondern zum ersten Mal um die Gesamtheit des Volkes. In dem Maße, wie sich der Literaturbegriff demokratisiert, in dem Maße, wie das Volk in seiner Gesamtheit literarisch und politisch angesprochen werden soll, ändert sich auch das Programm der Kritik. Die Möglichkeiten des liberalen Modells werden von den radikalen Autoren des Vormärz voll ausgeschöpft, nicht selten im Widerspruch gegen die jungdeutsche Kritik, die doch überhaupt erst die Forderung der Demokratisierung der Literatur nach der Juli-Revolution erhoben hatte.[36] So sehr die Demokraten und Linkshegelianer auf den Schultern der jungdeutschen Schriftsteller standen, so waren sie doch gleichzeitig bestrebt, sich gegen die vorangegangene Bewegung abzugrenzen. Im Kreis um die *Hallischen Jahrbücher* galt es als ausgemacht, daß Autoren wie Heine, Gutzkow und Laube die notwendige Politisierung der Literaturkritik nur halbherzig vollzogen hätten, weil sie der Romantik noch zu sehr verpflichtet blieben. Der Vorwurf subjektiver Willkür, der nicht zuletzt gegen Heine erhoben wurde, überspielt die Gemeinsamkeiten und erweckt gelegentlich den Anschein einer Radikalität, die nicht eingelöst werden konnte. Wie wenig die eigenen Grenzen erkannt wurden, zeigte sich in der Börne-Heine-Debatte, in der sich die Mehrzahl der Radikalen auf die Seite Börnes stellten, dessen Indienstnahme der Literatur für den politischen Fortschritt als vorbildlich angesehen wurde.[37] Die junge Generation berief sich vor allem auf Börne; und in der Tat entwickelte dieser konsequenter und folgerichtiger die Implikationen des liberalen

Modells, das er gegen den Begriff der Autonomieästhetik ausspielte. Indem Börne emphatisch den öffentlichen Charakter der Literaturkritik betonte – zum Beispiel in seiner Auseinandersetzung mit den *Jahrbüchern für wissenschaftliche Kritik,* indem er das Rezensionswesen, mit anderen Worten, nicht als eine Sache zwischen dem Kritiker und dem Autor ansah, sondern den Anteil des Publikums unterstrich, stellte er den Bezug zur Konzeption der Aufklärung wieder her und rettete damit auch die politische Funktion der literarischen Debatte. In diesem Zusammenhang thematisierte er die Allgemeinheit der Öffentlichkeit, die in der Aufklärung wohl angenommen, doch kaum verwirklicht worden war. „Ich hasse", schrieb er gegen die Hegelianer gerichtet, „jede Gesellschaft, die kleiner ist, als die menschliche."[38] Daher ist der Ort der Literaturkritik nicht das gelehrte Fachgespräch oder der kleine Kreis der literarischen Coterie, sondern die Zeitung und das Journal. „Was fehlt dieser (der Kritik, P.U.H.) nun? Nichts als frische Luft. Ihr fehlt der Sinn für die Öffentlichkeit, der ihr aus Mangel an Übung abgestorben. (. . .) Nur fehlt es an einer öffentlichen Meinung, an einer Urne, worin alle Stimmen zu sammeln wären, daß man sie zählen könnte."[39] Eine solche kritische Öffentlichkeit wieder herzustellen, sie der Restaurationsepoche Metternichs abzutrotzen, war Börnes Absicht als Herausgeber der *Dramaturgischen Blätter* und der *Zeitschwingen.* Er wünscht Kritik als einen rationalen Diskurs, in dem sich die Bürger im Medium der Literatur Klarheit über ihre eigene Situation verschaffen können. Die Verbindung zwischen literarischer und politischer Öffentlichkeit wird von Börne bewußt unterstrichen. Die Kritik ist für ihn – und damit geht er über die Konzeption der Aufklärung hinaus – Instrument der politischen Aufklärung. Die Diskussion ist eine politische, mag sie sich auch als literarische ausgeben, weil der politische Diskurs durch die Zensur eingeschränkt oder verboten ist. Daß die Literatur so in den Dienst der politischen Aufklärung genommen werden kann, daß zwischen dem literarischen Text und der politischen Debatte ein enger Zusammenhang hergestellt werden kann, ist für Börne unproblematisch.[40] Hierin ist er im Unterschied zur romantischen Literaturkritik Erbe und Fortsetzer der Aufklärung. Der literarische und der politische Diskurs lassen sich letzten Endes, so können wir diese Position zusammenfassen, aufeinander abbilden. Börne vertraut unbefangen auf die Universalität des rationalen Diskurses, den er freilich nicht als einen wissenschaftlichen, sondern als einen allgemeinverständlichen und öffentlichen Dialog bestimmt. Börne versteht den Kritiker als einen Räsonneur, der sein Urteil durchaus normativ formuliert, aber dieses Urteil duldet den Widerspruch, weil es nur eine Meinung unter mehreren darstellt.

Börnes schriftstellerische Arbeit wurde vorbildlich durch ihre Tendenz, die Literatur zu demokratisieren, nicht zuletzt durch die stilisti-

schen Mittel, durch die das Räsonnement aus dem gelehrten Raum her-
ausgenommen und auf die Straße gebracht wird. Zu dem Programm der
jungdeutschen Literaturkritik gehörte die Forderung, die deutsche Literatur aus ihrer klassizistischen und romantischen Isolierung herauszu-
führen. Man wollte sich mit voller Absicht auf die Ebene der publizistischen Schriftstellerei begeben.[41] Nicht zufällig stand unter diesen
Bedingungen die Frage des Diskurses im Mittelpunkt des Interesses. Da
man in der Öffentlichkeit eine Wirkung erzielen wollte, war die Frage
der Schreibart nicht zu übersehen. Wiederum wurden Heine und Börne,
so sehr sie sich stilistisch unterschieden, als die Vorbilder angesehen. In
ihrer Nachfolge suchte die jungdeutsche Kritik nach einer Sprache,
durch die eine veränderte gesellschaftliche Praxis angeleitet wird. Da
man auf den Einfluß der öffentlichen Meinung vertraut, wird im Literaturgespräch der Jungdeutschen stillschweigend vorausgesetzt, daß eine
solche veränderte gesellschaftliche Praxis möglich ist. Sobald die Öffentlichkeit nicht mehr unterdrückt ist, sobald Zensur und politische Überwachung der Intelligenz aufgehoben sind, muß sich, gemäß dem Modell
der liberalen Kritik, die Befreiung auf das Volk ausweiten. Diese idealistischen Hoffnungen wurden nach 1848 zum Gegenstand der liberalen
Selbstkritik: Die radikale Vorstellung einer revolutionären volkstümlichen Öffentlichkeit wurde weitgehend zurückgenommen und widerrufen.

Im Literaturbegriff des Jungen Deutschland und der Linkshegelianer
ist zwischen Dichtung und Kritik kaum noch zu unterscheiden. Diese
Differenz verliert ihren Sinn angesichts eines Literaturkonzepts, in dem
die Kritik zum entscheidenden Moment des Literarischen wird. Freilich
ist genauer zu bestimmen, was Kritik in diesem Zusammenhang bedeutet. So sehr die richterliche, wertende Funktion bewahrt bleibt, so sehr
tritt der Glaube an objektive ästhetische Normen in den Hintergrund.
Schon Börne betonte, daß ihn bei seinen Rezensionen die Frage, mit welchen Regeln ein Stück übereinstimme, am wenigsten beschäftige. Da die
Literatur als ein Teil des geschichtlichen Prozesses aufgefaßt wird, ist die
Unterstellung von überzeitlichen Normen nicht sinnvoll. Literarische
Urteile stellen jeweils eine Ansicht dar, die sich aus einem bestimmten
Blickwinkel der Geschichte ergibt. Die Möglichkeit, ja Notwendigkeit
der Revision ist das Ergebnis der Historisierung der Kritik.

Der Begriff der Kritik ist in den dreißiger und vierziger Jahren nicht
zu lösen von der geschichtsphilosophischen Diskussion, besonders der
Auseinandersetzung mit Hegels System. In dem Maße, wie von den
jungdeutschen Schriftstellern und mehr noch von den Linkshegelianern
Hegels Begriff des Geistes anthropologisch aufgelöst wurde, eröffnete
sich der bei Hegel überwundene Dualismus von Theorie und Wirklichkeit erneut. Die Theorie ist nicht selbst Wirklichkeit, sie verlangt viel-

mehr nach ihrer Verwirklichung. Aus der anthropologischen Auflösung des Hegelschen Geistes ergibt sich die revolutionäre Forderung, das Denken in die Tat umzusetzen. So wird der Prozeß der Geschichte, der bei Hegel die Aufgabe des Weltgeistes ist, zur Sache der menschlichen Gattung, die durch die Tat die humane Emanzipation verwirklichen muß. Von der Höhe des Selbstbewußtseins aus, das die Menschheit in Hegels Philosophie erreicht hat, muß die Theorie als eine kritische in die Wirklichkeit übergehen. So wie Echtermeyer 1838 in den *Hallischen Jahrbüchern* fordert, daß die Wissenschaft nicht mehr um ihrer selbst willen getrieben werden darf, sondern in ein Verhältnis zum Leben gebracht werden muß, so erscheint auch die Literatur als ein Experimentierfeld für neue Möglichkeiten menschlicher Praxis. Die Kritik erhält in diesem Zusammenhang die Aufgabe des Übersetzens, sie verläßt den ästhetischen Bereich und überträgt die Literatur in die Lebenspraxis. Darin ist aber zugleich der Widerspruch dieser radikalen Kritik fixiert. Sie kann den Übergang von der Literatur zur praktischen Tat fordern und diskutieren, aber sie bleibt selbst Teil dieser Literatur. Die postulierte Praxis muß geistig bleiben, sie verwirklicht sich in Manifesten und Rezensionen, Diskussionen und Polemiken, welche den literarischen Bereich nicht verlassen. In der antizipierten Revolution mußte sich diese Kritik als eine Theorie, die zur Tat geworden war, selbst aufheben. Das Ende des Literaturgesprächs war abzusehen, und die Frage stellte sich, ob es nach der politischen Revolution überhaupt einen literaturkritischen Diskurs geben könne.

Die Radikalisierung des Kritikbegriffs, die die Vermittlung zwischen Autor, Text und Publikum zu einer revolutionären Tat erhebt, schöpft auf der einen Seite das politische Implikat des liberalen Modells voll aus, auf der anderen Seite wird die Aporie dieses Modells zum ersten Mal sichtbar – Literatur und Literaturkritik werden dadurch, daß sie in der Hauptsache als Instrumente der Umgestaltung der politischen Wirklichkeit in Anspruch genommen werden, überanstrengt. Bei Schlesier findet sich der Satz: „Die Kritik übt somit auf die deutsche Literatur, die Literatur auf die Cultur, die Cultur auf unsere Geschichte eine unbeschreibliche Wirkung. Die Kritik der Literatur hilft der Geschichte des Volkes auf die Beine."[42] Nicht nur scheiterte das radikalisierte liberale Modell daran, daß sich eine solche Transmission in einer auf die Gebildeten beschränkten literarischen Öffentlichkeit nicht vollziehen konnte – was nur Georg Büchner begriff –, sondern es verengte zugleich in bedenklicher Weise den Bereich der Literatur und Kritik durch seinen historischen Funktionalismus, der für die Literarität keine Verwendung hat.

Der Begriff der ästhetischen Autonomie, wie ihn die klassische und romantische Literaturtheorie begründet hatten, ist mit der historisch-politischen Kritik des Jungen Deutschland und der Linkshegelianer nicht bruchlos zu vereinigen. Ob das Junge Deutschland die Ästhetik der Weimarer Klassik nur suspendiert hat,[43] ist problematisch. Die jungdeutsche Kritik und auch (wenn auch weniger ausgeprägt) die Konzeption der radikalen Hegelianer stellen sich zur Autonomieästhetik gleichsam quer. Im Rahmen einer aktivistischen und revolutionären Literaturtheorie ist die Kategorie der ästhetischen Autonomie strategisch und systematisch marginal, wie immer sich individuelle Kritiker akkommodiert haben mögen. Systematisch sind Tatphilosophie und Autonomiebegriff nicht zu vereinigen, denn im einen Fall wird das Praktischwerden der Literatur gefordert, im anderen Fall dagegen auf Grund des kategorischen Unterschieds zwischen Kunst und Wirklichkeit die Überführung der Kunst in die Praxis ausgeschlossen. Ähnliches gilt für die Literaturkritik. Während die liberale Kritik im Auftrage des zur Öffentlichkeit versammelten Publikums spricht, versteht sich die romantische Kritik, sofern sie von der Eigengesetzlichkeit der Kunst ausgeht, als Auslegung des Werkes. Sie bleibt in erster Linie dem Kunstwerk verpflichtet, nicht dem Publikum. Diesem hermeneutischen Modell steht die liberale Kritik der dreißiger und vierziger Jahre distanziert gegenüber, da sie im Diskurs der romantischen Kritik ihr eigenes Anliegen, d.i. die Aufklärung der öffentlichen Meinung, nicht wiedererkennt. Da die romantische Literaturtheorie die Frage der kritischen Methode zum ersten Mal grundsätzlich problematisierte, indem sie die im liberalen Modell unterstellte Identität des ästhetischen und des philosophisch-kritischen Diskurses in Frage stellte, erscheint sie der radikalen, praxisorientierten Kritik des Vormärz als elitär und reaktionär.

Die nachrevolutionäre Literaturkritik

Wie verhielt sich die Literaturkritik nach 1849 zu den vorgefundenen Modellen und Programmen? Schloß sie an das liberale Modell an, entwickelte sie ein neues Modell oder griff sie auf das klassisch-romantische Modell zurück? Dort, wo der ernüchterte Liberalismus des Nachmärz sich Rechenschaft ablegte über die Folgen seines radikalen politischen Programms, wurde notwendig auch die Literaturkonzeption ein Teil dieser selbstkritischen Überlegungen. Besonders die auf die Literatur gesetzten Hoffnungen wirkten aus der Rückschau überspitzt. Die Umgestaltung der Wirklichkeit durch die Literatur erwies sich angesichts des Revolutionsverlaufs, in dem die materiellen Interessen so auffällig den Ausgang bestimmten, als die Illusion par excellence. Es sei noch einmal an die Analyse von Robert Prutz erinnert, der die vormärzlichen Hoffnungen schonungslos kritisierte. Ähnlich hart äußerte sich bereits 1850 Julian Schmidt in den *Grenzboten* über die Literatur des Vormärz und ihr politisches Programm: „Die deutsche Revolution hatte aber das Eigenthümliche, daß sie an lyrischem Pathos, träumerischem Wesen, trüber und unklarer Sehnsucht mit den Gedichten ihrer Propheten wetteifern konnte."[44] Schmidt stellt einen Zusammenhang zwischen dem Dilettantismus der radikalen Kunst und der revolutionären Politik her und folgert: „Der Grundfehler liegt vielmehr darin, daß die deutsche Kunst sich in den Reichthum der gegenständlichen Welt nicht zu finden wußte, und im Dilettantismus stecken blieb. Weil es mit der deutschen Politik derselbe Fall war, kamen wir darin auch nicht weiter, und die Wissenschaft, die es ernst nahm mit ihren Studien wie mit ihren Principien, war der einzige Boden der geistigen Entwickelung."[45] Unumwunden fordert Schmidt die Aufgabe der politischen Ideale, die Rückkehr zum Bestimmten und Positiven und die Hinwendung zu einer plastischen, naiven, betont nicht-reflektierten Kunst. Die Polemik des Kritikers richtet sich vor allem gegen die Reflexivität der radikalen Literatur des Vormärz, die als Unfähigkeit der Gestaltung denunziert wird, gemeint ist freilich die Verbindung von Poesie und Kritik im Kunstwerk. Dadurch, daß Schmidt der Literatur erneut eine beschränkte Aufgabe zuweist und sie auf die Gestaltung festlegt, zerstört er bewußt und mit voller Absicht das vormärzliche Konzept einer kritischen Poesie. „Die deutsche Poesie", so heißt es 1851 bei Schmidt, „ist darum vornehmlich in der Tendenz stecken geblieben, weil sie ihre Grenze überschritten hat. Sie glaubte ihr Gebiet zu erweitern, wenn sie vom Schönen abging, und die Momente des Werdens und Vergehens, die der Wissenschaft angehören, mit ihrem Licht zu verklären suchte. Es hat sich aber gezeigt, daß diese Vermischung eine unheilvolle war."[46] Schmidt, darin radikaler als Prutz, schlägt eine rigorose Trennung von Dichtung und Kritik, literarischer Praxis und Kunsttheorie vor. Diese zweifellos politisch motivierte Entscheidung stimmt durchaus überein mit der Wiederbelebung des Autonomiegedankens in der Theorie des Realismus.

Dieser Einspruch gegen das vormärzliche Programm, die Sonderung von Poesie und Kritik, charakterisiert die Situation der Institution Kritik im Nachmärz. Ihre Funktion wird eingegrenzt. Deutlich steht die Vermittlung zwischen Literatur und Leben nicht mehr im Vordergrund. Kritik und Literaturtheorie werden von Schmidt an ihre alte Aufgabe der Bestimmung und Beurteilung von Kunstwerken erinnert. Sie soll zwischen gesunder Kost und dilettantischen Werken unterscheiden. Das erinnert von fern an die selbstgestellte Aufgabe der Weimarianer, durch ästhetische Wertsetzungen in Deutschland eine Literatur zu konstituieren. Doch der Kontext ist durchaus verschieden. Denn bei den konsequenten Frührealisten wie Julian Schmidt wird der außerästhetische Zweck des Kunstwerks wie auch der Kritik im Grunde nicht zurückgenommen, sondern gegenüber dem Vormärz nur modifiziert. Das Jahr 1848 war nicht, wie die Polemik der *Grenzboten* es wünschte, der vollkommene Bruch mit der vorrevolutionären Tradition. Gerade an Kritikern wie Schmidt und Prutz, die beide aus dem Umkreis der linken Hegelschule kamen, ist auch die Kontinuität und die Fortsetzung der früheren Konzeptionen zu verfolgen. Namentlich Julian Schmidt begriff seine Aufgabe als Kritiker und Historiker in einer Weise, die das liberale Modell weiterhin voraussetzt.

Die Kritiker des Nachmärz äußern sich nur selten über ihr Selbstverständnis; und die Frage der Legitimation wird nur gelegentlich gestellt. Das läßt darauf schließen, daß sie sich im großen und ganzen in ihrer Position sicher fühlten. Folglich müssen wir ihre Konzeptionen anhand von impliziten Stellungnahmen entwicklen. Zweifellos änderte sich nach 1848 das Klima der literarischen Diskussion. Es wurde ruhiger und gemäßigter. Es fehlt nicht an literarischen Fehden – diejenige zwischen Lassalle und Julian Schmidt erinnert noch einmal an die brillanten Literaturfehden des Vormärz –, im allgemeinen jedoch legen die Kritiker Wert darauf, Sachliches und Persönliches auseinanderzuhalten. Auseinandersetzungen zwischen Schriftstellern sollten an bestimmte Regeln gebunden werden. Ein Beispiel soll dieses Bemühen verdeutlichen. Freytags Roman *Soll und Haben* wurde überwiegend positiv besprochen. Unter den wenigen kritischen Rezensionen war diejenige Hermann Marggraffs in den *Blättern für literarische Unterhaltung*. Diese Besprechung provozierte F. Pletzer zu einer kritischen Stellungnahme im *Bremer Sonntagsblatt*. Er schrieb unter anderem: „Unser verehrter Freund Hermann Marggraff in Leipzig hat den Freytag'schen Roman in den ‚Blättern für literarische Unterhaltung' ausführlich besprochen. Die Kritik ist, wie sich bei Marggraff von selbst versteht (. . .), sorgfältig, gründlich, anständig gehalten; aber sie ist falsch, denn auch er vermochte nicht Person und Sache zu trennen."[47] Dieser Einwand lag bei der Rivalität zwischen den *Grenzboten* und den *Blättern für literarische Unterhaltung* nahe: Man stimmte in Grundfragen überein, war in Einzelheiten jedoch häufig verschiedener Meinung und rieb sich aneinander. Bezeichnend ist der Ausgangspunkt dieser Metakritik: der Vorwurf der mangelnden Sachlichkeit bei einem Kritiker, dessen Objektivität im allgemeinen außer Frage steht. Persönliches soll, anders als im Vormärz, aus dem literarischen Gespräch herausgehalten werden. So sind Marggraff und Pletzer in der grundsätzlichen Frage, nämlich der angemessenen Einstellung des Kritikers zu seinem Gegenstand, einer Meinung. Auch Marggraff besteht auf Sachlichkeit und Objektivität. Gerade deshalb glaubt er sich verteidigen zu müssen. „Unser Freund Pletzer hat sich aber in diesem Fall aus den Grenzen der schönen Mäßigung, die er sonst immer beobachtet und die wir mehrfach auch in diesem Blatt hervorgehoben haben, wie auch andere unserer Freunde, heraus und zu einer Verdächtigung hinreißen lassen, die wir nicht auf uns sitzen lassen können, weil diese Verdächtigung unsere kritische Unbefangenheit und Unparteilichkeit in Frage stellt."[48] So sieht er es als seine Aufgabe an, sein Urteil, das Pletzer mißverstanden zu haben scheint, erneut zu begründen und bei dieser Gelegenheit seine Methode zu verteidigen. Dadurch wird die im übrigen unbedeutende Kontroverse interessant. Marggraff begreift den Angriff Pletzers als einen Teil der Strategie der *Grenzboten,* um negative Urteile über *Soll und Haben* abzuwehren, beziehungsweise zu neutralisieren. Darüber hinaus begreift er den Angriff als einen Eingriff in die Freiheit der Kritik: „Wir verlangen und wir haben das Recht zu verlangen, daß man uns jene vollständige Freiheit der Kritik gewährt, auf die zu verzichten das Todesurtheil aller Kritik unterschreiben hieße."[49] Ob der in diesem Satz emphatisch herausgestellte Kampf für die Freiheit der Kritik das wahre Motiv Marggraffs gewesen ist, mag dahingestellt bleiben. Von entscheidender Bedeutung ist jedoch, daß die Freiheit der Kritik als wesentliche Bedingung eines funktionierenden literarischen Lebens angesehen wird. Hier wird stillschweigend unterstellt, daß die Literatur ohne die Kritik nicht leben kann. Der Kritiker hat folglich ein öffentliches Amt. Marggraff führt dann, wie zu erwarten, aus, daß die *Grenzboten*-Kritiker von diesem Amt eine sehr unvollständige Vorstellung hätten und es daher mißbrauchten. Er insinuiert geschäftliche Gründe und fühlt sich zu dem Schluß gedrängt, daß die deutsche Tageskritik im ganzen nicht die wünschenswerte Objektivität und Sachlichkeit besäße. Im Vergleich mit der englischen Kritik schneidet die deutsche nicht gut ab. „Wenn auch ein englischer Journalist häufig genug in den Fall kommt, diese oder jene schriftstellerische Leistung zu verwerfen, diese oder jene Ansicht als falsch oder verderblich zu bestreiten, so wird er sich doch niemals herausnehmen, eine ganze Classe, deren Existenz durch das stark sich aussprechende buchhändlerische Bedürfniß nothwendig hervorgerufen und bedingt ist, in dieser Weise zu verdächtigen, weil er weiß, daß Privatstellungen Anderer ihn ebenso wenig etwas angehen, als seine Privatstellung Andere etwas angeht, und weil sein praktischer Menschenverstand ihm sagt, daß er damit am meisten nur sich selbst treffen würde."[50] Die Verwahrung gegen die Verdächtigung der parteilichen Subjektivität und der Anspruch auf sachliche Begründung eines Urteils verweisen auf das liberale Modell. Das Leitbild ist der Kritiker als Führer des literarischen Gesprächs, durch das die Öffentlichkeit zur Selbstverständigung gelangt. Gleichzeitig wird aber auch sichtbar, daß Marggraff dieses Ideal für gefährdet hält, und zwar durch das Eindringen von privaten kommerziellen Interessen und eine polemische Subjektivität, die ihm als ein schlechtes Erbe des deutschen Journalismus erscheint. Die Kritik der Kommerzialisierung richtet sich gegen Veränderungen der literarischen Öffentlichkeit (und damit der Institution Literatur), deren Tragweite 1855 kaum abzusehen war. Der Tadel der Subjektivität, der übrigens von der

Mehrheit der nachrevolutionären Kritiker geteilt wurde, bezieht sich auf den polemischen Stil der vorrevolutionären Literaturkritik, der die Person des Autors nicht schützte. Beide Fragen müssen getrennt behandelt werden. Literarische Polemik ist seit der Aufklärung ein wesentlicher Bestandteil der Literaturkritik. Sobald literarischen Werken eine öffentliche Wirkung zugerechnet wird, wird die Wirkung selbst Gegenstand der Diskussion. Dort, wo ein Text einen bedenklichen Einfluß auf die öffentliche Meinung haben könnte, ist es die Aufgabe des Kritikers hervorzutreten. So trat Lessing gegen das französische Theater und den Klassizismus auf, weil er ihren Einfluß auf die deutsche Bühne als negativ beurteilte. Auch der deutsche Klassizismus gebrauchte die Polemik, freilich in anderer Absicht. Während Lessing bei seinen Angriffen in erster Linie die moralische Wirkung im Auge hatte, versuchten Goethe und Schiller, durch ihre polemischen Äußerungen das Konzept der ästhetischen Autonomie gegen die Aufklärung durchzusetzen. Doch erst im Jungen Deutschland und im Vormärz wird die Polemik als Gattung der Kritik voll entfaltet. Heines Angriff auf Platen, Börnes Bemerkungen gegen Heine in den *Pariser Briefen,* schließlich Heines Denkschrift gegen Börne sind exemplarische Fälle persönlicher, auch vor der Verdächtigung des Charakters nicht zurückschreckender Kritik. Im Zusammenhang mit der Politisierung der Literatur wird der Autor so sehr öffentliche Figur, daß auch die private Sphäre, in der seine Subjektivität begründet ist, zum Gegenstand der Kritik werden kann. Wird die Trennung zwischen Kunstwerk und Leben aufgehoben, wie dies das Programm des Jungen Deutschland vorsah, so muß die Kritik auch das Privatleben des Autors erreichen, wenn dieser sich politisch exponiert. Heines Börne-Schrift (1840), die auch von den Zeitgenossen, selbst von den Radikalen, als persönliche Verunglimpfung verstanden wurde, vereinigt die spezifischen Elemente der vorrevolutionären Kritik: Subjektivität, Engagement und Literarität. Sie ist zur gleichen Zeit eine politische wie literarische Stellungnahme, die sich nicht durch allgemeine Maximen legitimiert, sondern durch die bewußt zur Schau gestellte Subjektivität des Autors – eben die berüchtigte Frivolität des Schriftstellers Heine, die ihren historischen Standort genau reflektierte. Die Literaturkritik des Nachmärz lehnte diese Form des Engagements als subjektiv und unsachlich ab. Sie möchte die Vermischung des Diskurses, die für Heine und die jungdeutschen Schriftsteller charakteristischen Übergänge vom Literarischen zum Politischen, vom öffentlichen zum privaten Bereich rückgängig machen. Entweder soll sich die Kritik auf die ästhetischen und literarischen Normen zurückziehen und damit die in dem liberalen Modell enthaltene politische Komponente abschwächen oder sie soll wenigstens den literarischen und den politischen Diskurs säuberlich trennen. Literarische und politische Öffentlichkeit werden noch als Teile einer Einheit gedacht, aber eben als getrennte Bereiche mit jeweils eigenen Normen und Konventionen. Während die literarische Avantgarde sich zugleich als politische verstand und aus diesem Selbstverständnis die Aufgabe des Kritikers so ausweiten konnte, daß sie nahezu allumfassend wurde, wird der Begriff der Kritik nach 1848 wieder eingeschränkt, und zwar auf den Begriff des Kunstgerichts, das die Aufklärung institutionalisiert hatte.

In dem Maße, wie der nachrevolutionäre Liberalismus den Begriff und die Funktion der öffentlichen Meinung einzuschränken versucht, weil ihre Ausweitung auf die Massen bedrohlich erscheint, wandelt sich auch die Vorstellung vom Zusammenhang zwischen der literarischen und der politischen Aufgabe der Kritik. Die postrevolutionäre Skepsis in bezug auf die politische Funktion der Kunst, der Spott über die Illusionen der vorrevolutionären Avantgarde, wie er bei Prutz und Schmidt zu finden ist, lockert den finalen Zusammenhang zwischen literarischer und politischer Öffentlichkeit. Sicher ist die literarische Öffentlichkeit nicht mehr der Vorhof der politischen, eher, um im Bilde zu bleiben, ein Hinterhof, auf dem sich der Bürger von den Anstrengungen der Arbeit erholen darf. Der normativen, richterlichen Kritik des Nachmärz fehlt eben das Element, das sie im achtzehnten Jahrhundert progressiv machte: die Ausrichtung auf die Zukunft. Das liberale Modell selbst ist konservativ geworden; das Bestehen auf dem Richteramt bedeutet nicht mehr Befreiung von heteronomen Autoritäten, sondern Hinwendung zu einer autoritären Einstellung. Die „objektiven" ästhetischen Normen und Gattungsregeln, die in den Besprechungen als gesichert unterstellt werden, sichern die Institution Literaturkritik ab.

Freilich kann man für die Epoche zwischen der bürgerlichen Revolution und der Reichsgründung nur von Tendenzen sprechen, die durch andere überlagert und durchkreuzt werden. Das Band zwischen Literatur und Politik war in der öffentlichen Diskussion noch nicht durchschnitten. Die Struktur der wichtigen Literaturzeitschriften spricht deutlich dagegen: Sowohl die *Grenzboten* als auch das *Deutsche Museum* oder die *Blätter für literarische Unterhaltung* haben eine politische Orientierung. Für sie ist das Literaturgespräch noch Teil einer allgemeinen Debatte. Bezeichnenderweise äußert sich Prutz im *Deutschen Museum* nicht nur zu literarischen Fragen, sondern ebenfalls zu politischen und gesellschaftlichen. Die publizistische Trennung zwischen literarischem und politischem Journalismus deutet sich nach 1848 an, doch dürfen wir nicht übersehen, daß Kritiker wie Gutzkow, Julian Schmidt, Freytag und Prutz noch beide Aufgaben wahrnehmen. Der Wechsel vom politischen zum literarischen Diskurs ist für sie unproblematisch, weil sie formal wie methodisch als ähnlich angesehen werden. Die für die Bildung der öffentlichen Meinung wichtigen Organe unterscheiden sich zwar von den entsprechenden Journalen des Vormärz durch ihre Position, schließen jedoch in ihrer Struktur an die frühliberale Tradition an. Sie sind im Unterschied zu den nach 1850 aufkommenden Familienzeitschriften keine Massenzeitschriften. Die Auflagen sind bescheiden, selbst die der einflußreichen *Grenzboten*. Auch dort, wo die Volkstümlichkeit der Literatur propagiert wird, erreicht man im wesentlichen nach wie vor das gebildete Bürgertum, keineswegs das Volk. Gutzkows Versuch, mit den *Unterhaltungen am häuslichen Herd* eine breite Leserschicht anzusprechen, war nicht mehr als ein bescheidener Erfolg beschieden, wenn man spätere Familienzeitschriften zum Vergleich heranzieht. Sein publizistisch vielversprechendes Projekt scheiterte an seiner eigenen liberalen Einstellung. Um ein wirklich populäres Blatt aufzubauen, hätte er wie Keil in der *Gartenlaube* die aktuelle Politik eliminieren müssen. Zu diesem Eingriff waren weder Gutzkow oder Schmidt und Freytag, noch Prutz bereit; sie hielten an einem liberalen Begriff von Öffentlichkeit fest, so sehr er auch reduziert war.

Prutz verstand die Gründung des *Deutschen Museums* nicht zuletzt als eine politische Tat. Nachdem zahlreiche vorrevolutionäre Zeitschriften eingegangen waren, fehlte dem Publikum ein Forum für die literarische und politische Diskussion. Obwohl sich Prutz wiederholt für eine volkstümliche Literatur ausgesprochen hatte, betrachtete er das „gebildete Publikum" als die eigentlichen Leser seiner Zeitschrift. Folglich grenzte er sich nach zwei Seiten ab: einmal gegen die wissenschaftlichen Organe, die sich an ein spezielles Publikum richten, zum anderen gegen volkstümliche Unternehmungen, die auch die kleinen Leute berücksichtigen. Im ganzen identifiziert Prutz das Publikum noch mit dem bürgerlichen.[51] Zweifellos war dies keine avancierte journalistische Position. Das *Deutsche Museum* öffnet sich nur vorsichtig gegenüber Veränderungen auf dem literarischen Markt; Prutz wehrt sich gegen eine ausschließlich ästhetische Beurteilung der Literatur, er möchte eine publikumsnahe, wirkungsbezogene Literaturkritik, aber er bleibt im Grunde doch bei einer normativen Einstellung. So verkündet der Prospektus der Zeitschrift rigoros, man werde „seinen Stolz darein setzen, der ästhetischen Kritik durch Strenge der Grundsätze, Unbestechlichkeit des Urtheils, Würde und Milde der Darstellung die Achtung wieder zu verschaffen, die ihr zukommt".[52] Der normative Gesichtspunkt soll sich mit dem der Wirkung verbinden: die Literaturkritik darf nicht an den Bedürfnissen der Leser vorbeireden. Wenn man aus dieser Einstellung ableiten will, daß Prutz die normative, ästhetisch begründete Kunstkritik abschaffen wollte, verkennt man die historische Entwicklung. Im Vergleich mit seinem vorrevolutionären Programm ist auch bei Prutz in den fünfziger Jahren eine Verstärkung des literarisch-ästhetischen Gesichtspunktes zu bemerken. Zusammen mit der Wiedergewinnung der Weimarer Klassik im

Nachmärz wird auch ihre Ästhetik und Literaturtheorie wieder stärker in der Kritik berücksichtigt. Epochaltypisch ist das *Deutsche Meusum* gerade durch das Nebeneinander von ästhetischem Traditionalismus und einer gemäßigt liberalen politischen Konzeption. Die Zeitschrift ist durch einen Dualismus von ästhetischen und historisch-politischen Kriterien charakterisiert, ein Dualismus, der die realistische Theorie in Deutschland im allgemeinen kennzeichnet.[53]

An den nach 1849 neu organisierten oder gegründeten Zeitschriften ist unschwer abzulesen, daß die Institution Kritik das liberale Modell, wenn auch in modifizierter Form, erneuert. Man möchte das Literaturgespräch nach seiner politischen „Verwilderung" in seiner ursprünglichen Form wiederherstellen, indem man die politischen Elemente eliminiert oder doch beschränkt. Die kritische Auseinandersetzung mit Autoren und Werken wird gesucht, geleitet freilich durch das Ideal der Objektivität und Sachlichkeit, das sich auf allgemeinverbindliche ästhetische Grundsätze berufen kann. Der präzeptorische Charakter dieser Kritik, die sich nicht mehr an der Idee der Zukunft, sondern an der Vorstellung der Ordnung orientiert, ist nicht zu übersehen. Der Kritiker ist unter der Hand zum Traditionalisten geworden, der die Vergangenheit für den Gebrauch in der Gegenwart aufarbeitet. Damit stehen wir vor der entscheidenden Frage des Ansatzes: Gibt es epochaltypische Formen des kritischen Verfahrens, die sich vom Vormärz wie von den Gründerjahren unterscheiden? Läßt sich im gleichen Sinne von einer Epoche der Literaturkritik zwischen 1850 und der Reichsgründung sprechen wie von der frührealistischen Literaturtheorie und -praxis?

Eine allgemeine Antwort auf diese Frage ist nur bedingt zu finden, weil wir es nicht mit einem theoretischen System zu tun haben, sondern mit kritischen Essays, Besprechungen, Glossen etc., die unter sehr verschiedenen Umständen von individuellen Kritikern geschrieben worden sind. Generationszugehörigkeit, Ausbildung und Sensibilität machen sich bemerkbar. So ist zum Beispiel nicht zu übersehen, daß die wichtigsten Kritiker des Nachmärz wie Prutz, Julian Schmidt, Gutzkow, Gottschall und Marggraff schon vor 1848 eine bedeutende Rolle spielten und mehr oder minder stark durch die literarische Diskussion des Vormärz geprägt waren. Gleichwohl lassen sich an ihren nach 1848 geschriebenen kritischen Arbeiten Züge nachweisen, durch die sie sich von der vorrevolutionären Kritik unterscheiden. Indes muß man sich vor Augen halten, daß die Institution Literaturkritik nicht auf ein Modell festgelegt war. Nur selten zeigt sich in der Praxis ein bestimmter Ansatz in reiner Form, weit häufiger erscheinen Mischungen, Kompromisse und Adaptionen. Die in der realistischen Literaturtheorie verborgene Spannung zwischen einem ästhetischen und einem historisch-pragmatischen Ansatz manifestiert sich in der Kritik als der Wechsel zwischen oder das Nebeneinander von ästhetischen, wirkungsgeschichtlichen und moralischen Gesichtspunkten. Im Zusammenhang mit der Verstärkung des klassizistischen Kunstbegriffs kann man im allgemeinen eine größere Berücksichtigung der ästhetischen Normen feststellen – das Werk muß sich neben seinen außerliterarischen Funktionen als Kunstwerk legitimieren. Diese Hinwendung zum normativen Urteil ist übrigens nicht auf einen Kritiker oder eine bestimmte Schule beschränkt, sie zeigt sich vielmehr als eine allgemeine Tendenz, die verschieden begründet werden kann: Sie reicht von einer dogmatischen Zurschaustellung unbefragter ästhetischer Gesetze bis zur bewußten Wiederaufnahme der ästhetischen Reflexion in der Nachfolge der Klassik. Nicht selten wird daher die Besprechung eines individuellen Werkes Anlaß zur Erörterung genereller ästhetischer und literarischer Probleme. Die theoretische und kritische Selbstverständigung vollzieht sich weitgehend im Medium der Rezension.

Anhand von Beispielen sei das kritische Verfahren vorgeführt. Wir wählen einmal die Besprechungen von Karl Gutzkows *Die Ritter vom Geiste* (1851–52) durch Julian Schmidt, Karl Rosenkranz und Moriz Carriere und ferner Gustav Freytags Rezension von Alexis' Roman *Isegrimm*, die 1854 in den *Grenzboten* erschien.

Die beobachtete normative Einstellung ist allen Rezensionen zu Gutzkows Roman gemeinsam. Man mißt das Werk an allgemeinen Gesichtspunkten, seien diese nun historischer, moralischer oder ästhetischer Natur. Jeder der Kritiker sieht es als seine Aufgabe an, nach hinlänglicher Vorbereitung über den Roman ein Werturteil abzugeben, also zu bestimmen, in welchem Maße das Werk seinen eigenen Ansprüchen und den Normen entspricht, die an die Gattung des Romans zu stellen sind. Am klarsten tritt diese Tendenz uns, wie nicht anders zu erwarten, bei dem Hegelianer Rosenkranz entgegen, dessen ausführliche Besprechung im *Deutschen Museum* einer systematischen Abhandlung nahe steht.[54] Trotz ihrer Ausführlichkeit bleibt die Rezension abstrakt. Unverkennbar stehen die für das Urteil maßgebenden Gesichtspunkte schon fest, bevor der Rezensent seine Darstellung beginnt. Für Rosenkranz lautet die Frage: Ist Gutzkow fähig, einen Zeit- und Gesellschaftsroman zu schreiben und welche Voraussetzungen gehen in ein solches Werk ein? Folglich hält sich Rosenkranz am wenigsten mit der komplizierten Fabel auf, der Schmidt und Carriere bis in die Einzelheiten nachgehen. Der Inhalt wird am Anfang nur knapp referiert, um den Charakter des Romans zu verdeutlichen. Rosenkranz möchte den Roman gegen die Kennzeichnung als eines politischen Romans in Schutz nehmen, denn damit wäre er als Tendenzroman abgestempelt, der weder ideologisch noch ästhetisch befriedigen kann. Nachdem so der Inhalt und die Weltsicht des Romans gerechtfertigt ist, wendet sich die Rezension der poetischen Ausführung zu. Rosenkranz' Vorbehalte richten sich gegen die Gestaltung der Cha-

raktere und die Darstellung. Dabei verfährt die Kritik klassifikatorisch:
Sie teilt die Figuren ein in ideale Charaktere, in denen sich die Idee des
Romans manifestieren soll, in halbideale Repräsentanten und schließlich
in indifferente Figuren, die sich ausschließlich egoistisch verhalten. Der
Klassifikation folgt das Urteil. Über die idealen Gestalten heißt es: „Die
Gruppe der idealen Gestalten ist die schwächste. Es fehlt ihr an Tiefe und
an stufenweiser Entwicklung. Diese Ritter vom Geist sind edel, brav,
sprechen geistvoll, aber sie arbeiten nicht in sich selbst eine Metamor-
phose durch, welche sie auf die Höhe der Zeit stellte. Wir schätzen sie,
aber wir bilden uns nicht mit ihnen."⁵⁵ Ähnlich werden die anderen
Gruppen beurteilt. Der Maßstab wird indes nicht aus dem Gegenstand
und seiner Darstellung entwickelt, sondern als ein Apriori in die Besprechung hineingetragen. Dies wird besonders deutlich bei der Behandlung
des Prinzen: „Diese Schilderung des Prinzen ist mit vielem Aufwande
gemacht, aber sie ist unvollkommen. Sie gleicht einer schönen Statue, die
aus zwei andern zusammengesetzt und deshalb disharmonisch ist."⁵⁶
Gutzkows Figuren wollen sich nicht zu den harmonischen Charakteren
zusammenschließen, sie zeigen unversöhnte Widersprüche, die eine Synthese nicht zulassen. Es ist offensichtlich, daß Rosenkranz diesen jungdeutschen Zug bei Gutzkow als einen poetischen und ästhetischen Mangel empfindet. Doch warum der harmonische Charakter gegenüber dem
zerrissenen den Vorzug verdient, warum also eine bestimmte Gestaltung
ästhetisch vollkommener ist als die andere, entzieht sich der Reflexion.
Rosenkranz geht als Rezensent nicht über das Konstatieren des Grundsatzes hinaus, ohne die Berechtigung der Norm eigens zu reflektieren. In
gleicher Weise wird die Komposition und die Darstellung behandelt. Rosenkranz ist mit dem Ergebnis nicht vollauf zufrieden, ohne für die Vorteile des Aufbaus blind zu sein. Er würdigt Gutzkow in folgender Weise:
„Was man Gutzkow billig zugestehen muß, ist die pragmatische Einheit,
die er trotz der vielen Episoden, trotz der vielen Personen, zu erhalten
gewußt hat. Nichts hat er müßig liegen lassen. (. . .) Auch die poetische
Gerechtigkeit, neuerdings oft so leichtfertig behandelt, hat er streng gehandhabt."⁵⁷ Diese technische Meisterschaft ist freilich in den Augen von
Rosenkranz noch nicht selbst poetisch, der gewandte Stil noch nicht an
sich ästhetisch befriedigend. „Die Frische und Virtuosität der Darstellung wird man, auch bei der strengsten Kritik, bei Gutzkow anerkennen
müssen. Sein Stil ist klar, gewandt, abgerundet, mannichfaltig, den Gegenständen angemessen."⁵⁸ Dagegen wirft der Rezensent dem Autor einen Mangel an dichterischer Phantasie und Spontaneität vor. Seine Darstellung bleibt zu rational, zu sehr Ergebnis der Reflektion. Die gleichen
Vorwürfe werden sich bei Schmidt und Carriere finden. Freilich interes-
sieren sie uns hier nicht als solche, sondern nur durch die Art, wie sie in
die Besprechung eingeführt werden. Rosenkranz formuliert sein Urteil

über die *Ritter vom Geiste* als das Ergebnis seiner Lektüre, doch dieser Leseprozeß wird nicht sichtbar. Das Urteil wird nicht eigentlich begründet, weder durch ausführliche Zitate, die dem Leser einen Eindruck von der Darstellung vermitteln, noch durch eine Charakteristik und Analyse der stilistischen Mittel. Durch dieses apodiktische Urteil stellt sich der Kritiker in seiner Rolle als Richter vor, der klassifiziert und Rangplätze anweist. Ansätze der dogmatischen Verhärtung sind nicht zu übersehen – ein Mangel an Reflektiertheit, der aber noch nicht stark hervortritt, weil der Rezensent den Gesichtspunkt der Billigkeit und Fairneß walten läßt.

Diese Fairneß läßt die Besprechung in den *Grenzboten* durchaus vermissen. Sie ist parteilich und betrachtet den Roman als das Werk eines ideologischen und literarischen Gegners, den man herabsetzen muß. Wenn Julian Schmidt davon spricht, daß Gutzkow dem Kritiker das Geschäft erleichtert, weil er ein Reflexions- und Verstandesdichter ist und daher bestimmte, auffindbare Intentionen verfolgt, so ist dies kaum als Kompliment gemeint.[59] Der reflektierende Schriftsteller widerspricht der realistischen Theorie. Schmidt legt seine Strategie sogleich offen dar. Er unterscheidet eingangs die relativ festen Gattungsregeln des Dramas, die dem Kritiker die Methode vorschreiben, von der relativ offenen und unbestimmten Romanform, die sich eher dem Urteil entzieht. Daher will der Kritiker in diesem Fall auf die Anwendung festgelegter Normen verzichten und den Roman an seinen eigenen Intentionen messen. „Diese Intentionen kann man auffinden und an ihnen den Werth der Ausführung prüfen."[60] Indes hält Schmidt sich nicht an seine Maxime, wenn er sogleich gegen Gutzkows im Vorwort des Romans niedergelegte Romantheorie geltend macht, daß das Werk eine ästhetische Totalanschauung des Lebens unmöglich geben könne. „Wir hielten eine solche Totalanschauung für einen Widerspruch gegen den Begriff der Kunst, und ihre Ausführung nur unter der Bedingung für möglich, daß man die bestimmten endlichen, concreten Erscheinungen zu unbestimmten, physiognomielosen Allgemeinheiten verflüchtigt; daß man die Individualitäten nach symbolischen Gesichtspunkten auseinanderreißt, und die Ideen in unvollkommenen Trägern, in schlechten Individualitäten untergehen läßt."[61] Schmidt mißt den Roman keineswegs ausschließlich an dem von Gutzkow entworfenen Programm eines vielsträngigen Gesellschaftsromans, vielmehr an einem apodiktisch eingeführten Begriff von Mimesis (Konkretheit versus Allgemeinheit), der auf die *Ritter vom Geiste* angewandt wird. Während die Besprechung noch vorgibt, immanent zu verfahren und aus den Voraussetzungen des Werks seinen Wert zu erschließen, stützt Schmidt in Wirklichkeit sein Verfahren durch einen normativen Zugang, der sich explizit auf ästhetische und poetologische Grundprinzipien beruft. Das Aufsuchen der Einzelheiten wird solchermaßen zum Beweis, aus dem dann der Richterspruch unerbittlich hervorgehen muß.

Diese Kritik, die sich schließlich gegen den Roman als Ganzes richtet, wird festgemacht an der Zeichnung der Personen, der Komposition des Textes, der Motivierung der Handlung und der Ideologie des Romans im allgemeinen. Es ist hier nicht der Ort, die Argumente im einzelnen zu verfolgen, da nicht die Realismustheorie, sondern das kritische Verfahren zur Diskussion steht. Wie Rosenkranz kann sich auch Schmidt nicht mit der Charakterisierung der Figuren befreunden. Schmidt wirft Gutzkow vor, daß er Menschen nicht unmittelbar gestalten kann. An die Stelle der Rundung durch einzelne Züge, die sich zu einer harmonischen Einheit zusammenschließen, tritt die Reflexion, die den besonderen Fall mit dem Allgemeinen verbinden will. Bezeichnenderweise geht jedoch Schmidt nicht der Frage nach, ob und in welchem Maße Reflexion für den Gesellschaftsroman möglich, beziehungsweise erforderlich sei. Vielmehr verwirft er apodiktisch das reflexive Verfahren. „An solchen Einfällen kann man keine unmittelbare Freude haben, man kann sich weder über sie belustigen, noch für sie begeistern, und der Werth eines Romans, der sich ausschließlich in ähnlichen Figuren bewegt, kann nur in der Beziehung auf eine bestimmte Tendenz, in der Composition des Ganzen gesucht werden."[62] Das Schmidtsche „man" ist hier nicht nur eine Variante für das personale Ich, die Wahl des Ausdrucks ist angemessen, denn der Kritiker spricht in Vertretung des Lesers, indem er den Gesichtspunkt der Wirkung ins Spiel bringt. Indes wird die Rezeption nicht empirisch belegt. Es interessiert Schmidt nicht, wie die zeitgenössischen Leser Gutzkows Charaktere verstehen. Im Grunde ist die Argumentation axiomatisch: Die reflektierte Charakterschilderung ist falsch, daher kann der Leser („man") keine Freude an ihr haben.

Die Ausführlichkeit der Besprechung (23 Seiten) erklärt sich nicht aus dem Bemühen, der Eigentümlichkeit des Textes nachzugehen oder die Struktur des Werkes zu rekonstruieren. Die Länge ergibt sich vielmehr aus den zahlreichen Beispielen, die der Rezensent anführt, um sein Urteil zu belegen. Der Wechsel von apodiktischem Urteil – gelegentlich erklärt durch ein begründendes ästhetisches Axiom – und Textbeispielen (Fabel, Figuren, Motivierung) bestimmt den Rhythmus der Besprechung. So faßt Schmidt seine Einwände gegen Gutzkows Menschengestaltung zusammen, nachdem er an einer Reihe von Beispielen die Fehler der Motivation aufgedeckt hat; „Die *Charakterzeichnung* ist von jeher Gutzkow's schwächste Stelle gewesen. Den vollständigen Mangel an allem Idealismus hat er mit den neueren Franzosen und Engländern, z. B. mit Balzac und Thackeray, gemein, aber es geht ihm auch jene Sauberkeit und Sicherheit der Zeichnung ab, die den düstern Bildern dieser Dichter wenigstens einiges Interesse verleiht."[63] Der Einwand gegen Gutzkows

Charaktere ist ein doppelter. Er richtet sich einmal gegen die Inhalte, also gegen Gutzkows Menschenbild. Die Figuren sind dem Vertreter des poetischen Realismus zu problematisch, zu negativ. Er richtet sich jedoch zugleich gegen die Form der Darbietung, nämlich die pointillistische Zusammensetzung einer Figur aus widersprüchlichen Einzelzügen, die sich nicht harmonisch runden. „Es giebt niemals eine organisch gegliederte Individualität, sondern immer nur Aggregate aus empirisch aufgenommenen, anekdotischen Portraitzügen und willkürlichen Einfällen."[64]

Julian Schmidt verfährt als Kritiker, wie wir gesehen haben, axiomatisch und normativ. Das einzelne zu beurteilende Werk ist folglich immer Beispiel für bereits bestehende Grundsätze und Gesichtspunkte. Die Axiome werden nicht immer voll entfaltet, aber nicht selten offen genannt. Der Kritiker ist sich bewußt, daß sich sein Urteil durch ein theoretisches System legitimiert, aber er macht diese Theorie nicht selber zum Gegenstand der Kritik, sie bleibt meist unreflektiert. Die Rezension ist als Urteil angelegt und will diesen Charakter auch nicht verbergen. Der Leser soll erfahren, was von dem Roman zu halten ist. Bei genauem Hinsehen zeigt sich, daß Schmidt den systematischen Charakter seiner Besprechung sogar übertreibt, denn wenn es ihm notwendig erscheint, führt er Gesichtspunkte ein, die mit seiner anfänglich definierten Strategie nicht übereinstimmen. Zum Beispiel gibt Schmidt zu, daß Gutzkow bei der Zeichnung seiner satirischen Charaktere erfolgreich ist, möchte jedoch auch hier das Defizit hervorheben. Aus diesem Grund wird der moralische Zweck der Poesie ohne weitere Vorbereitung eingeführt: „Die poetische Darstellung auch erbärmlicher Charaktere muß immer dem höchsten Zweck der Poesie, der sittlichen Läuterung und Reinigung des Gemüths dienen."[65] Wie diese didaktische, der Aufklärungsästhetik entnommene Maxime mit dem Grundsatz der poetischen Konkretisierung zu vereinigen ist, wird freilich nicht erläutert.

Noch auffallender ist die Methode der politischen Kritik, die unvermittelt außerästhetische Gesichtspunkte in die Rezension einführt. Schmidt bezeichnet die politische Thematik des Romans, das Programm eines neuen Bundes, der für Humanität und politische Freiheit wirken soll, als dilettantisch. Das literarische Programm und die wirklichen politischen Verhältnisse in Preußen, auf die sich Gutzkow bezieht, kommen nicht zur Deckung. An diesen Stellen schlägt Schmidts politische Ideologie bei der Beurteilung des Romans voll durch. Die politische Tendenz der *Ritter vom Geiste* widerspricht Schmidt zufolge der realpolitischen Entwicklung. Diese Einschätzung beruft sich, ohne dies eigens zu verdeutlichen, auf einen pragmatischen Wirklichkeitsbegriff, dessen Beziehung zur Widerspiegelungstheorie nicht geklärt wird. In diesem Sinne schließt die Besprechung auch mit einem moralisch-politischen Appell und nicht mit einer ästhetischen Verdammung des Romans. Die fiktionale Realität wird unversehens in die historische Wirklichkeit übertragen und als solche kritisiert. An Stelle von geheimen Vereinigungen, wie sie Gutzkow geschildert hat, verlangt Schmidt politische Parteien, die das liberale Programm vorantreiben können. Der Kampf, so Schmidt, kann nur „durch den entschiedenen Kampf gegen die Verstocktheit des Egoismus, (...) nur durch hingebende Arbeit und selbstverläugnende Demuth geführt werden (...).“[66] So unterscheidet sich das Fazit dieser Kritik wesentlich von ihrem Ausgangspunkt und der vorgeschlagenen Methode. Der Kritiker behält das letzte Wort und setzt seine Meinungen gegen die des Romanciers und seines Werkes durch. Die Kritik der Form und der Komposition erweist sich in letzter Instanz als eine Kritik der Botschaft, d. h. der jungdeutschen Tendenz. Hier zeigt sich noch einmal die Mächtigkeit des liberalen Modells, in dem der Zusammenhang von Literatur und Politik eine wichtige Rolle spielt. Freilich wird dieser Bezug in der Besprechung nicht mehr vermittelt; ästhetischer und politischer Gesichtspunkt stehen getrennt nebeneinander.

Moriz Carriere, der dritte Rezensent, ist bereit, Gutzkow alle Fähigkeiten und Qualitäten zuzuschreiben, die ihm Schmidt verweigert: das Vermögen der ästhetischen Darstellung, das Gefühl für die nationale Eigentümlichkeit des deutschen Romans und die Entwicklung des Autors, die zur Steigerung seiner literarischen Leistung führte. Carriere nähert sich, anders gesprochen, dem Roman von seinem Autor her, indem er den neuen Text mit früheren Werken Gutzkows vergleicht und als die Summe seiner schriftstellerischen Erfahrung betrachtet. Dieses Reifen bedeutet, wie der Kritiker hervorhebt, bei Gutzkow das Überwinden des jungdeutschen Standpunktes. „Auch seine Weltanschauung in religiöser und sittlicher Hinsicht ist gereift, und hier wiederum tritt er nahe heran an den Standpunkt freier Humanität, wie ihn Lessing erobert hat; die früheren Zweifel über Gott und Unsterblichkeit und das knabenhaft vorlaute Leugnen derselben ist einem Glaubensbedürfnisse gewichen.“[67] Gerade dieses Zurücknehmen der jungdeutschen Radikalität macht den Roman für Carriere annehmbar. Die *Ritter vom Geiste* erscheinen als ein Roman in der Nachfolge des *Wilhelm Meister*. Trotz der generellen Zustimmung fehlt es auch bei Carriere nicht an Ausstellungen und Einwänden, die zum Teil mit den Vorbehalten Schmidts und Rosenkranz' übereinstimmen. Carriere sieht sich nicht weniger als Richter, der Lob und Tadel abzuwägen hat. So heißt es zum Beispiel: „Dagegen tadeln muß ich, daß Gutzkow hin und wieder sich der beschreibenden Schilderung ruhender Gegenstände hingegeben, statt durch Handlung und Bewegung, wie die Dichtkunst im Unterschied von der Malerei zu thun hat, ein werdendes Bild zu entwerfen.“[68] Der Rekurs auf Lessing ist nicht zu übersehen. Auch bei Carriere werden axiomatisch ästhetische und kritische Prinzipien ins Spiel gebracht. Dennoch entsteht im ganzen nicht der

gleiche Eindruck wie bei Schmidt. Carriere ist konzilianter, flexibler und
weniger systematisch in der Applikation seiner ästhetischen Theorie. Der
Aufbau der Besprechung ist lockerer, journalistischer, als Schmidt dies
jemals gestatten würde. Aus Einzelheiten ist zu schließen, daß der Essay
stückweise geschrieben wurde, jeweils für eine Nummer der wöchentlich
erscheinenden Zeitschrift. Zudem ist Carrieres Ich persönlicher und indi-
vidualistischer als die Persona des Kritikers Schmidt. Wenn er schreibt:
„Ich habe schon angedeutet, wie anders Gutzkow jetzt in Bezug auf das
Christentum denkt als damals, wo er die Wally schrieb",[69] dann meint er
sich als konkrete Person, als den Journalisten, der diese Zeilen zu einem
bestimmten Zeitpunkt schreibt. Carrieres Besprechung verbindet einen
normativen, einen historischen und einen persönlichen Ansatz, wobei
der normative der herrschende bleibt. Doch wird dieser Zugriff modifiziert durch historische Gesichtspunkte: Carriere ist daher auch gegenüber den neuen Gestaltungsprinzipien von Gutzkows Roman entschieden offener als Julian Schmidt, dessen dogmatischer Realismusbegriff
der strukturellen Einsicht im Wege steht.

Die vierte herangezogene Besprechung beschäftigt sich mit Willibald
Alexis' Roman *Isegrimm* (1854). Ihr Verfasser ist Gustav Freytag, und sie
erschien in den *Grenzboten*.[70] Die preußische Gesinnung des Autors und
seines Romans finden sogleich die Zustimmung des Rezensenten, der
diese ideologisch-politische Gemeinsamkeit zu Beginn seiner Besprechung ausdrücklich hervorhebt und sie zum Ausgangspunkt seiner Kritik
macht. Alexis ist kein literarischer Anfänger, durch frühere Romane ist er
dem Publikum vertraut. Freytag benutzt diese Bekanntheit, um im zweiten Abschnitt den Ort des neuen Romans im Zusammenhang des gesamten Œuvres von Alexis zu kennzeichnen und gleichzeitig die Eigentümlichkeit seiner fiktionalen Welt darzustellen. Erst im dritten Abschnitt
dieser ausführlichen Besprechung geht er auf den Roman ein, referiert
den Inhalt und charakterisiert die wichtigsten Personen. Nach dieser
Vorstellung des Gegenstandes setzt die Kritik mit der Frage ein, in welchem Maße der Roman als ein Kunstwerk verstanden werden kann. Das
Prinzip der epischen Geschlossenheit der Erzählung wird als Standard
angeführt, an dem der Roman kritisch zu messen ist. Freytag stellt zunächst fest, daß die Absicht der epischen Rundung bei Alexis nicht vor-
gelegen habe und eine solche Norm auf Grund der Disparität des Materials auch nur schwer zu bewerkstelligen gewesen wäre. Die Intention
des Autors ist freilich für den Kritiker nicht der letzte Maßstab, vielmehr
zieht er diese Absicht in Zweifel, da sie ihr Ziel, nämlich größere, kunst-
gemäße Wirkungen nicht erreicht habe. An dieser Stelle expliziert Freytag ausdrücklich das Verhältnis von ästhetischer Theorie und literarischer Praxis: Gelingt es der Praxis, die richtigen Wirkungen zu erzielen,
dann darf sie sich von den bestehenden ästhetischen und poetischen

Normen so weit entfernen, wie sie will. Hier scheint der Kritiker die „alte pedantische Theorie" preiszugeben. Indes geschieht dies nur im Zusammenhang einer umfassenderen Strategie, durch die die Notwendigkeit des normativen Ansatzes sogleich wieder unterstrichen wird. So schreibt Freytag: „Bei einer großen Anzahl dieser Compositionsgesetze ist ihre ewige Nothwendigkeit nicht schwer einzusehen (. . .)."[71] In diesem Sinne heißt es dann über *Isegrimm:* „Wir fordern vom Roman, daß er eine Begebenheit erzähle, welche, in allen ihren Theilen verständlich, durch den innern Zusammenhang ihrer Theile als eine geschlossene Einheit erscheint, und deshalb eine bestimmte einheitliche Färbung in Stil, Schilderung und in Charakteristik der darin auftretenden Personen möglich macht. Diese innere Einheit, der Zusammenhang der Begebenheit in dem Romane muß sich entwickeln aus den dargestellten Persönlichkeiten und dem logischen Zwange der ihm zu Grunde liegenden Verhältnisse."[72]

Der Zusammenhang mit Blanckenburgs Romantheorie, ob dies ein bewußter Rückgriff ist oder nicht, ist nicht zu übersehen. Als transhistorisches Gesetz der Komposition ist die innere Einheit maßgebend, die im Fall des Romans aus den Charakteren abgeleitet wird. Freytag geht als Kritiker einen Schritt weiter; er konstatiert nicht nur das Bestehen solcher Normen, er legitimiert sie durch den Hinweis auf die Wirkung. Damit bei dem Leser der Eindruck einer strukturierten Realität entsteht, muß die empirische Wirklichkeit umgeformt werden. Die bloße Abbildung der Realität würde den Leser verwirren, da sie den Blick auf die extensive Totalität nicht freigeben kann. Vor dem Hintergrund dieser explizit angeführten und begründeten Normen wird dann Alexis' Roman beurteilt. Freytag bemerkt, daß der *Isegrimm* die epischen Gesetze verletzt, da die Entwicklung der Charaktere mehr und mehr zugunsten der politischen Ereignisse, die nur den Hintergrund bilden dürften, zurückgedrängt wird. Diese Kritik dehnt sich im folgenden auf die Charakterzeichnung aus. Den Figuren fehlt Freytag zufolge die innere Harmonie, die die epische Konstruktion vor allem auszeichnen muß. „Fast jede seiner Hauptfiguren zeigt Unklarheiten in ihrem Handeln und begeht Dinge, die nach den gegebenen Voraussetzungen ihrer Persönlichkeit nicht wahrscheinlich sind."[73] Die Logik der Besprechung folgt der Logik der normativen Poetik. Nach einer beschreibenden und historischen Einführung wird der Inhalt zusammengefaßt und dann im zentralen vierten Absatz der ästhetische und poetische Grundsatz der Beurteilung expliziert. Die Besprechung wendet im folgenden diese Normen auf das zur Diskussion stehende Werk an. Folgerichtig schließt die Rezension mit einer Konklusion, die in deutlicher Weise das Fazit zieht; „So können wir dem Dichter die Berechtigung nicht einräumen, welche er für ein Werk, das mit Hilfe freier Erfindung eine große Zeit charakterisiren soll, in Anspruch nimmt."[74] Dieses abschließende Urteil, in dem das ästhetische Defizit hervorgehoben wird, wird dann in den letzten Absätzen noch einmal erläutert, bis so vollständig wie möglich geklärt ist, welchen ästhetischen und künstlerischen Wert Alexis' Roman besitzt.

Freytags Rezension ist dem Ideal rationalistischer Kunstkritik weitgehend verpflichtet. Sowohl ihre Strategie als auch ihre Logik entfalten sich aus dem gleichen Ansatz: Der Kritiker versteht sich als der Räsonneur des Publikums. Das kritische Urteil bietet sich als das logisch notwendige Ergebnis eines Gedankenprozesses dar, bei dem bestimmte Größen, nämlich die ästhetischen Prinzipien, feststehen und auf den individuellen Gegenstand angewandt werden. Das Zwingende dieses Verfahrens besteht darin, daß das Urteil von dem Leser nachvollzogen werden kann. Wenn die ästhetischen Prämissen richtig sind und die Beschreibung des Werks angemessen ist, muß die Schlußfolgerung identisch sein, wer immer der Kritiker ist. Der Rezensent als impliziter Leser des Textes ist austauschbar. Er bleibt in seinem Text abstrakt. Zwar weiß der Leser, daß die Beschreibung des Romans auf das Individuum Freytag zurückgeht, aber der Text der Besprechung weist dies nicht aus. Es wird vielmehr unterstellt, daß die Beobachtungen den gleichen Charakter haben wie die theoretischen Teile. Die Sätze stellen die Eigenschaften des Romans (Handlung, Figuren) als gegeben dar, sie werden wie historische Ereignisse referiert. Freytags Rezension beruht auf der Gewißheit, daß das rationale Räsonnement den Kern des Kunstwerks angemessen beschreiben und beurteilen kann. Diese Aussage darf indes nicht mißverstanden werden. Es ist keineswegs so, daß Freytag Kunst und Wirklichkeit verwechselt. Gerade die mangelnde Differenzierung von ästhetischer und historischer Darstellung rügt er an dem Roman. Das Eigentümliche der räsonierenden Kritik ist vielmehr der Anspruch, den ästhetischen Text so umformulieren zu können, daß er sich der beurteilenden Logik unterwirft. Es kommt Freytag nicht in den Sinn, daß die Entwicklung eines solchen Urteils problematisch sein könnte, daß bereits die Objektivität der Beschreibung eine Fiktion sein könnte, in der der Kritiker seine Beobachtungen und Leseeindrücke als Tatsachen ausgibt. Diese Uneinsichtigkeit teilt Freytag mit dem Rationalismus und dem Klassizismus. Es ist bezeichnend, daß Freytag in der Besprechung des *Isegrimm* einem klassizistischen Muster folgt; die Rezension zielt mehr auf ein ästhetisches als ein moralisch-praktisches Urteil. Als Kunstrichter vertritt Freytag „den Standpunkt der Kunst gegen den Dichter selbst"[75] und denkt erst in zweiter Linie an das Publikum und seine Interessen. Der Grund ist offenbar: als ideale Leser müssen sie, sofern sie der Logik der Kritik folgen, zu dem gleichen Ergebnis kommen wie der Kritiker.

Die vier behandelten Rezensionen sind keine hinreichende Materialbasis, um den kritischen Diskurs des Nachmärz auszuschöpfen, aber sie geben ein Bild von den Möglichkeiten und Grenzen der nachrevolutionären Literaturkritik. Die Gefahren des normativ-rationalistischen Verfahrens bleiben den Zeitgenossen nicht verborgen. So nahm Gottschall seine Besprechung von Gutzkows *Die Zauberer von Rom* (1858–61) zum Anlaß, um sich mit Julian Schmidts Methode auseinanderzusetzen. Diese Polemik gestattet uns einen Einblick in das zeitgenössische Bewußtsein. Sie ist verursacht durch einen Verriß von Gutzkows Roman in den *Grenzboten.* Doch gehen Gottschalls Überlegungen über den besonderen Fall hinaus und sind daher für uns von Interesse. Gottschall wirft der Zeitschrift vor, Sinn und Zweck literarischer Kritik mißverstanden und mißbraucht zu haben.[76] „Der Schaden, den die ‚Grenzboten‘ unserer literarischen Entwickelung zugefügt, ist bedeutender als der Nutzen, den sie durch die Bekämpfung verderblicher Richtungen geschaffen."[77] Bemerkenswert ist an dieser Stellungnahme nicht nur der Abgrenzungsversuch gegen die dogmatische Realismustheorie der *Grenzboten,* sondern die Absicht – so unvollkommen sie ausgeführt wird –, die Kritik als eine öffentliche Institution zu definieren und gegen Schmidt zu verteidigen. Gottschall spricht in diesem Zusammehang von einer „Ökonomie der Literatur", in der dem Kritiker die Rolle des Korrektors zugewiesen wird, der das Schädliche ausrottet. Der Rezensent wird mit dem Sperling verglichen, der die schädlichen Raupen frißt, aber selber gefährlich werden kann, wenn er sich zu frei in den Kornfeldern und Weinbergen der Literatur bewegen darf. Offensichtlich befürwortet Gottschall ein System von ‚checks and balances‘, in dem die Gewalt sorgfältig geteilt ist. Den *Grenzboten*-Kritikern wird beispielsweise vorgeworfen, das richterliche Amt mißbraucht zu haben, indem man das Publikum überrannte. „Sie haben durch eine einseitige, oft sogar erbitterte und parteiische Kritik die Production der Gegenwart zu entmuthigen und im Publikum, welches sich stets durch Sicherheit der Behauptungen imponiren läßt, den Glauben an ihre Berechtigung, ihren Werth und ihre Triebkraft zu untergraben versucht."[78] Dieser Einwand richtet sich gegen die Überbewertung des realistischen Prinzips; gleichzeitig jedoch kommt unabsichtlich die formale Seite zur Sprache: die Einschüchterung des Publikums durch den rationalen Diskurs. Gottschalls Kritik läuft darauf hinaus, daß der rationale Diskurs des liberalen Modells, auf das Julian Schmidt und Freytag sich berufen, doktrinär geworden ist und seinen dialogischen Charakter verloren hat. Das Publikum hat die Rolle des Gesprächspartners in der Literaturkritik verloren. Gottschall sprach damit wahrscheinlich einen empfindlichen Punkt an. Veränderungen in der Struktur der Presse, namentlich das Aufkommen der Familienzeitschriften, die Einrichtung von billigen Romanserien und das Entstehen des Kolportageromans deuten darauf hin, daß sich das literarische Publikum veränderte, daß der gebildete Leser, den Zeitschriften wie die *Grenzboten* und das

Deutsche Museum ansprachen, nicht mehr die Norm war. Freilich ist ein Kritiker wie Rudolf Gottschall weit entfernt davon, das angedeutete Dilemma zu lösen. Der von ihm vorgeschlagene Rückgriff auf die klassische Ästhetik (Schiller und Goethe) bewegte sich ganz und gar im Rahmen der bürgerlichen Institution Literaturkritik. In seinem Selbstverständnis als Kritiker unterscheidet sich Gottschall nicht wesentlich von Marggraff oder Prutz, Schmidt oder Rosenkranz. Die beobachtete Veränderung der literarischen Öffentlichkeit führt ihn keineswegs zu einer grundsätzlichen Kritik der Institution, sondern zu einer typisch spätliberalen Anpassung des Modells. Aufschlußreich ist die Metapher, in der der Kritiker als Schädlingsbekämpfer auftritt, der seinerseits kontrolliert werden muß. Der Zweck dieser Literaturkritik ist die Literatur, nicht das Selbstverständnis des Publikums. Gottschalls ästhetischer Rigorismus ist so wenig eine Lösung wie Schmidts moralischer Rigorismus. Die Suche nach festen Normen, der Wunsch, den Subjektivismus des Vormärz durch objektive Standards zu ersetzen, muß als ein Versuch verstanden werden, das sich verändernde literarische Leben unter Kontrolle zu bringen. Die Scharfsichtigen unter den Kritikern des Nachmärz bemerkten, daß sich die Literaturverhältnisse veränderten, doch durchschauten sie den Charakter dieser Veränderungen nicht. So hielten sie im großen und ganzen bis zur Reichsgründung an ihrer überlieferten Rolle fest. Sie vertrauten auf die Wirksamkeit der Institution Literaturkritik, auch wenn sie sich von dem dialogischen Modell des Frühliberalismus (Räsonnement) entfernten. Die führenden Kritiker sahen sich als meinungsbildende Publizisten, nicht als angestellte Journalisten, die zu schreiben haben, was der Chefredakteur verlangt. Die Jahre zwischen der bürgerlichen Revolution und der Reichsgründung erweisen sich für die Literaturkritik als eine Übergangsphase. Das herrschende Modell des Liberalismus verliert seine Kraft, alternative Formen machen sich bemerkbar, ohne daß ein vollständiger Paradigmenwechsel bereits eintritt. Die „neue Kritik", nämlich die feuilletonistische Kritik, beginnt sich erst nach 1870 in der Presse durchzusetzen.[79]

V. Literarische Tradition und poetischer Kanon

Zum Begriff der Tradition

Nach herkömmlicher Auffassung besteht die Aufgabe der Literaturgeschichte darin, vergangene Literatur durch die Rekonstruktion ihrer Entwicklung für die Gegenwart zugänglich zu machen. Autoren, Werke und Gattungen früherer Epochen sollen so vorgestellt werden, daß der heutige Leser den Zusammenhang der gewesenen mit der gegenwärtigen Literatur versteht. Ein solcher Versuch hat nicht nur die positive Funktion, die literarische Überlieferung durch die Beschreibung ihres historischen Zusammenhangs darzustellen, sondern gleichzeitig den nicht minder wichtigen Auftrag, durch Akzentuierung und Selektion festzulegen, was als *die* Überlieferung zu gelten hat. Daß die historische Darstellung das „vorgefundene" Material nicht nur beschreibt und kategorisiert, sondern notwendig auch auswählt und damit bewertet, mag dem individuellen Historiker nicht notwendig bewußt sein, für die Historiographie ist dies ein wesentlicher Teil der Aufgabe. Wenn sie die Überlieferung „sucht" und dann „nachzeichnet", schafft sie durch Auswahl und Gewichtung das, was später als Tradition ausgegeben wird. Was in die Literaturgeschichten als die literarische Tradition – mit ihren Haupt- und Nebenlinien – eingegangen ist und nunmehr als *die* Literatur erscheint, ist immer schon das Ergebnis eines Reduktionsprozesses, in dem das zu sichtende Material eingeteilt wird in Bewahrens- und Vergessenswertes – mag auch dieser normative Aspekt dem Historiker nicht bewußt sein, weil die eigenen, aus dem Zusammenhang der Gegenwart gesteuerten Erkenntnisinteressen oft verdeckt bleiben. Literaturgeschichten erfüllen jenseits der thematisierten Aufgabe eine zweite Funktion: Die Rekonstruktion der Vergangenheit führt zur Definition dessen, was als das Korpus der überlieferten Literatur anerkannt wird. Mehr noch: sie bestimmen, wie man sich zu dieser Literatur zu verhalten hat. Die in die Literaturgeschichten hineingetragenen Kategorien der Entwicklung und der Filiation legen fest, welche Stellung ein Werk oder ein Autor in der Überlieferung einnimmt.

Freilich hat nicht nur die Literaturgeschichte diese Funktion. Zur Seite tritt ihr einmal die Poetik, die sich entweder durch Normen oder durch Beispiele lobend oder kritisierend auf die vergangene Literatur bezieht und dadurch Aussagen über den verbindlichen literarischen Kanon macht, und ferner die Tageskritik, die bei der Beurteilung neuer Werke vergangene offen oder verdeckt zum Vergleich heranzieht. Von den drei genannten Institutionen ist die Literaturgeschichte zweifellos die jüngste und ihr Beitrag zur Definition des verbindlichen literarischen Kanons ist sicher der komplizierteste. Denn die Ausbildung der historischen Methode, d. h. die Bewertung und Einordnung von Werken und Texten nach dem Gesichtspunkt der historischen Zusammengehörigkeit, stellt zunächst einmal einen Bruch mit jenem Verfahren dar, das sich direkt auf bestimmte Autoren und Werke bezieht und sie als wertvoll in Anspruch nimmt. Indem die historische Annäherung nicht mehr einen normativen Fixpunkt annimmt, sondern die Evolution zum Prinzip des Begreifens erhebt, scheint sie sich gerade gegen die normative Fixierung zur Wehr zu setzen. Doch das Ergebnis der Behandlung ist in komplexerer Weise ähnlich. Auch der Begriff einer Entwicklung enthält das Schema einer Ordnung, die zwischen dem unterscheidet, was dazugehört, und dem, was nicht mehr dazugehört, die bestimmt, was im Mittelpunkt steht und was an den Rand gerückt wird. Die Auflösung der dogmatischen Betrachtung, der die ältere Poetik und die ihr verpflichtete Literaturkritik anhingen, entläßt den Betrachter nicht aus der Problematik, sie verändert nur das Verfahren. Der Historismus des neunzehnten Jahrhunderts löst die Frage mit gewandelten Mitteln. Sein Interesse richtet sich in erster Linie auf den *Prozeß* der Überlieferung und stellt damit die Frage nach der literarischen Tradition im ganzen. Mit Recht hat Harry Levin angemerkt, daß der Begriff der Tradition in der kritischen Diskussion relativ jungen Datums ist; erst spät wurde diese Idee als ein positiver Wert anerkannt.[1] Die europäische Romantik entdeckt die Vergangenheit als Vergangenheit und vollzieht den Übergang von der rezipierten Überlieferung zur bewußten und reflektierten Auseinandersetzung mit der Überlieferung. In diesem Sinne ist die Konzeption einer literarischen Tradition, wie sie Herder oder A. W. Schlegel vornehmen, nicht mehr traditionalistisch, sondern entschieden modern.

Die Frage des Erbes vor 1848

Bis heute gilt die Epoche zwischen 1770 und 1830 als der Höhepunkt der deutschen Literatur, als die Zeit, in der ihre bedeutendsten Werke entstanden, jene Werke, die später als Muster angesehen wurden und kanonische Gültigkeit erlangten. Bekanntlich haben sich die Schriftsteller dieser Epoche nicht so gesehen. Weder die Weimarer Gruppe noch die Romantiker haben sich selbst als den Höhepunkt oder gar den Abschluß der deutschen Literatur betrachtet. Dieses in der Literaturgeschichte seit 1840 verbreitete Bild einer Blütezeit, auf die schnell Niedergang und Verfall folgten, gehört vielmehr zu der komplexen Überlieferungsgeschichte.[2] Goethe vermutete bekanntlich, daß die deutsche Literatur klassische Werke nicht hervorbringen könnte, solange es an einem kulturellen Zentrum fehle und die nationale Einheit nicht erreicht sei.[3] Und auch die Brüder Schlegel gingen davon aus, daß die deutsche Literatur sich eher am Anfang ihrer Entwicklung befände und ihre klassische Periode noch zu erreichen habe. Erst um 1835 setzte sich im Zusammenhang mit Goethes und Hegels Tod die Ansicht durch, daß eine wesentliche Phase der deutschen Dichtung abgeschlossen sei und ein neues Zeitalter beginne. Heinrich Heine und Georg Gottfried Gervinus sind wichtige Zeugen für diesen Umschwung. So sehr sie sich bei der Einschätzung der Vergangenheit auch unterschieden, so stimmten sie doch darin überein, daß das Zeitalter Goethes seinen Abschluß gefunden habe. Während Heine in der *Romantischen Schule* einer modernen, politisch engagierten Literatur das Wort redete, war für Gervinus auf der anderen Seite die deutsche Literatur im wesentlichen mit Goethe und Schiller beendet. Schon die Romantik hatte für ihn den Charakter einer Nachgeschichte. Gervinus schloß den fünften Band seiner Literaturgeschichte (1842) mit den vielzitierten Sätzen: „Der Wettkampf der Kunst ist vollendet; jetzt sollten wir uns das andere Ziel stecken, das noch kein Schütze bei uns getroffen hat, ob uns auch da Appollon den Ruhm gewährt, den er uns dort nicht versagte."[4] Er beruft sich auf Goethes Wort, daß dieser die Veränderungen nicht wünschte, die in Deutschland klassische Werke hervorbringen könnten, und fordert eben diese Veränderungen im politischen Bereich: „Wir aber wünschen diese Veränderungen und Richtungen."[5] Durch eben diese Forderung, daß die Nation in erster Linie an ihre politische Zukunft zu denken habe, schließt Gervinus die vorangegangene literarische Epoche ab und heroisiert sie trotz aller Kritik. Ähnliches geschieht in Heines *Romantischer Schule:* Die Differenzierung zwischen der Goethezeit, der ein wesentlich ästhetischer Charakter zugesprochen wird, und der eigenen Epoche führt indirekt – trotz der scharfen Kritik, die Heine an ihr üben kann – zur Konsolidierung der ästhetischen Epoche als eines Höhepunkts der deutschen Geistesgeschichte. Selbst dort, wo die Kritik später dem Schema eines um 1800 erreichten Höhepunkts widersprach, wie dies bei Rudolf Gottschall der Fall war, wirkte die Einschätzung von Gervinus nach. Gottschall hob den Wert des Neuen, Modernen in seiner Literaturgeschichte hervor, indem er es gegen das Alte, eben die Klassiker abgrenzte: „Was nun aber jene Behauptung betrifft, unsere deutsche Nationalliteratur sei im Verfall begriffen oder habe mit Schiller, Goethe und den Classikern den geistigen Boden so erschöpft, daß er, um sich zu erholen, einige Zeit brach liegen müsse, so befinden wir uns, ohne die neueren Entwickelungen zu überschätzen, doch mit ihr im vollkommensten Widerspruch. Seit Schiller und Goethe hat sich der Völkerverkehr und der Umsatz der Ideen in seltener Weise vermehrt."[6] Auch diese emphatische Verteidigung der Moderne bestätigte indirekt die kanonische Gültigkeit der Weimarer Klassik.

Diese Stellungnahme Gottschalls aus dem Jahr 1854, die die Kanonisierung der Weimarer Klassik schon voraussetzt, läßt erkennen, daß mehr zur Diskussion stand als eine Definition der Klassik. Zu lange hat man das Problem ausschließlich auf das Verhältnis zwischen Klassik und Romantik bezogen. In Wirklichkeit handelte es sich um die Herstellung einer nationalen literarischen Ordnung, um die Bestimmung einer eigenständigen nationalen Tradition, die sich von anderen nationalen Überlieferungen deutlich abhebt. Erst in diesem Zusammenhang erhält die Frage, ob Goethe und Schiller die klassischen Autoren gewesen seien, in denen die deutsche Literatur ihren Gipfelpunkt erreicht habe, ihre volle Bedeutung. Die „Klassiklegende" wird erst verständlich vor dem Hintergrund einer spezifischen historischen Konstellation: Der wachsende deutsche Nationalismus suchte nach einer kulturellen Identität. Der Frühliberalismus fand sie in der deutschen Dichtung und fixierte sie historisch durch die Kategorie eines klassischen Literaturzeitalters.

Der historische Ansatz

Daher können wir uns nicht auf die Frage beschränken, warum gerade die Weimarer Gruppe, besonders aber Goethe und Schiller, als der Höhepunkt der deutschen Literatur angesehen wurde, wir müssen das Problemfeld vielmehr ausweiten und untersuchen, in welcher Weise die literarische Tradition konzipiert wurde. Diese Aufgabe übernahm in erster Linie die Literaturgeschichtsschreibung. Gervinus war einer der ersten, der den Anspruch erhob, das Material nicht nur in seiner Gesamtheit zu registrieren, sondern so auszuwählen und darzustellen, daß der Prozeß der literarischen Veränderung sich als eine sinnvolle und zwingende Entwicklung darstellt. So stellte er auch als erster die Schemata auf, nach denen die unterstellte Evolution zu beschreiben und vor allem zu beurteilen war. In der Einleitung zu seiner *Geschichte der poetischen National-Literatur der Deutschen* (1835) legte Gervinus sich Rechenschaft ab über die Aufgabe der Literaturgeschichte und die Aussichten, diesem Auftrag gerecht zu werden. Während er die Möglichkeiten der erschöpfenden Behandlung des Materials skeptisch beurteilte, war er überzeugt, den angemessenen Zugang gefunden zu haben. Gervinus erwartete von der historischen Darstellung, daß sie einen abgeschlossenen und in sich gerundeten Gegenstand vorfindet, der sich von seinen Anfängen bis zu seinem Ziel entfalten läßt. Aus diesem Grunde ist, wie Gervinus einwendet, die politische Geschichte Deutschlands im Jahr 1835 nicht darstellbar: „Keine politische Geschichte, welche Deutschlands Schicksale bis auf den heutigen Tag erzählt, kann je eine rechte Wirkung haben, denn die Geschichte muß, wie die Kunst, zu Ruhe führen, und wir müssen nie von einem geschichtlichen Kunstwerke trostlos weggehen dürfen."[7] Die Geschichte der deutschen Literatur dagegen ist für Gervinus erzählbar, weil sie nach seiner Ansicht im wesentlichen abgeschlossen ist. „Sie ist, wenn anders aus der Geschichte Wahrheiten zu lernen sind, zu einem Ziele gekommen, von wo aus man mit Erfolg ein Ganzes überblicken, einen beruhigenden, ja einen erhebenden Eindruck empfangen und die größten Belehrungen ziehen kann."[8] Für Gervinus ist dieses Ziel in der Sache selbst gelegen. Ausdrücklich wehrt er sich gegen den Einwand, es selbst dem Gegenstand unterschoben zu haben. Der Gang der deutschen Literatur erreichte nach Gervinus um 1800 seinen Höhepunkt, und auf diesen Gipfel ist seine Darstellung folglich ausgerichtet. „Das Ziel in der Geschichte unserer deutschen Dichtkunst, auf das ich hindeutete, liegt bei der Scheide der letzten Jahrhunderte; bis dorthin mußte also meine Erzählung vordringen."[9] Gemeint ist das Bündnis zwischen Goethe und Schiller, nicht die Romantik, die vielmehr als Niedergang betrachtet wird. „Kaum war nach jener außerordentlichen Gärung unter unseren künstlerischen Genien durch den deutschen Homer Ruhe geschafft, und es folgte mit den klassischen Werken Goethes eine Art von Niedersetzung des Geschmacks und der Sprache, so brachte uns die Französische Revolution um sein frischestes Wirken, Schiller starb früh weg, und der grelle Absturz unserer schönen Literatur zur Entartung und Nichtigkeit war im ersten Augenblick wohl noch viel abschreckender als die neuesten politischen Begebenheiten, die uns von der behaglichen Betrachtung unserer inneren Bildungsgeschichte immer mehr abziehen werden."[10]

Die Konzeption einer Klassik bestimmte unverkennbar, wenn auch der Ausdruck noch nicht gebraucht wird, den Zugriff von Gervinus. Goethe und Schiller bilden den Gipfel der deutschen Literatur, weil sie Werke schufen, an denen der literarische Geschmack sich schulen kann. Während diese Einschätzung selbst nicht originell ist, sondern der frühen Wirkungsgeschichte Goethes und Schillers verpflichtet bleibt, zog Gervinus aus ihr Folgerungen, die weit über einen personengebundenen Kultus hinauswiesen. Indem die Literatur von Weimar zum Scheitelpunkt der deutschen Literatur stilisiert wird, fällt der früheren wie der späteren Dichtung die Rolle einer Vorgeschichte beziehungsweise einer Nachgeschichte zu. Das siebzehnte und das frühere achtzehnte Jahrhundert werden auf das Jahrzehnt zwischen 1790 und 1800 bezogen, ihre Literatur befragt und beurteilt im Hinblick auf ihren Beitrag zur Entwicklung der „klassischen" Literatur. Im gleichen Sinne wird die moderne, nachklassische Literatur gemessen an dem Programm, das Schiller in den *Horen* verkündet hatte.

Auch wenn Gervinus' Darstellung durchaus nicht unbefragt von spä-

teren Historikern übernommen, ja zum Teil nach 1848 scharf kritisiert
wurde, so bestimmte sie doch durch ihre Fragestellung weitgehend die
Erbediskussion des späteren neunzehnten Jahrhunderts. Auch Historiker, die die Romantik anders beurteilten als Gervinus oder die Möglichkeit erwogen, ob Wieland und Jean Paul nicht ebenfalls als Klassiker der
deutschen Literatur angesehen werden müßten, bewegen sich noch im
Rahmen des durch Gervinus festgelegten Grundschemas. Die Kategorie
der Evolution, die den Historismus im ganzen bestimmt, führt zu der Suche nach einem Zielpunkt, von dem aus ihr Ablauf verstanden werden
kann und folglich zu der Unterscheidung zwischen solchen Autoren, welche die Erfüllung der Entwicklung darstellen und solchen, die sie bloß
vorbereiten, und schließlich jenen, die eine geringe oder keine Bedeutung haben, weil sie der unterstellten Evolution nicht einzufügen sind.

Der literaturgeschichtliche Diskurs über die literarische Tradition benutzte die von Gervinus eingeführten Kategorien. Hermann Hettner
zum Beispiel versuchte 1849, den inneren Zusammenhang zwischen der
Weimarer Klassik und der Romantik als die logische Entfaltung des poetischen Idealismus zu begreifen.[11] Und Julian Schmidt stellte seiner *Geschichte der deutschen Literatur im neunzehnten Jahrhundert* nachträglich
einen Supplementband voran, in dem er die Zeit zwischen 1794 und 1806
behandelt, also die Klassik und die Frühromantik. So wenig er die Meinung von Gervinus teilte, die spätere Literatur sei überhaupt nur als eine
Nachgeschichte zu verstehen, so hielt er an der Vorstellung einer durch
Goethe und Schiller begründeten deutschen Klassik fest. „Folge und Zusammenhang tritt in die schöne deutsche Literatur erst ein, als Goethe
und Schiller sich verbinden; sie hört auf mit Schiller's Tod (. . .) und diesen Zeitraum müssen wir als unsern classischen bezeichnen, d. h. als denjenigen, in welchem die hervorragenden Geister der Nation in einer innern nothwendigen Beziehung zu einander stehen, in dem ihre Schriften
den höchsten Ausdruck der deutschen Bildung enthalten und in dem die
Form diejenige Vollendung erhält, die der deutschen Sprache überhaupt
möglich ist."[12] Die politischen Einwände, die Schmidt als engagierter Liberaler gegen die ästhetische Kultur von Weimar vorbrachte, schließen
keineswegs aus, daß auch für ihn die Klassik und in einem geringeren
Grade die Romantik die Grundlage der deutschen Literatur darstellen,
von der jede Literaturgeschichte des neunzehnten Jahrhunderts auszugehen hat. Auch Gottschalls fast gleichzeitig veröffentlichte Literaturgeschichte des frühen neunzehnten Jahrhunderts, die vor allem die Bedeutung der modernen Literatur betont und sich in dieser Hinsicht
polemisch gegen Julian Schmidt abgrenzt, beginnt mit den Klassikern,
denen sie als Wegbereiter Klopstock, Wieland, Herder und Lessing zuordnet. In späteren Kapiteln behandelt sie die „Auflösung" des klassischen Ideals durch die Epigonen des neunzehnten Jahrhunderts wie das

Aufweichen der Romantik bei Eichendorff, Platen und Karl Immermann.

In Hettners *Geschichte der deutschen Literatur im achtzehnten Jahrhundert,* die 1870 abgeschlossen wurde, ist wiederum der vierte Teil unter der Überschrift „Das klassische Zeitalter der deutschen Literatur" als das Ziel und der Höhepunkt der deutschen Dichtung konzipiert, auf das sich ihr Gang in logischer Konsequenz zubewegt. Dieses Schema ist weit genug, um den Spätbarock, die frühe Aufklärung und den Sturm und Drang einzuschließen. Für Hettner gehören nicht nur Lessing und Klopstock, sondern auch Hagedorn und Möser, Gottsched und Lenz zu der Tradition, aus der schließlich der Neuhumanismus um 1800 hervorgeht. Und auch die methodologische Wende zum Positivismus, die sich bei Wilhelm Scherer abzeichnete, änderte relativ wenig an der Gliederung der Literaturgeschichte. Auf den Tiefpunkt des dreißigjährigen Krieges läßt Scherer den langsamen Aufstieg des achtzehnten Jahrhunderts, die allmähliche Sicherung einer kulturellen Identität und schließlich das Werk der Weimarer Klassik als Frucht der Bemühungen folgen.[13] Und schließlich folgte auch Wilhelm Dilthey in seiner Baseler Antrittsvorlesung von 1867 diesem Schema, mit dem wichtigen Unterschied freilich, daß er die Romantik in die große Tradition einbezog, die von Lessings Anfängen bis zu Goethes Tod reichte.[14] Bei Dilthey ist freilich die Verklärung der Klassik schon einer Betrachtungsweise gewichen, die sich von der Goethezeit historisch distanziert weiß und daher den Gesichtspunkt des Erbes stärker in den Vordergrund stellt als frühere Darstellungen.

Während im späten achtzehnten Jahrhundert, ja selbst zur Zeit der Frühromantik noch Unsicherheit herrschte in bezug auf den Kanon der deutschen Literatur, so ist die Tradition um 1850 weitgehend festgelegt. Bernd Peschkens Vermutung, daß erst durch die Literaturhistoriker des Nachmärz, namentlich durch Wilhelm Dilthey, das Korpus der verbindlichen Autoren und Werke konstituiert wurde, ist sicher nicht zu halten.[15] Dilthey hat den deutschen Kanon zwar entscheidend mitbestimmt, aber weniger durch das Vorschlagen neuer Autoren als durch Umwertungen, nämlich im Verhältnis von Aufklärung und Klassik einerseits und in der Beziehung von Klassik und Romantik andererseits. Diltheys literaturgeschichtliche Arbeiten schlossen den Prozeß der Kanonbildung weitgehend ab, sie lieferten die gesamthistorische Synthese, an der sich die Germanistik der folgenden Generationen orientiert hat, ohne mit den Einzelheiten seines Bildes notwendig übereinzustimmen. Zum guten Teil deckte sich das Urteil des jungen Dilthey überdies mit der Literaturgeschichte Hettners, von der es in einer späteren Ausgabe hieß: „Der Grundgedanke Hettners behauptete sich siegreich; er kann gerade heute gegenüber jüngsten ‚Synthesen‘ seine überlegene einigende Kraft segensreich bewähren."[16]

Gleichwohl waren die Veränderungen, die sich im Nachmärz abzeichneten, alles andere als belanglos und unwichtig. Der Diskurs über die literarische Tradition spielte sich in einem kulturellen und politischen Milieu ab, das sich von der vorrevolutionären Diskussion signifikant unterschied. Während in der ersten Phase der Kanonisierung, also zwischen 1830 und 1848, die Geltung der Klassik, vor allem aber die der Romantik aus ästhetischen wie aus politischen Gründen umstritten blieb, zeichnete sich nach 1850 die Tendenz ab – die sich in den sechziger Jahren nur verstärkte –, den Wert der vergangenen Literatur als etwas Gegebenes anzunehmen und folglich das Augenmerk auf die historische Kontinuität zu legen. Bestand schon 1835 das Gefühl, eine bedeutende Epoche der deutschen Literatur sei abgeschlossen, so bildete sich bei der neuen Generation von Kritikern und Historikern die Meinung heraus, die Goethezeit sei unwiederbringlich Vergangenheit geworden und daher der Streit um ihre Geltung nicht mehr sinnvoll. In der Einleitung zur *Romantischen Schule* kommentierte Rudolf Haym 1870 diesen Wandel, wenn er anmerkte, daß der Kampf gegen die Romantik, der die vierziger Jahre beherrschte, seine Wichtigkeit verloren habe. „Diese Zeit (...) liegt hinter uns. Wie an einen Traum, den wir abgeschüttelt haben, denken wir an den Kampf der vierziger Jahre zurück. Ein viel ernsterer und praktischerer Kampf, die zuversichtlich frohe Arbeit des Fortschritts auf dem wie durch ein Wunder errungenen Boden machtstolzer nationaler Selbständigkeit hat begonnen. Noch immer reden wir wohl in üblicher Weise von jener Romantik, die doch nur das Gespenst einer einst wohlberechtigten Bewegung war."[17] Die polemisch-kritische Auseinandersetzung mit der Romantik, die von Heine bis zum frühen Hettner reichte, sollte nach Hayms Urteil ersetzt werden durch die historische Würdigung, in der die Vergangenheit objektiv behandelt wird. Ähnliches ist bei der Behandlung der Klassik zu beobachten. Während Julian Schmidt zunächst noch die traditionellen Einwände des Liberalismus gegen Goethe und Schiller vorbrachte und erst nach 1866 in seinen Arbeiten zu einer affirmativen Betrachtung überging,[18] nahm Gottschalls *Deutsche Nationalliteratur* (1854) die Klassiker bereits als etwas Selbstverständliches hin. „Die *Classiker*", so hieß es in der Einleitung zur ersten Auflage, „schufen uns die künstlerische Form nach antikem Vorbild und mit humanem Geiste; die *Romantiker* zerstörten diese Form wieder, um die Phantasie von gegebenen Traditionen zu emancipiren und die Dichtung *volksthümlich* zu machen (...)."[19]

Heinrich Heine

Die geistesgeschichtliche Synthese des Nachmärz, so sehr sie sich gegenüber den vierziger Jahren abgrenzen will, beruht auf den Vorarbeiten der vorrevolutionären Literaturgeschichte. Wie selbstverständlich bezogen sich Autoren wie Julian Schmidt, Haym und Gottschall auf das monumentale Werk von Gervinus, dessen Grundriß die entscheidende Orientierungshilfe blieb, auch wenn man mit der Ausfüllung oft nicht einverstanden war. Neben Gervinus jedoch finden wir die zunächst nicht minder wichtige Darstellung von Heinrich Heine in seiner *Romantischen Schule,* die ja weit mehr enthält als eine Auseinandersetzung mit der deutschen Romantik. Heines erklärte Absicht war, als Erwiderung auf Madame de Staëls Deutschlandbuch, seinen französischen Lesern den Zusammenhang der deutschen Literatur zu erklären. Nicht nur Heines politische Kritik an der Romantik als einer rückwärtsgewandten, katholisierenden Bewegung blieb im Lager der Liberalen und Radikalen einflußreich, sondern gleichermaßen seine durchaus ambivalente Einschätzung der Weimarer Klassik. Schärfer als Menzel und auch Börne erkannte Heine den geschichtlichen Stellenwert von Goethes und Schillers Leistung für die deutsche Literatur. Vor allem unterstrich er die Veränderung der ästhetischen Prinzipien, durch die sich die Weimarianer von der Aufklärung abgesetzt hatten. Die Trennung von Kunstreich und Wirklichkeit, die Kunstautonomie mit anderen Worten, ist für Heine bereits in ein Stadium getreten, in dem sie ihre ursprüngliche Bedeutung und Funktion verloren hat. Das Diktum vom Ende der Kunstperiode wirft seinen Schatten auf die Beurteilung Goethes. Es ist nicht nur die Einsicht in die „Unfruchtbarkeit" der Goetheschen Kunst, d. h. das konservative Element der klassischen Ästhetik, sondern weit radikaler noch die Einsicht in einen historischen Prozeß, in dem das Prinzip der ästhetischen Autonomie, dem die Klassik ihre Größe verdankte, seine Legitimität schon verloren hat und zur konservativen Ideologie geworden ist. Heine leitete daraus die Forderung nach einer neuen Kunst ab, in der das Verhältnis von Ästhetik und Wirklichkeit anders geordnet ist als bei Goethe. Im dritten Buch der *Romantischen Schule* berief sich Heine auf einen Autor, der weder der Romantik noch der Goetheschen Kunstschule angehörte, vielmehr „ganz isoliert in seiner Zeit" steht, weil er „sich ganz seiner Zeit hingegeben und sein Herz ganz davon erfüllt war".[20] Gemeint war Jean Paul, der als das Vorbild der jungen Generation gefeiert wurde. In diesem Zusammenhang fallen die Worte von den jungen Schriftstellern, die „zu gleicher Zeit Künstler, Tribune und Apostel sind".[21] Der Hinweis auf Jean Paul ist in diesem Kontext bedeutungsvoll, da er eine alternative Tradition hervorhebt, die sich von der rückwärtsgewandten Romantik wie auch von der apolitischen, ästhetisch distanzierten Klassik abhebt. In diesem Zusammenhang fallen zwei Namen, durch die sich Heine unzweifelhaft vom Klassizismus distanziert: Sterne und Shakespeare – beide Vertreter der Moderne im Sinne des jungen Friedrich Schlegel. Heine ist weit entfernt davon – und das unterscheidet ihn von Gervinus –, auf Grund seiner Kritik an der Romantik die Weimarianer als die Norm anzuerkennen. Seine Würdigung Goethes kritisiert unter anderem, was er an anderen Stellen an Goethes Werken am meisten preist: ihren reinen Kunstcharakter. Für Heine gibt es vielmehr eine dritte Linie, die aus dem achtzehnten Jahrhundert in die Gegenwart führt: den progressiven Pantheismus (der sich von Goethes Indifferenz unterscheidet). In Lessing findet er seine erste entscheidende Verkörperung, denn dieser vermittelt als der wichtigste Kritiker zwischen der älteren protestantischen Tradition und der neueren kritischen Philosophie auf der einen Seite und der literarischen Revolution des achtzehnten Jahrhunderts auf der anderen. In *Zur Geschichte der Religion und Philosophie in Deutschland* beruft sich Heine auf Lessing als den zweiten Kulturheros der Deutschen, der die von Luther begonnene Befreiungsarbeit fortzusetzen hat und damit den Weg bereitet für den dritten Befreier (als der weder Goethe noch Schiller jemals angesprochen werden): „In der Trübnis der Gegenwart schauen wir hinauf nach ihren tröstenden Standbildern und sie nicken eine glänzende Verheißung. Ja, kommen wird auch der dritte Mann, der da vollbringt was Luther begonnen, was Lessing fortgesetzt, und dessen das deutsche Vaterland so sehr bedarf, – der dritte Befreier! –"[22] Es ist nicht nur die formale kritische Fähigkeit, die Heine an Lessing anzieht, dem Aufklärer wird auch inhaltlich eine wichtige Vermittlerrolle zugewiesen: Durch die Entdeckung Spinozas half Lessing die geistige Revolution fortzusetzen, die Luthers Angriff auf die kirchliche Tradition begann. Während Lessing selbst nach dem Urteil Heines noch im wesentlichen einen deistischen Standpunkt vertrat, entwickelte sich die deutsche Philosophie danach in Richtung auf den transzendentalen Idealismus und die Naturphilosophie, die beide den Begriff eines persönlichen Gottes eliminierten. Schellings Philosophie begreift Heine als die Fortsetzung der spinozistischen Tradition; und im Pantheismus, den Schelling nicht durchzuhalten vermochte, erblickt Heine den Gipfel der progressiven, emanzipatorischen Tradition. So schreibt Heine am Schluß des dritten Buches der Wiederbelebung des Pantheismus außerordentliche revolutionäre Kräfte zu – mehr als dem transzendentalen Idealismus eines Kant oder Fichte. „Doch noch schrecklicher als Alles wären Naturphilosophen, die handelnd eingriffen in eine deutsche Revolution und sich mit dem Zerstörungswerk selbst identifizieren würden."[23]

Da Heine sowohl in der *Romantischen Schule* als auch in *Zur Geschichte der Religion und Philosophie in Deutschland* zu einem ausländischen Publikum spricht, das mit der deutschen Literatur- und Philosophiegeschichte kaum vertraut ist, malt er mit einem breiten Pinsel, um die Grundlinien stärker hervortreten zu lassen. Doch gerade auf diese Weise werden die Hauptstränge deutlicher als in der ausgearbeiteten, material-

reichen Literaturgeschichte von Gervinus. Heines Darstellung verhält
sich offenkundig selektiv, sie will nur die wichtigsten Autoren nennen
und vor allem die historischen Zusammenhänge kenntlich machen. Vor
allem möchte Heine die literarische und philosophische Tradition erläutern. Dabei bezieht er nicht weniger deutlich als Gervinus Position. Für
ihn ist das Ziel der deutschen Geistesgeschichte eine Revolution, die
nachvollzieht, was in Frankreich durch die Revolutionen von 1789 und
1830 erreicht wurde. Dieses antizipierte Ereignis bestimmt die Auswahl
und die Akzentsetzung der Darstellung. Heine unterscheidet mehrere
Traditionsstränge, die teils miteinander konkurrieren, teils einander ergänzen. Vor allem aber sieht er die Geschichte des deutschen Geistes
nicht als eine lineare Entwicklung, die schließlich in einer Figur oder einer Figurengruppe kulminiert. So sehr er zum Beispiel die Konstellation
von Weimar als einen Höhepunkt der deutschen Literatur anerkennt, so
nennt er gleichzeitig Alternativen, etwa Jean Paul, den er mit der Tradition des englischen Humors in Verbindung bringt. Obgleich Heine die
romantische Schule scharf angriff, ist seine Konzeption der deutschen
Tradition bemerkenswert offen und weit. Weder verschweigt er die
Grenzen der deutschen Aufklärung noch die Gefahren des Weimarianer
Ästhetizismus. Er macht auf Schellings reaktionäre politische Affiliatio-
nen aufmerksam und unterstreicht gleichzeitig, in welchem Maße seine
Naturphilosophie zu einer revolutionären Tradition gehört. Die Anerkennung Schillers macht ihn nicht blind für die Problematik des moralischen Engagements in der Kunst. Darin unterschied er sich von patriotischen Liberalen und Nationalisten wie Börne und Menzel oder auch
Gervinus, deren Absicht es war, die deutsche Tradition festzuschreiben.
Am offensichtlichsten war dies der Fall bei Menzel und Börne, die sich
emphatisch gegen die Ausrichtung der deutschen Literatur an Goethe
zur Wehr setzten, in subtilerer Form aber auch bei Gervinus und seinen
Nachfolgern, die versuchten, die deutsche Literaturgeschichte auf eine
lineare Kontinuität festzulegen.

Die nationalistische Deutung der Tradition bei Menzel und die demokratische Interpretation bei Börne schlossen Goethe als einen Autor aus,
dessen politischer Quietismus für die bevorstehenden politischen Aufgaben Deutschlands unangemessen war. Diese Entscheidung stellte beide
Kritiker vor ein schwer zu lösendes Problem. Man konnte Goethe nicht
ignorieren, denn sein Ruhm war allzusehr gefestigt. Seine dogmatische
Eliminierung hinterläßt ein Vakuum, das ausgefüllt werden muß. Während Börne sich auf Jean Paul festlegte und ihn in seiner „Denkrede"
(1825) als den wahren Dichter der Freiheit gegen den Höfling Goethe
ausspielte, feierte Menzel Schiller als den eigentlichen nationalen Autor:
„Wir besitzen keinen Dichter, der Recht und Freiheit mit so feuriger Begeisterung, mit so schönem Schmuck der Poesie, aber auch keinen, der

sie mit so reiner unbestochener Gesinnung, mit so triumphirender Wahrheit, jedes Extrem vermeidend, dargestellt hat."[24] Die emphatische Heroisierung Schillers, der als der Engel der Zukunft angesprochen wird, richtet sich gegen die zeitgenössische Literatur, der die „sittliche Zartheit" gerade abgesprochen wird.[25]

Gervinus

Von dieser aktualisierenden Kritik unterscheidet sich der Ansatz von Gervinus einmal dadurch, daß er zwischen den Aufgaben der Gegenwart und den literarischen Leistungen der Vergangenheit genauer trennt als Menzel, ferner aber dadurch, daß er das Werk Goethes und Schillers in den Jahren zwischen 1794 und 1805 als eine Einheit betrachtet. Durch diese Strategie gelang es ihm, die Zweipoligkeit der Nachgeschichte Goethes und Schillers, die selbst in den fünfziger Jahren des neunzehnten Jahrhunderts noch spürbar ist, zu überwinden. Sobald sich die Reifephase Goethes und Schillers unter dem Vorzeichen des Freundschaftsbundes als eine Einheit begreifen ließ, konnte die Konzeption einer aufsteigenden Entwicklung linear durchgeführt werden. Indem Gervinus die nicht zu übersehenden Unterschiede zwischen Goethes und Schillers literarischen Werken abschwächte und die gemeinsamen Momente für die Grundlegung einer nationalen Klassik hervorhob, schuf er die Basis für die spätere Rezeption der Weimarer Klassik. Dabei kam vor 1848 der größere Ruhm Schillers der kanonischen Stellung Goethes wahrscheinlich zugute, während sich dieses Verhältnis seit den fünfziger Jahren zu wandeln begann. Jedenfalls setzte sich die Vorstellung der unbedingten Zusammengehörigkeit dieser beiden Schriftsteller so weit durch, daß Jakob Grimm wie selbstverständlich Goethe in seine Betrachtung auf den hundertsten Geburtstag Schillers einbezog: „Goethe und Schiller stehen sich so nahe auf der erhabnen Stelle, die sie einnehmen, wie im Leben selbst, das sie eng und unauflöslich zusammen verband, daß unmöglich fiele in der Betrachtung sie voneinander zu trennen."[26] Die Reihe der Zeugnisse ließe sich unschwer verlängern. In den sechziger Jahren ist die Zahl der Kritiker, die den einen der Weimarianer gegen den anderen ausspielte, klein geworden. Im Mittelpunkt steht vielmehr der Gedanke eines gemeinsamen Erbes, das es zu bewahren gilt.

Gervinus' Bedeutung beschränkt sich freilich nicht darauf, die Konzeption der deutschen Klassik (wenn auch nicht den Namen) durchgesetzt zu haben. Er beantwortete gleichzeitig durch seine monumentale Literaturgeschichte die Frage, wie die früheren Autoren auf die Dioskuren von Weimar zugeordnet werden sollten: Sie werden zu mehr oder weniger wichtigen Vorläufern, deren Aufgabe darin bestand, den Boden für Schiller und Goethe zu bereiten. Späteren Generationen ist diese

Sichtweise so selbstverständlich geworden, daß wir noch heute Mühe haben, sie als eine Konstruktion zu erkennen, neben der auch andere möglich waren.

Lessings Ideen über die Zukunft der deutschen Literatur – worauf Hans Mayer mit Recht hingewiesen hat[27] – haben nicht ihre Erfüllung in der Geschichte gefunden. Schon im Sturm und Drang bog die deutsche Literatur von dem Wege ab, den ihr Lessing vorgezeichnet hatte. Auch der Weimarianer Klassizismus, der die Bindung an die griechische Kunst im Namen von Winckelmann ausdrücklich erneuerte, ist mit Lessings aufgeklärtem Humanismus nicht ohne weiteres in Einklang zu bringen. Gervinus reinigte die Geschichte der deutschen Literatur von diesen Brüchen und Widersprüchen, er bereitete auf breiter Materialbasis die Sicht vor, die in der zweiten Hälfte des neunzehnten Jahrhunderts das Verständnis der deutschen Tradition bestimmen sollte. In welcher Weise gelang es Gervinus, die divergierenden Tendenzen und rivalisierenden Kräfte so in seine Erzählung zu integrieren, daß die Darstellung auf den Bund zwischen Goethe und Schiller zulaufen kann? In seiner Einleitung zum vierten Band, der das achtzehnte Jahrhundert behandelt, macht er auf einige Bedingungen aufmerksam, die die deutsche Literatur von ihren westeuropäischen Schwestern trennt. Während diese, namentlich die spanische, englische und französische, sich im Zusammenhang mit dem politischen Erstarken ihrer Nationen entfalteten, war die deutsche ganz auf sich selbst angewiesen; sie hatte weder die Unterstützung der Höfe noch konnte sie sich auf eine nationale Bewegung stützen. „Daher kommt es", argumentierte Gervinus, „daß sie eben so merkwürdig von anderen Literaturen durch jenen Charakter der Schrankenlosigkeit und Ungebundenheit unterschieden ist, den ihr das junge Naturleben, zu dem sie ungehindert aufschoß, mittheilte."[28] Die literarische Entwicklung des achtzehnten Jahrhunderts stellt sich Gervinus nicht nur als eine rapide Veränderung der Stile und Konventionen, sondern als eine intellektuelle Revolution dar, die sich auf die ganze Nation bezieht und diese in ihrem Charakter neu bestimmt. Als ihre Führer gelten Klopstock, der als Vertreter der Empfindsamkeit ein volkstümliches, bürgerliches Element in die Literatur brachte, und Lessing, „der eigentliche Beschwörer des jungen Geistes",[29] der im bürgerlichen Hamburg versuchte, ein Nationaltheater zu gründen. Als die nächste Welle der Revolution, die das Frühere unter sich begräbt, erscheint der Sturm und Drang, der sich gewaltsam vom französischen Klassizismus trennt. Während Wieland diesen Angriffen halbwegs zum Opfer fällt, begreift Gervinus das Werk Jean Pauls als die Fortsetzung der genialischen siebziger Jahre. Der Sturm und Drang mündet dann bei Goethe und Schiller in die klassische Mäßigung. Das anschließende Bündnis zwischen Goethe und Schiller beherrschte das literarische Leben bis zu Schillers Tod, während danach

die Romantiker die Führung übernahmen, da Goethe, „des poetischen
Treibens müde", sich mehr und mehr isolierte.[30]

Gervinus benutzte bereits die uns vertraute Einteilung in vier Epochen, die gleichsam als Stufen dieser geistigen Revolution aufzufassen
sind; die jeweils folgende überwindet die vorhergehende. Um an ihr Ziel
zu gelangen, muß die deutsche Literatur die genannten Stufen durch-
schreiten. Dabei werden die wichtigsten Autoren einander in folgender
Weise zugeordnet: „Lessing stellt in allen Theilen die Reformationszeit
dar, die, wie Er wieder that, zuerst auf das Drama führte, die den antiken
Sinn weckte, die Wissenschaft neu belebte und die Religion läuterte, wie
Lessing Luthern hart auf dem Fuß folgend gethan haben würde, wenn
nicht der Mangel an religiösem Interesse und die politischen Ereignisse
gehindert hätten. Herder führt dies Werk weiter und leitet uns in den
Geist des 17. Jahrhs. zu Polyhistorie und Philosophie über. Ganz so uner-
wartet, wie man aus dem freien Geist der Volkspoesie im 16. Jahrh. plötzlich in die gelehrte Poesie des 17. Jahrhs. trat, ist man überrascht, Her-
dern nach und neben seiner Fürsprache für das Volkslied das Lehrgedicht anbauen und anempfehlen zu sehen. Eben in diesen Zeiten steht
auch Jean Paul in jenem ganz gleichen Gegensatze zu Wieland, in welchem die komischen Romane zu den Ritterepen stehen. Erst wenn man
bei Göthe und Schiller angelangt ist, sehen wir uns auf eigenen Füßen."[31]
Der Prozeß, den Gervinus hier in Analogie zur älteren Literatur darstellt, ist eine Emanzipationsbewegung, deren offensichtliches Ziel die
kulturelle Identität der deutschen Nation ist. Dieses Entwicklungsmodell
erlaubt nun die Auswahl und Einordnung der wichtigsten Autoren. Ihre
Position richtet sich nämlich danach, welche Stellung sie innerhalb des
zu beschreibenden Emanzipationsprozesses haben. So heißt es: „Der
Gang unserer Poesie läßt sich an Klopstock und Wieland, Lessing und
Herder, Voß und Jean Paul, Schiller und Göthe vollkommen darstellen."[32] Nicht nur bekennt sich Gervinus hier zu einer Darstellung, die
sich an Hauptfiguren orientiert, ausdrücklich versteht er die anderen,
ungenannten Schriftsteller als kleine und mittlere Talente, die das Bild
der Entwicklung eher verdunkeln, während es die Aufgabe des Historikers ist, „die Wirren der literarischen Unordnung" durch das Herausprä-
parieren von Grundlinien zu überwinden.[33]

An Beispielen soll im folgenden gezeigt werden, wie Gervinus im einzelnen seine Hauptfiguren so darstellt, daß sich das harmonische Gesamtbild ergibt, welches er in der Einleitung entwickelt. Von besonderem
Interesse sind dabei drei Autoren, nämlich Lessing, Jean Paul und Wieland: Lessing insofern, als er neben Goethe und Schiller zu *der* kanonischen Figur der deutschen Literatur schlechthin geworden ist, Jean Paul
als eine umstrittene mögliche Alternative, die sich jedoch niemals ganz
durchgesetzt hat, und Wieland schließlich als ein Autor, dem die Zuge-

hörigkeit zum deutschen Kanon immer wieder abgesprochen worden ist. Seit den Angriffen der Romantiker litt sein Ansehen darunter, daß er als Nachahmer der Franzosen galt.

Gervinus widmet Wieland im vierten Band ein Kapitel von etwa fünfzig Seiten, bevor er sich ausführlich mit Lessings Entwicklung beschäftigt. Wielands literarische Entfaltung wird relativ neutral vorgetragen, die Darstellung ist jedenfalls frei von den moralischen Vorurteilen der nationalistischen Partei. Man merkt, daß Gervinus die Wielandsche Philosophie der Grazien nicht gerade schätzt, sie jedoch als einen nicht zu umgehenden Schritt der Emanzipation der Literatur von der Theologie gelten läßt. Freilich wird Wieland nicht zugestanden, daß er den Geist der Antike so wie Winckelmann wirklich begriffen habe; und unverkennbar kann sich Gervinus mit der Wielandschen Moralphilosophie, wie sie in dessen Dichtungen zum Ausdruck gelangt, nicht befreunden. Die eigentliche Kritik richtet sich jedoch gegen Wielands Ästhetik. „Immer ist auch Wieland von moralischen Absichten, selbst in jenen zügellosen Erzählungen voll, und gleich nachher setzte er seine Poesie in noch viel engeren Verband mit Geschichte und Philosophie, als er ganz frühe mit der Religion gethan hatte. Und was die Hauptsache ist, seine Grazie war nicht ächt, seine Kunst nicht schön; sie verletzt gleich das Wesen des neuen Grundsatzes."[34] Gervinus' Urteil schwankt zwischen ästhetischer Ablehnung und historischer Anerkennung. Sobald er Wieland im Kontext des achtzehnten Jahrhunderts betrachtet, räumt er ein, daß dieser eine wichtige Stufe darstellte: „Wieland führte die Zeit in diesen Dichtungen einen wesentlichen Schritt weiter; er ward der Dichter und Philosoph der Liebe, wie Gleim der Freundschaft."[35] Sobald Gervinus jedoch die ästhetischen Maßstäbe der Klassik an Wielands Poesie heranträgt, kann er sie nur als mißlungen betrachten.

Wieland und Klopstock werden von Gervinus als Gegensätze behandelt: „Wieland ist daher der vollkommenste Gegensatz gegen Klopstock in allen erdenkbaren Beziehungen. Er ist sinnlich, wie Klopstock übersinnlich, verständig wo jener empfindsam; seine ganze Dichtung ist so von Geschichte und Philosophie beherrscht, wie jener von Religion und Musik; er ist didaktisch, Klopstock lyrisch: seine Sprache ist daher der prosaischen Rede so nahe wie Klopstocks der musikalischen. (. . .) Klopstock ist es mit der Poesie selbst im Leben Ernst, Wielanden ist sie ein heiteres Spiel."[36] Der kontrastierende Vergleich läßt zugleich ihre Einseitigkeit und Beschränktheit erkennen. Erst dort, wo sie zusammenkommen, erreicht die deutsche Literatur ihre Vollendung: „beide hatte Göthe erst zu versöhnen."[37] Sind so die führenden Figuren in ihrem Verhältnis zu den Klassikern bestimmt worden, liegt es nahe, die kleineren Talente als Mitglieder einer Schule vorzustellen. Daher behandelt Gervinus Heinse, Mauvillon, Unzer, Nicolai, Alringer und Meißner als Wielands

Schüler, während Boie, Bürger, Claudius, von Schönborn, Cramer, Hensler, Hölty und Brückner Klopstock zugerechnet werden.

Lessings Sonderstellung erklärt sich daraus, daß er von Gervinus als die erste Synthese behandelt wird. Die gleiche Versöhnung von Nordischem und Südlichem, Moral und Sinnlichkeit, die er Goethe zuschreibt, nimmt er im Lessing-Kapitel für diesen in Anspruch: „Wir hörten bei Klopstock den Tonfall der lateinischen Ode, den Rhythmus des griechischen Hexameters, die Wucht der nordischen Bardensprache; wir wandelten in den Schauern der Hölle, in den Wonnen des Himmels, in dem Grausen der Schlacht unserer Väter. Bei Wieland kam zu dem Gewaltigen das Angenehme und Weiche; er bannte diese Wildheit der Natur und Menschen, die Götter sanfter Geselligkeit ließen sich nieder, und führten uns in eine Welt sinnlicher Gebilde und phantastischer Abenteuer, in der ebenen Sprache französischer Geschmeidigkeit und Eleganz."[38] Lessing überragte beide, da er aus einer eigenständigen Tradition schöpfte. „Er nahm seine Rede aus dem Stock unserer eigenen Literatur und ging auf die Natursprache des Volks zurück."[39] Und dort, wo er sich auf die Antike stützte (Aristoteles, Homer, Sophokles), ist es die reine Antike, d. h. die von Winckelmann angebotene Traditionslinie. Daher erscheint die offensichtliche Abhängigkeit Lessings von der antiken Literatur, nicht anders übrigens als diejenige Goethes und Schillers, als die besondere Nähe der deutschen zur antiken Dichtung, eine Nachbarschaft, die keiner anderen Nationalliteratur vergönnt war.

Lessings Sonderstellung in der deutschen Literatur des achtzehnten Jahrhunderts ist für Gervinus nicht nur die eines wahrhaft deutschen Autors, sondern gleichzeitig die des wirklich revolutionären Schriftstellers, „dem es nicht genügte, das Steuer und Segelwerk unsrer bisherigen Bildung zu handhaben und damit etwa um eine Strecke weiter zu rücken, sondern der sich ernstlich prüfte, ob auch mit Beibehaltung des alten Ballastes überhaupt eine rasche gedeihliche Fahrt nur möglich sei, und der, nachdem er sich diese Frage verneint hatte, über Bord warf, was nur irgend zu entbehren war."[40] Indem Gervinus Lessing die Rolle des radikalen Erneuerers zuweist, verpflichtet er die spätere Literatur umso mehr auf seine Leistung. Lessing bildete keine Schule, weil er auf alle gewirkt hat. Wir müssen uns den strategischen Wert dieses Urteils verdeutlichen: Indem Gervinus Lessing als einen literarischen Revolutionär darstellt, kann er sein Leben und sein Werk auf die Weimarer Klassik beziehen, ihn als ein notwendiges Glied der Kette begreifen, die zu Goethe und Schiller führt, ohne zu behaupten, daß Lessing im engeren Sinne ein Vorläufer gewesen sei oder die Weimarianer von Lessing abhängig gewesen seien. Vielmehr erscheint die Lessingsche Kunstkritik als die allgemeine Voraussetzung der von Schiller und Goethe entwickelten Ästhetik. „Wir sehen hier den Grund, auf dem Göthe, Schiller und Humboldt nachher ihre ästhetischen Theorien ausbilden; zugleich sehen wir den ästhetischen Gegensatz Lessing's gegen Klopstock und Wieland aufs schärfste ausgedrückt."[41] Das Verdikt ist deutlich genug: die Hauptlinie der Kunsttheorie läuft über Lessing, während Klopstock und Wieland als Vertreter einseitiger Prinzipien an den Rand gedrängt werden.

Wie verhält sich Gervinus zu Jean Paul, den Heine in der *Romantischen Schule* als den Antipoden der Klassik erwähnt hatte? Auch der Autor des *Titan* entgeht nicht dem Schicksal, an Goethe gemessen zu werden. Gervinus vergleicht Jean Pauls Biographie mit derjenigen Goethes und schließt, daß Jean Pauls Bildung kaum eine Entwicklung aufweist. Er gehört nach Gervinus zu den Autoren, die sich früh finden und dann in ihren Werken wiederholen. Daß dieses Fehlen einer inneren Entwicklung nicht als Stärke betrachtet wird, ist an Gervinus' Urteil leicht abzulesen: „Wer ein gewisses Alter überschritten hat, wer von einer Lektüre seinem Verstande Rechenschaft geben will, den wird Jean Paul's Schreibart in kürzester Zeit anwidern, und er wird, ohne weiter gelesen zu haben, sein Urtheil bald feststellen dürfen."[42] Dieser strengen Ablehnung stellt Gervinus die schwärmerisch-unkritische Jean-Paul-Gemeinde gegenüber und folgert, daß der Historiker einen mittleren Weg einzuschlagen habe. „Denn der beste Beurtheiler von Jean Paul wird der sein, der einmal mit ihm geschwärmt und dann sich gefaßt hat, der die möglichst vielen Saiten, die seine Schriften berühren, in sich anklingen hörte, und sich Rechenschaft von seinen guten Eigenschaften geben kann, ohne für seine übeln blind zu bleiben."[43] Doch selbst diese mittlere Einstellung, zu der sich Gervinus bekennt, erlaubt der Nation nicht, „ihn (Jean Paul, P. U. H.) zu ihren gefeierten Dichtern in Eine Linie (zu) stellen".[44] Jean Paul gehört mit anderen Worten nur bedingt und unter Vorbehalten zu dem Kanon der großen deutschen Autoren. Man braucht dieses Urteil nur mit Börnes „Denkrede" von 1825 zu vergleichen, um zu ermessen, welch wichtige Entscheidung hier getroffen wurde. Börne feierte den Sänger der Freiheit, den Humoristen des Herzens, Gervinus begreift Jean Paul als eine problematische Stufe des deutschen Geistes auf seinem Wege zur Reife und Selbstbestimmung. Mit Recht hat Peter Sprengel darauf hingewiesen, daß Gervinus' ambivalente Charakteristik, die Anschauung eines ernüchterten Jean-Paul-Verehrers, die spätere wissenschaftliche Kritik bis zu Wilhelm Dilthey nachhaltig beeinflußt hat.[45]

Gervinus' Konzeption der deutschen Literaturgeschichte ist, wie wir gesehen haben, darauf angelegt, daß sie ihren unüberschreitbaren Höhepunkt um 1800 erreichte. Man darf dieses Urteil freilich nicht isolieren. Der Liberale Gervinus war im Unterschied zu späteren Historikern, die sein Modell benutzten, nicht unkritisch gegenüber den historischen Bedingungen dieser Blütezeit. Vergleicht man sie, so lautet das Argument, mit den Gipfelpunkten der französischen und englischen Dichtung, so erscheint sie als eine Literatur, der die gesellschaftliche und politische Basis fehlte. Das politische Bewußtsein der deutschen Schriftsteller stand nicht auf der gleichen Höhe wie das ästhetische. So begreift Gervinus die in Weimar propagierte Idee des Weltbürgertums auch als Zeichen einer Schwäche, nämlich als die historisch bedingte Unfähigkeit, sich im Begriff einer nationalen Identität zu verankern.

Diese Kritik der idealistischen Innerlichkeit, die die nationale Aufgabe nicht sehen will, verschärft sich bei Gervinus, wenn er die Romantik behandelt. In der Literaturgeschichte urteilt Gervinus noch nicht so streng wie in der späteren *Geschichte des 19. Jahrhunderts* (1855), in der die Romantik als reaktionäre Bewegung denunziert wird. 1842 ist der Historiker noch bereit, die positiven Seiten der romantischen Bewegung anzuerkennen; namentlich die Begriffe der klassischen Kunsttheorie verdankten ihre Verbreitung und Entwicklung der romantischen Kritik. „Die Romantiker haben unstreitig ein Wesentliches beigetragen, das Bestreben der göthischen Zeit weiter zu führen, in unser schleppendes deutsches Privatleben einigen Fluß zu bringen, die Philistereien daraus zu tilgen, durch die enge Stubenluft einigen frischen Zug zu treiben, die Gelehrten unter den freien Himmel zu rufen, die Eintönigkeit der Gesellschaft zu brechen, eine heitere Eleganz an die Stelle der Ehrensteifigkeit und des Pedantismus zu setzen."[46] Auch die Verdienste der Romantiker um die Literaturgeschichte werden gewürdigt. Im ganzen jedoch steht Gervinus der Romantik, ihrer Dichtungsauffassung wie ihrer literarischen Produktion, ablehnend gegenüber. Die Rede ist von dem „nebelhaften Charakter" der romantischen Poesie,[47] die sich von der Wirklichkeit entfernt hat: „Ihr Zweck, das Reale zu idealisiren, verflüchtigte sich in nichtige Luftgespinnste, man wollte der Zeit, deren prosaische Außenseite mit ihrem poetischen Aufschwung noch im Widerspruch war, die Muster einer andern Zeit vorhalten, wo das Leben selbst einen poetischen Strich hatte; man führte die romantischen Dichtungen des Mittelalters und der Fremden ein, aber man vergaß, daß das, womit man neues Leben schaffen wollte, größtentheils für uns todt war; da der Wiederklang nicht laut genug werden wollte, so steifte man sich desto nachdrücklicher auf diese Gattung, und das Mittel ward geradezu zum Zweck."[48]

Historisch verknüpft Gervinus die romantische Bewegung mit dem Sturm und Drang, namentlich mit Herder, und löst sie damit von der Aufklärung ab. Die Nähe zur Religiosität der katholischen Kirche wird kritisch angemerkt, die negative Deutung der Reformation durch die Romantiker offen getadelt. Ähnlich wie bei Heine entsteht bei Gervinus der Verdacht, daß die katholisierenden Tendenzen der Romantiker schließlich in die politische Reaktion einmünden müssen. So wird Friedrich Schlegel „ein blindes Werkzeug (...) für die politische Reaktion"[49] genannt, weil seine Geschichtsphilosophie ihn in die Nähe von Joseph de Maistre und in einen ausgesprochenen Gegensatz zu Schillers Philosophie der Freiheit bringt, deren Vorbildlichkeit für Gervinus ausgemacht ist.

Zu der politisch motivierten Kritik gesellt sich die literarische. Für Gervinus ist die romantische Bewegung eine Späterscheinung mit dekadenten Zügen. Verglichen mit der älteren Generation erscheinen die romantischen Autoren als eher schwach und weiblich, mehr empfangend als zeugend, in ihrer literarischen Produktion unselbständig. „Wenn wir aber von hier aus", schreibt Gervinus, nachdem er die Übersetzungstätigkeit der Romantiker behandelt hat, „nach der *eigenen Produktion* und Selbstthätigkeit dieser Männer fragen, so finden wir auch, daß eben dieselbe Receptionsgabe, die sie dort so vorzüglich machte, sie hier unbedeutend ließ. In der ganzen Periode unserer Dichtung, in der die romantischen Richtungen ausdauerten, haben wir neben diesen Uebersetzungen nichts so vorherrschend, als die Nachahmungen und Bearbeitungen älterer oder fremder Werke, eine Liebhaberei an der Parodie, eine gewandte Gabe, die Töne aller unserer jüngsten deutschen Dichter nachzubilden (. . .)."[50] So können von der Romantik keine neuen Impulse erwartet werden; und die folgende Generation mußte mit der Romantik brechen, um die deutsche Literatur zu erneuern. „Unsere Jugend hat dies Bedürfniß auch wohl empfunden. Unsere Dichter liegen seit den letzten Bewegungen der politischen Welt in Masse dem Quietismus der Romantik entgegen. Gesinnung und That hat bei ihnen einen Klang erhalten, den sie vorher bei unsern romantischen Nihilisten nicht gehabt hat."[51] Da Gervinus jedoch für eine neue Gipfelepoche zwei notwendige Bedingungen nennt, nämlich neben der immanenten Entfaltung der Literatur die großen äußeren Verhältnisse, wendet sich schließlich sein Interesse vordringlich den politischen Verhältnissen zu, aus denen später eine neue Blüte der Dichtung hervorgehen könnte.

Gervinus' Konzeption der deutschen Literaturgeschichte enthielt eine Reihe von Spannungen und Widersprüchen, die erst im Verlauf ihrer Rezeption hervortraten. Durchgesetzt hat sich seine Auffassung der Epoche von Weimar als des Höhepunktes der deutschen Literatur, durchsetzen sollte sich ferner, wie wir sehen werden, die Methode der Integration verschiedener Tendenzen im Hinblick auf eine zielgerichtete Evolution. Die Kanonisierung der Weimarer Klassik wird abgesichert durch die Vorstellung der revolutionären Selbstentfaltung der deutschen Literatur im achtzehnten Jahrhundert. Doch auch Goethe und Schiller, so vorbildlich ihre Werke sind, verdienen in den Augen von Gervinus ein gewisses Maß an Kritik, denn ihr Verhältnis zur gesellschaftlichen und politischen Wirklichkeit bleibt problematisch. Folglich entsteht bei Gervinus ein Widerspruch zwischen der unbedingten literarischen Kanonisierung der

Klassik auf der einen Seite und der politisch motivierten Kritik auf der anderen. Die politische Argumentation führt zur Forderung, die nationale Identität auch im politischen Bereich zu gewinnen, die literarisch-ästhetische Argumentation zur Abwertung der postklassischen Literatur des neunzehnten Jahrhunderts. Beide Stränge führen schließlich zum gleichen Punkt: zur Annahme, daß die deutsche Literatur im wesentlichen abgeschlossen sei und daher den Status eines Erbes erreicht habe, von dem die Nachwelt zu zehren habe. Die Idee des Fortschritts, die für Gervinus verbindlich bleibt, beschränkt sich auf den politischen Bereich und schließt die Dichtung nicht mehr ein. Diese Trennung jedoch macht Gervinus' Modell für konservative Zwecke anfällig. Sobald die politische Kritik des Idealismus eliminiert wird, sobald, allgemeiner gesprochen, die politische und die literarische Betrachtung auseinandergerissen werden, kann sich eine affirmative Haltung entwickeln, in der die Weimarer Klassik jenseits aller historischen Bedingungen gefeiert wird. Wenn die Frage der Tradition nur noch eine literarische ist, liegt es nahe, die Kritik an der Romantik zu mildern oder aufzuheben. Eben diese Situation wurde in den sechziger Jahren bei Rudolf Haym und Wilhelm Dilthey erreicht, nachdem nach 1850 die liberale und linkshegelianische Romantikkritik schrittweise abgebaut worden war.

Das Problem des Erbes im Nachmärz

Vergleicht man die Literaturgeschichten des Nachmärz mit den Ansätzen der Restaurationsepoche, so zeichnen sich die Unterschiede gar nicht so sehr in der Beurteilung des achtzehnten Jahrhunderts und der Klassik ab als in der Deutung der Romantik und der jüngsten Literatur. Auch wenn die liberale Klassikkritik zunächst bei Autoren wie Hermann Hettner und Julian Schmidt durchaus lebendig blieb und die Polemik gegen die Romantik in der Nachfolge der *Hallischen Jahrbücher* fortgesetzt wurde, so stand doch die Geltung Schillers und Goethes außer Frage. Die Auseinandersetzung befindet sich in einer Phase, wo selbst die Gegnerschaft die Grundlinien des historischen Prozesses nicht mehr verrükken kann. In den vierziger Jahren wurde der Begriff der Romantik in der Nachfolge von Heines und Hegels Kritik als ein Schlagwort gebraucht, das gleichbedeutend war mit politischer Reaktion und falschem Mystizismus. Die Romantik erschien den radikalen Literaten als die entscheidende Verirrung der deutschen Literatur. Diesen ausschließlich polemischen Gebrauch wollte schon Hettner 1850 in seiner Schrift *Die romantische Schule in ihrem inneren Zusammenhange mit Goethe und Schiller* auflösen. In einer noch wesentlich Hegel verpflichteten Darstellung versucht der junge Hettner zu zeigen, daß die der Romantik zugeschriebenen Eigenschaften nicht einfach eine unglückliche Wiederbelebung des Sturm und Drang darstellten, wie Gervinus vermutet hatte, sondern in einer dialektischen Bewegung aus der Klassik hervorgingen. Indem Hettner so zwischen der Klassik und der Romantik einen geistesgeschichtlichen Zusammenhang stiftet, bereitet er einmal die Umdeutung der Romantik vor, so wenig dies auch seine Absicht ist, und schlägt zum anderen erneut eine Brücke von der vergangenen Literatur zur Gegenwart; denn seine Kritik des Idealismus mündet schließlich ein in die Forderung nach einer neuen Poesie, die „mit innerster Notwendigkeit in ihren Formen und Stoffen aus dem Herzen der Zeit wächst".[52] Dieses Postulat verfolgt eine Tendenz, die Gervinus' Modell unterdrückt hatte. Ist nämlich die nationale Identität die Voraussetzung einer literarischen Blütezeit, so muß nach der nationalen Einigung Deutschlands eine neue Klassik entstehen. Hettner zieht nur die logischen Folgerungen, wenn er angesichts der eingetretenen Revolution schreibt: „Die kommenden Jahre werden die Entscheidung bringen. Entweder wir erringen, was wir in unseren jetzigen politischen Kämpfen erstreben, wir werden, wie es Deutschland zukommt, eine große und freie Nation. Dann wird eine neue Glanzzeit unserer Kunst und Poesie nicht ausbleiben, die an Gehalt und Schönheit die Goethe-Schillersche Dichtung ebensosehr überstrahlt wie diese politische Zukunft die schmachvolle Vergangenheit."[53] Wird dagegen, so argumentiert Hettner, die politische Freiheit nicht gewonnen, dann ist auch die Hoffnung auf eine neue Klassik der Literatur vergebens. In diesem Fall bleibt, so können wir den Gedanken fortsetzen, der Humanismus von Weimar unverrückbar das Vorbild der Deutschen.

Hettners Kritik der klassisch-romantischen Literatur in Deutschland ist getragen von dem Bewußtsein, daß durch die Revolution eine höhere Stufe der kulturellen Entwicklung erreichbar ist, für die die Epoche von Weimar und Jena nur eine Vorstufe war. Die fragwürdigen Seiten der Romantik, die Hettner übrigens kaum anders beurteilt als Gervinus, sind in der klassischen Ästhetik und im Humanismus von Weimar bereits angelegt. Daher ist die folgende Formulierung ausgesprochen gegen Gervinus gerichtet: „Aber die romantische Schule ist nicht bloß ein solches zufälliges Anhängsel oder wohl gar eine taube Nachblüte der kurz vorangegangenen Blütezeit. Mag sie in Erfolg und Bedeutung auch noch so weit hinter der gewaltigen Höhe Goethes und Schillers zurückstehen, sie ist und bleibt doch die notwendige und ergänzende Kehrseite zu diesen."[54] Der Punkt, von dem aus Hettner die Gemeinsamkeit der beiden Gruppen nachzuweisen sucht, ist ihr Verhältnis zur Wirklichkeit. Sowohl die klassische als auch die romantische Kunsttheorie ist idealistisch, d. h. sie macht die Trennung von Wirklichkeit und Ideal zur Voraussetzung der poetischen Produktion: „Sie dekretieren förmlich die völlige Unabhängigkeit der Kunst von der Natur. Nur durch Verdrängung der gemei-

nen Naturwahrheit, meinen sie, sei der Kunst Licht und Luft zu verschaffen."[55] Die Abstraktion von der Wirklichkeit ist nach Hettner den
Weimarianern und den Romantikern durchaus gemeinsam, denn sie teilen das Mißverhältnis zur zeitgenössischen sozialen Realität: „Der gemeinsame Grundfehler dieser gesamten Poesie, der späteren Goethe-
Schillerschen sowohl wie der romantischen, ist, daß sie nicht durch die
Zeit, sondern trotz der Zeit entsteht."[56] Hettner kritisiert diese Einstellung, die bei Goethe und Schiller als objektiver, bei den Romantikern als
subjektiver Idealismus auftritt. Besonders die Romantiker „verlassen aus
Verzweiflung über die empirische Natur, die sie umgibt, Natur und
Wirklichkeit ganz und gar; sie suchen nicht aus dieser zu schöpfen, sondern kämpfen mit der Imagination gegen sie. Sie verschmähen Plastik
und Gegenständlichkeit der Gestaltung aus Prinzip; dithyrambisch wie-
gen sie sich in dem elementaren Gefühlsleben lyrisch-musikalischer Innerlichkeit."[57] Aus diesem Denk- und Gestaltungsprinzip möchte Hettner den Ablauf der romantischen Bewegung rekonstruieren: Das erste
Stadium ist die Sehnsucht nach der wahren Kunst, das zweite die Aneignung des Mittelalters als eines idealen poetischen Reichs und die dritte
das Übergehen zu einer konservativen Politik.

Hettners Kritik der klassisch-romantischen Literatur ist gebunden an
eine Geschichtskonzeption, in der die Revolution von 1848 eine zentrale
Stellung einnimmt. Mit dem Einsetzen der politischen Reaktion verlor
sie ihren Sinn. Die Utopie einer neuen klassischen Literatur, die über
Weimar hinausweist, fiel in sich zusammen, und damit stellte sich die
Frage nach der Tradition und dem literarischen Erbe neu. An Rudolf
Gottschalls Literaturgeschichte ist dies beispielhaft abzulesen.

Gottschalls *Die deutsche Nationalliteratur in der ersten Hälfte des neunzehnten Jahrhunderts* erschien zuerst 1854, unverkennbar in Konkurrenz
mit Julian Schmidts *Geschichte der deutschen Nationalliteratur im neunzehnten Jahrhundert.* Beide Werke setzen Gervinus' Darstellung fort und
stehen damit vor dem gleichen Problem: Wie läßt sich die Literatur des
neunzehnten Jahrhunderts beschreiben, wenn man mit Gervinus annimmt, daß die deutsche Dichtung mit Goethe und Schiller ihren Höhepunkt bereits erreicht habe? Gottschall nimmt diese Frage in der Einleitung auf: „Am mißlichsten aber stellt sich solchem Unternehmen die
vielverbreitete, von großen Autoritäten gestützte Ansicht entgegen, daß
unsere Nationalliteratur seit Schiller und Goethe nichts Bedeutendes
hervorgebracht habe, sondern sich nur in absteigender Linie fortbewege,
eine Ansicht, die, wenn sie begründet wäre, freilich einem Werke, wie
das vorliegende, alle Bedeutung rauben müßte; denn es wäre dann nur
die Sisyphusarbeit, einen Stein den Berg hinaufzuwälzen, der nach dem
Willen des Zeus doch wieder herunterrollen muß."[58] In der Sache selbst
liegt für Gottschall die Gewähr, daß Gervinus' These nicht die ganze

Wahrheit enthält, daß vielmehr die romantische und nachromantische Literatur ihren eigentümlichen Wert habe. „Das neunzehnte Jahrhundert hat auf allen Gebieten der Kunst und des Wissens die Erbschaft des achtzehnten angetreten; aber weit entfernt, dieselbe zu verschleudern, hat es Capital und Zinsen verdoppelt."⁵⁹ Gottschall legitimiert die nachklassische Literatur dadurch, daß sie die Tradition fortsetzt, indem sie die klassische abwandelt und verwandelt. Doch von einer neuen Klassik ist nicht mehr die Rede, wenn die moderne Literatur ein Ziel hat, so besteht es darin, volkstümlich zu werden und neue Leser zu erreichen. Im Unterschied zu Hettner liegt Gottschall nicht mehr daran, die klassisch-romantische Epoche zu kritisieren, diese Periode erscheint vielmehr als abgeschlossen. „Die *Classiker* schufen uns die künstlerische Form nach antikem Vorbild und mit humanem Geiste; die *Romantiker* zerstörten diese Form wieder, um die Phantasie von gegebenen Traditionen zu emancipiren und die Dichtung *volksthümlich* zu machen, verfielen aber dabei in eine chaotische Urpoesie und in die Abhängigkeit von nur scheinbar volksthümlichen, mittelalterlichen Überlieferungen. Ihr Streben, die Poesie mit dem Leben der Gegenwart zu vermitteln, wurde von der *modernen* Richtung wieder aufgenommen, welche gleichzeitig im Ringen nach künstlerischer Vollendung an unsere Classiker anknüpfte."⁶⁰ Unübersehbar ist hier die Weimarer Klassik zur unverrückbaren Basis der neueren Literatur geworden, auf die man sich nach der romantischen Formlosigkeit besinnen konnte, ohne das romantische Bewußtsein ganz aufgeben zu müssen. So bestimmt Gottschall die moderne Literatur als die Synthese aus klassischen und romantischen Elementen; diese dialektische Formel erlaubt ihm, den Gedanken des Fortschritts zu bewahren. Freilich ist diese Evolution auf die Literatur beschränkt, während die Hettner bewegende Frage, ob und wie durch die politische Revolution auch die Literatur zu erneuern sei, von Gottschall nicht mehr gestellt wird.

Die nachrevolutionäre Diskussion über die Tradition der deutschen Literatur geht von der kanonischen Gültigkeit der Weimarer Klassik aus. In dieser Hinsicht unterscheidet sich Julian Schmidt nicht von Rudolf Gottschall. Um die Verbindung der neueren Literatur mit der Epoche von Weimar und Jena zu unterstreichen, stellte Schmidt der zweiten Auflage seiner Literaturgeschichte eine zusammenfassende Darstellung der Jahre von 1794 bis 1806 voran. Sie beginnt mit dem lapidaren Satz: „Daß wir in Deutschland ein classisches Zeitalter der Literatur gehabt, mit einem bestimmten Anfange und einem bestimmten Ende, darüber ist alle Welt einig."⁶¹ Schmidt folgt 1853 (und auch noch in der zweiten Auflage von 1855) dem Schema von Gervinus: Bis zu Goethe und Schiller befindet sich die deutsche Literatur im Werden, nach dem Tode Schillers endete die klassische Epoche und es folgte ein Abstieg. „Seit Schiller's

Tod haben unsere poetischen Leistungen nur einen zweifelhaften Werth; in dem literarischen Leben, als Großes und Ganzes betrachtet, sind wir aber viel weiter gekommen."[62]

Gervinus' Konzeption, der Schmidt offensichtlich noch nähersteht als Gottschall, erweist sich als eine problematische Hinterlassenschaft. Folgt man ihm, läßt sich die Literaturgeschichte des neunzehnten Jahrhunderts nur als die Nachgeschichte der klassischen Epoche schreiben. Aber eben dieser Gesichtspunkt, dem sich Schmidt verpflichtet fühlt, verstellt den Zugang zu den Veränderungen. Da Schmidt im Unterschied zu Gottschall nicht bereit ist, diese Veränderungen ästhetisch zu rechtfertigen, wählt er einen anderen Weg: Er weitet den Begriff der Literatur so sehr aus, daß er nicht mehr auf die „eigentliche Poesie" beschränkt bleibt. Im philosophischen und wissenschaftlichen Schrifttum zeigen sich die Fortschritte, die der Poesie nicht zugestanden werden. In der Einleitung zur zweiten Auflage setzt sich Schmidt 1855 erneut mit dem problematischen Verhältnis von Vergangenheit und Gegenwart auseinander. Das Ergebnis ist widerspruchsvoll, weil Schmidt das Modell von Gervinus nicht aufgeben will, aber gleichzeitig für die Gegenwart eigene Maßstäbe und Ziele definieren möchte. Auf der einen Seite schreibt Schmidt die Geschichte der neueren Literatur als Nachgeschichte des klassischen Zeitalters und spricht herablassend von der Literatur seiner Zeit,[63] auf der anderen Seite sieht er in der Gegenwart Tendenzen, die über das späte achtzehnte Jahrhundert positiv hinausweisen. Schmidt spricht seiner Gegenwart ein Maß an gesundem Menschenverstand zu, das der Epoche um 1800 gefehlt habe. Insofern ruhte die klassische Kultur nach dem Urteil Schmidts auf einer schmaleren und problematischeren Basis. Der Widerspruch dieser Konzeption läßt sich folgendermaßen formulieren: Schmidt hält an der politisch motivierten Klassik-Kritik des Vormärz fest und kann wenigstens die Möglichkeit einer neuen Literatur, die die Schwächen von Weimar überwindet, ins Auge fassen; gleichzeitig jedoch schreibt er nicht weniger als Gottschall die Klassik als den absoluten Fixpunkt der deutschen Literatur fest – als das Erbe, das nicht mehr verloren gehen kann, einen Besitz, durch den Deutschland sich mit den westeuropäischen Nationen vergleichen kann. Es ist jedoch bezeichnend für den Übergangscharakter von Schmidts Literaturgeschichte, daß die romantische Literatur noch nicht in die Tradition einbezogen wird. Sie erscheint als ein bloß historisches Moment der deutschen Geschichte, das rekonstruiert werden muß, um die Kontinuität zu demonstrieren und das Spätere verständlich zu machen. Gottschall geht in dieser Hinsicht schon einen Schritt weiter und bezieht die Romantik trotz ihrer Defekte in den anerkannten Kanon ein.

Worauf beruhen die Differenzen zwischen Schmidt und Gottschall? Sie hängen vor allem mit der unterschiedlichen Einschätzung der gegen-

wärtigen Literatur zusammen. Während Schmidt als Vertreter des programmatischen Realismus Autoren wie Gustav Freytag und Otto Ludwig fördert, sieht Gottschall, der sich für Gutzkow einsetzt, die zeitgenössische Literatur im Zusammenhang der nachromantischen Dichtung
des Vormärz. Er unterstreicht daher die Kontinuität, während Schmidt
unter dem Einfluß von Gervinus nach 1805 und erneut nach 1848 in erster Linie Brüche sieht. Wenn Gottschall im Vorwort zur zweiten Auflage seiner Literaturgeschichte Schmidt den Vorwurf macht, zu schema-
tisch zu verfahren und die Entwicklung der individuellen Autoren zu
wenig zu verfolgen, wird dieser Gegensatz wenigstens indirekt angesprochen. Gottschall optiert für die ästhetische Literaturbetrachtung und
gegen die moralische, weil das Studium der Formen die Möglichkeit eröffnet, die moderne Literatur an die Tradition anzuschließen, während
Schmidt durch seinen Moralismus die notwendigen formalen Veränderungen verkennen muß. Gottschall bekennt sich zum Idealismus der
Klassik, um auf diese Weise – polemisch gegen den Realismus von Julian
Schmidt gewandt – die modernen Schriftsteller in die Tradition einfügen
zu können. „Wir können die echten Nachfolger unserer Classiker nur in
unseren besten Lyrikern, in Dramatikern wie Hebbel und Gutzkow und
in Romanschriftstellern finden, welche noch so anachronistisch sind,
‚Ideen' zu haben."[64]

Die Integration der Romantik

Die nachrevolutionäre Diskussion konzentriert sich also, nachdem die
Kanonisierung von Weimar im großen und ganzen abgeschlossen ist, auf
das Problem der Nachgeschichte: die Beurteilung der romantischen Literatur und die Einschätzung des Jungen Deutschland. Die Integration
der Romantik in das Korpus der deutschen Literatur vollzog sich in den
fünfziger und vor allem in den sechziger Jahren. Mit dem Erscheinen
von Rudolf Hayms *Romantischer Schule* (1870) ist dieser Prozeß im wesentlichen abgeschlossen. Die Basis ist so erweitert worden, daß nunmehr auch die romantischen Autoren als verpflichtend und erbwürdig
angesehen werden. Wenigstens in der wissenschaftlichen Kritik setzte
sich diese Ansicht durch; der Kanon der Lesebücher der höheren Schulen hielt dagegen zum Teil noch an der älteren Auffassung fest und berücksichtigte neben Lessing, Schiller und Goethe die Romantiker nur als
marginale Figuren. Bemerkenswert ist die Begründung, die Haym seinem grundlegenden Werk voranschickt, denn sie beleuchtet schlagartig
die Veränderungen, die sich innerhalb einer Generation vollzogen haben. Ausdrücklich setzt er sich von der Romantik-Diskussion der vierziger Jahre ab, die im Zeichen der grundsätzlichen Kritik stand. Für Haym
hat dieser Kampf gegen die Romantik seinen Sinn verloren, da die Pro-

bleme des Vormärz „überwunden" sind. „Diese Stimmung, scheint es, ist wohl dazu angethan, dem romantischen Wesen in rein historischer Haltung nachzugehn, das Entstehen der romantischen Schule zu erklären, den Gehalt und Werth, das Bleibende und das Vergängliche derselben unbefangen zu würdigen."[65] Man muß sich freilich fragen, was hier mit historischer Haltung gemeint ist. Haym nimmt für seine Darstellung nicht nur eine größere Distanz in Anspruch, als sie Gervinus, Hettner und Julian Schmidt möglich war, sondern setzt sich gleichzeitig für eine Aufwertung der Romantik ein. Wo Haym auf seine Vorgänger zu sprechen kommt, schwächt er sogleich die kritische Einstellung dieser Männer ab und hebt statt dessen den Zusammenhang zwischen dem achtzehnten Jahrhundert und der Romantik als den entscheidenden Gesichtspunkt für die Darstellung der Romantik hervor. So heißt es über Gervinus: „Er zeigt (...) wie sich hier überall nur schon vorhandene Keime voller entwickeln; zeigt, wie Winckelmann und Lessing, Klopstock und Wieland da vorangingen, wo die Romantiker folgten, wie diese von der neuen Philologie getragen waren, wie über ihrem ganzen Getriebe der Geist von Schiller's Kritik, von Goethe's Dichtung, von Herder's Receptionsgabe, von Vossen's Uebersetzungskunst schwebte."[66] Daß Gervinus und nach ihm Schmidt in der Romantik einen Niedergang erblickten, geht in dieser Beschreibung verloren. So fällt das Urteil über Schmidts Beitrag zur Romantikforschung auch zurückhaltend aus. Während ihm die kritische Einstellung zugestanden wird, entgeht seine Darstellung nicht dem Tadel, den historischen Zusammenhang der romantischen Literatur nicht richtig erfaßt zu haben. Haym sieht daher das Schwergewicht seiner Aufgabe darin, die Frühromantik in der literarischen Tradition des achtzehnten Jahrhunderts zu verankern. Er möchte die Kontinuität unter Beweis stellen: „Nur einen kleinsten Theil dieser wunderbaren Geschichte bildet das Auftreten jener jüngeren Idealisten, welche an der Scheide des achtzehnten und neunzehnten Jahrhunderts die Phantasie- und Gedankenbewegung der Goethe-Schiller'schen Poesie und der Kant-Fichte'schen Philosophie ergriffen, um sie in radicaler Entwicklung zu vollenden und fortzuleiten."[67] Obwohl es nicht ausdrücklich gesagt wird, verraten diese Sätze eine wesentlich andere Auffassung des Zusammenhangs zwischen Klassik und Romantik, als wir sie bei Gervinus und Schmidt finden. Haym hat die Fixierung auf die Klassik aufgegeben und damit die daraus resultierende Abwertung der Romantik. Er versteht die Romantik – und damit geht er einen entscheidenden Schritt über den frühen Hettner hinaus – als die logische Vollendung der Klassik. Wenn Haym von der großen deutschen Literaturepoche spricht, ist die Romantik schon darin eingeschlossen.[68] Folglich unterliegt das von Gervinus eingeführte Entwicklungsschema einer neuen Interpretation. Nach wie vor erscheinen Klopstock, Lessing und Wieland als die entscheidenden Wegbereiter, aber neben sie treten als die eigentlichen Vorboten der Romantik Hamann und Herder. Nicht mehr Lessing, sondern Herder ist bei Haym der Ausgangspunkt für die literarische Evolution in Deutschland – für den Sturm und Drang, die Klassik und die Vollendung in der Romantik. Die romantische Schule ruht nach dem Urteil Hayms auf dem Historismus Herders, dem Neuhumanismus Schillers und Goethes sowie der Transzendentalphilosophie Kants und Fichtes. Doch diese Einordnung wird nicht mehr mit pejorativer Absicht vorgenommen. Die Sendung der Romantik war, so argumentiert Haym, die Synthese der verschiedenen Tendenzen, die ihr vorausgingen: „Aber die vorhandenen idealen Motive alle zusammenzugreifen und sie mannigfaltig zu mischen; die edle Bildung, wie sie von schöpferischen Geistern nur eben errungen worden, sich ganz zu eigen zu machen und sie gegen die Zurückgebliebenen, gegen die noch in den Niederungen des deutschen Lebens Befangenen zu vertheidigen und durchzusetzen; die Grundanschauungen dieser Bildung in vielseitigerer Anwendung zu erproben, sie durch möglichst viele Kanäle weiterzuleiten, den Geist der Dichtung in den Körper der Wissenschaften, in Leben und Sitte überzuführen, den entdeckten Ideen mit einem Worte zur Herrschaft zu verhelfen – das war eine Arbeit, die noch zu thun übrig blieb, groß und lohnend genug, um die Menschen mit Begeisterung zu entzünden und ihr Leben zu füllen."[69] Erneut dient eine Integrations- und Syntheseformel zur Rechtfertigung einer Epoche: Die Romantik erweist sich für Haym als die Synthese aus Sturm und Drang, Klassik und kritischer Philosophie, und in der Verbindung dieser Elemente liegt ihre Legitimität für die deutsche Tradition.

Da Rudolf Haym die Vorgeschichte der Romantik nur kursorisch behandelt, wird die Frage, wie die frühere Aufklärung in den Entwicklungsgang einzuordnen sei, nicht akut. Bei einer eingehenden Darstellung des achtzehnten Jahrhunderts, wie sie Hermann Hettner zwischen 1864 und 1870 vorlegte,[70] wird dies der Testfall. Die Aufwertung der Romantik, mochte sie auch unter dem Vorzeichen wissenschaftlicher „Objektivität" geschehen, problematisiert gleichzeitig das durch Gervinus eingeführte Entwicklungsschema – und nicht zuletzt die Funktion, die der Aufklärung in ihm zukommt. Obgleich Hettner in seiner Würdigung der Romantik der älteren Auffassung von Gervinus und Julian Schmidt näher steht als Haym und die „einseitige Ueberhebung des Phantasielebens (als) Sophistik der Phantasie, Phantastik" beklagt,[71] die sich ungünstig von der Klarheit und Gemessenheit der Klassik abhebt, zeigt sich in seiner Beurteilung der Aufklärung eine signifikante Verschiebung. Hettner betont nicht nur die Leistungen des frühen und mittleren achtzehnten Jahrhunderts, sondern gleichzeitig die „Schranken" der Aufklärung. Nach wie vor erscheint als das Ziel der deutschen Literatur die Weimarer

Klassik, in der sich bei Goethe und Schiller der an der Antike geschulte Neuhumanismus und die kritische Philosophie vereinigen, doch schiebt Hettner zwischen die Aufklärung und die Klassik als eine eigene Epoche den Sturm und Drang, in dem das „Ringen und Kämpfen" sich abgespielt haben soll, bevor die Vollendung erreicht werden kann. „Jene erste Entwicklungsstufe, das erste kühne, aber noch phantastisch unklare Aufleuchten des neuen gesteigerten und vertieften Lebensideals ist jene leidenschaftliche Erregung der Geister, welche wir als die Sturm-und-Drangperiode zu bezeichnen gewohnt sind."[72] In der Nachfolge Rousseaus entwickelte der Sturm und Drang Hettner zufolge eine vertiefte Lebensanschauung, die die Schranken des älteren Rationalismus wegräumte. Auch wenn Hettner nicht geneigt ist, die literarische Rebellion der Stürmer und Dränger bedingungslos zu billigen, sondern ihre Übertriebenheit wiederholt anmerkt, so verschiebt sich gleichwohl die Einschätzung der Gesamtentwicklung. Hettner trennt schärfer zwischen dem Rationalismus der Aufklärung und dem Irrationalismus der Geniezeit, als dies bei Gervinus der Fall war. Die literarische Produktion von Lessing, Gellert und Mendelssohn wird nicht mehr im gleichen Maße als die Basis behandelt, auf der das Gebäude der deutschen Klassik errichtet wurde. Der Sturm und Drang erscheint vielmehr als eine notwendige Durchgangsphase, in der die deutsche Literatur zu gären hat, bevor sie die höchste Stufe erringen kann. Erneut ist die Klassikkonzeption bestimmt durch Begriffe wie Reifung und Läuterung, doch geht diese Definition nunmehr stärker zu Lasten der Vorstufen. Nur in der Gestalt von Kants kritischer Philosophie wird der Aufklärung noch ein direkter Einfluß auf die Klassik zugestanden. „Wissenschaftlich wurde die Läuterung durch Kant vollzogen (...). Es war der Todesstoß der eitlen Glaubens- und Gefühlsphilosophie, die dem Forschen und Denken die Träume und Phantasien des Herzens unterschob."[73]

Was bei Haym nur skizziert und bei Hettner nicht ohne Widersprüche angedeutet wird, entwickelt Wilhelm Dilthey zu einer zusammenhängenden und in sich stimmigen Konzeption, durch die die Tradition der deutschen Literatur neu festgelegt wird. In seiner Baseler Antrittsvorlesung von 1867 entwirft er zum ersten Mal im Anschluß an mehrere Essays zu einzelnen Autoren und eine Reihe von Besprechungen zur Literaturgeschichte ein geschlossenes Bild der Entwicklung der deutschen Literatur. Während die älteren Epochen nach dem Urteil Diltheys Deutschland als Teil einer gemeineuropäischen Tradition zeigen, beginnt in der Mitte des achtzehnten Jahrhunderts – Lessings Name wird genannt – eine eigenständige kulturelle Entwicklung, die sich von der westeuropäischen deutlich abhebt. „Aus einer Reihe konstanter geschichtlicher Bedingungen entsprang in Deutschland im letzten Drittel des vorigen Jahrhunderts eine geistige Bewegung, in einem geschlossenen und kontinuierlichen Gange ablaufend, von Lessing bis zu dem Tode Schleiermachers und Hegels ein Ganzes."[74] Für Dilthey steht 1867 mehr zur Diskussion als der Ablauf und der historische Kontext der deutschen Literatur. Die Einheit, um die es ihm geht, ist in einer gemeinsamen Lebensansicht begründet: „Und zwar lag die stetig fortwirkende Macht im Verlauf dieser Bewegung in dem geschichtlich begründeten Drang, eine Lebens- und Weltansicht zu begründen, in welcher der deutsche Geist seine Befriedigung finde."[75] Wenn Dilthey darauf aufmerksam macht, daß die deutsche Blütezeit um 1800 sich von den Gipfeln der englischen und spanischen Literatur dadurch unterscheidet, daß sie nicht in einer politischen Nationalkultur verankert war, greift er unverkennbar auf einen Grundgedanken von Gervinus zurück, denn schon dieser hatte die Eigenart der deutschen Klassik damit erklärt, daß sie ausschließlich eine kulturelle Bewegung gewesen sei. Dilthey benutzt dieses Argument und spricht von der nach innen gewandten Formung des deutschen Geistes, in dessen Mittelpunkt die persönliche Bildung, das humanistische Ideal der Selbstverwirklichung steht. Unzweifelhaft erreicht auch für Dilthey die deutsche Literatur bei Schiller und Goethe einen Höhepunkt, aber sie endet nicht dort, sie findet vielmehr in der romantischen Generation ihre legitime Fortsetzung, da diese Schriftsteller auf den Leistungen der Klassik aufbauen. „Ich habe", erläutert Dilthey, „hiermit die Grundlage dargelegt, welche in zwei Generationen einer dichterisch-wissenschaftlichen Bewegung für das Werk der spekulativen Denker gelegt waren, welches nun begann."[76] Dilthey kann am Ende seines Vortrags die romantische Bewegung nur noch skizzieren, indem er zwei durchlaufende Linien aufzeigt. Die eine führt über Lessing, Kant und Schiller zu Fichte und Friedrich Schlegel, die andere über Goethe zu Schelling und der romantischen Naturdichtung. Wichtiger jedoch als diese nur angedeutete Skizze einer Filiation ist das Ergebnis, das Dilthey im letzten Absatz seiner Rede festhält: „Es ist ein einmütiger Zusammenhang großer Ideen, den ich von Lessing bis auf Schleiermacher und Hegel in seinen Grundzügen durchlaufen habe."[77]

Dilthey spricht hier nicht von irgendeiner Bewegung, sondern von einer verpflichtenden Tradition, in die er sich und seine Zuhörer eingebunden weiß. Aus diesem Grunde verdient sein Evolutionsschema Beachtung. Die Einbeziehung der Romantik in die große Tradition des deutschen Geistes veranlaßt beträchtliche Veränderungen in der Einschätzung früherer Stufen. Vor allem ist davon die Aufklärung betroffen. Schon bei Gervinus ist sie in die Rolle einer wesentlich vorbereitenden Epoche gedrängt. Bei Dilthey wird ihre Bedeutung noch weiter herabgesetzt – mit Ausnahme von Lessing, dem eine neue Rolle zugeschrieben wird. Dilthey versteht Lessing als den Überwinder der einseitigen literarischen Bildung. Während Wieland und Klopstock angeblich auf der

Stufe der Aufklärung stehenblieben, schreitet Lessing zu einem neuen Lebensideal weiter. Das heißt: Dilthey hebt Lessing von der Aufklärung ab, betont das Intuitive gegenüber dem Rationalen und nähert ihn auf diese Weise dem Sturm und Drang und der Klassik an. Im *Nathan* erreicht dieses Lebensgefühl seinen „vollendeten dichterischen Ausdruck".

„Der Gedanke der Aufklärung ist in dem Helden dieses Schauspiels zu vollendeter sittlicher Schönheit verklärt";[78] doch dieses Ideal – und damit weicht Dilthey von der älteren Literaturgeschichte ab – ist das Ergebnis einer *intuitiven Anschauung,* nicht der rationalen Kritik. Um die strategische Bedeutung dieser Interpretation zu ermessen, muß man Diltheys Urteil über Wieland daneben stellen. Er gesteht Wieland ein reiches poetisches Talent zu, hebt jedoch im gleichen Atemzug dessen Grenze hervor: „Aber in all diesem Reichtum nirgend eine originale Antwort auf die Frage seines Zeitalters an ihn. Ihm war genug, auf dem Niveau der bisherigen Ausbildung des Lebensideals in England und Frankreich stehen zu bleiben."[79] Dies sind nicht nur Nachklänge der romantischen Kritik an Wieland, die Spitze des Arguments richtet sich gegen die Bindung Wielands an die westeuropäische Aufklärung, von der sich der deutsche Geist Dilthey zufolge um 1770 zu lösen begann.

Lessing übernimmt bei Dilthey eine nationale Mission, die weder Wieland noch Klopstock erfüllen können. Man braucht seine Darstellung nur mit denjenigen von Gottschall und Julian Schmidt zu vergleichen, um zu ermessen, welch weitreichende Bedeutung die vollständige Integration der Romantik in die deutsche Tradition für die Bewertung des Erbes hat. Auch Gottschall unterscheidet in herkömmlicher Weise zwischen Vorläufern und Vollendern, zu den Wegbereitern rechnet er Klopstock, Wieland, Herder und bis zu einem gewissen Grade auch Lessing. Sie stehen nicht mit Goethe und Schiller in „gleicher Reihe", weil sie nur „fragmentarische Genies" sind.[80] Namentlich Wieland und Klopstock verdienen nach dem Urteil Gottschalls nicht den Titel eines Klassikers, weil von ihnen „nur noch wenige Fäden in unsere Gegenwart hinüber" führen.[81] Bezeichnenderweise wird jedoch Lessing von diesem Verdikt ausgenommen. Zwar wird er nicht als Klassiker bezeichnet, aber ausdrücklich hervorgehoben als „Hauptträger einer nationalen, noch in unser Jahrhundert hinüberreichenden Bedeutung in Kritik und Production".[82] Bis hierher präfiguriert Gottschall durchaus die Diltheysche Konzeption; doch er erblickt in Lessing in erster Linie den Rationalisten: „Lessing (war) ein Mann des *Verstandes,* und zwar eines so großen, klaren und scharfen Verstandes, daß die deutsche Literatur ihm keinen Nebenbuhler an die Seite stellen kann."[83] Diese Auffassung kommt dem aristotelischen Kritiker und dem theologischen Deisten zugute, doch dehnt Gottschall sie auf die poetischen Arbeiten aus: Lessings Dramen sind gleichsam das Ergebnis eines schöpferischen Verstandes.

Was Dilthey in seiner Antrittsvorlesung 1867 nur skizzieren konnte, entwickelt er in seinen frühen Aufsätzen über Lessing und Novalis. Dilthey, der sich auf die Vorarbeiten von Gervinus und Danzel stützt, leugnet natürlich nicht, daß Lessings Bildung der Aufklärung verpflichtet ist, doch innerhalb der Aufklärung fordert er für Lessing eine Sonderstellung. Während die anderen Vertreter der deutschen Aufklärung wie Gottsched und Bodmer, Gellert und Klopstock an den religiösen Gehalt und die theologische Diskussion ihrer Zeit gebunden bleiben, durchstößt allein Lessing diese Schranke und entwickelt eine neue Weltanschauung, auf der die folgenden Generationen aufbauen können. Lessing erscheint als ein Aufklärer, der den theologischen Rationalismus überwindet. Zu dieser Einschätzung wird Dilthey veranlaßt durch seine zurückhaltende, um nicht zu sagen negative Beurteilung der in der deutschen Aufklärung enthaltenen Kräfte. „Die den Gang unserer Literatur beherrschende Thatsache ist, daß die Reformation in Deutschland mit einer Energie des religiösen Bewußtseins aufgetreten war, wie in keinem anderen Lande; hieraus entsprang eine ganz einzige Herrschaft des theologischen Interesses, und sie ward auf lange hinaus erhalten durch die Abwesenheit all der anderen Motive, welche in England und Frankreich Elemente und Interessen der Aufklärung mitbestimmten. Hierdurch ist der Charakter alles dessen was naturwüchsig bei uns entstand, bestimmt, von den dogmatischen Compendien und dem Kirchenlied ab bis auf Haller's religiöses Lehrgedicht und die Messiade Klopstocks."[84] Unverhohlen spricht Dilthey von der Unreife des deutschen Denkens, das den weltlichen Aufgaben und politischen Problemen, die in Westeuropa gelöst wurden, noch nicht gewachsen war.

Da Dilthey das Schwergewicht so einseitig auf die religiöse Thematik der deutschen Literatur legt, erscheint der junge Lessing als der Revolutionär, der aus diesem theologischen Zusammenhang ausbricht, der erste moderne Schriftsteller, der die Tradition des theologischen Denkens, Argumentierens und Fühlens abgeschüttelt hat. Dilthey leugnet mit anderen Worten den Beitrag der deutschen Frühaufklärung für die Entfaltung des deutschen Geistes. Er sieht bei Haller und Klopstock formale Leistungen, aber keine neue Richtung der deutschen Literatur. „Während die ganze damalige Literatur, Klopstock und seine Freunde mit eingeschlossen, sich an die altbestehenden, aber die Bewegung streng einschränkenden gesellschaftlichen Elemente, Höfe und Universitäten anlehnten, während auch die Selbständigsten unter ihnen, wie Klopstock, Haller, nur besonders begabte Repräsentanten der seit dem Pietismus Deutschland beherrschenden religiösen Empfindsamkeit waren, und demgemäß unfähig dem deutschen Geiste seine Richtung zu geben: hat Lessing, vermöge der originalen Energie des norddeutschen Elements in ihm, getragen von dem öffentlichen Geiste einer beginnenden

Großstadt und eines in Kämpfen werdenden Staates, ein gesundes Lebensgefühl mit genialer Macht zum Ausdruck gebracht."[85] Nur dadurch, daß Lessing sich von der protestantischen Tradition löste, konnte er Dilthey zufolge zum Vorbereiter der deutschen Klassik und des Idealismus werden.

Dilthey hält also an dem geläufigen Entwicklungsschema fest, demzufolge Lessing der Vorbereiter der deutschen Klassik ist, füllt es freilich in veränderter Weise. Er hebt diejenigen Elemente hervor, die Lessing mit der nächsten Generation verbinden: die Ausbildung einer selbständigen, in sich geschlossenen ästhetischen Theorie und die Entfaltung einer neuen Weltanschauung. Dilthey legt großen Wert darauf, daß Lessing unter dem Einfluß von Leibniz und Spinoza eine philosophische Weltanschauung entwickelt, denn dadurch rückt er in eine Linie mit Schleiermacher, Schelling und Hegel, d. h. mit der großen idealistischen Tradition der romantischen Generation. Daß seine Kritik der Theologie nicht in Materialismus umschlägt, sondern philosophisch im Idealismus fortgesetzt wird, macht Lessing in den Augen Diltheys zur zentralen Gestalt des achtzehnten Jahrhunderts in Deutschland.

Für den jungen Dilthey steht, schon auf Grund seiner theologischen Vorbildung, unzweifelhaft die philosophische Problematik im Vordergrund. Während Lessings ästhetische Theorie 1867 relativ knapp behandelt wird, werden die philosophischen und theologischen Themen ausführlich entfaltet. Lessings Beitrag zur Kunsttheorie im *Laokoon* und der *Hamburgischen Dramaturgie* werden nur angedeutet; als Ergebnis wird dann festgehalten, daß Lessing eine Theorie entwickelt, die die Kunst als einen selbständigen Bereich anerkennt; und ausdrücklich wird in diesem Zusammenhang erwähnt, daß die deutsche Klassik diese Ergebnisse Lessings übernommen habe: „Insbesondere waren für Göthe und Schiller die von Lessing aufgestellten Gesetze der Dichtkunst geradezu leitend. Die Art wie diese beiden in ihrer Lyrik und ihren epischen Schöpfungen alle ruhende Erscheinung in den Zug der Bewegung und Handlung auflösen, zuweilen mit den durchdachtesten Mitteln, entspringt nicht allein dem Instinkt des Genies, sondern der Einsicht und dem Studium, welche in diesen Punkten Lessing leitete."[86] Dilthey möchte Lessings Kunsttheorie auf den Begriff der ästhetischen Autonomie festlegen, ohne diesen Ausdruck freilich zu gebrauchen. Durch diese Akzentuierung erscheint Lessing als derjenige Aufklärer, der sich dem moralisch-didaktischen Verständnis der Kunst entzieht.[87]

Lessing wird bei Dilthey 1867 zur Gründerfigur der deutschen Bewegung, derjenige, der dem neuen Lebensgefühl, auf dem die Klassik und die Romantik beruhen, zum ersten Mal zum Ausdruck verhalf – und zwar in der Dichtung. Durch die Poesie wird der enge Raum der deutschen Aufklärung überwunden. „Die anschauliche Auffassung des Lebens in der Dichtung antiquierte damit die bisherigen begrifflichen Fassungen in der von der Theologie beeinflußten Moral."[88] Folglich erscheint der *Nathan* als der vollendete Ausdruck des neuen Lebensgefühls. In dem Ideal des mündigen Menschen erreicht Lessing nach dem Urteil Diltheys eine Stufe, die von dem Humanismus der Weimarer Klassik nur unwesentlich entfernt ist. Eine pantheistische Weltanschauung bestimmt sowohl die Schriften des reifen Lessing wie das Werk Goethes in Weimar. Der Pantheismus ist aber, wie auch die Baseler Antrittsvorlesung ausführt, dasjenige geistige Element, durch das sich der deutsche Neuhumanismus von der westeuropäischen Aufklärung unterscheidet – das geheime Verbindungsglied zwischen Aufklärung, Klassik und Romantik. Um diese Kontinuität geht es Dilthey auch bei seiner Behandlung Lessings. Am Anfang der deutschen Dichtung, sofern sie Anspruch auf Originalität hat, steht Lessing und nur Lessing, nicht Klopstock oder Wieland, die in der liberalen Geschichtsschreibung noch als Vorläufer gewürdigt wurden: „Hieraus folgt nun, daß Lessing der wahre Träger des fortschreitenden Geistes unserer Literatur ward", während Klopstock und Wieland nur Kräfte waren, welche Bedingungen seiner Entwicklung schufen; ihre Werke waren kurzlebig und bildeten nur den fruchtbaren Humus für die Fortbildung dieses Geistes.[89]

Wenn Dilthey seinen Aufsatz mit dem Satz beendet: Lessing „ist der unsterbliche Führer des modernen deutschen Geistes",[90] drückt er eine Ansicht aus, die auch von Literarhistorikern geteilt wurde, die Lessings Stellung in der Aufklärung anders beurteilten. In seinem Novalis-Essay dagegen, der 1865 in den *Preußischen Jahrbüchern* erschien, entfernt er sich entschieden von der herrschenden Meinung.[91] Eine positive Würdigung der zentralen Figur der Frühromantik widersprach der liberalen Geschichtsschreibung und unterschied sich auch von der historischen Würdigung eines Rudolf Haym, wie Dilthey später mit Recht anmerkte. Haym steht der älteren, romantikfeindlichen Anschauung näher als Dilthey, der gerade versuchte, die Ansicht „von der Verworrenheit, Verschwommenheit, dem Dunkel und den Widersprüchen in den romantischen Schriften als unhaltbar nach(zu)weisen (. . .)".[92] Dilthey geht es um die Rettung des Romantikers, ja der Romantik überhaupt, die über den Historismus eines Haym weit hinausging. Ist es Haym zufolge gerade möglich, die Romantik vorurteilslos zu beurteilen, weil sie restlos Vergangenheit geworden war, so besteht Dilthey implizit darauf, daß die Romantik, nicht anders als die Klassik, für die Gegenwart verpflichtend bleibt. So möchte er am Beispiel von Novalis' Biographie und Werk das Verhältnis der um 1770 geborenen frühromantischen Generation zu Goethe und Schiller beschreiben. Indem er die enge Verbindung zwischen Schiller, Kant, Goethe und den in Jena versammelten Jüngeren hervorhebt, versucht er, die Kritik des Liberalismus an der Romantik als ein Vorurteil zu erweisen, das auf falschen Prämissen beruhte. Besonders der Vorwurf des Subjektivismus und der Innerlichkeit sowie der Parteilichkeit für die Politik der reaktionären Kräfte soll entschärft werden durch den Nachweis, daß diese junge Generation, die auf dem abstrakten Idealismus der älteren aufbaute und ihn bis in seine letzten Konsequenzen verfolgte, sich mit einer gewissen Notwendigkeit entfaltete, indem sie die vorgefundenen Ideen und Programme radikalisierte.

Exemplarisch für diesen Prozeß wird Novalis durch das enge Zusammenwirken der religiös-theologischen und der poetisch-ästhetischen Elemente seiner Produktion. Gerade in dieser Verbindung liegt für Dilthey Novalis' Modernität. Novalis entwickelte eine Anschauung der Realität, in der sich Wissenschaftliches, Poetisches und Religiöses durchdringen. Die Schlüsselkategorie, die Dilthey sowohl auf Novalis als auch auf Goethe anwendet, ist der Begriff einer ästhetischen Weltanschauung: „Die Epoche der ästhetischen Ansicht der moralischen Welt machte gegenüber verhärteten Doktrinen der Ethik dieses Recht freier konkreter Anschauung in der Tat geltend und begann damit eine Revolution unserer moralischen Denkweise, welche Schleiermacher, Herbart, Hegel philosophisch abzuschließen gedachten, welche aber noch in vollem Flusse ist."[93] An diesem Urteil sind zwei Momente bemerkenswert: Dilthey zieht Hegel ohne weiteres in die Betrachtung ein, ohne auf seine grundsätzliche Kritik an der Romantik, die die dreißiger und vierziger Jahre bestimmt hatte, noch einzugehen. Ferner betrachtet Dilthey die ästhetische Weltansicht nicht als eine überwundene Einstellung – dies wäre Hayms Standpunkt –, die die Gegenwart nicht mehr betrifft. Die Erkenntnisinteressen des jungen Dilthey lassen sich nicht als ausschließlich historisch kennzeichnen. In dieser Hinsicht spricht der Novalis-Aufsatz die gleiche Sprache wie der Lessing-Essay: Es geht um die Aufarbeitung einer literarisch-moralischen Tradition, an der sich die Gegenwart orientieren kann.

In diesem Zusammenhang spielt der seit Gervinus nahezu verbindliche Gegensatz von Klassik und Romantik so gut wie keine Rolle mehr. Mit Hilfe des Begriffs der literarischen Generation vermag Dilthey die Annahme einer Opposition, die die Kritik des Vormärzes weitgehend bestimmt hatte, aufzuheben. Das romantische Denken erweist sich für Dilthey als die Fortsetzung und die Radikalisierung der Ideen und Anschauungen, die um 1790 vorlagen. Namentlich Goethe wird von Dilthey für die Romantiker in Anspruch genommen – als der Ausgangspunkt ihrer literarischen Produktion. Auch wenn Dilthey nicht mit allen romantischen Experimenten einverstanden ist, die an den *Wilhelm Meister* anschließen, so unterstreicht er gleichwohl die Bedeutung der romantischen Künstler- und Bildungsromane und würdigt den *Ofterdingen* als „das Bedeutendste, was diese erste Generation der Romantik hervorgebracht hat".[94] Dieses Urteil sanktioniert Novalis als einen der großen Autoren der deutschen Tradition, an deren Beginn Lessing steht. Am Schluß des Aufsatzes steht der folgenschwere Satz: „Die Generation, in der er lebte, brachte drei hervorragende Dichter hervor: Ihn (Novalis, P.U.H.), Tieck und Hölderlin."[95] Dieses Urteil besiegelt die Legitimität der Romantik in weit radikalerer Weise als die Darstellung Rudolf Hayms, die davon ausgeht, daß die Romantik objektiv darstellbar ist, weil sie überwunden ist.

VI. Der Literaturkanon des Nachmärz

Welche Folgen hat das neue, von Dilthey durchgesetzte Entwicklungsschema für die Kanonbildung gehabt? Die einsetzende Abwertung der
Frühaufklärung und der Empfindsamkeit führt zur Verdrängung von
zwei Schriftstellern, die in der liberalen Literaturgeschichte des Vormärz
ihren Platz hatten. Wieland und Klopstock gelten nunmehr, wenn auch
aus verschiedenen Gründen, nicht mehr im vollen Sinne als Wegbereiter
der neueren deutschen Literatur. Wielands Stellung war seit der Romantik ohnehin problematisch gewesen, da er als Epigone der französischen
Literatur denunziert wurde. Immerhin jedoch widmete Gervinus Wieland noch ein ausführliches Kapitel und besprach im fünften Band eingehend seine „Schule". Bei Julian Schmidt wird er bereits nicht mehr als einer der entscheidenden Mittler genannt, und Dilthey scheidet Wieland
aus der deutschen Bewegung aus. Ähnliches gilt für Klopstock. Während
Gervinus ihn noch als den Führer einer wichtigen Schule ansieht und
Schmidt ihm wenigstens die Rolle eines Wegbereiters zugesteht (zusammen mit Lessing, Winckelmann und Herder), zieht wiederum Dilthey
den Schluß, daß seine religiöse Dichtung nicht den Grad der Reife erreicht habe, der die Voraussetzung für die moderne säkulare Bildung ist.
Diese Wende deutet sich bereits bei dem früh verstorbenen Danzel an;
neben Lessing, dem er sein Hauptwerk widmet, verweist er vor allem auf
Goethe, an dem sich die neue Literaturwissenschaft zu bilden habe. Wieland tritt dagegen in den Hintergrund, und Klopstock wird in Danzels
Aufsätzen zur Goethezeit nur am Rande erwähnt.[1] Diese Einschätzung
wird, wie wir sehen werden, von den Herausgebern der Schullesebücher
weitgehend geteilt. Für die Institution der deutschen Literatur sind Klopstock und Wieland nach 1850 bereits Randfiguren. Während das später
einsetzende Interesse am jungen Goethe Gestalten wie Hamann und
Herder erneut in das Zentrum rückt, bleiben Klopstock und Wieland als
Vertreter einer „früheren Stufe" eher ausgeschlossen.[2]

Komplexer ist der Fall Jean Pauls. Hier lag um 1850 bereits eine Abfolge von widersprüchlichen Rezeptionsphasen vor, auf die die Kritik
und die Historiographie des Nachmärz reagierten. Die polemische Reaktion des Nachmärz gegen Jean Paul ist zum guten Teil als Kritik der
biedermeierlichen Aneignung des Dichters zu erklären.[3] Freilich darf
auch nicht übersehen werden, daß Jean Paul als Kultfigur der antiklassi-
zistischen Kritik des Jungen Deutschland aus literarischen wie politischen Gründen in die Abrechnung der programmatischen Realisten mit

der Romantik und dem Jungen Deutschland einbezogen wurde. Jean
Pauls Stil wurde nach 1848 unzeitgemäß;[4] denn der programmatische
Realismus forderte eine mittlere Stillage. Aber so, wie das Realismuspro-
gramm von Julian Schmidt und Gustav Freytag nicht unangefochten
war, so blieb auch die Position Jean Pauls im Nachmärz kontrovers. Vergleicht man den Aufwand der Schiller-Feier von 1859, ja selbst die Feierlichkeiten des Goethe-Gedenkens von 1849 mit der Ehrung des hundertjährigen Geburtstags von Jean Paul, so ist unverkennbar, daß dessen
öffentliche Bedeutung als Kulturheros starke Einbußen erlitten hatte.
Karl von Holtei sah dieses Vergessen als unvermeidlich an, da die Gegenwart mit anderen Problemen beschäftigt sei: „Wahrlich, es paßt nicht
zum Wesen unserer Zeit, es verträgt sich nicht mit der Richtung unserer
Jugend, einzufahren in die tiefen, gehaltreichen, hinter verwunderlichen
Gewächsen und Dorngebüschen versteckten Schachte seiner Weisheit,
Wahrheit, Tugend und Milde. Dazu haben sie in unserer Zeit keine Zeit
mehr."[5] Diese Unzeitgemäßheit Jean Pauls ist freilich auch der Grund,
daß die Gegner des programmatischen Realismus an ihm festhielten und
ihn, waren sie antiklassizistisch gesonnen, als Alternative zur Weimarer
Klassik feierten, oder ihn, wenn sie dem Klassizismus näherstanden wie
etwa Rudolf Gottschall, neben Goethe und Schiller in dem Tempel der
deutschen Literatur aufstellten. Vor diesem Hintergrund muß man die
strenge Verurteilung Jean Pauls durch Julian Schmidt wie auch die positive Würdigung durch Gottschall und Hettner lesen.

Schmidts vehemente Kritik Jean Pauls aus dem Jahr 1855 steht im Zusammenhang mit seiner grundsätzlichen Auseinandersetzung mit der
Romantik und dem Jungen Deutschland (das als eine zweite romantische Generation verstanden wird). Ausdrücklich wird Jean Paul als der
Vater des jungdeutschen Stils angesprochen und damit die Perspektive
des Angriffs festgelegt. Schmidt wendet die durch die *Hallischen Jahrbücher* vermittelte Kritik des Subjektivismus auf Jean Paul an. Seine Romane werden an der Formsicherheit und der Objektivität Goethes gemessen. Während Goethe sowohl in seinem Leben als auch in seinen Werken
nach der harmonischen Ausbildung seiner Anlagen gesucht hat, fehlt
Jean Paul ein selbständiges Leben: Unter seinen Händen wird alles zur
Literatur, er lebt nur, um zu schreiben. Schmidt rechnet Jean Paul zu den
subjektiven Reflexionsdichtern: „Nicht ohne Anlage zur Empfindsamkeit und zur Schwärmerei, gehört sein Jugendleben doch ganz der Reflexion an."[6] Gemessen an den Normen des poetischen Realismus, die
Schmidt bei Goethe wenigstens teilweise verwirklicht sah, scheitert Jean
Paul prinzipiell und kann daher auch nicht als eine wesentliche Figur der
deutschen Tradition anerkannt werden. Jean Paul steht, so wendet
Schmidt ein, zwischen Rationalismus und Romantik, ohne jedoch eine
Synthese zu erreichen. „Als Zeitgenosse der Romantik strebt er nach

dem Rätselhaften, Wunderbaren, Unbegreiflichen, aber als geborner Rationalist löst er es wieder ins Natürliche auf."[7] Die Folge ist eine Einbildungskraft, die über das Fragmentarische nicht hinausgelangt, in Einzelzügen steckenbleibt und daher dem „wahren Inhalt" des Menschen nicht gerecht werden kann.

Unverkennbar schließt dieses harte Urteil an Gervinus an. Dieser hatte Jean Paul die Reife abgesprochen und als einen Autor bezeichnet, bei dem die Gestaltungskraft durch die Reflexion ständig gehemmt wird. Diese These wird von Schmidt aufgegriffen: „Um lebhaft zu empfinden, muß der Dichter einen Anlauf nehmen; um die Eingebungen seiner Willkür gegen jeden Widerspruch sicherzustellen, echauffiert er sich, und so tun es auch seine Helden. Es ist dies die Weise der Kinder, aber bei Jean Paul geht das Kindesalter über alle Grenzen des Schicklichen hinaus."[8] Freilich geht Schmidt noch einen entscheidenden Schritt über Gervinus hinaus; er möchte Jean Paul zwar nicht aus der Geschichte, aber aus der Tradition der deutschen Literatur verdrängen. Trotz aller Detailkritik am *Wilhelm Meister* versichert Schmidt in seiner Literaturgeschichte am Schluß erneut, daß Goethes Werk den Höhepunkt des deutschen Romans darstellt und kein späterer Roman über den *Wilhelm Meister* hinausgegangen sei.[9] Jean Paul dagegen wird diese Vorbildlichkeit abgesprochen, er erscheint vielmehr als der Vorläufer einer falschen Tendenz, von der Schmidt die deutsche Literatur befreien möchte. Während Gervinus beim Vergleich mit Goethe die romantisch unplastische Natur Jean Pauls noch als eine mindere Alternative gelten ließ, ist der programmatische Realismus nicht mehr an den „geheimsten Stimmungen der Seele" interessiert.[10]

Das Klassizismus und der Realismus stellten sich gleichermaßen gegen Jean Paul. Sein öffentliches Ansehen verkümmerte, so daß Hugo von Hofmannsthal 1913 von der „Geringschätzung und drohenden Vergessenheit" des Autors in den letzten fünf Jahrzehnten sprechen konnte.[11] Gewürdigt und als Teil der Tradition anerkannt wird Jean Paul nur dort, wo der Zusammenhang mit dem Vormärz noch gewahrt bleibt und ein Widerstand gegen die realistische Theorie aufgerichtet wird. So explizit bei Carl Christian Planck, der sich 1867 in einer umfangreicheren Arbeit über Jean Paul gegen die klassizistische Idealisierung der deutschen Misere ausspricht und damit an die Tradition der Jean-Paul-Verehrung bei Börne und Herwegh anschließt.[12] Bezeichnend ist jedoch, daß die beiden wichtigsten Literaturgeschichten neben Julian Schmidts Werk, die Darstellungen von Gottschall und Hettner, eine solche extreme Stellungnahme vermeiden und eher versuchen, zwischen der Kanonisierung der Weimarer Klassik und dem Engagement für Jean Paul zu vermitteln.

Gottschall eröffnet den Abschnitt über Jean Paul mit dem Satz: „Von ebenso bedeutendem Einfluß auf die Fortentwicklung unserer Literatur, wie *Schiller* und *Goethe,* war der dritte Koryphäe des deutschen Geistes, *Jean Paul Friedrich Richter,* den nur die ästhetische, vorurteilsvolle Einseitigkeit aus dem Kreise unserer geistigen Potentaten verbannen konnte."[13] Er beruft sich auf Vischers Ästhetik, um Jean Paul als einen klassischen Humoristen zu legitimieren, dessen Gestaltungsverfahren sich von dem romantischen Stil unterscheidet. Mit diesem Argument entscheidet sich Gottschall nicht gegen die Weimarianer, sondern beschreibt Jean Paul als die notwendige *Ergänzung* Goethes und Schillers, derjenige Schriftsteller, der sich der Moderne zuwendet. „Jean Paul erfaßte das *moderne Leben* nach allen Richtungen hin, aber nie mit der objectiven Hingabe der Darstellung, sondern stets mit einem frei darüber schwebenden Geiste, der seine selbständige Kraft aus den Tiefen des Gemüths und dem in ihnen stets lebendigen Ideal der *Humanität* zog."[14] Sowohl die Idylle als auch die Satire sind die Ausdrucksformen, in denen Jean Paul exzelliert. Seine Leistung bestand darin, Realismus und Idealismus, das Erhabene und das Humorvolle, verbunden und damit die Einseitigkeit des klassizistischen Formideals ergänzt zu haben. Trotz dieser positiven Würdigung bleibt Gottschall freilich Klassizist genug, um beträchtliche Einwände gegen die Romane Jean Pauls zu erheben, so daß sich im ganzen sein Urteil von der Meinung Gervinus' oder Schmidts weniger unterscheidet, als man anfangs erwartet. Anläßlich des *Hesperus* spricht auch Gottschall von einer ungenießbaren Form und einer dürftigen Handlung.[15] Ausgenommen wird von dieser Kritik der Form nur der *Titan,* dem Klassizität zugesprochen wird, weil er trotz einer gewissen Willkür dichterische Kraft und Originalität zeige. Wo Gottschall Jean Paul lobt, schließt er an die Tradition Börnes an; der Dichter erscheint im Vergleich mit dem aristokratischen Goethe als ein volkstümlicher Schriftsteller. „Er hatte das Zeug dazu, das Goethe und Schiller fehlte, ein deutscher Shakespeare zu werden, ein Dichter, dem er an Originalität der Weltanschauung, an tiefen Griffen und Blicken in das Leben, an universellem Humor, glühender Phantasie und unbegrenztem Reichtum an Bildern und Witz ebenso verwandt, wie durch die eine große Kluft entfremdet ist, daß er für diesen Reichthum keine volksthümliche und tragende Kunstform und für das große geschichtliche Leben wohl in seiner Begeisterung, doch nicht in seinen Schöpfungen Raum fand."[16]

Hettners Literaturgeschichte verfolgt eine ähnliche Strategie. Sie stellt Jean Paul neben Goethe und Schiller und betont als gemeinsames Moment den Gegensatz von Ideal und Wirklichkeit in ihren Werken. Sie räumt Jean Paul freilich eine Sonderstellung ein: „Zu dem freien und harmonisch schönen Menschheitsideal Goethe's und Schiller's vermag er nicht vorzudringen; hinter diesen Größten steht er weit zurück sowohl an Begabung wie an sittlicher Energie schonungsloser Selbsterziehung. Und andererseits ist er doch ebensosehr geschützt vor den Schwächen und Einseitigkeiten der anderen Nachzügler der Sturm- und Drangperiode; für die herbe Weltverachtung Klinger's ist sein Gemüth zu weich und liebevoll, für die haltlose Phantastik der Romantiker hat er zu viel Ernst der Gesinnung und zu viel frischen unmittelbaren Thatsachensinn."[17] Diese Abgrenzung erlaubt Hettner, Jean Paul als einen echten Humoristen zu würdigen. Auch er sieht dessen Werk vor dem Hintergrund der Goetheschen Romane, so wird der *Titan* mit dem *Wilhelm Meister* verglichen und die *Flegeljahre* als eine Vertiefung des *Titan* gedeutet und erneut mit Goethe verglichen. Freilich kommt Hettner bei aller Würdigung von Jean Pauls Leistung zu dem Schluß, daß seine Romane im ganzen für die deutsche Tradition eine Gefahr darstellen und der Gegenwart nicht mehr unmittelbar zugänglich sein können. Nichts spricht mehr für die Resignation des späten Hettner als dieses Urteil, mit dem die gesellschaftskritische Funktion der Dichtung, die er um 1850 emphatisch verteidigt hatte, aufgegeben wird. In der Beurteilung der Romane nähert sich Hettner schließlich der Position von Gervinus und Schmidt, die vor allem die Formlosigkeit beklagten. So bemerkt auch Hettner: „Es ist nicht zu sagen, wie verderblich Jean Paul durch diese Auflösung aller Kunstform gewirkt hat. Noch in Heine und in den Schriftstellern des jungen Deutschlands finden wir diesen üblen Einfluß."[18] Hettners Einschätzung bleibt zwiespältig und widerspruchsvoll. Auf der einen Seite steht er im Bann des Klassik-Modells und wertet Jean Paul entsprechend ästhetisch ab, auf der anderen Seite knüpft er an die politisierte Literaturkritik des Vormärz an und unterstreicht folglich die politische Bedeutung Jean Pauls. Da jedoch diese Form literarischer Öffentlichkeit durch die gescheiterte Revolution von 1848 unterbrochen wurde, kann sie in den späten sechziger Jahren zur Rettung Jean Pauls nicht mehr viel beitragen.

Die Schiller-Feier von 1859

Monographische Rezeptionsgeschichten neigen dazu, ihren Gegenstand zu isolieren. So lassen sich sowohl für Jean Paul als auch, jedoch weniger deutlich, für Wieland und Klopstock Kontinuitäten der Rezeptionsgeschichte nachweisen. Es finden sich Lesergruppen und Kritiker, die an diesen Autoren festhielten, als die literarische Öffentlichkeit sie vernachlässigte. Im ganzen jedoch konzentrierte sich das Interesse des literarischen Publikums, sobald man sich mit der Frage des literarischen Erbes beschäftigte, auf Weimar. Besonders die Schiller-Feier von 1859 bot die Möglichkeit, die eigene kulturelle wie nationale Identität emphatisch zu artikulieren. Gerade an diesem Beispiel wird deutlich, daß die Rekonstruktion der Literaturgeschichte nur einen Aspekt der Kanonbildung aufhellt. Die aktuelle Diskussion in Zeitschriften, Schulprogrammen und

öffentlichen Reden, die die Hundertjahrfeier begleitete, hatte ihr eigenes
Gewicht. Das, was in der Wissenschaftsgeschichte in der Regel als unan-
gemessene Popularisierung ausgeschieden wird, ist unter dem Gesichts-
punkt der Kanonbildung von großer Bedeutung. Die Ausbildung und
Konsolidierung des Literaturkanons war, wie sich gerade am Beispiel der
Schiller-Feier zeigen läßt, nicht nur eine literarisch-ästhetische Frage.
Die Öffentlichkeit feierte einen kulturellen Heros, in dem sie sich wie-
dererkannte und den man für die eigene Sache in Anspruch nahm.

Die Schiller-Feier war weniger ein literarisches als ein *kultur- und na-
tionalpolitisches Ereignis*. Am Einspruch Grillparzers, der seine Vereh-
rung des Dichters nicht mit den politischen Zielen der deutschen Liberalen verwechselt wissen wollte, ist dieses Moment klar abzulesen.[19] Die
überlieferten Dokumente dieser Feiern, die zahlreichen gedruckten Festreden, zeichnen ein einseitiges Bild, weil sie die konkreten rituellen
Handlungen, die Festumzüge, Feierlichkeiten in Schulen, Universitäten,
Kirchen und Synagogen nicht mitnennen als den Rahmen für die zahllo-
sen Ansprachen, in denen sich das deutsche Bürgertum – und bis zu einem gewissen Grade auch die Arbeiterschaft – versicherte, daß Schiller
die Sehnsüchte und Aspirationen der deutschen Nation am angemessen-
sten ausgesprochen hatte, daß er folglich als der *geistige Führer* auf dem
Wege zur nationalen Einheit in Anspruch genommen werden konnte.

Die Beschreibung der Hamburger Schiller-Feier nennt sich mit Recht
die Beschreibung eines deutschen Volksfestes, denn die drei Tage anhal-
tenden Festlichkeiten überschreiten die Dimensionen der bürgerlichen
Öffentlichkeit.[20] Der gewaltige Umzug am dritten Tag durch die be-
leuchteten Straßen trägt das Fest in das Volk hinein, verbindet also die literarische mit der populären Öffentlichkeit in einem bis dahin wohl un-
erhörten Maße. Nach dem Selbstverständnis der Teilnehmenden war die
Feier mehr als eine Gedenkfeier: sie war eine geschichtliche Tat, aus der
Neues hervorgehen sollte. Im Namen Schillers beschwor die feiernde
Gemeinde die kulturelle und nationale Einheit, die sie anstrebte. Insofern
ist der Versuch, die literarischen und die politischen Aspekte der Schiller-
Feiern zu trennen, von vornherein vergeblich, denn das Fest selbst wurde
als ein politischer Akt verstanden.

Die Rezeptionsgeschichte Schillers vor 1859 legte diese Identifikation
mit dem heroisierten Autor nahe, aber man darf nicht übersehen, daß
1859 nur bestimmte Traditionsstränge zur Geltung kommen. Die Kritik
des abstrakten Idealismus und der Politikferne, wie sie der junge Hettner
1850 äußert, findet in den Festreden keinen Platz. Allenfalls ist dort die
Rede davon, daß Schiller nicht notwendig der größte Dichter der Nation
zu sein habe – ein versteckter Hinweis darauf, daß der Sprechende
wahrscheinlich Goethe als den bedeutenderen Dichter ansieht. Die Liberalen, die in der Neuen Ära wieder Hoffnung geschöpft haben, vermei-

den Klassikkritik, sie versuchen vielmehr 1859 mit Hilfe der literarischen Tradition, die in Schiller (und Goethe) kulminiert, die politische Zukunft aufzuschließen.

Eine Reihe von konstanten Themen und Motiven lassen sich in den zahlreichen Reden, deren Originalität in der Regel gering ist, nachweisen. So gehört die Volkstümlichkeit Schillers zu den wiederkehrenden Motiven der Gedenkfeiern. Friedrich Vischer spricht beispielsweise von dem bescheidenen, treuherzigen Leben dieses deutschen Dichters und fügt hinzu: „(...) man muß ihm gut sein, es ist nicht möglich, sich ihm zu entfremden."[21] Und Moriz Carriere betont im Vergleich mit Goethe, daß nur Schiller das Volk ernst nahm und in seinem Werk berücksichtigte: „(...) Und wenn noch ein Shakespeare das Volk nur ironisch als die haltlose vielköpfige Menge behandelte, ein Goethe nur durch die individuellen Züge seiner Volksscenen im Egmont uns ergötzte, so war Schiller der Erste welcher das Volk als organisches Ganzes in seiner Tüchtigkeit, als den würdigen Träger seiner hervorragenden Führer dichterisch veranschaulichte."[22] Durch die beschworene Nähe Schillers zum Volk legitimiert sich die Vorstellung, Schiller sei zum Führer der deutschen Nation ausersehen. In diesem Sinne bemerkt Carriere: „Auch als er für seine Kraft das Maß der schönen Form und die Vollendung der Kunst erlangt, bleibt ihm die Poesie eine ernste Lebensaufgabe, ein Tempeldienst und Priesterthum."[23] Es ist eben der von Hettner und anderen kritisierte abstrakte Idealismus, der 1859 beschworen wird, um die ideelle Führungsaufgabe Schillers zu begründen. Jacob Burckhardt unterscheidet zwischen ästhetischer Vollkommenheit, die er Schiller abspricht, und literarischer Wirkung, um daraus zu folgern: „Und die eigentlich idealen Personen sind dann mit einer solchen Glut der Begeisterung gezeichnet, daß sie auf immer das geliebte Eigentum des deutschen Geistes bleiben müssen (...)."[24] Emphatischer spricht Vischer von der Führungsaufgabe des Dichters: „So schreitet er schwebend, schwebt schreitend den Völkern, allen Völkern, *seinem* Volke vor allem, dessen Kraft und Größe noch verschüttet liegt unter Trümmern der Vergangenheit, voran, vorwärts zum hohen Ziel!"[25] Auch wenn Vischer vorher ausdrücklich von der Freiheit und der schönen Menschlichkeit spricht, an der die Menschheit im ganzen teilhat, ist die Gedenkfeier doch der Zeitpunkt, an dem der Schillersche Idealismus in den Dienst der nationalen Einigung genommen wird. Daher kann Vischer Schiller nicht ganz von dem Tadel des Weltbürgertums freisprechen. „Der Freiheitsgedanke, wo er ganz zum herrschenden wird, verbirgt sich leicht, daß wir vor Allem ein Vaterland haben müssen schlechtweg, frei oder unfrei."[26] Erst in der *Jungfrau von Orleans* sieht er die Wende zum nationalen Patriotismus, den die Liberalen 1859 zu sehen wünschen. Auch Jacob Grimm glaubt daher, Schiller gegen den Vorwurf der politischen Indifferenz verteidigen zu müssen, und versucht, die weltbürgerliche und die nationale Einstellung auf einen Nenner zu bringen. „Für deutsche Freiheit war ‚Wallenstein‘ und ‚Tell‘ entworfen, über dessen Tat sich Stanzen, die das dem Kurfürsten Erzkanzler überreichte Exemplar begleiteten, treffend aussprachen. Der allgemeine menschliche Jubel, den die Chöre des Liedes ‚An die Freude‘ anfachen, wird nie erlöschen."[27]

Eben diese Absicht, Schillers Dramen für den Nationalliberalismus auszumünzen, führt dann die Konservativen auf den Plan, die entweder für die strikte Trennung von Literatur und Politik plädieren oder, wie z. B. der Rezensent der *Kreuzzeitung,* den Beweis antreten wollen, daß Schiller alles andere als ein Volksfreund war, also eher in der konservativen Partei seinen angemessenen Platz fände.[28] Sowohl die Liberalen als auch die Konservativen beuten Schillers Texte 1859 für ihre Zwecke aus. Besonders die liberalen Kritiker setzen bestimmte Interpretationsmodelle absolut und schaffen auf diese Weise ein Schillerbild, das die Identifikation erlaubt. Wenn es im ganzen die Tendenz der nachrevolutionären Literaturwissenschaft ist, das literarische Erbe dadurch zu sichern, daß man es historisiert, dann stellt sich die Schiller-Feier dieser Tendenz quer, denn diese zielte nicht auf die Vergangenheit, sondern auf die Gegenwart und die Zukunft. Die Feiernden, die von „unserem Schiller" sprechen, aktualisieren den Dichter selbst dort, wo sie sich seinem Werk historisch nähern. Die politische Einheit erscheint als die Realisierung dessen, was Schiller in seinen Dramen gestaltet hatte. Bezeichnend ist der Schluß der Hamburger Festbeschreibung. Der Berichterstatter ruft das Bild des Festzuges vor sein Auge – die Menge „rüstiger, jugendkräftiger Männer" – und schreibt: „Und nun bedenke man, daß vielleicht nur der vierte Theil der Gewerke und Corporationen vertreten war, vervierfache also die Zahl und denke sich dieses Heer streitbarer Männer im Schmuck der Waffen und Einem Willen, Einer Idee gehorchend, und deshalb gehorchend, weil es ihr eigener Wille, ihre eigene Idee ist!"[29] Bei dieser Betrachtung fühlt sich der Betrachter getröstet und sieht die nächste Säkularfeier auf dem Boden eines geeinigten und freien Deutschlands.

Die Säkularfeier Schillers setzte bereits voraus, daß Schillers Werk zum unveräußerlichen Bestandteil des deutschen literarischen Erbes gehört, insofern bestätigen die Festreden nur, was im allgemeinen Bewußtsein bereits fest verankert war. Aus diesem Grunde ist es auch nicht verwunderlich, daß das Jahr 1859 nicht nur das Jahr Schillers war, sondern gleichzeitig der Anlaß für die Würdigung Goethes, denn beide Namen sind durch das Klassik-Modell, wie es durch Ruge und Gervinus inauguriert worden war, nicht mehr zu trennen. Jede Stellungnahme zu Schiller enthält nach der Logik dieses Modells ein Urteil über Goethe. Am deutlichsten spricht Jacob Grimm diesen Sachverhalt an, wenn er bemerkt: „Goethe und Schiller stehen sich so nahe auf der erhabnen Stelle, die sie einnehmen, wie im Leben selbst, das sie eng und unauflöslich zusammen verband, daß unmöglich fiele in der Betrachtung sie voneinander zu trennen."[30] Im Schiller-Jahr soll nicht das Trennende, sondern das Gemeinsame betont werden. Dafür bieten sich eingeschliffene Rezeptionsformeln an. Grimm wählt die Begriffe idealistisch und realistisch, um den Unterschied zu formulieren; Carriere bezieht sich auf die Freundschaft zwischen Goethe und Schiller und nennt den Bund eine „schöne sittliche That".[31] Er bietet folgende Formulierung für den Unterschied an: „Schiller aber gab nun seinen Ideen die Grundlage einer lebenswahren Natur und machte lebensfähige individuelle Charaktere zu ihren Trägern, während Goethe fortan seinen Gebilden eine symbolische Bedeutsamkeit lieh und mehr und mehr in die Region der reinen Gedanken aufstieg."[32] So entsteht durch das Bündnis der beiden Autoren ein Ausgleich der Anschauungen und Produktionsverfahren, der sich festigend und integrierend auf die literarische Tradition auswirkt. Auch die Goethegemeinde, die von dem höheren Wert ihres Autors überzeugt ist, meidet 1859 Ausfälle gegen den populäreren Schiller oder auch nur ein allzu deutliches Unterstreichen der Gegensätze. Der Zweck dieser Strategie ist unverkennbar. Das Bündnis zwischen Goethe und Schiller, das seinen literarischen Ausdruck in ihrem Briefwechsel gefunden hatte, garantiert die Integration potentiell divergierender literarischer wie weltanschaulicher Strömungen und richtet sie im Sinne der liberalen Forderungen aus. Daß die Klassikverehrung nicht auf diesem Standpunkt stehenbleibt, sondern die konservative Wende des deutschen Liberalismus teilen sollte, läßt sich vor allem an der Goetherezeption der sechziger Jahre zeigen.

Die Bedeutung Goethes

Unser Bild von der Wirkungsgeschichte Goethes im Nachmärz ist nachhaltig beeinflußt worden durch Viktor Hehns Aufsatz „Goethe und das Publikum", der 1888 in dessen Band *Gedanken über Goethe* veröffentlicht wurde. Hehn beschreibt das Jahr 1849 als einen Tiefpunkt von Goethes Ansehen und Ruhm. Ausgehend von der liberalen Goethekritik im Vormärz, unterstellt Hehn, daß der hundertste Geburtstag Goethes fast vergessen wurde. „So fand die Säkularfeier von 1849 nirgends freien Anklang, ja wer dazu aufforderte, wurde mit Zischen empfangen. Kleinere Kreise mochten des Tages weihevoll gedenken, aber nur in der Stille, fern vom Geräusche des Marktes, auf dem kein Festzug sich versammelte, keine Fahne sich entfaltete und ganz andere Dinge verhandelt wurden."[33] Der historische Befund wird hier mit Absicht verzeichnet, denn es fehlte 1849 nicht an öffentlichen Feiern, die in öffentlichen Gebäuden und sogar auf Marktplätzen abgehalten wurden. Nicht nur eine Elite von Goetheverehrern bekannte sich 1849 zu dem Dichter. Hehn suggeriert einen kausalen Zusammenhang zwischen dem angeblichen Desinteresse der Öffentlichkeit und dem politischen Radikalismus der Jahre 1848 und 1849. Doch diese Gleichung geht nicht auf, da Gervinus, auf dem die spätere liberale Literaturgeschichte aufbaute, keineswegs der große Goetheverächter war, als den ihn Hehn hinstellt. Vielmehr war er der Historiker, der trotz aller Kritik die kanonische Geltung Goethes durch seine Literaturgeschichte mit festgelegt hatte. Zur Diskussion stand damals – und Hehn ist an dieser Debatte maßgeblich beteiligt –, wie die unbestrittene Klassizität Goethes nach der gescheiterten Revolution neu zu deuten sei. Die ästhetische und weltanschauliche Rettung Goethes vollzieht sich vor dem gewandelten politischen und ideologischen Hintergrund der nachrevolutionären Epoche. Ihr Ziel ist, den Status des Weimarianers so zu begründen, daß er von der Niederlage des radikalen Frühliberalismus nicht mitbetroffen wird. Hehns posthum veröffentlichte Schrift *Ueber Goethes Hermann und Dorothea*, im Jahr 1851 geschrieben, ist eines der wichtigsten Dokumente dieses Umdenkens.

Hehn distanziert sich von zwei Deutungstraditionen, die ihm als Aktualisierungen erscheinen. Auf der einen Seite nimmt er Goethe in Schutz gegen die politisch motivierte Kritik Börnes und des radikalen Lagers, das Goethe politische Indifferenz vorwarf, auf der anderen Seite wendet er sich gegen die Absicht der Frühsozialisten, Goethes Werken eine sozialistische Botschaft zu vindizieren. Beiden Formen der Aneignung ist Hehn zufolge gemeinsam, daß sie Goethe aus seiner Epoche herausreißen und an Begriffen messen, die nicht die seiner Zeit waren. Mit Nachdruck, und darin sollte ihm später Wilhelm Dilthey folgen, verweist Hehn Goethe in den Kontext des achtzehnten Jahrhunderts, das er als vorrevolutionär und apolitisch versteht. Im Gegensatz zur französischen Aufklärung beschränkte sich die deutsche auf religiöse und ästhetische Fragen: „Alle politischen Fragen lagen bei dieser naturalistisch-ästhetischen Emanzipation außer dem Gesichtskreise. Der Kampf richtet sich gegen die Schranken, die die freie Subjektivität einengen: das Individuum soll mit den tiefen Rätseln und Mysterien seines Inneren, mit der ganzen Unendlichkeit seiner Empfindung das arme Schema der fertigen äußeren Gattungen durchbrechen (...).“[34] Hehn beschreibt den älteren deutschen Ständestaat als eine nicht veränderbare Gegebenheit des damaligen Lebens, so daß die steigende politische Bewegung, die Deutschland seit 1770 erfaßte, als etwas Fremdes erscheint. Durch diese Situierung wird Goethe zu einem unpolitischen, ausschließlich mit seinen individuellen Problemen beschäftigten Autor. „Goethe selbst aber und sein Jahrhundert hatten keinen Beruf, weder politisch zu wirken noch eine politische Wirksamkeit, die nicht vorhanden war, poetisch darzustellen.“[35] Unverkennbar ist Hehn bereit, ja entschlossen, alles zu verdrängen, was nicht in sein Bild eines unpolitischen Deutschlands paßt, um

Goethes Werk historisch erklären zu können. Die Historisierung wird hier zum Instrument der ästhetischen wie ideologischen Legitimierung des Gegenstands; denn Hehn geht über die historische Distanzierung der vergangenen Literatur hinaus. Nach den Erfahrungen von 1848 spricht er den Deutschen überhaupt ein politisches Interesse ab. „Wir sind ein Volk der Familie, des Privatlebens, des Gemütes, und dieser Zug geht durch die ganze Geschichte Deutschlands."[36] Folglich suggeriert Hehn, daß die Bedingungen, unter denen *Hermann und Dorothea* entstand, noch die Bedingungen seiner eigenen Zeit sind; er legt also die Ansicht nahe, der apolitische Charakter dieses Werkes sei nicht nur durch seine Entstehung bedingt, sondern müsse gleichermaßen seine spätere Rezeption beeinflussen. Goethes Versepos wird unter der Hand zum zeitgemäßen dichterischen Zeugnis, an dem sich der Leser des Jahres 1851 erbauen kann.

Freilich geht es Hehn nicht nur um die Rettung Goethes gegen radikale politische Deutungen, bezeichnenderweise bezieht er Schiller in seine apolitische Interpretation ein. Dessen historische Dramen werden ausdrücklich als privat bezeichnet und die Briefe *Über die ästhetische Erziehung des Menschen,* in denen das Verhältnis von Ästhetik und Politik Gegenstand des Diskurses ist, werden gegen Gervinus gewandt so gelesen, daß „die ästhetische Erziehung nur eine sittlich-schöne Wiedergeburt bezweckt, welche, wird sie jemals vollendet, die politische Wiedergeburt ersetzte (...)."[37] Während diese Deutung Schillers sich in den fünfziger Jahren nicht durchsetzen kann, besteht in der Goethekritik die Neigung – ansatzweise schon bei Wilhelm Danzel –, die Historisierung des Gegenstandes für ein konservatives Klassikerbild zu benutzen. Die klassizistischen Aspekte in der Literaturtheorie des programmatischen Realismus, auch wenn seine Vertreter sich als Liberale verstanden, kamen diesen Tendenzen entschieden entgegen. Diese Bemühungen haben an dem Widerspruch teil, den Hehns Feier von *Hermann und Dorothea* auszeichnet: Man möchte Goethes Werk historisieren und gleichzeitig als musterhaft, d.h. überzeitlich ausweisen. Hehns Deutung steht stellvertretend für den Ansatz, der die Goethekritik der fünfziger und sechziger Jahre prägt: „Jene episch-plastische Richtung, die der Dichter durch seine eigene Natur und durch Spinoza erhalten hatte, kam zur völligen Reife in dem plastischen Italien. Die Natur- und Kunstwelt Italiens gab ihm die durchsichtige Klarheit, die vollendete Form, die objektive Bestimmtheit und den milden Frieden, der seine Werke von da an auszeichnet."[38] In der unterstellten Objektivität liegt der Grund für Goethes Größe, die ihn nach dem Urteil der Goethegemeinde über den politisch engagierten Schiller stellt.

Während die einflußreichen *Grenzboten* die Säkularfeier Goethes noch kritisch kommentierten und in dem Aufsatz „Zu Goethes Jubelfeier" (Julian Schmidt) absprechend über Goethes „subjektive Willkür, das charakterlose Verschwimmen im Meere zufälliger Empfindungen, das Auflehnen gegen Regel und Gesetz" beanstandeten,[39] zeichnete sich in dem von Robert Prutz geleiteten *Deutschen Museum* eine freundlichere Haltung ab. Prutz setzte, wie er sich ausdrückte, den Namen Goethes über seine Zeitschrift.[40] Aber auch Schmidt und der *Grenzboten*-Kreis sind nicht wirklich zu den Gegnern Goethes zu rechnen; auch für sie stand die kanonische Geltung des Dichters bereits fest. Schmidt wandte sich gegen die romantische und postromantische Kritik, die an Goethe gerade das Irrationale schätzte, während Schmidt im Namen des gesunden Menschenverstandes die „Selbstbegrenzung der schönen Natur", d. h. Goethes Objektivität preist. Die Vorbehalte des *Grenzboten*-Kreises gegen gewisse Aspekte von Goethes Werk standen in engem Zusammenhang mit dem Ausgang der Revolution; man wehrte jede Form von Subjektivität ab, die als politische Schwäche auszulegen war.

Während der programmatische Realismus die Ästhetik der Goethezeit in das eigene Programm weitgehend integrierte,[41] bemühte sich die Literaturwissenschaft, das Erbe der Klassik durch einen historischen Ansatz zu bewahren. Hier wäre der früh verstorbene Theodor Wilhelm Danzel zu nennen, dessen Aufsätze zu Goethe sich gegen das geschichtsphilosophische Denken der Hegelianer abgrenzten. Freilich enthielt diese Einstellung, ähnlich wie bei Viktor Hehn, ein Bekenntnis zur klassischen Ästhetik. So enthält Danzels Aufsatz über Goethe und die Weimarer Kunstfreunde nicht weniger als eine Rettung der Goetheschen Literaturtheorie.[42] Goethes Bindung an die antike Kunsttheorie, so lautete das Argument, konnte seine Auffassung der Literatur nicht beeinflussen, weil auf diesem Gebiet im Unterschied zur bildenden Kunst ein verpflichtendes Vorbild nicht vorhanden oder wenigstens für Goethe nicht sichtbar war. Folglich konnte Danzel Goethes Leistung als des Schöpfers einer neuen Literaturauffassung hervorheben.

Diese Tendenz wurde in den sechziger Jahren fortgesetzt durch Hermann Hettner, der anläßlich eines innerhalb des Berliner Goethe-Kolloquiums gehaltenen Vortrags über die *Iphigenie* den alten Tadel des abstrakten Idealismus zurücknahm und nunmehr das Drama als einen Gipfel der klassischen Formgebung feierte.[43] Im gleichen Sinne sprach Berthold Auerbach, der sich ebenfalls an dem Berliner Kolloquium beteiligte, in seinem Vortrag über die Objektivität der Goetheschen Erzählkunst am Beispiel des *Wilhelm Meisters*.[44] In diesen Zusammenhang gehört schließlich auch – den Klassikerkult der Gründerzeit vorwegnehmend – Herman Grimm, der sich von der Goethezeit schon so weit getrennt weiß, daß sich jede kritische Auseinandersetzung mit dem klassischen Erbe erübrigt.[45] Der wachsende zeitliche Abstand und die daraus folgende fehlende Vertrautheit mit dem kulturellen Milieu der Goethezeit rief nicht die Goethe-Kritik, sondern die bewahrende Goethe-Philologie und die Biographik auf den Plan. Bezeichnend für diese Einstellung ist Grimms Einleitung zu seinen Goethe-Vorlesungen, die er 1874 und 1875 hielt. Goethe ist hier zu einem Ereignis geworden, das jederzeit das Schicksal der Menschen bestimmt, die in seinem Raum leben. „Die Ansichten über seinen Werth werden wechseln, in verschieden gearteten Zeiten wird er dem Deutschen Volke näher oder ferner zu stehen scheinen: niemals aber wird er gestürzt werden können oder sich aus sich selbst auflösen, abschmelzen wie ein Gletscher, von dem, wenn der letzte Tropfen verronnen ist, nichts mehr übrig bliebe."[46] Goethe hat einen Status erreicht, der ihn über die Literaturgeschichte hinaushebt; neben Homer, Dante und Shakespeare gehört er zu den der Zeit entrückten Olympiern, die ihrer Rezeptionsgeschichte immer überlegen bleiben. An der Vollendung Goethes in seinen in Italien geschaffenen Werken kann es keinen Zweifel mehr geben; die Enttäuschung der Zeitgenossen über Goethes Entwicklung wird unbedingt diesen als Mangel an Einsicht zur Last gelegt. Für die problematische Freundschaft mit Schiller findet Grimm den Ausdruck „Collectivbegriff innerhalb der Deutschen Geschichte",[47] wodurch ihre emphatische Bedeutung für alle Zeiten festgelegt werden soll.

Die von Grimm geforderte Historisierung Goethes wird eher zu der *Mythisierung* eines kulturellen Heros, dessen Leben bei allen Einzelheiten, die durch die Philologen erschlossen werden, die Gestalt einer Legende annimmt. In Grimms Vorlesungen ist die Position des Kritikers mit der des besprochenen Autors identisch. Daß diese Affirmation mit der veränderten politischen Lage zusammenhängt, wird wiederum in der Einleitung unumwunden ausgesprochen: „Wir besitzen eine Gegenwart, weit über unsere Wünsche hinaus. Ihre Gaben sind nicht mehr, wie früher, erst zu erhoffen oder zu erringen, sondern festzuhalten, auszubilden und auszunutzen. Mit dem Lichte dieses neu-angebrochenen Tages leuchten wir jetzt anders in die Zeiten hinein, welche hinter uns liegen. Wir suchen in ihnen nicht mehr Waffen, die uns zur Erlangung der Freiheit dienlich werden könnten, sondern wir suchen nach dem, was, nach dem siegreich vollbrachten Kampfe um die Freiheit, uns in der gewonnenen Stellung kräftigt und uns im Besitze des gewonnenen Gutes befestigt."[48] Nachdem unter Bismarck die nationale Einheit gewonnen worden ist, erscheint die politische Goethekritik der Liberalen als überholt und unangemessen. Wo Gervinus und seine Schüler in Goethes politischer Indifferenz ein Defizit der Klassik erblickten, sieht Grimm in der konservativen Gesinnung seines Autors die Voraussetzung für das eben gegründete Reich Bismarcks. „Goethe's Arbeit hat den Boden schaffen helfen, auf dem wir heute säen und ärnten. Er gehört zu den vornehmsten Gründern der Deutschen Freiheit. Ohne ihn würden uns bei all unsern Siegen die besten Gedanken fehlen, diese Siege auszunutzen."[49]

Hier hat die Entpolitisierung der Goethekritik, wie sie Hehn nach 1848 gefordert hatte, ihre politischen Konsequenzen erreicht: Goethe, und mit ihm Schiller, erscheint als der Vorbereiter des Zweiten Reiches.[50] Auch bei einem gemäßigten Liberalen wie Julian Schmidt zeichnete sich nach 1866 eine ähnliche Wende ab.[51] Nach dem preußischen Sieg bei Königgrätz war auch Schmidt bereit, die politische Kritik an der Klassik aufzugeben, weil ihm an der nationalen Einheit mehr lag als an der politischen Selbstbestimmung. In der *Geschichte der deutschen Literatur seit Lessings Tod*, die 1866 erschien, wird Goethe positiver beurteilt als 1855. Freilich sollte man die Wende nicht, wie dies bei Bernd Peschken der Fall ist, überspitzen, denn schon in den fünfziger Jahren waren bei Schmidt Schwankungen im Urteil über Goethe zu bemerken, vor allem aber muß man sich klarmachen, daß er trotz aller Polemik gegen Goethe im Grunde die kanonische Geltung der Weimarer Klassik nie bestritten hat. Daß die Klassik den Gemeinsinn der Deutschen vorbereitete, d.h. die politische Einigung der Deutschen einleitete, gehört seit den frühen sechziger Jahren, namentlich nach den Aufsätzen Adolf Schölls, zu den vertrauten Argumenten der Goethekritik.[52] Hier brauchte Schmidt nur durch veränderte Akzentsetzung nachzuvollziehen, was Forscher wie Danzel, Schöll, Grimm und andere bereits formuliert hatten.

Preußen und die literarische Tradition

Durch die Verbindung der Weimarer Klassik mit der preußisch-deutschen Geschichte – insofern das neue Reich zur Erfüllung dessen wird, was die Klassik gewollt hatte – kommt ein Moment ins Spiel, auf das zuerst Franz Mehring aufmerksam gemacht hat. Die nachrevolutionäre Literaturgeschichte beginnt, besonders seit den sechziger Jahren, zwischen der preußischen Geschichte und der Entwicklung der deutschen Literatur eine Verbindung zu konstruieren. Dieser Tendenz müssen wir nachgehen, da sie für die Frage, welche Funktion die Kanonisierung der deutschen Tradition hat, von Bedeutung ist. Die Ansätze zur Preußen-Legende finden sich, wie Mehring gezeigt hat,[53] in verstreuten Äußerungen Goethes, namentlich in einer Passage in *Dichtung und Wahrheit*, in der Goethe Friedrich dem Großen eine gewisse Bedeutung für die deutsche Literatur zuspricht. Goethe bezieht sich auf den Ehrgeiz einer jungen Nationalliteratur, die sich durch die Ablehnung des Königs provoziert fühlte. Nach 1850 haben sich die Verhältnisse freilich verkehrt. Nunmehr erscheint der preußische König als der direkte oder mittelbare Förderer der deutschen Literatur.

Wenn Gervinus im vierten Band seiner Literaturgeschichte von der „preußischen Literatur" spricht,[54] so meint er Schriftsteller wie Gleim und seinen Kreis, sodann Abbt, Mendelssohn, Nicolai und Lessing; er denkt an das literarische Leben in Berlin und nicht an den Potsdamer Hof. Unumwunden wird zugegeben, daß dieser auf Grund seiner französischen Ausrichtung für die deutsche Literatur wenig ergiebig war. Den Beitrag des Hofes zur deutschen Kultur erblickt Gervinus auf dem Gebiet der Philosophie, der Theologie und der Musik. Und auch hier unterscheidet er noch zwischen den Leistungen, die von preußischen Bürgern erbracht wurden, und dem, was die Hohenzollern beitrugen. Immerhin finden sich bei Gervinus Ansätze zu einer preußischen Fixierung der deutschen Literaturgeschichte, auf die sich spätere Historiker berufen konnten. Gleims Grenadierlieder erscheinen neben der Bardendichtung als der Beginn einer volkstümlichen Dichtung in Deutschland, und auf der anderen Seite wird Friedrich II. in seiner Verachtung der deutschen Literatur in Schutz genommen; seine Fremdheit gegenüber den bedeutendsten Autoren seiner Zeit durch seine französische Bildung wenigstens erklärt. Auf keinen Fall jedoch wäre Gervinus auf die Idee gekommen, die preußische Hofkultur als eine Vorbedingung der Weimarer Klassik zu verstehen oder auch nur einen kausalen Zusammenhang zwischen dem preußischen Staat und Goethe und Schiller herzustellen. Selbst der konservative August Friedrich Vilmar, der die deutsche Klassik mit dem Christentum versöhnen wollte, verzichtete in seiner erfolgreichen *Geschichte der deutschen Nationalliteratur* auf eine Fundierung der Weimarer Klassik in der preußischen Geschichte. Erst durch den preußisch-österreichischen Konflikt nach 1850, durch die bevorstehende Entscheidung zwischen einer kleindeutschen und einer großdeutschen Lösung, wurde diese Frage zu einem akuten Problem der literarischen Traditionsbildung. Je mehr die pro-preußische, kleindeutsche Lösung der Verwirklichung näherrückte und diese Einigung gleichzeitig als die Erfüllung der kulturellen wie politischen Hoffnungen der Deutschen erschien, desto lauter wurde die Frage, welchen Beitrag die ältere preußische Geschichte zur Ausbildung des inzwischen abgesicherten Literaturkanons geleistet hatte. Der preußische Sieg über Österreich im Sommer 1866, durch den die kleindeutsche Lösung entschieden wurde, forderte eine Revision geradezu heraus, nicht zuletzt bei den Liberalen, die zwischen 1862 und 1866 den preußischen Staat bekämpft hatten. So ist in der Tat das Vorwort Julian Schmidts zum zweiten Band seiner neu aufgelegten Literaturgeschichte, datiert auf den 7. September 1866, ein schlagendes Dokument dieser Revision. Nach einem Hinweis auf den preußisch-österreichischen Krieg heißt es: „Wer mein Werk aufmerksam gelesen hat, kennt den rothen Faden, der es durchzieht: an der Kleinstaaterei sind die kühnsten und stolzesten Schwingen unseres Geistes verkümmert. Den Tag gesehen zu haben, wo Deutschland, durch einen gewaltigen Arm geleitet, endlich diese lähmenden Fesseln abstreift, gehört wohl zu den größten Freuden des Lebens."[55] Unumwunden wird

hier der preußische mit einem deutschen Sieg gleichgesetzt, die kleindeutsche Lösung als die natürliche behandelt. Bemerkenswert ist, daß
Schmidt aus dieser Veränderung sogleich Folgerungen für die Literaturgeschichte zieht: Die polemische Einstellung gegen die Klassik, die seine
frühen Arbeiten auszeichnete, erscheint ihm 1866 als antiquiert.
Diese Revision deutet sich im ersten Band der Literaturgeschichte bereits an. Die Klassik und auch die Romantik werden mit größerer Einfühlung dargestellt als dies 1855 der Fall war. Während Schmidt in der
Deutung einzelner Werke, wie zum Beispiel des *Wilhelm Meisters,* seiner
früheren Haltung noch treu bleibt, nähert sich sein Gesamturteil schon
der Affirmation eines Herman Grimm. Besonders der 1867 erschienene
dritte Band, der den Zeitraum zwischen 1814 und der Gegenwart behandelt, zeigt einen weitgehenden Wechsel des Standpunkts. Schmidt nähert
sich der national-konservativen Deutung der deutschen Tradition.
  Was sich bei Julian Schmidt nur in Ansätzen abzeichnet, wurde von
dem jungen Wilhelm Dilthey bewußt und mit systematischer Absicht
vollzogen. Wenn es sicher eine Übertreibung darstellt zu behaupten, daß
durch Dilthey eine „vollständige Wende in der Literaturgeschichtsschreibung" eingeleitet worden ist,[56] so zog Dilthey zweifellos aus dem überlieferten liberalen Klassikmodell Konsequenzen, die Gervinus und seinen Schülern, ja selbst Wilhelm Danzel ferngelegen haben. Solange
Dilthey den deutschen Idealismus als die treibende Kraft der preußischen Geschichte ansah – beispielsweise in seinem frühen Aufsatz über
Schleiermacher –, stand er selber in der liberalen Tradition, die im Verfassungskonflikt noch einmal die Idee des Rechtsstaats gegen die Regierung Bismarcks durchsetzen möchte. Der Wendepunkt wurde erst dort
erreicht, wo Dilthey das Verhältnis umkehrt und die preußische Tradition, eben die Verbindung von Aufklärung und Absolutismus, zum Fundament der deutschen literarischen Tradition erklärte. Dies geschah 1866
anläßlich seiner kritischen Auseinandersetzung mit der neueren Literaturgeschichte. Man muß hier deutlich zwischen dem idealistischen Ansatz der frühen sechziger Jahre und der „realistischen" Revision um 1866
unterscheiden. Es genügt nicht, davon zu sprechen, Dilthey habe mit den
Aufsätzen über Goethe, Novalis, Hölderlin und Lessing ein Instruk-
tionsprogramm ausführen wollen,[57] denn diese Absicht war in gleicher
Weise bei den Liberalen vorhanden, die ja die ästhetisch-literarische Vorherrschaft der Klassik keineswegs leugneten. Die konservative Wendung
des Instruktionsprogramms lag darin, diesen Autoren eine Botschaft zu
unterstellen, welche sie mit der anstehenden kleindeutschen Lösung in
Einklang bringt. In einem späteren Zusatz zu dem zuerst 1867 veröffentlichten Lessing-Aufsatz formuliert Dilthey diese preußisch-idealistische
Synthese explizit. „So treffen hier", schreibt Dilthey, „zwei große geistige Gewalten dieser deutschen Aufklärungszeit aufeinander: der hochge-

spannte Ehrbegriff der friderizianischen Armee und die heitere Menschlichkeit, dieses schönste Erzeugnis unserer damaligen Literatur."[58] Dilthey versteht die Konflikte des deutschen Dramas im achtzehnten Jahrhundert als Spiegel der Spannungen zwischen einer humanistischen Kultur und dem „preußischen Machtwillen". Lessings Komödien, insbesondere *Minna von Barnhelm,* werden dann als Überwindung dieses
Gegensatzes gelesen. Lessing erreichte nach dem Urteil Diltheys die
Synthese, die auf den *Tasso* und den *Faust* vorausdeutet.

Dilthey stand mit dieser Ansicht nicht allein. Auch Hettner versuchte,
in seiner Literaturgeschichte nachzuweisen, daß die preußische Tradition, wenn nicht unmittelbar durch die Person des Königs, so doch mittelbar für die Entwicklung der deutschen Literatur bedeutsam wurde. Indem er den Einfluß der westeuropäischen und deutschen Aufklärung auf
den jungen Friedrich II. ausführlich behandelt, möchte er auf der anderen Seite dieses von der Aufklärung geprägte Preußen für die deutsche
Literatur in Anspruch nehmen. Freilich gelingt es Hettner nicht, den
Bruch dieser Konzeption zu verdecken. Nachdem er die philosophischen
Aspirationen des Kronprinzen dargelegt hat, kann er nicht verbergen,
daß der junge König sein Programm im ersten Schlesischen Krieg keineswegs entfaltete. Dieser Widerspruch wird in folgender Formulierung
aufgefangen: „Friedrich hat sein Wort so redlich eingelöst", wie es ihm
Ruhmsucht, von Jugend auf empfangene Eindrücke und die Eigenart
des preußischen Militärstaats gestatteten.[59] Die Rechtfertigung des preußischen Staates vollzieht sich, wie zu erwarten, über Kants Aufklärungs-
schrift, denn diese attestierte dem preußischen König, zur Aufklärung einen wesentlichen Beitrag geleistet zu haben. Dazu bemerkt Hettner:
„Der philosophische König verwirklicht den Geist des rationalistischen
Naturrechts, welches die Entstehung des Staats aus einem Vertrag der
Bürger mit dem Staatsoberhaupt ableitet und daher die Berechtigung
und Bestimmung der Regierung einzig und allein in die Beschirmung des
Rechts und der Freiheit Aller setzt."[60] Folglich wird dann auch der Siebenjährige Krieg kühn als ein „Kampf der Freiheit und Aufklärung gegen die dunklen Mächte pfäffischer und despotischer Bedrückung" stilisiert.[61] Durch diese forciert progressive Deutung Preußens, die sich an
den Verfassungsreformen und zumal am Landrecht von 1794 orientiert,
möchte Hettner Preußen für die Fortbildung des deutschen Geistes retten. Hier beruft sich Hettner auf *Dichtung und Wahrheit,* um die Bedeutung des Siebenjährigen Kriegs zu erläutern.[62] Weit entfernt, diesen
Krieg im Zusammenhang mit der europäischen Bündnispolitik zu erklären, hebt Hettner ausschließlich den kulturellen Aspekt hervor, nämlich
die angeblich anregende Wirkung auf die zeitgenössischen Schriftsteller.
Um die kulturelle Bedeutung herauszustreichen, scheut Hettner hier
nicht vor dem Vergleich mit der griechischen Geschichte zurück: Wie die

Perserkriege am Eingang des Perikleischen Zeitalters stehen, leitet der Siebenjährige Krieg das Goldene Zeitalter der deutschen Literatur ein.[63] Indem Hettner zwischen der preußischen Aufklärung und der Misere der kleinen deutschen Staaten unterscheidet, bringt er die preußische Geschichte in die Tradition der entstehenden deutschen Nationalliteratur ein. Hettner zufolge erhält die deutsche Kultur durch die Politik Friedrichs II. zum ersten Mal ihren nationalen Gehalt. Immerhin bleibt Hettner der liberalen Tradition noch nahe genug, um die Schranken des Absolutismus zu bemerken. „Alles für das Volk, Nichts durch das Volk. Dieser Wahlspruch des aufgeklärten Despotismus sagt sattsam, wie auch in dieser neuen Staatsform Volk und Regierung noch ebenso durch eine weite und unüberspringbare Kluft von einander getrennt sind wie unter der rohsten fürstlichen Gewaltherrschaft."[64] Hettner hält daran fest – und das macht ihn 1870 unzeitgemäß –, daß der Prozeß der Geschichte sich als der Gang der humanen Emanzipation zu legitimieren habe. So trennt er in der Einleitung zum zweiten Band erneut die Gewalttätigkeit des alternden Preußenkönigs von der eigentlichen Aufgabe der deutschen Geistesgeschichte. Diese führt einerseits zu Kant und andererseits zu dem Dichterbündnis zwischen Goethe und Schiller.

Literaturkanon und Bildungswesen

Die Literaturgeschichte hat bis 1870 bei der Festlegung der literarischen Tradition zweifellos eine führende Rolle gespielt: Unter Historikern und Kritikern wurde die Debatte darüber ausgetragen, welcher Autor als klassisch angesehen werden muß, wie man sich die Entwicklung der deutschen Literaturgeschichte vorzustellen habe und wo ihre Gipfel zu finden seien. Freilich haben die Literaturgeschichten keine institutionelle Verbindlichkeit. Sie sagen noch nichts darüber aus, was auf den Universitäten gelehrt wurde und wie sich der Unterricht auf den Schulen, besonders den Gymnasien gestaltete. Der Diskurs der Pädagogen über den Lektürekanon jedoch ist weitgehend selbständig, hat jedenfalls seine eigene Geschichte im Kontext der fortlaufenden Diskussion über die Aufgaben und Ziele des Bildungswesens. Es muß in diesem Zusammenhang daran erinnert werden, daß der Deutschunterricht im Vergleich mit der Ausbildung in den klassischen Fächern (Latein und Griechisch) im Gymnasium eine untergeordnete Rolle spielte. Vor 1840 war der Literaturunterricht in erster Linie durch die rhetorische Methode bestimmt. Die im Unterricht dargebotenen Texte waren Beispiele für die rhetorische Analyse. Erst seit den vierziger Jahren bildete sich, gefördert von Pädagogen wie Robert Hiecke, die Einsicht aus, daß der Literaturunterricht zur Ausbildung eines nationalen literarischen Bewußtseins beizutragen habe.[65]

Nach ersten Versuchen von Niethammer zu Beginn des neunzehnten Jahrhunderts, die sich jedoch gegen den Neuhumanismus von Thiersch nicht durchsetzen konnten, war es Hiecke, der 1842 mit seiner grundlegenden Schrift *Der deutsche Unterricht auf deutschen Gymnasien* ein Lektüreprogramm für den Deutschunterricht vorlegte, das als nationales Bildungsprogramm konzipiert war.[66] Weitgehend deckte es sich mit den Überlegungen der liberalen Literaturhistoriker. Auf Herder zurückgreifend, forderte Hiecke die systematische Berücksichtigung der deutschen Literatur für die Bildung der Gymnasiasten. Es handelte sich zunächst darum, die deutsche Literatur als gleichberechtigt neben der griechischen und lateinischen im Unterricht zu verankern. Hiecke rechtfertigte diese Ausweitung des Kanons damit, daß die Einübung in antike Texte nur vor dem Hintergrund der vaterländischen Literatur sinnvoll sei. Seine Aufgabe unterschied sich freilich von derjenigen der Literaturhistoriker dadurch, daß er eine für die Schule geeignete Auswahl vorlegen mußte und ferner auf die geistige Reife der verschiedenen Altersgruppen Rücksicht zu nehmen hatte. Aus diesem Grunde werden die unteren und mittleren Gymnasialklassen von der großen Tradition noch ausgeschlossen.[67] Der Deutschunterricht der Unter- und Mittelstufe bereitet die Schüler durch die Lektüre von biblischen Geschichten, Märchen, Reisebeschreibungen etc. auf die Rezeption der Dichtung im engeren Sinne vor. Diese Aufgabe beginnt mit der Sekunda, für die Herders *Cid,* das *Nibelungenlied,* vaterländische Lyrik von Ewald von Kleist und Karl Wilhelm Ramler wie auch einige Oden Klopstocks vorgesehen sind. Daneben empfiehlt Hiecke ausgewählte Dramen Goethes und Schillers, zum Beispiel *Götz von Berlichingen* oder *Wilhelm Tell,* möglicherweise den *Wallenstein.* Erst in der Prima soll der klassische Kanon der deutschen Literatur im strengen Sinn behandelt werden. Hier trifft Hiecke Entscheidungen, die auf die nachfolgende Diskussion großen Einfluß hatten. Er möchte für die Schüler nicht Bildung schlechthin, sondern ein vertieftes geistiges Verhältnis zu ihrer Nation erreichen und trifft entsprechend seine Auswahl.

Die von Hiecke getroffene Selektion stimmt weitgehend mit den von der Literaturgeschichte hervorgehobenen Autoren überein. Im Mittelpunkt stehen Lessing, Schiller und Goethe, denn in diesen Autoren kommt der „nationale Geist" klar zum Ausdruck. Die Werke dieser Dichter sind höher zu schätzen als andere, weil sie nach dem Urteil Hieckes erlauben, den Weg des deutschen Geistes zu verstehen und das zu erreichende Ziel besser zu begreifen. Bezeichnenderweise werden weder Klopstock noch Herder in dieser Hinsicht als gleichwertig anerkannt. Sie, wie auch Wieland, gelten als Vorstufen, die zwar zu berücksichtigen sind, aber nicht in den Mittelpunkt gehören. Während Klopstock und Herder wenigstens noch genannt werden, kann Hiecke

Wieland nicht mehr empfehlen.[68] Jean Paul wird am Rande berücksichtigt und die romantische Generation, wenn auch nicht ohne Vorbehalte, erwähnt. Die Schüler sollen etwas von Tieck gelesen haben und sich vor allem mit Uhlands Werken vertraut gemacht haben, um deutsches Wesen zu studieren. An dieser Stelle kommt am deutlichsten zum Ausdruck, daß die Auswahl des Erbes nicht ausschließlich von literarischen, sondern im gleichen Maße von national-politischen Gesichtspunkten geprägt ist. Hiecke möchte den humanistischen Literaturbegriff, der an die Antike gebunden war, revidieren und in einer nationalen deutschen Tradition fundieren.

Hieckes Programm war in den vierziger Jahren keineswegs allgemein anerkannt. Christliche Pädagogen wie F.J. Günther und H. Hülsmann kritisierten ihn scharf. Günther konnte vom christlichen Standpunkt aus nur Klopstock billigen, während Hülsmann wenigstens Lessing und bis zu einem gewissen Grade auch Schiller und Goethe anerkannte.[69] Die christlichen Einwände gegen die „heidnischen" Klassiker von Weimar, gegen den Neuhumanismus überhaupt, bestimmten zum Teil auch die Literaturpädagogik der fünfziger Jahre. Die Stiehlschen Regulative sprachen diesen Geist am deutlichsten aus. Doch im ganzen spielten die religiösen Einwände gegen die Weimarer Klassik nach 1850 eine geringe Rolle. Rudolf von Raumer nahm in der zweiten Auflage von Karl von Raumers *Geschichte der Pädagogik* in dem Teil über den Deutschunterricht die Überlegungen Hieckes wieder auf, wenn er auch didaktisch eine durchaus divergierende Theorie vertrat. Obgleich Raumer die analytische Methode des Literaturunterrichts ablehnte und sich für eine affirmative, unreflektierte Aneignung aussprach, teilte er doch weitgehend den Lektüre-Kanon Hieckes. Die Zahl der Autoren und Werke, die zum bleibenden Erbe gerechnet werden und daher als Lektüre empfohlen werden, ist sogar noch kleiner geworden. Raumers Selektion sieht folgende Werke vor: „Von Goethe: Götz von Berlichingen, Iphigenie, Hermann und Dorothea. Von Schiller: Wallenstein, Wilhelm Tell, Jungfrau von Orleans. Von Lessing: Minna von Barnhelm. Dazu einige Stücke von Shakespeare (etwa Julius Cäsar und Macbeth, aber nicht der Schillersche), Herders Cid, und ein Stück von Calderon."[70] Auffallend ist die Bevorzugung der klassizistischen Phase im Schaffen Goethes und Schillers und die vollständige Vernachlässigung des Früh- und Spätwerks. Im Falle Lessings wird überraschenderweise nicht einmal *Nathan der Weise* aufgenommen. Autoren wie Klopstock, Wieland und Jean Paul werden nicht genannt. Auch die Romantiker und die neue Literatur, etwa Heine, bleiben außerhalb des Gesichtskreises. Die bei Raumer eingetretene Reduktion des Kanons auf Lessing, Herder, Schiller und Goethe bleibt freilich eine Einzelerscheinung, die von den späteren Pädagogen und den Lesebuchautoren der fünfziger und sechziger Jahre nicht mit gleicher Strenge durchgeführt wird. Dagegen behauptet sich das Auswahlprinzip der Klassizität als das entscheidende Kriterium. Und zwar fordert Raumer eine Form der Aneignung für die Schüler, die gerade die Reflexion zurückdrängt. „Die Aufgabe der Schule für die neuere deutsche Literatur wird demnach", heißt es gegen Hiecke gerichtet, „weit mehr in der Überlieferung als in der Erklärung bestehen."[71] Was Raumer mit dieser Formulierung meint, wird deutlich durch seinen Vorschlag, die lyrische Poesie im wesentlichen dem Gesangsunterricht zu überlassen, so daß sie durch „Singen und Sagen" aufgenommen und angeeignet wird. Aus didaktischen Gründen wendet sich Raumer gegen die Methode des Erklärens: angeblich bleiben solche Erläuterungen neben dem Eindruck, den ein großes Werk unmittelbar hinterläßt, untergeordnet. Dieses zum Teil berechtigte Argument hat freilich eine – möglicherweise unbeabsichtigte – Nebenwirkung: Der Deutschunterricht, wie ihn Raumers Pädagogik vorsieht, schreibt die Tradition dogmatisch fest. Es wird hier stillschweigend vorausgesetzt, daß die Rezeption der Meisterwerke affirmativ ist, denn durch die angemessene Auswahl des erfahrenen Pädagogen sind diejenigen Texte von vornherein eliminiert worden, welche die Bildung des Schülers „verwirren" könnten. Raumer ist sich bewußt, daß der Pädagoge und Lehrer in den Prozeß einer sich entfaltenden literarischen Tradition eingreift und legt sich deshalb die Frage vor: „Wer aber soll darüber entscheiden, was vorzüglich ist, was nicht?"[72] Die Antwort lautet: „So schwankend in einzelnen Fällen das Urtheil bleiben wird, so läßt sich dennoch auf diese Frage wohl eine Antwort geben. Es entscheidet nämlich darüber die *dauernde* Anerkennung der Besten im Volk."[73] Dieser wirkungsgeschichtliche Standpunkt wird nun so erläutert, daß der öffentlichen Meinung in letzter Instanz die Entscheidung zufällt. Die Schule folgt in ihrer Auswahl nur der herrschenden Meinung. Daher ist es nur konsequent, wenn sich in der Auswahl, die Raumer trifft, die Ergebnisse der literaturgeschichtlichen Diskussion niederschlagen.

Trotz mancher Einzelkritik schloß Ernst Laas noch in den siebziger Jahren an von Raumer an. Zwar erweitert er den Kanon ein wenig, läßt zum Beispiel in der Unterstufe auch Gedichte von Uhland, Hoffmann von Fallersleben, Chamisso und Heine gelten, konzentriert jedoch die Auswahl für die Oberstufe ebenfalls auf Goethe, Schiller und Lessing. Daneben sind in der Obersekunda als Klassenlektüre Walter von der Vogelweide, Herder *(Cid)* und Shakespeare vorgesehen. Anders als bei Raumer kommt die Literaturgeschichte wieder stärker zu ihrem Recht. In der Sekunda soll die Geschichte der deutschen Literatur von der germanischen Dichtung bis zum sechzehnten Jahrhundert kursorisch behandelt werden, so daß sich der Deutschunterricht der Prima dann mit dem Zeitraum zwischen 1500 und 1800 beschäftigen kann.[74] Wie bei Gervinus schließt die Einführung in die neuere Literatur bei Laas mit dem Jahr 1815 ab. Danach hatte Deutschland eine politische Aufgabe zu erfüllen: Es handelt sich, wie im 18. Jahrhundert um die Erzeugung einer klassischen Nationalliteratur, so im 19. Jahrhundert um den Aufbau des nationalen *Staates*.[75] Bei Laas ist die Literaturgeschichte, die Raumer aus dem Gymnasialunterricht heraushalten wollte, massiv in das Lektüreprogramm eingedrungen. Doch auch hier steht die Vorstellung im Hintergrund, daß man die Schüler zum Höhepunkt der deutschen Literatur im späten achtzehnten Jahrhundert hinführen muß. Die Literaturgeschichte ist die Vorbereitung auf die Meisterwerke. Legitimiert wurde diese Tendenz schon im Organisationsentwurf der österreichischen Regierung von 1849, der im Obergymnasium mittelhochdeutsche Lektüre wie auch die kursorische Behandlung der Literaturgeschichte vorsah. Die neuere deutsche Literatur von Herder bis zur Gegenwart wurde der dritten Klasse übertragen, während die vierte und letzte Klasse sich mit den Meisterwerken der griechischen, römischen und deutschen Literatur auseinandersetzen sollte.[76] Dagegen verdrängte in Preußen die Literaturgeschichte seit den zwanziger und dreißiger Jahren langsam die Rhetorik, bis Hiecke gegen diese Gleichsetzung von Literaturunterricht und Literaturgeschichte Widerspruch anmeldete. Mit Recht verweist Georg Jäger darauf, daß schon im Vormärz die Verbindung von Literaturgeschichte und ausgewählter Lektüre das Fundament des Deutschunterrichts bildete.[77] Dem ist hinzuzufügen, daß eben durch diese Verbindung das Problem der Kanonbildung als prinzipielle Frage auftauchen mußte.

Die Auswahl der Lesebücher

Die ausführliche Diskussion über das Lesebuch des Deutschunterrichts hat sich in der Hauptsache an den Programmen der bedeutenden Didaktiker und Pädagogen des neunzehnten Jahrhunderts ausgerichtet.[78] Es wäre jedoch zu fragen, in welchem Maße die von Hiecke, Raumer, Laas und anderen geäußerten Vorstellungen in der Schulpraxis verwirklicht wurden. Ein Blick auf die Lesebücher der fünfziger und sechziger Jahre ist unerläßlich. Die Praxis, so stellt sich dabei heraus, sah wesentlich vielfältiger aus als die Theorie. Während ältere Lesebücher wie das von Heinrich Bone, das 1840 erschien und bis 1867 29 Auflagen erlebte, noch auf einen älteren Klassikerbegriff vertraute und entsprechend Autoren wie Garve, Gellert, Engel, Möser und Pfeffel berücksichtigte, die in den gleichzeitigen Literaturgeschichten längst als Vorläufer und Wegbereiter zweiter und dritter Ordnung behandelt werden, weitet sich in Magers Lesebuch von 1850 der Kanon zum Enzyklopädischen aus und berücksichtigt selbst zeitgenössische Autoren wie Freiligrath und Annette von Droste-Hülshoff.[79] Daneben hält sich auch in den fünfziger und sechziger Jahren das konfessionell ausgerichtete Lesebuch. Auf katholischer

Seite tritt 1857 L. Kellner mit seinem *Deutschen Lese- und Bildungsgut für Höhere katholische Schulen* hervor; auf protestantischer Seite veröffentlichte man 1853 das Lesebuch *Deutsche Art und Kunst in Gedichten für die reifere Jugend christlicher Schulen.*

Die Schulpraxis, wie sie sich in den tatsächlich gebrauchten Lesebüchern niederschlug, folgte den Vorschlägen der führenden Didaktiker nicht so schnell, wie man vermuten möchte. Es ist hier ein deutlicher Unterschied zwischen dem Lesebuch und dem literaturgeschichtlichen Leitfaden zu verzeichnen. Während die Einführungen offensichtlich die gängige Konzeption der Entwicklung der deutschen Literatur spiegeln, bleiben die Lesebücher, die ja nicht ausschließlich wissenschaftliche Bedürfnisse zu befriedigen haben, zum Teil älteren Modellen verpflichtet. Zum einen halten einzelne Lesebücher auch nach 1850 an einer Darbietung des Materials fest, die primär auf die rhetorische Analyse und nicht so sehr auf ihre historische oder ästhetische Aneignung abgestimmt ist. Zum anderen setzt sich der „neue" Klassikerbegriff (d.h. Weimar) und die damit verbundene Neuordnung der deutschen Literatur erst langsam durch. Ein typisches Beispiel für diese verspätete Verbindung von Literatur und Rhetorik ist das Sprach- und Lesebuch von G. Fr. Heinisch und J. L. Ludwig, das 1852 in Bamberg erschien.[80] Die Gliederung nimmt auf die historische Abfolge der Texte keine Rücksicht, sondern ordnet sie systematisch nach den Grundsätzen der Rhetorik – Stil, Figuren, Tropen, Schreibarten, Prosa, Poesie. Die ausgewählten Texte – hauptsächlich aus dem achtzehnten Jahrhundert – werden in die vorgegebenen Kategorien als Beispiele eingefüllt. Selbst dort, wo der rhetorische Grundriß nicht mehr so deutlich zu erkennen ist wie bei Heinisch und Ludwig ist eine systematische Anordnung des Stoffes noch relativ häufig zu finden. Dies gilt nicht nur für ältere Werke wie das Lesebuch von Carl Oltrogge, das zuerst 1836 erschien.[81] Für den Herausgeber ist noch selbstverständlich, daß der prosaische Teil dem Unterricht der deutschen Sprache dienen soll und die Auswahl auf diesen Zweck Rücksicht zu nehmen hat.

Spätere Lesebücher betonen in der Regel stärker die ästhetische Bildung der Schüler, doch bewahren sie trotzdem häufig eine Anordnung, die an den vormaligen pragmatischen Zweck noch erinnert. In diesem Sinne ordnet das *Deutsche Lesebuch* von R. Auras und G. Gnerlich (1850) den Stoff systematisch nach den Grundkategorien von Prosa und Poesie.[82] Innerhalb der Prosa unterscheiden die Herausgeber die erzählende, die beschreibende, die allegorische, die abhandelnde und die rhetorische Darstellung, hinzu kommen die briefliche und schließlich die dialogische Darstellungsform. Entsprechend wird die poetische Abteilung gegliedert in epische und lyrische Poesie. Ähnliche Einteilungsschemata finden sich bei Joseph Kehrein in seinem *Deutschen Lesebuch für Gymnasien, Seminarien, Realschulen.*[83] Auch er unterscheidet Poesie und Prosa, wobei freilich der poetische Teil entschieden ausführlicher gegliedert ist. Für Kehrein ist das literarische Lesebuch noch in erster Linie Anleitung zum Erlernen der Muttersprache anhand der klassischen deutschen Literaturdenkmäler. Daher betont er im Vorwort erneut die Bedeutung der Rhetorik: „Bei dem Erklären von Musterstücken in den Oberklassen muß auf figürliche Ausdrücke, auf Metrik, Poetik und Stylistik (Rhetorik) nothwendig Rücksicht genommen werden."[84] Erst auf der Grundlage der grammatischen und rhetorischen Erklärung (analytisches Verfahren) kann Kehrein zufolge die ästhetische Beurteilung einsetzen.

Das Bekenntnis zur deutschen Nationalliteratur und besonders zur Blütezeit (Lessing, Goethe, Schiller) schließt nicht notwendig eine umfassendere Auswahl des Stoffes aus. So heißt es exemplarisch in der Vorrede zum *Lesebuch für Bürgerschulen* von August Lüben und Carl Nacke: „Die Ansicht, daß wahre Bildung durch Nichts so sehr gefördert wird, als durch richtige Benutzung der klassischen Nationalliteratur, ist in neuerer Zeit so nachdrücklich ausgesprochen und so überzeugend nachgewiesen worden, daß die Schule gerechte Vorwürfe verdiente, wollte sie dieses treffliche, durch keinen andern Unterrichtsgegenstand zu ersetzende Bildungsmittel noch länger unbeachtet lassen. Man braucht auch in der That nur einige Monate lang Dichtungen von Schiller, Göthe, Lessing, Uhland und andern Männern von anerkannter Tüchtigkeit (…) behandelt zu haben, um für immer für einen solchen Unterricht eingenommen zu sein."[85] Die Vermutung jedoch, daß die Herausgeber daher ihre Texte ausschließlich aus den Werken der genannten Klassiker wählen würden, wird nicht bestätigt. Das Lesebuch ist nicht systematisch, sondern historisch gegliedert. Es beginnt mit dem Nibelungenlied und führt bis zu Gedichten von Geibel, Freiligrath und Prutz. In der Selektion zeichnen sich zwei Tendenzen ab: einmal die zu erwartende starke Berücksichtigung der Klassiker (Goethe 17 Stücke, Schiller 11), zum andern die Integration der nachromantischen Literatur mit Autoren wie Immermann, Rückert, Freiligrath, Prutz und Geibel. Diese liberale Auslegung des Kanons möchte offensichtlich die Abschließung der Literatur zur Gegenwart hin vermeiden. Der gleiche Gesichtspunkt findet sich im Lesebuch von Hermann Masius, das nicht nur Autoren des achtzehnten und frühen neunzehnten Jahrhunderts berücksichtigt, sondern auch zeitgenössische Schriftsteller wie Sybel, Burckhardt, Gervinus, Hettner, Stahr, Kugler, Roquette, Reuter, Stifter und Riehl aufnimmt.[86] Masius begründet diese ungewöhnliche Auswahl damit, daß sich der „Gesichtskreis der Schüler bereits derart erweitert" hat, daß „hier von dem deutschen Lesebuche entschieden eine größere Mannigfaltigkeit des Stoffes und der Form gefordert werden darf".[87] Freilich hält Masius an der systematischen Ordnung des Stoffes fest, so daß die geschichtliche Dimension der deutschen Literatur dem Schüler kaum deutlich werden kann.

Vergleicht man diese Lesebücher mit den Lektüreprogrammen Hiekkes oder Raumers, dann zeigt sich, daß die Schulpraxis der Literaturgeschichte nur zögernd folgte. Einzelne Lesebücher hielten auch nach 1850 an einem Kanon fest, der sich in erster Linie aus Schriftstellern der Aufklärung zusammensetzte. Zweitens waren nicht alle Lesebuchautoren bereit, die systematische Anordnung des Materials zugunsten einer historischen Gliederung aufzugeben, denn der Deutschunterricht war für diese Schulmänner nicht nur Literatur-, sondern auch Sprachunterricht. Dort wo der Übergang zur historischen Darbietung vollzogen wurde wie beispielsweise bei Lüben und Nacke, entstand bald das Bedürfnis nach einem literaturgeschichtlichen und philologischen Kommentar. So fügten Lüben und Nacke ihrem Lesebuch Kommentarbände hinzu.[88] Diese Kommentarbände näherten sich der umfangreichen Leitfadenliteratur, die nach 1850 aus dem Boden schoß.

Die Leitfäden zur Literaturgeschichte

Mit der Einführung der Literaturgeschichte in den Deutschunterricht der Gymnasien, mit der Preußen begann und die nach 1850 auch in Österreich durchgeführt wurde, entstand das Bedürfnis nach Grundrissen und Leitfäden, an denen sich Lehrer und fortgeschrittene Schüler orientieren konnten. Die einbändigen Bearbeitungen beruhten in der Regel auf den großen Literaturgeschichten und Handbüchern von Koberstein und Gödeke, Gervinus und Vilmar, die inzwischen klassischen Status erlangt hatten. Die Leitfäden zielen darauf ab, die Ergebnisse der Literaturgeschichte in leicht faßlicher und übersichtlicher Form darzustellen, so daß der unerfahrene Leser von der Gesamtentwicklung der deutschen Literatur eine Vorstellung erhält. Das Vorwort zu Hermann Kluges *Geschichte der deutschen National-Litteratur* (1869) erörtert die mit dieser Aufgabe verbundenen Schwierigkeiten: Eine bloße Zusammenfassung dessen, was in den vielbändigen Literaturgeschichten ausführlich dargestellt wird, verwirrt den Leser mit Namen und Daten, die nicht sinnvoll verwendet werden können. Dies hält Kluge den bekannten und vielgebrauchten Leitfäden von Pischon (13. Aufl. 1868) und Heinrich Kurz (2. Aufl. 1865) entgegen,[89] die angeblich die Bedürfnisse der Schule nicht genügend berücksichtigen.

In der Tat unterscheiden sich Kluges und Kurz' Literaturgeschichte in der Gliederung und der Form der Darbietung – Kurz hält innerhalb der Epochen an der systematischen Trennung der Gattungen fest –, im Schema der historischen Entwicklung ist der Unterschied jedoch nicht beträchtlich.[90] Beide stellen die Weimarer Klassik (Goethe und Schiller) in den Mittelpunkt. Kurz geht freilich darüber hinaus und behandelt sowohl die Romantik als auch die neuere Literatur, während Kluge wie

Gervinus mit der Romantik abschließt. Kluges Gliederung gibt einen Eindruck davon, wie die Geschichte der deutschen Literatur an Gymnasien vermittelt wurde. Die Evolution läuft auf eine Blütezeit zu, die bei Klopstock beginnt und mit Goethe und Schiller ihren Gipfel erreicht. Autoren wie Lessing, Herder und Wieland werden jeweils in einem Kapitel knapper vorgestellt, während auf der anderen Seite die Darstellung Goethes vier Kapitel in Anspruch nimmt und Schiller immerhin drei Kapitel gewidmet sind. Jean Paul wird zwischen die Klassik und die Romantik eingeschoben, doch erhält er nicht mehr als vier Seiten (Goethe 22, Schiller 18 Seiten). Diese Gewichtung läßt erkennen, daß sich das Konzept einer Blütezeit um 1800, die besonders durch Goethe und Schiller vertreten wird, in den sechziger Jahren auch auf der populären Ebene durchgesetzt hat. Dagegen beschäftigt der die Literaturgeschichte zwischen Gervinus und Julian Schmidt bestimmende Gegensatz zwischen Klassik und Romantik die späteren Leitfäden und Einführungen nicht mehr stark. Kurz spricht nicht anders als Kluge von der höchsten Blüte der deutschen Poesie in der Epoche zwischen 1770 und 1830, d. h. er schließt schon wie selbstverständlich die Romantik in die Blütezeit ein. Inhaltlich bleibt Kurz freilich der älteren Romantikkritik verpflichtet. Seine Urteile über Friedrich Schlegel und Tieck wiederholen nur, was man bei Julian Schmidt finden kann. Dieser Widerspruch zwischen formaler Gliederung und inhaltlicher Ausfüllung ist bezeichnend für den Synkretismus der Einführungen. Man vereinigt die verschiedenen Auffassungen, indem man sie übereinanderstülpt.

Der literarische Kanon um 1870

Versucht man zu rekonstruieren, wie sich um 1870 dem gebildeten literarischen Publikum die literarische Tradition darstellte, ergibt sich kein einheitliches Bild, doch bestand, von wenigen Ausnahmen abgesehen, Einmütigkeit darüber, daß dem unter Bismarck vereinigten Deutschen Reich auch ein literarisches Erbe zur Verfügung stand, auf das man sich kollektiv beziehen konnte. Das Legitimationsbedürfnis des neuen Reiches fand in der Literaturgeschichte mehr gemeinsame Anhaltspunkte als in der politischen Geschichte, in der Preußen und Sachsen, Holsteiner und Württemberger kaum einen gemeinsamen Erfahrungsschatz hatten. Die Zersplitterung Deutschlands war in der literarischen Sphäre eher überwunden worden als in der politischen. Hier trat freilich um 1870 ein bedeutsamer Wandel ein: Der Begriff der Nationalliteratur brauchte nicht mehr als der Grundriß der politischen Nationalgeschichte zu fungieren, die erreichte politische Einheit wirkte nunmehr auf die Literaturgeschichte zurück. Das literarische Erbe wurde jetzt zum Besitz der neugeformten Nation. Wie immer die literarische Tradition von Kritikern und Historikern, von Pädagogen und Journalisten definiert wurde, welche Autoren eingeschlossen und welche ausgeschlossen wurden: es bestand um 1870 unter den Gebildeten Einigkeit darüber, daß die Deutschen wie ihre europäischen Nachbarn ein Korpus klassischer Autoren und Werke besaßen, durch das man sich als „Kulturvolk" legitimieren konnte. Der Prozeß der Ausbildung dieses Kanons ist bei allen Änderungen und Verschiebungen, die sich nach 1870 vollzogen (Aufwertung Hölderlins und Kleists, Entdeckung Büchners) im wesentlichen abgeschlossen. Die Hauptlinien dessen, was als die wahre Tradition gelten soll, sind festgelegt. Die Goetheforschung befand sich nach 1870 nicht mehr unter einem Legitimationszwang und artikulierte sich schon aus diesem Grunde anders. Die Größe und Bedeutung Goethes stand für David Friedrich Strauß 1872 so jenseits aller Zweifel, daß ein kritischer Einspruch gegenüber dem „Urgebirg, das unsern Horizont beherrscht", unmöglich geworden ist.[91] Strauß erwartet in seinem Bekenntnis zu dem neuen Glauben, daß der gebildete Deutsche sich mit Goethe identifiziert. „Seine Werke bilden für sich allein eine Bibliothek, so reichhaltig, so voll der gesündesten kräftigsten Nahrung für den Geist, daß einer füglich alle andern Bücher daneben entbehren könnte (...)."[92] Nicht auf die ausgezeichnete Stellung Goethes kommt es hier an, bemerkenswert ist vielmehr die Versicherung, daß die Lektüre des kanonisierten Klassikers hinreicht, um den gebildeten Leser geistig auszufüllen. Eine Formulierung Nietzsches aus dem Nachlaß beleuchtet prägnant, worum es sich handelte: „Die ‚Bildung' versuchte sich auf der Schiller-Goetheschen Basis, wie auf einem Ruhebette niederzulassen."[93] In der Tat leitete sich aus der Festlegung des literarischen Erbes der Anspruch ab, eine gebildete Nation zu sein, ein Anspruch, den Nietzsche in Frage stellte: „Es gibt *keine deutsche Bildung,* weil es noch keinen *deutschen* Kunststil gibt. Ungeheure Arbeit Schillers (und) Goethes zu einem deutschen Stile zu kommen. Kosmopolitische Tendenz notwendig."[94] Die erste *Unzeitgemäße Betrachtung* demonstriert am Beispiel von David Friedrich Strauß, wohin die Kanonisierung geführt hat – zum Aufbau eines Wachsfigurenkabinetts, in dem die Klassiker nur noch den Schein des Lebens haben. Sie sind Spielmarken für den gelehrten Kommentar und das gebildete Teegespräch geworden. Die so verehrten Klassiker sind nach dem Urteil Nietzsches harmlos geworden, der Besitz eines Publikums, das sich einbildet, im Kriege von 1870 über die französische Kultur gesiegt zu haben.

Herman Grimms Goethevorlesungen, gehalten in den Jahren 1874 und 1875, veranschaulichen die Einstellung, gegen die Nietzsche sich wendet. Grimm versicherte seinen Zuhörern, daß Goethe seinen Platz neben Homer, Dante und Shakespeare findet, während die benachbarten modernen Nationen ihm nichts Vergleichbares entgegenzustellen haben. Wenn Grimm Goethe mit Voltaire vergleicht, fällt das Ergebnis, wie nach 1870 kaum anders zu erwarten, nicht zugunsten des französischen Schriftstellers aus. Bei Grimm wird die literarische Tradition unumwunden in den Dienst der Politik genommen. Das Verhältnis zum Erbe hat sich, wie er offen ausspricht, durch die Reichsgründung verändert: „Bevor Deutschland vereint und frei war und politisch auf eigenen Füßen stand, war das Ziel unserer historischen Arbeit ein Sichhineingraben in die Vergangenheit, aus der wir als heimliche Advocaten eines Processes, der öffentlich nicht mit dem rechten Namen genannt werden durfte, für uns eine bessere Gegenwart herzuleiten wagten. Alle geschichtlichen Werke trugen das geheime Motto: es ist unmöglich, daß es in Deutschland so bleiben könne."[95] Dem steht 1874 eine Gegenwart gegenüber, in der die Gaben nicht mehr zu erringen sind, „sondern festzuhalten, auszubilden und auszunutzen".[96] Grimm ist wie die meisten seiner Zeitgenossen so erfüllt von dem Umschwung, daß er sich die Folgen einer solchen neuen Bestimmung dessen, was die Tradition zu leisten hat, nicht bewußt macht. Was heißt es, einen mehr oder weniger festgelegten Begriff von kanonischen Autoren und Werken zu bewahren, nachdem das angebliche Ziel der Geschichte erreicht worden ist? Welche Aufgabe wird den klassischen Dichtern zugeschrieben? Was geschieht, wenn sich der Prozeß, von dem Grimm spricht, fortsetzt, wenn das neue Reich sich geschichtlich verändert?

Die von Grimm und Strauß vorgeschlagene Lösung zielt darauf ab, die Klassiker heroisch zu stilisieren. Das gegenwärtige Publikum wird auf den zeitentrückten Autor verpflichtet. Im Falle Goethes stellt sich jetzt das Bild des Olympiers ein. So verkündet Grimm in seiner letzten Vorlesung über Goethes Leben in Weimar: „Weimar (…) war ganz zu Goethe's Ruhesitz geworden, der dort in stiller Arbeit neben Carl Augusts Residenz die seinige hatte. Dieses ungestörte und zugleich bewegte Dasein war für seine Natur ein wahres Geschenk der Vorsehung. In natürlicher Weise thronte er da, unbehelligt von der Eifersucht Anderer, und nahm mit kaiserlichem Wohlwollen Jeden gern an, der an seine Thüre klopfte."[97] Eine andere Lösung schlug Theodor Fontane in seinen Theaterkritiken vor. Die vertrauten Dramen Schillers und Goethes könnten, so legte Fontane nahe, durch ihre Inszenierung den Zuschauer aus seinem Alltag herausheben und ihm die Sprache und Ideen der Klassiker verlebendigen. So heißt es in einer Rezension über eine Aufführung der *Piccolomini* im November 1871: „(…) die Sehnsucht wächst, aus der elenden Flachheit herauszukommen."[98]

Die dritte und wohl interessanteste Lösung findet sich in den Schriften Nietzsches. Er schlug vor, die Frage der Tradition aus einer anderen Perspektive zu betrachten. Stand seit den Arbeiten von Gervinus, Hettner und Julian Schmidt fest, daß die Evolution der deutschen Literatur auf

die Klassik von Weimar zustrebte und daß diese Entwicklung zugleich
ein Zusichselbstkommen des deutschen Geistes, besonders aber die Befreiung von der Vorherrschaft der französischen Literatur darstellte,
kehrte Nietzsche diese Bewertung um. Er betrachtet diesen Prozeß als
die Zerstörung des europäischen Klassizismus in Deutschland. Lessings
destruktive Arbeit konnten Goethe und Schiller nie wieder ganz ausgleichen. Wenn irgend etwas die deutsche Tradition auszeichnet, so ist es ihre Traditionslosigkeit, ihr Mangel an Klassizität. Was in Nietzsches
Frühschriften noch als Kritik an der bürgerlichen Klassikkonzeption
(Bildungsphilister) zum Ausdruck kommt, steigert sich 1878 in *Menschli-
ches, Allzumenschliches* zu einer Fundamentalkritik der deutschen Tradition und der sie tragenden Geschichtskonzeption. Lessing erscheint nicht
mehr als der große Vorbereiter der deutschen Klassik, sondern als der
Zerstörer des französischen Klassizismus, welcher sich noch mit Recht
auf die griechische Antike berufen durfte. „Man lese nur von Zeit zu Zeit
Voltaires Mahomet, um sich klar vor die Seele zu stellen, was durch jenen Abbruch der Tradition ein für allemal der europäischen Kultur verlorengegangen ist. Voltaire war der letzte der großen Dramatiker, welcher
seine vielgestaltige, auch den größten tragischen Gewitterstürmen ge-
wachsene Seele durch griechisches Maß bändigte –, er vermochte das,
was noch kein Deutscher vermochte, weil die Natur des Franzosen der
griechischen viel verwandter ist als die Natur des Deutschen –."[99] Unter
diesem Gesichtspunkt kann allenfalls der klassizistische Goethe als ein
Autor anerkannt werden, der die griechische Tradition wenigstens wieder suchte – der verspätete Ausnahmefall der deutschen Literatur. Hier
wird das von der liberalen Geschichtsschreibung mit Mühe aufgerichtete
Gebäude wieder eingerissen. Von Goethe abgesehen, bestehen die deutschen Klassiker Nietzsches Probe nicht.

Die Radikalität dieser Polemik liegt freilich nicht so sehr in den Einwänden gegen einzelne deutsche Autoren – etwa Schiller –, sondern in
der Absicht, den eingeschliffenen Begriff der Tradition als solchen zu unterminieren. Diese Intention kündigt sich bereits in der ersten *Unzeitgemäßen Betrachtung* an, wenn Nietzsche den deutschen Sieg über Frankreich als eine Gefahr für die deutsche Kultur beklagt. Denn für die
Mehrzahl der deutschen Kritiker stand fest, daß die deutsche Literatur
diesen Sieg vorbereitet hatte und daß in diesem Ergebnis die deutsche
Tradition ihre Erfüllung gefunden hatte. Da Nietzsche zwischen der politischen und der kulturellen Sphäre streng trennt, trifft er das Modell,
aus dem dieser Traditionsbegriff seine Kraft zog. Nietzsches Urteil über
Goethe und Schiller – den er mehr und mehr von Goethe absondert und
der bedenklichen deutschen Literatur zuordnet – ist nur zu verstehen vor
dem Hintergrund dieser generellen Problematisierung der deutschen
Tradition. Ist der Zusammenhang mit der vergangenen Literatur noch

selbstverständlich? Sind die kanonisierten Klassiker wirklich so lebendig, wie die Kritiker und Historiker annehmen? Die akademische Literaturgeschichte als die Disziplin, der die Aufgabe zugewiesen war, die Tradition zu konstruieren und zu hüten, sah genau diese Fragen nicht, weil sie auf die Kategorie der geschichtlichen Entwicklung noch unbedenklich vertraute. Auch wenn in der Klassikdiskussion nach 1850 mehr und mehr Stimmen laut wurden, die den geschichtlichen Abstand zwischen ihrer Zeit und dem ausgehenden achtzehnten Jahrhundert betonten, so hielt sich diese Historisierung doch im Rahmen eines Geschichtsmodells, das auf die Wirkung des literarischen Erbes weiterhin vertraut. Die Historisierung enthielt nicht den Verzicht auf dieses Erbe, sie war vielmehr eine Strategie, um den Streit über das Verhältnis von Klassik und Romantik zu beenden (Haym, Dilthey). Die sich gleichzeitig in der Institution Literatur abzeichnenden Veränderungen wie das Entstehen eines neuen Lesepublikums und die Kapitalisierung des literarischen Marktes gingen in den Diskurs über das literarische Erbe nicht ein.

VII. Die Institutionalisierung der Literaturgeschichte

Die Funktion der Literaturgeschichte

Eine kritische Geschichte der Germanistik und Literaturwissenschaft besteht bisher nur in Fragmenten – divergierende Ansätze, die unschwer die Schwierigkeiten erkennen lassen, die mit dieser Aufgabe verbunden sind.[1] Was wäre der Gegenstand dieser Geschichte? Worauf sollte sich das Augenmerk des Historikers richten? Auf die Lehrinhalte der Disziplin? Auf die Theorien und Methoden oder auf die Organisation des Faches? Als die Geschichte eines Faches ließen sich wichtige Prozesse nicht darstellen, da die Disziplin in der uns vertrauten Gestalt um 1850 nicht einmal feststand. In der Mitte des neunzehnten Jahrhunderts schloß die Germanistik neben der Philologie noch die Volkskunde und die Rechtswissenschaft ein, während auf der anderen Seite die Literaturgeschichte (neuere Literatur) und die Literaturwissenschaft (Textanalyse) nicht notwendig dazugehörten. Vor 1860 lag die Darstellung der Literaturgeschichte überwiegend in den Händen von Männern, die ihre Lehrstühle in anderen Disziplinen hatten, beziehungsweise als freie Schriftsteller tätig waren. Gervinus hatte sich als Historiker habilitiert und blieb auch nach der Vollendung seiner Literaturgeschichte (1835–1842) mit dem Fach Europäische Geschichte eng verbunden. Rudolf Haym kam von der Philosophie, und Robert Prutz stieß von der Klassischen Philologie zur Literaturgeschichte. Wilhelm Dilthey, um einen Vertreter der jüngeren Generation zu nennen, begann seine Studien als Theologe und hat sich niemals auf den Bereich der deutschen Literatur beschränkt.

Während die Literaturgeschichte sich als akademisches Fach mit eigenen Lehrstühlen erst nach 1850 konstituierte, bildete sich der Gegenstand und die Methode bereits im vierten Jahrzehnt heraus, im wesentlichen unter der Führung von Georg G. Gervinus. Im Falle der Literaturgeschichte haben wir Grund, klar zwischen der Institution und der Organisation zu unterscheiden. Die theoretische und methodische Diskussion ging der fachlichen Organisation voraus. Die Einrichtung von Lehrstühlen für Literaturgeschichte im Zusammenhang mit dem Fach Germanistik – und nicht mehr im Kontext der allgemeinen Geschichte oder der Ästhetik – muß als Indiz gelesen werden, daß die umstrittene Disziplin Literaturgeschichte sich in den siebziger Jahren durchgesetzt hatte. Der Übergang von einer nur sehr locker organisierten Institution zu einem an den Universitäten etablierten Fach mit Lehrstühlen, normierten Ausbildungsgängen und Abschlußprüfungen spiegelt zugleich den Wandel von einem offenen Diskurs zu einer affirmativen Einstellung. Um diesen Wandel zu verstehen, muß man sich vor Augen halten, daß die frühen Vertreter der Literaturgeschichte wie Gervinus, Hermann Hettner, Julian Schmidt, Robert Prutz, ja selbst noch Rudolf Gottschall, nicht für den Universitätsgebrauch schrieben, sondern für ein *allgemeines Publikum.* Gervinus nahm für seine Arbeiten ausdrücklich in Anspruch, daß sie für die *Nation,* nicht für Studenten und Schüler bestimmt seien. So ist die Herausbildung der Literaturgeschichte, die sich im engen Zusammenhang mit der Konstituierung der politischen Geschichte vollzog, nicht nur eine Frage der Theorie und der Methode, sondern gleichermaßen eine Frage der Darstellung. Noch 1859 nahm Haym Schiller gegen die Einwände der Fachhistoriker in Schutz und bestand darauf, daß dieser zwar wenig für die Ausbildung der Wissenschaft, aber umso mehr für die Form der historischen Darstellung geleistet habe. „Vom Standpunkte der Geschichtsschreibung sind sie keineswegs ebenso werthlos, und sind sie noch weniger wirkungslos gewesen. Die Vernachlässigung der Form auf dem Gebiete der Wissenschaft, das Ueberwiegen des gelehrten Pedantismus, der mühseligen Steifheit und wieder der saloppen Rohheit ist ein grunddeutscher Fehler, den wir (...) zum Theil noch heut mit Beschämung eingestehen müssen."[2] Die gelehrte Pedanterie beschränkt die Wirkung auf den Kreis der Fachleute, sie kann das allgemeine Publikum nicht erreichen. Bezeichnenderweise verzichtete Gervinus, der eben dieses allgemeine Publikum erreichen wollte, in seiner Literaturgeschichte fast ganz auf den wissenschaftlichen Apparat und die belegenden Zitate, um seine Darstellung lesbar zu gestalten. Solange die allgemeine literarische Öffentlichkeit der Adressat der Literaturgeschichte war, d. h. bis etwa 1870, gehörte die Frage der Schreibart nicht weniger zur Historik als die Theorie und die Methodik. Bezeichnenderweise versuchte noch 1873 Karl Hillebrand Gervinus' Leistung dadurch herabzusetzen, daß er dessen Stil angriff. Die angebliche Schwerfälligkeit von Gervinus' Stil ist Hillebrand Beweis für die Obsoletheit seiner Literaturgeschichte. Indem er dem berühmten Werk die Allgemeinverständlichkeit abspricht, möchte er es aus dem öffentlichen Bewußtsein verdrängen. Die Frage der Darstellung erweist sich hier – wir werden darauf zurückkommen – als ein Politikum.

Der angedeutete Wandel von einer öffentlichen Disziplin mit allgemeinen Erkenntnisinteressen zu einer Fachwissenschaft deutet sich bereits nach 1848 in der methodischen Diskussion an, organisatorisch vollzog er sich erst nach der Reichsgründung. Der zeitliche Zusammenhang ist alles andere als ein Zufall. Dieser Wandel ist nicht nur ein wissenschaftsgeschichtlicher Prozeß, der mit dem Begriff Positivismus hinreichend gekennzeichnet wäre. Eher ist es umgekehrt: der ältere Positivismus, wie er uns exemplarisch bei Wilhelm Scherer entgegentritt, reflektiert den institutionellen Strukturwandel. Da die Literaturgeschichte sich im Vormärz, aber auch noch nach 1850, einen öffentlichen Auftrag zumaß, war sie – nicht anders als die Literaturkritik – an das Schicksal der Öffentlichkeit gebunden. Durch ihre Theorie und ihre Methode begründete sie ihren öffentlichen Auftrag als politisch räsonierende Literaturgeschichte, bis sie um 1870 mit der neuen Reichsideologie in Konflikt geriet. Exemplarisch zu studieren ist der Angriff gegen die ältere Literaturgeschichte an Karl Hillebrands Polemik gegen Gervinus, die 1873 in den *Preußischen Jahrbüchern* erschien. Der einleitende Satz verheimlicht die destruktive Absicht des Kritikers nicht: „Fast möchte es dem heranwachsenden Geschlechte ein unlösbares Räthsel scheinen, wie ein Schriftsteller ohne Styl, ein Gelehrter ohne Methode, ein Denker ohne Tiefe, ein Politiker ohne Voraussicht, ein Mensch endlich ohne Zauber oder Macht der Persönlichkeit in der Geschichte Deutschlands, der geistigen, sittlichen und staatlichen Geschichte Deutschlands, eine Bedeutung hat gewinnen können, deren nur sehr wenige Männer der Jahrhunderte sich rühmen können."[3] Daß die Herausgeber der Zeitschrift, d.h. Heinrich von Treitschke und Wilhelm Wehrenpfennig, sich von der Meinung des Autors in einer Fußnote bis zu einem gewissen Grade distanzieren, ändert wenig an der Tatsache, daß hier in einer der wichtigsten liberalen Zeitschriften mit dem Historiker abgerechnet wurde, dem die liberale, räsonierende Historiographie entscheidende Impulse verdankte. Es charakterisiert diesen schonungslosen Verriß, daß er sich nicht auf die theoretische und methodische Diskussion beschränkte, wie dies etwa früher bei Wilhelm Danzel der Fall gewesen war, sondern sich gleichermaßen auf den Schriftsteller und den Politiker Gervinus bezog. Hillebrand wollte in letzter Instanz den Charakter und die Funktion der Literaturgeschichte in Frage stellen, wie sie Gervinus exemplarisch eingeführt und praktiziert hatte. Das Ärgernis war Gervinus' immenser Einfluß, für den auch Julian Schmidt, der prominenteste Literarhistoriker des Nachmärz, in einem Nachruf noch Zeugnis ablegte. „Ich gehöre zu der Generation", bekannte Schmidt, „die von jenem Werk am stärksten ergriffen wurde, die, als es erschien, studirende Jugend war."[4] Schmidt schloß seinen Aufsatz, der auch kritische Bemerkungen enthielt, mit dem Urteil, daß Gervinus' Literaturgeschichte zu den klassischen Schriften der deutschen Nation gehöre. Ihren Wert erblickte er weniger in der inhaltlichen Information, die ihm überholt erschien, noch in der Methode, die sich geändert habe, als in dem Duktus des Denkens. In diesem Sinne verstand er seine eigenen Arbeiten als Fortsetzung der Literaturgeschichte von Gervinus, beziehungsweise umgekehrt Gervinus als den Vorläufer der national-liberalen Literaturgeschichte. Unter diesem Gesichtspunkt nahm er auch Abstand davon, Gervinus' politische Einstellung zu kritisieren, die nach 1850 zunehmend dem Konsensus der Zunft widersprach. Da Gervinus, der vormalige Konstitutionelle, die pro-preußische Wende der Gothaer nicht mitmachte und sich später gegen die Reichsgründung unter Bismarck aussprach, war er 1870 unter Fachgenossen fast vollkommen isoliert. Vor diesem Hintergrund muß Hillebrands Polemik gelesen werden. Sie richtet sich gegen das nunmehr unerwünschte politische Implikat der liberalen, räsonierenden Geschichtsschreibung. Dabei erlaubt sich Hillebrand, die gemäßigte Position Gervinus' zu verschärfen, indem er sie in einen weiteren Zusammenhang stellt. Er bringt sie mit der radikalen Tradition der Aufklärung in Verbindung und stellt Gervinus, gegen dessen ausdrückliche Absichten, als einen Verbündeten von Börne hin. Auf diese Weise kann er den Historiker, der 1848 zur rechten Mitte gehörte, als einen verkappten Jakobiner denunzieren. „Im Grunde gingen Beide doch, wie schon öfters angedeutet, von ganz französischen Anschauungen aus; nur blieb der Eine bei 1791, der Andere bei 1793 stehen."[5]

Gervinus hätte sich in dieser Charakterisierung, die seinen eigenen nationalen Vorstellungen widersprach, nicht wiedererkannt. Doch enthielt sie einen Kern von Wahrheit. Sowohl der Kritiker Börne als auch der Historiker Gervinus sahen ihre Aufgabe darin, durch die literarische Diskussion die öffentliche Meinung politisch zu beeinflussen. So erweist sich denn auch Hillebrands stilistische und methodische Kritik als das bloße Vorspiel zu den eigentlichen Vorwürfen, die den politischen Gegensatz beim Namen nennen. Wenn Hillebrand die Schwerfälligkeit der Darstellung kritisiert und die Subjektivität des Verfahrens bemängelt, wenn er besonders das historische Konzept des süddeutschen Liberalismus als verfehlt betrachtet, so ist das eigentliche Ziel der Kritik der Zusammenhang von Wissenschaft und Politik, wie er bei Gervinus zum Ausdruck kommt. Bezeichnenderweise erklärt Hillebrand Gervinus' Räsonnement über das Ziel der Geschichte für unfruchtbar und spielt Hettners geistesgeschichtliche Methode gegen die teleologische Geschichtsauffassung aus, sie ist „unfruchtbar, denn sie (die Räsonnements, P. U. H.) sind nicht der mitgetheilte Eindruck einer eigenen, bedeutenden Persönlichkeit; sie sind nicht Illustration der ästhetischen Gesetze; sie erklären nicht die Ursachen des Erfolges oder Mißerfolges historischer oder litterarischer Thaten; sie constatiren nur, in welchem Verhältniß jene Thaten zu den Parteiinteressen und Parteileidenschaften des Herrn Gervinus im Jahre 1840 (resp. 1853) standen".[6] Ganz abgesehen von der Fragwürdigkeit dieser Charakterisierung, die auf Gervinus kaum zutrifft, ist die Richtung der Polemik unverkennbar. Sie will das Herausbilden eines kritischen Standorts mit der „Parteileidenschaft" in Zusammenhang bringen, also einer wissenschaftlich nicht relevanten Einstellung; und sie suggeriert umgekehrt, daß eine objektive, neutrale Position die wissenschaftlich angemessene ist. „Wiederum Gervinus' streitbare Natur sträubte sich gegen die ästhetische Beschaulichkeit und gegen die historische Neutralität, die erforderlich gewesen wäre, um den verschiedenen Erscheinungen des nationalen Geistes in den Dichterwerken gerecht werden zu können. (...) Der Historiker – natürlich wenn er nicht aus der Schlosser'schen Schule ist (wie Gervinus) – nimmt die Welt, wie sie ist, sucht sie zu verstehen, wie der Botaniker seine Flora nimmt; der Systematiker will der Welt vorschreiben, was sie zu thun und zu lassen hat."[7] Hillebrand erkennt und verzeichnet Gervinus' Absichten zugleich. Da dieser mit der älteren idealistischen Tradition (Humboldt, Hegel) von einem substantiellen Geschichtsbegriff ausgeht, ist Neutralität eine methodische Unmöglichkeit. Dies bedeutet jedoch nicht, daß Gervinus sich als Systematiker verstand. Im Gegenteil: die historische Methode von Gervinus bestimmt sich als Kritik der idealistischen Systematik. Der Vorwurf des Systemdenkens, seit Rudolf Hayms Hegelkritik populär, zielt im Grunde auf den kritischen Anspruch von Gervinus' Geschichtstheorie – die festgehaltene Unterscheidung zwischen den historischen Fakten und der geschichtlichen Wahrheit. Hillebrand dagegen fordert vom Historiker Übereinstimmung mit den Tatsachen, die Anerkennung der wirklichen Prozesse. So kann er Gervinus nicht verzeihen, daß dieser den preußischen Sieg über Österreich nicht, wie die meisten seiner Zunft, als die „größte Revolution, seit Luther" anerkannte, sondern als einen Bürgerkrieg betrachtete, den die Regierungen, nicht das Volk gewollt hatten.[8] Der historischen Kritik des späten Gervinus wird jeder wissenschaftliche Wert abgesprochen. Doch Hillebrand ist ehrlich genug, den politischen Kern seiner Polemik am Schluß offen auszusprechen. Es geht nur vordergründig um eine wissenschaftliche Diskussion, um Fragen der Theorie und Methode. Der eigentliche Streitpunkt ist ein metatheoretischer – die Funktion der Literaturgeschichte. Daß Gervinus sich von ihr eine Politisierung der literarischen Öffentlichkeit versprochen hatte, provoziert 1873 vehementen Einspruch, weil die einst gewünschten politischen Folgen nicht mehr annehmbar sind. „Es ist sehr fraglich", heißt es, „ob es besonders wünschenswerth ist, daß jeder Staatsbürger sich auch thätig am Staatswesen betheilige, ob es nicht nähere höhere Pflichten gibt als die Bürgerpflichten, ob jene Theilnahme der Unberufenen nicht geradezu gefährlich werden kann: die Ansicht, welche sich Gervinus vom modernen Staate, als einem nothwendig demokratischen, machte, ist eine sehr bestreitbare."[9] Die Einteilung der Bürger in die Berufenen und die Unberufenen, ein spezifisches Element des späteren Liberalismus, das ja auch bei Gervinus nicht ganz fehlt, hat ein Ziel, das nicht offen genannt wird: die proletarischen Massen. Bezeichnenderweise erklärt Hillebrand Gervinus' These, die Geschichte der Gegenwart werde von den Massen getragen, für absurd und beruft sich, um solche Ideen im Keime zu erstikken, auf den prägenden Charakter der historischen Persönlichkeit. Daß in erster Linie Männer Geschichte machen, ist für ihn 1873 so selbstverständlich, daß er seinen Standpunkt nicht eigens begründet.

Die Nachrufe auf Gervinus lassen erkennen, daß seine Geschichtsauffassung wie auch seine Konzeption der Literaturgeschichte die folgende Generation so prägte, daß sie eine Auseinandersetzung mit dem großen Vorbild kaum umgehen konnte. Mehr als Ranke, der erst nach 1870 zum großen methodischen Vorbild erhoben wurde, wirkte Gervinus auf die Jüngeren, weil er in einprägsamen Formulierungen seiner Literaturgeschichte wie auch seiner *Historik* (1837) der Literaturgeschichte innerhalb der allgemeinen Geschichte eine wichtige Aufgabe zuwies. Diese theoretisch-methodische Leistung, wie unvollkommen sie auch, gemessen an den Anforderungen der folgenden Generation (Danzel, Hettner), gelöst sein mochte, erlaubte überhaupt erst die Bestimmung der öffentlichen Funktion der Literaturgeschichte. Indem Gervinus den Prozeß der Geschichte als eine einheitliche Evolution begreift, die sich gleichermaßen in verschiedenen Sphären und Medien ausdrücken kann, stellt sich für ihn ein innerer, mehr als bloß mechanischer Zusammenhang zwischen literarischen und politischen Entwicklungen dar. Eben die Erhellung dieses Zusammenhangs wird dann von Gervinus als die politische Funktion der Literaturgeschichtsschreibung ausformuliert. Dargelegt hat Gervinus seine Auffassung zunächst in der Einleitung zu seiner Literaturgeschichte (1835) und dann, theoretisch reflektierter, in der kleinen *Historik* von 1837.

Die räsonierende Literaturgeschichte

Gervinus' Begründung der Literaturgeschichte setzt mit der Kritik der vorgefundenen Arbeiten ein: gelehrten Studien und Quellenforschungen, denen nicht nur das Talent der Darstellung abgeht, sondern auch der eigentlich historische Gesichtspunkt, der die Vergangenheit mit der Gegenwart verbindet. Für Gervinus sind es überhaupt erst die Erkenntnisinteressen der Gegenwart, die das Quellenstudium zur Geschichte erheben. Die Wahl der deutschen Literaturgeschichte als eines möglichen Gegenstandes ist für Gervinus begründet in ihrer besonderen Stellung innerhalb der deutschen Geschichte. Sie allein besitzt einen gewissen Grad an Abgeschlossenheit, durch den sie für die Gegenwart zum Leitbild werden kann. „Sie ist, wenn anders aus der Geschichte Wahrheiten zu lernen sind, zu einem Ziele gekommen, von wo aus man mit Erfolg ein Ganzes überblicken, einen beruhigenden, ja einen erhebenden Eindruck empfangen und die größten Belehrungen ziehen kann."[10] Gervinus begründet die Wahl des Gegenstandes damit, daß die deutsche Literaturgeschichte im Unterschied zur Geschichte der Politik eine sinnvolle Einheit darstellt, die sich erzählen läßt. „Das höchste Ziel irgend einer vollendeten Reihe von Begebenheiten in der Weltgeschichte kann nur da sein, wo die Idee, die in ihnen zur Erscheinung zu kommen strebt, wirklich durchdringt, und wo eine wesentliche Förderung der Gesellschaft oder der menschlichen Bildung dadurch erreicht wird."[11]

Machen wir uns diesen Zusammenhang zwischen der Literaturgeschichte und den Interessen der Zeit, deren Charakter eigens zu bestimmen wäre, noch einmal deutlich: Die Gegenwart kann nur durch die Vergangenheit belehrt werden, wo diese eine Idee zur Erscheinung bringt, an die die Gegenwart sich anschließen kann. Der historische Gesichtspunkt, der die Verbindung mit der Vergangenheit legitimiert, ist fundiert in der Idee, die den Stoff prägt und zusammenhält. Insofern muß der ästhetische Gesichtspunkt notwendig zwischen der Gegenwart und der Vergangenheit vermitteln: Nur dort, wo das Geschehen als Kunstwerk begriffen und dargestellt werden kann, ist ihm ein Sinn zu entnehmen. Die Wahrheit der Geschichte, welche ihre Darstellung wert macht, liegt nicht auf der Ebene der Tatsachen, sie wird vielmehr sichtbar gemacht durch die Darstellung der Idee, in die der Stoff eingeht. Wenn Gervinus auch gelegentlich auf die pragmatisch-didaktische Auffassung von Geschichte zurückfällt, so ist seine Konzeption der Literaturgeschichte ohne einen substantiellen Geschichtsbegriff doch undenkbar. Die *Historik* verdeutlicht diesen Gesichtspunkt, gerade auch durch die Berufung auf Humboldts Aufsatz „Über die Aufgabe des Geschichtsschreibers" (1820/21). Für Gervinus liegt die Arbeit des Historikers zwischen der des Poeten und der des Philosophen. Wie diese muß er zwischen dem Unwesentlichen und dem Notwendigen trennen: „Denn versteht der Historiker, das Nothwendige in einer gegebenen Reihe von Thatsachen zu erkennen, so ist er gleichsam im Gebiete der Philosophen, und es ist dabei gar keine Gefahr, wenn er nur seinen Hauptsinn für das Thatsächliche festhält und nicht ein historischer Philosoph, auch nicht einmal ein philosophierender Historiker, sondern bloß ein denkender Historiker werden will."[12] Wie weit dieser Satz sich gegen Hegel und jeden Versuch einer Geschichtskonstruktion richtet, darf hier unerörtert bleiben, da nicht so sehr der Gegensatz zur Geschichtsphilosophie, sondern die Gemeinsamkeit gegenüber einer empiristischen Auffassung von Geschichte zur Diskussion steht. Was Gervinus in der *Historik* über den Unterschied zwischen einer Chronik und einer geschichtlichen Darstellung sagt, gilt natürlich auch für die Literaturgeschichte: Die Tatsachen sind der Ausgangspunkt, doch erst der Blick auf das Wesentliche ermöglicht die Einsicht in die historischen Zusammenhänge, die dann die Einheit der Darstellung möglich machen. Daß diese Ideen keine Konstruktionen des Historikers, sondern in der Sache selbst angelegt sind, ist für Gervinus noch gewiß. Daher ist der Zirkelschluß, daß die Ideen nur aus

den Tatsachen abzulesen sind und andererseits die Tatsachen nur mit
Hilfe der Ideen zu ordnen sind, für ihn kein ernsthafter Zirkel. Für Gervinus erschließen sich die Ideen bei der Sichtung des Materials. „Sobald
der Geschichtsschreiber das Werden und Wachsen solcher Ideen zum
Faden seines Geschichtswerkes nimmt, ist diesem die schönste Einsicht
gegeben. Er trägt nicht diese Idee in seinen Stoff hinein, sondern indem
er sich unbefangen in die Natur seines Gegenstandes verliert, ihn mit rein
historischem Sinn betrachtet, geht sie aus diesem selbst hervor und trägt
sich in seinen betrachtenden Geist über."[13]

Wie ist diese kontemplative, fast an Ranke gemahnende Einstellung
mit dem Engagement, dem politischen Aktivismus zu verbinden, den
Gervinus an anderen Stellen der *Historik* fordert? Dort bezeichnet er den
Historiker als einen Parteimann des Schicksals, als einen natürlichen
Verfechter des Fortschritts. Er kann „schwer der Verdächtigung entgehen, mit der Sache der Freiheit zu sympathisiren, weil ja Freiheit gleich
ist mit Regung der Kräfte, und weil darin das Element liegt, worin er
athmet und lebt."[14] Mit gleicher Entschiedenheit spricht Gervinus 1835
in der Selbstanzeige der Literaturgeschichte von dem Unwesen der objektiven Manier, die sich in der Geschichtswissenschaft breit macht. Der
logische Widerspruch ist hier, wie auch in methodischen Fragen bei Gervinus nicht zu übersehen. Es gelingt ihm nicht, eine formal konsistente
Position auszuformulieren. Auf der einen Seite betont er sein Vertrauen
auf die Objektivität der historischen Ideen, denen der Historiker nur an-
schauend zu folgen braucht, auf der anderen Seite unterstreicht er die
Subjektivität des Wissenschaftlers, der sich durchaus mit seinen Urteilen
in die Sache einmischt. Für Gervinus ist dieser formale Widerspruch
nicht sichtbar, weil das subjektive Element des Historikers aus seinem
Gegenstand notwendig hervorgehen muß. Insofern das historische Geschehen selbst ein gerichteter Prozeß ist, nämlich ein Fortschreiten zur
Humanität, enthält die Rekonstruktion der Vergangenheit für den Historiker gleichzeitig eine Anweisung für die Zukunft. Der Betrachter ist
Teil dieses Prozesses und Fortsetzer der wesentlichen geschichtlichen
Ideen, deren Wirksamkeit in der Vergangenheit er rekonstruiert hat. Aus
diesem Grunde ist er Parteimann des Schicksals, jemand, der sich mit
dem objektiven Prozeß der Geschichte verbündet, weil dieser mit den
subjektiven Bestrebungen des Historikers übereinstimmt.

Die Abwehr des Objektivismus, also der Einspruch gegen Ranke und
seine Schule, ist bei Gervinus nicht Plädoyer für individuelle Willkür
oder gar einen historischen Impressionismus. Wenn Gervinus seine Subjektivität betont, versteht er sich, durchaus in Übereinstimmung mit dem
liberalen Begriff von Öffentlichkeit, als Teilnehmer eines öffentlichen
Diskurses, der gerade dadurch vorangetrieben wird, daß verschiedene
Standpunkte im Wettbewerb miteinander stehen. Die Wahrheit – die

ästhetische nicht minder als die politische – enthüllt sich durch das öffentliche Räsonnement. So unterstreicht Gervinus auch in der Selbstanzeige die Funktion seiner subjektiven Meinung als Mittel der Provokation für das Publikum: „Ich muß dem Leser sehr deutlich machen, welcher der meinige (Standpunkt, P.U.H.) ist, dann erkennt er umso leichter den seinigen, beurtheilt mich und meine Ansicht nicht schief und läßt sie eher neben der seinigen gelten."[15]

Was die folgende Generation von Literarhistorikern bei Gervinus oft als dogmatisch und moralistisch empfand, stellt sich für Gervinus selbst als notwendiges Räsonieren dar. Der Historiker hat gegenüber der Literatur eine doppelte Aufgabe: die Rekonstruktion der leitenden Ideen und die öffentliche Stellungnahme, durch die die Vergangenheit überhaupt erst in die zeitgenössische Diskussion eingehen kann. Die Nähe zu Börne und den Jungdeutschen, die Gervinus von sich gewiesen hätte, liegt auf der Hand. Wie bei Börne die literarische Kritik zum Medium des politischen Räsonnements wird, beansprucht Gervinus die Literaturgeschichte für die politische Diskussion. Gervinus unterstellt nicht anders als die Jungdeutschen einen engen Zusammenhang zwischen Literatur und Leben; nur aus einem kräftigen politischen Leben kann eine ästhetische Blütezeit hervorgehen. So schreibt er am Ende der Literaturgeschichte (1842): „Nur das Staatsleben beugt die freie Entwickelung noch nieder; und ehe dieses reformiert ist, werden wir vergebens auf eine große Zeit in irgend einer Richtung warten dürfen."[16] Gervinus versteht diese Einstellung nicht als Voluntarismus, sie ergibt sich nach seinem Urteil vielmehr notwendig aus dem historischen Prozeß selbst, der auf die politischen Aufgaben jenseits der literarischen hinweist. Der mechanistische und undialektische Charakter dieser Position wird freilich schon an seiner Kritik der jungdeutschen Literatur sichtbar. Sie wird ins Unrecht gesetzt, weil sie nicht mehr dem Kunstbegriff der Goethezeit folgt, weil sie mit anderen Worten jene Veränderungen in ihrer Form reflektierte, die Gervinus selbst wünscht.

Da Gervinus auch nach 1848 an seinen Prinzipien festhielt und sich weigerte, die gescheiterte Revolution als einen wichtigen Einschnitt zu berücksichtigen, wurde er für die jüngere Generation der Historiker zu einem Problem. Gervinus exponierte sich besonders dadurch, daß er in seiner Einleitung der *Geschichte des neunzehnten Jahrhunderts* seinen liberalen Freiheitsbegriff nicht einschränkte, sondern radikalisierte und demokratisch zuspitzte. Er kennzeichnet die Neuzeit als eine Epoche, die im Zeichen des Übergangs von der Vorherrschaft des Adels zur Herrschaft der Vielen steht und betont bei der Behandlung der Napoleonischen Epoche, daß „auf fürstliche Reformen von oben herab nicht zu bauen sei, und daß für die Völker nur *die* Freiheiten ein verlässiger Besitz sind, für deren Erwerbung und Behauptung sie sich selbst in Bewegung setzen".[17] Offensichtlich wird hier die bürgerliche Niederlage von 1849 nicht der Ausgangspunkt für eine Revision der Theorie und Methode. Andererseits modifizierten die jüngeren Historiker wie Julian Schmidt und Rudolf Haym (der mit Gervinus in Verbindung blieb und ihn für die *Preußischen Jahrbücher* zu gewinnen suchte), obgleich sie der liberalen Tradition verpflichtet waren und die Bedeutung von Gervinus keineswegs leugneten, ihre Geschichtskonzeption.

Die nachrevolutionäre Literaturgeschichte

Die nachrevolutionäre Literaturgeschichte hat bisher nicht die gleiche Beachtung gefunden wie die Leistungen des Vormärz. Die Ursachen sind unschwer zu erkennen: Bei dem Versuch der westdeutschen Linken, beziehungsweise der marxistischen Germanistik der DDR, die progressive Tradition der Literaturwissenschaft erneut sichtbar zu machen, erscheint die nachmärzliche Historiographie in erster Linie als Abstieg und Verfall: In dem Maße, wie der nachrevolutionäre Liberalismus seine radikale Tradition vergaß und sich anpaßte, wurde auch die Literaturgeschichte zunehmend konservativer und gleichzeitig dürftiger. So hat Bernd Hüppauf am Beispiel von Hettner, Schmidt, Gottschall und Haym eine absteigende Linie konstruiert – einen Prozeß des theoretischen und methodischen Verfalls, der mit der Reichsgründung im wesentlichen abgeschlossen ist.[18] Diese Darstellung stellt eine direkte Verbindung her zwischen der Entwicklung des deutschen Liberalismus (als der Ideologie des Bürgertums) und der Evolution der Geschichtswissenschaft. Kaum ist zu bestreiten, daß nach 1850 entscheidende Veränderungen stattfanden. Werden sie jedoch im Rahmen eines Verfallsmodells konstruiert, entsteht ein eindimensionales Bild, in dem gerade die Widersprüche als Momente des dialektischen Prozesses verschwinden. Der ideologiekritische Zugriff, der die Verflachung der nachrevolutionären Literaturgeschichte beweisen möchte, steht in Gefahr, die wissenschaftsinternen methodischen und theoretischen Probleme zu unterschätzen. Der Funktionswandel der Literaturgeschichte ist sowohl von innen als auch von außen zu untersuchen.

Unter den nachrevolutionären Historikern und Kritikern hat keiner diesen Funktionswandel klarer erfaßt als Robert Prutz, der die strukturellen Veränderungen in *Die deutsche Literatur der Gegenwart* (1858) zum Gegenstand der Analyse machte. Im Unterschied zu Theodor Wilhelm Danzel und Hermann Hettner beschränkte er sich nicht auf die methodisch-theoretische Diskussion, sondern unterwarf die vormärzliche Konzeption der Literaturgeschichte einer kritisch-historischen Betrachtung, die sich auf die Funktion konzentrierte und von dort her den Wandel geschichtlich begründen konnte. Die Literaturgeschichte der dreißiger Jahre wird folgendermaßen gekennzeichnet: „Es handelte sich darum, die Nation aus der einseitigen literarischen Bildung, den abstracten ästhetischen Interessen, in denen sie sich bis dahin bewegt hatte, aufzurütteln und sie hinüberzuführen in die Praxis des öffentlichen Lebens; es handelte sich darum, die Literatur jener Alleinherrschaft zu entkleiden, die sie bis dahin bei uns ausgeübt hatte und Theorie und Praxis, Literatur und Leben, Poesie und Wirklichkeit, Kunst und Staat in das richtige und naturgemäße Verhältniß zu einander zu bringen."[19] Zwei Seiten hebt Prutz mit Recht an dieser Literaturgeschichte hervor: ihren negativkritischen und ihren politischen Charakter. „Man machte die Literaturgeschichte zu einer Kritik unseres nationalen Lebens überhaupt, man machte die Bücher verantwortlich für die Thaten (...)."[20] Aus der Sicht des Jahres 1858 erscheint diese räsonierende Literaturgeschichte als die (mißlungene) literarische Vorbereitung der Revolution von 1848.

Prutz' frühe literaturgeschichtlichen Arbeiten waren unverkennbar diesem Begriff von Literaturgeschichte verpflichtet. Seine Kritik der moralisch-politischen Methode ist Selbstkritik. Diese Selbstkritik ergibt sich unter anderem aus der Historisierung der Literaturgeschichte. Indem Prutz die kritische Phase der dreißiger und vierziger Jahre der affirmativen Literaturgeschichte der zwanziger Jahre gegenüberstellt, kann er die jeweilige Bindung der herrschenden Konzeption an die geschichtliche Situation hervorheben und damit auch ihre Einseitigkeit unterstreichen. Diese rekonstruierende Bestandsaufnahme mündet in die Kritik der Literaturgeschichte ein; ihr wird, wie auch der Belletristik, die politische Funktion abgesprochen. Aus der politischen Niederlage von 1849 schließt Prutz, daß sie ihrer Aufgabe, die politische Emanzipation und die nationale Einheit herbeizuführen, nicht gerecht geworden ist. Der emphatische Idealismus des liberalen Modells wird nunmehr zurückgewiesen. „Auch haben wir jetzt in der That Anderes und Dringenderes zu thun, als Bücher zu lesen und Verse mitanzuhören. Wir müssen Geschichte studiren und Nationalökonomie, um uns für die praktischen Fragen vorzubereiten, die das Schicksal über lang oder kurz noch einmal an uns stellen wird."[21] Der Literaturgeschichte wird bei dieser Neuordnung im Verhältnis von Theorie und Praxis ihre politische Funktion entzogen, denn wenn die Praxis sich gleich selbst überlassen bleiben muß, wenn die Lösung der praktischen politischen Probleme, wie Prutz 1858 unterstellt, sich nicht mehr aus der Literaturtheorie und -geschichte, sondern aus der praktischen Tätigkeit ergeben muß, dann besteht kein zwingendes Bedürfnis mehr, die literarische Diskussion zu forcieren. Die Beziehung zwischen Literatur und der sozio-politischen Sphäre kehrt sich nunmehr um: Nur aus dem gesunden gesellschaftlichen und wirtschaftlichen Leben wird eine gesunde Literatur hervorgehen. Es ist bezeichnend, daß Prutz an dieser Stelle nicht mehr zwischen der Literaturgeschichte und der Literaturkritik unterscheidet, weil die öffentliche Aufgabe des Kritikers und des Historikers im wesentlichen identisch ist.

Gervinus zufolge hatte die Gegenwart in Deutschland den Übergang von einer ästhetischen zu einer politischen Kultur zu erreichen. Dieses Argument findet sich bei Prutz wieder, freilich wesentlich umfunktioniert. „Auch haben eben unsere klassischen Dichter uns einen köstlichen Fingerzeig hinterlassen, wie diese Schwierigkeiten zu beseitigen, diese scheinbar so unlösbaren Widersprüche zu versöhnen sein werden. Was sie auf ästhetischem Gebiete vollbracht, genau dasselbe muß die Nation jetzt auf dem Gebiete der Geschichte und der politischen Praxis thun. Das ist der eigentliche Charakter unserer klassischen Epoche, darum führt sie diesen Namen und darin vor allem besteht die unverlierbare und unschätzbare Erbschaft, die sie uns hinterlassen: daß sie die fremde hellenische Form mit deutschem Geist erfüllte und eben dadurch ein neues Drittes schuf, das eben so sehr deutsch ist wie griechisch und in dem die edelsten und liebenswürdigsten Eigenschaften der modernen wie der antiken Zeit sich durchdringen und versöhnen."[22] Eine ähnliche Aufgabe wird der deutschen Politik zugewiesen. Nicht mehr etwas ganz Neues soll geschaffen werden, sondern die überlieferten Formen sollen mit deutschem Geist erfüllt werden. Die Goethezeit erscheint nicht mehr wie bei Gervinus als die Blüte, aus der sich die politische Frucht entwickeln muß, sondern im Verfahren der Analogie als das Vorbild, an das sich die politische Theorie und Praxis halten darf. Die Klassik wird hier zur unverlierbaren Erbschaft, auf die sich der politische Liberalismus des Nachmärz beruft, indem er (angeblich) das gleiche tut wie die Klassik auf dem Feld der Literatur und Kunst. Aus der kritischen Aneignung der Klassik wird hier unter der Hand eine affirmative Erbetheorie.

Der Funktionswandel, den Robert Prutz in seiner *Literatur der Gegenwart* beschreibt, läßt sich knapp kennzeichnen als die Auflösung der Indienstnahme der Literaturgeschichte für die politische Öffentlichkeit. In den fünfziger Jahren erscheint es weder Prutz noch Julian Schmidt oder Rudolf Haym als sinnvoll, die Literatur oder die Literaturkritik für die Durchsetzung politischer und gesellschaftlicher Ziele unmittelbar in Anspruch zu nehmen. Kultur und Politik werden erneut als getrennte Sphären aufgefaßt, wobei sich die Meinung langsam durchsetzt, die kulturelle Öffentlichkeit als ein Epiphänomen der gesellschaftlichen Struktur zu betrachten. Freilich wäre es voreilig zu unterstellen, daß diese Umorientierung der liberalen Historiographie notwendig zur Übernahme der Rankeschen Geschichtskonzeption führen mußte. Julian Schmidt weiß sich vor allem Gervinus verpflichtet und steht Ranke, bei aller Bewunderung der schriftstellerischen Leistung, skeptisch gegenüber. In der vergleichenden Beurteilung von Ranke und Gervinus nimmt Schmidt Partei für Gervinus und bekennt sich zur Tradition der räsonierenden Geschichtsschreibung. „Die deutsche Geschichtsschreibung", so argumentiert Schmidt im dritten Band seiner Literaturgeschichte, „sobald sie überhaupt in die allgemeine Literatur eintrat, war überwiegend protestantisch, aufgeklärt, preußisch, bürgerlich, liberal."[23] Emphatisch verkörpert wurde diese Tradition der räsonierenden Geschichte durch Friedrich Christoph Schlosser und seinen Schüler Gervinus. Bezeichnenderweise hebt Schmidt an Schlosser dessen moralische Integrität hervor. „Was Börne im Kleinen und instinctartig und ohne Bildung versucht, führt Schlosser im Großen mit gründlicher Kenntniß und mit reifem Verstande aus. Seine moralische Kritik, die ursprünglich gegen das deutsche Wesen gerichtet war, wendet er dann gleichmäßig gegen alle Gebiete der Geschichte."[24] In dieselbe Kategorie fällt nach dem Urteil Schmidts Gervinus' Literaturgeschichte: „Aber die ‚Literaturgeschichte' ist mehr als ein Kunstwerk, sie ist eine That; ein nothwendiger und bedeutender Schritt zur Befreiung unsers Geistes."[25]

Julian Schmidts Urteil über Gervinus ist nicht ausschließlich positiv, er bemängelt zum Beispiel das Fehlen der historischen Einfühlung, die gewisse Starre, die sich aus dem moralisch-kritischen Duktus der Darstellung ergibt, im wesentlichen jedoch stimmt Schmidt Gervinus zu: Dessen Darstellung der deutschen Literatur verband die Kunst der Synthese mit der kritischen Strenge, die sich nicht einfühlend in den Stoff verliert, wie dies bei Ranke der Fall ist. Bei Schmidt besteht noch ein sehr klares Bewußtsein, daß die Historische Schule, die man später gegen den geschichtsphilosophischen Konstruktivismus Hegels und seiner Schüler ausspielt, aus zwei sehr verschiedenen Flügeln bestand, dem aufklärerisch-moralischen, dem Schlosser und Gervinus angehörten, und der verstehenden und beschreibenden Historiographie, wie sie durch Ranke vertreten wurde. Seine Beurteilung Rankes läßt keinen Zweifel daran, daß Schmidt sich selbst in die Tradition der moralischen Geschichtsschreibung einordnet. So wendet Schmidt gegen Ranke ein: „Wir vermissen bei ihm etwas: wir wollen es nicht sittliche Integrität nennen, aber es ist dieser männliche Ernst, der sich weder durch ästhetisches Wohlgefallen, noch durch persönliche, vielleicht sehr gerechtfertigte Theilnahme davon abhalten läßt, in den Punkten, auf die es ankommt, unerbittlich zu sein. In der Kritik der Thatsachen kennt er keine Nachsicht; in seinem sittlichen Urtheil dagegen bemüht er sich mit einer gewissen Aengstlichkeit, den Gegenständen keine Persönlichkeit entgegenzusetzen."[26] Jenem historischen Bewußtsein, das sich einfühlend in seinen Gegenstand verliert und durch die mimetische Präsentation Einheit und Rundung der Geschichte herstellt, stellt Schmidt eine Konzeption entgegen, in der die Persönlichkeit und das sittliche Urteil des Historikers Auswahl und Anordnung der Geschichte bestimmen. Anläßlich der Besprechung von Radowitz bezeichnet Schmidt diesen Standpunkt als den überlegenen. „Ohne Leidenschaft, ohne den Zorn einer intensiven Überzeugung ist kein fester Wille möglich, aber auch keine sichere Erkenntniß."[27] Dieser Subjektivismus ist nicht mit Impressionismus zu verwechseln. Das urteilende Subjekt ist ein moralisches und als solches vor allem der Sprecher für die allgemeinen humanen Grundsätze. Der räsonierende Historiker weiß sich im Dienst der allgemeinen Aufklärung, die sich durch und in der Geschichte vollzieht. Die Gefahr dieses Zugangs ist weniger Verschwommenheit als doktrinäre Starre, die bei der Beurteilung von Personen und Tendenzen daneben greift. Eben diese Schwäche tadelt Schmidt an Gervinus, dem nicht Festigkeit des Willens, wohl aber Besonnenheit und Reife der Überlegung gelegentlich fehlen.[28]

Julian Schmidts Darstellung der Geschichtsschreibung zerfällt bereits in einzelne Porträts und deutet den historischen Zusammenhang, den Prutz noch dialektisch entfaltet, nur noch an. Während für Prutz die Konzeption der Geschichtswissenschaft selber zutiefst geschichtlich begründet ist und entsprechend in der nachrevolutionären Situation Änderungen unterworfen ist, zerfällt die Geschichte der Historiographie bei Schmidt in konkurrierende Traditionen und Schulen, zu denen er sich selektierend und wertend verhält. Schmidt sieht sich als Fortsetzer der räsonierenden moralischen Geschichtsschreibung, hier liegen deutlich seine methodischen Sympathien, doch ist er nicht blind für die Gefahren dieser Methode. Da sie ihre eigenen Voraussetzungen nicht reflektiert, kann sie unversehens doktrinär werden. Die Lösung, nach der Schmidt sucht, ohne daß dies jemals ausdrücklich formuliert wird, ist eine Synthese aus räsonierender und einfühlender Darstellung, eine Verbindung von Gervinus und Ranke. Diese Verbindung erweist sich freilich als ein Kompromiß, in dem sich beide Komponenten neutralisieren, nicht wechselseitig stützen. Die Korrektur des moralischen Urteils durch die einfühlende Beschreibung schwächt das Räsonnement, ohne die Reflexion zu schärfen.

Für Gervinus war die klassische deutsche Literatur der humanistische Vorlauf, auf den die politische Entfaltung und Befreiung der deutschen Nation folgen sollte. Gervinus' Würdigung der deutschen Klassik schloß die Kritik der apolitischen Haltung – besonders bei Goethe – ein. Diesen Ansatz übernimmt Julian Schmidt. Auch seine Literaturgeschichte bezieht zur Klassik und Romantik eine kritische Position. Die ästhetische Vollendung von Weimar wurde nach dem Urteil Schmidts erkauft mit der Trennung von Kunst und Leben, eine Trennung, die zur Resignation führen mußte. Namentlich Goethe wird vorgeworfen, seine Lebensaufgabe verfehlt zu haben. Die Übersiedelung nach Weimar, die Flucht nach Italien, der Dienst als Minister: Zugeständnisse, die von dem eigentlichen Projekt abwichen. Das gleiche gilt nach Schmidt für Goethes Beziehungen zu den zeitgenössischen politischen Tendenzen. Goethe war unfähig, sich der Französischen Revolution und den Freiheitskriegen anzuschließen. „Zum Größten und Erhabensten hatte ihm die Natur Kraft und Stimmung gegeben, aber sein Muth wurde in einem kleinen, wenn auch glänzenden Käfig gelähmt. Wie schöne Lieder er auch in diesem Käfig gesungen, das Gefühl wird doch aus seinem Leben wie aus seiner Dichtung uns lebendig, daß auch unsere Kunst sich erst dann wahrhaftig erheben wird, wenn unser Leben sich erhebt."[29] Der Einwand gegen Goethe ist ein moralischer; dessen angeblicher Ästhetizismus betrachtete die Literatur „als eine spielende Nebenbeschäftigung (...), die mit dem wirklichen Leben nichts zu thun habe (...)".[30] Goethes Leben und Werk wird hier gemessen an den öffentlichen Aufgaben seiner Epoche. „Die öffentlichen Angelegenheiten sind der Prüfstein für den Werth der Menschen: unausgesetzte Selbstanschauung führt zur Unwahrheit. So lange uns jene Ideale beherrschen, die einseitige Sehnsucht, schön zu leben, und uns höchstens durch Resignation mit der Tragik der Verhältnisse abzufinden, so lange bleibt Deutschland als Ganzes eine unproductive Nation, die keiner Elasticität, keines historischen Aufschwunges fähig ist."[31]

Bezeichnend an diesem Urteil ist seine Verknüpfung von historischer und politischer Kritik. Der Ausgangspunkt ist die öffentliche Funktion der Literatur. Insofern Goethe und sein Werk sich dieser Aufgabe entziehen oder widersetzen, verdienen sie den Tadel, gerade weil Goethe durch seinen Ruhm zum nationalen Vorbild geworden ist. Für Schmidt ist die Aufgabe des Historikers eine beschreibende und eine richterliche; die Beurteilung der Vergangenheit ist fundiert in der Lebenspraxis des Historikers. Diese Einstellung darf nicht einfach als spießbürgerlich und privatistisch denunziert werden.[32] Schmidt verklammert Vergangenheit und Gegenwart durch den Gesichtspunkt der öffentlichen Moral, die gerade die privatistische Haltung angreift. So schreibt Schmidt 1862: „In der Dichtung wie im öffentlichen Leben, im Reich des Gedankens wie in der engen sittlichen Welt sind die Hauptfeinde aller Freiheit und alles Fortschritts spießbürgerliche Engherzigkeit und verschwimmender Idealismus."[33] Auf den politischen Kern der Schmidtschen Klassikkritik hat mit Recht Bernd Peschken hingewiesen.[34] Ob diese Kritik über Marx und Engels hinausgeht, wie Peschken behauptet, mag füglich bezweifelt werden, denn für die sozialistische Theorie ist die bürgerliche Gesellschaft nicht mehr – wie noch bei Schmidt – der Maßstab der Kritik. Mit Grund jedoch unterstreicht Peschken, daß die literaturgeschichtlichen Arbeiten Julian Schmidts in der kritischen liberalen Tradition stehen, die sie mit Gervinus und Schlosser verbinden. Dies zeigt sich nicht zuletzt an der kritischen Behandlung der Klassik. Die frühen Arbeiten heben diese Distanz stärker hervor als die späteren, doch auch in der zweiten Auflage seiner Literaturgeschichte (1855) behandelt Schmidt den *Wilhelm Meister* noch als einen realistischen Roman, der die deutsche Gesellschaft des achtzehnten Jahrhunderts darstellt und vermißt entsprechend in diesem Bild das Bürgertum: „Nun vermissen wir aber unter den Classen, die er darstellt, zunächst das wichtigste Moment des deutschen Volkslebens, das Bürgerthum. Werner, der Repräsentant desselben, ist ein armseliges Zerrbild."[35] Kritisch merkt Schmidt an, daß im *Wilhelm Meister* nur dem Adel die freie Bildung zugestanden wird, während das Bürgertum aus seiner Sphäre herausstrebe und dabei seinen Halt verliere. So tadelt Schmidt das dem Roman zugrundeliegende Bildungsideal, weil es bloß aristokratisch ist und nicht aus der bürgerlichen Arbeitswelt hervorgeht. Schmidt hingegen wünscht im Sinne des Liberalismus die freie Tätigkeit des Individuums, in der ökonomische Produktion und moralische Lebenspraxis noch vereint sind.

Dort, wo die politische und gesellschaftliche Kritik der Klassik zurückgenommen wird, können wir auch mit einer Verschiebung der Aufgabenstellung der Literaturgeschichte rechnen. Bei Julian Schmidt geschah dies 1866 im Zusammenhang mit dem preußischen Sieg über die österreichische Armee.[36] Schmidt betrachtet nunmehr die in den früheren Auflagen enthaltene Polemik gegen die deutsche Klassik als antiquiert. Durch die Aussicht auf eine kleindeutsche Einigung wird auch die literarische Vorgeschichte in ein neues, positives Licht gerückt. Die moralische Kritik hat sich zur historischen Affirmation gewandelt. Die Art dieser Veränderung müssen wir freilich näher ins Auge fassen. Es wandelt sich nicht der moralisch-räsonierende Ansatz, sondern die inhaltliche Ausfüllung. Schmidts Freude über den preußischen Sieg sowie das Schweigen über die Niederlage der Liberalen im Verfassungskonflikt zeigen an, daß er wie die Mehrheit der Liberalen seinen Standpunkt verändert hat – von einem bürgerlich-patriotischen zu einem preußisch-nationalen. Das Modell, mit dem Gervinus seine progressive Literaturgeschichte begründet hatte, erlaubt also ebensosehr die Legitimation des status quo. So liest Schmidt 1866 die vorgefundene, von ihm bejahte Wirklichkeit als das notwendige Ergebnis der literarischen und politischen Vergangenheit. Bei Schmidt wird die deutsche Literatur schließlich zu einer nationalen Sendung, und zwar in einem Sinne, der Gervinus noch fern lag.

Dieser Rahmen ist auch dort noch wirksam, wo das mit ihm verbundene Ziel längst verblaßt ist. So schreibt Rudolf Gottschall 1872 im Vorwort zur dritten Auflage seiner Literaturgeschichte: „(...) die Litteraturgeschichte der Gegenwart ist nur zur Hälfte *objektive Wissenschaft;* zur Hälfte hat sie die Tendenz *praktischen und reformatorischen Wirkens* und strebt eine in die Entwickelung der Litteratur selbst eingreifende Bedeutung an; sie gleicht der attischen Weisheitsgöttin, welche mit Helm und Speer und selbst mit der sturmerregenden Aegis gewappnet erscheint."[37] Ungeachtet der kriegerischen Metapher ist die Reduktion gegenüber

dem Ansatz von Gervinus, ja selbst von Julian Schmidt nicht zu übersehen; aus dem politischen Auftrag ist ein Bildungsauftrag geworden. „Es
ist die Fahne der modernen Bildung, welche die echte Poesie der Gegenwart nicht preisgeben darf, wenn sie eine Poesie der Zukunft werden
will."[38] Gottschall möchte die nachromantische Literatur gegen ihre politisch motivierte Abwertung durch Julian Schmidt retten und sie als legiti-
mes Erbe in die Gegenwart einbringen. Dies führt ihn zu einer Kritik der
moralischen Methode und zur Rückkehr zur romantischen Kritik, ohne
daß die Konsequenzen verdeutlicht werden. Doch auch bei Gottschall
behält die Kategorie des Fortschritts, die die liberale Geschichtsschreibung geleitet hatte, eine gewisse Bedeutung. Ähnliches gilt für einen gemäßigten Nationalliberalen wie Rudolf Haym.[39]

Methode und Ideologie

Die vergleichsweise späte Ausbildung der Literaturgeschichte als einer
wissenschaftlichen Disziplin wie auch die Tatsache, daß sie vor 1848
noch nicht recht als Fach an der Universität etabliert war, führten dazu,
daß die methodische Diskussion sich bei Ausbruch der bürgerlichen Revolution noch weitgehend im Fluß befand. Es dominierte das Modell der
räsonierenden Literaturgeschichte, wie es Gervinus vertrat; in ihm kamen die politischen Forderungen des Liberalismus am klarsten zum Ausdruck. Die Ernüchterung, die auf die gescheiterte Revolution folgte,
schlug sich auch in der wissenschaftlichen Diskussion nieder, und zwar
als Kritik des idealistischen Historismus – sowohl in seiner liberalen als
auch in seiner hegelianischen Prägung. Theodor Wilhelm Danzels epo-
chemachender Aufsatz „Über die Behandlung der Geschichte der neueren deutschen Literatur" (1849) und Rudolf Hayms Buch *Hegel und seine
Zeit* (1857) lassen die Einwände und veränderten Problemstellungen
exemplarisch erkennen. Beide Arbeiten sind Zeugnisse des sich vorbereitenden Positivismus, der aus Gründen der Wissenschaftlichkeit und der
Objektivität die politische Kritik des Vormärz liquidieren zu müssen
glaubte. Diese Wende dürfen wir nicht nur als den Ausdruck eines wach-
senden Konservativismus unter den Literarhistorikern verstehen, sondern zugleich als eine nicht zu verschiebende Auseinandersetzung mit
den ungelösten methodischen Problemen der vorrevolutionären Geschichtswissenschaft. Es bilden sich Fronten zwischen dem moralischen
und dem ästhetischen Lager, zwischen Julian Schmidt und Rudolf Gottschall, zwischen einer teleologischen und einer genetischen Auffassung,
die schließlich beide auf verschiedenen Wegen in den Positivismus einmünden, der nach 1870 die theoretische und methodische Legitimation
der deutschen Literaturgeschichte parat stellte.

Die Kritik der räsonierenden Literaturgeschichte

Für Danzel leidet die ältere Literaturgeschichte daran, daß sie das Stadium des Dilettantismus noch nicht überwunden hat. Ihre Unwissenschaftlichkeit zeigt sich darin, daß die Historiker den Gegenstand und das forschende Subjekt methodisch nicht klar genug getrennt haben. Wenn der Historiker sich in die vergangene Literatur als seinen Stoff versenkt und sich ihre ästhetischen wie poetologischen Gesichtspunkte aneignet, vermengt er seinen Standort in unzulässiger Weise mit dem Gegenstand. „Es ist (...) der größte Mangel eines literarhistorischen Werkes, wenn in demselben die Urteile und Gesichtspunkte, von denen die Schweizer in ihren kritischen Schriften, Lessing in den Literaturbriefen, Goethe in seinem Leben und Schiller in der Abhandlung über naive und sentimentalische Dichtung ausgehen, zugrunde gelegt sind."[40] Das Pathos der Sachlichkeit fordert die vollkommene Trennung von Vergangenheit und Gegenwart: auf der einen Seite die vergangene Literatur mitsamt ihren ästhetischen Normen, auf der anderen Seite der Historiker, der registriert und beschreibt. „Nie darf der Geschichtsschreiber", so lautet das Postulat Danzels, „eben das in sein Subjekt aufnehmen, was er sich gerade ganz objektiv machen sollte."[41] Um diesen methodischen Grundsatz zu fundieren, beruft sich Danzel bezeichnenderweise nicht mehr auf die Geschichtsphilosophie, sondern auf die Psychologie, die exakte kausale Fragestellungen entwickelt.

Im Grunde geht es hier freilich nicht um die Begründung kausaler Zusammenhänge, zur Diskussion steht vielmehr das Verhältnis von ästhetischen und historischen Gesichtspunkten. Gervinus hatte die ästhetische Betrachtung aus der Literaturgeschichte methodisch ausgeschieden, um überhaupt erst einen historischen Standpunkt konsequent durchzusetzen, denn die ästhetische Perspektive war für ihn noch identisch mit einem metahistorischen Ansatz, der alle Kunstwerke den gleichen Normen unterwirft. Danzels Kritik schließt systematisch an Gervinus an: sie will den Historiker auf einen höheren Standpunkt stellen, von dem aus die Ästhetik nicht weniger als die Kunstwerke Teil der Geschichte wird. Die methodische Gegenüberstellung von Geschichte und Ästhetik beruhte bei Gervinus auf der Unfähigkeit, die Geschichtlichkeit von ästhetischen Theorien einzusehen. Daher sein Wunsch, sie aus der Literaturgeschichte gleichsam zu entfernen. Danzel schlägt den entgegengesetzten Weg ein; er fügt die Ästhetik der Literaturgeschichte hinzu. Die Theorien von Lessing, Schiller und Goethe sind ihrerseits zu historischen Gegenständen geworden, die der Interpretation bedürftig sind. Das Subjekt des Historikers weiß sich von diesen Theorien genauso distanziert wie von vergangenen Kunstwerken. Die Subjektivität des Historikers wird – und das hat zweifellos Folgen – formalisiert.

Diese Tendenz wird deutlich sichtbar bei Danzels Versuch, die Literaturgeschichte von der Philosophiegeschichte methodisch zu lösen. Die idealistische Philosophiegeschichte hatte die Abfolge der philosophischen Systeme, die vorher einfach als Faktum erzählt wurde, so als die Geschichte des Geistes konstruiert, daß sie in die gegenwärtige Philosophie logisch einmündet. Die Geschichte der Philosophie wird dadurch das Mittel für die Selbstreflexion des Geistes. Danzel macht nun mit Recht darauf aufmerksam, daß die neuere Literaturgeschichte dieses methodische Prinzip von der idealistischen Philosophiegeschichte übernommen hat. „Die Geschichte der neueren deutschen Literatur ist ganz eigens in dem Sinne behandelt worden, daß ihr Verlauf über die Aufgabe der Gegenwart aufklären, ja mit Notwendigkeit auf dieselbe hinweisen sollte.“[42] Im folgenden beschreibt Danzel die räsonierende Historiographie, die von den Interessen der Gegenwart ausgeht und sich zur Geschichte zurückwendet, um Antworten für die Zukunft einzuholen. „Andere, welche ganz in den politischen Bestrebungen unserer Tage leben, haben zu finden geglaubt, die Entwicklung im vorigen Jahrhundert weise darauf hin, daß den literarischen Bestrebungen solche folgen müßten, die auf die Neugestaltung des Staates gerichtet seien, der Zeit der *Dichtung* eine Zeit der *Tat*.“[43] Obwohl sein Name nicht genannt wird, ist zweifellos Gervinus hier gemeint. Danzel wirft dieser Politisierung der Literaturgeschichte vor, daß sie das Material tendenziös manipuliert, indem sie die Interessen der Gegenwart in die Vergangenheit hineinprojiziert. Der Historiker gleicht dann, um Danzels Vergleich zu bemühen, dem Prediger, der die Bibel für die Zwecke der Erbauung benutzt. „Die literarhistorischen Werke waren eine Zeitlang, wie Goethe von Byrons Gedichten sagt, verhaltene Parlamentsreden.“[44]

Bemerkenswert wird dieser Einwand freilich erst durch seine methodische Begründung, die die progressive bürgerliche Literaturgeschichte an ihrer schwachen Stelle trifft. Der Vorwurf mangelnder empirischer Fundierung, der die Einstellung des späteren Positivismus vorwegnimmt, wäre, für sich genommen, nicht besonders belangvoll. Ausschlaggebend wird er dagegen durch das theoretische Argument, auf das er sich stützt. Die Absicht der Synthese, durch den sich die räsonierende Literaturgeschichte von den älteren annalistischen Werken unterschied, beruht auf einer problematischen Geschichtskonzeption, besonders in bezug auf den Zusammenhang zwischen der allgemeinen Geschichte und der Literaturgeschichte. Danzel faßt Gervinus' Auffassung folgendermaßen zusammen: „Es ist bei der Behandlung der deutschen Literatur in neuerer Zeit der Gesichtspunkt der nationalen Entwicklung vorherrschend geworden. Im allgemeinen wird sich dagegen nichts einwenden lassen; wenn die Geschichte nicht eine bloße äußere Aneinanderreihung von einzelnen Tatsachen sein soll, so muß etwas da sein, *was* sich entwickelt, eine Substanz, von welcher die einzelnen Erscheinungen nur Modifikationen sind, und diese Substanz, was soll sie anders sein als der Geist, die Denkungsart eines Volkes, entweder im allgemeinen oder in bezug auf die poetische Produktion insbesondere."[45] Die Möglichkeit, eine historische Synthese zu bilden, beruht bei Gervinus, wie Danzel mit Recht unterstreicht, auf zwei Voraussetzungen: einmal der idealistischen Prämisse eines sich entwickelnden Gesamtgeistes und zum anderen der Annahme, daß dieser Geist sich als Volksgeist konkretisieren lasse. Unterstellt man mit Gervinus für den historischen Prozeß eine sich entfaltende Substanz, dann ist es möglich, ja erforderlich, Literatur und Politik zu verbinden, denn beide sind nur Modifikationen des einen Geistes.

Danzels berechtigte Kritik richtet sich in erster Linie gegen die nationale Verengung der Literaturgeschichte, indem er darauf verweist, daß die Unterstellung von nationalen Entwicklungen zu Fiktionen führt, die der neuzeitlichen Geschichte nicht gerecht werden, da die deutsche oder die französische Literatur nur als Teil der weiteren europäischen zu begreifen ist. Die Kritik der idealistischen Prämisse dagegen bleibt auf halbem Wege stecken. Wenn man die idealistische Geschichtsauffassung problematisiert, zerfällt der Zusammenhang von Sozialgeschichte und Literaturgeschichte. In diese Richtung weisen Danzels Argumente, wenn er von den verschiedenen Aufgaben des Geistes spricht, die jeweils ihre eigene, unabhängige Geschichte haben. Folglich wäre auch die Literaturgeschichte aus ihren eigenen Voraussetzungen zu betrachten und darzustellen, das heißt aber, aus dem Zusammenhang von ästhetischen Konventionen und literarischen Zusammenhängen. In diese Richtung bewegt sich Danzel ansatzweise, wenn er Literaturgeschichte nicht mehr als Teil der politischen Geschichte, sondern als „eine Art Kunstgeschichte" konzipiert. „(...) Ihre Aufgabe ist, ohne links und rechts zu sehen, die Metamorphosen der poetischen Produktion rein aus dieser selbst aufzustellen (...)."[46] Wie diese literarische Evolution sich abspielen soll, wird kaum angedeutet. Als eine Möglichkeit schwebt Danzel vor, die Dynamik der literarischen Produktion durch den Vergleich mit der zeitgenössischen Ästhetik und Kritik zu verstehen – als das Bewältigen von Aufgaben, die die Ästhetik formuliert hat und umgekehrt als das Formulieren von neuen Aufgaben, die sich aus der Lektüre von Kunstwerken ergeben.

Das logische Ergebnis dieser Gervinus-Kritik ist einmal die Entleerung und Formalisierung des forschenden Subjekts, dessen aktuelle Interessen als für die Geschichtsschreibung illegitim ausgeschieden werden, und ferner die Trennung der Literaturgeschichte von der allgemeinen Geschichte. Durch die methodische Kritik wird der politische Auftrag, so wie er in der Konzeption von Gervinus definiert war, zurückgenommen. Sobald die idealistischen Prämissen der räsonierenden Geschichte problematisch werden, wird sich die Geschichtswissenschaft im Namen der Wissenschaft aus der öffentlichen Sphäre zurückziehen und diese den populären Darstellungen überlassen. Zwischen den wissenschaftlichen Ansprüchen und dem politischen Engagement tut sich nunmehr ein Hiat auf; das letztere wird privatisiert, so daß es nicht mehr zur Literaturwissenschaft gehört. Diese Konsequenzen werden freilich weder bei Danzel noch bei Hettner oder Haym stringent entfaltet. Erst im dogmatischen Positivismus schlägt sich die methodische und theoretische Kritik am Idealismus voll nieder als Diffamierung eines teleologisch begründeten politischen Ansatzes. Dann nämlich wird der Historiker zum ausschließlich beobachtenden Subjekt, dessen praktische Interessen ausgeklammert werden müssen.

In Wilhelm Scherers Rezension von Hettners Literaturgeschichte des achtzehnten Jahrhunderts (1865) wird dieser Standpunkt erreicht. Scherer legt einen Begriff der Geschichtswissenschaft zugrunde, den Hettner prinzipiell nicht erfüllen kann, weil er historische Zusammenhänge nicht kausal, sondern ideengeschichtlich begreift. Das Pathos der empirischen Forschung, das der junge Scherer gegen Hettner ins Feld führt, verzichtet zwar darauf, seinen Begriff von Geschichte zu entfalten, doch aus der Polemik ist zu erschließen, daß ein Zusammenhang von Ideen nicht mehr unterstellt wird. Die Geschichte ist nunmehr zum Material geworden, in dem die Fakten kausal verbunden sind. Folglich wird gegen die Geistesgeschichte eingewandt: „Die historische Grundkategorie, hat man mit Recht gesagt, ist die Causalität. (...) Der Hauptfehler Hettners ist die mangelhafte Motivirung."[47] Motivierung bedeutet bei Scherer das Aufdecken der „treibenden Einflüsse" am Einzelnen, so daß sich das Ganze aus der induktiven Rekonstruktion kausaler Zusammenhänge erschließen muß. Ausgeschlossen werden dagegen teleologisch begründete Verallgemeinerungen, wie sie sich bei Hettner und der älteren liberalen Historiographie finden. Die neue Generation mißt sich nicht mehr an der Philosophie, sondern an den Naturwissenschaften. Diese neue Orientierung, so wenig sie methodisch ernst zu nehmen ist, hat freilich eine wichtige Funktion für das Selbstverständnis der positivistischen Literaturwissenschaftler: sie erlaubt das Festhalten am Begriff des Fortschritts.[48]

Die Aporien des Idealismus: Rudolf Haym

Der Übergangscharakter des spätbürgerlichen Idealismus, der sich seiner eigenen Position nicht mehr sicher ist, aber die idealistische Tradition auch nicht ganz aufgeben will, ist exemplarisch an den Arbeiten von Rudolf Haym zu studieren. Zweifellos hat Hayms *Hegel und seine Zeit* (1857) wesentlich dazu beigetragen, den Philosophen zum „toten Hund" zu machen, dessen System obsolet geworden sei. Von dieser populären

Wirkung sind freilich die Intention und der Gehalt der Vorlesungen zu unterscheiden. Haym ist keinesfalls bereit, sich von der idealistischen Geschichtsauffassung radikal zu trennen. Seine milde Kritik der Hegelschen Geschichtsphilosophie, der er, wie zu erwarten, Konstruktivismus vorwirft, hält unverändert an einer substantiellen Auffassung der Geschichte fest. So schließt die siebzehnte Vorlesung mit den Sätzen: „Es ist augenscheinlich ein Fortschritt, wenn unsre neuste Geschichtsschreibung wieder thatsächlicher, kritischer und pragmatischer geworden, wenn sie sich der Construction aus allgemeinen, über den Dingen hinausliegenden Gesichtspunkten zu enthalten bestrebt ist. Daß sie nichts destoweniger an dem Glauben einer ideellen Entwickelung festhält, daß sie eine Vernunft der Dinge und eine Dialektik dieser Vernunft anerkennt, das, hinwiederum, ist nicht zum geringsten Theile das Verdienst Hegel's und der Hegel'schen Geschichtsphilosophie."[49]

Hayms Auseinandersetzung mit Hegels Philosophie kann hier nur so weit gestreift werden, als sie methodische Fragen der Historiographie berührt. Seine Position ist von Anfang an widersprüchlich: Auf der einen Seite teilt er die allgemeine Einschätzung, daß die Zeit der philosophischen Systeme vorüber sei, und versucht in seinen Vorlesungen, eine historische Kritik anzubieten; auf der anderen Seite kann und will er sich nicht von den allgemeineren Voraussetzungen trennen, die Hegel mit seinen Zeitgenossen teilte. Anders ausgedrückt: Seine Zweifel richten sich nicht nur gegen den Dogmatismus des Hegelschen Systems, sondern auch – wenn auch vager – gegen die metaphysischen Ansprüche der Philosophie, deren Legitimität durch den Gang der Geschichte selbst problematisiert worden ist. Haym spricht von einem „Zusammenstürzen eines Dogmatischen, ein Zertrümmern von Begriffen, die am Himmel des philosophischen Glaubens zu haften schienen, ein Auflösen eines Systematischen, eines metaphysisch Ewigen in Trümmer menschlicher Geschichte und menschlichen Denkens – eine Verzeitlichung mit Einem Worte und Verdiesseitigung dessen, was für ein Unendliches und für ein Jenseitiges gegolten hat".[50] Unverkennbar ist diese Kritik der linken Hegelschule verpflichtet. Bezeichnend ist freilich ihre nachrevolutionäre Modifikation, in der der politische Radikalismus der *Hallischen Jahrbücher* eliminiert wird zugunsten einer gemäßigten Position, die dann zunehmend nach rechts drängt. Das Haften am Idealismus ergibt sich bei Haym aus seiner defensiven Einstellung gegenüber dem (mechanischen) Materialismus, der „alle Erscheinungen des Geisteslebens auf physiologische Hergänge und in letzter Instanz auf Eigenschaften des Stoffes" zurückführt.[51] Die rabiate Reduktion der Geschichte durch den mechanischen Materialismus provoziert eine halbherzige Verteidigung des Idealismus, weil dieser, wie es scheint, der Geschichte gerechter werden kann. Es ist die Unfähigkeit, eine differenzierte materialistische Geschichtstheorie aufzubauen, die den Idealismus noch einmal rettet, und zwar in seiner kritizistischen Gestalt, als Wiederholung des Kantschen Angriffs gegen die dogmatische Metaphysik des achtzehnten Jahrhunderts. Diese Wende zu Kant, von der die Einleitung des Hegelbuchs spricht,[52] versteht sich freilich als eine konkret-historische Kritik, die sich, Diltheys Ansatz vorwegnehmend, auf den lebendigen Prozeß des Menschengeistes beruft.

Hayms Hegelkritik begreift sich als progressiv. Im Namen des humanen wie politischen Fortschritts argumentiert sie gegen ein philosophisches System, das angeblich im wesentlichen der Legitimation der konservativen Kräfte in Preußen diente. Namentlich gegen die Rechtsphilosophie wird dieser Einwand vorgetragen. Haym nimmt bestimmte Elemente aus der Hegelschen Philosophie heraus und wendet sie in historischer Form gegen das Systemdenken. Dazu gehören der Fortschrittsgedanke, die substantielle Auffassung der Geschichte, die Vorstellung von der Einheit der historischen Phasen und die Idee von der weltgeschichtlichen Funktion der Völker. Die Literatur- und Geistesgeschichte bedarf dieser Elemente; sie darf Haym zufolge einer materialistischen Darstellung nicht überlassen werden. Insofern die Hegelsche Philosophie sich dazu hergegeben hatte, den restaurativen preußischen Staat zu rechtfertigen, war sie zu einer Ideologie erstarrt, die kritisch aufzulösen war. Die Versöhnung der Vernunft mit der Wirklichkeit macht Hegels Staatsphilosophie suspekt, denn sie verklärt die preußische Wirklichkeit und gibt das Prinzip des menschlichen und politischen Fortschritts preis. Haym besteht als Liberaler auf dem Wert des Räsonnements und verteidigt die Position eines Humboldt, Dahlmann oder Gervinus gegen die Hegelsche Kritik der subjektiven Vernunft. So tadelt Haym auch an der Hegelschen Geschichtsphilosophie, der er im übrigen entschieden positiver gegenübersteht als der Rechtsphilosophie, die Unterwerfung der individuellen menschlichen Freiheit unter die Gebote des Weltgeistes. Die Hegelschen Begriffe der Freiheit und des Fortschritts sind für Haym nicht annehmbar, weil sie zu einer Gesamtkonstruktion der Weltgeschichte führen, in der das Wissen das Leben entwertet. Die Kritik der Rechtsphilosophie führt zur Kritik des absoluten Geistes, der die Konstruktion einer Universalgeschichte möglich macht. „Nicht die freie Selbstbestimmung der Menschen sorgt hier für den Fortschritt und die Verwirklichung der humanen Interessen, sondern die absolute Idee bedient sich des Thuns der Menschen nur, um sich selbst zu genießen."[53] Doch dieser Verweis auf die menschliche Praxis, der Haym in die Nähe der linkshegelianischen Schule bringt, führt nicht zu Feuerbach, sondern zurück zu Kant und Humboldt.

Bei der Behandlung der Hegelschen Geschichtsphilosophie berühren sich methodisches Denken und politisches Selbstverständnis am deutlichsten – und zwar in der Forderung nach einer Geschichtsschreibung, die der freien Selbstbestimmung des Menschen gerecht wird. Humboldts Geschichtstheorie erscheint als die Basis, die im Unterschied zu Hegel diese Emanzipation möglich macht. „Aus dem Hegel'schen Geschichtsbilde, dies hängt eng damit zusammen, ist jener lockende Hintergrund, jener Duft der Ferne durchaus verschwunden, die die Geschichtsphilosophie Herder's, Kant's, Fichte's zugleich zu einer praktischen Wissenschaft, zu einer sittlichen Mahnung an die Individuen machte."[54] Hier verteidigt Haym die räsonierende Geschichtsschreibung gegen das, was er als die übermäßige Theoretisierung und Verwissenschaftlichung der Hegelschen Philosophie empfindet. Wenn man daher, und zwar mit Recht, davon spricht, daß Haym sich dem Positivismus nähert, so muß man sich gleichzeitig vor Augen halten, daß dies nicht geschieht, um der Wertfrage auszuweichen, sondern im Gegenteil, um die Geschichtsschreibung als eine praktische Disziplin zu retten. Durch eben dieses Ziel wird der Idealismus der Hegelschen Philosophie bis zu einem gewissen Grade wieder legitimiert. Ungeachtet aller Kritik hält Haym 1857 daran fest, daß Hegel, indem er die „Weltgeschichte in allen ihren Theilen von Ideen beherrscht und durchwaltet" begreift,[55] das Denken von Herder und Humboldt fortgesetzt hat und dadurch half, die bloß pragmatische Geschichtsschreibung zu überwinden – nicht durch den konstruktiven Ansatz, der Haym unsympathisch ist, sondern durch das Insistieren auf der öffentlichen Funktion der Geschichte und der Literaturgeschichte. Diese Funktion besteht darin, die nationale Aufgabe zu formulieren. Die Einleitung zur *Romantischen Schule* (1870) spricht bezeichnenderweise vom Vormärz als einem Traum, den Deutschland glücklicherweise abgeschüttelt habe, und drückt das aktuelle Interesse in folgender Form aus: „Ein viel ernsterer und praktischerer Kampf, die zuversichtliche frohe Arbeit des Fortschritts auf dem wie durch ein Wunder errungenen Boden machtstolzer nationaler Selbständigkeit hat begonnen."[56] Die nationale Einigung unter Bismarck, mit der sich Haym offenbar einverstanden erklärt, erfordert die Bestandsaufnahme. Das Studium der Romantik wird zur Pflicht, um sich nach der vollzogenen Trennung vom politisch radikalen Vormärz der idealistischen Tradition erneut zu versichern.

Haym geht in das neu gegründete Reich mit dem Bewußtsein hinein, durch die literaturgeschichtliche Arbeit den Fortschritt verwirklichen zu können, den die idealistische Geschichtsphilosophie in allgemeinen Umrissen vorgezeichnet hatte. Aber es findet sich kein Hinweis, daß die nationale Einigung den zuvor evozierten Vorstellungen humaner Selbstbefreiung nicht entsprach. Aufmerksamkeit verdient in diesem Zusammenhang das methodische Programm, mit dem diese Aufgabe gelöst werden soll. Geschichte ist weder im strengen Sinne Geistesgeschichte noch Werkgeschichte, denn „nur scheinbar setzt sich in ihnen die zweifache

Bewegung des allgemeinen und individuellen Geistes zu einem festen Niederschlag ab".[57] Die geschichtliche Dynamik wird vielmehr in die Tätigkeit der Individuen verlegt, die als produzierende und rezipierende ein Kräftefeld bilden, in dem die Ideen und Werke gleichsam flüssig werden. „Diese Werke nach rückwärts und vorwärts, nach ihrer Entstehung und ihren Wirkungen flüssig zu machen, ist die eigentliche Aufgabe der Geschichtsforschung. Sie hat das, was geschieht, in das Wie des Geschehens aufzulösen, um nicht sowohl die Thatsachen zu verzeichnen als Thaten darzustellen."[58] Dieses Programm setzt sich bei aller Betonung der Empirie gegen einen Positivismus ab, der die Literaturgeschichte in Fakten auflöst. Haym bleibt sich bewußt, daß der Prozeßcharakter der Geschichte nicht durch die Sammlung von Daten und die Berechnung von Faktoren zu erkennen ist, aber er mißtraut der reinen Geistesgeschichte, für die die Menschen nur Träger von Ideen sind. Aus dieser Position folgt eine synkretistische Einstellung: Haym möchte die romantische Bewegung aus ihren biographischen, psychologischen und historischen Ursachen rekonstruieren, die „verstehend und mitfühlend" erfaßt werden müssen.[59]

Die Frage des hermeneutischen Verstehens wird für Haym noch nicht zur zentralen Frage. Daß man Menschen und Kunstwerke verstehen kann, erscheint ihm als selbstverständlich. Wenn er das Verstehen hervorhebt, richtet sich die Emphase gegen das Systemdenken der Hegelschen Philosophie. Im ganzen ist für Haym der historische Zusammenhang zwischen Vergangenheit und Gegenwart noch gesichert. Als Historiker ist Haym – und darin steht er noch in der Tradition der räsonierenden Geschichtsschreibung – am menschlichen Fortschritt interessiert, und aus diesem Erkenntnisinteresse leitet sich seine Methode ab. Zweifel an der Wissenschaftlichkeit dieses Verfahrens, wie wir sie bei Danzel kennengelernt haben, tauchen bei Haym nicht auf. Bemerkenswert ist, daß dieser Ansatz in die veränderte politische Situation von 1870 eingebracht werden konnte. Hayms Geschichtsauffassung wie seine Methode erwiesen sich als umfunktionierbar. Aus der Perspektive der Reichsgründung las sich bei Haym, nicht anders als bei Julian Schmidt, die Geschichte der deutschen Literatur als die Vorgeschichte des Bismarckschen Reiches.

Positivismus und Nationalismus: Wilhelm Scherer

Wäre von Wilhelm Scherers Schriften nicht mehr als seine Literaturgeschichte (1883) überliefert, würde man ihn vermutlich als einen Nachfolger Rudolf Hayms bezeichnen. Ihre Darstellungsprinzipien sowie ihre methodische Grundauffassung stehen Hayms Ansatz relativ nahe. Gemäß ihrem Ziel, ein breiteres Publikum zu erreichen, ist sie flüssig geschrieben und vermeidet die Erörterung von offenen wissenschaftlichen Problemen. Die wissenschaftliche Diskussion ist folglich in den Anhang verwiesen. Den späteren Ruhm als dem führenden Beispiel des Positivismus verdankt diese Literaturgeschichte zweifellos mehr dem Ruf ihres Autors als ihrer Struktur, in der die positivistischen Prinzipien nur bedingt zur Entfaltung gelangen. Ihr Erfolg dürfte eher darauf beruhen, daß sie dem methodischen Purismus auswich und eklektisch integrierte, was für die Darstellung nützlich erschien. Politische Gesichtspunkte wechseln mit biographischen; sozialgeschichtliche Fragestellungen schließen an werkgeschichtliche an. Vergebens sucht man ein methodisches Konzept, und bezeichnenderweise verzichtet Scherer darauf, seiner Darstellung eine Einleitung voranzuschicken, in der der Autor seine theoretischen und methodischen Prämissen erläutert. Von der wissenschaftlichen Strenge, die Scherer in seiner Besprechung von Hettners Literaturgeschichte forderte, ist in seiner eigenen Arbeit wenig zu bemerken. So stellt sich, vergleicht man die Literaturgeschichte Hettners mit derjenigen Scherers, der Begriff des Verfalls schnell ein. Doch dürfen wir die verschiedenen Zwecke der beiden Werke nicht vergessen. Scherer hatte die erklärte Absicht, eine populäre Literaturgeschichte zu schreiben, die die erfolgreichen Studien von Vilmar und Gottschall ersetzen sollte. Diesen Zweck hat er erreicht.

Gleichwohl ist der Mangel an methodischer Klarheit, der Synkretismus der Schererschen Literaturgeschichte, symptomatisch für den Zusammenhang von Theorie und Ideologie im Bismarckreich. Die rein wissenschaftsgeschichtliche Betrachtung kann die Funktion des älteren Positivismus nicht erfassen, da sie in ihm nur eine inkonsequente Form positivistischer Prinzipien erblicken kann, die, gemessen an den theoretischen Ansprüchen des Neopositivismus, obsolet erscheint. Da der Positivismus in der Regel durch Diltheys Hermeneutik als überwunden angesehen wird, beschränkt sich das Interesse der Theorie- und Wissenschaftsgeschichte darauf, ihm seine Mängel nachzuweisen, ohne die andere Frage zu stellen, warum der ältere Positivismus trotz seiner offensichtlichen theoretischen Schwächen so erfolgreich sein konnte. Um diese Frage zu beantworten, muß man sich die geschichtliche Konstellation vor Augen halten, durch die die Dialektik von Methodik und Ideologie geprägt wurde.

Die liberale Geschichtsschreibung postulierte einen Zusammenhang zwischen literarischer und politisch-nationaler Entwicklung. Insbesondere bei Gervinus erscheint die nationale Selbstbestimmung der Deutschen als das letzte, meta-literarische Ziel der Literatur. Die diesen Zusammenhang begründende Geschichtstheorie ist idealistisch. Der Zusammenbruch des Idealismus als einer verbindlichen Weltanschauung entzieht dem liberalen Modell die methodische Basis und stellt die Literaturgeschichte vor die Aufgabe, die unsicheren Grundlagen zu festigen. Der Positivismus wird von der Germanistik gleichsam zu Hilfe gerufen, um eine Konzeption zu stützen und zu rechtfertigen, die sich unter idealistischem Vorzeichen konstituiert hatte. Es war nicht so, daß die neue Methode zu einer veränderten Konzeption der Nationalliteratur führte, sondern umgekehrt so, daß das vertraute Konzept abgesichert werden sollte durch den philosophischen Positivismus. Dazu dient in der Literaturgeschichte der positivistische Begriff von Wissenschaft, der sich an den Naturwissenschaften orientiert, und ein Begriff des Fortschritts, der nicht mehr die humane Selbstentfaltung im Auge hat, sondern die Entwicklung der Produktivkräfte in der Gestalt technologischer Verbesserungen. Scherers Feier der Naturwissenschaften ist das Eingeständnis, daß die Geisteswissenschaften, unter ihnen die Literaturgeschichte, ihre Autonomie verloren haben. „Dieselbe Macht, welche Eisenbahnen und Telegraphen zum Leben erweckte, dieselbe Macht, welche eine unerhörte Blüte der Industrie hervorrief, die Bequemlichkeit des Lebens vermehrte, die Kriege abkürzte, mit einem Wort die Herrschaft des Menschen über die Natur um einen gewaltigen Schritt vorwärts brachte – dieselbe Macht regiert auch unser geistiges Leben: sie räumt mit den Dogmen auf, sie gestaltet die Wissenschaften um, sie drückt der Poesie ihren Stempel auf. Die *Naturwissenschaft* zieht als Triumphator auf dem Siegeswagen einher, an den wir Alle gefesselt sind."[60] Die Ambivalenz dieses Satzes ist überaus bezeichnend: auf der einen Seite das Lob der instrumentalen Vernunft, die Gleichsetzung von Fortschritt und Herrschaft über die Natur, auf der anderen Seite das Bewußtsein, methodisch in den historischen Wissenschaften abhängig geworden zu sein von der Theorie der Naturwissenschaften. Wenn Scherer von seiner Generation, also denen, die in den sechziger Jahren zu schreiben begannen, sagt, sie *„bau(e) keine Systeme",*[61] sondern bediene sich nur der Tatsachen, dann wird aus der Skepsis Hayms und seiner Generation, die noch von Hegel und der Schule Hegels ihren Ausgang nahm, unversehens ein neuer Glaube. Scherer verkündet eine neue Einstellung, die durch den erkenntnistheoretischen Positivismus angeblich gedeckt wird. Daß der methodisch streng angewandte Positivismus schließlich zu einer fundamentalen Kritik des Historismus führen muß, daß der Positivismus an geschichtlichen Kräften nicht interessiert ist, wird bei Scherer nicht hinreichend deutlich. Namentlich die Trennung von Fakten und Werten, die für jeden kritischen Positivismus bezeichnend ist, liegt Scherer fern.

In der Einleitung zur Geschichte der deutschen Sprache legt Scherer ein Programm vor, das die Geschichte der Literatur positivistisch begründen will. Unter Berufung auf Buckle wird der Begriff des Verstehens als der zentralen hermeneutischen Kategorie ausdrücklich verworfen. Da Scherer sich ausdrücklich auf eine deterministische Geschichtsauffassung beruft, vermutet man eine streng beschreibende Darstellung, die im Gegensatz zur räsonierenden Literaturgeschichte gänzlich auf teleologische Argumente verzichtet. Dies ist jedoch nicht der Fall. In derselben Einleitung fordert Scherer eine nationale Güter- und Pflichtenlehre, „woraus den Volksgenossen ihr Vaterland gleichsam in athmender Gestalt ebenso strenge heischend wie liebreich spendend entgegenträte".[62] Die zuvor unterdrückten Erkenntnisinteressen machen sich hier wieder bemerkbar. Der Zweck der Literaturgeschichte liegt, wie Scherer betont, jenseits der Erklärung von kausalen Zusammenhängen. Nicht anders als die liberale Geschichtsschreibung unterstellt Scherer ein nationales Ziel, das für die Rekonstruktion der Literaturgeschichte der Ausgangspunkt wird. Und eben aus dieser nationalen literarischen Tradition möchte Scherer ein System nationaler ethischer Werte ableiten, das der Zukunft als Orientierungsmarke dienen kann. Für Scherer ist dieser Gesichtspunkt wichtiger als die deterministische Geschichtskonzeption. Die Literatur hat zunächst und vor allem die „Funktion eines Mediums des nationalen Telos".[63] In dieser Beziehung bricht Scherer keineswegs mit der älteren Historiographie, wie in der Wissenschaftsgeschichte in der Regel unterstellt wird, sondern setzt die teleologische Konzeption fort, wenn auch die nationale Aufgabe signifikant umgedeutet wird. Die unter Bismarck erreichte nationale Einheit wird nunmehr zum Ziel der deutschen Literatur erklärt.[64] Die inhaltliche Füllung wird von dieser Modifikation entscheidend betroffen, weil sie den liberalen Humanismus der räsonierenden Literaturgeschichte abgestoßen, beziehungsweise zum Festtagszitat verwandelt hat. Es wäre jedoch falsch, diese Veränderung auf die Person Scherers einzuschränken. Der Ansatz zur nationalen Verengung ist bereits bei Gervinus zu beobachten, und die literaturgeschichtlichen Arbeiten von Julian Schmidt und Rudolf Haym stellen Markierungspunkte auf dem Wege zur affirmativen Geschichtskonzeption der Bismarckzeit dar. Danzels Einwände gegen die räsonierende Literaturgeschichte wurden bezeichnenderweise nur zum Teil aufgegriffen. Während Danzels Polemik gegen das Substanzdenken des älteren Historismus bei Scherer ein Echo findet, wird die Kritik der nationalen Tradition nicht aufgenommen. Die von Danzel aufgeworfene Frage der wissenschaftlichen Objektivität wird vom Positivismus zugunsten des Gegenstandes entschieden, der als Menge von vorgefundenen Tatsachen verstanden wird. Doch dieser Objektivismus ist bei Scherer alles andere als konsequent. Da das Interesse an der Geschichte durch die Ideologie des Nationalismus bestimmt ist, ist das forschende Subjekt nicht, wie Danzel vorgeschlagen hatte, formal, sondern inhaltlich bestimmt. Man kann davon sprechen, daß der „Positivismus (…) ein getreues Spiegelbild des saturierten Bürgertums der zweiten Jahrhunderthälfte (ist), das den weltanschaulichen Idealismus der Achtundvierziger an den Nagel hängt und sich mit einem gemächlichen Ausbau der errungenen Machtpositionen begnügt,"[65] doch diese Formulierung übersieht den aktiven Charakter der Literaturgeschichte – durch die Art, wie sie das „Material" organisiert, aufbereitet und bewertet. Da die Literaturgeschichte, ob die Historiker sich dessen bewußt sind oder nicht, immer auch Aneignung von Vergangenheit und nicht nur deren Nachzeichnen ist, wird die Methode zum Instrument dieses Vorgangs.

Es ist charakteristisch für den Positivismus, daß er diesen Zusammenhang nicht durchschaut. Der Themenkatalog, den Erich Schmidt in dem Aufsatz „Wege und Ziele der deutschen Literaturgeschichte" (1886) vorlegt, begrenzt den Objektbereich, nicht jedoch die Stellung des forschenden Subjekts zum Gegenstand.[66] Die Zurückweisung der Metaphysik, die Scherer und seine Schule von Auguste Comte übernommen hat, führt zur Ausschließung bestimmter Fragestellungen, die für den älteren Historismus noch entscheidend waren, und zur Forderung nach einer strengeren Methodik, die in der Praxis freilich nicht eingelöst wurde. Gleichzeitig blockiert sie freilich die theoretische Reflexion über die Bedingungen der historischen Erkenntnis und besonders den Anteil des Subjekts an dieser Erkenntnis. Hier trennt sich Scherers Praxis von seinen theoretischen Grundsätzen. Dort, wo er mit Autoren und Werken konfrontiert wird, tut er, was ihm als Positivist methodisch unmöglich wäre: Er fällt ästhetische Werturteile.

Gervinus' Diktum, die Literaturgeschichte habe es mit Geschichte und nicht mit Ästhetik zu tun, verwies auf ein theoretisches Problem, das die Historiker der folgenden Generation begleiten sollte. Gervinus' Trennung war offensichtlich unzureichend, da die ästhetischen Urteile ja Teil der Geschichte sind und nicht außerhalb liegen. Gervinus' Formulierung des Problems war irreführend, weil sie den Anschein erweckte, als ob die Behandlung vergangener Literatur ästhetische Fragen nicht aufwürfe. Zumal im Zusammenhang mit der politischen Ausrichtung seiner Literaturgeschichte konnte der Vorbehalt gegen die Ästhetik als Mediatisierung der Kunst zugunsten der Politik verstanden werden. Danzels Kritik traf diesen Punkt genau, wenn sie darauf bestand, daß eine Literaturgeschichte nicht zu schreiben ist ohne Rücksicht auf die literarischen Normen und Konventionen, die jeweils für die Produktion maßgebend waren. Danzel brachte die Ästhetik in die Literaturgeschichte zurück, indem er sie historisierte. Gleichwohl blieb das Verhältnis von Geschichte und Ästhetik in der nachrevolutionären Literaturgeschichte gespannt. Gottschalls Polemik gegen Julian Schmidt vergröbert nur den bestehenden Gegensatz, wenn er die ästhetischen Ansprüche gegen die moralischen ausspielt. In der Einleitung zur zweiten Auflage seiner Literaturgeschichte merkt er 1860 an: „Die Maßstäbe, die *Julian Schmidt* bei der Beurtheilung der Dichter anlegt, sind selten ‚ästhetischer‘ Art, sondern meistens aus der Rüstkammer sittlicher Ueberzeugungen genommen. So gewiß auch die ästhetische Kritik die sittliche Halbheit und Haltungslosigkeit, das Krankhafte der literarischen Erscheinungen, besonders wo es in tieferem Zusammenhang mit Kultur-Richtungen der Gegenwart steht, nicht verschweigen darf: so gewiß kann sie poetische Größen nicht bloß mit diesem Maßstabe messen, sondern muß vor Allem ein Organ haben für die Bedeutung des dichterischen *Talentes.*"[67] Dieser nicht unbegründete Einspruch gegen Schmidts Dogmatismus löst freilich die Frage der Moral aus dem Zusammenhang, den sie in der räsonierenden Literaturgeschichte hat. Denn das moralische Urteil über die Literatur ist ja bei Gervinus und Schmidt nicht eine Privatangelegenheit, sondern die Sache des öffentlichen Räsonnements. Gottschalls Polemik trifft den kritischen Kern der räsonierenden Literaturgeschichte, die, um es paradox auszudrücken, nicht abwägend gerecht sein will, weil sie richten muß. Gottschall möchte zu einer verstehenden Kritik übergehen, die sich auf den Takt des „Anempfindens", die Feinheit des Herausfühlens beruft. Diese Wende ist nicht nur mit Gottschalls Abneigung gegen moralische Urteile zu erklären. Dahinter steht die Absicht, das liberale, räsonierende Modell im ganzen abzubauen und durch eine individualisierte Betrachtung zu ersetzen. Wiederum gegen Julian Schmidt gewandt, behauptet Gottschall, daß die liberale Geschichtsschreibung in erster Linie die großen Linien erfaßt, aber die Individualität der Autoren nur selten berücksichtigt habe. Die Konstruktion historischer Zusammenhänge, die in der Tat für die liberale Historiographie entscheidend war, wird hier durch das Hervorheben des Individuellen in Frage gestellt. So widerspruchsvoll die Einleitung ist, da sie einerseits gegen das Darstellen von allgemeinen Tendenzen spricht und andererseits selbst für eine Tendenz, nämlich die idealistische Literatur (anstelle der realistischen), eintritt, so ist sie doch charakteristisch für die theoretischen und methodischen Aporien der nachrevolutionären Literaturgeschichte, auf die einerseits der Positivismus antwortet und die andererseits Wilhelm Dilthey zum Überdenken der historischen Erkenntnis bringen.

　　Wilhelm Scherers Poetik (posthum veröffentlicht) ist der Versuch, wieder zusammenzubringen, was bei Gottschall auseinandergefallen war. 1871 spricht Gottschall, als eine neue Auflage seiner Literaturgeschichte herauskam, von den zwei Hälften der Literaturgeschichte: der objektiven wissenschaftlichen und der praktisch reformierenden, die in die Entwicklung der Literatur eingreifen will. Unter dem Vorzeichen eines „Aufschwung(s) des nationalen Lebens"[68] übernimmt die Literatur Gottschall zufolge die Aufgabe, Meilensteine für die via triumphalis der Nation darzustellen. Die nationale Aufgabe wird auch von Scherer unterstrichen, doch setzt er sie nicht gegen die wissenschaftliche ab, sondern betrachtet sie als einen Teil der wissenschaftlichen Arbeit. In der

Poetik packt Scherer das Problem der Ästhetik bei den Hörnern und versucht, die Frage der Wertung einer wissenschaftlichen Lösung im Sinne des Positivismus zuzuführen. Daß dieser Versuch gelungen ist, wird man schwerlich behaupten können. Scherers früher Tod setzte der Arbeit ein Ende, bevor er die in Vorlesungen entwickelten Gedanken ausarbeiten konnte. Die posthum besorgte Ausgabe ist fragmentarisch; sie bietet kaum mehr als das Gerüst einer Darstellung. Doch läßt sie die Richtung erkennen, in der Scherers Denken sich bewegte. Die Polemik gegen Aristoteles kennzeichnet das Ziel: „Ja, Aristoteles ist mir – abgesehen von der Erweiterung des Gesichtskreises, die uns von selbst reicher macht, als er war – nicht Naturforscher genug. Er behandelt mir nicht hinlänglich die vorhandene Dichtung mit der kühlen Beobachtung, Analyse und Classification des Naturforschers. Er ist mir zu sehr Gesetzgeber."[69] Der gleiche Einwand hätte sich gegen Lessing und die neoaristotelische Theorie formulieren lassen.

Scherers Bedenken enthalten zwei Aspekte, die wir aus analytischen Gründen trennen müssen: die Frage nach der Bedingung der Möglichkeit von Werturteilen und zweitens die Frage nach der wissenschaftlichen Begründung einer Poetik. Wie läßt sich, um es anders zu formulieren, vermeiden, daß in das ästhetische Urteil persönliche Vorlieben eingehen, und wie läßt sich angesichts der Fülle des Materials und der Mannigfaltigkeit der Geschichte eine universale Poetik begründen, die nicht von bestimmten historisch bedingten Dogmen ausgeht? Scherer hält für beide Fragen die gleiche Antwort parat. Die Poetik ist auf der Basis von empirischen Beobachtungen zu errichten, die dann im Verfahren der Induktion verallgemeinert werden. Auf diese Weise will er vermeiden, daß die grundlegenden Kategorien a priori konstruiert werden. Die historische Gerechtigkeit ergibt sich hier nicht aus der Versenkung in den individuellen Gegenstand, der dadurch zu einem einzigen und unvergleichbaren wird, sondern durch die Mediatisierung des Einzelnen zum Fall in einer induktiven Reihe. Durch das gleiche Verfahren der methodischen Induktion soll das Werturteil wissenschaftlich begründet werden. Der wissenschaftliche Beobachter lernt zu unterscheiden zwischen seinem privaten Geschmack, der für die allgemeine Poetik irrelevant ist, und seinen empirischen Untersuchungen über die Ausbildung von Werturteilen. Das subjektive Vorurteil verwandelt sich bei Scherer dadurch in ein wissenschaftliches Urteil, daß es objektiviert, d. h. Gegenstand einer empirischen Untersuchung wird.

Zwischen diesem theoretischen Ansatz und der Ausführung besteht in Scherers Poetik freilich ein beträchtlicher Unterschied, der zum Teil darauf zurückzuführen ist, daß die Arbeit nur skizzenhaft ausgeführt ist. An keiner Stelle wird Scherer den Anforderungen strenger empiristischer Induktion gerecht. In den meisten Fällen bietet er anregende Hypothesen.

Doch ist zu fragen, ob Scherer ein solches strenges Programm überhaupt im Sinn hatte. Seine deskriptive Poetik steht der Tradition näher, als er vermutet, denn ihre zentralen Kategorien werden aus abstrakten Definitionen entfaltet, die erst nachträglich auf den Stoff angewendet werden. Daraus ergibt sich eine abstrakte Schematisierung, die den positivistischen Prinzipien widerspricht. In anderer Hinsicht stellt die Poetik freilich einen Bruch mit der Tradition dar: Sie löst, würde sie konsequent fortgesetzt, den geschichtlichen individualisierenden Ansatz auf, denn die Gegenstände werden in der Poetik zum Material, das sich systematischen Kategorien fügen muß.

In der Poetik deutet sich der Bruch zwischen dem Historismus und dem Positivismus an, der bei Wilhelm Dilthey theoretisch reflektiert wird. Diltheys Sonderstellung unter den Literarhistorikern dieser Epoche besteht darin, daß er die Möglichkeit historischer Erkenntnis und literaturgeschichtlichen Untersuchens nicht mehr unbefangen voraussetzt, wie dies trotz aller sonstigen Unterschiede bei Julian Schmidt, Hermann Hettner, Rudolf Haym und Rudolf Gottschall der Fall ist. Die Frage ist dann, ob die kritische Analyse der Aporien des Historismus zum Abbau der Ideologie führt.

Die Krise der Methode: Wilhelm Dilthey

Verglichen mit Danzels stringenter methodischer Kritik wirken Wilhelm Diltheys erste Versuche, sich mit der vorgefundenen Literaturgeschichte auseinanderzusetzen, einigermaßen undeutlich. Den Namen einer Kritik verdienen sie eigentlich nicht, da sie eher darauf angelegt sind, die Leistungen von Gervinus, Hettner und Julian Schmidt zu würdigen. Der Aufsatz „Literaturhistorische Arbeiten über das klassische Zeitalter" (1866) soll durch eine Übersicht über das Geleistete den Boden für Diltheys eigene Arbeiten vorbereiten. (Zu diesem Zeitpunkt liegt der Novalis-Aufsatz bereits vor, der Essay über Lessing sollte wenig später erscheinen.) Dieser Überblick wirft freilich methodische Probleme auf, sobald Dilthey sich die Frage vorlegt, welche Aufgaben die Literaturgeschichte aufzugreifen habe und wie sie ihnen wissenschaftlich gerecht werden könne.

Dilthey betrachtet die Literaturgeschichte als einen Teil der Bildung. Die Darstellung der vergangenen Literatur setzt dort ein, wo der zeitgenössische Leser nicht mehr die Muße hat, die Werke selbst zu rezipieren. Folglich ist für Dilthey die sachliche Information der leitende Gesichtspunkt, denn der Leser muß sich auf den Historiker verlassen können. Die Aufgabe des Historikers besteht darin, aus dem überlieferten Material herauszupräparieren, was *bleibenden Wert* hat. „Was aus dem unermeßlichen Schutt von Schriften heute noch herausgerettet zu werden und einem Manne, der nur schätzt, was Wirkung hervorgebracht auf die Menschen oder auf ihn selber Wirkung hervorzubringen sich fähig erweist, gründlich vorgestellt zu werden verdient: darüber soll der Literarhistoriker ein Urteil haben."[70] Offenbar liegt der Nachdruck für Dilthey auf der *positiven* Seite, nämlich auf der Erwerbung einer bleibenden Tradition, und weniger auf ihrer Kritik. Diese Einstellung führt zu einer, wenn auch noch sehr vorsichtig vorgetragenen Kritik an der räsonierenden Literaturgeschichte von Gervinus und seinen Schülern, denn die räsonierende Historiographie versteht sich als Richterin. Sie unterwirft die Vergangenheit ihrem moralisch-politischen Urteil, das die Autoren und ihre Werke an dem Ziel des geschichtlichen Prozesses mißt. Deshalb kann das Räsonnement auch die Klassiker der deutschen Literatur nicht schonen, wenn von ihren Werken eine Wirkung ausgeht, die dem Prozeß der Aufklärung hinderlich ist. Bezeichnenderweise hält Dilthey gerade dieses Verfahren für unsachlich. Er wirft Gervinus vor, die Aufgabe der reinen Geschichtsschreibung verlassen zu haben, insofern er, über den Gesichtspunkt der historischen Wirkung hinausgehend, direkte Werturteile fällte. „Nur wo Gervinus den Gesichtspunkt geschichtlicher Wirkung und die große Urkunde für dieselbe in Goethes Lebensbeschreibung verläßt, wo er eigene Urteile über *den* Wert von Menschen, welcher über ihre Zeit hinausragt, aufstellt, hat er oft gewaltig geirrt."[71] Dilthey mißbilligt die gegenwartsorientierte Wertung als moralisch abstrakt und befürwortet ein Urteil, das sich gleichsam aus dem Gegenstand selbst entfaltet, indem es sich an die Wirkung in der folgenden Zeit hält. Ohne es ausdrücklich hervorzuheben, verkehrt Dilthey hier, gegen die räsonierende Literaturgeschichte gewandt, die Perspektive: Ausgangspunkt der historischen Arbeit ist die Tradition und der durch sie beschlossene Kanon bedeutender Autoren, nicht dagegen das Interesse der Gegenwart.

Dilthey steht in diesen Jahren der positivistischen Methode wenigstens nahe, zum Beispiel, wenn er für die sachliche Literaturgeschichte strenge Erklärung der Zusammenhänge wünscht: „Wir wollen die Verkettung der Ursachen und Wirkungen, in welchen intellektuelle Vorgänge so gut verlaufen als die der politischen Historie, in einer lückenlosen Ordnung überblicken. Aufdeckung der kausalen Verknüpfung der Begebenheiten fordern wir auch in diesem Falle."[72] Daß diese Forderung von der älteren idealistischen Geschichtsschreibung nicht eingelöst werden konnte, wird von Dilthey nicht einmal eigens erwähnt. Beachtenswert ist jedoch, daß Dilthey unter den zeitgenössischen Literaturgeschichten 1866 das Werk von Julian Schmidt den Arbeiten von Hermann Hettner vorzieht. Bei aller Anerkennung der ausgebreiteten Kenntnisse und der Darstellungskraft von Hettner tadelt er – nicht anders als Scherer – die mangelnde kausale Ableitung. Hettner verhält sich bloß beschreibend, während Schmidt nach dem Urteil Diltheys eine dramatische Darstellung bietet,

die die kausalen Zusammenhänge eingehender und angemessener berücksichtigt. Dilthey findet zu diesem Zeitpunkt bei Julian Schmidt, was
er selbst verwirklichen möchte: eine empirisch begründete Geistesgeschichte des achtzehnten Jahrhunderts, die sich von den theoretischen
und methodischen Grundsätzen der liberalen Historiographie frei gemacht hat. Dilthey ist sich bei diesem Urteil durchaus bewußt, daß
Schmidts Literaturgeschichte im Ansatz jenem vormärzlichen Liberalismus noch stark verpflichtet ist, von dem er sich distanzieren möchte.
Dies ist nur möglich, weil Schmidt sein Werk mehrfach überarbeitete
und in der Auflage, die Dilthey vorlag, eine Fassung vorlegte, die vom liberalen Engagement der ersten Auflage nicht mehr viel spüren ließ. Dilthey billigt diese Veränderungen ausdrücklich als einen Gewinn an Sachlichkeit.[73]

Die gleiche vorsichtige Distanz zur räsonierenden Historiographie
zeigt sich in Diltheys ausführlichem Aufsatz über den Historiker Friedrich Christoph Schlosser, der 1865 in den *Preußischen Jahrbüchern* veröffentlicht wurde. Wiederum wählt Dilthey für seine Kritik die Form der
historischen Würdigung. An der Entwicklung von Schlosser zeichnet er
die Evolution des historischen Denkens in Deutschland nach und kann
so gleichzeitig die Grenzen des liberalen Ansatzes zeigen. Positiv bemerkt Dilthey an Schlosser, daß er sich der teleologischen Geschichtsphilosophie Hegels widersetzt habe und einen universalge-
schichtlichen Zusammenhang nur so weit konstruieren wollte, wie sich
„die vielartigen Erscheinungen der Geschichte auf ihre Gründe oder Gesetze und diese wiederum auf das Wesen des Menschen" zurückführen
lassen.[74] Nichtsdestoweniger bleibt auch für Schlosser und seinen Interpreten Dilthey das Problem der „Entwicklung im Ganzen der Geschichte" bestehen.[75] Für Schlosser besteht das Ziel der Geschichte darin, daß
sich die Menschheit zur Vollkommenheit entwickelt, so besteht er in der
Nachfolge Kants auf dem moralisch-politischen Fortschritt der Menschheit. Eben diese Bindung an die Aufklärung ist jedoch nach Dilthey seine
Grenze. Schlosser erweist sich als ein „Kind des achtzehnten Jahrhunderts, dessen Staatsideal in den ‚Menschenrechten' kulminiert".[76] Die räsonierende Historiographie eines Schlosser versagt vor der Mannigfaltigkeit des Geistes. Schlosser „bezieht die Literatur streng auf seinen
Grundgedanken, die sittliche Kultur. Und zwar die sittliche Kultur, wie
er sie versteht, in welcher die direkte Beziehung auf handelndes und
staatliches Leben alles beherrscht, in der daher hinter dem Willen und
dem nüchternen Verstand, die in diesen gebildet werden, die Welt der
Phantasie völlig zurücktritt."[77]

Diltheys Deutung konstruiert einen Zusammenhang zwischen Schlos-
sers progressivem Geschichtsmodell und seiner instrumentellen Betrachtung der Literatur. Der leitende Gesichtspunkt ist bei dem liberalen Hi-

storiker die Wirkung. Dilthey liegt dagegen daran, allen Erscheinungen des geistigen Lebens gerecht zu werden. Gegenüber Schlosser, der in erster Linie nach dem Ursprung und der Wirkung fragt, besteht er auf der Erfassung und Beschreibung der Phänomene. Aus diesem Grunde wird Ranke (teilweise) zum Vorbild der jüngeren Generation. Dilthey bewundert die Kraft und den Schwung der Rankeschen Darstellung, spricht ihm jedoch die konstruktive und analytische Fähigkeit ab. „Ranke scheint oft auf der Oberfläche der Dinge hinzugleiten: und der Kausalerkenntnis scheint er nicht zu genügen, aber er ist eben der große Lehrer, weil er nicht von den erklärenden Gründen aus darstellt; vielmehr von den großen Weltbegebenheiten selbst in ihrem universalen Zusammenhang geht er aus."[78] Es wird nicht ganz deutlich, ob Dilthey den Mangel an kausaler Analyse bei Ranke als einen Nachteil oder einen Vorteil betrachtet. Um die Methode Rankes zu verdeutlichen, benutzt Dilthey den Begriff des Zusammenhangs und argumentiert gegen den Begriff der Kausalität: „Der abstrakte Ausdruck Ursache, Kausalität, erschöpft nicht, was hier Zusammenhang genannt wird."[79] Wenn Dilthey sich auf den älteren idealistischen Historismus beruft, bezieht er sich also eher auf den beschreibenden Objektivismus eines Ranke als auf die Tradition von Schlosser und Gervinus.

Der junge Dilthey schwankt in den sechziger Jahren zunächst zwischen einer kausal-genetischen und einer beschreibenden Methode. Der Positivismus, wie ihn sein Freund Wilhelm Scherer vertritt, hat eine beträchtliche Anziehungskraft für Dilthey, da er, angeblich wenigstens, mit der spekulativen Geschichtsphilosophie und dem idealistischen Fortschrittsbegriff bricht. Die Positivisten stehen der räsonierenden Literaturgeschichte nicht weniger kritisch gegenüber als Dilthey. Freilich entscheidet sich Dilthey schließlich gegen den Positivismus und für eine eigenständige geisteswissenschaftliche Theorie. Den Gründen für diese Entscheidung müssen wir im folgenden nachgehen.

Diltheys Ausbildung einer selbständigen geisteswissenschaftlichen Methodologie verdankt ihre entscheidenden Anstöße der frühen Beschäftigung mit Schleiermacher und dem Problem der Hermeneutik. In seiner preisgekrönten Schrift über das hermeneutische System Schleiermachers von 1860 stellte sich der junge Dilthey die Aufgabe, das Erbe der romantischen Literaturkritik und Auslegungslehre in die Definition der Literaturgeschichte einzubringen.[80] Dilthey umgeht gewissermaßen Hegel und die Hegelsche Schule, die auch in der nachrevolutionären Literaturgeschichte noch mächtig ist, und verschiebt die Problemstellung. An die Stelle nach der Frage der Möglichkeit, *historische Totalität* zu konstruieren, tritt die Frage nach der Möglichkeit *objektiver Textauslegung*. Freilich werden diese metahistorischen Gesichtspunkte in der Preisschrift selbst nicht erörtert, diese hält sich streng an das Ideal wissenschaftlicher Sachlichkeit, das heißt, sie beschäftigt sich ausschließlich mit der Darstellung von Schleiermachers Hermeneutik und ihres historischen Kontextes.

Aufschlußreicher für die methodische Selbstreflexion des jungen Dilthey sind die gleichzeitigen Tagebucheintragungen, denn aus ihnen geht klar hervor, in welchem Maße für Dilthey die Frage der Hermeneutik verbunden ist mit der Frage des Verstehens von Geschichte. Eine ausführliche Eintragung vom 26. März 1859, die also in die Entstehungszeit der Schleiermacher-Arbeit fällt, ist bemerkenswert nicht zuletzt durch die Art, wie Dilthey die entscheidenden theoretisch-methodischen Probleme seiner Generation verknüpft und sich dabei Rechenschaft ablegt über die Bedeutung des historischen Denkens (wobei Geschichte und Literaturgeschichte kaum getrennt werden). Entschieden deutlicher als spätere öffentliche Äußerungen gibt diese Eintragung zu erkennen, daß Dilthey sich der theoretischen und methodologischen Aporien wohl bewußt ist und den inneren Zusammenhang zwischen methodischem Ansatz und dem Ergebnis der Darstellung begreift. Dilthey ist sich im klaren darüber, daß Geschichte das Resultat einer *Nachkonstruktion* ist. „Die Geschichte, soweit sie sich mit dem Verlauf des geistigen Lebens beschäftigt, ist sehr abhängig von der Methode ihrer Historiker. Über diese Methode herrscht heftiger Streit. Betrachtung eines Werks als Ausdruck einer von der allgemeinen Dialektik hervorgebrachten Idee; die atomistische Zergliederung desselben in vielfache Motive und Anfänge; die daguerreotypierende Reproduktion der Werke im kleinsten Raum: wie verschieden sind die historischen Bilder, welche nach so verschiedenen Grundsätzen, mit so verschiedener Technik entworfen werden."[81] Dilthey zieht hier zur vergleichenden Erörterung die verschiedenen Schulen der Geschichtsschreibung heran: die Geschichtsphilosophie Hegels und seiner Schule, den neuen Positivismus, den episierenden Historismus eines Ranke. Am deutlichsten setzt sich Dilthey 1859, möglicherweise unter dem Eindruck von Hayms Hegel-Buch, von der Geschichtsphilosophie ab. Er bewertet die Vorstellung einer geradlinigen historischen Entwicklung, die sich nach der in einer „Dreiheit der Momente sich vollziehenden Dialektik"[82] entfaltet, als eine Illusion. „Diese vernünftige Gestaltung der Welt erwies sich als Illusion in Natur und Geschichte. Die Unregelmäßigkeit der Welt hat keine andere Vernunft in sich, als das Gesetz."[83] Diese Kritik der absoluten Vernunft hält freilich sowohl am Begriff des Fortschritts als auch am Begriff historischer Gesetze fest, um überhaupt einen Rahmen für die Erfassung und Darstellung des Materials zu haben. In verschiedenen Formulierungen drückt Dilthey den gleichen Grundgedanken aus: Der menschliche Geist schreitet auf Grund von mechanischen Gesetzen vorwärts. Der historische Prozeß wird durch die Umstände, nicht durch die Idee gefördert. „Die Geschichte hat

es zu tun mit der *fortschreitenden* Kultur. Die Form des geistigen Fortschritts ist, mechanisch angesehen, die Komplikation der Ideen und Verhältnisse, wie sie bewirkt wird durch die gegenseitige Einwirkung der
Nationen und ihrer historischen Verbindung."[84] An anderen Stellen
spricht Dilthey von der Möglichkeit, die Fortbewegung der Geschichte
aus einer bloßen mechanischen Gesetzmäßigkeit zu erklären. Diese Umpolung erlaubt ihm dann, versuchsweise auf die älteren idealistischen
Prämissen zu verzichten, ohne den Fortschrittsbegriff und das Konzept
einer universalen Geschichte aufzugeben.

Es bleiben freilich ungelöste methodische Probleme: Wie sind in der
Geschichte des Geistes solche Gesetze nachzuweisen, und wie ist
schließlich in der gesetzmäßig verlaufenden Geschichte der Fortschritt
aufzuweisen? Dem Gang der Geschichte muß, wie Dilthey sieht, eine
Richtung angewiesen werden. So behauptet er emphatisch, daß der historische Prozeß sich nicht als Kreislauf, sondern als Linie darbietet.
Doch diese Annahme wird nur mit dem Hinweis begründet, daß eine
Differenzierung der Ideen anhand des geschichtlichen Materials phäno-
menal festzustellen ist. An dieser Stelle bringt Dilthey die Hermeneutik
ins Spiel und beruft sich auf Schleiermacher. Nachdem er die verschiedenen konkurrierenden methodischen Ansätze erörtert hat, schreibt er:
„Hier ist nun die Meinung, welche zu begründen eine Hauptaufgabe der
Untersuchung sein wird, daß die Grundsätze der Schleiermacherschen
Hermeneutik die Eine wesentliche Seite der historischen Methode zuerst
und meisterhaft darstellen."[85] Das Problem der Geschichtsschreibung, so
allgemein es zunächst aufgeworfen wurde, wird vornehmlich am Beispiel
der Kultur- und Geistesgeschichte abgehandelt, für die der mechanistische Positivismus am wenigsten geeignet ist. Bevor historische Gesetze
auf diesem Feld konstruiert werden können, ist überhaupt erst abzusichern, daß wir die Gedankenwelt, wie sie uns in Texten entgegentritt,
verstehen. Folglich ist für Dilthey die Hermeneutik der erste und nicht
zu übergehende Schritt für den Historiker. Das methodische Verstehen
von Gedanken und Gedankensystemen enthält für Dilthey immer schon
mehr als das Referieren von Urteilen. Es geht ihm nämlich um die „ersten
und ursprünglichen Impulse",[86] aus denen die Gedankensysteme hervorgegangen sind.

Bezeichnenderweise führt Dilthey den positivistischen Ansatz bis zu
dem Punkt, wo dieser den eigenen Grundannahmen widerspricht. Ausdrücklich wendet sich Dilthey nämlich gegen das Erklären geistiger Vorgänge „aus einem atomistischen Getriebe von Motiven" und verlangt ein
Verstehen „aus dem Wesen des Menschen heraus".[87] Wird aber der Text
als die Manifestation menschlicher Tätigkeit betrachtet und, im Sinne
der Schleiermacherschen Hermeneutik, ein Zusammenhang hergestellt
zwischen der Individualität des Autors und der Struktur des Textes, dann

erhebt sich die Frage, wie denn angesichts dieser individualisierenden Betrachtung der universale historische Zusammenhang und die Gesetzmäßigkeit der Geschichte noch erhalten bleiben.

Dilthey sieht diese Schwierigkeiten, in die eine hermeneutische Begründung der Geisteswissenschaften führen würde, und schlägt deshalb eine Verbindung von hermeneutischen und positivistischen Methoden vor. Er verlangt von der historischen Methode, daß sie einerseits ein Werk, ein Gedankensystem als Teil des ganzen historischen Prozesses ausweist, d. h. er verlangt die Einordnung des Besonderen in das universelle Gesetz, und er erwartet auf der anderen Seite, daß die historische Methode uns ermöglicht, in die Bedeutung von geistigen Äußerungen einzudringen. Dilthey bleibt also kritisch gegenüber Schleiermacher, dessen philologische Methode zu sehr auf den einzelnen Text und seinen Autor bezogen bleibt. In diesem Sinne notiert Dilthey in seinem Tagebuch über Schleiermachers Auslegung des Neuen Testaments: „Schleiermachers Methode vereinzelt alles zu Individualitäten, begreift es als geschlossenes Ganze, in seiner eigentümlichen Komposition, in seiner eigentümlichen inneren Form. So weit die Kunst reicht, ist diese Methode gerechtfertigt (...). Aber das innere Gesetz der Geschichte verlangt, daß unbedingter Ernst mit der Kontinuität gemacht werde."[88] Bemerkenswert ist, daß Dilthey an dieser Stelle von dem inneren Gesetz und nicht von dem mechanischen Gesetz der Geschichte spricht und damit, wenigstens implizit, einräumt, daß die gewünschte Verbindung von Hermeneutik und Positivismus nicht problemlos ist. Der Idealismus ist nicht so leicht zu überwinden, wie Dilthey unter dem Einfluß positivistischer Strömungen zunächst angenommen hatte. Eine Tagebucheintragung vom April 1861 läßt denn auch erkennen, daß Dilthey, um den historischen Prozeß auf den Begriff zu bringen, an idealistischen Prämissen festhält: „*Der historische Prozeß* allgemein angesehn ist, daß die inneren Züge unseres sittlich-geistigen Daseins, als gemeinsam in Vielen, Formen dieser Gemeinsamkeit bilden, daß aber diese wie alle Formen dem erzeugenden Geiste, der eine fortschreitende Unendlichkeit ist, nicht genügen und von verschiedenen Impulsen als Partei- und Schulgegensätze sich gegen ihn erheben."[89] Dieser Satz steht Hegel zweifellos näher als Comte, doch führt er nicht zum absoluten Geist zurück, sondern zur Nationalgeschichte und zur vergleichenden Anthropologie, aus denen die sittlich-geistigen Grundzüge abgeleitet werden sollen. Dies geschieht in einer Form, die sich vom positivistischen Ansatz schon deutlich unterscheidet. 1861 differenziert Dilthey klarer als 1859 das philologisch-hermeneutische und das historische Verstehen: Die Hermeneutik bezieht sich auf den individuellen Text sowie seinen Kontext, die historische Rekonstruktion ist dagegen geleitet von dem Gesichtspunkt, das Werk, beziehungsweise das philosophische System, als Glied „der Geschichte der

Ideen" zu betrachten.[90] Dilthey versucht, beide Verfahren so zu vereinigen, daß sie einander ergänzen. Die Konstruktion der Ideengeschichte (von der politischen Geschichte ist nicht die Rede) ruht auf der philologischen Vorarbeit, die die Bedeutung von Texten erarbeitet.

Wir sehen jetzt klarer, was der Einwand der fehlenden Sachlichkeit, den Dilthey gegen die räsonierende Historiographie erhebt, bedeutet: Er führt uns zur Hermeneutik als der Methode, durch die die Werke so nachkonstruiert werden, daß sie sich als eine Einheit evident darstellen. Der ihnen durch die Interpretation abverlangte Gehalt wird dann, in einem zweiten Schritt, in die Geschichte der Ideen eingefügt. In diesem Zusammenhang verschiebt sich für Dilthey die Wahrheitsfrage. Dilthey stört an der liberalen Geschichtsschreibung ihr unvermittelter moralisch-politischer Zugriff auf den Gehalt der Werke. Diese werden am Ziel der Geschichte gemessen. Dilthey ist dagegen zugleich kritischer und unkritischer. Kritischer ist er, insofern er die fehlende Vermittlung des moralischen Ansatzes durchschaut; unkritischer ist er, insofern er die Wahrheit des historischen Erkennens schon durch das Verstehen von Texten und durch die Nachkonstruktion von Ideen gesichert sieht. Dadurch aber wird die geschichtliche Tradition dem kritischen Fragen entzogen. Diltheys Wende zum politischen Konservativismus, die im Zusammenhang mit dem preußischen Sieg über Österreich 1866 erfolgte,[91] ist theoretisch bereits in den Schleiermacher-Studien und den frühen Bemerkungen zur Hermeneutik angelegt. So heißt es 1865 in den Tagebüchern: „Das Wesen der Geschichte ist die geschichtliche Bewegung selber, und wenn man dieses Wesen Zweck nennen will, so ist sie allein der Zweck der Geschichte."[92] Dilthey verlegt, mit anderen Worten, das Ziel der Geschichte in diese selbst hinein – die Bewegung wird das Ziel –, und so wird der geschichtliche Prozeß zur Wahrheit, für welche die Werke und Personen nur die Zeichen sind.

Obgleich die frühen theoretischen Ausführungen sich auf die Geschichte im allgemeinen beziehen, wendet Dilthey seine Einsichten zunächst auf die Literaturgeschichte an, und zwar in den Aufsätzen über Novalis, Lessing und Goethe, die vier Jahrzehnte später in überarbeiteter Form in *Das Erlebnis und die Dichtung* erscheinen werden. Sowohl die Auswahl der Autoren als auch der Zugang spiegeln Diltheys intensive Beschäftigung mit den methodischen Grundproblemen der Geschichte. Dilthey entscheidet sich für einen biographischen Ansatz, ohne im übrigen Biographien schreiben zu wollen. Gleichzeitig jedoch entwirft Dilthey diese Essays als erste Versuche zu einer Literaturgeschichte der Goethezeit. Dies ist besonders an den einleitenden methodischen Überlegungen des Novalis-Aufsatzes abzulesen, die zum guten Teil in Diltheys Baseler Antrittsvorlesung von 1867 eingegangen sind. In dieser Vorlesung zieht Dilthey die vorläufige Summe seiner Überlegungen, indem er sie auf einen konkreten Gegenstand, eben die Geschichte der deutschen Literatur zwischen 1770 und 1830, anwendet.

Im Gegensatz zur älteren liberalen Geschichtsschreibung behandelt er diesen Zeitraum als eine abgeschlossene, einheitliche Periode. „Aus einer Reihe konstanter geschichtlicher Bedingungen entsprang in Deutschland im letzten Drittel des vorigen Jahrhunderts eine geistige Bewegung, in einem geschlossenen und kontinuierlichen Gange ablaufend, von Lessing bis zu dem Tode Schleiermachers und Hegels ein Ganzes."[93] Diese uns heute vertraute inhaltliche Konzeption verbindet sich in der Vorlesung mit der methodischen Grundfrage nach den Bedingungen des historischen Erkennens. Wie begründet sich die Einheit der Epoche zwischen 1770 und 1830? Nicht so sehr durch die Meinungen oder die Werke beweist sich die unterstellte Einheit für Dilthey als durch das sich sukzessiv entfaltende Streben nach einer neuen Anschauung der Welt. Ihr nun spricht Dilthey einen spezifisch *deutschen* Charakter zu. Bemerkenswert ist die Begründung für die deutsche Sonderstellung. Sie übernimmt von der liberalen Geschichtsschreibung ein wichtiges Argument, wendet es jedoch so, daß es seinen Sinn vollständig ändert. Für Gervinus und Julian Schmidt zeichnet sich die Weimarer Klassik dadurch aus, daß sie den politischen Aufgaben der deutschen Nation fern steht, daß sie, überspitzt ausgedrückt, weltfremd bleibt. Dilthey teilt diese Einschätzung und hebt die besondere Lage Deutschlands hervor, indem er sie der Entwicklung von England und Spanien gegenüberstellt. In diesen Ländern entfaltete sich die Blüte der Literatur vor dem Hintergrund eines starken Nationalstaates. Die großen englischen und spanischen Schriftsteller ergriffen ihre Stoffe „unter dem Gesichtspunkt eines fertigen Nationalgeistes".[94] In Deutschland dagegen fehlte die nationale Einheit; es gab weder ein politisches noch ein kulturelles Zentrum. Das deutsche Bürgertum sah sich von der politischen Beteiligung ausgeschlossen. Unter diesen Bedingungen nahm, Dilthey zufolge, das kulturelle Leben eine durchaus andere Gestalt an: „So wird ihr ganzer Lebensdrang, ihre ganze Energie in den besten Jahren ihrer Kraft *nach innen gewandt:* persönliche Bildung, geistige Auszeichnung werden ihre *Ideale*."[95] Die Literatur tritt, so schließt Dilthey, an die Stelle der politischen Öffentlichkeit.

Eben diese Tendenz hatte Gervinus in seiner Literaturgeschichte noch beklagt und zur Politisierung des geistigen Lebens aufgerufen. Bei Dilthey dagegen nimmt die aus drei Generationen bestehende „deutsche Bewegung" den Charakter einer positiven nationalen Tradition an. Dilthey spricht von einer Weltansicht, „in welcher der deutsche Geist seine Befriedigung finde".[96] Aufklärung, Klassik und Romantik bieten sich als drei Phasen einer kontinuierlichen und bruchlosen Entwicklung dar. Auffallend ist die Auswahl der repräsentativen Autoren. Bei der Behandlung der Aufklärung stützt sich Dilthey fast ausschließlich auf Lessing und läßt Schriftsteller wie Wieland und Klopstock beiseite, da ihr Werk angeblich nicht typisch sei für den Charakter der deutschen Aufklärung. Erstaunlicher noch: auch Kants grundlegende Bedeutung für die begriffliche Durchdringung und Kritik des rationalistischen Programms bleibt unberücksichtigt. Was Lessing in den Augen Diltheys vor Kant auszeichnet, ist sein Dichtertum, d. h. die intuitive Anschauung gegenüber dem begrifflichen Diskurs des Philosophen. Lessing steht gleichsam in der besseren Tradition, nämlich der spinozistischen und Leibnizschen. „In Lessing wird aus Leibniz das historische Bewußtsein entbunden. Aus dem teleologischen oder ideellen Grunde von Leibniz erscheinen die geschichtlichen Erscheinungen als notwendige Stufen einer Entwicklung, deren Ziel Aufklärung und Vollkommenheit ist."[97]

Unter diesem Gesichtspunkt kann die Aufklärung nicht mehr als eine Vorstufe für die Goethezeit sein, in der dann das Eigentliche, nämlich die pantheistische Naturanschauung, durch Goethe entfaltet wird. Die Literatur der Aufklärung – und darauf kam es in diesem Zusammenhang an – wird durch Auswahl und Akzentsetzung entpolitisiert. Im gleichen Maße wird die politisch motivierte Kritik der liberalen, räsonierenden Geschichtsschreibung an der deutschen Klassik und Romantik abgebogen, denn Dilthey spricht der Entwicklung vom Sturm und Drang bis zur Romantik Notwendigkeit und Legitimität zu. Auf die ideologischen Implikationen hat bereits Bernd Peschken hingewiesen, wenn er davon spricht, daß die Einheit von Individuum und Natur bei Goethe, wie sie Dilthey hervorhob, „die Kongruenz von monarchisch-autoritärer Politik mit den Interessen der Deutschen" herausstellt,[98] so daß die politische Arbeit im Parlament nebensächlich wird. Der preußische Sieg über Österreich besiegelte das Schicksal der liberalen Reformbewegung in Preußen, der Dilthey angehörte.[99] Mit Hilfe dieses außenpolitischen Erfolges konnte sich Bismarck über den Widerstand des Parlaments hinwegsetzen und seine autoritäre politische Konzeption als die Voraussetzung der deutschen Einigung durchsetzen. 1866 war die Mehrzahl der deutschen Liberalen bereit, ihm zu folgen. Unter ihnen auch Dilthey.

Zwischen Diltheys politischer Entscheidung und seinen methodisch-theoretischen Überlegungen besteht ein Zusammenhang (der ihm übrigens nicht vollkommen klar gewesen sein muß). Diltheys hermeneutisch-ideengeschichtlicher Ansatz, der sich kritisch von der räsonierenden Literaturgeschichte der Liberalen absetzt, antizipiert die konservative Reichsgründung. Es ist nicht allein die Konzeption der deutschen Literaturgeschichte, die hier entscheidend verändert wird, sondern zugleich die *Theorie und Methodologie* dieser Disziplin, die gerade beginnt, sich an den deutschen Universitäten durchzusetzen. Sosehr sich Diltheys Ansatz vom Positivismus der Scherer-Schule unterscheidet, so führt er doch auf anderen Wegen zum gleichen Ergebnis. Die Literaturgeschichte wird in den Dienst des neuen Reichs genommen, sie wird in letzter Instanz eine Legitimationswissenschaft. Dies geschieht freilich nicht direkt, sondern indirekt als Kritik der liberalen Literaturgeschichte, die ihre politischen Erkenntnisinteressen offen darlegte. Im Namen der *Sachlichkeit* werden die umfassenden Konstruktionen der vormärzlichen Historiographie zurückgenommen und ersetzt durch den hermeneutischen Ansatz, der die Tradition bestätigt.

Dieses Einbinden der romantischen Hermeneutik in die Theorie der Geschichte, das Untermauern der Gesamtkonstruktion von Geschichte durch das angemessene Verstehen der individuellen Werke, hat bereits Hans-Georg Gadamer im Dilthey-Kapitel von *Wahrheit und Methode* im Prinzip herausgearbeitet, wenn er sich auch in erster Linie auf die späteren Schriften und Fragmente Diltheys stützt. Für Gadamer stellt sich das Projekt Diltheys dar als der Versuch, den epischen Historismus eines Ranke erkenntnistheoretisch zu begründen. „Was seine erkenntnistheoretische Reflexion rechtfertigen wollte, war im Grunde nichts anderes als die großartige epische Selbstvergessenheit eines Ranke."[100] Die im frühen Historismus offengelassenen Probleme werden – so Gadamer – von Dilthey aufgegriffen und zum Thema erhoben. Deshalb ist Dilthey für ihn ein kritischer Nachfolger des objektivistisch gesonnenen Historismus, aber eben ein Nachfolger, der nicht kritisch genug ist und sich daher durch die Art, wie er sein Problem stellt, im Objektivismus verstrickt.

Gadamers Ansatz verdeckt jedoch die Tatsache, daß Dilthey nicht einfach die Vergangenheit allseitig verstehen wollte, sondern sehr wohl inhaltliche Vorstellungen von dem hatte, was aus der Vergangenheit überliefert werden sollte. Gadamers eigener Traditionalismus macht ihn blind für die Art, wie Geschichte und Literaturgeschichte bei Dilthey durch Auswahl und Akzentsetzung festgeschrieben werden. So entgeht ihm, daß dieses „Verstehen" bestimmten objektiven gesellschaftlichen Interessen zugute kam. Die Aneignung der Tradition, um die es Dilthey geht, ist mehr als Verstehen – sie ist ein Akt selektierender Konstruktion, durch den mittelbar auch Herrschaft bestätigt werden kann. Diese Seite Diltheys, die bei einer vergleichenden Betrachtung seiner Konzeption mit der Literaturgeschichte des Vormärz sogleich sichtbar wird, wird in *Wahrheit und Methode* ausgeblendet. Gadamer gibt Diltheys historisches Bewußtsein als bloß kontemplativ aus und übersieht, daß zugleich mit der Reflexion auf die Tradition, die nicht mehr naturgegeben ist, die Frage auftaucht, *wie* sie angeeignet werden soll. So entschied sich Dilthey methodisch wie inhaltlich gegen die Rezeption der literarischen Tradition, die ihm die Historiographie des Vormärz anbot. Dieser fehlte nach dem Urteil Diltheys die wissenschaftliche Objektivität. Der Begriff der Objektivität, der in Gadamers Darstellung nur auf der Ebene der Theorie und Methode wahrgenommen wird, ist jedoch nach 1848 inhaltlich aufgeladen, ohne daß dies freilich ausdrücklich kenntlich gemacht wird. Die Macht der nachrevolutionären Rhetorik besteht darin, die inhaltlichen Interessen, die auf dem Spiele stehen, hinter dem erkenntnistheoretischen Apparat verschwinden zu lassen.

Die Institutionalisierung der Literaturgeschichte

Wer sich heute mit der Literaturgeschichte als einer Institution beschäftigt, wird davon ausgehen, daß sie ein wissenschaftliches Fach darstellt, das an der Universität gelehrt wird.[101] Die Aufgabe der gegenwärtigen Germanistik besteht, abgesehen von der Heranbildung des eigenen wissenschaftlichen Nachwuchses, hauptsächlich darin, Deutschlehrer auszubilden, die an den verschiedenen Schultypen die sprachliche und literarische Tradition vermitteln. Als Disziplin ist die neuere Literaturgeschichte am literarischen Leben der Gegenwart nicht mehr beteiligt. Einzelne Literaturwissenschaftler schalten sich offensichtlich in die aktuelle literarische Diskussion ein, aber vom Fach her gibt es keine Notwendigkeit, sich am gegenwärtigen literarischen Leben zu beteiligen. Durch die Form der Organisation (Akademisierung) und die Institutionalisierung (Wissenschaft und Lehrerausbildung) sind der literaturgeschichtliche und der literarisch-ästhetische Diskurs getrennt. Die Literaturgeschichte gehört zur *wissenschaftlichen* und nicht zur literarischen Öffentlichkeit. Symptomatisch für diese Trennung ist das Mißtrauen zwischen Germanisten und Kritikern. Der Hiat zwischen Literaturwissenschaft und Kritik dürfte um 1900 bereits eine Realität gewesen sein: auf der einen Seite der positivistische Wissenschaftsbetrieb, der sich durch Editionen und Quellenstudien legitimiert, die für das allgemeine Publikum nicht mehr interessant sind, auf der anderen Seite eine impressionistische Tageskritik, die absichtlich den wissenschaftlichen Gestus verschmäht und, unter forcierter Berufung auf die Romantik, die Arbeit des Kritikers derjenigen des Künstlers gleichsetzt, die also die Subjektivität des Kritikers und Künstlers gegen die Verdinglichung des wissenschaftlichen Betriebs ausspielt, um das kritische Element zu retten. Die Revolutionierung der Literaturgeschichte durch den seit 1900 steigenden Einfluß Diltheys hat an dieser Trennung wenig oder nichts geändert, da sich die Ideengeschichte in der ihr von Dilthey auferlegten „Sachlichkeit" als Teil der wissenschaftlichen und nicht der literarischen Öffentlichkeit versteht. Nur dort, wo die Geistesgeschichte sich mit dem George-Kreis berührt, etwa in den Arbeiten von Friedrich Gundolf, wird erneut der Versuch gemacht, das literarische Publikum anzusprechen. Gundolfs Darstellung provozierte bewußt durch Stil und Komposition den wissenschaftlichen Diskurs des Positivismus.

Das Fach Literaturgeschichte des frühen zwanzigsten Jahrhunderts unterscheidet sich beträchtlich von den Absichten seiner ersten bedeutenden Vertreter. Wilhelm Scherers Literaturgeschichte und literarische Aufsätze wenden sich ungeachtet ihres methodischen Anspruchs noch nicht ausschließlich an ein wissenschaftliches Publikum. Besonders die Literaturgeschichte (1883) richtet sich an eine breitere literarische Öffentlichkeit. Der populäre Gestus wird sogleich im ersten Kapitel deutlich, dessen einleitender Satz dem historischen Roman näher steht als einer wissenschaftlichen Abhandlung: „Um die Zeit, in welcher Alexander der Große Indien für die griechische Wissenschaft aufschloß, segelte ein griechischer Gelehrter, Pytheas von Marseille, aus seiner Vaterstadt durch die Straße von Gibraltar, fuhr an der Westküste von Spanien und Frankreich entlang, um Brittannien herum, – und entdeckte an der Mündung des Rheines die Teutonen."[102] Fast muß man von einer forcierten Popularisierung sprechen, die durch eine episierende Darbietung die methodischen Schwierigkeiten einer Literaturgeschichte, deren sich Scherer wohl bewußt war, herunterspielt und die Auseinandersetzung mit der Forschung in den Anhang verweist. Obgleich sich Scherer von der älteren Literaturgeschichte methodisch und theoretisch abgrenzt, bleibt er ihrer überkommenen Darbietungsform verbunden. Der Anspruch einer naturwissenschaftlichen Objektivierung kann nicht darüber hinwegtäuschen, daß er seine Position nicht ausschließlich als Wissenschaftler und Vertreter eines Faches definiert, sondern als eine öffentliche, nicht auf die Universität beschränkte Aufgabe, als Teil eines Dialogs mit dem weiteren Publikum. Scherer ist noch – wie Julian Schmidt und Robert Prutz vor ihm oder Gottschall neben ihm – gleichzeitig Historiker und Kritiker, der auch zu literarischen Tagesereignissen Stellung nimmt und sich in Fragen der Literaturpolitik einmischt. Für Scherer liegt das Feuilleton nicht unter dem Strich.

Die Einheit von Literaturgeschichte und Literaturkritik gehörte zum Modell der räsonierenden Literaturgeschichte, das sich in der liberalen Tradition konstituierte. Zwischen den Interessen des Historikers und denen des Kritikers bestand ein innerer Zusammenhang: Die Literaturgeschichte war ein Teil der Kritik, sie konstituierte sich als politische Kritik. Dies gilt selbst für konservative Autoren wie Vilmar, die die politische Tendenz der liberalen Historiker emphatisch bekämpften und dadurch den politischen Charakter der Literaturgeschichte nur bestätigten. „Für ihn (Gervinus, P.U.H.) war Wissenschaft Medium der Politisierung, Aufgabe des Wissenschaftlers demzufolge, die Politik auf wissenschaftliche Grundlage zu stellen (…)."[103] Schon seit der Romantik richtete sich die Literaturgeschichte nicht ausschließlich, ja nicht einmal vornehmlich an die akademische Öffentlichkeit, sondern rechnete mit einem breiteren gebildeten Publikum. Zwischen den bescheidenen Hörerzahlen der literaturgeschichtlichen Vorlesungen und den Auflageziffern der Literaturgeschichten bestand eine auffallende Diskrepanz, die dadurch zu erklären ist, daß diese Werke als Teile der aktuellen Literatur betrachtet wurden, durch die sich die literarische Öffentlichkeit orientierte. Die Institutionalisierung der Literaturgeschichte war kaum angewiesen auf das Fach Germanistik, das überdies in seiner Frühzeit nicht ausschließlich literarisch definiert wurde. Diese Differenz zeigt sich in der Organisation des Wissenschaftsbetriebs. Es ist nicht leicht festzustellen, wer die erste Professur für Literaturgeschichte innehatte. Hans Joachim Kreutzers Hinweis auf Robert Prutz,[104] der 1849 in Halle eine außerordentliche Professur für Literaturgeschichte erhielt – die er übrigens nach wenigen Jahren wieder aufgab –, vergißt, daß Gervinus' Anstellung die Literaturgeschichte einschloß und auch Vischer 1835 Privatdozent für Ästhetik und deutsche Literatur wurde. Gleichwohl ist nicht zu übersehen, daß im Vormärz die Verbindung zwischen dem akademischen Fach und der Literaturgeschichte locker blieb. Die wichtigsten Werke wurden von Männern geschrieben, die sich in anderen Fächern habilitiert hatten. Im ganzen war die akademische Organisation der deutschen Philologie und Mittelalterkunde früher abgeschlossen als die der neueren Literaturgeschichte, die auf Grund ihres politischen Auftrags den Landesbehörden verdächtiger erscheinen mußte. Noch nach 1848 gehörten die Verfasser von zwei einflußreichen Literaturgeschichten, Julian Schmidt und Rudolf Gottschall, nicht zum Kreis der Universitätslehrer, sie standen vielmehr als Publizisten im Zentrum der literarischen Öffentlichkeit.

Hat sich diese zwischen 1830 und 1848 vollzogene Institutionalisierung der Literaturgeschichte unter dem Vorzeichen eines politischen Auftrags (Selbstverständigung des literarischen Publikums über den Zusammenhang von literarischen und politischen Fragen) nach der gescheiterten Revolution geändert? Karl-Heinz Götze hat diese Position vertreten. Er unterstellt, daß die Literaturgeschichte nach 1848 ihre öffentliche Bedeutung bald verloren habe.[105] Götze beschreibt Danzels Kritik der vormärzlichen Literaturgeschichte und bemerkt dazu: „Der Weg, den Danzel ihr aus der Öffentlichkeit heraus wies, führte in die Unverbindlichkeit und Isolation des Elfenbeinturms, der einen Ausgang nur nach der rechten Seite läßt."[106] Unbestreitbar führte der Weg der deutschen Literaturgeschichtsschreibung schließlich nach rechts, doch kann von einer Minderung des öffentlichen Status zwischen 1850 und 1870 keine Rede sein. Die methodische Kritik Danzels, die in der Tat auf eine Veränderung des Modells hinausläuft, hat auf der Ebene der Institutionalisierung zunächst keine Folgen. Die Literaturgeschichte des Nachmärz steht in enger Verbindung mit der literarischen Öffentlichkeit. Charakteristisch für diese Situation ist die Beziehung zwischen der Literaturge-

schichte und den wichtigen literarischen Zeitschriften. Julian Schmidt re-
digierte zusammen mit Gustav Freytag die *Grenzboten,* Robert Prutz leitete das *Deutsche Museum* und Rudolf Gottschall verfügte über die *Blätter für literarische Unterhaltung.* Sowohl Prutz als auch Schmidt machten
von der Möglichkeit Gebrauch, Teile ihrer literaturgeschichtlichen Arbeiten zunächst in ihren Zeitschriften zu veröffentlichen. Man könnte
sogar davon sprechen, daß ihre literaturgeschichtlichen Darstellungen
sich aus gesammelten Journalartikeln zusammensetzten. Prutz und
Schmidt, die beide schon in den vierziger Jahren als Kritiker tätig waren,
setzten die Tradition der publizistischen Literaturgeschichte fort, obgleich sie, wie wir gesehen haben, inhaltlich und methodisch wichtige
Veränderungen vornahmen. Von einem Rückzug aus der Öffentlichkeit
kann auch bei Rudolf Haym und dem frühen Wilhelm Dilthey nicht die
Rede sein. Haym stand als Herausgeber der *Preußischen Jahrbücher* den
politischen Kämpfen seiner Zeit sehr nahe und nahm ausdrücklich zu
politischen Fragen Stellung. Selbst Wilhelm Dilthey, auf dessen spätere
Arbeiten der Ausdruck vom Elfenbeinturm der Wissenschaft eher zutrifft, stand mit seinen frühen Arbeiten in der publizistischen Tradition.
Er gehörte zu den Mitarbeitern der *Preußischen Jahrbücher* und von *We-
stermanns Monatsheften,* einer populären Zeitschrift. Dort publizierte er
unter anderem 1867 die erste Fassung seines Hölderlin-Aufsatzes und einen Aufsatz über Heinrich Heine.[107]

Die Lage der jüngeren Generation unterschied sich freilich in anderer
Beziehung beträchtlich von der Situation der älteren. Die Einrichtung
von Lehrstühlen für deutsche Literaturgeschichte veränderte die Berufs-
aussichten des Nachwuchses. Folglich konnten Scherer und Dilthey eher
auf eine akademische Laufbahn rechnen. Paradigmatisch ist Wilhelm
Scherers steiler Aufstieg. Der 1841 geborene Germanist, der als Schüler
Müllenhoffs in Österreich zunächst Schwierigkeiten hatte, wurde 1866
Privatdozent in Wien. Bereits 1868 finden wir den Siebenundzwanzig-
jährigen als Professor für deutsche Sprache und Literatur in Wien. Wenig später, nämlich 1871 folgte er einem Ruf an die neu gegründete
Reichsuniversität Straßburg, wo er bis 1877 lehrte. Mit sechsunddreißig
Jahren erhielt er einen angesehenen Lehrstuhl in Berlin, der eigens für
ihn eingerichtet wurde. Diltheys beruflicher Werdegang ist ähnlich dra-
matisch. Nach der Habilitation in Berlin erreichte ihn 1867 ein Ruf nach
Basel, wo er sich freilich infolge seiner pro-preußischen Gesinnung nicht
wohl fühlte. Schon nach drei Semestern verließ er die Schweiz und folgte
einem Ruf nach Kiel. Dort lehrte er, bis er 1871 nach Breslau berufen
wurde. Schließlich wurde er 1882 Lotzes Nachfolger in Berlin. Vergleicht man diese Karrieren mit der Laufbahn Rudolf Hayms (geb.
1821), dann zeigt sich sehr deutlich, daß das Jahr 1848 eine Grenzschei-
de darstellte. Denn Haym, der 1843 mit einer Arbeit über Äschylos pro-

movierte, fand zunächst keine akademische Anstellung. Er mußte seinen Lebensunterhalt als Mitarbeiter und Redakteur der Enzyklopädie von Ersch und Gruber verdienen. Nach der aktiven Teilnahme an der Bürgerlichen Revolution, die ihn in der Frankfurter Nationalversammlung im rechten Zentrum sah, nahm er 1851 die Lehrtätigkeit als Privatdozent in Halle auf. Da er als Demokrat galt, legten ihm die konservativen Kollegen Schwierigkeiten in den Weg. Erst 1860 wurde er zum außerordentlichen Professor ernannt, und die Beförderung zum ordentlichen Professor erfolgte erst 1868. Die reaktionären Regierungsmaßnahmen richteten sich also in erster Linie gegen die ältere Generation, die sich in den vierziger Jahren politisch engagiert hatte. Beispielhaft ist die nachrevolutionäre Biographie von Gervinus. 1853 wurde er nach der Veröffentlichung der Einleitung zu seiner *Geschichte des neunzehnten Jahrhunderts* von der Badischen Regierung wegen Hochverrats angeklagt und unter anderem mit dem Entzug der venia legendi bestraft. Nur mit Mühe entging er einer Zuchthausstrafe.[108] Ähnliches widerfuhr Robert Prutz, der sich 1857 nach einem gegen ihn angestrengten Disziplinarverfahren von der Universität Halle beurlauben ließ. Der Grund für den Angriff war eine Rede auf Schiller, die er in Leipzig gehalten hatte.

Diese Rückschläge fielen, wie zu erwarten, vor allem in die Jahre zwischen 1850 und 1858, während der rapide Aufstieg der jungen Generation bezeichnenderweise mit der Neuen Ära und der Wiederbelebung des Liberalismus zusammenging. An der Vorbereitung der Reichsgründung war die Literaturgeschichte, wie wir zeigen konnten, ideologisch noch maßgeblich beteiligt. Die institutionelle Etablierung der Literaturgeschichte an den Universitäten, die mit Scherers Berufung nach Berlin 1877 als vollzogen angesehen werden kann, führte dann sukzessiv – wenn auch noch nicht bei Scherer selbst – zur Trennung von der literarischen Öffentlichkeit und zur methodischen wie institutionellen Abgrenzung gegenüber der Tageskritik (Feuilleton). Charakteristisch sind Fontanes kritische Bemerkungen über den literarischen Wert der Germanistik, der er jedes Gefühl und kompetentes Urteil über ästhetische und literarische Fragen abspricht.[109] Der Kritiker Fontane lehnte den wissenschaftlichen Diskurs über die Literatur ab.

Auf der anderen Seite steht die Entwicklung Wilhelm Diltheys zum führenden Theoretiker der Geisteswissenschaften. Sein Werk stellt in der Tat einen Rückzug aus der allgemeinen literarischen Öffentlichkeit dar. Das Erscheinen der *Einleitung in die Geisteswissenschaft* (1883) war zweifellos ein wissenschaftliches Ereignis ersten Ranges, doch ebenso sicher kein literarisches Ereignis, wie dies die Veröffentlichungen der Literaturgeschichten von Gervinus und Julian Schmidt gewesen waren. Was die Literaturgeschichte und die Kritik zwischen 1830 und 1870 zusammenhielt, war ein gemeinsames Modell. Es gab, ungeachtet aller individuellen Verschiedenheiten, eine gemeinsame Sprache für die kritische und die historische Darstellung. Formen, die später als Wissenschaft und Feuilleton auseinanderfielen, wurden durch Schriftsteller wie Gervinus und Prutz, Schmidt und Hettner, Gottschall und Scherer noch als einheitlicher Diskurs vertreten.

VIII. Bildung, Schulwesen und gesellschaftliche Gliederung

Eine Darstellung der Institution Literatur kann sich nicht auf die Literaturverhältnisse (Produktion und Rezeption) beschränken. Die Beziehung zu anderen Institutionen, besonders solchen, die sich mit der Literatur in einem Wechselverhältnis befinden, gehört zum weiteren Untersuchungsfeld. Offensichtlich ist im neunzehnten Jahrhundert die Institution Erziehung, und zwar sowohl die Elementarschule als auch die höhere Schule und die Universität, für die Vermittlung von Literatur von entscheidender Bedeutung, einmal dadurch, daß sie die Lektüre der Schüler und Studenten reguliert, ferner aber dadurch, daß sie allgemeine Lernziele und -inhalte festlegt, welche den Begriff der Literatur mitprägen. Durch die Institution Erziehung werden Rahmenbedingungen geschaffen, die für eine Gesellschaft mit einem ausdifferenzierten Bildungssystem, das die Mehrheit der Bevölkerung erreicht, nachhaltige Folgen haben muß. Man kann daher über die deutschen Literaturverhältnisse im neunzehnten Jahrhundert nicht reden, ohne den Beitrag der Schule zur Aneignung und Verarbeitung von Literatur eingehender zu diskutieren. Freilich sind die empirischen Untersuchungen über das Leseverhalten von Schülern, wie sie von der Rezeptionsforschung durchgeführt worden sind, für historische Untersuchungen nur bedingt fruchtbar. Aus zwei Gründen: einmal sind die empirisch-statistischen Verfahren auf die Vergangenheit nicht anzuwenden, ferner – und dies dürfte wichtiger sein – werden in empirischen Untersuchungen zu gegenwärtigen Verhältnissen die Rahmenbedingungen, d. h. die Organisation des Bildungswesens und die generelle Bildungskonzeption, als bekannt vorausgesetzt. Eben hier wird jedoch die historische Untersuchung anzusetzen haben. Sie kann sich nicht damit begnügen nachzuweisen, daß im Deutschunterricht der verschiedenen Schultypen bestimmte Autoren und Werke behandelt worden sind. Und auch die Beschäftigung mit der Didaktik des Deutschunterrichts wird erst sinnvoll, wenn wir uns den Stellenwert verdeutlicht haben, den der Sprach- und Literaturunterricht im Schulwesen einnahm, welche Konzeption von Bildung, mit anderen Worten, die Institution Schule bei der Behandlung von Literatur anwandte.

In der Mitte des neunzehnten Jahrhunderts wird das Wort ‚Bildung' meist emphatisch gebraucht. Jedermann nimmt für sich in Anspruch, zu verstehen, was der Begriff beinhaltet. Gerade diese Geläufigkeit des Ausdrucks, seine Beliebtheit in öffentlichen Diskussionen, die Art vor allem, wie er in gesellschaftlichen Konflikten eingesetzt wurde, machte ihn unscharf. Die Öffentlichkeit berief sich auf eine Bildungstheorie, die durch Namen wie Wilhelm von Humboldt, Schleiermacher, Pestalozzi und Diesterweg gekennzeichnet wurde, ohne zu bemerken, daß diese idealistische Tradition problematisch geworden war. Auf der Ebene des theoretischen Diskurses wurden Inhalte tradiert, die in der Praxis wesentlich anders gehandhabt wurden. Während beispielsweise die Formulierungen des preußischen Staatsrechts nach wie vor die Prinzipien individueller Bildung zum Maßstab schulischer Regelungen erklärten, ging die von Ferdinand Stiehl und Ludwig Wiese geleitete Verwaltungspraxis der fünfziger Jahre durchaus andere Wege. Das preußische Kultusministerium versuchte entschlossen, die in der idealistischen Bildungstheorie enthaltenen gesellschaftsverändernden Impulse so in den Griff zu bekommen, daß sie in die konservativen Grundsätze des nachrevolutionären preußischen Staates integrierbar wurden. Bei diesen Bemühungen kam den Kultusministern von Raumer und Mühler zugute, daß durch die Bildungsreform des frühen neunzehnten Jahrhunderts die Aufsicht des Staates über Schulen und Universitäten so fest begründet war, daß auf dem Wege der Gesetzgebung, beziehungsweise der Verwaltungspraxis Lernziele und -inhalte sowie die Lehrerausbildung reglementierbar waren. Auf Grund dieser Tradition konnte man sich in der Sprache der Verordnungen auf die Humboldt-Süvernsche Reform berufen, ohne die Intentionen der Reform einzulösen. Nach 1848 setzte sich in Preußen, aber auch in anderen Ländern, der Wille der Verwaltung durch, das Bildungswesen so weit als möglich zu reglementieren und für die Aufgaben des Staates in Anspruch zu nehmen. Dieser Staat definierte sich geradezu als ‚Kulturstaat‘, der die Sorge für die geistigen Bedürfnisse seiner Untertanen übernommen hat, aber gleichzeitig seine eigenen Bedürfnisse nach qualifizierten Beamten durch die vorgeschriebenen Ausbildungsgänge befriedigt. Schon das war eine Abweichung von den Vorstellungen Humboldts und Schleiermachers, die beide die Sorge des Staates für die Bildung seiner Bürger anerkannten, die jedoch das Ziel der Erziehung nicht in der qualifizierenden Vorbildung für den Staatsdienst oder überhaupt bestimmte Laufbahnen sahen. Daß diese Unterschiede auch von wohlmeinenden Beobachtern nicht erkannt wurden, indiziert, daß der Bildungsbegriff der Preußischen Reformperiode nach 1850 nicht mehr verstanden wurde. Gefördert durch die preußische Verwaltung – schon vor 1848 –, hatte sich die Bildungskonzeption so verändert, daß sie zu den Absichten der Reformer im Gegensatz stand. Unter den wenigen, die dieses Mißverständnis erkannten und gegen das unkritische Lob des deutschen Bildungssystems Widerspruch anmeldeten, war Nietzsche.

Nietzsches Kritik des Bildungswesens

An Nietzsches Bildungskritik, wie er sie in den Vorträgen „Über die Zukunft unserer Bildungsanstalten" (1872) formulierte, läßt sich die Problematik der nachrevolutionären Bildungspolitik vorzüglich studieren. Nicht zuletzt wird deutlich, daß auch die Kritik Nietzsches an den vorgefundenen Zuständen die Intentionen und den Gehalt der preußischen Bildungsreform nicht mehr angemessen rekonstruieren und als Leitbild zurückgewinnen konnte. Schon an der Art, wie Nietzsche in seinen Vorträgen das Gymnasium als den Mittelpunkt des Schulwesens hervorhob, zeigt sich die Verschiebung des Zentrums. Zwar strebten auch die Reformer, namentlich Humboldt, die Reorganisation des preußischen Gymnasiums an, doch gerade nicht mit der Absicht, der höheren Schule eine Sonderstellung einzuräumen. Das Gymnasium sollte vielmehr, worauf schon Eduard Spranger 1910 verwiesen hat,[1] zu einer Schule werden, die für alle da ist und eine nationale und nicht eine ständische Bildung vermittelt. Nun muß man freilich einräumen, daß diese Konzeption utopischer Entwurf geblieben und niemals in die Wirklichkeit übertragen worden ist.[2] Die Durchsetzung der Reformen ging einen Kompromiß mit älteren Traditionen ein, die im Gymnasium vornehmlich die Ausbildungsstätte für die zukünftigen Gelehrten und höheren Verwaltungsbeamten erblickten. Das aus der staatlichen Verwaltung an das Bildungswesen herangetragene System der formalen Qualifikationen zersetzte den Gedanken einer allgemeinen, nicht berufsvorbereitenden Bildung. Diese Eindämmung der radikalen Konzeption erfolgte, wie vor allem Karl-Ernst Jeismann gezeigt hat, bereits in den späteren Jahren der Reformzeit, ist also nicht das Ergebnis der nachrevolutionären Schulpolitik.[3] Vor allem der Gedanke, daß Bildung als ein einheitlicher Prozeß zu verstehen ist, daß also die verschiedenen Schultypen nicht nebeneinander stehen, sondern aufeinander bezogen werden sollten, vermochte sich nicht durchzusetzen.[4] Das Bedürfnis nach berufsvorbereitenden Schulen führte zur steigenden Anerkennung der Realschulen, die nicht mehr auf den klassischen Bildungsbegriff festgelegt waren.

Nietzsches Versuch, den Begriff der wahren Bildung durch den Rückgriff auf die Idee des humanistischen Gymnasiums zu retten, bezog sich bereits auf einen Zustand, der sich beträchtlich von der Konzeption der Reformer entfernt hatte. Das macht sich unter anderem darin bemerkbar, daß er den Begriff der reinen Bildung ausdrücklich von den Interessen des Staates und der Gesellschaft trennt, ja einen unaufhebbaren Gegensatz zwischen Bildung und Staat konstruiert. Nietzsche zufolge hat die Indienstnahme des Gymnasiums durch den Staat zu einer wesentlichen Schwächung der Bildung geführt, die sich sowohl als Erweiterung als auch als (qualitative) Minderung äußert. „Dem ersten Triebe gemäss soll die Bildung in immer weitere Kreise getragen werden, im Sinne der anderen Tendenz wird der Bildung zugemuthet, ihre höchsten selbstherrlichen Ansprüche aufzugeben und sie dienend einer anderen Lebensform, nämlich der des Staates, unterzuordnen."⁵ Statt dessen fordert Nietzsche, um die Idee der Bildung zu restituieren, ihre Selbstgenügsamkeit, also ihre Ablösung von den Bedürfnissen des Staates und den Wünschen der Gesellschaft. Sie soll sich ausschließlich auf den Bereich beschränken, der nach der Ansicht Nietzsches den Kern der gymnasialen Erziehung ausmacht – die an den Sprachunterricht gebundenen humanistischen Studien.

Nietzsche entwirft in seinen Vorlesungen einen durchgehenden Gegensatz zwischen der entwerteten Bildung der Gegenwart und einer früheren Epoche der wahren Bildung, die relativ unbestimmt bleibt. Die deutschen Schulen, so ergibt sich aus diesem Schema, haben die Idee der wahren Bildung, die sie einmal vertraten, verloren. Nur eine Erneuerung dieser Idee kann das deutsche Bildungssystem vor seiner endgültigen Korruption retten. Da die Polemik gegen die Mißstände der Gegenwart im Mittelpunkt der Vorlesungen steht, werden diese ausführlicher behandelt als die Ideen, an denen sie gemessen werden. Man wird die Emphase der Kritik freilich nicht verstehen ohne eine Rekonstruktion von Nietzsches Grundvorstellungen. Seine Polemik richtet sich gegen die Vermischung des staatlichen und kulturellen Bereichs – zu dem er auch den pädagogischen rechnet –, sie richtet sich letztlich gegen die Politisierung der Bildung durch staatliche Eingriffe. Nietzsche hält den verbreiteten Glauben, daß eine erfolgreiche staatliche Politik der Kultur günstig sei, für einen prinzipiellen Irrtum. Die staatliche Organisation des Bildungswesens hat vielmehr zur Barbarei geführt, denn sie hat den Geist den materiellen Interessen ausgeliefert. „Dem Menschen wird nur so viel Kultur gestattet als im Interesse des Erwerbs ist, aber so viel wird auch von ihm gefordert. Kurz: die Menschheit hat einen notwendigen Anspruch auf Erdenglück – darum ist die Bildung notwendig – aber auch nur darum."⁶ Der Staat, der diesem Prinzip nützlicher Vorbereitung für den Erwerb, d. h. den Beruf folgt und ein entsprechend ausdifferenziertes Bildungsangebot parat hält, fördert die Barbarei. „Die allerallgemeinste Bildung ist eben die Barbarei."⁷ Aus diesem Einspruch gegen eine pragmatische, verwendbare Ausbildung leitet sich der Widerspruch gegen die Demokratisierung der Bildung ab. Wahre Bildung, so hält Nietzsche gegen die (angebliche) Politik des Staates fest, kann nur eine Sache der wenigen sein, derjenigen, die Zeit genug haben, sich auf die Gegenstände zu konzentrieren, die für die geistige Entwicklung des Individuums wesentlich sind. Daher erhält das Gymnasium für Nietzsche in der Tat eine Sonderstellung; denn ihm ist die allgemeine Bildung anvertraut, die nicht auf einen bestimmten Beruf vorbereitet.

Nietzsches Kritik geht weit über die zeitgenössischen Einwände hinaus, die die Übervölkerung des Gymnasiums beklagten und den Besuch dieser Bildungsanstalt auf den Kreis derjenigen beschränkt wissen wollten, die eine wissenschaftliche Vorbildung für den späteren Beruf benötigen. Nietzsche dagegen möchte das Gymnasium gerade nicht als Gelehrtenschule verstanden wissen, denn der Gelehrte, der als Arzt oder Historiker, als Theologe oder Mathematiker Spezialkenntnisse erwirbt, ist von der wahren Bildung nicht weniger weit entfernt als der in den Beruf eingebundene Handwerker oder Kaufmann. Erneut entwickelt Nietzsche, um den Begriff der Bildung zu retten, zwischen der Wissenschaft und der Bildung einen Gegensatz, in dem der Wissenschaft die Spezialkenntnisse und der Bildung die Einsicht in das Ganze zugeordnet werden. Sobald also die Lehrpläne der Gymnasien Rücksicht nehmen auf die Bedürfnisse der zukünftigen Wissenschaftler und Gelehrten, entfernen sie sich notwendig von den Methoden und Inhalten, die zur Bildung im emphatischen Sinne führen. Nietzsche zeigt dies nicht zuletzt an den Veränderungen, die sich im Griechisch- und Lateinunterricht vollzogen haben. Die Annäherung an die Antike, die für den deutschen Idealismus die Aneignung des wahren Menschentums bedeutete, ist zum routinierten Sprachunterricht verkommen, der die Klassikerlektüre nicht mehr fruchtbar machen kann. Die Verwissenschaftlichung des Unterrichts, so argumentiert Nietzsche, durch die Philologen und Historiker, welche die Methoden der Universität auf die Schule übertragen haben, reduziert den Prozeß der Bildung auf die Übermittlung von Kenntnissen.

Nietzsche möchte in seinen Vorträgen offensichtlich prinzipiell über die zeitgenössische Curriculumdiskussion hinausgelangen. Die staatlich approbierten Bildungsziele, die Lehrpläne, die didaktischen Methoden sowie die Vorbereitung der Lehrer: all dies sind nur Symptome für die grundsätzliche Verfehlung des modernen Bildungswesens, das sich unter der Vorherrschaft des Staates an materiellen und professionellen Bedürfnissen orientiert. Hier ist die Bildung zur Funktion des Staates und der Gesellschaft geworden. Nietzsche jedoch negiert diese Funktion, er möchte den Begriff durch den Rückgriff auf die idealistische Tradition freisetzen und den staatlichen Einfluß rückgängig machen. Wie dies organisatorisch verwirklicht werden kann, bleibt in den Vorträgen freilich unklar, da Nietzsche keine Alternative zur staatlichen Schule entwickelt. Doch entfaltet er, indem er sich an den zeitgenössischen Zuständen reibt, eine Bildungskonzeption, die an den Neuhumanismus der Goethezeit anschließt. Emphatische Bildung wird nur dort erreicht, wo von menschlicher Bedürftigkeit und existenziellen Sorgen nicht mehr die Rede ist. Interesse und Bildung schließen einander nach dem Urteil Nietzsches aus: „Also, meine Freunde, verwechselt mir diese Bildung, diese zartfüßige, verwöhnte, ätherische Göttin nicht mit jener nutzbaren Magd, die sich mitunter auch die ‚Bildung' nennt, aber nur die intellektuelle Dienerin und Beraterin der Lebensnot, des Erwerbs, der Bedürftigkeit ist."[8] Der Ort der wahren Bildung dagegen ist die Kontemplation. Damit meint Nietzsche nicht nur die Abgehobenheit von der arbeitsteiligen Praxis moderner Industriegesellschaften. Sicher hat Nietzsches Verteidigung der Aristokratie des Geistes auch diese Komponente – Nietzsches Haß gegen die Demokratisierung der Bildung, weil sie den Geist an die Massen ausliefert –, doch steht hinter dem Wunsch nach einer rein kontemplativen Haltung mehr, nämlich der Glaube an die Möglichkeit eines veränderten Verhaltens zur Natur, eines Verhaltens, das nicht mehr durch Entfremdung gekennzeichnet ist. Betrachten bedeutet, mit der Natur noch so eins zu sein, wie es der herrschenden Vernunft nicht mehr möglich ist. „Was durch diese neue angezwungene Betrachtungsart verloren gegangen ist, ist nicht etwa eine poetische Phantasmagorie, sondern das instinktive wahre und einzige Verständnis der Natur: an dessen Stelle jetzt ein kluges Berechnen und Überlisten der Natur getreten ist."[9] Die Annäherung an die Antike, vermittelt durch die deutsche Klassik freilich, hat die Funktion, in den ästhetischen Bereich hineinzuführen, der von der gesellschaftlichen Praxis abgehoben bleibt. Der Formalismus des neuhumanistischen Bildungsbegriffs sagt Nietzsche durchaus zu, denn er sieht in den strengen sprachlichen Exerzitien eine Reinigung und eine Vorbereitung auf den ästhetischen Bereich. Er mißversteht, so müssen wir hinzufügen, diesen Formalismus, weil er seinen Zusammenhang mit der gesellschaftlichen Praxis nicht mehr sieht und auch nicht mehr anerkennen will. Denn die gesellschaftliche Praxis ist für Nietzsche negativ besetzt durch die staatliche Bildungspolitik, deren Ziel die Verbreitung nützlicher Kenntnisse ist. Während Nietzsche mit Recht die Entleerung des Neuhumanismus in den Schulen des Nachmärz kritisiert und die „allseitige Entwicklung der freien Persönlichkeit innerhalb fester gemeinsamer nationaler und menschlich-sittlicher Überzeugungen" als Ideologie durchschaut,[10] hinter der sich massive gesellschaftliche Interessen verbergen, ist der Gegenentwurf, durch den das alte humanistische Bildungsideal restituiert werden soll, nicht mit gleicher Konkretheit ausgeführt. Die Bildungsgemeinschaft, die Nietzsche sich vorstellt, ohne ihre Organisation im einzelnen zu zeichnen, zieht sich auf den kleinen Kreis derjenigen zurück, die auf die „Geburt des Genius und die Erzeugung seines Werkes" vorbereitend warten.[11]

Dort, wo Nietzsche an einem historischen Beispiel, nämlich an den Burschenschaften der Freiheitskriege, erläutert, was er sich unter wahrer Bildung und ihrer Wirkung vorstellt, wird deutlich, daß die Wiederherstellung der Bildung schließlich doch mehr meint als ästhetische Rezeptivität – nämlich die innerliche Erneuerung und Erregung der „reinsten sittlichen Kräfte".[12] Doch selbst bei dieser Evokation der preußischen Reformepoche ist der Abstand zur Bildungsidee des Neuhumanismus nicht zu übersehen, denn die Eigenschaft, die Nietzsche an den Studenten der Burschenschaften preist, ist die Fähigkeit zur Unterordnung und zum Gehorsam. Die Entfaltung des Individuums im Gebrauch aller seiner Kräfte ist für Nietzsche nur noch Ideologie, eine durch den Staat korrumpierte Konzeption. Daher seine Neigung, die wahre Bildung an eine Aristokratie des Geistes zu binden. Freilich sind solche Vorstellungen nicht notwendig mit einer Unterstützung der vorgefundenen Verhältnisse zu verwechseln, denn die Kritik des zeitgenössischen Bildungsbegriffs schließt das zeitgenössische Gymnasium ein. Die Rettung der Bildung wäre nur von einer zukünftigen Institution zu erwarten. So findet sich unter den Vorarbeiten für die Vorträge der Satz: „*Gleichheit des Unterrichts* für alle bis zum fünfzehnten Jahre. Denn die Prädestination zum Gymnasium durch Eltern u.s.w. ist ein Unrecht."[13] Im gleichen Zusammenhang spricht sich Nietzsche für eine Einheitsschule aus, auf der dann Fachschulen aufbauen. Dieser Gedanke transzendiert die ständische Gliederung der Schultypen, wie sie die staatliche Schulpolitik des neunzehnten Jahrhunderts weithin verteidigte; es wird eine Bildungsutopie sichtbar, die an den Neuhumanismus anschließt, ohne indes eine Praxis auch nur in Aussicht zu stellen.

In den *Unzeitgemäßen Betrachtungen* setzte Nietzsche seine Kritik fort. Namentlich in seiner Schrift gegen Strauß, den Vertreter eines gemäßigten Bildungsliberalismus, bringt er zur Sprache, was ihn an seinem Zeitalter stört: die Pseudobildung eines seichten Journalismus, eine Auffassung, derzufolge Bildung darin besteht, geistige Güter zu „besitzen". Wenn Strauß im Anhang seines Buches *Der alte und der neue Glaube* (1872) seinen Lesern die deutschen Klassiker als Wegweiser und Ratgeber empfiehlt, gleichsam als Ersatz für die verlorene christliche Religion, dann kann Nietzsche darin nur Mißbrauch der Tradition durch einen Bildungsphilister sehen. Die Festlegung der literarischen Tradition in den fünfziger und sechziger Jahren hatte in der Tat die Auffassung verstärkt, es bestehe eine fest umrissene nationale Kultur, aus der die Nachwelt jederzeit schöpfen könne. „Wir haben ja unsere Kultur, heißt es dann, denn wir haben ja unsere ‚Klassiker‘, das Fundament ist nicht nur da, nein auch der Bau steht schon auf ihm gegründet – wir selbst sind dieser Bau."[14] Die durch die Lehrpläne der höheren Schulen vorgeschriebene Auswahl von Autoren bestätigt Nietzsches kritische Einsicht. Im Mittelpunkt des Deutschunterrichts standen die „Klassiker", an denen den Schülern die Bedeutung des kulturellen Erbes veranschaulicht werden sollte. Für Nietzsche dagegen kann die Beschäftigung mit dem literarischen Erbe nicht passives Hinnehmen bedeuten, sondern nur ein Fortsetzen der von den großen deutschen Autoren begonnenen Arbeit.

Die neuhumanistische Bildungsreform

Nietzsches Auseinandersetzung mit der zeitgenössischen Bildungskonzeption verweist uns auf die Epoche zwischen 1809 und 1817, in der die Bildungsanstalten die Gestalt bekamen, die sie bis zum zwanzigsten Jahrhundert behielten. Dieser Zusammenhang war natürlich auch den Vertretern der nachmärzlichen Bildungstheorie nicht unbekannt. In der Regel legitimierten sie sich durch den Bezug auf die früheren Reformen. Aus der Spannung zwischen der Bildungstheorie der Reformzeit und ihrer konservativen Interpretation durch die nachrevolutionäre Verwaltung ergab sich die Eigenart wie auch die Richtung der Bildungspolitik zwischen 1850 und der Reichsgründung.[15] Besonders im Bereich des Gymnasiums verstand sich die Politik der fünfziger und sechziger Jahre als Fortsetzung der großen Tradition, die freilich nunmehr auf den innerschulischen Bereich beschränkt wurde. Daß diese Bildungsreform einmal als Teil einer Gesellschaftsreform konzipiert worden war, daß, um es zugespitzt auszudrücken, durch die Reform des Bildungswesens die ständisch geordnete preußische Gesellschaft in ein modernes Staatswesen überführt werden sollte, ist in der postrevolutionären Diskussion nicht mehr zu bemerken. Mit Nachdruck müssen wir das utopische Moment der Bildungsreform betonen, um sichtbar zu machen, in welchem Maße die restaurative Bildungspolitik und -theorie den ursprünglichen Ansatz reduzierte.

Für die frühliberale Bildungstheorie – und dies gilt in besonderem Maße für den jungen Wilhelm von Humboldt – ist die Beteiligung des Staates am Bildungsprozeß keineswegs ausgemacht. Im Gegenteil: in den „Ideen zu einem Versuch, die Gränzen der Wirksamkeit des Staats zu bestimmen" gestattete Humboldt dem Staat keinen wesentlichen Anteil am Erziehungswesen, da die Sorge des Staates darauf beschränkt werden soll, die Bedingungen zu gewähren, die es den Bürgern ermöglichen, sich individuell zu entfalten. Dort, wo es sich um den letzten Zweck des Menschen handelt, nämlich um die „Bildung seiner Kräfte zu einem Ganzen",[16] muß der Staat zurückstehen. Staatliche Erziehung, so argumentierte Humboldt, führt zur Einseitigkeit, sie beschränkt den Unterricht auf bestimmte positive Gesichtspunkte und vernachlässigt die Mannigfaltigkeit der menschlichen Möglichkeiten. Der frühe Humboldt wies die Bildung vornehmlich der privaten Sphäre zu, da nur in ihr die individuelle Entwicklung gefördert werden kann, während der Staat vornehmlich daran interessiert ist, die bürgerlichen Qualifikationen zu fördern.

Bekanntlich änderte Humboldt nach der preußischen Niederlage seinen Standpunkt und setzte sich für die Reform des staatlichen Bildungswesens ein; gelegentlich setzte er sogar die Macht des Staates gegen die korporativen Gewalten ein, um seine Reformen durchzusetzen.[17] Gleichwohl änderte Humboldt seine Bildungskonzeption nicht wesentlich. Seine Tätigkeit als Chef der Sektion des Kultus und des öffentlichen Unterrichts war der Versuch, mit den Mitteln einer staatlichen Reorganisation seine Idee der menschlichen Bildung in die Praxis umzusetzen. Charakteristisch für Humboldts Anschauung blieb die Position, daß der Mensch nicht statisch als das Ensemble bestimmter Fähigkeiten und Fertigkeiten angesehen werden kann, vielmehr dynamisch verstanden werden muß als eine Kraft, die sich in freier Tätigkeit äußert und entfaltet. Dieser Bestimmung kommt bei Humboldt entscheidende Bedeutung zu, denn sie verschiebt das Schwergewicht von bestimmten vorgegebenen Inhalten und Normen auf den Vorgang des Bildens, in dem das Individuum sich vielseitig entfalten kann. Humboldt spricht von der „Energie, welche gleichsam die Quelle jeder thätigen Tugend, und die nothwendige Bedingung zu einer höheren und vielseitigeren Ausbildung ist".[18] An dieser Energie ist der Staat Humboldt zufolge gerade nicht interessiert, vielmehr drückt er dem Individuum bestimmte Ideen und Gesetze auf, durch die Gleichförmigkeit, aber keine Entfaltung der inneren Form erreicht wird.

Der Grundgedanke der Humboldtschen Reform bestand darin, einen einheitlichen Bildungsgang zu planen, an dem alle Bürger beteiligt werden können. Die in den Schulen zu gewährende Ausbildung soll allgemein und formal sein und sich nicht auf die Vermittlung besonderer Kenntnisse und Fähigkeiten beschränken. Das organisatorische Problem, das Humboldt vorfand, waren die bestehenden Mittel- und Bürgerschulen, die nicht auf die Universität vorbereiteten. Im Königsberger Schulplan entschied sich Humboldt mit voller Absicht gegen die Mittelschulen: „Die Trennung der Bürgerklassen von den gelehrten in zwei verschiedenen Anstalten stört offenbar die so nothwendige Einheit des Unterrichts, der in der Wahl der Lehrgegenstände, in der Methode und der Behandlung der Schüler von dem Augenblick an, wo das Kind die ersten Elemente gefasst hat, bis zu der Zeit wo der Schulunterricht aufhört, in einem so ununterbrochnen Zusammenhange stehen muss, dass Klasse auf Klasse und halbes Jahr auf halbes Jahr berechnet sey."[19] Für die philosophische Betrachtung, auf die Humboldt sich beruft, gibt es nur drei Stadien des Unterrichts: den Elementarunterricht, den Schulunterricht und den Universitätsunterricht. Jedes Kind muß durch diese logischen Stufen der Bildung hindurchschreiten, und zwar im Idealfall ohne Rücksicht auf die besonderen gesellschaftlichen Aufgaben, die dem einzelnen später zufallen. Angestrebt wird deutlich eine Einheitsschule, freilich nicht im heutigen Sprachgebrauch, der einen Schultypus meint, in dem verschiedene Bildungsgänge nebeneinander gefördert werden. Einheitlich soll vielmehr der Bildungsgang sein, an dem sich die Organisation der Schulen so ausrichtet, daß die logischen Bildungsabschnitte organisch zusammengehalten werden. Aus dem gleichen Grund möchte Humboldt die Lehrinhalte so bestimmen, daß in jeder Schulart die Kräfte geübt werden. Daher fordert er: „(...) alle Kenntnisse (...), die sie überhaupt wenig oder zu einseitig befördern, wie nothwendig sie auch seyn mögen, vom Schulunterricht auszuschliessen, und dem Leben die speciellen Schulen vorzubehalten."[20]

Humboldt war sich der politischen Implikationen seiner Reformpläne durchaus bewußt. Sie griffen in die ständische Struktur des Schulwesens empfindlich ein. So wünschte er Volksschulen, die nicht nur den Minderbemittelten und den Unterschichten zur Verfügung stehen. Die Qualität der Bildung sollte nicht mehr von der gesellschaftlichen Lage der Eltern abhängen. „Jeder, auch der Aermste, erhielte eine vollständige Menschenbildung, jeder überhaupt eine vollständige, nur da, wo sie noch zu weiterer Entwicklung fortschreiten könnte, verschieden begränzte Bildung, jede intellectuelle Individualität fände ihr Recht und ihren Platz, keiner brauchte seine Bestimmung früher als in seiner allmäligen Entwicklung selbst zu suchen (...)."[21] Auch der Litauische Schulplan unterstreicht noch einmal das Prinzip einer allgemeinen Menschenbildung, die klar getrennt werden soll von jeder berufsvorbereitenden Erziehung, wie sie die Realschulen, etwa in Bayern, vermitteln. Humboldt geht so weit, den Griechischunterricht auch für den zukünftigen Tischler zu empfehlen. Die Förderung des klassischen Sprachunterrichts soll mit anderen Worten nicht den Berufsinteressen des Gelehrten dienen, sondern von dem allgemeinbildenden Wert des Sprachunterrichts ausgehen, wobei dem Griechischen wiederum ein besonderer Wert zugeschrieben wird.

Die preußische Bildungsreform darf freilich nicht, wie dies gelegentlich seit Sprangers Untersuchungen geschehen ist, ausschließlich mit dem Namen Humboldts in Verbindung gebracht werden. Seine Tätigkeit im Ministerium knüpfte an bestehende Tendenzen und geleistete Vorarbeiten an. Sie integrierte ferner auch vorliegende pädagogische Entwürfe. Die Reformbewegung stellt sich somit als ein entschieden breiterer Strom dar, als die herkömmliche Bezeichnung vermuten läßt. Neben Humboldt wären Fichte und Schleiermacher, Passow und Jachmann, Süvern und Schulze zu nennen, so sehr sich ihre Pläne und Vorstellungen auch im einzelnen unterscheiden. Ihnen war gemeinsam, daß sie die Anpassung des Bildungswesens an die bestehende Gesellschaft ablehnten. Der Gedanke der allgemeinen Menschenbildung wurde auf Grund seiner Abstraktheit zum Ansatz einer radikalen Neuordnung, und zwar nicht nur des Bildungswesens, sondern gleichzeitig der gesellschaftlichen Struktur. Die verschiedenen Pläne zur Reorganisation des Schulwesens zielten auf eine das ganze Volk umgreifende allgemeine Ausbildung, die dem durch die Schule Ausgebildeten ermöglicht, als mündiges Mitglied an der Organisation der Gesellschaft mitzuwirken. Daher ist die Reform auch nicht ausschließlich am Gymnasium oder der Universität festzumachen, denn die Neuordnung der höheren Schulen war nur als Teil einer umgreifenden Reform des Bildungssystems gemeint.

Noch bevor Humboldt in das Ministerium eintrat, hatte Fichte angesichts des preußischen Notstands in den *Reden an die deutsche Nation* die politische Funktion der Erziehung provokativ hervorgehoben.[22] Die Erneuerung Preußens war für Fichte nicht so sehr eine Sache der Diplomatie und der militärischen Stärke als der inneren Erneuerung, der Sammlung und der Überwindung der moralischen Schwäche. Die neue Nation, die Fichte vorschwebt, entsteht nicht mehr durch die Macht eines Monarchen, der die Menschen in einem Untertanenverband zusammenfaßt, sondern durch die allgemeine, alle Teile des Volkes erfassende Erziehung. Daraus ergibt sich für Fichte zwangsläufig die Forderung, die herkömmlichen Grenzen zwischen der Volksschule und dem Gymnasium aufzulösen, ja überhaupt den Gedanken der Brauchbarkeit als Lernziel pauschal zu verwerfen. Nationalität ist nach Jeismanns glücklicher Formulierung „nur ein anderes Wort für politische und soziale Egalität".[23] Insofern ist die Art, wie Fichte den Staat für die Erziehung in Anspruch nimmt, vergleichbar mit der Position des frühen Humboldt, denn auch Fichte geht es nicht darum, dem absolutistischen Staat die Kontrolle in die Hand zu geben, vielmehr besteht die Aufgabe in den *Reden* darin, durch die nationale Bildung einen neuen Staat zu konstituieren, in dem die politische Mündigkeit gesichert ist. In noch radikalerer Form hat wenig später Reinhold Jachmann im *Archiv deutscher Nationalbildung* den Gedanken Fichtes in die Bildungstheorie hineingetragen.[24] Von Kant herkommend bestimmt Jachmann die Schule als die Stätte der reinen Menschenbildung, die sich dann veredelnd auf den Staat auswirken muß. Wiederum ist der Staat nicht der *Ausgangspunkt,* sondern das *Ziel* der Überlegungen – ein Ziel, das erst durch die Reform des Bildungswesens erreicht werden kann. Die materiellen Interessen des Staates und die Vernunftinteressen der Menschheit müssen zur Deckung kommen, jedoch so, daß der Staat sich dem neuen Bildungsideal anpaßt. Bemerkenswert ist in diesem Zusammenhang, daß Jachmann die Idee einer Nationalerziehung nicht gleichsetzt mit den Bedürfnissen Preußens, er bezieht sich vielmehr ausdrücklich auf Deutschland als der übergreifenden Einheit, in der sich die verschiedenen Territorialstaaten aufzulösen haben.

Der neue Begriff der Bildung widerstreitet einer Organisation des Schulwesens, die an den Interessen der ständischen Gesellschaft ausgerichtet ist, er richtet sich gegen eine Situation, wo für jede Klasse und Gruppe eigene Ausbildungswege geschaffen worden sind, durch die die Mitglieder auf die ihnen zustehenden legitimen Plätze in der Gesellschaft vorbereitet werden. Diesen moralisch-politischen Impuls darf man bei der Darstellung der Bildungsreform nicht unterschlagen; sie war keine innerschulische Organisationsfrage. Die Modernisierung des Bildungswesens, von der man sich eine höhere Wirksamkeit der Schulen und Universitäten versprach, stand im Dienst weitgespannter politischer und gesellschaftlicher Ziele. Sie war nach einer treffenden Formulierung Hartmut Titzes die „Selbstüberwindung des Absolutismus auf legalem Wege".[25] Ihr revolutionärer Charakter wurde gerade auch von den Gegnern wie Metternich erkannt. So stand auch der Abbau der Reformbewegung nach 1817 in engem Zusammenhang mit der konservativen Wende der preußischen und deutschen Politik.

Durchgesetzt hat sich die Reformbewegung nur zum Teil. Bei der Neugestaltung des preußischen Erziehungswesens in den Jahren von 1809 bis 1818 wurden Humboldts und Süverns Ideen am ehesten im Bereich der Universitäts- und Gymnasialbildung verwirklicht, am wenigsten auf dem Gebiet der Elementarschulbildung. Die neuen Lehrpläne des Gymnasiums entsprachen am weitesten der Idee Humboldts, die Ausbildung formal zu halten und auf die berufliche Praxis keine Rücksicht zu nehmen. Nach dem Rücktritt Humboldts setzte Süvern als der Dezernent der Abteilung die Arbeit fort.[26] Das klassische humanistische Gymnasium war bestimmt durch die Priorität des lateinischen und griechischen Sprachunterrichts als einer intensiven Einführung in den Sprachbau und, wenn auch weniger, in die antiken Literaturdenkmäler. Für Humboldt verbindet sich mit dem Sprachunterricht die Hoffnung, dem Schüler die Kunst und Literatur näherzubringen: „(. . .) das ganze Feld der Gedanken, alles was den Menschen zunächst und zuerst angeht, selbst das, worauf Schönheit und Kunst beruht, kommt nur in die Seele durch das Studium der Sprache, aus der Quelle aller Gedanken und Empfindungen."[27]

Die preußische Verwaltung folgte nur zum Teil den Plänen der Reformer. Vor allem nach 1817 begann die Reformbewegung zu stagnieren. Doch von Anfang an standen die um von Hardenberg gruppierten Kräfte den neuhumanistischen Programmen distanziert gegenüber. Schon Humboldts Nachfolger betrieb die Reform mehr im Sinne verwaltungstechnischer Kontinuität als aus philosophischer Überzeugung. Auch die Errichtung eines selbständigen Kultusministeriums, das 1817 durch Altenstein besetzt wurde, garantierte keineswegs die Weiterführung der Reformen.[28] Besonders ungünstig wirkte sich die Entscheidung aus, die Elementar- und Bürgerschulen und die Gelehrtenschulen unter verschiedene Aufsichtsbehörden zu stellen, denn auf diese Weise wurde der Unterschied zwischen der Grundschule und der höheren Schule, den die Reformer aufheben wollten, wieder befestigt. Diese Verwaltungsentscheidung begünstigte genau die Interessen, die eine klare ständische

Trennung zwischen Grundausbildung und höherer Schule wünschten. Sobald sich das Gymnasium von den anderen Schultypen deutlich abheben durfte – auch durch einen eigenen Lehrerstand, der auf Grund seiner akademischen Ausbildung besser besoldet wurde –, entstand auf der Seite der Lehrenden wie der Lernenden eine Hierarchie.

Zu den bleibenden Ergebnissen der Reform gehört dagegen der Anspruch des Staates, die Aufsicht über das gesamte Bildungswesen auszuüben. In diesem Zusammenhang ist das Abituredikt von 1812 zu nennen, durch das der Zugang zur Universität staatlich geregelt wurde. Daß diese Maßnahme gesellschaftlich egalisierend wirkte, ist nicht zu bestreiten. Ihre Spitze richtete sich zunächst vor allem gegen die Privaterziehung, wie sie dem Adel vertraut war. Der egalisierende Effekt blieb in der Folge auf das gebildete Bürgertum beschränkt, das auf diese Weise strenger reguliert und diszipliniert wurde. Aus der Perspektive der höheren Beamten war das Edikt eine ansprechende Maßnahme, um die Selbstergänzung des Apparats zu regulieren. Das Ergebnis stimmte also keinesfalls mit den Ideen der Neuhumanisten überein, die ja gerade die ständischen Verkrustungen des Systems durch die Erziehung aufbrechen wollten. Die Maßnahme kam mehr dem Staat als den Bürgern zugute, denn durch sie wurde die Konstituierung einer staatsbezogenen und vom Staate abhängigen Gruppe gefördert. Hier ist das Gymnasium auf dem Wege, zur Schule einer gesellschaftlichen Elite zu werden, die sich ihre Qualifikationen durch Bildung sichert. Die Reformer unterstützten freilich das Edikt, weil sie sich von der staatlichen Aufsicht eine bessere Kontrolle der Schulen versprachen. Die Durchsetzung der neuen Fächerverteilung und der neuen Lerninhalte hing für sie davon ab, ob es Instanzen gab, die die Veränderungen vornehmen und absichern konnten. Der Glaube, daß der Fortschritt im Erziehungswesen durch staatliche Maßnahmen gewährleistet sei, setzte voraus, daß der Staat sich mit dem neuhumanistischen Programm identifizieren müßte – eine Illusion der Reformer.

Es ließe sich argumentieren, daß gerade der utopische Überschuß der Bildungsreform, die Orientierung an einem Idealbild der gebildeten und mündigen Nation, dazu beitrug, daß in den folgenden Jahrzehnten die Trennung zwischen Gebildeten und dem Volk nicht geringer, sondern eher größer wurde. Die Bildungskonzeption der Neuhumanisten, die auf die Entwicklung des Individuums zielte, und die Schulorganisation, in der sich die Interessen des Staates bemerkbar machten, trennten sich zunehmend. Eben diese Kluft mußte auf die Bildungskonzeption zurückwirken. Mochten auch die Topoi des Neuhumanismus fortgeführt werden, so wurde ihre Funktion schon in den zwanziger Jahren eine andere. Diese immanenten strukturellen Veränderungen wurden verstärkt durch die zunehmend konservative preußische Verwaltung. Durch die Politisierung der Studenten nach den Befreiungskriegen sahen Hardenberg und Altenstein die Reform gefährdet und versuchten, durch die Disziplinierung der Universitäten zu retten, was zu retten war.[29] Und auf der anderen Seite nutzten die konservativen Kräfte die studentischen Unruhen, um die Bildungsreformer und ihre Konzeption zu diskreditieren.

Durch die konservative Politik der zwanziger und dreißiger Jahre, die auf die Eindämmung aller politischen Bewegung bedacht war, wurden die gesellschaftlichen Implikate der Reformbewegung, wo es möglich war, eliminiert.[30] Nur diejenigen Elemente der Reform wurden noch unterstützt, welche die Stellung des Staates im ganzen stärkten, nämlich die generelle Aufsicht des Staates über das Bildungswesen und ferner die Reglementierung der Qualifikationen, durch die die Schulbildung zur formalen Voraussetzung des Staatsdienstes geworden war.[31] Dennoch ist zu betonen, daß auch in den Jahren der Reaktion die progressiven Impulse der Bildungsreform nicht vollständig unterdrückt werden konnten, sondern in der pädagogischen Theorie und der didaktischen Methodik weiterlebten. Dies zeigte sich vor allem 1848, als der Reformgeist in der Lehrerschaft sogleich wieder auflebte.

Die nachrevolutionäre Bildungspolitik

An den Stiehlschen Regulativen von 1854 ist abzulesen, in welchem Maße sich der preußische Staat durch die Forderungen und Wünsche der Lehrerschaft bedroht fühlte. Das Kultusministerium reagierte auf diese Bedrohung mit Verordnungen, welche die Bildungsziele der Volksschulen so beschränkten, daß ein Überschuß, der sich auf das politische Leben auswirken konnte, nicht entstehen konnte. Schon 1849 hatte Wilhelm IV. in einer Ansprache vor den Seminarlehrern deutlich gemacht, daß er die Bildungskonzeption der liberalen Lehrerseminare des Vormärz für die Revolution mitverantwortlich machte. „All' das Elend, das im verflossenen Jahre über Preußen hereingebrochen, ist Ihre, einzig Ihre Schuld, die Schuld der Afterbildung, der irreligiösen Menschenweisheit, die Sie als echte Weisheit verbreiten, mit der Sie den Glauben und die Treue in dem Gemüthe Meiner Unterthanen ausgerottet und deren Herzen von Mir abgewandt haben.“[32] Ferdinand Stiehl, der schon 1844 unter Eichhorn in das Kultusministerium eingetreten war (vorher Direktor des Lehrerseminars in Neuwied), wurde 1850 durch von Raumer zum Referenten für das Volksschul- und Lehrerbildungswesen berufen. In dieser Position setzte er durch seine drei Regulative die neue Bildungs- und Schulpolitik Preußens energisch durch. Die Erlasse enthielten mehr als organisatorische Anweisungen über die Elementarschule und die Lehrerausbildung. Ihr Kern ist eine polemische Auseinandersetzung mit dem neuhumanistischen Bildungsgedanken. Er wird als sinnlos, beziehungsweise schädlich verworfen. „Der Gedanke einer allgemein menschlichen Bildung durch formelle Entwickelung der Geistesvermögen an abstraktem Inhalt hat sich durch die Erfahrung als wirkungslos oder schädlich erwiesen."[33] Gleichzeitig formulieren die Regulative eine positive Bildungspolitik, die als Antwort auf die neuhumanistische Theorie zu verstehen ist. *„Das Leben des Volkes verlangt seine Neugestaltung auf Grundlage und im Ausbau seiner ursprünglich gegebenen und ewigen Realitäten auf dem Fundament des Christenthums,* welches Familie, Berufskreis, Gemeinde und Staat in seiner kirchlich berechtigten Gestaltung durchdringen, ausbilden und stützen soll."[34] War die Absicht der Reformer, auch die Elementarschule aus dem direkten pragmatischen Gesellschaftszusammenhang herauszunehmen und sie auf die Ausbildung der menschlichen Kräfte zu beziehen, kehrte das Oktoberregulativ dieses Verhältnis erneut um und berief sich auf die praktischen Bedürfnisse der gegebenen Gesellschaft. Ihr habe die Volksschule so zu dienen, daß sie den einzelnen Schüler für seine besondere Aufgabe vorbereitet. Unter ausdrücklicher Kritik der formalen Bildungstheorie wird eine „feste Begrenzung der Unterrichtsgegenstände" gefordert,[35] um eine inhaltsgebundene Erziehung zu fördern. Zwar wird eine ausdrückliche Neuordnung der Lehrpläne nicht für notwendig erachtet, aber es wird eine Umgewichtung der Fächer und Stundenverteilung vorgenommen, durch die die christliche Bildungskonzeption unterstützt werden soll. Der Volksschulunterricht beschränkt sich nunmehr auf vier Grundelemente, nämlich Religion, Lesen, deutsche Sprache und Schreiben, Rechnen und schließlich Gesang. Diese bewußte Beschränkung der Bildung, die eindeutig den Zweck hat, die Schüler in ein konservatives Denken einzubinden, gilt nicht nur für die Elementarschule, sondern auch für die Ausbildung der Lehrer, denen die konservativen Kräfte staatsgefährdendes Verhalten zur Last legten. Auf die Seminaristen wird das gleiche Prinzip angewandt wie auf die Schüler: nicht formale Bildung, also Förderung des Denkens, sondern inhaltliche Beschränkung auf den Stoff, den der Lehrer an die Kinder vermitteln soll. Daher eliminiert das erste Regulativ die Fächer Pädagogik, Anthropologie, Methodologie, Psychologie sowie Didaktik und Katechetik.[36] Sie werden durch eine allgemeine, inhaltsbezogene Schulkunde ersetzt, für die die Bibel im Mittelpunkt steht. Die Anweisung zur christlichen Demut enthält zugleich das Prinzip der neuen Pädagogik: Sie will einen Zusammenhang zwischen Lernen und Gehorsam herstellen – sowohl im Verhältnis zwischen Schülern und Lehrern als auch in der Beziehung zwischen den Lehrern und den vorgesetzten Behörden. Beschränkte man die Ausbildung der Lehrer auf das Notwendigste – vor allem die Kenntnis der Bibel –, so war damit zu rechnen, daß die Wissensvermittlung mechanisch und ohne Gefahr für den politischen Status quo erfolgte. Es gehörte zu den merkwürdigen Konsequenzen dieser Schulpolitik, die Seminaristen von der klassischen deutschen Literatur fernzuhalten. Auch die Privatlektüre von Lessing, Schiller und Goethe war untersagt.[37] An diesen massiven Eingriffen in die Freiheit der zukünftigen Lehrer ist abzulesen, daß die liberale Bildungskonzeption, und nicht nur ihre pädagogische Komponente, in Frage gestellt wurde. War es die Überzeugung der Liberalen, daß die Klassiker – wenn auch ungenügend – die politische Emanzipation vorbereitet hatten, so war die Unterdrückung dieser Klassiker ein unmißverständlicher Hinweis, daß das Kultusministerium diesen Zusammenhang zwischen klassischer Dichtung und Politik unterdrücken wollte. Die gewünschte Disziplinierung der Massen setzte konsequent dort an, wo der Staat, unterstützt durch die Kirche, am direktesten eingreifen konnte: bei der Volksschule, die jedermann besuchen mußte. Die durch die Reformer zwei Generationen früher forcierte Schulaufsicht des Staates kam den konservativen Kräften im preußischen Kultusministerium nunmehr zugute.

Freilich befand sich das Kultusministerium langfristig aus zwei Gründen in einer widersprüchlichen Lage. Erstens war die Beschränkung der Ausbildung auf Elementarkenntnisse angesichts der Industriellen Revolution auf lange Sicht nicht zu halten. Es war vorauszusehen, daß der Handel und die Industrie spezifische Qualifikationen fordern würden.[38] Zweitens aber mußte die Bürokratie auf die liberale Bildungstradition Preußens, wie sie selbst in der oktroyierten und revidierten Verfassung zum Ausdruck kam, Rücksicht nehmen. Durch die Artikel 21 bis 26 war für das Bildungswesen in der Verfassung ein Rahmen geschaffen worden, auf den sich die noch ausstehende Spezialgesetzgebung, die im Artikel 26 antizipiert wurde, einzustellen hatte. Es war die herrschende staatsrechtliche Meinung, daß die Verordnungen des Kultusministeriums sich an die Artikel der Konstitution anzuschließen hätten, wenn dies, wie wir gesehen haben, tatsächlich auch nicht immer der Fall war.

Ausdrücklich bestimmt Art. 20 – und zwar im Anschluß an den Paragraphen 152 der Reichsverfassung von 1849 –, daß die Wissenschaft und ihre Lehre frei ist. Ein Eingriff in die Lehre der Wissenschaft an den Universitäten war nur dann gestattet, wenn ein ausdrücklicher Mißbrauch dieser Freiheit festgestellt worden war. Es charakterisiert die nachrevolutionäre Situation freilich, daß schon bei der Beratung dieses Artikels Stimmen laut wurden, die seine Streichung forderten, beziehungsweise darauf bestanden, die gewünschten Einschränkungen durch einen Zusatz klarzustellen.[39] Der Staat war keineswegs willens, wie bei den Beratungen deutlich wurde, sein Aufsichtsrecht aufzugeben oder einzuschränken. So hieß es: „Die Regierung hat mit dem Satze nur sagen wollen und können: Insoweit es mit ihren Zwecken vereinbar sei, wolle sie die Wissenschaft frei sein lassen."[40] Ausdrücklich jedoch war das Schulwesen von diesem Grundsatz ausgenommen. Hier galt der Artikel als suspendiert, bis ein Unterrichtsgesetz verabschiedet worden war. Das hieß: der Verwaltung war es praktisch anheim gestellt, durch Verordnungen die Verhältnisse nach den eigenen Wünschen zu regeln. Da ein Unterrichtsgesetz bis zum Ende des Bismarckschen Reichs nicht zustande kam, blieb der vorkonstitutionelle Zustand während des neunzehnten Jahrhunderts praktisch bestehen.[41] Durch die Artikel 21 bis 25 wurde die Position des Staates im Bildungswesen im ganzen deutlich konsolidiert, während abweichende Auffassungen grundsätzlich ausgeschieden wurden. Denn nicht das liberale Modell, wie es in der belgischen Verfassung formuliert worden war, setzte sich durch, sondern im Anschluß an die preußische Tradition eine Struktur, in der der Staat für das gesamte Bildungswesen die Führung und Leitungsfunktion in Anspruch nahm. Damit wurde die Schule grundsätzlich in den Herrschaftsbereich des Staates eingeordnet und die liberale Forderung, wie sie gelegentlich in den revolutionären Lehrerverbänden laut wurde, Schule und Staat zu trennen, ausdrücklich abgewiesen.[42] So im Artikel 21, der die Bildung der Jugend durch öffentliche Schulen vorsieht und damit eine Sorgepflicht für den Staat herstellt, so vor allem auch im Artikel 23, der nicht nur die öffentlichen, sondern auch die privaten Schulen der staatlichen Aufsicht unterstellt.

Damit bestimmt sich dieser Staat jenseits seiner polizeilichen und rechtlichen Aufgaben (Sicherheit) als kulturfördernder und kulturkonstituierender Staat, der die aus der Gesellschaft an ihn herangetragenen Bedürfnisse befriedigt – durchaus auch im eigenen Interesse, da durch die staatliche Aufsicht, nach einer Formulierung des Kultusministers Ladenberg, dieser Unterricht die Nation so erzieht, daß sie den Staat schützt und trägt: „Nehmen Sie dem Staate den Einfluß auf den Unterricht, so wird er bald als solcher gänzlich aufhören."[43] Artikel 21 und 23 ergänzen einander, da auf der einen Seite die Sorge des Staates für das genügende Vorhandensein öffentlicher Schulen ausgesprochen wird und auf der anderen Seite die staatliche Oberaufsicht über die durch den Staat ins Leben gerufenen Bildungsanstalten festgestellt wird. Ein privates Bildungswesen, so wird hier unterstellt, kann die gesamtgesellschaftlichen Bedürfnisse nicht erfüllen, da es auf Grund seiner besonderen Interessen jeweils nur besondere Bedürfnisse berücksichtigen würde.

Der Ladenbergsche Schulgesetzentwurf von 1850 verfolgte diesen Gedanken weiter, indem er die Chancengleichheit der Bildung betonte. Es sollten Freistellen für bedürftige Schüler der höheren Schulen eingerichtet werden, um so einen Ausgleich zwischen Bildung und Besitz zu schaffen. In dieser Hinsicht ging der Gesetzentwurf von Bethmann Hollweg (1862) noch einen Schritt weiter; er leitet aus Art. 21, Absatz 1 eine allgemeine Sorgepflicht des Staates für die Bildung ab – sowohl für die Grundschulen als auch für die höheren Schulen. Doch diese Verpflichtung sollte nicht einklagbar sein. Gleichwohl setzte dieser Vorschlag die Tradition der liberalen Schulpolitik in Grenzen fort. Die Beschränkung kam darin zum Ausdruck, daß Gymnasien nicht mehr zum Zweck einer allgemeinen Menschenbildung eingerichtet und gepflegt werden sollen, sondern zur Sicherung der für den Staat notwendigen Verwaltungselite. Dem entspricht die Formulierung in den Erläuterungen zu Paragraph 122: „Die Bestimmung der Gymnasien ergibt sich aus der Idee einer Geistesbildung, welche befähigt, an der Lösung der höchsten Aufgaben des Staats und der Kirche Theil zu nehmen."[44] Folglich nimmt der Entwurf für den Staat das Recht in Anspruch, die Lernziele wie auch die „Pädagogische Wirksamkeit" der höheren Schule zu kontrollieren. Der Bildung wird ein hoher Einfluß auf das öffentliche Leben zugestanden und gerade deshalb eine staatliche Aufsicht als unabdingbar angesehen. „Das Interesse des Staates und des öffentlichen Lebens ist in hohem Maße bei den Grundanschauungen und Richtungen betheiligt, die in ethischer, kirchlicher, politischer und patriotischer Beziehung die Anstalten verfolgen, in welchen der höher stehende Theil der Nation seine Bildung erhält."[45] Unübersehbar ist hier die Absicht, die verändernde Kraft der Bildung gerade dadurch wieder einzudämmen, daß die Bildungsziele durch den Staat festgelegt werden. In jedem Fall soll vermieden werden, daß die staatlichen und die gesellschaftlichen Interessen auseinanderfallen. Diese Harmonie kann sich nach der Ansicht des Kultusministeriums am besten verwirklichen in einer hierarchischen Gliederung des Schulwesens. Dieser Anschauung stand auch die nachrevolutionäre liberale Theorie nicht fern.

Staat und Bildung

Das Verhältnis von Staat und Bildung in der nachrevolutionären Theorie bedarf einer genaueren Analyse. Diese Theorie erblickt den Staat – und damit ist jetzt nicht ausschließlich der preußische gemeint – als *Kulturstaat,* der die Bildungsbedürfnisse seiner Bürger berücksichtigt und fördert. In der Ausformulierung dieser Aufgaben schließt die Theorie des Nachmärz an die frühliberalen Grundsätze an. Im engeren Sinne ist der Kulturstaat derjenige Staat, der Wissenschaft, Kunst und Religion unterstützt und dafür eine besondere bürokratische Organisation einrichtet. Eine mögliche Bedrohung dieser Funktionen sieht die liberale Theorie durch die Eingriffe der Kirchen und anderer privater Verbände, während ein Schutz gegen die Gefahren staatlicher Intervention in der Regel nicht ausformuliert wird. Die Autonomie von Kultur und Bildung, wie sie der junge Nietzsche emphatisch fordert, ist der nachmärzlichen liberalen Theorie fremd, einmal weil sie sich den bestehenden Verhältnissen anschließt, zum andern weil man von der staatlichen Verwaltung eine angemessenere Vertretung der allgemeinen Interessen erwartet als von Korporationen und Individuen.[46]

Beispielhaft wird dieser Zusammenhang von Hermann von Schulze-Gaevernitz in seinem *Preußischen Staatsrecht* dargelegt. Seine Definition der Bildung steht unverkennbar in der Tradition von Humboldt und Schleiermacher: „Vervollkommnung *aller* Geisteskräfte erscheint als das höchste Ziel des Menschen. Mit der intellektuellen Entwicklung der Verstandeskräfte, der ästhetischen des Geschmackes, soll sich als höchste Aufgabe sittlich-religiöse Bildung verbinden. Den Gesammtertrag der Arbeit des Einzelnen für diese Ziele nennen wir *Bildung* im höchsten Sinne des Wortes."[47] Zwar ist diese Leistung das Ergebnis einer individuellen Tätigkeit, doch gleichzeitig vollzieht sich, wie der Staatsrechtler hervorhebt, der Prozeß der Bildung in der Gemeinschaft. Der Staat als der Vertreter der Gemeinschaft übernahm eine „weltgeschichtliche Mission", als er das gesamte Bildungswesen in Preußen an sich zog. Aus dieser Entscheidung ergeben sich für den Kulturstaat nach dem Urteil Schulze-Gaevernitz' drei Aufgaben, die bei „der Verwaltung des geistigen Lebens" berücksichtigt werden müssen: „Sie (die Verwaltung, P. U. H.) sorgt *erstens* durch Gesetze, Anstalten und Einrichtungen aller Art für Unterricht und Erziehung der Jugend; sie sucht *zweitens* die allgemeine Bildung des *ganzen* Volkes, also auch der Erwachsenen zu heben und zu veredeln; sie bemüht sich *drittens* die Gefahren vom Volke abzuwenden, welche der öffentlichen Sittlichkeit durch Ausbrüche des Lasters, der Rohheit und ungebändigten Sinnlichkeit drohen (. . .)."[48] Die Sorge für Bildung und Kultur wird von Schulze-Gaevernitz freilich nicht als Appell für eine Gleichheit der Bildungschancen ausgelegt, vielmehr paßt sich der Staat in dem, was er durch seine Anstalten vermittelt, dem Aufbau und der Struktur der Gesellschaft an. Das Maß der zu vermittelnden Bildung richtet sich nach den zukünftigen beruflichen Aufgaben. So spricht das *Staatsrecht* davon, daß „die Mehrzahl des Volkes mit diesem bescheidenen Maasse des Wissens zufrieden gestellt sein muss und in ihren einfachen Lebensverhältnissen damit auskommen kann",[49] während die höhere Bildung, abgesehen von der allgemeinen Funktion, die Wissenschaft zu pflegen, vor allem auf die Bedürfnisse der zukünftigen höheren Beamten ausgerichtet ist, „weil der moderne Staat wissenschaftlich gebildeter Staatsdiener nicht entbehren kann (. . .)".[50] Deutlich trennt sich der Autor an dieser Stelle von der neuhumanistischen Bildungskonzeption und spricht sich für ein an Berufslaufbahnen und gesellschaftlichen Bedürfnissen ausgerichtetes Bildungswesen aus. Dazu gehört beispielsweise die Befürwortung der Realschulen, durch die die höheren wirtschaftlichen Berufsklassen eine angemessene Vorbildung erhalten.

In der Frage der Möglichkeit privaten Unterrichts wie auch in der Frage der Konfessionsschule erweist sich Schulze-Gaevernitz als Vertreter einer liberalen Position. In der konfessionellen Frage folgt er zum Beispiel ausdrücklich den Ausführungen von Gneist.[51] Diese Einstellung hält ihn freilich nicht davon ab, sich für die *christliche Volksschule* auszusprechen und gegen eine Trennung von weltlicher und geistlicher Bildung zu argumentieren. Die Basis einer christlichen Ethik gilt gerade für die Volksschule als unabdingbar. Das inhaltliche Lernziel auf dem Gebiet der Moral soll auf diese Weise von vornherein festgelegt sein und in der Schule nicht mehr zur Diskussion stehen. Eine solche Einstellung wird sich logischerweise auch in der Vermittlung von Dichtung niederschlagen, einmal in der Auswahl der Texte (Lesebuchfrage), sodann aber auch durch die Form der Darbietung.

Bei der Besprechung des Gymnasiums geht Schulze-Gaevernitz bezeichnenderweise kaum über ein Referat der gegebenen Verhältnisse hinaus, er faßt mit anderen Worten die Ergebnisse der preußischen Bildungsreform zusammen. Interessanterweise wird in diesem Referat gar nicht so sehr die Reform hervorgehoben, sondern die zunehmende staatliche Aufsicht über die nachzuweisende wissenschaftliche Qualifikation. So erscheint weniger das Jahr 1809 als das Jahr 1834, das Datum der endgültigen Einführung des vorgeschriebenen Abiturs, als entscheidend, weil der Staat damit ein Instrument erhielt, um den Zugang zur Universität zu regulieren. Der Gedanke humanistischer Menschenbildung, der zu Beginn des Jahrhunderts die Theorie beherrschte und die Reform inspirierte, wird dagegen aus der schulischen Bildung hinausgedrängt und findet nunmehr im Staatsrecht seinen Platz im Paragraphen über die Sorge des Staates für die allgemeine Volksbildung. Dort wird ausdrücklich, wenn auch ohne gesetzliche Verbindlichkeit, festgehalten, daß der moderne Staat als Kulturstaat, „als Träger allseitigst humaner Bildung, den Ideen des Wahren, Guten und Schönen" huldigt.[52]

Es charakterisiert die liberale Bildungstheorie des Nachmärz, daß sie sich den vorgefundenen gesellschaftlichen Verhältnissen anpaßt. Jedenfalls erwartet sie vom Bildungssystem keine Veränderungen. Das Bildungswesen soll so geordnet werden, daß die schulische Vorbildung der späteren Stellung des Schülers im Leben entspricht.[53] Auf Grund dieser Korrelation bildet sich die Auffassung heraus, daß bestimmte Bildungsinhalte wie auch bestimmte Schultypen bestimmten Ständen entsprechen.[54]

Die Abwendung der nachmärzlichen Theorie vom Gedanken einer einheitlichen, alle Schultypen umfassenden Bildung, die Ausdifferenzierung des Bildungsbegriffs nach ständisch-beruflichen Gesichtspunkten, kam besonders kraß zum Ausdruck in der Reglementierung der Volksschule. Durch die Stiehlschen Regulative, die bis 1872 in Kraft waren, wurde das Bildungsziel für die Besucher der Volksschulen so reduziert, daß eine Selbstentfaltung, im intellektuellen wie im emotionalen Sinn, unmöglich gemacht werden sollte. Der Mensch wird auf ein bestimmtes Bild festgelegt, nicht vorbereitet für kommende, noch nicht gewisse Aufgaben und Möglichkeiten.[55] Die pädagogischen Argumente Stiehls können nur notdürftig verhüllen, daß der Zweck der Regulative ein politischer war. Über die Institution der Schule, die fest in der Hand des Staates war, sollte die immer dringlicher werdende soziale Frage, der politische Anspruch des vierten Standes, restaurativ umgebogen werden. Die vorgefundene Ungleichheit der Stände sollte durch die Ausdifferenzierung der Bildungsanstalten noch einmal bestätigt werden. Ein weitblickenderer liberaler Bildungstheoretiker und Pädagoge wie Adolf Diesterweg sah sehr wohl das von den Regulativen verdeckte Problem und bekämpfte Stiehl entschieden in den *Rheinischen Blättern*.[56]

Der verkürzte Bildungsbegriff der Volksschulen ließ indes die Bildungskonzeption der höheren Schulen nicht unberührt; auch hier machte sich die Verstärkung ständischer Vorstellungen bemerkbar. Von Anfang an war ja nie endgültig entschieden, ob die Gymnasien ausschließlich der Allgemeinbildung oder auch der berufsvorbereitenden Ausbildung dienen sollten. Durch den sukzessiven Abbau der Reformpolitik nach 1820 verstärkte sich die Einstellung, die Gymnasialbildung sei in erster Linie als notwendige Qualifikation für den höheren Staatsdienst zu verstehen. Die Politik des Kultusministeriums, wie sie nach 1850 von Ludwig Wiese geführt wurde, verstärkte diese Tendenz.[57] Wiese bemühte sich, im Gymnasium den christlichen Humanismus wiederherzustellen, den er als den Kern der höheren Bildung ansah. Charakteristisch ist folgende Bemerkung über eine mögliche Reform des Lehrplans: „Am liebsten wäre er (von Raumer, P.U.H.) wie ich selbst zu der alten Einfachheit eines auf den Religionsunterricht, die alten Sprachen und die Mathematik beschränkten Lehrplans zurückgekehrt, um auf dieser Grundlage die weitere Ausbildung hauptsächlich dem eigenen Studium zu überlassen: aber wie wäre dies zu wagen gewesen, nachdem der moderne Bildungsbegriff, dessen Inhalt die Mannigfaltigkeit unsers geistigen Lebens ist, längst auch der Schule schon einen encyklopädischen Charakter aufgenöthigt hat?"[58] Durch seine Kritik des modernen Bildungsbegriffs erweist sich Wiese als ein Gegner der Realbildung, die von den Bedürfnissen der Industriegesellschaft ausgeht, nicht notwendig jedoch als Fortsetzer der neuhumanistischen Tradition. Nicht zufällig steht der Religionsunterricht für Wiese an erster Stelle. Im Grunde wollte er, hätte er den Minister auf seiner Seite gehabt, die Differenz zwischen der religiösen Erziehung der Volksschulen und der Gymnasien aufheben.

Auch im Gymnasium wünschte er sich, wie er 1861 gegen den Minister Bethmann Hollweg geltend machte, ein klareres Verhältnis zur Kirche, d.h. das erneute Zusammenwirken von Staat und Kirche in der Schulaufsicht.

Der christliche Humanismus, wie er unter den Ministern Raumer, Bethmann Hollweg und Mühler gepflegt wurde, ist zu verstehen als ein Versuch, die Sonderstellung des Gymnasiums zu bewahren und damit auch den Charakter einer Eliteschule zu unterstreichen. Gleichzeitig sollte das Bildungsziel durch die Bindung an die Religion so festgeschrieben werden, daß das emanzipatorische Moment der Humboldtschen Konzeption neutralisiert wird. Eine solche Tendenz wird bei der Realschule nicht einmal vorausgesetzt; ihre Aufgabe beschränkt sich Wiese zufolge darauf, die Bedürfnisse der Industrie und des Handels zu befriedigen. Im ganzen diente die Ausdifferenzierung des Bildungswesens – so zum Beispiel die Unterscheidung zwischen Realschulen erster und zweiter Klasse – dazu, den Bedarf nach fachlicher Qualifikation für bestimmte Berufsgruppen abzudecken, während auf der anderen Seite das klassische Gymnasium seine Sonderstellung behält. Dieses Bestreben schlägt sich in den reformierten Lehrplänen von 1856 unverkennbar nieder. Dort wird für die Gymnasien an der Priorität des altsprachlichen Unterrichts unverändert festgehalten, während die Realschulen erster Klasse 1859 einen verstärkten Deutschunterricht und naturwissenschaftlichen Unterricht erhalten.[59] Noch stärker wird der deutsche Unterricht auf den höheren Bürgerschulen berücksichtigt, wo er neben den Naturwissenschaften die zentrale Stellung erhält.[60] Durch den Qualifikationsgedanken wird die Vorstellung, Bildung sei geistiger Besitz, die für das spätere neunzehnte Jahrhundert so charakteristisch ist, zweifellos unterstrichen. Das Schwergewicht verschiebt sich von der Form und dem Prozeß der Bildung auf bestimmte, durch die Lehrpläne der Schule festgelegte Inhalte, durch deren Kenntnis man sich als „gebildet" ausweist und damit auch als Mitglied einer bestimmten gesellschaftlichen Gruppe. Bestimmte Kenntnisse werden zum Indiz dafür, ob man zu den „Gebildeten" gehört oder nicht.

Die Ausdifferenzierung des Bildungsbegriffs ist bis in die zeitgenössische Didaktik zu verfolgen. In Raumers *Geschichte der Pädagogik* wird bei der Behandlung des Deutschunterrichts unverhüllt eine ständische Gliederung zugrunde gelegt. Über die Volksschulen heißt es: „Ihre Bildung erhalten in diesen Schulen die Bauern und die Handwerker, das heißt die Stände, die ihren Lebensunterhalt vorzugsweise durch körperliche Arbeit gewinnen."[61]

Als Bestimmung des Gymnasiums wird dagegen angegeben: „Unseren künftigen Pfarrern, Richtern und Aerzten die Anfangsgründe der höheren allgemeinen Bildung zu geben."[62]Daß diese Definition mit dem Mo-

dell der Reformer wenig gemein hat, wird durch den Hinweis beiseite-
geschoben, daß dies die „wirkliche Sachlage" sei, an der auch der Neuhumanismus nichts habe ändern können. Für von Raumer folgt aus dieser allgemeinen Unterscheidung, daß der Umgang mit der deutschen
Sprache und Literatur durchaus verschieden zu sein habe. Bezeichnenderweise beschränkt Raumer, durchaus in Übereinstimmung mit den
Stiehlschen Regulativen, den Deutschunterricht der Volksschulen auf
Lesen und Schreiben, während die Vermittlung von Literatur nicht eigens angesprochen wird. *„Lesen* und *Schreiben,* die alten Elemente der
Volksschule, sind es auch heute noch, und jeder nicht hierauf abzielende
Unterricht in der deutschen Sprache ist der Volksschule verderblich."[63]
Dieser Sprachunterricht schließt zwar die Grammatik ein, da sie hilft,
korrekt zu sprechen und zu schreiben, aber nicht das Erproben des Denkens im Umgang mit der Sprache, wie sie Humboldt vorschwebte. Fast
unverhüllt machte sich hier das klassenspezifische Denken bemerkbar.
„Wir dagegen sind der Meinung, daß man für das Wohl dieser Stände
am besten sorgt, wenn man sie mit solch schalem Abhub von den Tafeln
der Reichen verschont, und sich dafür recht ernstlich bemüht, sie dahin
zu bringen, daß sie die hochdeutschen Bücher lesen können, die für sie
bestimmt sind, und die Dinge einigermaßen zu Papier bringen, die das
Leben von ihnen verlangt."[64] Diese „realistische Einstellung", die vor
übertriebener Bildung warnt, unterstellt einen bestimmten Begriff des
Volkes, ohne ihn ausdrücklich zu erklären. Raumer bezieht sich auf die
Verhältnisse des achtzehnten und frühen neunzehnten Jahrhunderts –
eine vorindustrielle Ordnung mit hierarchischer Gliederung. Das Volk
gilt als naiv, folglich wird jeder Lerninhalt abgewehrt, der diese Naivität
stören könnte. So muß auch eine reflektierte Aneignung von Literatur
entfallen. Den wenigen Bemerkungen Raumers über die Aufgabe des Lesebuchs ist zu entnehmen, daß er sich auf der einen Seite Texte wünscht,
die grundlegende Kenntnisse verbreiten, auf der anderen Seite aber Stük-
ke aufnehmen möchte, welche „den poetischen Sinn im Volke wecken
und erhalten wollen (...)."[65] Die Literatur erscheint hier nicht als Gegenstand der Diskussion, sondern – in Parallele zu den Bibelsprüchen
und Gesangbuchversen – als Mittel der *Erbauung.*

Die Lesebücher der Stiehlschen Epoche

Die für die Volksschulen herausgegebenen Lesebücher der Regulativzeit
entsprechen diesen Vorstellungen weitgehend. Zu den erfolgreichsten
rechnete das von Eduard Bock 1855 in Breslau erschienene *Illustrirte
Volksschullesebuch.* Während der erste Teil die Grundlagen des Lese- und
Schreibunterrichts bietet, enthält der zweite Teil das Material für einen
verbundenen Sach- und Sprechunterricht, d. h. eine Mischung von Poe-

sie und Prosa. „Auch hier sind für Auswahl und Anordnung der Stoffe
der Jahreslauf, insbesondere die kirchlichen Feste und Jahreszeiten, sowie die vaterländischen und kirchlichen Gedenktage maßgebend gewesen."[66]
Eine eigenständige Behandlung der Dichtung ist nicht zu bemerken.
Im dritten Teil des Lesebuchs tritt die Poesie sogar noch stärker zugunsten von religiösen und historischen Stoffen zurück. Als das strengste
dieser konservativen Lesebücher darf das 1857 erschienene Lesebuch von
E. T. Goltzsch angesehen werden.[67] Es steht vornehmlich im Dienst der
religiösen Erziehung und schließt weltliche Literatur, sofern sie sich
nicht auf die vaterländische Geschichte bezieht, ganz aus. Der Zweck ist
für Goltzsch, „eifrige Bibelleser und bibelfeste Christen zu bilden, die
den Inhalt der Bibel und der Kirchenlehre nicht bloß in ihr Vorstellen
und Denken, sondern in ihr Leben und in ihre gesamte Lebensanschauung aufgenommen und damit eine feste Bildungsgrundlage und einen si-
cheren Standpunkt für eine einheitliche Auffassung alles dessen gewonnen haben, was für ihre Lebensaufgabe Wert hat."[68]
Die angeführten Beispiele lassen erkennen, daß die auf die Volksschule zugeschnittene Bildungskonzeption der fünfziger und sechziger Jahre
einen klaren und durchaus bewußten Bruch mit der Tradition der Aufklärung darstellt. So sollte man auch besser nicht von einem operativen
Literaturbegriff sprechen,[69] sondern konkreter von religiösen und moralischen Normen, die die Auswahl und die Darbietung des Materials bestimmen. Sicher ist das Lesebuch auch in der Epoche der Regulative Rea-
lienbuch, d. h. ein Medium, durch das sich das Kind mit der sozialen
Wirklichkeit vertraut machen soll, doch nunmehr gefiltert durch die in
den Regulativen ausgesprochenen christlichen Grundvorstellungen. Es
ist nicht zu übersehen, daß schon seit dem Scheitern der Bildungsreform
die restaurativen Kräfte die Volksschule weitgehend bestimmten und
auch auf die Lesebücher einwirkten. Dadurch daß Staat und Kirche bei
der Aufsicht der Volksschulen zusammenwirkten, blieb der Einfluß der
Konfessionen viel direkter erhalten als in den höheren Schulen. Diese
Tendenz verschärfte sich in den fünfziger und sechziger Jahren, um erst
1872 unter dem Kultusminister Falk einer Auffassung Platz zu machen,
die die Anforderungen der Industriegesellschaft betonte.
Die Differenzierung der Schultypen im neunzehnten Jahrhundert institutionalisierte verschiedene Leitvorstellungen über die Funktion von
Literatur. Fraglich ist es jedoch, ob die Unterschiede auf den Gegensatz
zwischen einer autonomen und einer instrumentellen Auffassung zurückzuführen sind. Die zwischen 1854 und 1872 im Bereich der Volksschule offiziell geltende Konzeption der Literatur ist, wie wir gesehen
haben, nicht so sehr aus der Aufklärung abzuleiten, sondern Teil der
konservativen christlichen Bildungskonzeption Stiehls und seiner Mitar-

beiter. So ist auch auf der anderen Seite der Begriff einer autonomen Literatur nicht durchgehend bindend für den Deutschunterricht der Gymnasien. Die rhetorische Behandlung von literarischen Texten, wie sie bis in die vierziger Jahre üblich war, ist beispielsweise mit dem Begriff ästhetischer Autonomie schwerlich zu vereinbaren. Nur dort, wo die neuhumanistische Bildungstheorie sich voll durchsetzte, steht der Literaturunterricht im Zeichen der Autonomieästhetik. Es wäre jedoch voreilig, diese Konzeption dem Gymnasium des neunzehnten Jahrhunderts pauschal zuzuschreiben. Sie liegt zum Beispiel den Erwägungen Raumers über den Deutschunterricht an Gymnasien nicht zugrunde.

Für Raumer hat das Gymnasium die Aufgabe, bestimmte Berufsgruppen, nämlich den Theologen, den Ärzten und Juristen, eine allgemeine Vorbildung zu vermitteln, an die sich später die Fachbildung anschließt. Insofern diese Gruppe das gebildete literarische Publikum darstellt, übernimmt die Schule gleichzeitig die Funktion, sie in den Umgang mit Dichtung einzuführen. „So weit demnach die Sache nicht dem Leben selbst überlassen werden kann, wird die Schule die Vermittlerin zwischen unsern großen Schriftstellern und den studierenden Ständen sein müssen."[70] Bemerkenswert ist die Verbindung der Argumente: Es ist nicht mehr das bildende Potential von ästhetischen Texten, die sie für die Erziehung wichtig macht, sondern die soziale Funktion der Literatur in der Gesellschaft (Kommunikation), die es nahelegt, die zukünftigen Mitglieder der sozialen Elite im Gebrauch der Literatur einzuüben. Diese pragmatische Einstellung macht sich auch bei der Behandlung der Sprachlehre bemerkbar. Von den Schülern des Gymnasiums wird erwartet, daß sie „von der deutschen Schriftsprache den Gebrauch zu machen wissen, den ihr Beruf von ihnen fordert".[71] Um den Stil zu bilden, empfiehlt Raumer „die Uebersetzung der griechischen und römischen Klassiker ins Deutsche und das Lesen der deutschen Klassiker".[72] Sich an den Klassikern bilden, heißt dann, ihrem Beispiel zu folgen. Von der ästhetischen Funktion der Werke ist bezeichnenderweise nicht mehr die Rede. Im Gegenteil: Raumer warnt sogar vor einer Lektüre, die sich ausschließlich auf die Literarität der Texte einläßt. „Aber die übertriebene Betonung gerade der deutschen Lektüre hängt in der Regel mit jener reflektierenden und zergliedernden Behandlung unsrer deutschen Dichterwerke zusammen, die wir durchaus nicht billigen können."[73]

Was erwartet Raumer vom Deutschunterricht der Gymnasien? Er fordert eine Einführung in die klassischen Werke der neueren deutschen Literatur. Dies geschieht mit der bezeichnenden Begründung, daß auch der Pfarrer oder Jurist auf die Kenntnis Lessings oder Goethes nicht mehr verzichten kann. Daher tritt der Kanon der neueren deutschen Literatur neben den der antiken Literatur. In der Auswahl ist sich Raumer mit Hiecke durchaus einig, nicht dagegen mit dessen Didaktik. Ausdrücklich lehnt er eine Lektüre ab, die den Schüler in die Weltanschauung des Autors einführen will, und auch die formale Behandlung, wie sie an antiken Texten geübt worden war, wird abgewiesen. Das Ziel des Literaturunterrichts definiert Raumer folgendermaßen: „Die Aufgabe der Schule für die neuere deutsche Literatur wird demnach weit mehr in der Ueberlieferung als in der Erklärung bestehen. Die Ueberlieferung der Poesie geschieht aber heute noch, trotz aller neuen Mittel und Aequivalente, wesentlich durch Singen und Sagen."[74] Die Rettung der Poesie vor der mechanischen Zergliederung ist gleichzeitig ihre Absperrung gegenüber der kritischen Reflexion. Für eine kritische Aneignung der kanonisierten Werke bleibt kein Raum, denn Raumer spricht den Schülern die Reife ab, die für eine kritische Betrachtung notwendig wäre. Die Schule ist nach dem Urteil Raumers in erster Linie die „Bewahrerin der sich ansammelnden Schätze", die sie „dem neuen Geschlecht zu überliefern und zu vermitteln" versucht.[75]

Man darf diese Einstellung nicht mit einer operativen gleichsetzen. Es fehlt bei Raumer nicht der Respekt vor der Autorität der Klassiker. Im Gegenteil: diese Autorität darf nicht befragt werden. Raumer geht bei seinen Überlegungen von den konkreten gesellschaftlichen Bedürfnissen aus, auf die er die Schüler vorbereiten will. So besteht die im Umgang mit klassischen literarischen Texten erworbene Bildung zunächst einmal in der Vertrautheit mit Werken, die ein gebildetes Mitglied der Gesellschaft kennen soll. Jenseits dieser pragmatischen Funktion wünscht Raumer die Kultivierung der Schüler durch die Berührung mit den Meisterwerken der deutschen Literatur. Der Deutschunterricht wird unter diesen Voraussetzungen in erster Linie Rezitation, denn „empfängliche Schüler werden nach vollendeter Vorlesung still und schweigend nach Hause gehn, erfüllt von den großen Gestalten und mächtigen Geschicken. Gegen diesen Eindruckgehalten aber sind vereinzelte Dunkelheiten, über die sie sich keine klare Rechenschaft geben können, völlig untergeordnet."[76] Wenn man will, kann man bereits hier und nicht erst 1870 eine Annäherung von Gymnasial- und Volksschulunterricht sehen, muß sich jedoch bewußt bleiben, daß Raumer gleichzeitig nachdrücklich für eine Hierarchisierung der literarischen Bildung eintritt. Die Werke der deutschen Klassiker bleiben dem Gymnasium vorbehalten, da das gemeine Volk nicht in der Lage ist, diese Schriftsteller zu würdigen.

Die Überführung von Literatur in Bildungsgüter, deren Besitz gesellschaftlich qualifiziert – diese für das spätere neunzehnte Jahrhundert so typische Auffassung –, beruht unter anderem auf institutioneller Planung, die sich in Lehrplänen niederschlägt. Was auch immer die Motive für eine bestimmte Auswahl von Autoren und Werken gewesen sein mag, sobald sie festgelegt worden ist und für ein bestimmtes Land oder eine bestimmte Provinz als verbindlich gilt, sobald es also nicht mehr der individuellen Entscheidung von Lehrern und Schülern überlassen bleibt, was und wie sie lesen wollen, versachlicht sich die Beziehung – der Text wird zu einem Gegenstand, den man „durchgenommen" haben muß. Diese Problematik entstand mit der Einführung von normierten Lehrplänen. Bereits in den dreißiger Jahren wurde die Maturitätsprüfung in Preußen endgültig festgelegt[77] und für die Gymnasien ein Normallehrplan ausgearbeitet (1836/7), der die Verteilung der Wochenstunden und damit die Gewichtung der Fächer festlegte. Für das Gymnasium stand, wie nicht anders zu erwarten, der Latein- und Griechischunterricht eindeutig im Zentrum. Und zwar wurde das Übergewicht der Antike gegenüber der deutschen Literatur in den oberen Klassen noch verschärft. Ab der vierten Klasse reduziert sich der Deutschunterricht auf zwei Wochenstunden. Gleichzeitig aber tritt das Griechische neben das Lateinische, so daß sich 16 Stunden für den altsprachlichen Unterricht ergeben. An dieser Stundenverteilung änderte sich nach 1848 relativ wenig. Es blieb bei der Priorität des klassischen Unterrichts, während der Deutschunterricht auf der Unterstufe sogar noch abgebaut wurde. Der Vorschlag der Schulkonferenz von 1849, die Zahl der Deutschstunden im gemeinsamen Untergymnasium beträchtlich heraufzusetzen (6-4-4) und auch im Obergymnasium zu vermehren, setzte sich nicht durch. Stärker berücksichtigt wurde der Deutschunterricht dagegen in den Lehrplänen der 1859 neu geregelten Realschulen. Während der Lateinunterricht sich von acht Wochenstunden in der sechsten Klasse auf drei in der Prima reduzierte, blieb der Deutschunterricht auf der gleichen Höhe – ab Quarta sind es drei Wochenstunden. Noch größeres Gewicht wurde dem Deutschunterricht auf den Bürgerschulen zugewiesen, wo er fast an die Stelle des Lateinunterrichts trat. Die bayerischen und österreichischen Verhältnisse unterschieden sich nicht prinzipiell von den preußischen. Auch hier fand das neue Fach Deutsch zunächst nur bedingt Berücksichtigung. Der österreichische Lehrplan von 1818/19 kannte zum Beispiel keinen selbständigen Deutschunterricht, und in Bayern wurde der Inhalt des Faches Deutsch 1830 unter dem Titel „Theorie der redenden Künste" mit zwei Wochenstunden berücksichtigt.[78]

Sobald sich das Fach Deutsch als Verbindung von Sprach- und Literaturunterricht auf den höheren Schulen durchgesetzt hat – und dies ist abgesehen von Österreich im zweiten Drittel des neunzehnten Jahrhunderts der Fall –, werden durch die normierten Lehrpläne auch die Inhalte festgelegt. Dadurch, daß der Staat die Möglichkeit hat, regulierend einzugreifen, bildet sich ein Kanon von literarischen Texten heraus, den die gebildeten Mitglieder der Gesellschaft teilen, durch den dann in der Folge auch der Umfang literarischer Bildung bestimmt wird. Die Schulpolitik des Nachmärz setzte diese Tendenz nur fort. Die Möglichkeit, verändernd einzugreifen, lag für die Kultusministerien vor allem in der

Reglementierung der Lesebücher und dem Insistieren auf einer bestimmten Didaktik. In dem Maße, wie sich während der Restaurationszeit der institutionalisierte Begriff der Literatur in den verschiedenen Staaten unterschied – am extremsten zwischen Preußen und Österreich –, standen auch die Schulverwaltungen des Nachmärz vor divergierenden Aufgaben und reagierten unterschiedlich. In Österreich war bis 1848 der Zusammenhang mit dem älteren Rhetorikunterricht am weitesten bewahrt, während in Preußen bereits in der Restaurationsepoche der Rhetorikunterricht verkümmerte und durch die Literaturgeschichte ersetzt wurde. Dabei stand vor 1848, wie aus den Hinweisen der ersten ostpreußischen Direktorenkonferenz abzulesen ist, die Literaturgeschichte im Vordergrund, während der Lektüre die Aufgabe zufiel, den Vortrag durch Beispiele zu unterstützen.[79] Der Rhetorikunterricht erreichte schon in den vierziger Jahren in Preußen eine Schwundstufe, so daß sich die nachrevolutionäre preußische Schulpolitik in erster Linie mit der Literaturgeschichte und der Textlektüre auseinandersetzen mußte. In Bayern war wiederum der Deutschunterricht durch die Schulordnung von 1830, die im wesentlichen der Altphilologe Thiersch ausgearbeitet hatte, in eine defensive Position geraten. Thiersch wollte das Fach Deutsch zugunsten des Latein- und Griechischunterrichts ganz streichen – eine Auffassung, mit der er sich freilich nicht durchsetzen konnte. Da Thiersch davon überzeugt war, daß der deutschen Literatur, einschließlich der Weimarer Schriftsteller, klassischer Charakter nicht zugesprochen werden konnte, entfiel auch die Legitimation, durch die Vermittlung der deutschen Literatur den deutschen Stil zu fördern. So fiel in Bayern der deutsche Literaturunterricht nach bedeutenden Anfängen im ersten und zweiten Jahrzehnt auf die Ebene der Rhetorik und Poetiklehre zurück. Erst nach 1854 kam es zu einem Umschwung, da das Ministerium nunmehr ein sorgfältiges Studium der deutschen Literatur vorschrieb.

Der Gesamttendenz nach können wir nach 1850 eine stärkere Berücksichtigung der deutschen Literatur in den deutschen und österreichischen höheren Schulen feststellen, dies gilt in besonderem Maße für den neuen Typus der Realschule und die lateinlosen höheren Bürgerschulen. Der bildende Wert der neueren deutschen Literatur, namentlich der Weimarer Klassiker, gilt pädagogisch als gesichert. Nicht zuletzt unter dem Gesichtspunkt der nationalen Identität wurde die Behandlung der deutschen Literatur dringlicher. Freilich ist aus der stärkeren Berücksichtigung nicht ohne weiteres auf eine qualitative Änderung der Aneignung zu schließen. In dem Maße wie sich das didaktische Konzept änderte, entwickelte sich der nachmärzliche Literaturunterricht entweder zur Aneignung von Fakten und Daten (Literaturgeschichte) oder im Rahmen des Lektüreprogramms zur Einführung in die Autorität kanonisierter Texte. In beiden Fällen wurde aus der Literatur Bildungsgut, das für die

Schüler primär eine kommunikative Funktion hat: Die literarische Bildung ermöglicht die Teilnahme an der gebildeten Konversation. Dies eben ist die Auffassung, die Nietzsche in der ersten und zweiten *Unzeitgemäßen Betrachtung* geißelte – man glaubt, über die Klassiker verfügen zu können. Nietzsche traf eine nicht zu übersehende Tendenz, doch wäre es bedenklich zu unterstellen, daß das neuhumanistische Bildungsziel zwischen 1850 und der Reichsgründung jede Wirkung verloren hätte. Die Tendenz besteht darin, daß der Staat die bestehende literarische Kultur verwaltend reglementiert – durch Richtlinien, Lehrpläne, didaktische Programme, Lektüreanweisungen etc. Der zunehmende staatliche Eingriff widerspricht schließlich – und dies ist der Kern der Nietzscheschen Kritik – dem Bildungsziel selbst.

Im ganzen blieb das Gymnasium auch in Preußen während der Reaktionsjahre auf Grund seiner Tradition relativ geschützt vor direkten politischen Eingriffen. Die staatliche Disziplinierung konzentrierte sich auf die Volksschulen und ihre Lehrer. Die Verwaltung fürchtete das revolutionäre Potential, das sich in den Jahren 1848 und 1849 auf den Lehrerversammlungen gezeigt hatte. Insofern müssen die Regulative Stiehls, wie Jeismann mit Recht hervorgehoben hat,[80] als Teil einer subkutanen Verfassungsrevision angesehen werden. Das Kultusministerium wollte selbst die Zugeständnisse von 1850 noch zurücknehmen. Der Gedanke einer einheitlichen Nationalerziehung durch einen freien Lehrerstand – eine 1848 auf der Lehrerversammlung in Eisenach emphatisch vorgetragene Forderung –, war zweifellos für die konservativen Kräfte eine Bedrohung, auf die man mit der Umgestaltung der Bildungskonzeption reagierte.[81] Programmatisch verkündete Stiehl die Eindämmung der Gefahr durch die christliche Erziehung, für die nicht Mündigkeit, sondern Sündenbewußtsein und Demut das Ziel der Ausbildung darstellen. Daß in diesem Zusammenhang auch der Literaturunterricht auf das beschnitten wurde, was sich durch den Religionsunterricht legitimieren ließ, wurde bereits angemerkt. Über die Privatlektüre der zukünftigen Lehrer heißt es in den Regulativen: „Dagegen findet Aufnahme, was nach Inhalt und Tendenz kirchliches Leben, christliche Sitte, Patriotismus und sinnige Betrachtung der Natur zu fördern, und nach seiner volkstümlich anschaulichen Darstellung in Kopf und Herz des Volkes überzugehen geeignet ist (...).“[82] Folglich sind Matthias Claudius, Johann Peter Hebel und die Brüder Grimm zugelassen, Goethe und Schiller dagegen ausgeschlossen.

Durch die von Stiehl eingeleitete Schulpolitik mußte sich der Abstand zwischen der literarischen Kultur der Volksschule und der des Gymnasiums, der schon vor der Revolution ausgeprägt war, entschieden verstärken. Die für die Volksschule maßgebliche Bildungskonzeption war mit den Zielen des Gymnasiums nicht zu vereinbaren. Damit aber wurde die klassenmäßige Aufteilung der literarischen Bildung, die die Reformer 1809 und die revolutionären Lehrerversammlungen 1848 beseitigen wollten, festgeschrieben. Eine Beteiligung des Volkes am literarischen Leben ist nicht vorgesehen, ja, um es überspitzt auszudrücken, nicht erwünscht, denn die Literarisierung der Massen wird für den konservativen Staat und die gesellschaftlichen Gruppen, die ihn unterstützen, bedrohlich. Der preußische Landadel wollte die Ausbildung der Volksschüler noch stärker reduzieren, als dies im Kultusministerium angestrebt wurde. Innerhalb des Bildungsbürgertums und seiner Intelligenz gab es zweifellos Kräfte, die die staatlichen Bemühungen unterstützten. Die Ansicht des jungen Nietzsche, daß Bildung überhaupt nur für die wenigen in Frage käme, unterstützt wenigstens indirekt die im Kultusministerium ausgearbeiteten Programme. Auf der anderen Seite bekämpften die liberalen Politiker und Pädagogen wie Harkort und Diesterweg die Regulative und setzten sich für eine Integration der Massen in die bürgerliche Bildung ein. Unter Berufung auf den allgemeinen Fortschritt forderte der Industrielle Harkort eine gediegene Ausbildung für die Volksschullehrer in Preußen und verlangte, daß die geistigen Bedürfnisse des Volkes berücksichtigt würden.[83] Als die Regulative 1872 unter Falk außer Kraft gesetzt wurden, fiel die offensichtliche Repression weg, doch keineswegs die Differenzierung der literarischen Bildung. Die neue Schulpolitik machte sich nicht den Gesichtspunkt von Harkort zu eigen, daß der Tagelöhner wie der Fürstensohn den gleichen Anteil an Vernunft empfangen hätten, sondern unterstützte ein Erziehungsprogramm, das die Industrialisierung des Deutschen Reiches fördern sollte. Die politische Motivation wurde unter Falk durch die ökonomische ersetzt, bis diese dann zur Zeit der Sozialistengesetze erneut politischen Gesichtspunkten weichen mußte.[84]

Selbst Stiehl war 1872 bereit einzugestehen, daß seine Schulpolitik angesichts der rapiden Industrialisierung Deutschlands ihre Wirksamkeit und ihre Legitimation verloren hatte. Er schrieb: „Es ist keine Frage, daß in den letzten Dezennien das gewerbliche Leben und die Agrikultur Fortschritte gemacht und die Resultate der Wissenschaft, namentlich der Mathematik und der Naturwissenschaften, derart in ihren Bereich gezogen hat, daß wenigstens die gehobene Elementarschule auf die Beachtung dieser Entwicklung hingewiesen ist, und das Recht hat, auf Lehrer zu reflektieren, welche über die im Regulativ gesteckten Grenzen der realistischen Bildung hinausgehen und, um der realistischen Schulbildung das nöthige ethische Gleichgewicht zu schaffen, event. selbst in fremden Sprachen, weitergehende Fakultäten besitzen."[85] Durch die Falksche Reform der Volksschule – im Rahmen der „Allgemeinen Bestimmungen" vom 15. Oktober 1872 – wurden die Lernziele den veränderten gesellschaftlichen und ökonomischen Bedingungen angepaßt.

Stärker als zuvor wurden vor allem die Realien wie Geschichte und Naturwissenschaften berücksichtigt. Nach wie vor galt freilich der Grundsatz, daß die Bildung der Massen nicht zu einer Situation führen darf, durch die das Grundgefüge der Gesellschaft in Frage gestellt würde. Auch wenn die extreme Reduktion der genehmigten literarischen Texte entfiel, blieb die dem Deutschunterricht zugewiesene Funktion im wesentlichen dieselbe; seine Aufgabe war, Religions- und Geschichtsunterricht, die Loyalität der breiten Bevölkerung zu sichern.[86] Es ist unter diesen Umständen zu vermuten, daß die ideologische Befrachtung des Deutschunterrichts sich eher verstärken mußte, nachdem der Primat der religiösen Instruktion in den siebziger Jahren gefallen war. Die „Allgemeinen Bestimmungen" sprechen davon, „den Kindern Proben von den Hauptwerken der vaterländischen, namentlich der volkstümlichen Dichtung und einige Nachrichten über die Dichter der Nation zu geben".[87] Die schulische Lektüre wurde im Sinne der bestehenden Herrschaftsverhältnisse gesteuert. Der Erlaß vom 1. Mai 1889 betonte zum Beispiel erneut, daß der Deutschunterricht der patriotischen Einstimmung zu dienen habe. Den Schülern sollte vermittelt werden, „welch hohes irdisches Gut sie an ihrer Heimat, ihrem Vaterlande, ihrem Volkstum, ihrem Herrscherhause, an den Ordnungen der Gesellschaft, den Überlieferungen, der Sitte, endlich an ihrer deutschen Muttersprache haben".[88] Im ganzen blieb das Fach Deutsch in den siebziger und achtziger Jahren, wie auch an den „Allgemeinen Bestimmungen" Falks abzulesen ist,[89] in erster Linie eingestellt auf den Lese- und Schreibunterricht. Alles, was über diese fundamentale Literarisierung hinausging, wurde weitgehend als Luxus betrachtet, der in patriotische und religiöse Kanäle zu lenken war. Die Schulpolitik schrieb die Dichotomie der literarischen Bildung bis zum Ende des Kaiserreichs fort. Diese Anstrengungen konnten freilich die Literarisierung der Massen nur zurückdrängen, aber auf die Dauer nicht verhindern.

IX. Das literarische Publikum

Methodische Probleme

Reinhart Wittmann bemerkte 1978, daß eine Sozialgeschichte des literarischen Publikums in Deutschland ein Desideratum darstelle.[1] Diese Feststellung trifft auch heute noch zu. Die von der Literaturwissenschaft gegen die Publikumssoziologie vorgetragenen Einwände haben sich kaum geändert, so daß trotz beträchtlicher Fortschritte der Einzelforschung die Lesergeschichte im ganzen ein Stiefkind der Literaturwissenschaft geblieben ist. Die Vorbehalte lassen sich in zwei Kategorien einteilen: auf der einen Seite unterstellt die traditionelle Germanistik, daß eine sozialgeschichtlich fundierte Lesergeschichte zwar wünschbar wäre, aber mangels verläßlicher empirischer Daten gegenwärtig nicht erreichbar sei, auf der anderen Seite wird denjenigen Forschern, die diese Aufgabe in Angriff genommen haben, entgegengehalten, daß ihre Ergebnisse, ganz abgesehen von ihrer Unvollständigkeit, für die Interpretation und die Bewertung der Literatur irrelevant seien. Gegen die empirische Leserforschung haben sich vor allem zwei Schulen ausgesprochen. Die phänomenologisch orientierte Rezeptionsästhetik hat auf Grund ihres primären Interesses am Text und am impliziten Leser argumentiert, daß Erhebungen über das Leseverhalten bestimmter sozialer Gruppen nichts zur Erschließung des Textes und der literarischen Evolution beizutragen hätten.[2] Ähnlich hat die Kunsttheorie der Frankfurter Schule der empirischen Kunstsoziologie entgegengehalten, daß ihre Ergebnisse am Wesentlichen des Kunstwerks vorbeigingen.[3] Diese negative Einstellung ist auch in der späteren Form, die sich von der ästhetischen Theorie Adornos bereits getrennt hat und statt dessen den Begriff der Institution in den Mittelpunkt rückt, noch zu bemerken. Für Peter Bürger sind Aussagen über die literarischen Verhältnisse, beispielsweise Untersuchungen zum Buchhandel oder zum Theater, vergleichsweise unwichtig.[4] Diese zum Teil berechtigten Einwände haben die Entwicklung einer kritischen historischen Leserforschung entschieden verzögert, vor allem haben sie durch ihre eher pauschale Abwehrbewegung verhindert, daß die vorhandenen Daten und bekannten faktischen Zusammenhänge in die kritische Reflexion über die Evolution der Literatur einbezogen worden sind. Doch weder eine Rezeptionsgeschichte noch eine Geschichte der Institution Literatur kann auf die Ergebnisse der empirisch-historischen Leserforschung verzichten. Man kann mit Recht fragen, ob eine Synthese gegenwärtig schon möglich ist, jedoch sollte man der Aufgabe nicht ausweichen, indem man sie von vornherein als vergeblich oder nutzlos hinstellt.

Um das Erreichbare abzuschätzen, empfiehlt es sich zu fragen, wie eine sozialgeschichtlich fundierte Geschichte des Lesepublikums und des Lesens (beides wäre schon nicht das gleiche) entwickelt werden kann. Die Schwäche vieler empirischer Arbeiten besteht darin, daß sie die Übertragbarkeit ihrer Ergebnisse auf die Literatur als problemlos unterstellen. Wenn die Daten über Buchproduktion, literarischen Unterricht, Leihbibliotheken und Zeitschriften erarbeitet worden sind, dann müsse sich, so wird hier vermutet, ein Gesamtbild der Institution Literatur von selber ergeben. Gegen diese Annahme besteht der Einwand zu Recht, daß ohne theoretische Modelle das Material nicht ausgewertet werden kann. Die grundsätzlichen Fragen der Modellbildung sind nicht zu vertagen.

Ausdrücklich oder implizit sind die meisten sozialgeschichtlichen Untersuchungen davon ausgegangen, daß Klassen oder soziale Gruppen die Basis für die Produktion und Rezeption von Literatur darstellen. Das Entstehen des bürgerlichen Lesepublikums im achtzehnten Jahrhundert ist in vieler Hinsicht der Musterfall der Lesergeschichte geblieben. Eine aufsteigende gesellschaftliche Klasse, so wird hier behauptet, hat neue kulturelle Bedürfnisse, die sich gleichermaßen in der Produktion wie der Konsumtion niederschlagen. So stellt sich eine mehr oder weniger genaue Korrelation zwischen dem Entstehen einer sozialen Klasse und veränderten Formen der literarischen Rezeption her.[5] Das feststellbare Leseverhalten, d.h. die Präferenzen, Motivationen etc., werden dann entsprechend als „bürgerlich" angesehen und gegen die feudalen Zustände abgegrenzt. Schon für das ausgehende achtzehnte Jahrhundert bedarf es beträchtlicher Anstrengungen, um dieses zunächst einleuchtende Modell aufrechtzuerhalten (Trennung eines elitären Publikums von dem allgemeinen). Für das neunzehnte Jahrhundert ergeben sich zusätzliche Schwierigkeiten, wenn man zwischen den erkennbaren Klassen und Schichten auf der einen Seite und dem Lektüreverhalten auf der anderen eindeutige Beziehungen herstellen möchte. Denn nachweisbar ist die Lektüre einer bestimmten gesellschaftlichen Gruppe meist divers und nicht auf bestimmte Gattungen und Textsorten festzulegen; und umgekehrt sind bestimmte literarische Formen nicht notwendig einer einzelnen sozialen Schicht oder Gruppe zuzurechnen. Die häufig unterstellte Symmetrie zwischen sozialer Struktur und Leseverhalten ist eine problematische generelle Prämisse. Ob eine bestimmte Klasse eindeutige literarische Präferenzen hat, die sich in der Produktion und Konsumtion von bestimmten Textsorten niederschlägt, wäre jeweils erst nachzuweisen, nicht jedoch vorauszusetzen.

Es ist wahrscheinlich ergebnisreicher, nicht von einer vorgegebenen sozialen Stratifikation (Adel, Bürgertum, Proletariat) auszugehen, sondern von der Institution Literatur, die auf der einen Seite bestimmt, welche Textsorten zugelassen sind und welchen Rang sie haben, und die auf der anderen Seite die Normen und Konventionen für die Rezeption und damit auch den Kreis der legitimen Rezipienten determiniert. Der methodische Weg führt dann vom normierten und habitualisierten Leseverhalten zu den erkennbaren sozialen Gruppen. Freilich dürfen wir nicht vergessen, daß das System der literarischen Formen seinerseits geprägt wird durch die spezifischen Erfahrungen und Bedürfnisse der sozialen Gruppen und Klassen. Das Hervortreten neuer Gattungen und Formen, das Aufsteigen und Versinken von Schreibweisen reflektiert solche Bedürfnisse, die dann innerhalb des literarischen Formensystems artikuliert werden. Bei dieser Betrachtungsweise hat die Literatur nicht nur eine Funktion für die einzelnen Leser und Lesergruppen, sondern diese haben auch eine erkennbare Funktion für die Literatur. Dort, wo identische oder ähnliche Textsorten angeeignet werden, entstehen Rezipientengruppen, die freilich nicht notwendig mit der Gruppenbildung für andere soziale und kulturelle Praktiken übereinstimmen müssen. Lesergruppierungen brauchen mit anderen Worten nicht notwendig mit gesellschaftlichen identisch zu sein. Verschiedene Klassen können an einer Gattung interessiert sein (z. B. dem Kriminalroman), dieselbe Klasse verschiedene Arten von Literatur rezipieren. Im Unterschied zu einem dialogischen Modell, wie es auch der Rezeptionsästhetik noch unterliegt, gehen wir davon aus, daß die Praxis des Lesens auf zwei Ebenen gesellschaftlich vorgeprägt ist – einmal durch die allgemeinen literarischen Produktionsbedingungen und ferner durch die eingeschliffenen Rezeptionshaltungen. Demnach wäre der Akt des Lesens nicht primär eine individuelle Erfahrung, so daß sich die literarische Einstellung einer Gruppe oder Klasse als die Summe von Einzelerfahrungen beschreiben ließe, sondern eine gesellschaftlich vermittelte Erfahrung, die im Einzelfall jeweils differenziert wird.

Unter diesen Voraussetzungen verändert sich das Ziel der Untersuchung. Während bisher erkennbare soziale Gruppen oder Klassen hervorgehoben wurden, um ihren Umgang mit Literatur (Selektion der Texte, Form der Aneignung, Bewertung etc.) zu beschreiben, liegt uns mehr daran zu zeigen, daß sich im Zusammenhang mit der Veränderung der literarischen Produktionsbedingungen die Lektüre und die literarische Erfahrung im allgemeinen wandelt und dadurch, wenn auch unterschiedlich, die Erfahrung einzelner Klassen und Gruppen betroffen wird. Die Veränderungen innerhalb der Institution Literatur wirken auf die Erfahrungen der sozialen Gruppen wie auch der Individuen ein. An einem Beispiel sei dies erläutert: Die Anfänge der „Kulturindustrie" machen sich zwischen 1850 und der Reichsgründung bemerkbar – qualitative Veränderungen, die sich in der Herstellung, der Struktur und der Aneignung der Texte ausdrücken. Solange der Blick gebannt bleibt auf die Stratifikation der Leserschichten wird dieser strukturelle Wandel unerkannt bleiben, beziehungsweise wird er nur auf der Ebene der Gruppenerfahrung reflektiert. Es wäre jedoch notwendig, die allgemeine Form der Veränderung zu erkennen, bevor sie auf der Ebene der Einzel- oder Gruppenerfahrung untersucht wird. Es wird sich dann herausstellen, daß die Ansätze zu einer neuen kulturellen und literarischen Formation sich keineswegs gleichmäßig auswirken, vielmehr von verschiedenen Klassen oder Gruppen unterschiedlich verarbeitet werden. Um wiederum ein Beispiel zu geben: Der Kolportageroman, der in hohen Auflagen verbreitet wurde, nutzte die neuen Produktionsbedingungen radikal aus, doch dieser Typus wandte sich vornehmlich, wenn nicht ausschließlich an die sozialen Unterschichten. Der Kolportageroman erreichte die Mittelschicht nicht, doch vollzogen sich in der literarischen Erfahrung dieser Gruppe durch das Aufkommen der Familienzeitschriften ähnliche Veränderungen. Strukturell gleichen sich die Wandlungen: der Charakter der Lektüre veränderte sich, die Fortsetzung wurde zu einem habituierlichen Bedürfnis, das dann wieder auf die Herstellung von Texten zurückwirkte, die diesem Bedürfnis entgegenkamen.

Um generelle, allen sozialen Schichten gemeinsame Lektürerfahrungen diachronisch zu differenzieren, hat Rolf Engelsing vorgeschlagen, intensive Wiederholungslektüre und extensive Lektüre, die der Unterhaltung und Bildung dient, zu unterscheiden.[6] Den evolutionären Umbruch verlegt Engelsing in das achtzehnte Jahrhundert. In dieser Periode löst sich zunächst die Oberschicht und dann, angeregt durch die Lesegesellschaften und Moralischen Wochenschriften, das breitere bürgerliche Publikum von dem älteren, durch die Kirche bestimmten und eingeübten Umgang mit religiösen Texten. An der Stelle einer kleinen Zahl von kanonischen Büchern, die wiederholt gelesen werden, tritt eine prinzipiell unabgeschlossene Reihe von literarischen Werken, die den Erfahrungshorizont ihrer Leser permanent verändern. Es entsteht eine Situation, in der Texte wie andere auf dem Markt angebotene Produkte veralten können und folglich durch andere Werke ersetzt werden müssen.

Engelsings Unterscheidung kann als ein erster Ansatz zu einer historisch ausgefalteten Theorie der literarischen Erfahrung angesehen werden. Freilich hebt sie nur ein Merkmal hervor und berücksichtigt überdies die Ungleichzeitigkeit des Gleichzeitigen nicht genügend. Durch die Entstehung der extensiven Lektüre wird die intensive Wiederholungslektüre nicht notwendig verdrängt. Einmal bleibt sie die funktionsgebundene Form der Lektüre im religiösen wie im wissenschaftlichen Bereich, und zum anderen gibt es noch im neunzehnten Jahrhundert soziale

Gruppen wie die Bauern und Handwerker, die sich auf eine kleine Zahl von Texten beschränken. Bedeutsam wird die Kategorie der extensiven Lektüre für die Beschreibung des generellen Leseverhaltens nach 1850, denn im späteren neunzehnten Jahrhundert scheint sie nicht nur in bürgerlichen Lesergruppen, sondern auch in bäuerlichen und proletarischen Gruppen die vorherrschende Form zu werden. Überdies wird die extensive Rezeption von Texten im Zuge der Verwissenschaftlichung der Gesellschaft auch für andere als den belletristischen Bereich die vorherrschende Form des Lesens. Für den positivistischen Wissenschaftsbegriff, der sich nach 1850 durchsetzt, ist der wissenschaftliche Diskurs offen. Folglich ist auch der Umgang mit wissenschaftlichen Schriften ein andauernder Prozeß, in dem der Leser sich jeweils auf den neuesten Informationsstand bringen muß.

Obgleich die intensive Lektüre auch im ausgehenden neunzehnten Jahrhundert in besonderen Bereichen (Religion) selbstverständlich bleibt, wird man annehmen dürfen, daß die extensive Lektüre überwiegt. Die kulturkonservative Polemik gegen das Feuilleton als Anreiz zur oberflächlichen Lektüre, wie wir sie bei Karl Kraus finden, bezog sich auf diese veränderte Situation. Die Klagen der Kritik über den massenhaften literarischen Konsum, der sich zum Zwecke der Unterhaltung fortwährend neue Stoffe aneignet, attestierten die Veränderungen der Lesegewohnheiten – Wandlungen, die nunmehr noch über die bekannte Form extensiver Lektüre hinausgingen. Die Einwände gegen die Vielleserei gehen ja zurück bis in das späte achtzehnte Jahrhundert; in der zweiten Hälfte des neunzehnten Jahrhunderts zeichnete sich jedoch ein neues Phänomen ab: eine notwendige Differenzierung der Lektüre für alle an der Literatur beteiligten Leser. Im Zusammenhang mit der Vermehrung der auf dem Markt erscheinenden Bücher, vor allem aber infolge der Zunahme der Zeitungen und Zeitschriften, wird die Vermittlung der Information so umgestaltet, daß die Fähigkeit des flüchtigen Lesens unerläßlich wird, um die Übersicht zu behalten. Die extensive Lektüre wird dem einzelnen Leser von der Institution Literatur aufgezwungen, will er sich an der Kommunikation noch umfassend beteiligen. Doch gerade diese Verbreitung und Verflachung des Lesens provoziert den Ruf nach erneuter intensiver Lektüre. Gegenüber den kanonisierten literarischen Texten (Klassiker) wird das intensive Lesen vorgeschrieben. Die Kontemplation als eine quasi-religiöse Form der Aneignung, die für die spätbürgerliche Ästhetik kennzeichnend ist, also die Rückkehr zu einer intensiven Lektüre, veranschaulicht die Widersprüche des institutionalisierten Lesens im ausgehenden neunzehnten Jahrhundert. Es genügt nicht mehr, Lesertypen zu unterscheiden, beispielsweise den Romankonsumenten auf der einen Seite und den Leser klassischer Texte auf der anderen, vielmehr ist zu betonen, daß individuelle Leser und Lesergruppen an verschiedenen Formen des Rezipierens teilhaben und natürlich auch darüber informiert sind, wie diese Formen zu bewerten sind. Das Verhalten zu einem literarischen Text ist ja nicht angeboren, sondern kulturell erworben, d. h. durch die Institution Literatur vermittelt. Die Geschichte des Literaturunterrichts im neunzehnten Jahrhundert verzeichnet, wie die Erzieher sich die ideale Form der Lektüre jeweils vorstellten und wie entsprechend Normen und Postulate für die Lektüre aufgestellt wurden.[7] Diesen Entwürfen ist zwar nicht zu entnehmen, wie sich die Leser wirklich verhielten, aber sie verweisen auf das Bestehen von Normen, durch die die Lektüre reguliert wurde.

Die literarische Erfahrung

Eine Beschreibung, die nicht von den sozialen Klassen und Gruppen, sondern von der Institution Literatur ausgeht, kann verschiedene Ansätze verfolgen. Sie kann entweder mit dem Erwartungshorizont der Gattungen und Textsorten beginnen und danach fragen, welche Aufgabe der Leser leisten muß, um bestimmte Arten von Texten zu verstehen, oder sie kann mit der Strukturierung des Lesens anfangen, die durch kulturelle Institutionen vorgenommen wird. Während der erste Ansatz die Validität des kulturellen Systems schon voraussetzt und folglich relativ eng bleibt, erlaubt der zweite, auf einer breiteren Basis Leseerfahrungen zu bestimmen und abzugrenzen. So ist die Lesefähigkeit als die allgemeinste Voraussetzung für die Teilnahme an der literarischen Kommunikation zu untersuchen, bevor man sich besonderen Bereichen zuwendet.

Die von Engelsing vorgelegten Daten zum Analphabetismus deuten darauf hin, daß zu Beginn des neunzehnten Jahrhunderts die Mehrheit der Bevölkerung infolge ihrer Unfähigkeit zu lesen von der schriftlich fixierten Literatur ausgeschlossen war.[8] Durch die vermehrte Einrichtung von Volksschulen und weiterführenden Bildungsanstalten veränderte sich die Situation im Laufe des neunzehnten Jahrhunderts relativ schnell. Nach der preußischen Statistik gab es unter den 1863 ausgehobenen Rekruten noch 6,1%, die nicht lesen konnten. Zehn Jahre später waren es noch 4,6%, und 1880 zählte man noch 2,3% Analphabeten unter den Rekruten.[9] Überdies ist zu bedenken, daß der Analphabetismus regional sehr verschieden war, nicht nur zwischen städtischen und ländlichen Gebieten, sondern auch zwischen verschiedenen Teilen des Reichs. Auch wenn man davon ausgeht, daß um 1850 der überwiegende Teil der erwachsenen Bevölkerung in der Lage war, einen schriftlichen Text zu lesen, wäre es voreilig, die Fähigkeit mit der Teilnahme an der Literatur gleichzusetzen. In vielen Fällen führte die Schulbildung nicht weiter als bis zur Beherrschung einfacher, fibelartiger Texte. Rudolf Schenda hat mit Recht vor den Berichten über die lesenden Bauern und Arbeiter aus dem achtzehnten und neunzehnten Jahrhundert gewarnt; diese Erzählungen drückten vor allem die Wünsche der liberalen Intelligenz aus, die eine lesende Nation zu sehen wünschte. Schenda faßt die Ergebnisse seiner Untersuchungen folgendermaßen zusammen: Man darf vermuten, „daß in Mitteleuropa um 1770: 15%, um 1800: 25%, um 1830: 40%, um 1870: 75% und um 1900: 90% der Bevölkerung über sechs Jahre als potentielle Leser in Frage kommen."[10] Schenda spricht hier von potentiellen Lesern und nicht von nachweisbaren Literaturrezipienten. In der Tat läßt sich unschwer zeigen, daß der Kreis derjenigen, die literarisch interessiert waren, merklich enger, und daß die Zahl derer, die am literarischen Leben intensiver teilnahmen, erheblich kleiner war. Die Statistiken über die Lesefähigkeit haben für die Geschichte der literarischen Erfahrung im wesentlichen eine negative Funktion: sie erlauben uns, diejenigen Segmente der Bevölkerung auszugrenzen, die von vornherein nicht in Betracht kommen. Will man dagegen das literarische Publikum der Jahrzehnte zwischen 1850 und 1870 erschließen, wird man sich dem Bildungssystem zuwenden müssen.

Befragt man die Statistiken über den Schulbesuch sowie die Quellen zur Organisation der Schulen und der Lehrpläne, muß man sich erneut verdeutlichen, daß man über die Voraussetzungen des literarischen Publikums, aber nicht über dieses selber spricht. Auf Grund der vorhandenen Daten können wir wenigstens die Umrisse des literarischen Publikums beschreiben. Die vertikale Versäulung des Bildungssystems (Einteilung in Volks-, Bürger- und Realschulen sowie Gymnasien), die sich in Deutschland im neunzehnten Jahrhundert durchsetzte, wirkte sich direkt wie indirekt auf die Strukturierung des Lesepublikums aus. Die unterschiedliche Zielsetzung der Schulen, die von ihrer gesellschaftlichen und nicht ihrer pädagogischen Funktion bestimmt wurde, prägte unverkennbar auch die Weise, in der literarische Texte an die Schüler herangetragen wurden. Während die öffentlichen Elementarschulen im frühen neunzehnten Jahrhundert noch weitgehend mit der Alphabetisierung der Bevölkerung beschäftigt waren und auch nach der Revolution von 1848 die zu benutzenden literarischen Texte im Sinne einer religiösen Erziehung auswählten, wurde der deutsche Literaturunterricht während des neunzehnten Jahrhunderts ein wesentlicher Bestandteil der Lehrpläne der Gymnasien und der Realschulen. Da die Beschäftigung mit der antiken und deutschen Literatur durch gemeinsame wie private Lektüre auf dem Gymnasium einen wichtigen Bestandteil des Curriculums ausmachte, wurden hier die bildungsmäßigen Voraussetzungen für die Zugehörigkeit zum literarischen Publikum vermittelt. Der Besuch des Gymnasiums oder mindestens der Realschule war in Deutschland die Bedingung für die Teilnahme am literarischen Leben. Nicht so sehr der Besitz als die Bildung entschied über den Status des Lesers. Da aber das Ausmaß der formalen Bildung mit sozialen Privilegien verbunden war, war die Frage der literarischen Erziehung zugleich eine Frage der gesellschaftlichen Klassifizierung. Bildung und gesellschaftliche Stellung blieben, wie Hansjoachim Henning erneut dargelegt hat, eng verbunden. Das Bildungsbürgertum bildete sich als eine selbständige Schicht heraus, die vom Wirtschaftsbürgertum getrennt blieb. „Es hatte seinen Kristallisationskern in den akademisch gebildeten Beamten, integrierte dann die selbständigen Akademiker und bahnte schließlich erste Kontakte zur Teilgruppe der „Gebildeten" in der nicht-akademisch gebildeten Beamtenschaft an. Seinen sozialen Schwerpunkt hatte es im Großbürgertum, war gegenüber dem Adel scharf abgegrenzt und bildete zum Kleinbürgertum hin einen Grenzsaum, der bis zu der durch die Gymnasialbildung gezogenen Linie ausschwang."[11] Das literarische Publikum des mittleren neunzehnten Jahrhunderts rekrutierte sich in Deutschland noch weitgehend aus gesellschaftlichen Gruppen, die über eine Gymnasialbildung verfügten.

Das Schulsystem entschied weitgehend darüber, ob jemand den Umgang mit der Literatur lernte oder nicht. Im neunzehnten Jahrhundert ist das Gymnasium die entscheidende Bildungsinstitution, die die Beziehung zu literarischen Texten einübt, und zwar, wie man hervorheben muß, nicht ausschließlich zu ästhetischen Texten, sondern auf Grund eines weitgefaßten Literaturbegriffs auch zu theoretischen und praktischen Diskursen. Das literarische Publikum gruppierte sich um die Anstalten der höheren Bildung. Erst nach 1870 löste sich diese Bindung langsam. Gegen diese Einschätzung könnte eingewandt werden, daß schon seit den vierziger Jahren von der Literaturkritik eine populäre Literatur gefordert wurde, die das Ghetto der Gebildeten verlassen sollte, um ein breites Publikum zu gewinnen. Doch muß man sich vor Augen halten, daß diese Diskussion innerhalb einer bildungsmäßig abgegrenzten literarischen Öffentlichkeit ausgetragen wurde und die Forderungen der Literaten keineswegs die tatsächlichen Verhältnisse widerspiegelten. Die liberalen Kritiker wie Robert Prutz wünschten die Beteiligung der breiten Bevölkerung an der Literatur, sie möchten eine neue Lesergruppe schaffen, aber sie waren sich darüber im klaren, daß die Massen nicht die Voraussetzungen mitbrachten, um die klassisch-romantische Tradition zu verstehen. Die Forderung nach einer volkstümlichen Literatur muß verstanden werden als ein Versuch der literarischen Intelligenz, die sich innerhalb der literarischen Öffentlichkeit zeigenden Spannungen und Konflikte aufzulösen. Dabei blieben die Massen freilich noch in erster Linie das Objekt des Interesses.

Die prägende Kraft des Gymnasiums, die sich auch noch auf die Realschulen auswirkte, bestimmte nicht nur die Gestalt der Literarisierung,

sondern gleichermaßen den Umfang des gebildeten Publikums. Mit
Recht wäre dieses Publikum als bürgerlich anzusprechen, nur muß man
sich verdeutlichen, daß nicht alle Gruppen der bürgerlichen Klasse beteiligt waren. An den Daten über den Schulbesuch ist abzulesen, daß die
Zahl derjenigen, die die Voraussetzungen zur Teilnahme am literarischen Leben mitbrachten, begrenzt blieb. In Preußen besuchten 1864
2 994 939 Schüler die öffentlichen Schulen. Davon entfielen auf die höheren Schulen nicht mehr als 78 718, d. h. 2,62%. Nimmt man die Mittelschulen noch hinzu, handelt es sich um 169 617 Schüler, also 5,66%. Weniger als sechs Prozent der Schüler erhalten eine Bildung, die sie
befähigt, die Werke zu lesen, die zu diesem Zeitpunkt den klassischen
Kanon der deutschen Literatur ausmachen. Legen wir strengere Maßstäbe an, reduziert sich der Anteil der gebildeten Leser auf weniger als drei
Prozent. Im Jahr der Reichsgründung hatten sich die Verhältnisse nicht
wesentlich verändert: 119 641 Schüler, d. h. 2,97%, besuchten höhere
Lehranstalten im Vergleich mit 3 900 655 Volksschülern. Auch 1878 lag
der Anteil der höheren Schüler nicht wesentlich über drei Prozent.[12] Diese kleine Gruppe stellt den Kern des gebildeten Publikums dar und aus
ihm rekrutierten sich insbesondere die Rollenträger der Institution Literatur, die Schriftsteller, Kritiker, Bibliothekare, Verleger etc.

Die Erhebungen über die Zusammensetzung der Schüler an höheren
Schulen im ausgehenden neunzehnten Jahrhundert geben gleichzeitig
Aufschluß über die Zusammensetzung des literarischen Publikums. Die
von Hartmut Titze ermittelten Daten über die soziale Herkunft der höheren Schüler in Barmen für das Jahr 1905, also für eine spätere Epoche,
unterstreichen noch einmal, wie geschlossen der Kreis derjenigen war,
die ihre Kinder auf die höhere Schule schicken konnten, und wie gering
die Chancen der Kinder aus den unteren Schichten waren, eine angemessene literarische Vorbildung zu erwerben.[13] Im Gymnasium waren
die Kinder der freiberuflichen und der beamteten Akademiker mit 19,1%
stark vertreten, übertroffen nur noch durch die Gruppe der Fabrikanten
und Großunternehmer, die in der Industriestadt Barmen mit 30,8% den
Ton angab. Bemerkenswert ist, daß die kleinbürgerlichen Gruppen wie
die Handwerker, Einzelhändler und Volksschullehrer zu diesem Zeitpunkt schon relativ stark vertreten sind, nämlich mit 40,1% (Realgymnasium und Gymnasium). Davon entfielen auf das traditionelle Gymnasium nur noch 13,1%. Nicht alle der genannten Gruppen zeigten die
gleiche Vorliebe für das Gymnasium. Während das akademisch gebildete
Bürgertum das Realgymnasium und die Oberrealschule offenbar für die
weniger geeignete Schule hielt (7,2% und 3,6%) und auch die führenden
Kräfte in der Wirtschaft dem Gymnasium den Vorzug gaben (30,8% gegen 25,4% und 23,6%), entschied sich das Kleinbürgertum überwiegend
für einen Bildungsgang, der die Realien stärker berücksichtigte (28% und

35%). Das für die literarische Bildung entscheidende Gymnasium, so ist
an dieser Verteilung abzulesen, wurde stark frequentiert von der Gruppe
der akademisch Gebildeten, mögen sie nun als Anwälte, Ärzte oder
Staatsdiener tätig gewesen sein. In diesem Zusammenhang muß man sich
vor Augen halten, daß im neunzehnten Jahrhundert das Gymnasium eindeutig der führende Schultypus war. Noch 1885 erhielten mehr als 85%
der Abiturienten ihr Zeugnis von einem Gymnasium.[14] Die Schüler des
Gymnasiums hatten, wie Fritz K. Ringer mit Recht unterstrichen hat, zu
einem hohen Grade Väter, die ebenfalls das Gymnasium besucht hatten.[15] In Württemberg waren es in den vierziger Jahren fast sechzig Prozent, noch in den Jahren zwischen 1873 und 1877 hatte sich dieser Anteil
nicht wesentlich verändert. In der zweiten Hälfte des neunzehnten Jahrhunderts rekrutierte sich die gebildete Elite, also der Kreis, der gleichzeitig den Kern des literarischen Publikums ausmacht, weitgehend aus sich
selbst.

Diese Einschätzung bedarf freilich im Hinblick auf die Zusammensetzung des literarischen Publikums gewisser Modifikationen. Nach 1850
kann man die gebildete Elite nicht mehr unbedingt mit dem literarischen
Publikum gleichsetzen. In den zwei Jahrzehnten vor der Reichsgründung veränderte sich die Situation einmal durch die steigende Alphabetisierung der Massen und ferner durch die Wandlungen des Buchmarkts,
nämlich die erhöhte Zeitschriftenproduktion. Sobald die alphabetisierten
Massen zu permanenten Lesern wurden, entstand ein Markt, der unver-
gleichlich bessere Profitchancen bot. Die allgemeine Tendenz ging in
diese Richtung: Die elementare Literarisierung der breiten Bevölkerung
wurde durch eine Massenproduktion gefördert, die vor allem Zeitungen,
Zeitschriften und Lieferungsromane billig anbieten konnte. In den zwei
Jahrzehnten vor der Reichsgründung zeichnet sich diese Entwicklung
freilich nur in Ansätzen ab. Erst in den siebziger Jahren setzte sich der für
die proletarischen Schichten geschriebene Kolportageroman in Deutschland durch. In den fünfziger und sechziger Jahren waren es kleinbürgerliche Gruppen, sowohl Handwerker als auch Teile des neuen Mittelstandes (Angestellte), die als Leser in das literarische Publikum einbezogen
wurden. Indiz dafür sind die Familienzeitschriften vom Typus der *Gartenlaube,* die sich seit den fünfziger Jahren rasch ausbreiteten und bald
Auflagen erreichten, die weit über den Kreis der gebildeten Elite hinausgingen.[16] Die *Gartenlaube* allein konnte schon in den späten sechziger
Jahren mit einer Million Leser rechnen.

Die Familienzeitschriften richteten sich nicht vornehmlich an die gebildete Elite des Bürgertums. Zwischen diese Elite und die breiten Massen, die nur über eine Volksschulbildung verfügten, schob sich eine größere Schicht von Lesern, deren soziale Zusammensetzung bisher nur
unzulänglich erschlossen worden ist. Ihre Existenz ist durch die Aufla-

genzahlen der Familienzeitschriften und die Romanzeitungen gesichert, auch ihre literarischen Interessen lassen sich auf Grund des Angebots in den Familienzeitschriften ziemlich genau ausmachen. Die erschließbaren Bedürfnisse liegen im Bereich der Information und der Unterhaltung. Die Familienzeitschriften setzten mehr als elementare Lesefähigkeit voraus, aber sie erwarteten von ihren Lesern sicher nicht, daß sie mit den Grundbegriffen der Ästhetik oder dem System der Rhetorik vertraut waren, die das Gymnasium seinen Schülern vermittelte. Angesprochen wurden Leser mit einer erweiterten Bildung, die auf einer Realschule oder einer technischen Fortbildungsanstalt erworben worden war. Auch das Untergymnasium mag für manche dieser Leser die Ausbildungsstätte gewesen sein. Wir haben es hier vermutlich mit einer Gruppe zu tun, die nicht die Universität besucht hat, in praktischen Berufen tätig war, aber genug Freizeit hatte für die Lektüre und ökonomisch stark genug für den Erwerb von Lesematerial war.

Ökonomische Bedingungen

Geht man von der Institution Literatur aus und fragt sich, wer im neunzehnten Jahrhundert zu ihr Zugang hat, so bleibt die formale Bildung die wichtigste Schranke. Daneben dürfen freilich die ökonomischen Faktoren nicht vergessen oder unterschätzt werden. Es ist in diesem Zusammenhang nicht unsere Aufgabe, die Evolution der Buchproduktion im einzelnen zu verfolgen. Nur die Haupttendenzen müssen wir charakterisieren, um die Folgen für die Entwicklung des literarischen Publikums anzudeuten. Die Industrialisierung des Buchhandels, die freilich schon vor 1848 einsetzte, nutzte technische Erfindungen und Neuerungen (Schnellpresse, billige Papierherstellung), um die Buch- und Zeitschriftenproduktion zu erweitern und gleichzeitig zu standardisieren. Geschäftstüchtige Verleger beschränkten sich nicht mehr darauf, einen bekannten Bedarf zu decken, sie versuchten vielmehr, durch verbilligte Massenauflagen neue Käuferschichten zu gewinnen. Dieses Verfahren beschränkte sich in der Restaurationsepoche freilich im wesentlichen auf Lexika und Klassikerausgaben, die unter Umgehung des regulären Buchhandels durch Kolporteure vertrieben wurden. Die belletristische Produktion wurde davon kaum berührt; sie wurde auch in den fünfziger und sechziger Jahren im allgemeinen noch nach dem bekannten Bedarf hergestellt. Die Auflagen waren klein und die Bücher entsprechend teuer, denn die Verleger gingen davon aus, daß die Mehrzahl der Leser nicht in der Lage war, sich regelmäßig Bücher zu kaufen. Die Auflage eines Romans wurde vielmehr danach berechnet, wieviele Exemplare der Verleger an die Leihbibliotheken glaubte absetzen zu können.

An dem durch die Industrielle Revolution ausgelösten Boom hatte der Buchhandel keinen Anteil, im Gegenteil, er befand sich, wie an den rückläufigen Produktionsziffern abzulesen ist, seit den vierziger Jahren in einer Krise.[17] Diese Ungleichzeitigkeit ist möglicherweise dadurch zu erklären, daß die Industrialisierung des Buchhandels bereits zwanzig Jahre früher erfolgte als in anderen Bereichen, doch konnte die mögliche Erweiterung des Marktes nicht realisiert werden, da die Alphabetisierung der Massen nicht genügend fortgeschritten war. Folglich fehlten die Abnehmer für die Produktion. Diese Kluft hat sich – trotz der konservativen Schulpolitik des Nachmärz – vermutlich in den sechziger Jahren langsam geschlossen. Dafür spricht, daß die Reallöhne in diesem Jahrzehnt stiegen und die Zahl der Analphabeten signifikant abnahm.

Aus der Perspektive der Leser war im Nachmärz nicht der Buchhändler, sondern die Leihbibliothek der wichtigste Vermittler von Literatur, denn Bücher – und das gilt besonders für die Schöne Literatur – waren für die Mehrheit der Bevölkerung zu teuer. Nicht einmal das Einkommen des mittleren Bürgertums, geschweige denn die Löhne der proletarischen Massen, war groß genug, um regelmäßige Bücherkäufe zu ermöglichen. Das durchschnittliche Jahreseinkommen der Arbeiter deckte nur die elementaren Bedürfnisse und ließ keinen Raum für Buchanschaffungen. Bei einem durchschnittlichen Jahresverdienst von 493 Mark im Jahr 1871 und einem durchschnittlichen Preis von drei bis vier Mark für einen Roman war nicht damit zu rechnen, daß die Arbeiter Bücher kauften.[18] Die Gehälter der preußischen Unterbeamten (Botenmeister, Hauswächter 540–900 Mark, Schutzmänner 700 Mark) lagen noch unterhalb der Erwerbsgrenze. Das gleiche gilt für die Mehrheit der handwerklichen Arbeiter (Gesellen) und für die in der Industrie beschäftigten Arbeiter. Auch die Angestellten waren in der Regel nicht besser gestellt und daher vom Buchkauf weitgehend ausgeschlossen. Im Jahr 1860 verdiente ein Zeichner bei Siemens & Halske 264 Taler und ein Werkmeister 475 Taler. Erst der Buchhalter, der 700 Taler erhielt, und der Prokurist, der über 2000 Taler verfügte, konnten sich regelmäßiger Bücher anschaffen.[19] Noch nach 1900 blieben den Arbeitern nach den notwendigen Ausgaben für Nahrung, Wohnung, Kleidung und Heizung nicht mehr als 15% für andere Bedürfnisse.[20] Bemerkenswert ist, daß zu diesem Zeitpunkt der freie Betrag für Lehrer bei 25,8% und für mittlere Beamte bei 26% liegt. Das heißt, daß sich ihre Lage sowohl relativ als auch absolut im Vergleich mit der Situation von 1850 gebessert hat. Die Kaufkraft ihres Einkommens war gestiegen und damit die Gelegenheit für den Buchkauf.

Für die Jahrzehnte zwischen der Revolution und der Reichsgründung bleibt die Feststellung Schendas gültig, daß sich die unteren Schichten Bücher und, wie man hinzufügen muß, Zeitschriften nicht leisten können. Der Erwerb von Lesematerial bleibt beschränkt auf die billigen

Massendrucke: Kalender, Heftchen und Pamphlete. Für diejenigen, die höhere Gehälter bezogen wie die mittleren Beamten und die leitenden Angestellten veränderte sich freilich die Situation schon in den fünfziger Jahren dadurch, daß aggressive Verleger den Versuch machten, aus dem Kreis der kleinen Auflagen, hohen Preise und der Abhängigkeit von den Leihbibliotheken auszubrechen. Sie gründeten belletristische Reihen oder Romanzeitschriften. Zu erwähnen sind die *Deutsche Bibliothek* des Carl Meidinger Verlages und das *Album. Bibliothek deutscher Originalromane.* Während Meidingers Rechnung, der eine Auflage von zehntausend bei einem Preis von 1 Taler, 5 Ngr. auf den Markt bringen wollte, nicht aufging, konnte sich das *Album* durchsetzen, weil der Verleger bei der Distribution vor allem an die Leihbibliotheken dachte, über die das Publikum im allgemeinen seine Romane bezogen hatte. Der entscheidende Durchbruch, der die Lesegewohnheiten des Lesepublikums ändern sollte, erfolgte jedoch im Bereich der Zeitschriftenproduktion. Die neuen und ungewöhnlich erfolgreichen Familienzeitschriften druckten Romane und Erzählungen ab und sorgten damit für eine durch den traditionellen Buchhandel nicht mögliche Verbreitung.[21] Der literarische Erfolg der Marlitt ging im wesentlichen zurück auf die Vorabdrucke ihrer Romane in der *Gartenlaube.*

Die unsichere Lage der Autoren, die nach der Revolution zu spüren bekamen, daß die Institution Literatur ingesamt an Bedeutung verloren hatte, war darauf zurückzuführen, daß sich das Distributionssystem der Literatur derartig wandelte, daß die eingeschliffenen literarischen Verkehrsformen weitgehend untergraben wurden. Die Natur dieser Veränderungen ist erst bekannt, seitdem sich die Buchforschung eingehender mit dem Schicksal der Leihbibliotheken beschäftigt hat.[22] Der Wandel läßt sich folgendermaßen knapp zusammenfassen: Während zwischen 1800 und 1850 die Belletristik vornehmlich durch die Leihbibliotheken an das Publikum herangetragen wurde, verloren diese Bibliotheken in der zweiten Hälfte des Jahrhunderts langsam ihre Bedeutung als Vermittler, bis sie um 1920 ihre einst mächtige Position eingebüßt hatten. An ihre Stelle traten nach 1850 langsam die neuen Massenmedien, nämlich die Zeitungen und Zeitschriften, die auf Grund ihrer hohen Auflagen nunmehr in der Lage waren, ein massenhaftes Lesepublikum zu erreichen.

Wir dürfen freilich nicht dabei stehenbleiben, diesen Wandel zu konstatieren, sondern müssen uns fragen, wodurch er ausgelöst wurde. Der Kontext der Veränderung ist die um 1850 sich in Deutschland beschleunigende Industrielle Revolution. Beim Abschluß ihrer ersten Phase, um 1873, hat sich auch das literarische Distributionssystem deutlich umgestaltet. Der erste Schub der Industrialisierung ging Hand in Hand mit einer beträchtlichen Verlagerung der Bevölkerung, einmal durch Migration von ländlichen in städtische Gegenden, zum anderen durch Wanderung von einer Provinz in die andere (Fernwanderung).[23] Die Konzentration in Städten und industriellen Ballungsgebieten erhöhte im ganzen die Chance der Bevölkerung, mit Literatur in Berührung zu kommen, selbst wenn sich ihre ökonomische Lage nicht wesentlich verbesserte. Die Urbanisierung Deutschlands intensivierte die literarische Kommunikation. Solange die ländliche Bevölkerung auf den durchziehenden Kolporteur angewiesen war, um ihr Lesematerial zu erwerben, war sie an die literarische Öffentlichkeit kaum angeschlossen. Diese hatte sich in kommerziellen und höfischen Zentren konstituiert und verbreitete sich bis in die kleinen Städte, deren Lesegesellschaften und Leihbibliotheken als Vermittler fungierten. Tendenziell wurden die Massen durch die Industrielle Revolution in die Öffentlichkeit integriert, auch wenn sie dadurch nicht sogleich zu Lesern wurden. Die Nähe zu kommerziellen und öffentlichen Bibliotheken, die Nähe zu Cafes und Wirtschaften, in denen Zeitungen auslagen, erhöhte die Gelegenheit zur Lektüre. Wie begrenzt die Vorbildung der breiten Bevölkerung auch gewesen sein mag, diese kam nunmehr mit den verschiedenen literarischen Institutionen regelmäßiger in Kontakt. Dadurch entstand ein ökonomischer Anreiz, diese potentiellen Leser auch zu Käufern zu machen. Eine der erfolgreichsten Gattungen sollte der Kolportageroman werden, der seit den siebziger Jahren in großen Auflagen eine breite Schicht von neuen Lesern erreichte.

Die Umstrukturierung des literarischen Marktes zerfällt in zwei Phasen: die erste reicht von der Revolution von 1848 bis zur Reichsgründung, die zweite beginnt in den siebziger Jahren, nachdem das Industrieproletariat sich als Klasse konsolidiert hat. Während die erste Phase vor allem durch die Auflösung der überlieferten Distributions- und Konsumtionsformen charakterisiert war, wurde die neue Struktur erst nach 1870 deutlich erkennbar. Erst im Kaiserreich bildeten sich die neuen Massenmedien heraus, die ein heterogenes Publikum informieren und unterhalten konnten. Die Ausnahme bildeten freilich die schon in den fünfziger Jahren aufblühenden Familienzeitschriften, die offensichtlich ein massenhaftes Publikum gewinnen konnten.

Die Umstrukturierung betrifft indes nicht nur die Ausweitung des Publikums, der Wandel betrifft im gleichen Maße, wenn auch für die Betroffenen nicht unbedingt sichtbar, die bereits vorhandenen Leserschichten. Durch die neuen Massenmedien wurden auch die Lesegewohnheiten des bürgerlichen Lesepublikums signifikant verändert. Zeugnis dieses Wandels ist die Krise der Leihbibliotheken, die sich seit den sechziger Jahren deutlich abzeichnete, so daß es zu einer öffentlichen Diskussion kam.

Die Leihbibliotheken

Die bedeutendsten Leihbibliotheken in den Hauptstädten oder auch in den großen kommerziellen Zentren wie Hamburg und Leipzig wurden keineswegs nur, wie oft vermutet worden ist, von einer sozialen Gruppe, etwa dem Mittelstand, benutzt. Die Oberschicht gehörte durchaus zum Publikum dieser Institutionen. Zu den Kunden des Literaturinstituts von Last in Wien zählten zahlreiche Aristokraten, unter ihnen die Kaiserin Elisabeth. Das gleiche gilt für die Kundschaft des Borstell'schen Lesezirkels in Berlin, der das Offizierkorps der Berliner und Potsdamer Regimenter zu seinen Lesern zählte.[24] Daß der Mittelstand seine Lektüre weitgehend aus den Leihbibliotheken bezog, ist vielfach bezeugt. In welchem Maße die Leihbibliotheken auch die ökonomisch Schwächeren bedienten, wäre zu fragen. Die *Allgemeine Evangelisch-Lutherische Kirchenzeitung* bemerkte 1883: „In etwas höheren Schichten findet die Leihbibliothek ihr Publikum. Schüler und Studenten, Kommis, Schauspieler und Sängerinnen, Lehrerinnen und Geheimraths-Familien möchten neben alten Jungfern, kleinen Rentiers und Advokatenschreibern die besten Kunden dieser Institute sein."[25] Obgleich diese Beschreibung der Kundschaft soziologisch unscharf ist, so gibt sie uns doch einen Eindruck von der Zusammensetzung. Nach der Einschätzung dieses zeitgenössischen Beobachters gehörten vor allem kleinbürgerliche Gruppen und der gebildete Mittelstand zu den Benutzern, während das Industrieproletariat nicht erwähnt wird. Dieses Urteil unterschätzt einmal den Anteil der Oberschicht und berücksichtigt nicht genügend, daß sich die Leihbibliotheken auf Grund ihrer Buchbestände und ihres Leserstamms erheblich unterschieden. Georg Jäger und Jörg Schönert haben anhand empirischer Daten drei Typen vorgestellt: erstens Institute, die sich vornehmlich an ein gebildetes Publikum wenden, welches sich im breitesten Sinne literarisch informieren will, zweitens Bibliotheken, die vor allem Leser bedienen, die sich durch spannende Literatur unterhalten wollen, und drittens Unternehmen, die veraltete Sensationsliteratur wie Ritter- und Schauerromane bereit halten. Diese Spezialisierung des Angebots enthält gleichzeitig eine Spezialisierung auf bestimmte Kundenschichten. Es ist vor allem der dritte Typus, die Winkelbibliothek, die die unteren sozialen Schichten, gelegentlich auch das Proletariat, bedienten.

Obgleich die Zahl der Leihbibliotheken sich in der zweiten Hälfte des neunzehnten Jahrhunderts zunächst noch vermehrte, geriet die Institution in eine bedrohliche Krise.[26] Die kommerziellen Bibliotheken gerieten infolge der belletristischen Überproduktion, die sie nicht mehr zu absorbieren vermochten, und der sich vermehrenden Periodika in Bedrängnis. Die durch die Industrielle Revolution ausgelöste Veränderung des literarischen Marktes führte dazu, daß die Leihbibliotheken langsam aus ihrer zentralen Stellung als Vermittler der Literatur verdrängt wurden. Diese Position hatten sie im frühen neunzehnten Jahrhundert erworben, als das Publikum noch zu klein war, um Massenauflagen zu veranstalten. Sobald das Lesepublikum sich verbreiterte, mußte sich die Buchproduktion früher oder später auf diese Situation einstellen. Die Verleger versuchten, die Leser ohne die Hilfe der Leihbibliotheken zu gewinnen. Diese Vorstöße wurden von einer öffentlichen Kampagne gegen die kommerziellen Büchereien begleitet. Ihnen wurde vorgeworfen, deutsche Autoren durch die Bevorzugung billiger ausländischer Übersetzungen zu schädigen. Als ein weiteres Argument wurde angeführt, daß der wiederholte Verleih der Bücher die Gesundheit der Kunden schädigte.

Die Leihbibliotheken reagierten auf diese Angriffe, indem sie sich spezialisierten. Die führenden kapitalreichen Institute trachteten vor allem danach, sich durch eine betont seriöse Auswahl ihrer Bücher gegen das Vorurteil des Billigen und Verderblichen zu wehren. Die kleinen Bibliotheken dagegen, die nicht über bedeutende Mittel verfügten, hatten einen schweren Stand. Da sie sich nicht durch Neuanschaffungen profilieren konnten, sanken sie in der Folge mehr und mehr ab. Daß die großen Bibliotheken wie Last und Borstell sich am besten zu halten vermochten, deutet darauf hin, daß sich auch in der zweiten Hälfte des neunzehnten Jahrhunderts das gebildete Publikum als eine erkennbare Lesergruppe zu behaupten vermochte. Das Fernbachsche Journal beschrieb 1855 die Erwartungen dieser Gruppe: „In einer solchen Bibliothek dürfen also auch neben den anerkannten Romanschriftstellern einige gute Reisebeschreibungen, Biographien, Gedichte, historische und andere ernstere schönwissenschaftliche Werke, besonders Memoiren-Literatur, nicht fehlen ..."27 Eine solche Bibliothek wandte sich an eine ausgewählte Kundschaft. Lasts Institut in Wien hatte 1876 2077 Abonnenten, also einen nur sehr geringen Prozentsatz der Wiener Bevölkerung. Nicht mehr als vier- bis fünftausend Leser frequentierten nach einer Schätzung von Last in Wien gute Leihbibliotheken, d. h. nicht mehr als 1% der Bevölkerung. Noch 1886 schätzte der gleiche Unternehmer die Zahl der Kunden auf ein bis zwei Prozent der Bevölkerung ein.28

Solange die kommerziellen Bibliotheken die führenden Vermittler zwischen Literatur und Publikum waren, und das gilt auch noch für die fünfziger und sechziger Jahre, sind ihre Bestandskataloge gute Indikatoren für die Interessen des Lesepublikums. Erneut ist zu betonen, daß diese Interessen nicht ohne weiteres schichtenspezifisch zu differenzieren sind. Bestimmte Romangattungen zum Beispiel erfreuten sich allgemeiner Beliebtheit und wurden sowohl von der Aristokratie als auch von Bedienten, Handwerkern und Subalternbeamten gelesen. Eine schichtenspezifische Differenzierung wird erst möglich, wenn der Kundenkreis soziologisch bestimmbar wird. So ergeben die Daten für die Wiener Leihbibliothek von E. Last für das Jahr 1876 einen Einblick in die Lektürepräferenzen des gebildeten adeligen, großbürgerlichen und mittelständischen Publikums. Auffallend ist der hohe Anteil an Romanen. Berücksichtigt man nicht nur die deutschen, sondern auch die englischen und französischen Romane, so erhalten wir 85,4% im Vergleich zu 0,67% Dramen und 0,38% Lyrik. Neben der Belletristik nehmen sich die Anteile der allgemeinen und wissenschaftlichen Spezialliteratur bescheiden aus. Das Interesse an Philosophie liegt bei 0,77%, das an Reiseliteratur bei 2,59%, um nur zwei Beispiele zu geben.[29] Diese Zahlen legen nahe, daß das gebildete Wiener Lesepublikum seinen Bedarf an Romanlektüre weitgehend durch die Leihbibliotheken befriedigte. Nur bedingt wäre freilich daraus zu schließen, daß dieses Publikum in erster Linie Romane las. Zu berücksichtigen ist erstens die Möglichkeit des Buchkaufs und zweitens die Benutzung von Fachliteratur, die entweder käuflich erworben wurde oder aus anderen Bibliotheken (Universitätsbibliotheken) entliehen wurde.

Die Vorherrschaft der Belletristik im Angebot der Leihbibliotheken, besonders die der Romane, war allgemein verbreitet. Diese Tendenz zeichnete sich bereits in der Restaurationsepoche ab. Die Bibliotheken verzichteten weitgehend auf ihre frühere aufklärerische Funktion. „Sie werden zu Vermittlungszentren der belletristischen Produktion, die durchschnittlich ¾ ihrer Bestände ausmacht."[30] Die Vermittlungsfunktion konzentrierte sich seit den zwanziger Jahren auf die schöne Literatur, wenn auch keineswegs, wie die Gegner der Leihbibliotheken immer wieder behaupteten, auf die minderwertige.[31] Dieser Vorwurf traf am ehesten auf die kleinen Winkelbibliotheken zu, die die aus der Mode geratene Unterhaltungsliteratur anbot. An den Beständen der führenden Institute dagegen ist abzulesen, daß das Angebot Autoren wie Raabe, Keller, Freytag und Auerbach einschloß. Mit Recht haben Jäger und Schönert vor einfachen Zuordnungen gewarnt: „Es gehört zu den wichtigen Ergebnissen der neueren Forschung zu Leihbibliotheken und Lesegesellschaften, daß zwischen den Institutionen, ihren Beständen und ihrem Publikum keine einfachen Zuordnungen im Sinne von ‚großes Sozialprestige, anspruchsvolle Literatur, hoher sozialer Status' auf der einen und ‚geringes Sozialprestige, Unterhaltungsliteratur, niederer sozialer Status' auf der anderen Seite hergestellt werden können."[32] Das Bedürfnis nach Unterhaltung zeigt sich nicht nur bei der Kundschaft der kleinen Bibliotheken, sondern auch bei dem Publikum der führenden Institute, und es umfaßt sowohl Autoren, die später kanonisiert worden sind (Fontane, Raabe, Keller) als auch solche, die heute als zweitrangig oder trivial gelten (Auerbach, Freytag, Marlitt).[33]

Die proletarischen Leser

Trotz sinkender Bücherpreise und sinkender Kosten für ein Bibliotheks-
abonnement waren die proletarischen Massen auch nach 1850 nicht in
der Lage, die Gebühren für die Benutzung der kommerziellen Bibliotheken aufzubringen. Welche anderen Möglichkeiten gab es für sie, den Zugang zur Literatur zu finden? Die Kritiker der Leihbibliotheken hatten
ins Feld geführt, daß diese die Leselust auf die falsche Weise förderten.
Daher forderte man die Einrichtung von allgemein zugänglichen Volksbibliotheken.[34] Das Lesepublikum, an das man dachte, war freilich noch
in erster Linie ein bürgerliches. Ihm wollten die Reformer eine gesunde
Literatur zugänglich machen. Im ganzen blieben die Erfolge der Bibliotheksbewegung vor 1890 sehr bescheiden. Nichts spricht dafür, daß
durch die Einrichtung von öffentlichen Bibliotheken die Masse der Bevölkerung erreicht wurde. Die lesenden Massen blieben in erster Linie
angewiesen auf den Kolporteur, denn dieser begibt sich dorthin, wo seine potentiellen Kunden zu finden sind: auf die Dörfer, in die Fabriken
und die Mietskasernen.

Spricht man von dem lesenden Proletariat, ist es wichtig, sich seine
Zusammensetzung zu verdeutlichen. Dies gilt natürlich besonders für die
erste Generation, also die vierziger und fünfziger Jahre, aber auch noch
für die letzten Jahrzehnte des Jahrhunderts. Paul Göhre hat dies in seiner
Beschreibung der Lebensgewohnheiten der Fabrikarbeiter klar herausgestellt. In *Drei Monate Fabrikarbeiter* (1891) unterscheidet Göhre drei
Bevölkerungsgruppen: „Die Arbeiter unsrer Fabrik setzten sich deutlich
aus drei Bevölkerungsgruppen zusammen: aus ehemaligen ländlichen
Arbeitern, Knechten, Tagelöhnern und Häuslern, die teils aus ihrem heimatlichen Dorfe verzogen waren, teils von ihm aus täglich zur Fabrik kamen; aus eigentlichen großstädtischen Industriearbeitern, die ganz
selbstverständlich schon von Kindesbeinen an für die Fabrikarbeit bestimmt gewesen waren, und deren Großeltern, wenigstens aber Eltern
ebenfalls schon ihr Brod und ihren Lebensberuf in der Fabrik gefunden
hatten, und endlich aus Angehörigen kleiner Handwerker- und Beam-
tenfamilien, die meist aus kleinen oder mittelgroßen Provinzialstädten,
seltener aus einer Großstadt zu uns herein gekommen waren."[35] Obgleich diese Gruppen infolge der gleichen Arbeitsbedingungen in der Fabrik einander stark angeglichen waren, bemerkte Göhre, daß sie sich in
ihrer Bildung sowie in ihrer ideologischen Einstellung noch deutlich unterschieden. War die Differenz zwischen der ländlichen Bevölkerung,
den Handwerkern und dem Proletariat im engeren Sinne um 1890 noch
bemerkbar, wieviel ausgeprägter muß sie um 1850 gewesen sein, als sich
das Proletariat in den neuen industriellen Ballungsräumen konstituierte.

Göhre führte die Unterschiede auf die verschiedenen Schularten zurück, die die Kinder durchlaufen hatten. Bis in die neunziger Jahre hinein blieb die Dorfschule geprägt durch die „biblische Bildung", d.h. die Dominanz der religiösen Erziehung, die sich auf alle anderen Fächer auswirkte. „Der Geist und der Ton, der in jenen (Religionsstunden, P.U.H.) herrscht, wird weniger in ausdrücklichen Worten und mit bewußter Lehrtendenz als durch die Persönlichkeit und die Haltung des Lehrers und durch die ganze Art seines Unterrichtens auch in die übrigen Lehrstunden hineingetragen und gilt jedenfalls vor allem in den Augen der Kinder als derselbe hier wie dort."³⁶ In der dörflichen Lebensgemeinschaft gibt es, wie Göhre folgert, keine andere als die religiöse Bildung, denn die einzigen kulturellen Autoritäten sind der Lehrer und der Pfarrer. Sie kontrollieren sowohl die möglichen Fragen als auch die zulässigen Antworten für die fundamentalen Lebensprobleme. Daher blieb der in die Fabrik gewanderte Häusler oder Knecht wesentlich geprägt durch eine theologische Weltdeutung. Die Einstellung, die sich auf die Bibel und das Gesangbuch berief, erwies sich in der neuen Umgebung in der Regel als Hindernis für die Emanzipation und führte nicht selten zu einer Krise, die mit dem Zusammenbruch des christlichen Weltbildes enden mußte. Es scheint, daß Göhre hier das Problem mit Absicht zuspitzte, um die Gefahren des proletarischen Milieus zu zeigen – schließlich war er Pfarrer und Seelsorger. Andere Quellen (Autobiographien) deuten eher darauf hin, daß die überlieferte religiöse Erziehung sich durchaus mit anderen Elementen, etwa der sozialistischen Lehre, verbinden konnte.

Mit Recht schreibt Göhre den Lehrplänen der Bürgerschulen, die von den Kindern der Handwerker und der kleinen Beamten besucht wurden, größere Unabhängigkeit gegenüber der Religion zu. Der Religionsunterricht ist hier nur ein Gegenstand unter anderen. Die Erziehung zielt auf den Erwerb von Wissen, das später im Beruf angewandt werden kann. Insofern der Schüler in der Bürgerschule schon auf die industrielle Welt vorbereitet wird, vermindert sich, Göhre zufolge, der Konflikt zwischen Schulerfahrung und späterer Berufserfahrung. Während die Bürgerschule ihre Aufgabe halbwegs erfüllte, beurteilte Göhre die Leistungsfähigkeit der städtischen Gemeindeschulen im wesentlichen negativ. Die Wissensvermittlung geht im allgemeinen nicht über das hinaus, was die Dorfschule bieten kann, aber im Unterschied zu dieser offeriert sie keine in sich geschlossene Bildung. Es bestehen keine Traditionen, an denen sich das proletarische Kind orientieren kann. „Der Gegensatz aller Stätigkeit, ein fortwährendes unruhiges Hin-und-Herfluten, der das Leben dieser Menschen zu keinem gleichmäßigen Gange kommen läßt, ist das maßgebende Gesetz, dem sie unterworfen sind; die Macht des Augenblicks ist an die Stelle der alten kraftvollen Sitte getreten."³⁷ Diese Verherrlichung der alten Sitte zeigt deutlich die Grenze in Göhres Verständnis des Proletariats, seinen Wunsch, für die sozial Entwurzelten einen religiösen Rückhalt zu finden.

Gleichwohl ist bemerkenswert, daß Göhre gerade dieser dritten Gruppe, dem städtischen Proletariat, einen starken Bildungstrieb zuschreibt. Da es niemals mehr als eine oberflächliche Erziehung erhalten hat, sucht es nach Bildung. „Dieser Bildungstrieb nun sitzt tief als eine elementare Macht in vielen Köpfen und Herzen dieser dritten Gruppe von Arbeitern unserer Fabrik. Er trat täglich und überall dem Beobachter entgegen und kam in immer neuen kleinen Einzelzügen, in Worten und Wünschen, in Fragen und Seufzern, zu bald klarerem, bald unklarerem, bald ernsthaftem und schmerzlichem, bald komischem und heitern Ausdruck (. . .)."[38] Dieses Urteil dürfte die wirklichen Verhältnisse idealisieren, aber es wird bis zu einem gewissen Grade durch die empirischen Erhebungen des frühen zwanzigsten Jahrhunderts bestätigt. Von der Mehrheit der befragten Arbeiter wurde in der Tat Muße für die Fortbildung als ein wesentliches Ziel angegeben. Im Unterschied zu den ländlichen Schichten war sich das Industrieproletariat seines Defizits im Vergleich mit der bürgerlichen Klasse durchaus bewußt.

Göhres Beschreibung läßt sich auf die Verhältnisse in der Mitte des neunzehnten Jahrhunderts anwenden, besonders seine Differenzierung des Bildungshintergrundes, nur müssen wir uns vergegenwärtigen, daß die Distanz des Proletariats zur bürgerlichen Öffentlichkeit beträchtlich größer war. Der Kreis derer, die ein Bildungsinteresse artikulieren konnten, war noch kleiner; für die Masse der Bevölkerung wurde der Zugang zur Literatur durch die Restriktionen des Bildungssystems erschwert. Die Lehrpläne der Volksschulen beschränkten die Art der zu lesenden Texte (vor allem moralische und religiöse Geschichten und Gedichte) und förderten in erster Linie die Indoktrination von religiösen Werten, durch die die Schüler zu lenkbaren Untertanen herangebildet werden sollten. Emanzipation durch Literatur, wie sie das Bürgertum im achtzehnten Jahrhundert formuliert hatte, war nicht vorgesehen, im Gegenteil, der Literaturunterricht sollte dazu beitragen, derartige Tendenzen zu verhindern.

In den frühen Autobiographien von Arbeitern wird fast regelmäßig betont, wie sehr das proletarische Milieu den Zugang zur Literatur erschwerte. Oft konnte nicht einmal das bescheidene Angebot der Volksschulen genutzt werden, weil die Kinder durch die Eltern von der Schule ferngehalten wurden. Das gilt im besonderen Maße für zwei Gruppen: für das ländliche Proletariat und die Kinder von Industriearbeitern.[39] Da die Löhne gering waren, mußten die Kinder mitverdienen und wurden häufig aus der Schule genommen. Daß dies für die Entwicklung der Kinder ein Nachteil war, wurde den Eltern in der Regel nicht deutlich, da sie die gleichen Nachteile hatten hinnehmen müssen. So berichtet Wenzel Holek, daß er aus der Schule genommen wurde, wenn seine Mutter ihn für andere Aufgaben benötigte: „Die Mutter verstand von alldem, was die Schule betraf, nichts, und blieb höchst gleichgültig. Ihr lag nichts daran, ob man in der Schule was lernte oder nicht."[40] In diesem Milieu galt der Grundsatz, daß das Lernen für den Lebenskampf keinen Wert habe. Diese Einstellung übertrug sich auf das Verhältnis zur Literatur: Was außerhalb des anerkannten und durch Kirche und Staat legitimierten Bereichs lag, hatte keinen verpflichtenden Wert. Gleichwohl spielte die Literatur im Leben dieser Menschen eine Rolle. Über die mündliche Vermittlung nahm Holek an der literarischen Tradition teil. Die gleiche Mutter, die dem Knaben den Schulbesuch verwehrte, erwies sich als begabte und spannende Erzählerin von Räuber- und Geistergeschichten, die sie selber gehört hatte. Schwieriger dagegen, vor allem im dörflichen Milieu, blieb der Zugang zu gedruckten Texten. Die schriftlich fixierte Literatur gehörte zu einer Welt, die für die meisten Mitglieder dieser sozialen Gruppe nur schattenhaft sichtbar wurde. Die in den Arbeitermemoiren vorgelegten Schilderungen beschrieben schon eine atypische Situation, da die Autoren zu der kleinen Zahl der Arbeiter gehören, die die Distanz zur Institution Literatur trotz aller Schwierigkeiten überwunden hatten.

Das dörfliche Milieu bot den Kindern der Unterschicht wenig literarische Anregungen außerhalb der mündlichen Überlieferung. Die wenigen vorhandenen Bücher befanden sich in der Bibliothek des Pfarrers und des Lehrers. Im Vergleich mit dieser Situation war die Lage der städtischen Arbeiter und kleinen Handwerker günstiger, auch wenn ihre materielle Position nicht besser sein mochte. Es bestand ein literarisches Distributionssystem, durch das die Institution Literatur jeder Zeit erkennbar war. In der Form von Bibliotheken, Lesegesellschaften, Zeitungen und Zeitschriften war die literarische Öffentlichkeit sichtbar. An den Autobiographien ist abzulesen, daß die Mitglieder des städtischen Proletariats eher mit der Literatur in Kontakt kamen als die ländlichen Massen. Adelheid Popp (geb. 1869) berichtet aus ihrer Kindheit, daß sie mit zwölf Jahren in die Lehre gegeben wurde und folglich nicht mehr die Schule besuchen konnte. Trotz der langen Arbeitszeit blieb das Interesse am Lesen erhalten. „Ich las wahllos, was ich in die Hände bekommen konnte, was mir Bekannte liehen, die auch nicht zwischen Passendem und Unpassendem unterschieden und was ich im Antiquariat der Vorstadt, für eine Leihgebühr von zwei Kreuzer, die ich mir vom Munde absparte, erhalten konnte."[41] Die Auswahl ist bezeichnend: „Indianergeschichten, Kolportageromane, Familienblätter, alles schleppte ich nach Hause. Neben Räuberromanen, die mich besonders fesselten, interessierte ich mich lebhaft für die Geschicke unglücklicher Königinnen."[42]

Diese Interessen spiegeln den Bestand der kleinen Vorstadtbibliotheken, in denen sich die aus der Mode gekommene Literatur früherer Generationen ansammelte. So las Adelheid Popp Paul de Kocks Romane, die in den fünziger Jahren die bevorzugte Unterhaltungslektüre des gebildeten Publikums gewesen waren. Diese Vertrautheit mit Leihbibliotheken erlaubte Popp, sich schrittweise auch Autoren zu erobern, die zum klassischen Kanon der deutschen Literatur gehörten. Mit sechzehn Jahren las sie Lenaus Gedichte, Wielands *Oberon,* Chamissos *Löwenbraut,* wenige Jahre später sogar Goethes Romane und Dramen.

Es ist in der soziologischen Forschung üblich geworden zu betonen, daß ein solches Beispiel atypisch sei, denn die Mehrzahl der städtischen Proletarier nahm nicht am literarischen Leben teil.[43] Doch auch der atypische Einzelfall hat Aussagekraft. Er zeigt den Weg an, auf dem eine soziale Gruppe, nachdem sie alphabetisiert worden ist, den Zugang zur Literatur findet. Bezeichnend ist, daß Adelheid Popp ihre Lektüreerfahrung sogleich weitergab – als Erzählerin vermittelte sie zwischen den Büchern und den nichtlesenden Proletariern, die noch in einer mündlichen Kultur verharrten. Noch in anderer Hinsicht erwies sich die wahllose belletristische Lektüre als Vorbereitung: Die gewonnene Vertrautheit mit literarischen Texten war für Adelheid Popp der erste Schritt auf dem Wege zur Beschäftigung mit den Schriften des Sozialismus. Von einem Kollegen ihrer Brüder wurde sie in die sozialdemokratische Literatur eingeführt. „Von diesem Arbeiter erhielt ich das erste sozialdemokratische Parteiblatt. Er kaufte es nicht regelmäßig, sondern nur wenn er gerade dazu kam, wie dies leider so viele machen. Ich aber bat ihn jetzt, jede Woche die Zeitung zu bringen und wurde selbst ständige Käuferin. Die theoretischen Abhandlungen konnte ich nicht sofort verstehen, was aber über die Leiden der Arbeiterschaft geschrieben wurde, das verstand und begriff ich und daran lernte ich erst mein eigenes Schicksal verstehen und beurteilen."[44]

Eine ähnliche Entwicklung finden wir bei Moritz Bromme, der ebenfalls in einer kleineren Stadt aufwuchs. Als Heftausleger für einen Kolportagebuchhändler machte er die erste Bekanntschaft mit dem Serienroman. Für Karl Mays *Fürsten des Elends* warb er fünfzig Abonnenten. Es wird freilich nicht ganz deutlich, ob er die Hefte nur verkaufte oder auch las. Da er die Bürgerschule besuchen konnte, erhielt er eine bessere Allgemeinbildung als Adelheid Popp, was sich auch in seiner Lektüre niederschlug. Er war bemüht, sich weiterzubilden und übernahm dabei auch die Wertungen der bürgerlichen Pädagogen. Während er die Kolportageromane als Schundliteratur bezeichnete, las er die Lebensbeschreibung des englischen Generals Gordon.[45] Als er sich der Arbeiterbewegung näherte – durch einen sozialdemokratischen Vater vorbereitet –, verlagerte sich auch das Schwergewicht seiner Lektüre. An die Seite der Romane traten jetzt Darwins Theorie und Bebels *Frau und der Sozialismus.* Bromme vertritt am deutlichsten den Typus des bildungsbedürftigen Arbeiters, wie ihn Göhre beschrieb. Gegen Ende des Jahrhunderts hat sich die formale Bildung, die materielle Lage und auch das Selbstbewußtsein der Arbeiter so verbessert, daß Bromme seinen Anspruch auf Bildung formulieren konnte: „Der moderne Arbeiter aber verlangt mehr. Er fordert wenigstens, teilzunehmen an den Genüssen des Lebens. Er will sich weiter bilden. Mir waren von der Schulzeit her die Bücher besonders lieb und wert, und ich habe heute noch fast sämtliche Bücher von den drei letzten Schuljahren. Ich wollte stets mehr wissen."[46] Dieses Interesse wurde jedoch von seiner Frau nicht geteilt, ihr erschienen Bücher als nutzloser Luxus. Das Streben nach weiterer Bildung beschränkte sich auf die in Partei und Gewerkschaften organisierte Elite der Arbeitschaft, während die Masse das proletarische Schicksal als etwas Unveränderliches ansah, das weder durch Bildung noch durch politische Organisationen zu verändern war.

Die genannten Beispiele erläuterten die Situation des Proletariats im Kaiserreich, in dem es bereits eine organisierte Arbeiterbewegung gab, welche auch die kulturellen Bedürfnisse und Interessen ihrer Mitglieder artikulieren konnte. Mit Recht hat Peter Lundgreen darauf hingewiesen, daß sich die Bildungsmöglichkeiten des Proletariats, besonders die Teilnahme am öffentlichen Leben, 1870 signifikant änderten.[47] Er hebt die positiven Aspekte der Periode zwischen 1849 und 1870 hervor, nämlich das Bündnis zwischen Liberalismus und Arbeiterbewegung, und unterstreicht die negativen Aspekte des Kaiserreichs, nämlich die systematische Ausschließung der Arbeiterschaft durch die Politik Bismarcks. Unter dem Gesichtspunkt potentieller literarischer Erfahrung für das Proletariat wird man diese Bewertung freilich eher umkehren müssen. Das Schulwesen der Reaktionszeit war besonders wenig interessiert an einer Verbesserung der literarischen Bildung. Ferner bedeutete die Zerschlagung der Organisationen der Arbeiterbewegung in den fünfziger Jahren einen Rückschritt, der erst in den siebziger Jahren überwunden war. Nicht nur die politische Tradition, sondern auch die kulturelle Überlieferung wurde weitgehend unterbrochen. Für den jungen Bebel waren, wie er in seinen Erinnerungen anmerkt, die Namen der großen sozialistischen Führer der vierziger Jahre kaum noch erinnerlich.[48] Sobald selbständige politische Organisationen in den sechziger Jahren wieder aufgebaut werden konnten, wurden auch die kulturellen Ansprüche der Arbeiterklasse als Teil des politischen Programms erneut artikuliert. Trotz der Politik Bismarcks, die in der Tat darauf hinauslief, die Arbeiter als staatsfeindlich zu denunzieren, verstärkte und verbreitete sich der proletarische Anteil am literarischen Leben, und zwar nicht nur im Rahmen der Parteiorganisationen, sondern ebenfalls unter den nichtorganisierten Massen des Proletariats. Ihre Literarisierung war langfristig nicht mehr aufzuhalten, ob dies nun den staatlichen Interessen entsprach oder nicht.

Ob das proletarische Lesepublikum zu Beginn des zwanzigsten Jahrhunderts in die bürgerliche literarische Öffentlichkeit integriert worden ist, wie Lundgreen nahelegt, wäre erneut zu diskutieren. Die Vertreter der Verbürgerlichungsthese berufen sich vornehmlich auf Ausleihstatistiken, aus denen sie schließen, daß die Interessen der Arbeiter sich denen der bürgerlichen Leser mehr und mehr annäherten. Sobald man sich jedoch verdeutlicht, daß die Benutzung bestimmter Bibliotheken nicht zugleich die literarischen Interessen einer Klasse zu reflektieren braucht, ist bei der Auswertung von Ausleihziffern Vorsicht angebracht, selbst wenn sie sich schichtenspezifisch aufschlüsseln lassen. Historisch angemessener ist es, von bestimmten Institutionen auszugehen und sich dann die Frage vorzulegen, wie sie benutzt worden sind. Die in den Autobiographien der Arbeiter immer wieder genannten Distributionsformen sind die Leihbibliotheken, später auch die Werks- und Arbeiterbibliotheken und die Kolporteure. Unter diesem Gesichtspunkt ist es nicht verwunderlich, daß die proletarischen Leser Romane ausliehen, sich also in dieser Hinsicht nicht von den (klein)bürgerlichen Lesern unterschieden. Aus diesem Verhalten ist noch nicht die Verbürgerlichung der Arbeiter abzuleiten. Die Annäherung der Arbeiterbewegung an das kulturelle System der bürgerlichen Gesellschaft erfolgte vielmehr im Zusammenhang mit grundsätzlichen kulturpolitischen Entscheidungen der Sozialdemokratie in den neunziger Jahren, die freilich durch die Einstellung Lassalles bereits vorbereitet waren.[49] Die Auflösung einer klassenspezifischen proletarischen Kultur, die um 1900 zu beobachten ist, ist nicht als Verbürgerlichung, sondern eher als Industrialisierung zu kennzeichnen, ein Wandel, von dem übrigens die bürgerliche Kultur nicht weniger betroffen war.

Die kleinbürgerlichen Leser

Der Versuch der Sozialdemokratie, die bürgerliche Kultur an das Proletariat heranzutragen, konnte historisch an das Projekt des Liberalismus anschließen, durch Lesegesellschaften und ähnliche Organisationen eine allgemeine, alle Bürger umfassende literarische Öffentlichkeit herzustellen. Als Teil dieses Prozesses sollten auch die kleinbürgerlichen Gruppen wie die Handwerker, die während des achtzehnten Jahrhunderts noch nicht zum Lesepublikum gehörten, integriert werden. Das progressive gebildete Bürgertum war bemüht, durch die Bildung von Bibliotheken und Lesegesellschaften die Handwerker in die literarische Öffentlichkeit einzubeziehen, wie auf der anderen Seite die Elite der Handwerker sich bemühte, Anschluß an die klassisch-romantische Literatur zu finden. Beispielhaft wird dieses Projekt von Gottfried Keller im *Grünen Heinrich* beschrieben. Der Vater Heinrichs, ein kleiner Unternehmer, gehört zu einem Kreis von gleichgesinnten Handwerkern, die kulturell tätig werden. Sie organisieren unter anderem Theateraufführungen. Freilich muß man sich vor Augen halten, daß diese Kreise nur einen sehr kleinen Teil des Kleinbürgertums ausmachten, während die Mehrzahl, sofern sie lesen konnte, sich mit dem traditionellen Bestand von Büchern begnügte, die von Generation zu Generation weitergegeben wurden. An den kleinbürgerlichen Nachlässen, wie sie Hildegard Neumann für Tübingen erfaßt hat, ist dieser Traditionalismus abzulesen.[50] Der Buchbestand, in dem Erbauungsschriften, Gesangbücher, Bibeln und praktische Bücher die wichtigste Rolle spielten, deutet noch weitgehend auf intensive Wiederholungslektüre hin, wobei wir indessen nicht wissen, in welchem Maße diese Lektüre durch Entleihungen aus kommerziellen Bibliotheken ergänzt worden ist. In jedem Fall bestanden im Handwerk kulturelle Traditionen, die sich zum Teil auch auf die literarische Überlieferung beziehen. An sie konnte das Proletariat später anschließen. Unter den drei sozialen Gruppen, aus denen das Proletariat hervorging, den Handwerkern, den ländlichen Arbeitern und Häuslern sowie den städtischen Armen, ist es zweifellos die erste Gruppe, die bei der Bildung einer eigenen proletarischen Kultur den Ton angab. In den Jahrzehnten zwischen 1830 und 1860 ist der Übergang von der Kultur der Handwerker zur Arbeiterkultur fließend.

Die kulturellen Traditionen des Handwerks wurden durch den Abbau des Zunftwesens in der ersten Hälfte des neunzehnten Jahrhunderts zweifellos in Mitleidenschaft gezogen.[51] Die Freisetzung einer liberalen Wirtschaftsgesellschaft, in der Konkurrenz nicht mehr beschränkt, sondern gefördert wurde, teilte die Handwerker langsam in zwei Gruppen: „Auf der einen Seite splitterte sich, vor allem auf dem Lande, das Handwerk in eine Fülle von Einmannbetrieben auf, die ohne Gesellen gewerbesteuerfrei waren und traditionellerweise nur auf Bestellung arbeiteten oder von Flickwerk und Aushilfsarbeiten lebten. In den Städten rekrutierten sich aus diesen Kreisen – gleich ob sie Meister oder Gesellen waren – die Manufaktur- oder Fabrikarbeiter, oder sie verblieben in dem oft arbeitslosen Handwerkerproletariat, dessen Not sich häufiger in Unruhen Ausdruck verschaffte. Die andere – geringere – Gruppe verstand es, den Handwerksbetrieb auszubauen, sie legte sich Warenlager an, richtete Läden ein und arbeitete auf die Zukunft, indem sie mit ihrer Produktion zugleich die Bedürfnisse produzierte."[52] Besonders negativ wirkte sich die Situation für die Gesellen aus, die nicht zum Meister aufsteigen konnten. Während 1849 in Preußen auf hundert Meister 76,06 Gesellen kamen, waren es 1861 schon 104,44.[53] Nicht nur die proletarisierten Handwerker verloren zum guten Teil ihre eigenen, durch Jahrhunderte gepflegten kulturellen Bräuche, ähnliches galt für die neue Klasse der Unternehmer, die sich nunmehr neben das gebildete Bürgertum stellte, ohne doch an dessen Bildungssystem zunächst teilnehmen zu können.[54]

Wir müssen uns fragen, in welchem Maße sich der soziale Abstieg der Handwerker, den die Sozialgeschichte seit langem nachgewiesen hat, auch auf die Bildung ausgewirkt hat. Nachweisen läßt sich dieser Verlust am ehesten im Bereich der formalen Erziehung. Sobald die proletarisierten Eltern nicht mehr in der Lage waren, das Schulgeld für die Bürgerschulen zu bezahlen, reduzierte sich die Ausbildung ihrer Kinder auf ein Minimum. Die auf die absteigende Generation folgende wurde durch das Bildungssystem ausgegrenzt und damit auch der literarischen Schulung beraubt. Die Pauperisierung bedeutete in den dreißiger und vierziger Jahren, daß die Betroffenen aus der bestehenden Gesellschaft ausgeschlossen wurden. Dies war für die kleinen Meister und Gesellen eine besonders schmerzliche Erfahrung, da sie gewohnt waren, in der korporativen Gesellschaft ihren Platz zu finden.[55] In diesen Zusammenhang gehören auch die Anstrengungen der frühen Handwerkervereine im Ausland. Wenn sie sich oft als Bildungsvereine bezeichneten, so war dies nicht nur eine Form der Tarnung gegenüber den mißtrauischen Behörden. Der Anspruch auf Bildung spielte vielmehr eine wesentliche Rolle im Selbstverständnis der wandernden Handwerksgesellen. Die Ansätze zu einer eigenständigen proletarischen Öffentlichkeit gehen in kultureller wie in politischer Hinsicht auf diese Handwerkervereine zurück. Ihre Organisationen trugen vor 1848 in Paris, Genf und London bekanntlich die sozialistische Theorie.

Von dieser Entwicklung soll in einem anderen Zusammenhang die Rede sein,[56] hier interessiert uns vor allem die Frage, welche Rolle die pauperisierten Handwerker und ihre Nachfahren im proletarischen Lesepublikum spielten. So wie ihr politisches Bewußtsein im Vergleich mit den ländlichen Arbeitern und dem städtischen Pöbel stärker entwickelt war, so war auch ihr Anteil am proletarischen Lesepublikum qualitativ signifikanter. Wenn überhaupt eine Gruppe als Vermittler der bürgerlichen Literatur in Frage kam, so waren es die Handwerker. Politisches und literarisches Interesse gingen hier Hand in Hand. Der junge Stephan Born, der als Drucker ausgebildet wurde, beteiligte sich in den vierziger Jahren an der politischen Organisation der Arbeiter und stand gleichzeitig in Verbindung mit der radikalen Berliner Intelligenz.[57] Noch auffallender ist natürlich das Beispiel des Schneiders Wilhelm Weitling, der sich so in die frühe sozialistische Literatur einarbeitete, daß er sich zu einem der führenden Theoretiker des deutschen Sozialismus entwickeln konnte. Zweifellos sind Weitling und Born atypische Beispiele, denn ihre Teilnahme an der literarischen Öffentlichkeit geht über die Rezeption von Literatur hinaus; in den meisten Fällen beschränkte sich die durch die Handwerkerbildungsvereine geleistete Arbeit darauf, ihren Mitgliedern allgemeinbildende Kenntnisse, unter anderem auch literarische, zu vermitteln. Auch dort, wo die politische Arbeit im Vordergrund stand, wie im *Bund der Gerechten* (seit 1847 *Bund der Kommunisten*), hielt man an der Bildungsarbeit als einem wesentlichen Teil des Programms fest, da sie die geforderte Selbstverwirklichung unterstützte. Sie war eine proletarische Praxis, die als Widerstand gegen die bürgerliche Gesellschaft gedacht war. So argumentierte K. Schapper in London: „Die unerschütterlichen Freunde der Freiheit sahen, daß der Hauptgrund ihrer früheren Mißerfolge in der mangelnden Bildung der arbeitenden Klasse gelegen hatte. Darum gingen sie daran, Bildungsvereine für die Arbeiter zu schaffen.“[58] Der Londoner Arbeiterbildungsverein, 1840 ins Leben gerufen, setzte bewußt die Bestrebungen der Aufklärung fort, durch die Schulung der Vernunft den gesellschaftlichen Fortschritt zu erreichen. Der Unterricht umfaßte Geschichte, Geographie, Astronomie und Chemie; es gab Klassen in Zeichnen und Sprachen. Was diese Bestrebungen von ähnlichen Vereinen in Deutschland unterschied, ist der eindeutige Bezug der kulturellen Bemühungen auf die politische Praxis.

Der Londoner Bund stand nicht mehr unter der Führung der liberalen Intelligenz; die Handwerker und Arbeiter hatten sich vielmehr selbst als Publikum konstituiert. In dieser Hinsicht stellten die Arbeiterbildungsvereine der sechziger Jahre in Deutschland zunächst einen Rückschritt dar. Sie standen häufig wieder unter der Führung, beziehungsweise Anleitung von liberalen Honoratioren, die die Arbeiter für ihre politischen Ziele einspannen wollten.[59] In unserem Zusammenhang steht freilich die Frage im Vordergrund, wie sich das Proletariat als lesendes Publikum konstituierte. Und in dieser Beziehung waren die Arbeiterbildungsvereine des Nachmärz ein wichtiger Faktor, auch wenn sie nur einen kleinen Teil des Proletariats erfaßten. Sie stellten seit den sechziger Jahren den organisatorischen Rahmen bereit, in dem sich der kulturelle Anspruch der neuen Klasse, unter anderem der Anspruch auf Beteiligung an der Institution Literatur, ausdrücken kann. Die Forderung auf Gleichberechtigung und Anerkennung durch die bürgerliche Klasse artikulierte sich in der Arbeit dieser Vereine. Der hier eingeschlagene Weg drängte auf eine eigenständige kulturelle Sphäre, in der sich die Arbeiter mit dem Erbe der bürgerlichen Kultur auseinandersetzen konnten.

Von der organisierten Arbeiterschaft ist die Lage des lesenden Proletariats, das in seiner Mehrheit nicht politisiert war, freilich zu unterscheiden. Während die Arbeiterbewegung ein Programm mit dem Ziel entwickelte, die bürgerliche Literatur zu übernehmen, war die Masse der proletarischen Leser von den Distributionsmechanismen des literarischen

Marktes abhängig. Sobald sich die neuen Massenmedien und das hoch-
kapitalistische Verlagswesen konsolidiert hatten – dies war erst nach
1870 der Fall –, unterschied sich ihre Lektüre weniger und weniger von
der anderer sozialer Gruppen. Sie verbanden sich mit breiteren kleinbürgerlichen Schichten zu einer neuen Lesergruppe, die das Substrat für die
Kulturindustrie bilden sollte. Rudolf Schenda hat darauf aufmerksam
gemacht, daß die neu heranwachsenden Leserschichten sich im neunzehnten Jahrhundert vornehmlich der Zeitung zuwandten. Die Arbeiter
und Bauern, sofern sie überhaupt lesen konnten, blieben dem Buch fern.
„Erst nach der Reichsgründung, ja erst um die Wende zum 20. Jahrhundert erweitert sich dieser Leserkreis auf die Großbauern, die Facharbei-
ter, Bergleute, Handwerksgesellen, Soldaten, die hie und da ein Büch-
lein, ein Kirchenblatt, eine Tageszeitung, eine Flugschrift, eine Erbau-
ungsschrift oder auch ein Buch aus der öffentlichen Lesehalle konsumie-
ren."[60] Es wäre zu erwägen, ob diese Aufzählung möglicherweise mehr
als ein Nebeneinander von verschiedenen sozialen Gruppen beschreibt,
ob sich hier nicht eine neue Lesergruppe abzeichnet, die dadurch entstand, daß es der Buchindustrie gelang, bestehende oder entsprechende
Bedürfnisse und Lesegewohnheiten zu bündeln. Es entstand ein Massenpublikum, das als Konsument einer massenhaften Produktion gelenkt
werden konnte. Sehr deutlich wird dieser Übergang im ausgehenden
neunzehnten Jahrhundert im Bereich des Zeitungswesens. Die neu ent-
stehende Geschäftspresse, die vom Anzeigenmarkt ausging, versuchte
erfolgreich, ein breites Publikum zu erreichen, das sich aus heterogenen
sozialen Gruppen zusammensetzte. Eine ähnliche Entwicklung ist bereits
in den fünfziger Jahren bei den Familienzeitschriften zu beobachten. Ihr
ungewöhnlicher Erfolg beruhte darauf, daß sie sich nicht mehr ausschließlich an das gebildete Bürgertum richteten, sondern durch Auswahl und Aufmachung des Materials einen neuen Schwerpunkt bildeten.
Diese Strategie schloß die gebildeten Leser ein und berücksichtigte seine
Interessen, ohne sich freilich auf diese Lesergruppe festzulegen und damit andere auszuschließen. Diese neue Lesergruppe unterscheidet sich
beträchtlich von dem alten Mittelstand, den Goethe als das Bildungszen-
trum der Aufklärung angesprochen hatte. Nannte Goethe die Beamten
und Unterbeamten, die Pfarrer und Lehrer, die Fabrikanten und Kaufleute als die Berufe, aus denen sich der alte Mittelstand zusammensetzte,[61] so konstituierte sich das neue Publikum aus den Vertretern des alten
Mittelstandes, sowie Handwerkern, Angestellten und zum Teil sogar Arbeitern. Diese Anreicherung durch neue Leser hat das literarische Publikum nicht einfach erweitert, sondern gleichzeitig qualitativ verändert. Es
wurde zunehmend geprägt durch die Interessen der Medienindustrie. In
diesem Lichte sollten die Beobachtungen gelesen werden, daß sich gegen
Ende des neunzehnten Jahrhunderts die Lesegewohnheiten der Arbeiter

nicht mehr wesentlich von denen des Kleinbürgertums unterschieden.[62] Dies besagt wenig über die kulturellen Anstrengungen der Arbeiterbewegung, es handelt sich um eine Tendenz, der sie sich nicht entziehen konnte. Infolge der steigenden Freizeit erhöhte sich der Konsum an Unterhaltungsliteratur. In dem Maße, wie sich die Arbeiterbibliotheken von Funktionärsbibliotheken zu allgemeinen Büchereien wandelten, verschoben sich die Gewichte. Besonders nach 1900 stieg der Anteil der Belletristik schnell, während der Anteil an sozialistischer Literatur sank.[63] Diese belegte Tatsache allein würde noch nicht beweisen, daß sich die Lesegewohnheiten der Arbeiter mit denen des Kleinbürgertums weitgehend deckten. Die Präferenzen wären im einzelnen zu untersuchen. Die von Langewiesche und Schönhoven bereitgestellten Daten lassen erkennen, daß die Liste der beliebtesten Autoren der öffentlichen Bibliotheken und der Arbeiterbüchereien, wenn nicht identisch, so doch sehr ähnlich ist.[64] Führend auf beiden Seiten waren Autoren wie Verne, Gerstäcker, Ganghofer und Zola, gefolgt von Schriftstellern wie Freytag, Auerbach und Spielhagen, die um 1900 nicht mehr ganz die Popularität hatten wie um 1870. Die Vertreter der klassisch-romantischen Epoche waren keineswegs ganz vergessen, wenigstens Goethe und Schiller behaupteten sich neben der Unterhaltungsliteratur. Dieser vielleicht überraschende Befund läßt darauf schließen, daß dieses neue Lesepublikum bis zu einem gewissen Grade noch den Anschluß an das gebildete Publikum sucht, aber nicht in so ausgeprägter Weise, daß man noch von einer Fortsetzung des klassisch-romantischen Literaturkanons sprechen kann. Die Lesegewohnheiten der Kleinbürger und Arbeiter, wie sie sich nach 1900 in den Ausleihstatistiken der Bibliotheken niederschlagen, nähern sich den Präferenzen, die später in den Buchgesellschaften zum Ausdruck kommen.

Die Klassifikation des literarischen Publikums

Eine Klassifikation des literarischen Publikums vor 1870 würde im wesentlichen die gebildete Elite (bürgerlicher und aristokratischer Herkunft) und ein breiteres bürgerliches Publikum unterscheiden. Weiter zu berücksichtigen wäre die Arbeiterelite, die sich in Bildungsvereinen und später in politischen Parteien zusammenfindet. Von einer breiten Beteiligung der kleinbürgerlichen und proletarischen Massen kann vor 1870 kaum die Rede sein. Auf die Problematik einer solchen ständischen Gliederung haben wir bereits hingewiesen: soziale Gruppen und Lesergruppen brauchen sich nicht zu decken, da sich die literarischen Interessen verschiedener Gruppen überlagern und überschneiden können, beziehungsweise die gleiche Gruppe divergierende Interessen entwickeln kann. Nach der Reichsgründung komplizieren sich die Verhältnisse infolge der Industriellen Revolution. Im Zusammenhang mit der Konsolidierung der Arbeiterklasse und – was meist vergessen wird – im Zusammenhang mit dem Entstehen der neuen Mittelklasse der Angestellten, veränderte sich die Struktur des literarischen Publikums. Während die Rolle des Proletariats wiederholt diskutiert worden ist, hat sich die historische Leserforschung mit den Angestellten bisher kaum beschäftigt. Die Gruppe der Angestellten schob sich zwischen das mittelständische Bürgertum, das traditionelle Kleinbürgertum und die Arbeiterschaft. Als soziale Gruppe waren sie relativ unsicher und ideologisch anfällig für den Druck der sie umgebenden Schichten.[65] Die Ausleihstatistiken der öffentlichen Bibliotheken und der Werksbüchereien belegen, daß die genannten Gruppen, d. h. das traditionelle Kleinbürgertum, die Arbeiter und die Angestellten, die soziale Basis für das massenhafte Publikum bereitstellten, welches die Massenmedien und die Buchindustrie als Konsumenten benutzten und prägten.

Das Lesepublikum veränderte sich in der zweiten Hälfte des neunzehnten Jahrhunderts nicht nur quantitativ durch die Ausbreitung und Hebung der formalen Bildung sowie die Verbesserung der wirtschaftlichen Lage für die Mehrzahl der Bevölkerung (Verhältnis von Einkommen und Buchpreisen), sondern auch qualitativ. Es bildeten sich in der literarischen Öffentlichkeit neue Schwerpunkte heraus und es formten sich, besonders nach 1870, neue Lesergruppen zu einer Konstellation, die die Situation des zwanzigsten Jahrhunderts vorwegnahm. Neben das gebildete bürgerliche Publikum, den Träger der klassisch-romantischen Tradition, trat nunmehr eine zweite, entschieden größere Lesergruppe mit einem eigenen Profil, die sich aus kleinbürgerlichen Schichten sowie den Angestellten und Teilen der Arbeiterschaft zusammensetzte. Diese heterogenen sozialen Gruppen, die soziologisch zu gegensätzlichen Klassen gehörten, zeigten ähnliche literarische Präferenzen. Daraus wäre auf ähnliche Bedürfnisse zu schließen. Gegen diesen Schluß ließe sich einwenden, daß die an Ausleihstatistiken abzulesenden Präferenzen zu vage bleiben, um ein deutliches Profil zu entwickeln. Innerhalb der angeführten Liste von beliebten Autoren, so ließe sich argumentieren, könnten die einzelnen sozialen Gruppen weiterhin ihre unterschiedlichen Vorlieben haben. Wahrscheinlicher ist jedoch, daß die meistgelesenen Autoren des späten neunzehnten Jahrhunderts ihr Publikum nicht nur in einer sozialen Gruppe fanden. Schon für die Romane der Marlitt ist mit einer breitgestreuten Rezeption zu rechnen. Auch ein populärer Autor wie Karl May, der zunächst seine Kolportageromane anonym für ein proletarisches Publikum schrieb, erreichte später als Verfasser von Abenteuergeschichten ein heterogenes Publikum, das sogar Mitglieder des preußischen und österreichischen Hofes einschloß. Wie konnte es trotz divergierender gesellschaftlicher Interessen zu einer solchen Übereinstimmung in bezug auf die literarischen Präferenzen kommen? Um diese Frage zu beantworten, müssen wir die Mentalität der betroffenen sozialen Gruppen näher ins Auge fassen. Für das traditionelle Kleinbürgertum, für die Handwerker und das Kleingewerbe, waren die Jahrzehnte der Industrialisierung, vor allem die Zeit der großen Depression, eine Epoche der Gefährdung und Verunsicherung. Die Aufhebung des Innungszwangs und die damit verbundene Freizügigkeit führte, wie Gustav Schmoller bereits 1870 dargelegt hat,[66] in den fünfziger Jahren zu einer Verschlechterung der Gesamtlage, die sich in der Abnahme der Gesamtzahl der selbständigen Handwerker niederschlug. Die Folgen dieser Überbesetzung waren sozialer Abstieg oder Auswanderung. Sobald sich im Kaiserreich die Möglichkeit bot, drängte das Kleinbürgertum auf die Wiederherstellung der Zunftverfassung des Handwerks durch Innungen oder entsprechende Organisationen, welche die Besetzung der Meisterstellen kontrollieren. Die handwerklichen und kleingewerblichen Verbände, die sich in den siebziger und achtziger Jahren organisierten, waren bemüht, die Gewerbefreiheit soweit als möglich wieder einzuschränken, um die gefährdete Position des Mittelstandes zu sichern.

Im ganzen sah das Kleinbürgertum sich als eine zum Untergang verurteilte Klasse und formulierte Abwehr- und Legitimationsstrategien, die sich zu einer antiliberalen Mittelstandsideologie zusammenschlossen. Sie gab die Sonderinteressen der Gruppe als allgemeine aus, indem sie der Mittellage des Kleingewerbes eine wesentliche Bedeutung für die Wohlfahrt der Gesamtgesellschaft zuschrieb. Eines der Verfahren, um die bedrückenden, kaum überschaubaren Probleme übersichtlich und erklärlich zu machen, war ihre Zusammenfassung zu einem leicht faßlichen Grundproblem. „In dem Maße, wie die Großindustrie selbst unter der Depression zu leiden hatte und darum dem Wirtschaftsliberalismus abschwor, richteten sich seit den siebziger Jahren die Angriffe der Mittelständler vorzugsweise gegen das mobile Kapital oder, wie man es damals zu nennen begann, die „goldene Internationale". Da das Bankkapital als der Hauptschuldige für die Wirtschaftskrise allgemein und die Bedrängnisse der Mittelschichten im besonderen galt, waren Handwerk und Kleinhandel für die in diese Richtung zielenden Attacken der konservativen ,Steuer- und Wirtschaftsreformer' und der antisemitischen Agitatoren besonders anfällig."[67] In Gegensatz zu liberalen Vorstellungen, die die Emanzipation des einzelnen von gesellschaftlicher Bevormundung forderten, strebte das kleingewerbliche Bürgertum seit den siebziger Jahren immer deutlicher nach einem Staat, auf dessen Autorität man sich im gesellschaftlichen Kampf verlassen konnte. Diese Einstellung wurde von Bismarck unterstützt und durch gesetzliche Maßnahmen gefördert.

Unter der Bedrohung, deklassiert zu werden, entwickelte das Kleinbürgertum Dispositionen, die seinen objektiven Interessen zuwiderliefen. Die Suche nach schützenden Autoritäten führte über die Sozialisierung in der Kleinfamilie zur Unterwerfung unter autoritäre Strukturen, in denen eine Führerfigur die zentrale Stellung einnimmt. Es bildete sich ein Sozialcharakter heraus, in dem Ich-Schwäche und Aggressivität zusammenkommen. „Das Ich kann zwischen den gegenläufigen Ansprüchen von Es und Über-Ich kaum mehr vermitteln, es ist beiden gegenüber wehrlos. Gerade hieraus folgt die Notwendigkeit, sich ‚von außen‘ leiten zu lassen, das Bedürfnis nach Autorität, nach dem ‚Führer‘.“[68] Da der eigentliche Feind nicht genannt werden durfte, wurde die Aggression auf die Juden abgeleitet. In der Phase der sozialen Bedrohung nahm der kleinbürgerliche Patriarchalismus eher zu als ab. Das heißt: die bürgerlichen Tugenden der Pflicht, Sparsamkeit und Ordnungsliebe wurden dem Mitglied der Gruppe eingeprägt, obgleich sie dysfunktional geworden waren angesichts einer Situation, in der das Handwerk und das Kleingewerbe sich trotz dieser anerzogenen Tugenden nicht mehr durchsetzen konnte. Somit ergab sich eine Disparität zwischen der tatsächlichen gesellschaftlichen Lage des Kleinbürgertums und den Normen, an denen es sich vorzugsweise ausrichtete. Diese in der Realität nicht zu überwindende Diskrepanz legte eine fiktionale Lösung des Problems nahe: Was in der Wirklichkeit versagt blieb, konnte im Bereich der Literatur erfüllt werden.

Der sozialpsychologische Ansatz legt ein Verfahren nahe, das nach dem impliziten Leser sucht. In welcher Weise kam, so wäre zu fragen, das Rezeptionsangebot der erfolgreichen Romane den Dispositionen und Mentalitäten des Kleinbürgertums und des neuen Mittelstandes, bei dem ähnliche Diskrepanzen zwischen Normen und Wirklichkeit zu bemerken sind, besonders entgegen? Die neuere Forschung zur Unterhaltungsliteratur hat gezeigt, daß der Erfolg von Romanschriftstellern wie Dumas, Marlitt oder Karl May damit zusammenhing, daß sie den genannten Dispositionen entgegenkamen. Am Beispiel des *Grafen von Monte Christo* hat Hans-Jörg Neuschäfer dargelegt, daß die Wirkung des Romans davon abhing, wie er auf die Bedürfnisse des Kleinbürgertums einging.[69] Der Erfolg von Dumas hing nicht allein damit zusammen, daß der Roman Kompensation für die Entsagungen und Verletzungen anbot, er ergab sich vielmehr aus der Art, wie der Text auf die konkrete Lebenssituation seiner Leser einging und Antwort gab auf gesellschaftlich ungelöste Fragen. Der Held des Romans ist nicht mehr eine aristokratische Figur wie noch in den *Mysterien von Paris,* sondern der mächtig gewordene Angestellte und Kleinbürger Edmond Dantes, „die Illusion vom Kleinbürger als Herrenmensch, die durch eine scheinbar omnipotente Erlösergestalt vermittelt wird, welche selbst zuerst die Tiefen eines verzweifelten Daseins zu durchleiden hatte.“[70] Der Graf von

Monte Christo tritt als der Rächer der Armen und Zurückgestoßenen auf, er nimmt sich derer an, die von Unehrlichen mißbraucht und ausgebeutet worden sind, aber er tut dies, wie Neuschäfer mit Recht anmerkt, nicht mehr durch abenteuerliche Taten, sondern mit Hilfe seines Geldes. Durch den Erwerb des Schatzes wird der Held jedoch zugleich selbst Mitglied der gesellschaftlichen Elite, deren Werte er angreift. Dadurch aber wird er zu einer Identifikationsfigur auch für das gehobene Bürgertum, das seine Besitzideologie bestätigt sieht.

Der französische Feuilletonroman schaffte sich schon in den vierziger Jahren ein Massenpublikum, das sich aus sozial heterogenen Gruppen zusammensetzte. Nach der Deutung Neuschäfers gelang es Dumas, das verunsicherte Kleinbürgertum und die Bourgeoisie als Leser zusammenzubringen, obgleich ihre gesellschaftlichen Interessen durchaus verschieden waren. In Deutschland wäre ähnliches über die Romane der Marlitt zu sagen, die regelmäßig in der *Gartenlaube* abgedruckt wurden. Diese Zeitschrift wandte sich schon an ein massenhaftes, sozial heterogenes Publikum, auch wenn sie durch eine ausgeprägte Familienideologie die Homogenität ihrer Leser ständig betonte. Der Konflikt zwischen der bösen feudalen und der guten bürgerlichen Welt, der die Romane der Marlitt regelmäßig beschäftigt, suggerierte den Lesern eine emanzipatorische liberale Position, die in der historischen Realität ihre raison d'etre bereits verloren hatte. *Reichsgräfin Gisela* (1869) liest sich wie ein zu spät erschienener liberaler Tendenzroman, der die Forderungen der späten fünfziger Jahre aufnimmt – Überwindung der spätfeudalen Schranken, Förderung einer freien industriellen Gesellschaft, die die Not der Arbeiter aufzuheben vermag. Es entsteht in diesem Roman der Eindruck, daß der gemeinsame Kampf der Unternehmer und der Arbeiter gegen die unmoralischen Aristokraten die Harmonie der Welt wiederherstellen könne. Der die Romane der Marlitt beherrschende antifeudale Affekt kann die in der Realität getrennten Klassen zusammenhalten, indem ihnen die gleiche Moralität der bürgerlichen Kleinfamilie zugeordnet wird. So verlagert sich der soziale Konflikt, wie Michael Kienzle gezeigt hat,[71] auf die private Ebene und ermöglicht so ein Rezeptionsangebot, das nicht mehr klassenspezifisch ist. Das Aschenputtel-Motiv erlaubt in der *Reichsgräfin Gisela* die Identifikation mit der zu kurz gekommenen Heldin, die schließlich ihre bösen Widersacher überwinden wird. Im Bild der funktionierenden Familie, vor allem aber im Bild der (reinen) Frau, die sich dem Ehemann vollkommen unterwirft, können sich verschiedene soziale Gruppen, deren gesellschaftliche Interessen einander widersprechen, als Leser vereinigen. Im Falle der Marlitt sind dies das Kleinbürgertum, die Angestellten, die Bourgeoisie und Teile der Arbeiter. Eine Analyse von *Im Hause des Kommerzienrats* würde zu ähnlichen Ergebnissen kommen.[72] Der Adressat ist das ideologisch und ökonomisch verunsicherte Kleinbürgertum, dessen Vorliebe für vorindustrielle Lebensformen durch den Text bestätigt wird. Semantisch beruht der Roman auf einem oppositionellen Bedeutungssystem, in dem die Werte der kapitalistischen Bourgeoisie und des traditionellen Mittelstandes einander gegenüberstehen. Die positive Zeichnung vorindustrieller Verkehrsformen (das ganze Haus, private Stellung der Frau, Harmonie der Klassen) und die Abwertung der kapitalistischen Formen (Materialismus, Prunk und ostentativer Lebensstil) artikulieren eine Sinnstruktur, die die zeitgenössischen Verhältnisse aus der Perspektive des Mittelstandes kritisieren. Es wäre jedoch zu fragen, ob dieses harmonische Gesellschaftsbild nicht gerade deshalb so wirkungsmächtig wurde und mehrere Gesellschaftsgruppen ansprechen konnte, weil es einen gemeinsamen Feind anvisierte, den der alte und der neue Mittelstand sowie die Arbeiter als den ihren erkannten. Das semantische Angebot zeigt als den gemeinsamen Gegner den spekulierenden Kapitalismus (Bankkapital im Unterschied zu mittelständischen Unternehmern), der sich bezeichnenderweise noch mit dem Feudalismus verbunden hat. Damit gelingt es der Marlitt, die antifeudale Spitze ihrer früheren Romane in die 1869 aktuelle Kritik des Kapitalismus einzubringen.

Diese Andeutungen verweisen auf eine noch zu lösende Aufgabe: zwischen dem historischen und dem impliziten Leser ist eine Vermittlung herzustellen. Es kam uns vor allem darauf an zu zeigen, daß die erfolgreiche Literatur des ausgehenden neunzehnten Jahrhunderts bereits ein gesellschaftlich heterogenes Publikum ansprach und erreichte. Die Bedingung für den Erfolg ist, daß sich in der Ideologie und Mentalität der angesprochenen Gruppen genügend gemeinsame Elemente finden, deren Verstärkung die divergierenden vergessen läßt. Wo liegen diese gemeinsamen Elemente im Falle des deutschen Lesepublikums? Spezifischer gefragt: in welchen gemeinsamen Zügen können sich traditionelles Kleinbürgertum, neuer Mittelstand und Proletariat wiedererkennen? Während Ideologie und Mentalität des Kleinbürgertums wenigstens in Umrissen bekannt sind, fehlen bisher eingehende Untersuchungen zur Mentalität der Angestellten.[73] Die historische Forschung hat sich bisher vor allem mit sozialen und ökonomischen Problemen beschäftigt, während kulturelle Gesichtspunkte kaum erörtert worden sind. Daher müssen wir auf ältere Untersuchungen zurückgreifen, die sich mit der Lage des neuen Mittelstandes im zwanzigsten Jahrhundert beschäftigt haben.

Siegfried Kracauer und Theodor Geiger haben in den zwanziger Jahren das Phänomen des neuen Mittelstandes ausgeleuchtet. In *Die soziale Schichtung des deutschen Volkes* (1932) unterschied Geiger zwischen dem traditionellen Mittelstand, der sich aus den Handwerkern, Detailkaufleuten und Bauern zusammensetzte, und dem neuen Mittelstand, zu dem er die öffentlichen Angestellten, die Beamten und die freien Berufe wie die Rechtsanwälte und die Ärzte rechnete. „Sein alter Kern entspricht ungefähr dem, was man einst den ,Stand der Gebildeten' nannte – ein wirklicher Stand einst, mit eigenen Sitten und Konventionen, einer eigenen Lebenseinschätzung und Lebensführung, eine Welt für sich, in breiten Teilen minder begütert als das Besitzbürgertum, aber zu stolz auf seinen geistigen und sozialen Rang, als daß es ,die Geldmacher' als Seinesgleichen erachtet hätte."[74] Nach dem Ersten Weltkrieg veränderten sich die Verhältnisse freilich grundlegend. Die akademische Mittelklasse löste sich auf, der führende Typus des neuen Mittelstandes wurde nunmehr der Büroangestellte der wirtschaftlichen und öffentlichen Großorganisationen. Diese Schicht war erst seit den zwanziger Jahren im Begriff, eine gemeinsame Mentalität herauszubilden. So vermutete Geiger, daß innerhalb dieser heterogenen Gruppe sich die Mentalität der Beamten und der kaufmännischen Angestellten (Kommis) durchsetzen würde. „In seiner standorttypischen Mentalität noch unsicher und uneinheitlich ist der ,neue Mittelstand' das gegebene Einzugsfeld ,falscher Ideologien'. Dazu gehört der Akademikerhochmut, dem keine bevorzugte soziale Ranggeltung des Akademikers mehr entspricht, dazu gehört das ständische Geltungsbedürfnis, das der Sohn des Besitzbürgers mitbringt, wenn er – Büroangestellter wird; dazu gehört, was *Kracauer* an falschen Bildungsambitionen des Angestellten karikiert hat."[75]

Ob die Befunde Geigers auf das neunzehnte Jahrhundert zurückprojiziert werden können, ist problematisch. In dieser Epoche sind die gehobenen Beamten und die freien akademischen Berufe sicher nicht dem neuen Mittelstand zuzuordnen, sondern dem Bildungsbürgertum, dessen Ansprüche und Mentalität Geiger indes angemessen beschrieben hat. Dagegen liegt es nahe, die neu auftretenden Angestellten, die unteren Beamten und die Angestellten des öffentlichen Dienstes als eine langsam zusammenwachsende Gruppe zu begreifen. Kockas Untersuchungen haben gezeigt, daß die Angestellten der Firma Siemens eine von den Arbeitern deutlich getrennte Berufsgruppe darstellten. Gemeinsam ist ihrer Mehrheit – abgesehen von den leitenden Angestellten – ihre Abhängigkeit vom Betrieb, die sie im Grunde mit den Arbeitern teilten, und damit auch das Gefühl des Angewiesenseins auf den Betrieb, für den sie arbeiteten.[76] Eher Schwäche als Stärke des Selbstgefühls zeichneten wahrscheinlich diese Gruppe aus. Hier lagen die Berührungspunkte mit dem deklassierten Kleinbürgertum – die Suche nach Sicherheit, nach Leistung und Umgestaltung der eigenen Lage durch einen starken Führer. Beide Gruppen fühlten sich durch das Proletariat bedroht und waren bemüht, sich gegenüber der Arbeiterklasse abzugrenzen. Für das Handwerk und das Kleingewerbe ist die Proletarisierung die Bedrohung schlechthin, für die Angestellten, die zum guten Teil aus der Arbeiterschaft aufgestiegen sind, ist es die Gefahr des Rückfalls in eine überwundene Situation.

Die Mentalität der Angestellten, so vage sie in vieler Hinsicht noch bleibt, war sicher nicht zu verwechseln mit der Mentalität des Proletariats. Dort, wo sich die Lebenseinstellungen dieser Gruppen als politische Ideologien artikulierten, waren die Gegensätze unübersehbar: auf der einen Seite eine systemkonforme Einstellung, die bei aller Kritik an den gesellschaftlichen Zuständen die Grundlage der bestehenden sozialen Struktur bewahren möchte, auf der anderen Seite, formuliert durch die Sozialdemokratie, ein Programm, das die Auflösung der bürgerlichen Gesellschaft vorsah. Dennoch sind die literarischen Bedürfnisse und Interessen der Arbeiter und der kleinbürgerlichen Gruppen weniger deutlich geschieden, als ihre ideologische Position nahelegt. Wie ist dies zu erklären?

Die Unterschiede der Mentalität und der Ideologie dürfen nicht darüber hinwegtäuschen, daß die ökonomische Lage der genannten Gruppen, wenn wir einmal von den leitenden Angestellten absehen, ähnlich war, so daß bestimmte sozialpsychologische Probleme wie das Gefühl der Gedrücktheit, möglicherweise sogar der Ohnmacht gegenüber einem übermächtigen sozialen System ein Band schaffte. Die organisierte Arbeiterklasse konnte auf diese Lage mit dem Bewußtsein reagieren, daß diese Lage durch den Klassenkampf in nicht allzu ferner Zukunft zu ändern sei. Für die Mehrheit der Proletarier dagegen war eine solche politische Perspektive in den sechziger und siebziger Jahren nicht gegeben. Das Leben stellte sich für sie, wie aus den Memoiren hervorgeht, als ein täglicher Kampf um das Notwendigste dar. Eine Veränderung war nur als das ganz andere vorzustellen, als etwas, das von außen hereinbricht oder sich in einer anderen Welt abspielt (religiöses Bewußtsein). Das religiöse Bewußtsein, besonders im Falle des ländlichen Proletariats, dürfte auch im ausgehenden neunzehnten Jahrhundert noch ein wichtiges Element der Weltorientierung gewesen sein. Es blieben neben den kulturellen Bestrebungen der Sozialdemokratie unabgedeckte Bedürfnisse bestehen, die außerhalb der rationalen Erwartungen des Parteiprogramms lagen.[77] Das traf auf die Frauen vermutlich stärker zu als auf die Männer, denn sie nahmen in den sozialistischen Organisationen eine untergeordnete Stellung ein. Von der politischen Diskussion waren sie weitgehend ausgeschlossen, so daß hier ältere Bewußtseinsformen und Mentalitäten erhalten blieben, die das Leiden unter der Entbehrung und Unterdrückung in anderer Weise ausdrückten.

Gemeinsam waren den Arbeitern, kleinen Angestellten und Handwerkern, so unterschiedlich die ideologischen Positionen ihrer Gruppen waren, der latente Protest gegen den Organisierten Kapitalismus, dessen Großorganisationen den einzelnen mehr als zuvor zur Ohnmacht verurteilten. Sobald dieser Antikapitalismus sich als politisches Programm artikulierte, trennten sich die kleinbürgerlichen Gruppen von den Arbeitern, solange er als gefühlsmäßiges Ressentiment unformuliert blieb, konnte er zu identischen literarischen Präferenzen führen, nämlich Gattungen und Werken, die sich offen oder verdeckt auf avancierte Formen des Kapitalismus bezogen. Die Popularität Karl Mays, der zweifellos sein Publikum in verschiedenen sozialen Gruppen fand, wäre auf diese Weise zu verstehen. Seine frühen Kolportageromane enthalten eine utopische Perspektive, die an den Frühsozialismus Weitlings anschließt. Seine späteren Reiseromane bringen einen sozialen Protest gegen den Kapitalismus zum Ausdruck, wenn auch die Unterstützung der Unterdrückten (Proletariat) – und darin nähert sich May nunmehr einer kleinbürgerlichen Position – ambivalent bleibt.[78] Die Romane der Marlitt berücksichtigten in erster Linie die Mentalität des Mittelstandes, seine Furcht vor dem hereinbrechenden Hochkapitalismus und seine Sehnsucht nach vorindustriellen Lebensformen. Aber auch proletarische Leser konnten sich mit dieser Perspektive partiell identifizieren, insofern die Beziehungen zwischen den guten Unternehmern und den Arbeitern als harmonisch und familienartig beschrieben werden. Wir haben es mit einem semantischen Potential zu tun, das sich gegen Ausbeutung, Konkurrenz und den Materialismus der herrschenden Klasse wendet. In diesem Zusammenhang ist zu erwähnen, daß in den letzten Jahrzehnten des neunzehnten Jahrhunderts innerhalb der Sozialdemokratie das Interesse an utopischen Gesellschaftsbildern nicht ab-, sondern zunahm, obgleich Marx und Engels gerade diese Seite des Frühsozialismus als vorwissenschaftlich abgelehnt hatten.[79] Dieses Interesse verweist auf Bedürfnisse, die in der Doktrin nicht genügend Ausdruck fanden – die Suche nach konkreten Alternativen, wie sie in fiktionalen Texten eher vergegenwärtigt werden konnten als in theoretischen Diskursen. Die zahlreichen Warnungen vor der schädlichen Wirkung der trivialen Belletristik, die sowohl auf bürgerlicher wie auf sozialistischer Seite ausgesprochen wurden, übersahen meistens diese Funktion der fiktionalen Literatur und plädierten daher in der Regel für eine Literatur, die sich an den tradierten Bildungsbegriff anschloß.

X. Kultur für das Volk

„Die Reinheit der bürgerlichen Kunst", so argumentierten Horkheimer und Adorno in der *Dialektik der Aufklärung*, „die sich als Reich der Freiheit im Gegensatz zur materiellen Praxis hypostasierte, war von Anbeginn mit dem Ausschluß der Unterklasse erkauft, deren Sache, der richtigen Allgemeinheit, die Kunst gerade durch die Freiheit von den Zwecken der falschen Allgemeinheit die Treue hält."[1] Dieser Satz formuliert prägnant die Dichotomie zwischen der Kulturindustrie, die den Massen den Schein der Beteiligung an authentischer Kultur gibt, während sie ihre Gängelung im Auge hat, und der durch autonome Kunst legitimierten Kultur einer bürgerlichen Elite. Für Adorno und Horkheimer war ausgemacht, daß dieser Gegensatz von Anfang an bestanden hatte, d. h. seit dem ausgehenden achtzehnten Jahrhundert, und daß er notwendig und daher unaufhebbar ist. Es geht der Kritischen Theorie nicht darum, durch den Begriff der autonomen Kunst den bürgerlichen Trägerschichten eine Rechtfertigung zu liefern, vielmehr ist es umgekehrt der Autonomiebegriff, durch den sich die Kunst von der sozialen Praxis entfernt, und die Logik der auf die Avantgarde zulaufenden ästhetischen Evolution, die diese Dichotomie unauflöslich macht. So ist die „Kulturindustrie" des zwanzigsten Jahrhunderts das historische Ergebnis eines kulturellen Differenzierungsprozesses, der im achtzehnten Jahrhundert einsetzte und seine Logik auf Kosten der unterdrückten Klasse entfaltete.

Es ist freilich nicht zu übersehen, daß in dieser Perspektive die geschichtliche Entwicklung innerhalb des neunzehnten Jahrhunderts zu kurz kommt. Ihr wird in der *Dialektik der Aufklärung* eine Zwangsläufigkeit unterstellt, die sich so eindeutig nicht abgespielt hat. Selbst wenn man mit Adorno und Horkheimer darüber einig ist, daß die Demokratisierung der gesellschaftlichen und vor allem politischen Institutionen und damit die Beteiligung der Unterschichten an der überlieferten Kultur gescheitert ist, wären die historischen Gründe für dieses Scheitern genauer zu untersuchen, als dies für Adorno und Horkheimer möglich war. Denn an Versuchen, die kulturelle Dichotomie zu überwinden, hat es weder auf bürgerlicher noch auf proletarischer Seite gefehlt. Neben ihnen gab es freilich immer wieder Argumentationsstrategien, die die Möglichkeit einer allgemeinen, alle Stände umfassenden Kultur bestritten und darauf bestanden, daß Kultur jeweils nur in einer bestimmten, konkreten Schicht oder Klasse fundiert sein kann. Für die ständische Gesellschaft war dieses Argument selbstverständlich, da ihr schon der Begriff der Allgemeinheit, den Adornos Theorie voraussetzt, fehlt. Doch in der konservativen Apologie des neunzehnten Jahrhunderts hat das Argument bereits einen anderen Stellenwert. Durch die Vorstellung einer konkreten sozialen Fundierung, aus der das Spezifische wie Authentische dieser Kultur hervorgeht, wird gerade der politische Anspruch auf Emanzipation abgewehrt, die sich aus der Forderung nach allgemeiner Bildung und kultureller Beteiligung ableitet. Die Frage, ob die plebejischen Massen in eine bestehende literarische Kultur eingeschlossen werden konnten oder sollten, war niemals eine bloß kulturelle Frage, sondern zugleich eine gesellschaftliche und politische, denn die Literarisierung erschien den Konservativen als der erste Schritt zu illegitimen gesellschaftlichen Ansprüchen und den Liberalen als Vorbereitung auf eine Staatsbürgergesellschaft, die alle Menschen zu umgreifen vermag. Sobald das soziale Problem in Deutschland als solches erfaßt wurde und nicht mehr bloß als die natürliche Folge der ständischen Hierarchie verstanden wurde – dieser Übergang erfolgte in den dreißiger und vierziger Jahren im Zusammenhang mit der Pauperisierung weiter Teile der Bevölkerung –, wurde auch die Beziehung zur Bildungsfrage, und damit zum Problem der Kultur entdeckt. Während die idealistische Bildungsreform zu Beginn des Jahrhunderts noch abstrakt vom Begriff des Menschen und Individuums ausgehen konnte, rekurrierten Männer wie Friedrich Harkort oder Adolf Diesterweg eine Generation später schon bewußt auf die ökonomischen und sozialen Probleme ihrer Zeit und spitzten ihre Vorschläge zur Reform des Bildungssystems sozialpolitisch zu. Ihre Programme, die zweifellos in der liberalen Tradition standen, antworteten auf eine historische Situation, in der offensichtlich den pauperisierten Massen auf Grund ihrer ökonomischen Lage die Beteiligung an Kultur und damit an humaner Entwicklung unmöglich gemacht worden war.

Diese Versuche, so ließe sich möglicherweise argumentieren, setzten die Tendenzen der älteren Lesegesellschaften fort, die schon im späten achtzehnten Jahrhundert bemüht waren, literarische Kultur ins Volk zu tragen, indem man die Lektüre für breitere Schichten organisierte. Die Bildungsvereine der Handwerker wären in diesem Zusammenhang zu nennen. Gleichwohl ist nicht zu übersehen, daß schon im zweiten Drittel des neunzehnten Jahrhunderts die Bildungsproblematik eine neue Gestalt annahm. Durch die Auflösung der ständischen Ordnung verschärften sich die Gegensätze zwischen den betroffenen sozialen Gruppen. Das Problem, das Harkort und Diesterweg vor Augen hatten, war nicht mehr die kulturelle Versorgung des zünftigen Kleinbürgertums, sondern die Integration einer Gruppe, die in den dreißiger und vierziger Jahren überhaupt außerhalb der Gesellschaft stand – des Proletariats. Auf den

Zusammenhang zwischen der Preußischen Reform und dem Entstehen dieser Gruppe hat Reinhart Koselleck aufmerksam gemacht: „In den vierziger Jahren war somit eine neue Schicht vorhanden, die als Produkt der liberalen Wirtschaftspolitik Preußens bezeichnet werden muß, eine in der ehemaligen Ständeordnung nicht mögliche Masse von landlosen Landbewohnern, die zunehmend proletarisierte und die sich durch kurzfristige Arbeitsverträge und bessere Arbeit suchend zu bewegen anfing, ohne noch von einer relativ unentwickelten Industrie aufgefangen werden zu können."[2] Es trat eine Situation ein, mit der weder der ältere Ständestaat noch die neue liberale Gesellschaftsordnung fertig werden konnten. In der liberalen Wirtschaftspolitik, die ja gerade die individuellen Kräfte freisetzen sollte, war die Sorge für die verarmten ländlichen und städtischen Massen nicht vorgesehen. Auf dem industriellen Sektor, beispielsweise in der Textilindustrie, ging die Preußische Regierung daher davon aus, daß der Staat zwar das Entstehen des freien Marktes fördern könne, aber nicht in die dadurch entstehenden sozialen Probleme eingreifen dürfe.[3] Während in der ersten Phase der Reformbewegung die Sorge für die Entwurzelten bis zu einem gewissen Grade noch als Sache des Staates angesehen wurde, setzte sich später die Anschauung durch, die sozialen Probleme, deren Existenz niemand leugnete, müßten dem Markt überlassen werden. Man hoffte, daß die wachsende Industrie schließlich in der Lage wäre, die proletarisierten Massen zu beschäftigen. Angesichts der notorischen Schwäche der deutschen Industrie erwies sich diese Hoffnung als eine Illusion, so daß der Staat schließlich doch wieder durch sozialpolitische Maßnahmen eingreifen mußte – beispielsweise durch das Armengesetz von 1842, das die Heimatgemeinden erneut stärker zur Verantwortung heranzog.

Fiel der Blick auf die vergleichbaren französischen Zustände, dann zeigte sich die Gefahr einer potentiell revolutionären Situation. Zumal nach dem Aufstand von Lyon, in dem nicht mehr primär politische, sondern soziale Konflikte offen ausgetragen wurden, entstand das Bild der „classes dangereuses", welches das liberale Konzept einer freien Staatsbürgergesellschaft empfindlich störte. Das Auseinanderfallen der Gesellschaft in Klassen, die nichts mehr miteinander gemein hatten, war für den Frühliberalismus eine extreme Provokation, weil diese Trennung im eigenen Gesellschaftsbild nicht vorgesehen war. Da die liberale Theorie wirtschaftliche Probleme aus dem Bereich der politischen Öffentlichkeit verbannt hatte, konnte sie diese sozialen Probleme nur indirekt anpakken, nämlich über die kulturelle Sphäre. Sobald das Individuum mündig ist, so lautete das Argument, wird es sich selber helfen können. Dies ist der Berührungspunkt zwischen der sozialen und der kulturellen Frage: Durch den Erwerb von Bildung sollten nach der Ansicht der frühliberalen Theoretiker die gefährlichen Massen wieder in die Gesellschaft inte-

griert werden. Denn als gebildete, mündige Bürger würden sie in der La-
ge sein, ihre eigenen sozialen Probleme zu lösen. Im Bereich der literarischen Öffentlichkeit führte diese Problematik zu der Frage, wie die Dichotomie von authentischer Literatur und Trivi-
alliteratur zu überwinden sei. Aus der Sicht der bürgerlichen Theoretiker war das Problem der Kultur der Widerspruch zwischen dem hohen ästhetischen Anspruch der klassischen literarischen Tradition und der beschränkten Rezeptionsfähigkeit der breiten Massen, die weder ökono-
misch noch intellektuell in der Lage waren, sich diese Tradition angemes-
sen anzueignen. Daraus ergab sich die Frage, ob und mit welchen Mitteln für die literarische Kultur eine breitere Basis geschaffen werden könnte. Der Begriff der Volksliteratur spielte bei diesen Überlegungen, wie sie unter anderem von Robert Prutz und Berthold Auerbach vorgetragen wurden, eine zentrale Rolle.

Robert Prutz

Prutz' Aufsatz „über Unterhaltungsliteratur, insbesondere der Deutschen" (1847) kommt in diesem Zusammenhang exemplarische Bedeutung zu, da er auf der einen Seite die jungdeutsche Tendenz zur Demo-
kratisierung der Literatur unverkennbar fortsetzte, ja radikalisierte, auf der anderen Seite aber am Begriff von authentischer Dichtung festhielt, so daß das Konzept der Unterhaltungsliteratur, welches er mit positiver Absicht einführte, einen pejorativen Beiklang erhielt. Ästhetische und pragmatisch-historische Betrachtung widersprachen einander und Prutz war nicht imstande, diesen Widerspruch aufzulösen. Um das Problem sichtbar zu machen, hob er den Kontrast hervor: einerseits die kleine gebildete Elite, die mit der literarischen Tradition vertraut ist, andererseits die ungeübten Massen, die infolge ihres Elends für Kunst kaum emp-
fänglich sein können. „In ihren ärmlichen Wohnungen, in ihren niedern Hütten, zwischen ihren Webstühlen und Maschinen, die glücklicher sind als sie, weil sie nicht hungern – wo soll ihnen die Idee, wo das Bedürfnis des Schönen aufgehen? Das Auge, das gewohnt ist, am Boden zu haften, in dem engen Umkreis der täglichen Hantierung, das nichts um sich sieht als Schmutz und Elend und Lumpen – wie soll es empfänglich werden für den Strahlenglanz der Kunst? wie soll es lernen, sich abzuwenden von dem Gemeinen, sich nicht blenden zu lassen von der geschminkten Lüge und nur an dem Bilde der Grazien andächtig zu hangen?!"[4] Dem stellt Prutz die kleine Welt der Gebildeten gegenüber, in der die klassische Literatur ihre Heimat hat: „Die eigentliche Bildung ist, ähnlich wie der eigentliche Besitz, das eigentliche Vermögen, auf unendlich Wenige beschränkt; in einer Welt, wo alles privilegiert ist, ist auch der Ge-

schmack und das Schönheitsgefühl ein Privilegium geworden. Die andern, die meisten, müssen, wie praktisch mit dem bloßen Schein des
Rechtes, der Illusion des Besitzes, so auch in diesem geistigen Gebiete
mit dem bloßen Schein der Bildung sich begnügen."[5] Der Zweck dieser
Gegenüberstellung ist der Nachweis, daß im Grunde, gemessen am Ideal
der griechischen Kultur, beide Seiten defizitär sind. Weder die gebildete
Elite noch die verarmten Massen haben eine wirkliche kulturelle Praxis,
in der sich die Aneignung von Dichtung auch im täglichen Leben spiegeln kann. Unverkennbar bleibt auch Prutz noch an neo-humanistische
Ideale gebunden, wenn er Bildung exemplarisch bei den Griechen erfüllt
sieht: „Die Griechen waren das eigentlich menschliche, eigentlich künstlerische Volk; kein anderes kann sich an Harmonie der Bildung mit ihm
vergleichen. Und erst die Harmonie der Bildung *ist* Bildung (...) Was wir
Neueren erst aus Büchern und Systemen uns mühsam abstrahieren müssen: Verständnis der Kunstformen, Geschmack und Bildung, das war bei
den Griechen vielmehr Sache eines ursprünglichen, eigentümlichen Tak-
tes; die Grazien, zu deren Antlitz wir erst aus tausend Schleiern uns hin-
durcharbeiten müssen, hatten dem Griechen, frei lächelnd, an der Wiege
gestanden."[6] So wenig originell diese Sätze inhaltlich sind, so zieht Prutz
aus ihnen Folgerungen, die über den Diskurs des Neuhumanismus hinausgehen. Das aus der romantischen Literaturtheorie vertraute Argument, daß die Moderne, also die nachantike Geschichte, nicht mehr über
eine harmonische Bildung verfügte, daß hier Geist und Leben auseinander gefallen seien, wird von Prutz sozialkritisch eingesetzt. Der von authentischer Kunst ausgeschlossenen Mehrheit der Bevölkerung wird ein
ästhetischer Anspruch zugestanden; die kulturelle Dichotomie erscheint
nicht mehr als der natürliche und damit auch legitime Ausdruck einer
ständischen Gliederung, sondern als das Zeichen einer zu überwinden-
den Verfehlung. Hier erweist sich Prutz als Hegelianer und nicht als
dogmatischer Humanist. Er setzt keineswegs die antike Bildung als einen
unerreichbaren Maßstab an, sondern gibt sie als eine überwundene Stufe
preis und erwartet von der geschichtlichen Entwicklung, daß sie einen
neuen Zustand erreichen wird, der dem griechischen gleicht und ihn zugleich übertrifft. Das Ziel ist für Prutz eine Volksliteratur, in der ästhetischer und unterhaltender Wert zusammenkommen, um schließlich identisch zu werden. Der hier benutzte Begriff von Volksliteratur ist
ausdrücklich zu trennen von dem, was Prutz Unterhaltungsliteratur
nennt. Das Volk bedeutet die ganze Nation, nicht eine bestimmte Gruppe oder Klasse. So wie für die Griechen Homer und Sophokles die Dichtung des Volkes darstellten, so erwartet Prutz im Vormärz eine neue Literatur, die endlich die bestehende kulturelle Dichotomie überwindet, in
der bildender und unterhaltender Wert nicht mehr auseinanderfallen.
Was bedeutet dies für die literarische Produktion? Prutz formuliert,

ungefähr zur gleichen Zeit wie Auerbach, zum ersten Mal das Synthesemodell, das nach 1848 für die Ästhetik so wichtig werden sollte. Die Hochliteratur als eine typische Literatenliteratur muß sich der Reflexion entschlagen und die unterhaltenden Stoffe wieder aufgreifen, um ein breiteres Publikum zu finden. Prutz erwähnt Schriftsteller wie Dickens und Cooper als mögliche Vorbilder für die deutsche Literatur, sofern sie die Lebendigkeit zurückgewinnen will, die sie durch eine Art Dauerreflexion verloren hat. Die für den Nachmärz so typische Abwendung von der jungdeutschen Literatur deutet sich bereits an, wenn auch der Name Heines nicht genannt wird, sondern derjenige Goethes und seiner romantischen Kritiker. Bezeichnenderweise unterscheidet Prutz zwischen dem publikumsnahen, volksverbundenen Schiller und der „einsamen Sonne Goethes".[7] Mit Zustimmung zitiert Prutz Schillers Wort aus der Ankündigung der *Rheinischen Thalia:* „Alle meine Verbindungen sind aufgelöst. Das Publikum ist mir jetzt Alles, mein Studium, mein Souverain, mein Vertrauter. Ihm allein gehöre ich jetzt an. Vor diesem und keinem andern Tribunal werde ich mich stellen. Dieses nur fürcht' ich und verehr' ich."[8] Prutz wünscht sich eine deutsche Literatur, die sich des allgemeinen Publikums vergewissert wie die englische oder französische, die seinen Interessen und Präferenzen entgegenkommt, statt an einem ausschließlich in der Theorie begründeten Kunstbegriff festzuhalten. Beispiele dieser neuen Literatur liefern ihm Alexis, Immermann und Gotthelf. Das eigentliche Paradigma sind freilich unverkennbar Berthold Auerbachs Dorfgeschichten, „diese schönsten Perlen, welche der Strom der letzten Jahre an das unfruchtbare Gestade unsrer Unterhaltungsliteratur geworfen hat ..."[9] Diese Autoren grenzt Prutz ausdrücklich ab gegen die modische Unterhaltungsliteratur eines Sternberg oder der Gräfin Hahn, die sich an den Salon wendet.

Diese Differenzierung läßt zugleich erkennen, wie Prutz den Begriff der Volksliteratur verstanden wissen möchte. Volksdichtung wendet sich an das allgemeine Publikum, nicht nur an besondere Gruppen, sie ist nicht nur die Sache der literarischen Salons oder der Intellektuellen, aber auch nicht ausschließlich Literatur für die Unterschichten. An eben dieser Stelle erweist sich Prutz' Programm als eine Utopie. Wenn er die anfangs zitierten proletarischen Massen zum allgemeinen Publikum rechnet, so konstruiert er einen Begriff, der in den vierziger Jahren des neunzehnten Jahrhunderts keinen Inhalt hat. Als Leser Gotthelfs oder Auerbachs kamen die poletarischen Massen, wie die Pädagogen und auch die Verleger sehr wohl wußten, überhaupt nicht in Frage. Die von Prutz beklagte kulturelle Dichotomie bleibt genau besehen eine innerbürgerliche Frage. Prutz' Theorie der Volksliteratur bewegt sich bereits in Richtung auf den bürgerlichen Realismus des Nachmärz – nicht nur in dem Versuch, am Beispiel von Auerbach und Gotthelf den Begriff einer unreflektierten Dichtung positiv zu entwickeln, sondern auch in der Absicht, das literarische Publikum seiner Zeit mit dem Volk gleichzusetzen. Die Grenze der zeitgenössischen literarischen Öffentlichkeit wird damit auch die Grenze der zukünftigen Volksliteratur. Die aufgezeigten Beschränkungen teilte Prutz mit anderen Theoretikern. Die Diskussion über die Dorfgeschichte, an der Berthold Auerbach führend beteiligt war, zeigt uns ein ähnliches Dilemma – den Versuch, den bisherigen Literaturbegriff durch neue Themen und neue Darbietungsformen zu sprengen, während die Gattung gleichzeitig gebunden blieb an dieselbe Gruppe von literarischen Produzenten und den gleichen Rezipientenkreis. Uwe Baur hat darauf hingewiesen, daß schon in dem Streit um die Bezeichnung „Dorfgeschichte" in den vierziger Jahren abzulesen ist, „wie stark der Konkurrenzkampf unter den Literaten der vierziger Jahre gewesen ist, wie marktabhängig ihr Schaffen."[10] Die Autoren, die mit der Dorfgeschichte ein neues literarisches Territorium entdecken wollten, gehörten unübersehbar zum herrschenden literarischen System. Die ersten Dorfgeschichten wurden entsprechend in den liberalen Zeitschriften wie Gutzkows *Telegraph für Deutschland,* der *Europa* oder der *Zeitung für die elegante Welt* abgedruckt, also ausgesprochenen Organen einer Salonkultur. Die Dorfgeschichte richtete sich mit anderen Worten an ein räsonierendes Publikum, dasselbe, das auch Prutz mit seinem Aufsatz über die Unterhaltungsliteratur ansprechen wollte. Die neue Gattung der Dorfgeschichte war nicht so sehr, wie Prutz vorschnell vermutete, volkstümliche Literatur als Literatur über das Volk (zumindest seinen bäuerlichen Teil). Ihre Motive, Themen, Figuren und Schreibweise, kurz ihr Diskurs, deutet darauf hin, daß sich die liberale Intelligenz eines Problems bewußt geworden ist. Man will aus den engen Grenzen einer vertrauten literarischen Kultur ausbrechen, indem man das Volk als das andere in die Literatur hineinnimmt. Von dorther erweist sich die Einschätzung, die Dorfgeschichte und der Bauernroman seien politisch konservativ, als problematisch. Ihre Autoren waren im Vormärz vielmehr überwiegend engagierte Liberale, die mit Hilfe der neuen Gattung das Bewußtsein ihrer Leser verändern wollten. Ihre Entdeckung des provinziellen Lebens beruhte nicht auf naivem Abbildungsbedürfnis, sie hing vielmehr zusammen mit ihren sozialkritischen Absichten. So war sich Auerbach seiner Distanz zu dem Milieu, das er in seinen Dorfgeschichten beschreibt, sehr wohl bewußt. Zwar kannte er die bäuerliche Welt aus eigener Anschauung (auf Grund seiner Biographie), aber er hatte sich von ihr entfernt. Und erst aus dieser Entfernung, durch den Übertritt in die Welt der Gebildeten, wurde dieses Milieu darstellbar. Insofern war, entgegen dem, was Prutz programmatisch vorschlug, die Reflexion, nicht zu eliminieren.

Berthold Auerbach

Jede Auseinandersetzung mit Auerbachs *Schrift und Volk* (1846) muß zunächst das Odium einer konservativen Volkstümlichkeit außer Kraft setzen, wie es durch die spätere Entwicklung der Dorfliteratur hervorgerufen wurde. Auerbach war weit entfernt davon, geschichtlich frühere Zustände am Beispiel des dörflichen Lebens zurückzuwünschen. Gegen die alte Ordnung, die sich auf die kirchliche und staatliche Autorität berief, spielte Auerbach ein neues Prinzip aus: „Das Princip des neuen Welt- und Völkerlebens ist die freie Bildung, das Individuum muß seinen Schwerpunkt in sich finden, nicht bloß durch Anlehnung an ein außer ihm Gesetztes feststehen, und so müssen sich die Selbständigkeiten zu einem lebendigen Ganzen zusammenfügen."[11] Bezeichnend an dieser Auffassung ist die Absicht, den Gegensatz von Individuum und Gemeinschaft aufzulösen im Begriff des lebendigen Ganzen, anders gesprochen, in der Idee einer organisch gegliederten Gesellschaft. Hier zeigt sich Auerbachs Grenze und mit ihm die des deutschen Frühliberalismus: So sehr er Veränderung wünscht, so sehr er insbesondere den bürokratischen Anstaltsstaat bekämpft, der den Bürger nur als Untertanen kennt, so hält er an einem Gesellschaftsbegriff fest, der für die Industrialisierung keinen Platz läßt. Auerbach rechnet damit, daß das Volk – und deshalb wendet er sich dem bäuerlichen Milieu zu – die jederzeit auffindbare Basis ist, von der sich die anderen gesellschaftlichen Gruppen abgehoben haben. Dagegen bleibt ihm die Einsicht fremd, daß durch die Pauperisierung der ländlichen und städtischen Massen der Gebrauch des Volksbegriffs ohne eine soziologische Präzisierung problematisch geworden ist.

Freilich wollte Auerbach, etwa im Unterschied zu Prutz, die Begriffe Volk und Volksliteratur historisch, geographisch, und bis zu einem gewissen Grade auch gesellschaftlich ausdifferenzieren. So sehr Auerbach schließlich auf den Begriff des mündigen Staatsbürgers abzielte, so ist seine am Anfang gegebene Definition des Volkes in erster Linie die Beschreibung einer Mentalität: „... so mögen wir darunter (unter dem Volk, P. U. H.) diejenige große Zahl der Menschen verstehen, die ihre Lebens- und Weltanschauung vorherrschend aus selbständiger Erfahrung und der unmittelbaren Gegenwart zieht."[12] Im Gegensatz zu diesem Denken steht der wissenschaftliche, rationale Diskurs des Staates und der Universitäten, der systematisiert und deduziert. Indem aber Auerbach die volkstümliche Mentalität als eine anschauliche, vorwissenschaftliche beschreibt, kennzeichnet er, ob dies nun beabsichtigt ist oder nicht, eine ältere Form des Denkens, die noch ganz mit den Dingen eins ist. „Die still in sich ruhende Naivetät hat ihre eigene Welt noch nicht überwunden, sie beherrscht sie nicht; sie steht in sich fest wie ein reines

Naturerzeugniß."[13] Offensichtlich schließt dieser Begriff des Volkes den des räsonierenden Publikums aus. Daraus ergibt sich für Auerbachs Programm einer volkstümlichen Kultur eine grundsätzliche Schwierigkeit. Auerbach fordert die Ausdehnung politischer Mündigkeit auf alle Staatsbürger, aber sein Begriff des Volkes verträgt sich nicht mit der kritischen Deliberation aufklärerischer Öffentlichkeit. Insofern kann nur derjenige zwischen der naiven Kultur des Volkes und der modernen Bildung vermitteln, der wie Hebel oder Auerbach selber aus dem Volk stammt, sich jedoch von dem heimatlichen kulturellen Milieu entfernt hat. Es wird seine Aufgabe, zwischen diesen Bereichen, zwischen denen sich eine Kluft aufgetan hat, eine Brücke zu schlagen. Dies geschieht jedoch nicht mehr im Sinne der Aufklärung, die den Fortschritt an sich selbst mißt und das Volk dann schrittweise an ihm teilhaben lassen will. Bei Auerbach ist das Volkstum „die innerste Lebensbedingung in allen Kreisen eines Nationalkörpers"[14] und entsprechend die Volksliteratur „der ursprüngliche Ausgangspunkt"[15] aller Literatur. Die Annäherung an das Volkstümliche ist daher nicht ein Rückschritt, sondern nur Rückkehr zum Beginn und zur Basis.

Doch stimmt Auerbach keineswegs mit den Romantikern überein, die im Märchen authentische Volksdichtung erblickten und es deshalb wiederbeleben wollten. Auerbachs geschichtsphilosophisches Bewußtsein verbietet ihm, auf die Form des Märchens zu rekurrieren, weil sie dem modernen Geist nicht mehr entspricht. Bei dieser Gelegenheit rechnet er auch das Volk zur Moderne. „Der Menschengeist ist zur Anschauung und Erkenntnis des Allgemeinen emporgestiegen, es ist vergebens, ihn auf den überwundenen Standpunkt zurückschrauben zu wollen."[16] Dieses geschichtsphilosophische Modell muß nun aber für die Volksdichtung im ganzen gelten. Entgegen dem, was Auerbach in seiner Einleitung über den Begriff des Volks gesagt hatte, stellt sich im Fortgang der Abhandlung heraus, daß das Volk von der geschichtlichen Evolution nicht ausgenommen ist und damit auch seine Mentalität der geschichtlichen Veränderung unterworfen ist. Am Beispiel Hebels zeigt Auerbach, wie der moderne Volksdichter das Wunderbare vermeidet, ohne dem Prosaischen ganz Raum zu geben. Freilich wird Auerbachs Programm nicht am besten durch die didaktische Dichtung der Aufklärung vertreten, vielmehr durch Schillers Ästhetik. Auf Schillers Theorie bezieht sich Auerbach, um die Freiheit der Kunst von außerästhetischen Gesichtspunkten zu behaupten; ferner unterstreicht er im Anschluß an Schillers Ästhetik die Notwendigkeit der idealisierenden Darstellung – freilich mit dem entscheidenden Zusatz, daß Schiller die Versöhnung von Idealismus und Realismus zur Bedingung der lebendigen Poesie erhob. Im Sinne der idealistischen Tradition bleibt die Kunstwirklichkeit auf die Realität bezogen, ohne jedoch jemals mit ihr identisch zu werden.[17] „Der Dichter kann und soll Leben und Seelenzustände bis zur gesetzmäßigen Vollendung führen, zu der sie von der baren Wirklichkeit vielleicht nicht gelangt waren oder nicht gelangen können."[18]

Indem Auerbach das Kunstwerk im Anschluß an die idealistische Ästhetik aus der unmittelbaren sozialen Praxis herausnimmt, stellt sich das Problem des sozialen Kontextes von Volksliteratur bei ihm weit radikaler als bei Prutz, der eben die idealistische Tradition für den unpopulären Charakter der deutschen Literatur verantwortlich machte. Und zwar in zweifacher Hinsicht: Auerbach zufolge kann ihr weder der pragmatische Zusammenhang der didaktischen Dichtung noch der tendenzielle der politischen Literatur gerecht werden. Die Veränderung, die Auerbach von der Poesie erhofft, richtet sich auf eine „tiefere Erfassung des Lebens",[19] die zur Humanität führen wird. Durch die Entfaltung des Lebens in seinen konkreten Ursachen und Wirkungen, nicht durch pragmatische Verbesserungsvorschläge kann die Literatur wirken. Dabei verschiebt sich, wie Auerbach hervorhebt, in der volkstümlichen Dichtung das Schwergewicht vom Helden zum Chor, vom großen Individuum zu den durchschnittlichen Menschen. „Die volkstümliche Poesie hebt Individuen aus jenen Kreisen heraus, die man sonst nur als Gesamtheit zu fassen gewohnt war. Sie zeigt hier die mehr oder minder vollendete Abgeschlossenheit des individuellen Lebens, seine Hindernisse und Förderungen, die Vereinsamung und Verlassenheit auf der einen und die gewaltsame Gebundenheit auf der anderen Seite."[20] Der Poesie bleibt es vorbehalten, auf ihre Weise Modelle aufzuweisen, an denen sich die Wirklichkeit orientieren kann – mehr oder weniger eng. Auerbach spricht davon, daß die Volksschrift die Aufgabe hat, „der freien Vereinigung der Menschen zu gegenseitiger Aushülfe und gemeinsamer Förderung ihrer Interessen vorzuarbeiten, die Gemüther zur Benutzung des Vorhandenen anzuregen und Wege zu Neuem zu bezeichnen und anzubahnen."[21] Der vermittelnde Begriff zwischen Dichtung und Wirklichkeit ist für Auerbach, und darin erweist er sich als typischer Liberaler, die Humanisierung des Menschen durch die ästhetisch gewonnene sittliche Freiheit: „Die Poesie ist es dann, die die Menschen sittlich und frei zu machen strebt, sie mit sich und der allgemeinen Vernunft eint, nicht auf dem äußerlichen Wege der Verordnungen, sondern durch innerliche Klärung."[22]

Auerbach besteht freilich darauf, daß die Humanität der Dichtung nicht unverbindlich bleiben darf: „Die thätige Humanität verlangt die Verbindlichkeit der Menschen unter einander – es müssen neue Lebenseinrichtungen geschaffen werden, die das befreite Dasein heben und tragen."[23] Der besondere Charakter der gesellschaftlichen Funktion der Literatur, etwa im Vergleich zu anderen Diskursen, wird von Auerbach sorgfältig herausgearbeitet. Ihm liegt daran, die Dichtung von direkten

Reformvorschlägen zu unterscheiden, indem er sie einerseits gegen servile Bittstellerei bei den Herrschenden und andererseits gegen ihre Instrumentalisierung im sozialen Kampf abgrenzt. „Es kann beides daraus entnommen werden, aber nur mittelbar aus der ganzen Fassung des Lebens in seinen reinen Consequenzen."[24] Dieses mittelbare Verfahren beruht auf der Freiheit des Dichters gegenüber der Wirklichkeit, die er im Kunstwerk so ändern kann, daß sich ein sinnfälliger Abschluß ergibt, wo die vorgefundene soziale Wirklichkeit diesen Abschluß noch nicht zeigt. Die Überlegenheit der Kunst im Vergleich mit anderen Diskursen beruht für Auerbach gerade darauf, daß sie die Substanz der Wirklichkeit, nicht ihre faktischen Daten erfaßt und darstellt. Daher verweist die Dichtung auf die Zukunft, und Auerbach spricht den Dichtern prophetisches Bewußtsein zu.

Die poetische Verklärung der Realität ist also alles andere als eine Form der ästhetischen Affirmation. Ihre Wahrheit liegt für Auerbach darin, daß sie über die prosaische Wirklichkeit hinausgehen kann, ein utopisches Moment enthalten darf, das die bloße Abschilderung der Wirklichkeit nicht entdecken könnte. Folglich fordert Auerbach die Literaten auf, aus dem Poetenwinkel herauszutreten. „Es kann kein Kunstwerk mehr geben, das in sich selbst seine Erfüllung hat; der Befreiung des Menschendaseins muß auch die Kunst zum Opfer gebracht werden."[25] Insofern ist die Kunst, nicht weniger als die Philosophie, in die dialektische Geschichtsbewegung einbezogen und dient, wenn auch nicht unmittelbar, der humanen Emanzipation. So stellt sich der Poesie die Aufgabe, „das freie Individuum wieder in seinem Zusammenhang mit Welt- und Menschenleben aufzuzeigen."[26]

Der Nachdruck, mit dem Auerbach hier auf das freie Individuum verweist, spiegelt sich ebenfalls in seiner Gesellschaftstheorie, die das mündige Individuum in den Mittelpunkt stellt. „Der letzte Zweck des staatlichen Gemeinlebens ist das freie Individuum, dieses soll und muß erhalten werden bei der organischen Verbindung der Einzelnen."[27] Dieses Zugeständnis an die bürgerliche Gesellschaft, die die freie Konkurrenz nach allen Seiten fördert, wird freilich in bezeichnender Weise sogleich wieder eingeschränkt durch die Forderung nach organischer Verbindung der einzelnen. Auerbach fürchtet die atomistische Zerspaltung der Gesellschaft, da nach der Auflösung der alten korporativen Ordnung, in die der einzelne eingebunden war, jeder nur seine eigenen Interessen verfolgen kann. Die sich daraus entwickelnden materiellen Ungleichheiten, die Verarmung der Massen, die Auerbach natürlich nicht verborgen geblieben war, kann im Rahmen seiner Gesellschaftstheorie nur aufgefangen werden durch ein „sittliches Prinzip". „Der Egoismus muß durch den Geist, durch Erziehung und Bildung überwunden werden, und nicht bloß durch äußern Vorteil und Berechnung, die allerdings mächtig mitwirken können."[28] Jedenfalls ist dem Staat Auerbach zufolge die Möglichkeit genommen, direkt einzugreifen.

Es ist bemerkenswert, daß Auerbach, der zunächst den Volksbegriff ganz von der mentalen Seite her bestimmt, im Laufe seiner Darstellung mehr und mehr den gesellschaftlichen Aspekt einbezieht und sich zu Fragestellungen gedrängt sieht, die zu seinem ursprünglichen Ansatz querstehen. Auerbach kann nicht übersehen, daß die Freisetzung des Individuums aus älteren ständischen Bindungen, die er im Prinzip als notwendig und fortschrittlich begrüßt, gleichzeitig zur Verschärfung der materiellen Ungleichheit führt. Dadurch aber würde die kulturelle Dichotomie, an deren Überwindung Auerbach gelegen ist, eher verschärft als vermindert. Dies räumt Auerbach seinen sozialistischen Gegnern ein. Er sieht, daß die humanistische Lösung, die durch die Erziehung und Bildung des einzelnen den Boden für eine bessere Gesellschaft bereiten will, das Problem nicht in den Griff bekommt, aber er verwirft gleichzeitig den sozialistischen Ansatz als ebenso einseitig, da er nur die äußeren Verhältnisse berücksichtigt und an der menschlichen Erhebung und Selbstüberwindung nicht mehr interessiert sei. Wie in seiner ästhetischen Theorie sucht Auerbach auch hier nach einer Vermittlung zwischen Idealismus und Materialismus, freilich mit unverkennbarer Bevorzugung des Idealismus. Auerbach hält an einer Gesellschaftstheorie fest, die den Aufstieg der bürgerlichen Klasse unterstützt. Das Volk wird sich in diesen Prozeß eingliedern müssen, hat auf jeden Fall keine eigene, von der bürgerlichen getrennte Geschichte. Ausdrücklich lehnt es Auerbach ab, von dem vierten Stand zu reden.[29] Durch die volkstümliche Literatur soll diese Synthese gefördert werden, so daß schließlich *eine* gebildete Nation von freien Bürgern entsteht. „Wir müssen unablässig darauf dichten und denken", heißt es abschließend in *Schrift und Volk,* „dem Volke, das mit des Lebens Last ringt, die Möglichkeit zu bereiten, aus dem reichen Quell des Lebens nicht nur seinen Durst zu stillen, sondern auch Freude zu trinken."[30] Trotz aller Warnungen gegen utopisches Planen, die sich bei Auerbach wiederholt finden, enthält dieser Glaube an die Humanisierung des Lebens durch die Literatur ein utopisches Element – wohl auch in dem bedenklichen Sinn, daß Auerbach niemals die Frage stellt, wie denn die verelendeten Massen den Zugang zur Literatur finden sollen. Dort, wo er diese Frage erörtert, hat er offensichtlich die geordnete dörfliche Gemeinschaft vor Augen, wie er sie auch in seinen Dorfgeschichten schildert. Die berechtigte Forderung nach politischer Bildung setzt schon voraus, daß die angesprochenen Menschen lesen und schreiben können. Auerbach beruft sich ohne weiteres auf die bestehende bäuerliche Kultur, ihre Bräuche und Überlieferungen, ohne sich zu fragen, ob nicht gerade diese Traditionsbestände, die ihm wertvoll sind, durch die Liberalisierung und Atomisierung der Gesellschaft verloren gehen

müssen. Seine Beschreibung der überlieferten Volkskultur und seine liberale Geschichts- und Gesellschaftstheorie widersprechen einander.
Durch das Aufgreifen der sozialen Fragen verließ Auerbach im Unterschied zu Prutz den Bereich der bürgerlichen Kultur. Diese Auseinandersetzung hat indes auf seinen Literaturbegriff kaum einen Einfluß. Auerbach hoffte in den vierziger Jahren, wie er es später ausgedrückt hat,
zusammen mit denen, „denen die reine Schönheit des Lebens und der
Kunst, die menschliche und vaterländische Freiheit am Herzen liegt",[31]
auf die Zukunft. Er hoffte auf die Eingliederung des Proletariats in die
Gemeinschaft der freien Bürger. Letzten Endes blieb auch Auerbach, dadurch daß er seinen Kunst- und Literaturbegriff im deutschen Idealismus
begründete, der Gefangene des vorgefundenen literarischen Systems.

Friedrich Harkort

In dieser Hinsicht erwiesen sich die Pädagogen und Sozialpolitiker der
dreißiger und vierziger Jahre als radikaler, da sie durch die ästhetische
Theorie des Klassizismus weniger vorbelastet waren und sie sich direkt
mit der sozialen Frage beschäftigten. Daß sie die Literatur in diesem Zusammenhang instrumentalisierten und damit eben das taten, was Auerbach vermeiden wollte, kam ihnen meist nicht einmal zum Bewußtsein.
Zum Teil hängt dies damit zusammen, daß sie an ältere rationalistische
Traditionen anschlossen. Besonders bei Friedrich Harkort, dem engagierten liberalen Industriellen, ist das funktionale Denken der aufgeklärten Pädagogik wieder zu finden. Sein Programm geht weniger von dem
Individuum aus als von den Gesamtbedürfnissen der Gesellschaft und
des Staates. Der Zweck der Bildung liegt dann außerhalb ihrer selbst, sie
ist das Mittel, um einen gesellschaftlichen Zustand zu erreichen, in dem
alle Mitglieder ein Maximum an Glück und Zufriedenheit erreichen
können. In eben diesem Sinne hatte eine Generation zuvor Peter Villau-
me in seiner Schrift „Ob und inwieweit bei der Erziehung die Vollkommenheit des einzelnen Menschen seiner Brauchbarkeit aufzuopfern sei"
den Grundsatz vertreten, daß der Staat berechtigt sei, im Namen der
ganzen Gesellschaft von dem einzelnen den Verzicht auf seine vollkommene Entwicklung zu fordern. „Selbst auf das größte Opfer des Menschen, auf das Opfer eines Teils seiner Veredelung und Vollkommenheit,
hat die Gesellschaft ein unwidersprechliches, heiliges Recht."[32] Die Erziehung, so argumentierten die Philanthropisten, hat immer auf die soziale Funktion des zu erziehenden Menschen Rücksicht zu nehmen.
Daraus folgt nun nicht, wie man vermuten könnte, die Entbehrlichkeit
der Bildung für die breite Masse des Volkes, aber immerhin ihre Ausrichtung auf die besonderen Bedürfnisse und Funktionen der unteren gesell-

schaftlichen Gruppen. Bezeichnend für diese Denkweise ist die Preisfrage der Erfurter Akademie aus dem Jahr 1793, wo unter anderem gefragt wird: „Was heißt bürgerliche Freiheit und auf wievielerlei Wegen lassen sich richtige Begriffe davon unter alle Stände, besonders die niedrigen Volksklassen ausbreiten?"[33] In dieser Frage ist freilich schon, wie aus dem Kontext hervorgeht, enthalten, daß die Untertanen in der Tat unter einer weisen und milden Regierung leben und daher im Prinzip keinen Grund haben, unbefriedigt zu sein. Unter diesen Bedingungen kommt es in erster Linie darauf an, dem Volk den angemessenen Begriff bürgerlicher Freiheit vorzustellen und einzuprägen. Die Aufklärung des Volkes ist erwünscht, aber nur, um die ganze Gesellschaft zu fördern. Für die Philanthropisten zerfällt die Gesellschaft in Stände und Berufsgruppen, die je nach ihrer Aufgabe und Funktion zu bilden sind – eben als Bauern, Handwerker, Beamte und Gelehrte. So legte Campe dar, daß die bisherige Erziehung die zukünftigen beruflichen Aufgaben zu wenig berücksichtigt habe und daher den Aufgaben der Handwerker und Künstler nicht annähernd gerecht wurde. Er befürchtete, daß ohne eine berufliche Vorbildung, es den jungen Handwerkern und Künstlern „an Gelegenheit und Anleitung theils zur Wiederholung des Gelernten, theils zur Uebung und Befestigung der in der Schule eingesammelten sittlichen und religiösen Grundsätze, theils endlich auch zur Vorbereitung auf die nachher anzustellenden Wanderungen gänzlich fehlen" könnte.[34] Campe setzte sich für die Verbesserung der ökonomischen Situation innerhalb der vorgefundenen politischen und gesellschaftlichen Strukturen ein – etwa durch die sorgfältigere Ausbildung der Handwerker. Auf dieser Linie lagen auch die Vorschläge Heinrich Stephanis, Gewerbeschulen einzurichten. Man kann hier von einer Demokratisierung der Bildung sprechen, insofern von allen Menschen vernunftgeleitetes Handeln in der gesellschaftlichen Praxis erwartet wird, doch muß man sich vor Augen halten, daß dieser Begriff mehrdeutig ist. Der Philanthropismus war an instrumentalem Handeln, aber kaum an individueller Emanzipation interessiert, wie sie beispielsweise im Mittelpunkt der Humboldtschen Theorie stand.

Unübersehbar schloß der Theoretiker und Politiker Harkort an die Tendenzen der Aufklärung an; er rechnete wie Lessing oder Condorcet mit dem Fortschritt der Menschheit und setzte sich im Preußischen Landtag seit den vierziger Jahren für die Volkserziehung ein. Gegenüber dem achtzehnten Jahrhundert hatten sich indessen, wie gerade Harkort unermüdlich hervorhob, die sozialen und wirtschaftlichen Rahmenbedingungen verändert. Das Projekt der Volksbildung hat im neunzehnten Jahrhundert mit einer sich industrialisierenden Gesellschaft zu rechnen, in der das Volk zum Pöbel, wenn nicht schon zum Proletariat herabgesunken ist. Auf Grund seiner Erfahrungen als Industrieller, der im Unter-

schied zu den professionellen Bildungstheoretikern mit der sozialen Lage der Arbeiter aus eigener Anschauung vertraut war, beschäftigte sich
Harkort zunächst in der Schrift *Bemerkungen über die Preußische Volksschule und ihre Lehrer* (1843) und wenig später in seiner allgemeinen Studie *Bemerkungen über die Hindernisse der Civilisation und Emancipation
der unteren Klassen* (1844) mit den Chancen für eine Demokratisierung
der Bildung. Offen bekennt sich Harkort im Vorwort der zweiten Schrift
zur Tradition der Aufklärung und erwartet von der Verbreitung der Bildung (Erziehung) die Aufhebung der geistigen Knechtschaft: „Auch
dem Armen werde sein Erbtheil menschlicher Bildung und Glückselig-
keit."[35] Allerdings unterscheidet sich Harkorts Ansatz von dem der großen Bildungsreform um 1810 dadurch, daß er die ökonomische Entwicklung Preußens, d. h. die Folgen der Bauernbefreiung und der frühen
Industrialisierung, in Rechnung stellt und als das eigentliche Problem
anerkennt. Das humanistische Argument, daß „gute Schulen der Haupt-
hebel der Humanität"[36] sind, erhält bei Harkort eine neue Dimension.
Nur durch die Vermehrung und Verbesserung der Volksschulen kann eine fortschrittliche, aber nicht-revolutionäre Entwicklung der preußischen Gesellschaft garantiert werden. Folglich wird bei Harkort – ein
Argument, das wir auch bei Diesterweg wiederfinden werden – die
Schule zum Instrument der politischen Steuerung, denn gerade die unge-
bildeten, pauperisierten Massen erscheinen dem liberalen Unternehmer
als eine bedrohliche, die richtige Evolution störende Kraft. Für ihn ist die
Fortsetzung der Aufklärung nur dann möglich, wenn das Volk (Plebejer)
an die bürgerliche Aufklärung angeschlossen wird.

Die Politisierung der Bildungsfrage ist bei Harkort wie bei Diesterweg
deutlich in ein neues Stadium getreten. Harkort verbindet ganz offen
Bildung und materielle Lebensbedingungen: „Der Arme wird verhindert
Eigenthum zu erwerben, deßhalb denkt er an Theilung durch physische
Gewalt. Wir machen Gesetze gegen die Zersplitterung der Güter, begün-
stigen die Majorate – blickt auf Irland und die Folgen."[37] In dieser Hinsicht stimmt er mit den französischen Frühsozialisten überein und beruft
sich auch ausdrücklich auf Blanqui, um das Ziel der gesellschaftlichen
Entwicklung zu erläutern. Freilich schließt er sich den sozialistischen
Konsequenzen nicht an, sondern postuliert, im Sinne der liberalen Theorie, gleiche Bildungschancen für alle: Wie die Erwerbung von Besitz jedermann freisteht und die „Heiligkeit des Besitzes" auch durch den Staat
geschützt wird, so müssen auch die Bildungsmöglichkeiten allen offenstehen, so daß jeder imstande ist, Eigentum zu erwerben und damit Mitglied der bürgerlichen Gesellschaft zu werden. Die Gesellschaft der frei-
en Staatsbürger, die Harkort wünscht, wäre gesichert, wenn die
zufälligen Unterschiede der Geburt durch Bildung aufgehoben würden.
Das Recht auf Bildung wird von Harkort ausdrücklich behauptet, um

die bestehende materielle Ungleichheit, die er natürlich sehr genau kennt, als vorläufig und sekundär kenntlich zu machen. So heißt es: „Die Stellung des Menschen zum Staate durch Geburt ist eine rein zufällige; wie bescheiden diese auch sein mag, auf die geistige Welt haben alle gleiche Ansprüche."[38] Es wäre eine Verzerrung zu behaupten, Harkort legitimiere seinen Begriff der Bildung bereits durch den Verweis auf die disziplinierende Kraft der Erziehung, immerhin bewegen sich seine Gedanken in diese Richtung. Er fordert die politische Bildung der Massen, um eine gewalttätige Revolution zu verhindern. In der Krisensituation der vierziger Jahre gibt er zu bedenken: „Man vergesse nicht, daß eine große Krisis sich nähert! Sie beschränkt sich nicht allein auf das moralische und religiöse Gebiet, nein, auch die Lösung politischer Fragen bewegt alle Klassen der Gesellschaft. Demgemäß muß dem Volke auch eine politische Bildung zu Theil werden."[39] Durch Aufklärung soll die sozialistische und kommunistische Agitation neutralisiert werden. Dahinter steht bei Harkort freilich noch immer der Glaube, daß die verschiedenen, miteinander konkurrierenden sozialen Interessen schließlich harmonisch ausgeglichen werden könnten. Arbeiter und Unternehmer können sich, wie Harkort 1849 in seinem Brief an die Arbeiter ausführte,[40] den gesellschaftlichen Reichtum teilen, der durch den Kapitalismus geschaffen wurde. Daher setzte sich Harkort bereits 1844 für die Beteiligung der Arbeiter am Gewinn ein, denn durch diese Politik erhält sich der Industrielle fleißige und motivierte Arbeiter.

Harkort erwartet vom Staat, daß er potentielle soziale Probleme durch angemessene bildungspolitische Maßnahmen abwendet. Dazu gehören das Verbot der Kinderarbeit, die Einrichtung von Gewerbeschulen und der Ausbau der Elementarschulen. Auf diese Weise werden Harkort zufolge die Bedingungen geschaffen, um die Armut zu überwinden, ohne die Gesellschaftsstruktur zu ändern. „Man sichere durch eine tüchtige Erziehung allen Menschen die freie Entwicklung ihrer Anlagen, und räume die Hindernisse weg, um durch Arbeit zum Eigenthum zu gelangen."[41] Der am Eigentum beteiligte Proletarier ist kein Proletarier mehr und daher auch nicht mehr bedrohlich für den Fortschritt der Kultur.

Harkorts Vorschläge gehen zwar davon aus, daß in der Gegenwart eine allen Klassen gemeinsame Bildung nicht existiert, doch nimmt er diese Lage nicht als selbstverständlich hin. Was für die Aufklärer eine gerade erst begriffene Aufgabe war, wird bei Harkort unter dem Eindruck der immer dringlicher werdenden sozialen Frage in den vierziger Jahren zur Klassenfrage. Die kulturelle Differenz wird zum Zeichen einer privilegierten, beziehungsweise defizitären Situation. „Ein solches Verhältniß (ein freundschaftlicher Verkehr zwischen den Klassen, P.U.H.) kann indessen dort nicht statt finden, wo das Volk in zwei große Heerlager zer-

fällt, in dem einen die gebildete wohlhabende Welt mit verfeinerten Genüssen, in dem andern die rohen, unwissenden, Mangel leidenden Massen; dadurch entsteht eine Kluft, welche beide Theile nur selten überschreiten, es bildet sich ein abstoßendes Element."[42] Der hier angespro-
chene Gegensatz ist nicht mehr der zwischen der Volkskultur und der
Kultur der Gelehrten, der die frühere Neuzeit auszeichnete. Es handelt
sich vielmehr um die Folgen des in der liberalen Wirtschaftsgesellschaft
entstandenen Klassenkonflikts.

Aus diesem Gesichtspunkt wird auch die Zivilisierung der Massen betrachtet. Durch die Volksschulen und weiterbildende Institutionen soll
die Grundlage für eine allgemeine Bildung geschaffen werden. Ästhetische Ansprüche liegen Harkort fern. Seine Einschätzung der volkstümlichen Literatur ist vielmehr pragmatisch motiviert. Von ihr erwartet er,
daß sie für den einfachen Mann verständlich ist und er von ihr etwas lernen kann, das sich im Leben anwenden läßt. Verständliche Information
auf dem Feld der Naturwissenschaften, der Ökonomie und der Politik,
das sind die Aufgaben, die Harkort dem Volksschriftsteller stellt. Das
Vorbild bleibt England, wo eine solche informierende Literatur bereits
besteht. Unter Berufung auf die englischen Zustände tritt Harkort denn
auch dem Vorurteil entgegen, daß die Popularisierung der Bildung unmöglich sei. Indessen rechnet er nicht mit der Aktivität der Massen. Diese erscheinen bei ihm nur als Objekt der Erziehung. Die Kultur, mit der
sie sich vertraut machen sollen, ist selbstverständlich die bürgerliche. Die
Vorstellung, daß das Proletariat seine eigene Kultur entwickeln könnte,
und somit auch seine eigene Literatur, ist Harkort vollkommen fremd.
Das Ziel bleibt für ihn, darin Auerbach vergleichbar, die Integration der
Proletarier in die bürgerliche Gesellschaft.

Adolf Diesterweg

Für den Pädagogen Adolf Diesterweg, Seminarleiter in Moers und später Berlin, war der Ausgangspunkt ein anderer, doch die Ergebnisse seiner Überlegungen über den Bildungsstand der Unterschichten unterschieden sich nicht wesentlich von den Anschauungen Harkorts. Mit
diesem teilte er die Ansicht, daß die anstehenden sozialen Probleme nur
durch eine umfassende Reform des Volksschulwesens gelöst werden
könnten. Nicht weniger als der liberale Unternehmer politisierte er die
pädagogische Theorie offen. Sein freimütiges Sprechen und seine uner-
müdliche politische Tätigkeit wurde von der preußischen Regierung so
wenig geschätzt, daß man ihn 1847 vorzeitig in den Ruhestand versetzte.
Diese Entscheidung eröffnete ihm die Möglichkeit, sich intensiver am
politischen Leben zu beteiligen. Als Mitglied des Preußischen Landtags

gehörte er im Nachmärz zu den energischen Gegnern der Stiehlschen Schulpolitik.

Diesterwegs pädagogisches Denken war auf der einen Seite stark von der Aufklärung beeinflußt, besonders vom Philanthropismus, auf der anderen Seite – und das unterscheidet ihn beispielsweise von Harkort – setzte er sich mit den Ideen Pestalozzis auseinander und rückte dadurch an den Neuhumanismus heran. Von gleichem Gewicht waren freilich für den jungen Diesterweg die politischen Auseinandersetzungen zwischen 1813 und 1818. Die liberalen und nationalen Programme bestimmten sein politisches Denken nachhaltig.[43] Diese politischen Erfahrungen veranlaßten ihn später, die pädagogischen Fragen nicht zu isolieren, sondern sie mit den gleichzeitigen politischen und gesellschaftlichen Problemen in Verbindung zu bringen. Unter dem Einfluß seines Freundes Johann Friedrich Wilberg konzentrierte sich sein Interesse auf Fragen der Lehrerfortbildung im Zusammenhang mit den durch die Industrialisierung entstandenen sozialen Schwierigkeiten. In den *Beiträgen zur Lösung der Lebensfragen der Civilisation* faßte er 1837 seine Gedanken zusammen.

Systematisch ordnet Diesterweg den sozio-politischen und den pädagogischen Raum auf einander zu, und zwar durch den Grundgedanken, daß die Pädagogik und die Schule zur Lösung der sozialen Frage einen entscheidenden Beitrag zu leisten hätten. Die Umwandlung der zeitgenössischen Gesellschaft in eine Gemeinschaft freier Staatsbürger kann sich Diesterweg zufolge nur mit Hilfe eines umfassenden, alle Schichten ergreifenden Bildungsprogramms vollziehen, durch die der einzelne auf seine zukünftigen politischen und gesellschaftlichen Aufgaben vorbereitet wird. Aus diesem Grund erklärt sich Diesterweg als entschiedener Vertreter des pädagogischen Realismus und scharfer Gegner von Thiersch, der den Neuhumanismus in seiner einseitigsten Gestalt verteidigte. Die Erziehung, so argumentierte er, darf sich nicht am klassischen Altertum ausrichten, weil dies für die Orientierung in der zeitgenössischen Gesellschaft eher hinderlich ist. Statt dessen fordert er die Behandlung von Stoffen, die den Schülern die Eingliederung in die gegenwärtige Gesellschaft erleichtern. Dazu gehört zum Beispiel der politische Unterricht, so daß alle zukünftigen Staatsbürger eine Vorstellung von ihren Rechten und Pflichten erhalten. Dieses Programm schließt ausdrücklich die Armen ein, die überhaupt erst durch einen solchen Unterricht in den Verband der Staatsbürger eingegliedert werden können. In Übereinstimmung mit den Grundsätzen des politischen Liberalismus geht Diesterweg davon aus, daß die Menschheit aus Individuen besteht, die „unter den Bedingungen, die Gott der Herr gestaltet hat, die Geschichte der Menschheit" machen.[44] Diese Geschichte stellt sich als der gemeinsame Fortschritt der Menschheit aus ihren einfachen Anfängen

zur zunehmenden Vollkommenheit dar. Doch dieser zu erwartende allgemeine Fortschritt wird – und damit setzt Diesterwegs Denken ein –
durchkreuzt und in Frage gestellt durch die ungleiche Verteilung der materiellen Güter: auf der einen Seite wenige Reiche, auf der anderen die
Massen, die nicht wissen, wie es im Anschluß an Chateaubriand heißt,
„womit sie ihre Blöße decken und ihren Hunger stillen sollten".[45] Ein
solcher Interessengegensatz ist für Diesterweg eine grundsätzliche Provokation, da er im Sinne der frühliberalen Theorie davon überzeugt ist,
daß im Namen der Humanität ein Ausgleich gefunden werden kann. Er
entscheidet sich für den Grundsatz der Verhältnismäßigkeit, demzufolge
das Maß der persönlichen Freiheit (auch bei der Aneignung von materiellen Gütern) begrenzt sein soll durch den Gesichtspunkt der sozialen
Billigkeit. Zwar kann die soziale Ungleichheit Diesterweg zufolge nicht
beseitigt werden, da die Menschen verschieden sind, aber es ist zu fordern, daß eine Basis geschaffen wird, durch die die Verelendung unmöglich gemacht wird. Diesterweg spricht von dem „Minimum eines
menschlichen Lebens".[46]

Es ist bezeichnend, daß Diesterweg, der die Benachteiligung der Armen aufheben möchte, noch einmal von dem Gedanken des vollkommenen Staates ausgeht. „Von einer Staatsgesellschaft, die nur einigermaßen
die Anforderungen einer Zeit, welche sich zu einiger Höhe der gesellschaftlichen Kultur erhoben hat, befriedigen will, verlangen wir daher
nicht etwa bloß, daß sie die Rechte jedes einzelnen schätze, sondern daß
sie positiv und direkt allen rechtlichen, sittlichen und die freie Entwicklung des Menschen fördernden Wünschen Vorschub leiste, die beschränkte und schwache Kraft des einzelnen durch Teilnahme, Rat und
Tat erhöhe und belebe und, soweit es angeht, die Angelegenheiten des
einzelnen, inwiefern derselbe es nur wünschen kann, zum Strebepunkt
der Genossen- und Gemeinschaft erhebe."[47] Die regulative Idee eines
vollkommenen staatlichen Gemeinwesens wird die Prämisse der pädagogischen Theorie, die sich zum Ziel setzt, materielle und kulturelle Ungleichheit zu beseitigen. Diesterweg konzipiert einen Staat, der nach diesen Grundsätzen handelt. Freilich verläßt er sich nicht ausschließlich auf
ein utopisches Konzept, sondern appelliert gleichzeitig an die Interessen
der bestehenden, keineswegs idealen Gesellschaft, um die Notwendigkeit der Bildung für die Armen zu beweisen: „Ihr streitet um Dogmen
und bringt Pygmäen zur Welt, während die Tatsachen gleich Riesen euch
über den Kopf wachsen. Wartet noch eine Weile, noch etwa ein halbes
oder ganzes Jahrhundert, und ihr werdet die Folgen erleben! Aber sie
können euch auch *morgen schon* am Schopfe fassen."[48]

Sobald die verelendeten Massen ein Bewußtsein ihrer Lage und auch
ihrer Kraft erlangen, befindet sich die Gesellschaft in Gefahr. Mit Emphase malt Diesterweg das Bild des revolutionären Pöbels aus, der den

Bau der Gesellschaft und der Zivilisation zerstören wird: „Das ist die furchtbare Macht des Pöbels, wo er in großen Massen zusammengedrängt ist. Was derselbe vermag, wenn er einmal den Damm des Gesetzes durchbrochen hat, haben wir an Paris und Lyon gesehen."[49] An dieser Stelle schlägt Diesterwegs Idealismus in Pragmatismus um; um eine drohende soziale Revolution zu verhindern, postuliert der Pädagoge Bildung für die Proletarier. Die Angst vor dem entfesselten Pöbel soll die führenden gesellschaftlichen Gruppen dahin bringen, die Verhältnisse zu verändern. In dieser Argumentation geht Diesterweg sogar noch einen Schritt über Harkort hinaus, indem er das Verhältnis von Bildung und materiellen Bedingungen umkehrt. Während Harkort durch die Bildung der Armen die materielle Ungleichheit ausgleichen wollte, argumentiert Diesterweg, daß erst eine Verbesserung der materiellen Lage die Grundlage für eine bessere allgemeine Bildung schaffen könne. Damit verschiebt sich der Ausgangspunkt – die Aufgabe des Staates beginnt im sozialen Bereich; er muß, so fordert Diesterweg, das Existenzminimum bereitstellen, das die Allgemeinbildung für die Massen möglich macht.

Das politische Ziel der Erziehung ist für Diesterweg der mündige Staatsbürger, der an der politischen Diskussion der Öffentlichkeit teilnehmen kann. Dazu kann die Volksschule jedoch nur einen bescheidenen Beitrag leisten. Um das Bildungsdefizit der Armen zu verringern, müssen Bildungsanstalten für die Erwachsenen eingerichtet werden. Durch hinreichende Aufklärung kann, so hofft Diesterweg, der Klassenkonflikt verringert werden. „Folglich muß jedem heranwachsenden Bürger der nötige Unterricht erteilt werden über die Staatsverfassung, die gesamte Organisation des Staates, von der Gemeindeordnung an bis zu dem obersten, unverletzlichen Lenker des Staates, über die Gesetzgebung und Verwaltung desselben und über die bestehenden Gesetze selbst, Unterricht in der allgemeinen bürgerlichen Rechts- und Pflichtenlehre."[50] Dieser Versuch, durch die politische Bildung der Erwachsenen die bedrohliche gesellschaftliche Lage zu verändern, fällt zurück auf ein Denkmodell, in dem die Idee des besten Staates der Ausgangspunkt des Planens ist. Weil Diesterweg als praktischer Schulmann sich nicht mit der Kritik der herrschenden Bildungstheorie zufrieden geben kann, sondern nach einem Ausweg sucht, verwickelt sich sein Projekt in Widersprüche – praktische Vorschläge auf der einen Seite, abstrakte Entwürfe auf der anderen. In jedem Fall jedoch kommen die Unterschichten wiederum nur als Objekt der Bildungspläne in das Gesichtsfeld. Daß sie beispielsweise aktiv an der Umgestaltung der Bildungsanstalten teilnehmen könnten, kommt für Diesterweg nicht einmal als Denkmöglichkeit in Betracht.

So sehr Diesterweg als Pädagoge und Lehrer den Literaten darin überlegen ist, daß er sich bei seinen Analysen und Vorschlägen nicht auf die Literatur beschränkt, um von dort her das Problem der kulturellen Demokratisierung zu lösen, so bleibt auch er unausgesprochen an einen Kulturbegriff gebunden, der an der bürgerlichen Tradition gewonnen ist. Selbst wo er die Selbständigkeit des Volkes fordert, meint er nicht eine andere und neue Kultur, sondern die Tradition der bürgerlichen Aufklärung. Die Ausbreitung dieser Kultur und ihrer Literatur wird für Diesterweg zum zentralen Anliegen. Letztlich vertraut Diesterweg noch darauf, daß sich eine Öffentlichkeit für alle herstellen läßt. In ihr hat das politische gegenüber dem literarischen Element freilich schon deutlich das Übergewicht, denn im Zentrum von Diesterwegs Überlegungen steht nicht mehr die literarische, sondern die politische Erziehung. Als man ihn 1847 mit dem Vorwurf aus dem Amt entfernte, er habe sozial-kommunistische Ideen verbreitet und demagogische Umtriebe gefördert, da verkannte man seine Absichten. Auch wenn er sich mit sozialistischen Ideen, etwa dem Saint-Simonismus, vertraut gemacht hatte, so blieb er doch auf dem Boden der liberalen Theorie und versuchte angesichts der nicht zu übersehenden gesellschaftlichen Probleme, sie auszubauen und anzupassen. Er sah sich mit einer Frage konfrontiert, die für die vorangegangene Generation noch kein dringendes Problem sein konnte – dem Anspruch der Massen, ihre Interessen in der Öffentlichkeit geltend zu machen. Diesterweg gab die Antwort, daß die klassische Öffentlichkeit durch ein allgemeines, das Proletariat umgreifendes Bildungssystem wiederherzustellen sei.

Die Grenzen der liberalen Theorie wurden deutlich: Der Begriff der menschlichen Gattung und die Kategorie des geschichtlichen Fortschritts erlaubten, wenigstens in abstrakter Form alle Menschen in den Prozeß der Bildung und Kultivierung einzubeziehen, also auch die proletarischen Schichten, doch blieb für diese Bemühungen der bürgerliche Bildungs- und Kulturbegriff maßgebend. Das Problem der Verwirklichung der liberalen Programme war nicht nur der Widerstand der frühkapitalistischen Verhältnisse, sondern gleichermaßen die Konzeption selbst, die die Massen lediglich als Objekt erfaßt. Gleichwohl ist nicht zu übersehen, daß von diesen liberalen Bemühungen wichtige Impulse ausgingen, nicht zuletzt auf die Bildungsvereine der Handwerker.

Die Arbeiterbildungsvereine

Die Bildungsvereine der Handwerker, die sich in den dreißiger Jahren formierten – nicht selten unter der Anleitung bürgerlicher Honoratioren –, verbanden in unterschiedlicher Weise kulturelle und politische Zielsetzungen.[51] Der Anspruch auf kulturelle Gleichberechtigung stärkte sich durch die radikalen politischen Ideen, die in den Handwerkervereinen heimisch wurden. Dies war im besonderen Maße der Fall in den in der Schweiz und in Frankreich gegründeten Vereinen, die durch den Staat weniger überwacht wurden.[52] Die Handwerker und Arbeiter gingen noch einmal den Weg, den die bürgerliche Aufklärung im achtzehnten Jahrhundert zurückgelegt hatte. Sie suchten den „Weg der Wahrheit, der sittlichen Bildung und Aufklärung"[53] einzuschlagen. Man beansprucht, in die literarische und politische Öffentlichkeit, die bisher dem Bürgertum vorbehalten gewesen war, einzutreten und mitzusprechen, wie es Weitling 1842 prägnant formulierte: „Auch wir (die Arbeiter, P.U.H.) wollen eine Stimme haben, denn wir sind im neunzehnten Jahrhundert und wir haben noch nie eine gehabt. Auch wir wollen eine Stimme haben in der öffentlichen Meinung, damit man uns kennen lerne, denn man hat uns bis jetzt wahrhaftig immer verkannt. Auch wir wollen eine Stimme haben, damit wir unserm gepreßten Herzen Luft machen und unsre gerechten Klagen hinaufdringen in die Ohren der Gewaltigen."[54] Wenn die deutschen Behörden auf die Gesellenvereine so mißtrauisch reagierten und mit Verboten und Maßregeln leicht bei der Hand waren, so war das nicht ausschließlich auf die Furcht vor politischen Unruhen zurückzuführen. Störend wirkte schon der Anspruch – jenseits aller Forderungen nach Freiheit und Gleichheit –, durch Selbstorganisation die eigene Lage zu verändern. Der Wille, im kulturellen wie im politischen Bereich Subjekt zu werden, war den Regierungen anstößig. Vor 1848 war das Bürgertum im allgemeinen geneigt, diese Entwicklung zu unterstützen, weil man erwartete, daß der gebildete und aufgeklärte Handwerker und Arbeiter eine Stütze der bürgerlichen Gesellschaft würde. Exemplarisch ist die Gründung des Arbeiterbildungsvereins in Hamburg (1846). Eine bürgerliche Vereinigung, die aus dem achtzehnten Jahrhundert stammende *Patriotische Gesellschaft,* legitimierte die neue Form des Arbeiterbildungsvereins, die so als Fortsetzung der bürgerlichen Aufklärung verstanden werden konnte. Es galt als ausgemacht, daß durch die Verbesserung der allgemeinen Bildung auch die sozialen Mißverhältnisse auf die Dauer beseitigt werden könnten. Denn, wie es in einer Rede zum Stiftungsfest des Vereins 1848 hieß: „Die Bildung ist die größte Feindin der Mißverhältnisse, aller Ungerechtigkeit, alles Stillstandes, aller Vorurteile."[55]

So sehr die Arbeiter und Handwerker begannen, sich in ihren Vereinigungen als Subjekte zu bestimmen, so blieb ihr Kulturbegriff vor 1848 im großen und ganzen der bürgerlichen Tradition verpflichtet. In den Aufrufen und Programmen überwog die Ansicht, daß zunächst das kulturelle Defizit zu beseitigen sei. Die Statuten des Mannheimer Arbeiterbildungsvereins sprechen von den „höhern, bis dahin für sie (die Arbeiter, P.U.H.) fast unerreichbaren Gütern des Lebens ...".[56]Die bürgerliche Allgemeinbildung gilt als Voraussetzung für die Teilnahme am öffentlichen Leben – daher der Unterricht in Welt- und Naturgeschichte, Belehrung über nützliche Erfindungen, vor allem aber auch die Beschäftigung mit anerkannten Schriftstellern. Im Mittelpunkt dieser Bildungsprogramme standen die praktischen Bedürfnisse der Handwerker und Arbeiter, die die bürgerliche Öffentlichkeit für sich erobern wollten. Die Trennung von der liberalen Theorie, wie sie sich im *Bund der Gerechten* oder später im *Bund der Kommunisten* abzeichnete, scheint sich in der kulturellen Sphäre weniger deutlich ausgedrückt zu haben. Die Bildungsvereine wollten die Verbreitung von Kultur fördern, doch tasteten sie den bürgerlichen Kulturbegriff nicht grundsätzlich an. Das mag damit zusammenhängen, daß die Entwicklung der Vereine von der kulturellen zur politischen Arbeit führte. Bei dieser Politisierung wurde der kulturelle Sektor nicht notwendig problematisiert.[57] Es wurde vielmehr angenommen, die Arbeiter würden die vorgefundene kulturelle Dichotomie überwinden. Bis 1849 waren solche Hoffnungen berechtigt. Nach der Revolution, als die Arbeiterbewegung sich politisch deutlicher vom liberalen Bürgertum trennte, stellte sich die Frage der kulturellen Differenzierung neu. Ein Modell, das den bürgerlichen Kultur- und Literaturbegriff mit Kultur und Literatur schlechthin gleichsetzte, mußte problematisch erscheinen. In dem historischen Moment, wo die Arbeiterbewegung aus der bürgerlichen Öffentlichkeit heraustrat, etwa bei der Gründung des *Allgemeinen Deutschen Arbeiter Vereins* durch Lassalle, entfiel die Legitimation für die Form der Kulturarbeit, die die Bildungsvereine des Vormärz geprägt hatte. Es stellte sich mit aller Deutlichkeit die Frage, ob die bürgerliche Literatur für das Proletariat noch verbindlich sein könnte. Wie sehr indessen das Modell der kulturellen Integration noch nachwirkte, ist an Liebknechts Position abzulesen, der zwar die bürgerliche Öffentlichkeit ausdrücklich kritisierte und die reaktionäre Schulpolitik Preußens angriff, aber den Begriff einer einheitlichen, alle Klassen umgreifenden Kultur nicht antastete.[58]

Der frühen Arbeiterbewegung fehlte eine eigene Kulturtheorie. Ihr entscheidender Schritt über die Position des Liberalismus bestand darin, durch die Bildung von Assoziationen die Handwerker und Arbeiter zum ersten Mal deutlich und unübersehbar zu Subjekten des kulturellen Handelns gemacht zu haben. Zu fragen wäre, ob und in welchem Maße die sozialistische Theorie vor 1848 ein Kulturprogramm entwarf, das die Probleme aufgriff, welche die liberale Theorie eines Harkort und Diesterweg ungelöst hinterlassen hatte. In der Arbeiterverbrüderung, die Stephan Born 1848 ins Leben rief, war dies offensichtlich nicht der Fall. Auf dem Feld der Bildung unterstützte Born radikale demokratische Vorschläge wie unentgeltlichen Volksschulunterricht und unentgeltliche Volksbibliotheken, aber er hielt daran fest, daß die Stellung der Arbeiter durch die Aneignung der Kultur gesichert würde.[59] Im Grunde blieb Borns Bildungsbegriff idealistisch. Dem entsprach ein Gesellschaftsbild, in dem die harmonischen, nicht-antagonistischen Züge überwogen. In der Arbeiterverbrüderung wurde die Bedeutung der Bildung gerade deshalb unterstrichen, weil man hoffte, durch intensive Bildungsarbeit die Klassenunterschiede überwinden zu können. Bei den Bemühungen der Arbeiter-Kongresse um den Ausbau des Bildungswesens ging es im wesentlichen darum, die Arbeiterklasse zu einem gleichberechtigten Partner zu machen. So hieß es in den Statuten der *Allgemeinen Arbeiter-Verbrüderung* in Süddeutschland: „Der Zweck der Arbeitervereine ist: allgemeine und moralische Bildung des Arbeiters zu erstreben und den Arbeiter mit allen gesetzlichen Mitteln in den Vollgenuß aller staatsbürgerlichen Rechte zu bringen und ihn in gewerblicher und politischer Hinsicht zum ächten Staatsbürger heranzubilden, sowie überhaupt die materiellen und geistigen Interessen desselben nachdrücklich zu vertreten und zu befördern …"[60] Als die Arbeiter sich in den sechziger Jahren neu organisierten, hatte dieses Modell, das noch unter dem Einfluß der liberalen Theorie stand, seine Plausibilität zum Teil verloren. Einmal hatte die staatliche Bildungspolitik verdeutlicht, daß die herrschende Klasse die Unterschichten von jeder erweiterten Form des Wissens ausschließen wollte, ferner aber hatte sich das Verhältnis zum liberalen Bürgertum entscheidend gewandelt. Die vorher gesuchte Integration mußte der Arbeiterbewegung nunmehr als Instrument der Lenkung und Beherrschung erscheinen. Die Versuche der Liberalen in der Fortschrittspartei, die Institutionen der Arbeiter für die eigene Politik in den Dienst zu nehmen, mußten scheitern, sobald die divergierenden politischen und gesellschaftlichen Interessen (etwa in der Frage des Wahlrechts) offensichtlich geworden waren.

Die sozialistische Konzeption

Der Anspruch, den der ADAV unter der Führung Lassalles formulierte, ging beträchtlich über das ältere Integrationskonzept hinaus, denn die Arbeiterklasse erscheint nun nicht mehr als der einzugliedernde vierte Stand, sondern als der Vertreter der unterdrückten Menschheit. „Seine (des Arbeiters, P.U.H.) Sache ist daher in Wahrheit die Sache der gesamten Menschheit, seine Freiheit ist die Freiheit der Menschheit selbst, seine Herrschaft ist die Herrschaft aller."[61] Obgleich Lassalle die Strategie der in der Fortschrittspartei gesammelten Liberalen entschieden bekämpfte und namentlich die Beschränkung der Arbeiterbewegung auf den ökonomischen Bereich strikt ablehnte, präjudizierte seine Auffassung des Staates als eines neutralen Agenten, den die Arbeiterklasse gebrauchen könnte, die Kulturtheorie in entscheidender Weise. Lassalle war nämlich der Meinung, der Staat habe den Zweck, „das menschliche

Wesen zur *positiven Entfaltung und fortschreitenden Entwicklung* zu bringen, mit anderen Worten, die menschliche *Bestimmung*, d. h. die Kultur, deren das Menschengeschlecht *fähig ist,* zum *wirklichen Dasein* zu gestalten; er ist die *Erziehung und Entwicklung* des Menschengeschlechts zur Freiheit."[62] Diese Überhöhung des Staates, die ihm jenseits aller Klassenkonflikte die kulturelle Erziehung der Menschheit erneut anvertraut, legte es nahe, den traditionellen Kulturbegriff zu übernehmen und in den Dienst des Proletariats zu stellen. In dem Arbeiterprogramm von 1862 suggerierte Lassalle, daß unter der Herrschaft der Arbeiterschaft die sittliche Aufgabe des Staates sich in reiner Form durchsetzen würde – im Unterschied zum bürgerlichen Staat, der als Instrument bürgerlicher Herrschaftsinteressen nur einseitig die Bedürfnisse seiner Klasse berücksichtigen kann. „Der sittliche Ernst dieses Gedankens ist es, der, ohne Sie je zu verlassen, vor Ihrem Innern stehen muß in Ihrem Atelier während der Arbeit, in Ihren Mußestunden, Ihren Spaziergängen, Ihren Zusammenkünften; und selbst, wenn Sie sich auf Ihr hartes Lager zur Ruhe strecken, ist es *dieser* Gedanke, welcher Ihre Seele erfüllen und beschäftigen muß, bis Sie in die Arme des Traumgottes hinübergleiten."[63] Der idealistische Überschuß dieser Formulierungen ist nicht zu übersehen. Lassalle hofft darauf, ja er rechnet damit, daß die Arbeiter an die gegen private Interessen geschützte kulturelle Tradition anschließen können. Die Arbeiterklasse erweist sich dann als die legitime Erbin des idealistischen Kulturbegriffs (Fichte und Hegel) und wird „eine Blüte der Sittlichkeit, der Kultur und Wissenschaft"[64] herbeiführen, weil in ihr die Privatinteressen durch die Solidarität überwunden werden. Der neuen kulturellen Blüte geht freilich die Abrechnung mit dem liberalen Bildungsbegriff voraus, wie ihn Lassalle exemplarisch in den Schriften Julian Schmidts findet – eine Kritik, die manches von dem vorwegnimmt, was wenige Jahre später der junge Nietzsche in den *Unzeitgemäßen Betrachtungen* angriff: die Selbstzufriedenheit der liberalen Bildungsidee, die das idealistische Erbe nur noch breittrat, und der Zerfall der literarischen Öffentlichkeit, die zum Anhängsel geschäftlicher Interessen geworden war. Die Arbeiter sollten sich dieser Kritik des liberalen Kulturbegriffs anschließen, doch gleichzeitig rechnete er damit, daß sie die idealistische Konzeption aufgriffen und fortsetzten. Obgleich Lassalle die liberale These der Integration des Proletariats in die bürgerliche Gesellschaft entschieden ablehnte, stellte er sich nicht die Frage, ob die kulturelle Überlieferung den Interessen der neuen Klasse entsprach. Der proletarischen Demokratie wird von Lassalle ein Kulturkonzept untergeschoben, das zweifellos nicht in volkstümlichen Überlieferungen fundiert ist.

Lassalles Entwurf – und das muß man hinzufügen, um ihn zu verstehen – antizipierte einen Zustand, in dem die Arbeiterklasse bereits den

Staat kontrolliert. Aus dem idealistischen Erbe wurde eine Bildungsutopie entwickelt. In der täglichen Arbeit der Parteien und der Bildungsvereine unter den Bedingungen des autoritären Verwaltungsstaates stellte sich die Aufgabe freilich anders dar. Die staatliche Kulturpolitik – sofern man vor 1870 schon von einer solchen sprechen kann – unterstützte die Arbeit der Bildungsvereine nicht, sie tat im Gegenteil alles, um sie zu verhindern. Angesichts der nachmärzlichen Bildungsmisere organisierten die Arbeiter ihre Bildungsvereine in den frühen sechziger Jahren neu. Zum Teil wurden die alten Ziele wieder aufgegriffen, so zum Beispiel in Esslingen, wo es in den Statuten des Arbeitervereins heißt: „Zweck des Vereins ist, durch gegenseitigen Meinungsaustausch über gewerbliche und gewerbswissenschaftliche Vorkommnisse auf dem Gebiet der Industrie, durch belehrende wissenschaftliche Vorträge, durch Gesang, Unterricht, passende Lektüre, geistig immer mehr vorwärts zu streben und hierdurch Bildung und Humanität immer mehr ausbreiten zu helfen ...“[65] Charakteristisch ist der Verzicht auf jede politische Stellungnahme. Durch die Formulierung ihrer kulturellen Interessen versuchten die in den Vereinen zusammengeschlossenen Arbeiter und Handwerker die durch das staatliche Bildungssystem festgeschriebene Benachteiligung zu überwinden. Zum Teil rechneten sie sogar noch mit der Unterstützung des progressiven bürgerlichen Lagers.[66]

Die Parole „Bildung macht frei", wie sie auf dem Arbeitertag von Rödelheim (1863) artikuliert wurde, schloß an die aufklärerische Tradition an. Man glaubte, daß durch Bildungsarbeit – auch wenn eine politische Revolution nicht stattfand – die gesellschaftlichen Verhältnisse verändert werden könnten. Während Lassalle diese Tendenz trotz seiner scharfen Einwände gegen die Bourgeoisie noch stützte, grenzte sich Wilhelm Liebknecht gegen dieses Programm deutlich ab. Sein Vortrag „Wissen ist Macht – Macht ist Wissen" (1872) berief sich ausdrücklich auf die Parole der Bildungsvereine, aber nicht mehr in der Hoffnung auf eine kulturelle Synthese, sondern um den Zusammenhang von Klassenherrschaft und kultureller Hegemonie zu untersuchen. Er kennzeichnet den klassengebundenen Charakter von Kultur als ein geschichtliches Gesetz: „Es hat noch nie eine herrschende Kaste, einen herrschenden Stand, eine herrschende Klasse gegeben, die ihr Wissen und ihre Macht zur Aufklärung, Bildung, Erziehung der Beherrschten benutzt und nicht im Gegenteil systematisch ihnen die echte Bildung, die Bildung, welche frei macht, abgeschnitten hätte."[67] Durch diesen Satz wird der Anspruch der bürgerlichen Kultur, die allgemeinen Interessen der Menschheit zu vertreten, den Lassalle im Falle des deutschen Idealismus noch übernommen hatte, prinzipiell in Frage gestellt. Wenn diese bürgerliche Kultur das Instrument bürgerlicher Herrschaft ist, liegt der Schluß nahe, daß sie durch eine neue zu ersetzen ist; die Möglichkeit einer proletarischen Gegenkul-

tur wäre zu erkunden. Doch Liebknecht zieht diesen Schluß nicht. Er
hält am Begriff der allgemeinen Bildung und damit auch am Begriff einer
allgemeinen Kultur fest, die von Herrschaftsstrukturen losgelöst sein
soll. „Wer herrscht, will sich stark und den Beherrschten schwach machen. Und wer allgemeine Bildung will, muß deshalb gegen jede Herrschaft ankämpfen."[68] Da Herrschaft und humane Vollkommenheit, wie
sie im Begriff der Kultur ausgedrückt ist, einander ausschließen, favorisiert Liebknecht das Ideal der allgemeinen Bildung gegenüber dem Klassenkampf. Mit Recht hat Hartmut Titze darauf verwiesen, daß Liebknecht mit dieser Einstellung den Intentionen der bürgerlichen Aufklärung verpflichtet bleibt, freilich die politische Strategie radikal umkehrt.[69] Diese setzt ein bei den hemmenden Faktoren, nämlich den
staatlichen Bildungsinstitutionen, durch die die kulturelle Dichotomie
gefördert und perpetuiert wird. „Der heutige Staat und die heutige Gesellschaft, die wir bekämpfen, sind Feinde der Bildung; solange sie bestehen, werden sie verhindern, daß das Wissen Gemeingut wird. Wer da
will, daß das Wissen allen gleichmäßig zuteil werde, muß daher auf die
Umgestaltung des Staats und der Gesellschaft hinwirken."[70] Vom Staate
Bismarcks ist eine Förderung der Bildung nicht mehr zu erwarten, weil
er, wie Liebknecht ausführt, das Bildungswesen zum Instrument einer
klassenorientierten Politik gemacht hat. Insofern kann die proletarische
Bildungspolitik den politischen Kampf nicht ersetzen. Das Ziel einer allgemeinen humanen Bildung kann nur erreicht werden durch den politischen Kampf. Die verschärfte Politisierung des Bildungswesens in den
Jahren der Reaktion, die auch durch die Liberalisierung unter dem Ministerium Falk 1872 nicht rückgängig gemacht wurde, bringt die Machtfrage in den Vordergrund. Die kulturelle Dichotomie, die Liebknecht im
Anschluß an Buckle als spezifisch für die deutschen Verhältnisse ansieht,
ist nur dann zu überwinden, wenn das Bildungswesen, ja alle kulturellen
Institutionen, in den Händen eines freien Volkes liegen.

Liebknecht hat, wie Titze geltend gemacht hat, die Illusion der emanzipatorischen Bildungsprogramme durchschaut: „Nur in dem Maße, wie
das Proletariat sich politische Macht erkämpft, kann es befreiendes Wissen für sich erlangen."[71] Dieser Schluß berücksichtigt jedoch nicht, daß
Liebknecht auch dort, wo er die Kultur seiner Zeit kritisiert, ihren überkommenen Inhalt unberührt läßt. Die Polemik gegen die Oberflächlich-
keit der deutschen Kultur und die große Kluft zwischen Volk und Gebildeten unterstellt stillschweigend, daß unter veränderten gesellschaftlichen Bedingungen humane Kultiviertheit möglich sei. Wenn Liebknecht
fordert: „Gleichmäßigkeit der Bildung ist ein Kulturerfordernis. Gleichheit der Bildung ist das Kulturideal",[72] dann meint er eine alle Klassen
umfassende Kultur. Das Ende der Rede kehrt zum Idealismus zurück.
Liebknecht propagiert den freien Kulturstaat, in dem eine Harmonie der

Interessen bestehen wird: „Harmonie im Individuum durch Entwicklung aller Fähigkeiten und durch Aufhebung des Widerspruchs zwischen Ideal und Wirklichkeit, zwischen Theorie und Praxis, zwischen Moral und Handeln".[73] Die Nähe zu Wilhelm von Humboldt ist nicht zu übersehen. Liebknecht erneuert hier überraschend die Utopie der gebildeten Gesellschaft, obgleich er nicht mehr damit rechnet, daß sie kampflos durchgesetzt werden kann. Aber eben die politische Strategie verstellt ihm die Einsicht in den idealistischen Charakter seiner Konzeption der Volksbildung. Ihre Inhalte werden gleichsam als bekannt vorausgesetzt. Wenigstens sind sie für Liebknecht unproblematisch. In dieser Hinsicht setzt er die Lassallesche Tradition fort. Nur dort, wo der Staat in der Hand des Volkes liegt, kann allgemeine Bildung verbreitet und damit eine Kulturgesellschaft geschaffen werden. „Die höchste Aufgabe des Staats ist die Volkserziehung, die Lösung dieser Aufgabe ist nur möglich durch den Staat; und zeigt sich der Staat unfähig, diese Aufgabe zu lösen, so hat er kein Recht, zu bestehen."[74] Unzweifelhaft hat diese Einstellung die Kulturpolitik der Sozialdemokratie in den folgenden Jahrzehnten nachhaltig bestimmt – auf der einen Seite der bei Lassalle und Liebknecht ausgesprochene Anspruch, daß die Arbeiterklasse die wahre humane Kultur vertrete, auf der anderen Seite der Anschluß an idealistische Kulturtheorien, die vom Begriff der menschlichen Gattung ausgehen.

Die Kulturkonzeption der deutschen Sozialdemokratie, und nicht nur die der Lassallianer, fiel hinter Marx und Engels zurück. Marx' Kritik des Gothaer Parteiprogramms machte dies auch innerhalb der Partei deutlich. Wenn Marx sich vor allem gegen die Vorstellung richtete, daß der Staat ein selbständiges Wesen sei, traf er damit auch Lassalles Kulturprogramm, das dem Staat eine entscheidende Rolle bei der Überwindung der bürgerlichen Scheinkultur übertrug. Indem Marx den Staat als eine abhängige Größe behandelt, dessen Funktion von der Struktur der Gesellschaft abhängt, entfällt auch die Möglichkeit, den vorgefundenen Staat zu benutzen, um Volksbildung zu verbreiten. In seiner Kritik des Gothaer Programms macht Marx darauf aufmerksam, daß erst der neue Staat, der aus der Diktatur des Proletariats hervorgegangen ist, die Konstitution einer neuen Kultur übernehmen kann. Erst nach der Revolution ist, wie schon das *Kommunistische Manifest* festhielt, die freie Entwicklung überhaupt möglich.

Die Kritik von Marx und Engels an der bürgerlichen Kultur ging einen entscheidenden Schritt weiter, als dies selbst bei Liebknecht der Fall war. Legte Liebknecht dar, wie sehr der bürgerliche Staat durch sein Bildungssystem die Verbreitung von Kultur verhindert, ging es Marx und Engels – schon seit der *Deutschen Ideologie* – darum zu zeigen, daß die Konzeption einer die Klassensituation transzendierenden Kultur unmöglich ist. Das *Kommunistische Manifest* hielt diese Einsicht in aller

Knappheit fest, wenn es die bürgerliche Bildung als Produkt der bürgerlichen Eigentumsverhältnisse bezeichnet.[75] Insofern das Erziehungssystem Teil des gesellschaftlichen Systems ist und funktional auf dieses bezogen bleibt, erwarten Marx und Engels erst von einer neuen Gesellschaft ein verändertes Erziehungssystem. Erst dann – und dies ist der Punkt, der bei Liebknecht wieder verloren ging – werden sich die neuen Ziele und Inhalte herausschälen. Nicht so sehr die Korruption bürgerlicher Bildung, wie sie bei Liebknecht im Mittelpunkt steht, sondern die prinzipiellen Schranken kultureller Systeme, die in sozialen Strukturen fundiert sind, bilden das Zentrum der Marxschen und Engelsschen Kritik. Aus diesem Grund nimmt die Kultur- und Bildungspolitik im *Manifest* nur eine untergeordnete Stellung ein. Gefordert wird die Verbindung von Erziehung und materieller Produktion. Ob damit eine Variation der Industrieschule gemeint ist, ist fraglich. Wichtiger dürfte der Gedanke sein, daß der Prozeß der Bildung nicht von der materiellen Produktion abgelöst werden kann. Später diskutiert Marx die Möglichkeit, die für die Zwecke des Kapitalismus eingerichteten Schulen so umzufunktionieren, daß sie die Aufhebung der alten Arbeitsteilung vorbereiten. „Wenn die Fabrikgesetzgebung als erste, dem Kapital notdürftig abgerungene Konzession nur Elementarunterricht mit fabrikmäßiger Arbeit verbindet, unterliegt es keinem Zweifel, daß die unvermeidliche Eroberung der politischen Gewalt durch die Arbeiterklasse auch dem technologischen Unterricht, theoretisch und praktisch, seinen Platz in den Arbeiterschulen erobern wird."[76] Die seit der *Deutschen Ideologie* stringent durchgeführte Unterscheidung zwischen Sein und Bewußtsein – und zwar als historische Folge der gesellschaftlichen Arbeitsteilung – hebt die Selbständigkeit des kulturellen Bereichs auf. Kultur als geistige Produktion im Unterschied zur materiellen erweist sich als der Versuch, die Herrschaft der eigenen Klasse zu legitimieren. Ob und in welcher Weise die literarische Tradition sich gegenüber der Gesellschaftsgeschichte verselbständigen kann, kann in diesem Zusammenhang unerörtert bleiben, denn es geht nicht um das Problem einer reduktiven Deutung, sondern um das der Kritik. Der für den Idealismus nicht hinterfragbare Kultur- und Bildungsbegriff ist bei Marx als gesellschaftliche Funktion zu begreifen. Die dem Individuum objektiv gegenübertretende Kultur (Kulturgüter), die sich aneignen muß, um an der kulturellen Sphäre teilnehmen zu können, erweist sich als das Ergebnis von spezialisierter Arbeit. Von dort her setzt sich, über den Begriff der Entfremdung, die Kritik an kultureller Produktion prinzipiell durch. Nicht nur in der Klassengebundenheit zeigt sich die Grenze der Kultur, sondern gleichzeitig in ihrer Spezialisierung. Daher wird die Kultur nach der proletarischen Revolution nicht nur andere Zwecke und Inhalte haben, sondern ein anderes Wesen annehmen. Die Marxsche Kritik enthielt infolge ihrer Radikalität für die Sozialdemokratische Partei unlösbare Probleme: Da die praktische Arbeit der Partei unter den Bedingungen des Kapitalismus stattfinden mußte, bezogen sich ihre Forderungen, wie am Gothaer Programm abzulesen ist, auf die Gegenwart. Die postulierte allgemeine und gleiche Volkserziehung beanspruchte den bestehenden Staat und nicht den Volksstaat der Zukunft. So mündete die politische Strategie, wie scharf sie auch die vorgefundenen Zustände kritisieren mochte, in die Reform ein.

Die religiöse Kritik des Liberalismus

Für die liberale Theorie, auch in ihren radikaleren demokratischen Spielarten, blieb das Integrationsmodell auch nach 1848 unverzichtbar. Das gilt für Hermann Hettner und Gottfried Keller nicht weniger als für Julian Schmidt und Gustav Freytag. Keller bestand auf der didaktischen, volkserzieherischen Aufgabe der Kunst ebensosehr wie der konservative Gotthelf.[77] Strittig ist nur die Frage der ästhetischen Vermittlung, wie Keller in seinem Tagebuch schon 1843 vermerkt: „Die Propaganda irrt sich, wenn sie glaubt, die Dichtkunst sei nur für die Tat und zu politischen oder reformatorischen Zwecken geschaffen. Der Dichter soll seine Stimme erheben für das Volk in Bedrängnis und Not; aber nachher soll seine Kunst wieder der Blumengarten und Erholungsplatz des Lebens sein."[78] In jedem Fall jedoch ist der Adressat für Keller das Volk. Deshalb besteht er auf der Reichsunmittelbarkeit der Poesie, denn durch die poetische Verklärung wird das Sittliche und Menschliche gegenüber der prosaischen Wirklichkeit herausgestellt, und daran muß dem Volksdichter gelegen sein. „Literatur muß Volkspoesie, Ergebnis des Bedürfnisses des Volkes sein. Das Volk vereint Produktion und Rezeption in sich."[79] Freilich wird bei Keller nicht recht ersichtlich, wer das Volk eigentlich ist. Er verläßt sich auf den Begriff, ohne sich um seinen Inhalt allzuviel Sorgen zu machen. Die Polemik gegen die subjektivistische Willkür (Romantik und Junges Deutschland), die den Frührealisten insgesamt eigentümlich ist, beruft sich genau zu dem Zeitpunkt auf die Begriffe des Volkes und der Volkstümlichkeit, als sie in der sozialen Wirklichkeit angesichts der größer werdenden Kluft zwischen Bürgertum und Proletariat ihre Bedeutung verlieren. Auch wenn Keller in den sechziger und siebziger Jahren mehr und mehr zu der Überzeugung gelangte, daß seine Konzeption der volkstümlichen Literatur eine Utopie war, die sich angesichts der gesellschaftlichen Entwicklung nicht durchsetzen ließ, so war diese Konzeption doch unverzichtbar, da eine Alternative nicht zur Verfügung stand. Für Keller blieb die bürgerliche Öffentlichkeit der Raum, in dem sich die Literatur entfalten und zur Diskussion stellen muß. So wie diese Öffentlichkeit bei Keller nur als eine einheitliche, alle Staatsbürger umfassende gedacht werden kann, so kann auch der Begriff der Kultur nur vor dem Hintergrund dieser Öffentlichkeit entfaltet werden. Diesem Programm entspricht in den *Grenzboten* die Forderung, daß der gesunde Menschenverstand darüber zu urteilen habe, wie die soziale Wirklichkeit poetisch darzustellen sei. Als echte Erfahrung kann nur ausgewiesen werden, was von allen vernünftig Urteilenden geteilt wird. Was die *Grenzboten*-Redakteure von Keller unterscheidet, ist der für den gemäßigten Liberalismus des Nachmärz so typische Glaube, daß der dritte Stand im wesentlichen mit der Gesamtheit des Volkes identisch sei. Dem Bürgertum wird in der kulturellen Sphäre noch einmal die Aufgabe zugewiesen, die gesamtgesellschaftliche Führung zu übernehmen. Diese Bemühungen verstehen Freytag und Schmidt nicht nur als Fortsetzung des älteren Liberalismus, sondern zugleich als Kritik seiner Praxisferne. Nur auf dem Boden der bürgerlichen Arbeit kann das Gebäude der Kultur errichtet werden.

Die Schwäche dieser Position bestand darin, daß sie den bürgerlichen Literatur- und Kulturbegriff vorschnell verallgemeinerte. Die gesellschaftlichen Bedingungen literarischer Rezeption und kultureller Partizipation wurden nicht mitreflektiert. In dieser Hinsicht erwiesen sich die kirchlichen Versuche, auf katholischer wie auf protestantischer Seite, die eingeschliffene kulturelle Distanz zu überwinden, als erfolgreicher und auch realistischer. Adolf Kolping, der Gründer der katholischen Gesellenvereine, erkannte auf Grund seiner eigenen Erfahrung als Handwerksgeselle, daß die traditionelle Handwerkerkultur im Zerbrechen war, so daß den wandernden Gesellen die soziale Bindung fehlte. Zwischen den Gebildeten und der Masse des Volkes, so stellte er fest, gibt es kein einigendes Band mehr. In der Schrift „Der Gesellenverein, eine Volksakademie" (1848) heißt es: *„Es fehlt dem jungen Arbeiter ein Zufluchtsort* außer der Herberge und dem Wirtshause, wo er recht eigentlich eine Weile rasten und Nahrung für seinen Geist erhalten könnte, die auf ihn berechnet, ihm zusagen müßte. Es *fehlt* ihm ferner die *Gelegenheit,* sich für seinen *Beruf, für seine Zukunft gewissermaßen auszubilden,* abgesehen von der technischen Fertigkeit, welche ihm die Werkstätte des Meisters mitgeben soll. Noch mehr *fehlt ihm: eine passende, Geist und Gemüt wahrhaft aufrichtende und stärkende Unterhaltung und Erheiterung,* wie er sie weder zu Hause, noch im Wirtshause, noch an öffentlichen Vergnügungsorten erhält."*[80]* Die ab 1846 eingerichteten Gesellenvereine, die sich rasch über Deutschland und Österreich ausbreiteten, waren Kolpings Antwort auf diese Notlage. Aus dem Erfolg, den auch Nicht-Katholiken anerkannten, ist zu schließen, daß sein Programm der Situation gerecht wurde. Bewußt vermied er und seine Mitarbeiter, den konfessionellen Charakter der Vereine und Herbergen hervorzuheben. Kolping schwebte eine religiös fundierte Volksakademie vor, eine Stätte, wo die überlieferte Volkskultur fortbestehen kann. Von dem Integrationskonzept der Liberalen unterscheidet sich sein Programm gerade durch die Distanz zum liberalen, säkularisierten Kulturbegriff. Für Kolping ist die moderne Bildung *entfremdete* Bildung, wie er am Beispiel der großstädtischen Gesellschaft verdeutlicht. Während die akademisch Gebildeten und ihre Damen sich in der kirchlichen Lehre nicht mehr auskennen, beweist das Küchenmädchen seine Überlegenheit, wenn es die „sieben Stücke" auswendig hersagen kann.[81] Die Auseinandersetzung mit dem liberalen Bildungsbegriff wird 1854 in dem Aufsatz „Was ist Bildung?" fortgesetzt, wo es unter anderem heißt: „Die ‚gebildete' Welt ist auf dem Holzwege mit all ihrem bloßen Wissen."[82]

Kolpings Kritik richtet sich gegen einen Bildungsbegriff, der sich an äußeren Merkmalen ausrichtet. „Im landläufigen Sinne nennt man Bildung, wenn irgendeiner sich jenes *Wissen* aneignet, das meinetwegen unsere öffentlichen Bildungsanstalten, Schulen, Gymnasien, Pensionate, Universitäten etc. mitteilen, und je reicher dieses ‚Wissen' wird oder ist, um so ‚gebildeter' wird der Mensch genannt."[83] Kenntnis von Sprachen, Vertrautheit mit Literatur, die Fähigkeit darüber im Kreise der Kenner zu sprechen: das macht für Kolping den Charakter der falschen Bildung aus. Im kritischen Spiegel sind die Züge der Aufklärung noch zu erkennen – Kultur als geselliges Gespräch über Kunst und Literatur, von dem eine humanisierende Wirkung ausgeht. Da sich diese Bildung für Kolping auf Wissen reduziert, kann sie nicht genuin sein. Gerade der Kern des aufklärerischen Kulturbegriffs, der Anspruch auf menschliche Selbstbestimmung in der Öffentlichkeit, wird hier zurückgewiesen. Kolping ist sich bewußt, daß diese Auffassung nicht zeitgemäß ist und vor allem bei den Gebildeten keinen Anklang finden wird. So nimmt er die möglichen Einwände vorweg, indem er sie lächerlich macht. Die angesprochenen Unterschichten werden gegen die Gebildeten ausgespielt, ihrer traditionalen Kultur wird gegenüber der ‚modischen' Bildung des Bürgertums recht gegeben. Dieses gebildete Bürgertum hat sich von den christlichen Ursprüngen der Bildung weit entfernt und damit die moralische Praxis verloren, durch die sich der Wert der Kultur täglich beweisen muß. Die moderne Bildung läuft, wie Kolping einwendet, darauf hinaus, daß man Bildungsgüter ohne Verpflichtung zur Kenntnis nimmt.

In der Benennung der Symptome ist sich der Katholik Kolping mit den radikalen sozialistischen Kritikern durchaus einig: Es gibt in der Mitte des neunzehnten Jahrhunderts keine einheitliche Kultur mehr. Sie ist zerfallen in zwei Lager – auf der einen Seite die Kultur der „Gebildeten", die aus der Aufklärung hervorgegangen ist, auf der anderen Seite die volkstümliche Kultur, die im Christentum fundiert ist. Nun ist sich Kolping zwar im klaren darüber, daß diese Fundierung der volkstümlichen Kultur keineswegs mehr gesichert ist. Seine Bemühungen um die

Handwerksgesellen beweisen dies. Doch will er dem herrschenden liberalen Kulturbegriff einen christlichen entgegenstellen, der dem Volk als Stütze angeboten werden kann. Er beruht auf der Gottähnlichkeit des Menschen. Bildung ist der Prozeß der Annäherung des Menschen an Gott als seinen Schöpfer. „Das Bild und Gleichnis Gottes im Menschen, was so recht eigentlich sein Wesen konstituiert und bedeutsam angibt, *soll durch Bildung zur Ähnlichkeit mit Gott weitergeführt, schärfer, bestimmter ausgeprägt,* ja bis zu jener Vollendung emporgehoben werden, die das Bild dem Urbilde gegenüber nur erreichen kann."[84] So ist Bildung, wie Kolping immer wieder unterstreicht, in erster Linie religiöse Erziehung, Unterweisung in der christlichen Lebensform, Hinweis auf das Vorbild des Erlösers, in dem Wahrheit, Liebe und Kraft gefunden werden können. Diese christliche Bildung eignet man sich nicht durch den Kopf, sondern durch das Herz an; darin liegt ihre Überlegenheit gegenüber der weltlich-liberalen. Sie beweist ihren Wert in der Praxis – in der Ausübung der christlichen Liebe. „Der schlichte Mensch scheint oft weniger gut und ist desto besser; das Gutsein aber ist das sicherste Zeichen wahrer Bildung, die ohne ein kräftiges, lebendiges Christentum nicht zu erreichen ist."[85]

Schärfer als seine liberalen Kollegen sah der Redakteur Kolping, daß die Masse der Bevölkerung (Bauern, Handwerker, Arbeiter) von der Kultur der Gebildeten ausgeschlossen war. Aber es ging ihm nicht mehr darum, die Ausgeschlossenen durch die Popularisierung der Bildung einzugliedern. Vielmehr suchte er nach einer Alternative, durch die der aus der katholischen Sicht verderbliche Prozeß der Aufklärung aufgehalten werden konnte. Sein Programm ging von den vorhandenen Bedürfnissen der Massen aus. Neben der Gründung von Gesellenvereinen und Hospizen benutzte er die Mittel der Publizistik: Zeitschriften und Kalender. Besonders der Kalender erschien ihm als geeignetes Instrument der Volkspädagogik, denn diese Form erlaubt dem Autor mit einem Teil der Bevölkerung in Berührung zu kommen, den das literarische System der Gebildeten ausschloß. An den hohen Auflagen seiner Publikationen ist abzulesen, daß Kolping den richtigen Ton traf.[86] Die didaktischen Erzählungen (Dorfgeschichten, Kriminalgeschichten, Abenteuererzählungen) schrieb Kolping meist selbst, um seine moralischen Lehren zu veranschaulichen. Ihre Tendenz ist religiös und im politischen Bereich konservativ.[87]

Kolping und seine Mitarbeiter erwarteten nicht, daß diese alternative volkstümliche Kultur sich verselbständigen könnte. Durch ihre Bildungsarbeit wollten sie das Volk zur Kirche zurückführen. „Ohne die Kirche", heißt es in den *Rheinischen Volksblättern,* „ist ein religiöses Volksleben rein unmöglich."[88] An die Mündigkeit des Volkes ist daher prinzipiell nicht zu denken. Bezeichnenderweise stand Kolping der öffentlichen

Meinung als regulierender Institution mißtrauisch und ablehnend gegenüber. Sie erschien ihm als bestimmbar und charakterlos. Folglich rechnete er die liberale Presse zu seinen Gegnern und kritisierte sie, wo immer er konnte, da er überall aufklärerische und revolutionäre Tendenzen vermutete. Sein soziales Engagement rieb sich an dem, was er als das Desinteresse des Bürgertums am Schicksal des einfachen Volkes ansah. Als Alternative propagierte er die christliche Familiengemeinschaft, in der die überlieferten moralischen und religiösen Werte bewahrt werden können. Die publizistische Auswertung dieser Idee wies jedoch in eben die Richtung, die, von einem dezidiert liberalen Standpunkt, Ernst Keil in der *Gartenlaube* verfolgte. Auch Keil wollte aus dem Ghetto des gebildeten Publikums ausbrechen und Leser ansprechen, die die ältere Publizistik vernachlässigt hatte.

Johann Hinrich Wicherns Projekt, die Grenzen der protestantischen, besonders der lutherischen Kirche auf dem Gebiet der Sozialarbeit zu sprengen, weist zahlreiche Parallelen zu Kolpings Arbeit auf. Wichern ging davon aus, daß die lutherischen Landeskirchen in den Städten und zum Teil auch auf dem Lande den Kontakt zu der armen Bevölkerung verloren hatten. Das Proletariat – ein Ausdruck, den Wichern schon durchgehend benutzt – hatte sich vom christlichen Glauben mehr und mehr entfernt, da die Kirche an seinem Schicksal kein Interesse zeigte. So erwächst ihr eine neue Aufgabe: Sie muß im eigenen Lande missionieren. In der Denkschrift *Die Innere Mission* faßte Wichern 1849, also ein Jahr nach der Revolution – die in seinem Denken eine bedeutende Rolle spielte –, sein Programm zusammen: „Als innere Mission gilt uns nicht diese oder jene *einzelne*, sondern die *gesamte* Arbeit der aus dem Glauben an Christum geborenen Liebe, welche diejenigen *Massen in der Christenheit* innerlich und äußerlich erneuern will, die der Macht und Herrschaft des aus der Sünde direkt oder indirekt entspringenden mannigfachen äußern und innern Verderbens anheimgefallen sind, ohne daß sie, so wie es zu ihrer christlichen Erneuerung nötig wäre, von dem jedesmaligen geordneten christlichen Ämtern erreicht werden."[89]

Die Innere Mission ist nach der Bestimmung von Wichern derjenige Teil der protestantischen Kirche, der sich der Armen, Ausgeschlossenen und Verlorenen annimmt, die die Staatskirche nicht mehr erreicht. Die Organisationen der Mission helfen diesen Menschen in geistlicher und materieller Hinsicht, um sie zum christlichen Leben zurückzuführen. Wicherns Motivation für diese Arbeit war zweifellos in erster Linie theologisch: die Sorge um das geistliche Heil der atheistischen Massen. Die praktische Arbeit führte die Mitglieder der Inneren Mission freilich zu einem sozialen Engagement, das manchen Vertretern der lutherischen Landeskirchen fremd, wenn nicht unheimlich war. Wichern wollte die nach seiner Ansicht entartete Gesellschaft so wiederherstellen, daß jeder in ihr seinen angemessenen Platz findet und im Verband von Familie und Staat ein christliches Leben führen kann. Unter die moralischen Aufgaben rechnete Wichern die Überwindung der im Volk verbreiteten Lesesucht: „Sie ist als verderblich zu bekannt, als daß hier notwendig wäre, auf sie im einzelnen einzugehen und die Aufgabe der innern Mission in dieser Beziehung im einzelnen nachzuweisen. Es ist bereits durch Vereine und durch einzelne, die Volksschriften und Blätter ausgegeben oder gute Leihbibliotheken gegründet haben, manches Ersprießliche geleistet; es ist aber noch lange nicht genug, an unzähligen Stellen noch nichts geschehen, um die schlechte Literatur zu verdrängen und einer besseren den Raum und den Einfluß zu verschaffen, der ihr werden muß. Es sei nur noch ausgesprochen, daß an dieser Stelle nicht die erbauliche und kirchliche Literatur im engern Sinne gemeint ist, als vielmehr das volkstümlich gesunde, belehrende, erfreuende und unterhaltende Wort, das auch dann schon dem Zwecke der innern Mission entspricht, wenn es nur nicht wider das Evangelium ist."⁹⁰ Die Sorge der Inneren Mission gilt in erster Linie der moralischen Zerrüttung der Familie, doch ist sich Wichern bewußt, daß diese Verfallserscheinungen mit den sozio-ökonomischen Rahmenbedingungen eng verknüpft sind. Daher erweist sich der christliche Sozialismus eines Wichern in einem sehr viel präziseren Sinn als derjenige Kolpings als Reaktion auf den Frühsozialismus, namentlich auf den französischen Sozialismus, den er unter dem Begriff des Kommunismus zusammenfaßt. Schon 1848, unmittelbar unter dem Eindruck der Revolution, erläuterte Wichern diesen Zusammenhang in zwei Aufsätzen unter dem Titel „Kommunismus und die Hilfe gegen ihn". Der Kommunismus ist für Wichern das Ergebnis der Verelendung der Massen und ihrer Verführung durch sozialistische Agitatoren. Die Folge ist die Zerstörung der gesellschaftlichen Grundordnung und die Auflösung der im Christentum verankerten moralischen Normen. Die Folge wird das Chaos sein.⁹¹ Die geforderten Gegenmaßnahmen sollen das christliche Volksleben wieder herstellen. „Die Kirche ist in ein Stadium ihrer Geschichte getreten, worin sie zu jener kräftigsten, indirekten Mitwirkung bei der Lösung derjenigen politischen und sozialen Fragen, deren falsche Lösung den Untergang der germanischen Bildung und Gesittung herbeiführen könnte, berufen wird. Sie muß das Panier der rettenden Liebe Christi in Wort und *Tat* in getrostem Glauben, mit fester Zuversicht, mit klarem Blicke und einem mit Liebe zum Volk erfüllten Herzen erheben."⁹² Die Auflösung der ständischen Gesellschaft wird hier nicht dem Liberalismus, sondern dem Kommunismus angelastet, der atheistisch und antikirchlich gesonnen ist. So argumentiert Wichern: „Unter verschiedenen Formen ist bisher versucht, die Gemüter der vorgenannten Arbeiterklassen für die kommunistischen Ideen empfänglich zu machen. Emissäre sind zu diesem Zweck nach allen Seiten ausgeschickt, speziell für diesen Zweck gegründete Institute, sehr häufig unter dem unschuldig scheinenden Namen von *Bildungsvereinen,* sind ins Leben getreten, andere bestehende Vereine, Singvereine, Lesevereine, wurden in Organe dieser Propaganda umgewandelt, und namentlich wurden die Presse und die Lokalblätter benutzt, um stets neue Kanäle, welche den ,Arbeitern' diesen Geist zuführen sollten, zu eröffnen."[93] Die Innere Mission verstand sich als Gegenentwurf. Man wollte im Rahmen der gegebenen Sozialordnung, die Staat, Kirche und Familie anerkennt, helfen und stützen. Ausdrücklich werden die Arbeiterverbrüderungen von 1848 als falsche Formen der Selbsthilfe bezeichnet. An ihrer Stelle empfiehlt Wichern christliche Assoziationen, die die verschiedenen Klassen umgreifen.[94] Das Ergebnis wäre eine christlich-soziale Synthese, die sich dann auch in einer einheitlichen christlichen Kultur ausdrücken wird. Unverkennbar mußte dieses Programm, ähnlich wie das von Kolping, mit den Zielen der Arbeiterbewegung kollidieren.

XI. Epilog: Auf dem Wege zur industriellen Kultur

Kulturindustrie

Vor mehr als einem Jahrhundert prägte Friedrich Nietzsche den Ausdruck „industrielle Kultur". In *Die fröhliche Wissenschaft* bemerkte er: „Soldaten und Führer haben immer noch ein viel höheres Verhalten zueinander als Arbeiter und Arbeitgeber. Einstweilen wenigstens steht alle militärisch begründete Kultur noch hoch über aller sogenannten industriellen Kultur: letztere in ihrer jetzigen Gestalt ist überhaupt die gemeinste Daseinsform, die es bisher gegeben hat."[1] Nicht, daß er der erste war, der einen Zusammenhang zwischen der Entfaltung des Industriekapitalismus und der veränderten Gestalt der Kultur feststellte, schon die jungdeutschen Schriftsteller beschäftigten sich wiederholt mit der Kommerzialisierung der Literatur. Vor allem Heinrich Heine unterstrich in seinen Pariser Schriften den Einfluß der kapitalistischen Wirtschaftsordnung auf die Kunstproduktion und -rezeption. Die erste Hälfte des neunzehnten Jahrhunderts war weit entfernt von jenem Ideal der liberalen Öffentlichkeit, das spätere Historiker im Vergleich mit den Bedingungen des Spätkapitalismus von ihr entworfen haben. Nietzsches Beobachtungen und die seiner kritischen Zeitgenossen gingen freilich wesentlich über die vormärzliche Kritik hinaus. Sie suggerierten nicht weniger als das Ende dessen, was die liberale Elite bisher als ihre Kultur angesehen hatte. Nietzsche führte den Verlust der klassischen deutschen Nationalkultur auf eine Reihe von Ursachen zurück. Er nannte unter anderem die Saturiertheit der bürgerlichen Bildungselite im Bismarckschen Reich, die Ausdehnung des staatlichen Schul- und Bildungswesens und die Alphabetisierung der Massen, die nunmehr an der Kultur teilnehmen wollten. Doch diese kritischen Bemerkungen schlossen sich bei Nietzsche nicht zu einer sozialgeschichtlichen Theorie zusammen. Diese formulierten erst Horkheimer und Adorno in der *Dialektik der Aufklärung* (1947). Sie standen möglicherweise unter dem Einfluß Nietzsches, sicher führten sie jedoch Georg Lukács' Analysen zur Verdinglichung im fortgeschrittenen Kapitalismus fort. Der Gegenstand ihrer Kritik war freilich nicht mehr das kaiserliche Deutschland, sondern das Amerika der dreißiger und vierziger Jahre. Nicht anders jedoch als der frühe Nietzsche operierten sie mit einem historischen Gegensatz: Die gegenwärtige amerikanische Kulturindustrie – der die Verhältnisse im nationalsozialistischen Deutschland in mancher Beziehung gleichgestellt werden – wird abgehoben von der europäischen Kultur des neunzehnten Jahrhunderts. Das wird besonders an jenen Stellen deutlich, an denen sich Horkheimer und Adorno auf die deutsche Geschichte beziehen. Sie argumentieren, daß gerade die gesellschaftliche Zurückgebliebenheit Deutschlands die Kultur gegen die Eingriffe des organisierten Kapitals schützte: „In Deutschland hatte die mangelnde Durchdringung des Lebens mit demokratischer Kontrolle paradox gewirkt. Vieles blieb von jenem Marktmechanismus ausgenommen, der in den westlichen Ländern entfesselt wurde. Das deutsche Erziehungswesen samt den Universitäten, die künstlerisch maßgebenden Theater, die großen Orchester, die Museen standen unter Protektion. Die politischen Mächte, Staat und Kommunen, denen solche Institutionen als Erbe vom Absolutismus zufielen, hatten ihnen ein Stück jener Unabhängigkeit von den auf dem Markt deklarierten Herrschaftsverhältnissen bewahrt, die ihnen bis ins neunzehnte Jahrhundert hinein die Fürsten und Feudalherren schließlich noch gelassen hatten."[2] Ob diese Darstellung angemessen ist oder ob hier eine nostalgische Verklärung der Vergangenheit vorliegt, sei vorerst zurückgestellt. Wichtiger für Horkheimers und Adornos Theorie ist die Annahme, daß die Entfaltung der kapitalistischen Marktmechanismen die Formation der Kultur im ganzen determiniert. Daher sind die westeuropäischen Länder und die Vereinigten Staaten als die klassischen kapitalistischen Gesellschaften für Horkheimer und Adorno der Kulturindustrie mehr ausgesetzt als das verspätet in diesen Prozeß eingetretene Deutschland.

Die Stadien der kapitalistischen Entwicklung markieren gleichzeitig die Stadien der industriellen Kultur. Während der kulturelle Bereich im Spätfeudalismus infolge seiner Abhängigkeit von fürstlicher und staatlicher Kontrolle noch gegen den Markt abgesichert blieb, zeichnete sich der liberale Konkurrenzkapitalismus dadurch aus, daß er die Kunst zwar zur Ware machte, sie jedoch in ihrer Substanz noch nicht berührte. Kunstautonomie und kapitalistische Distribution gingen nebeneinander her. Unter dem Vorzeichen des Monopolkapitalismus, dessen Ursprünge Horkheimer und Adorno ins zwanzigste Jahrhundert verlegen (die Grenze scheint der Erste Weltkrieg zu sein), bildet sich die Struktur heraus, die sie im Anschluß an Nietzsche als Kulturindustrie bezeichnen, nämlich die restlose Vermarktung der Kulturgüter, die nunmehr auch die vormals autonomen Kunstwerke einschließt. Die Vermarktung bezieht sich gleichermaßen auf die Produktion wie die Distribution und die Konsumtion. In der Tat ist es gerade die Psychologie der Konsumtion, mit der sich Horkheimer und Adorno besonders eingehend beschäftigen. Sie analysieren die manipulierte Passivität der Konsumenten, denen eingebleut wird, daß sie mit ihren trostlosen Lebensbedingungen zufrieden sein müssen.

Die Kritische Theorie bestimmt Kulturindustrie als Massenkultur unter den Bedingungen des Monopolkapitalismus. Sie besteht aus Apparaten, die die Produktion von Kulturgütern systematisch als Geschäft betreiben: „Lichtspiele und Rundfunk brauchen sich nicht mehr als Kunst auszugeben. Die Wahrheit, daß sie nichts sind als Geschäft, verwenden sie als Ideologie, die den Schund legitimieren soll, den sie vorsätzlich herstellen."[3] Horkheimers und Adornos Theorie soll hier nicht noch einmal in ihren Einzelheiten vorgestellt werden, nur zwei Aspekte seien hervorgehoben. Im Bereich der Produktionen unterstreichen sie die Herausbildung von im Zeitalter des Liberalismus noch unbekannten Großapparaten. Die kulturelle Produktion unterliegt folglich den gleichen Gesetzen wie die Herstellung materieller Dinge: sie werden massenhaft produziert für ein massenhaftes Publikum. So gleichen sich die Produkte und die Rezipienten; sie haben ihre Individualität wie ihre Autonomie längst verloren. Im Bereich der Konsumtion heben Horkheimer und Adorno die Manipulation der Rezipienten hervor, die durch den Apparat der Kulturindustrie in bewußtloser Passivität gehalten werden. Dieser Apparat, der seinerseits in Abhängigkeit von der Großindustrie steht, hat die Aufgabe, ein massenhaftes Publikum zu unterhalten. Dadurch, daß die werktätigen Massen scheinbar aus dem Zwang der gesellschaftlichen Arbeit entlassen sind, werden sie umso tiefer in diesen Zwang hineingeführt: Die Unterhaltung in der Freizeit, so die These von Horkheimer und Adorno, ist nichts anderes als die Verlängerung der Arbeit und nicht, wie die Leiter der Kulturindustrie behaupten, ihre Negation.

Ungeachtet ihrer brillant formulierten Einsichten hinterläßt die Theorie der Kulturindustrie eine Reihe von ungelösten Problemen, die zum Teil mit der kulturellen Einstellung ihrer Autoren, zum Teil mit theoretischen Prämissen zusammenhängen. Unverkennbar sind die Aussagen über die europäische Kultur des neunzehnten Jahrhunderts von Nostalgie geprägt. Als sachgemäße Beschreibungen der Lage im kaiserlichen Deutschland können sie kaum angesehen werden. Die staatliche Protektion des Bildungswesens, der Schulen wie der Universitäten, und die Kontrolle über die Theater und Opernhäuser erweist sich bei näherem Hinsehen als ein höchst problematischer Schutz gegen den Kapitalismus – ganz abgesehen davon, daß die deutschen und österreichischen Bühnen bereits überwiegend nach kommerziellen Gesichtspunkten geleitet wurden. Jedenfalls läßt sich unschwer zeigen, daß das Repertoire der Bühnen im Wilhelminischen Deutschland nicht durch die staatliche Protektion verbessert wurde, sondern durch private Unternehmungen wie die *Freie Bühne*, die sich nachdrücklich gegen die staatliche Kontrolle zur Wehr setzten.[4] Der Buchhandel, von dem in der *Dialektik der Aufklärung* nicht die Rede ist, entwickelte sich nach 1867 zu einer hochkapitalistischen Buchindustrie, die sich Rücksichten auf die autonomen Belange der Literatur nur noch gestattete, wenn sich dieser Anspruch ökonomisch verwerten ließ. Die für die politische Öffentlichkeit zutreffende Unterstellung von überständigen feudalen Strukturen führt zu der im kulturellen Bereich problematischen Annahme einer Zurückgebliebenheit, von der angeblich die Kunst profitierte. Hätten sich Adorno und Horkheimer an den Kern ihrer Theorie gehalten, eben die Verwurzelung der Kulturindustrie im avancierten Kapitalismus, hätte ihnen auffallen müssen, daß der Organisierte Kapitalismus des kaiserlichen Deutschlands (Kartelle und Trusts) durchaus Ansätze für die industrielle Kultur bot. Indem Horkheimer und Adorno die Sonderstellung Deutschlands betonen, heben sie ein Moment hervor, das in ihrer ökonomisch fundierten Theorie keinen Platz hat, aber unseres Erachtens für die Genese der Kulturindustrie in der Tat wichtig gewesen ist: die Rolle des Staates. Die Struktur des politischen Systems hat den kulturellen Bereich entscheidend mitbestimmt, wodurch ein bemerkbarer Unterschied zu Frankreich und England entstand. Doch dieser Einfluß wirkte sich kaum als Protektion im Sinne von Horkheimer und Adorno aus. Er wäre eher als die bürokratische Organisation von Kultur zu beschreiben, die die Entfaltung einer industriellen Kultur förderte. Staatlicher Einfluß und Kapitalismus sind somit nicht als Gegensätze, sondern als einander ergänzende Momente zu begreifen. Die Frage wäre dann in folgender Weise zu stellen: Zu welcher kulturellen Formation führt eine Konstellation, in der ein autoritäres politisches System mit einer starken zentralen Staatsgewalt einem wirtschaftlichen System gegenübersteht, das innerhalb einer Generation den Übergang von einer agrarischen zu einer industriellen Struktur schaffte?

Die Theorie der Kulturindustrie war nicht als evolutionäre Analyse angelegt, sie konzentriert sich auf die Epoche nach dem Ersten Weltkrieg und beschäftigt sich nur in Nebensätzen mit der Genese. Immerhin werden einige historische Faktoren genannt, die zur Entstehung der Kulturindustrie beigetragen haben. Die sozialgeschichtliche Voraussetzung ist für Adorno und Horkheimer die Entwicklung von Großindustrien, die über einen entsprechenden bürokratischen Apparat verfügen. Es entstehen auf der einen Seite die notwendigen Organisationen, die eine massenhafte Produktion leiten können und auf der anderen Seite ein massenhaftes Publikum, dessen Bedürfnisse gleichgeschaltet werden können. Bezeichnenderweise sprechen Horkheimer und Adorno durchgehend von den Massen. Kulturindustrie ist weder bürgerliche noch proletarische Kultur, vielmehr eine Formation, an der alle sozialen Gruppen und Schichten teilnehmen. Während noch im neunzehnten Jahrhundert im wesentlichen nur der Adel und das Bürgertum die Muße hatten, sich an der Kultur zu beteiligen, erlaubt die im zwanzigsten Jahrhundert eingetretene Verkürzung der Arbeitszeit auch der lohnabhängigen Masse der Bevölkerung die Beteiligung. Für Adorno und Horkheimer besteht also ein enger historischer Zusammenhang zwischen der Entwicklung von Freizeit und der Entwicklung der Kulturindustrie. „Amusement ist die Verlängerung der Arbeit unterm Spätkapitalismus. ... Dem Arbeitsvorgang in Fabrik und Büro ist auszuweichen nur in der Angleichung an ihn in der Muße."[5] Organisierte Kultur im Spätkapitalismus hat mit anderen Worten die Funktion, die arbeitenden Massen bei der Stange zu halten, ihre Bedürfnisse so weit zu befriedigen, daß sie folgsam bleiben. Insofern ist sie – direkt oder indirekt – immer eine Apologie der bestehenden Zustände. Nahezu ausgeblendet bleibt in dieser Analyse die Beziehung der Kulturindustrie zum Staat. Da sich die *Dialektik der Aufklärung* vorwiegend mit der Massenkultur der Vereinigten Staaten beschäftigt, liegt das Schwergewicht der Beschreibung auf der Manipulation der Massen durch die privatwirtschaftliche Film- und Rundfunkindustrie. Offensichtlich hätte dieses Modell das nationalsozialistische Deutschland nicht erfaßt. Will man die Entstehung von Massenkultur in Deutschland begreifen, wird man die Bedeutung des Staates genauer analysieren müssen. Das war bereits den zeitgenössischen Beobachtern deutlich. Die Kulturkritiker des kaiserlichen Deutschlands machten nicht zuletzt den Staat für die Korruption und die Degeneration der Kultur verantwortlich. Das mag unter anderem damit zusammenhängen, daß die Eingriffe des Staatsapparates sichtbarer waren als die kulturellen Folgen ökonomischer Veränderungen, für die eine Theorie noch nicht zur Verfügung stand. Doch sind die Einwände gegen die Bildungspolitik oder die staatliche Bevormundung des Theaters und der Presse keineswegs unwichtig. So unscharf und pauschal die Kulturkritik häufig argumentierte, so ist ihrer Vehemenz immerhin zu entnehmen, daß der überlieferte liberale Kulturbegriff nicht mehr ausreichte, um eine Fülle von beunruhigenden Erscheinungen in der kulturellen Sphäre zu erklären. Die zeitgenössischen Beobachter brachten die Veränderungen nicht selten mit der Reichsgründung in Verbindung und erklärten sie als die Folge der neuen politischen Machtfülle Deutschlands. Die ungewohnten Erscheinungen werden als Symptome des Verfalls beschrieben. Nicht nur Nietzsche wäre hier zu nennen; eine ähnliche Wende zeichnet sich bei Paul de Lagarde ab. Das neue deutsche Reich erschien nicht mehr als der Ort, wo sich die klassische deutsche Kultur entfalten kann, selbst wenn sich seine offiziellen Vertreter ständig auf diese Tradition beriefen. Je mehr sich herausstellte, daß die ersehnte nationale Einigung in erster Linie die preußische Macht konsolidierte, und je weniger das neue offizielle Deutschland in der Lage war, die Hoffnungen auf eine kulturelle Erneuerung einzulösen, desto mehr stellte sich diese Kritik gegen das Reich und suchte nach Lösungen, in denen der deutsche Geist den Materialismus des Zeitalters überwinden konnte. So hoffte Nietzsche in den frühen siebziger Jahren, daß Wagners Bayreuth ein solcher Ort für eine kulturelle Gegenöffentlichkeit würde, bis er einsehen mußte, daß Wagners Festspiele, sobald sie Wirklichkeit wurden, wenig mit der Idee gemein hatten. Sie zeigten eben jene Züge einer kommerzialisierten Kultur, die Nietzsche rigoros zurückwies.

Bürgerliche Kulturkritik

Die Kulturkritik der siebziger Jahre, die dem neuen Reich die Diagnose der Verflachung stellte, berief sich vor allem auf den Begriff, der den liberalen Diskurs des frühen neunzehnten Jahrhunderts beherrscht hatte: man legitimierte sich mit dem Begriff der Bildung. Zwischen dem ästhetischen Bildungsprogramm der Klassik und den Bildungsinstitutionen der Gegenwart, so lautete das Argument, hatte sich eine immer größere Kluft aufgetan. Die Kritik richtete sich vor allem gegen die staatliche Bildungspolitik, die in den frühen siebziger Jahren aus mehreren Gründen im Mittelpunkt der Diskussion stand. Weit über die legalen und technischen Einzelheiten hinausgehend, die durch Gesetze und Verordnungen geregelt werden sollten, wurde vor allem für Nietzsche und Lagarde die Frage der Bildung zum zentralen Problem der modernen Kultur. Da das staatliche Bildungssystem angeblich versagte, beziehungsweise die falschen Tendenzen unterstützte, rechneten sie mit dem Verfall der deutschen Kultur.[6] Während die Debatte über die Falksche Schulreform heute nur noch Spezialisten der Bildungsgeschichte vertraut ist, hat sich die kulturkritische Diskussion, die mit der Reformdebatte eng verbunden war, von den besonderen geschichtlichen Bedingungen ihrer Entstehung gelöst. Es kommt jedoch darauf an, diesen Zusammenhang zu rekonstruieren, um die Motive und die Argumentation der Kulturkritik zu verstehen. Sowohl in den umstrittenen Gesetzen über die Schulaufsicht vom 11. März 1872 wie auch in den im Oktober des gleichen Jahres erlassenen „Allgemeinen Bestimmungen betreffend das Volksschul-, Präparanden- und Seminarwesen" ging es darum, die gegenrevolutionäre Schulpolitik der fünfziger Jahre, die in den Stiehlschen Regulativen ihren prägnanten Ausdruck gefunden hatte, aufzuheben und den Weg freizumachen für eine der Industriegesellschaft angemessene Bildung.[7] Die öffentliche Reaktion auf das Falksche Reformprogramm, das keineswegs einschneidende Veränderungen vornahm, sondern eher behutsam die Schule den gewandelten gesellschaftlichen Bedingungen anpassen wollte, zeigte, wie sehr die zentrale Bedeutung der Bildungsfrage empfunden wurde. Die Absicht des Staates, die Kirche in der Person des Priesters oder des Pfarrers aus ihrem überlieferten Amt als Aufsichtsbehörde für die Volksschule zu verdrängen, wurde von den beteiligten Parteien und Institutio-

nen als symptomatisch bewertet für eine neue Ära der Schulpolitik. Hatte
die reaktionäre Schulpolitik des Nachmärz im Zeichen des Bündnisses
zwischen Staat, Kirche und Familie gestanden, so erschienen die Falkschen Maßnahmen als ein Versuch, das Bildungsmonopol des Staates für
alle Zeiten zu etablieren.

Insofern diese Gesetze und Verordnungen sich
gegen die katholische Kirche richteten, waren sie Teil des Kulturkamp-
fes, in dem die Preußische Regierung unter Bismarck den Einfluß der
Kirche aus der Öffentlichkeit verdrängen wollte. Doch darin erschöpfte
sich die Bedeutung der Reform nicht. Letzten Endes liefen die angestreb-
ten Veränderungen darauf hinaus, über die Neuordnung des Volksschulwesens die kulturelle Öffentlichkeit neu zu bestimmen. Die von Bismarck erkämpften Veränderungen konnten schließlich nur die Position
des Staates stärken. Daß Bismarcks Absichten machtpolitisch motiviert
waren, wurde bereits während der Diskussion im Staatsministerium
deutlich; für ihn war das Gesetz in erster Linie ein Instrument, um die als
politisch unzuverlässig eingeschätzten Kräfte (Katholiken, Polen) zu
bändigen und zu regulieren.[8] Daß in diesem Kontext die grundsätzliche
Frage des staatlichen Kulturmonopols angeschnitten wurde, lag außerhalb der Absichten der Regierung. Doch auch wenn Falk vor dem Herrenhaus erklärte, es handele sich nicht um die Trennung der Schule von
der Kirche, „sondern um eine genauere Abgrenzung der Rechte des
Staates an der Schule und der Rechte der Kirche an der Schule, um
nichts anderes, insbesondere nicht um eine Lösung des Zusammenhangs
zwischen Kirche und Schule",[9] so fürchteten die Gegner nicht ohne
Grund, daß dies nur der erste Schritt auf dem Wege zur Säkularisierung
der Schule sei. Wie nicht anders zu erwarten, wandte die katholische
Kirche gegen das Gesetz ein, es verletze ihre historischen und verfassungsmäßigen Rechte. Das Erziehungsmonopol des Staates widersprä-
che den Interessen der Kirche wie auch der Eltern und müsse letzten Endes zu einer säkularisierten, mit christlichen Werten nicht mehr zu
vereinbarenden Gesellschaft führen. Es sind dies die Argumente, die
auch von konservativen katholischen Intellektuellen wie Konstantin
Frantz angeführt wurden.[10] In unserem Zusammenhang bemerkenswer-
ter sind freilich diejenigen Stimmen, die sich von dem unmittelbaren Anlaß entfernten und sich mit den kulturpolitischen Implikationen beschäftigten: einmal die Stimme Nietzsches in Basel, die die Gefahr der
staatlichen Erziehung für die Bildung beschwor, zum andern die Stimme
Paul de Lagardes, die wenige Jahre später gegen die Schulpolitik Preußens Einspruch erhob. Nietzsche und Lagarde waren sich darin einig,
daß die preußische Schulpolitik den Begriff der Bildung mißbraucht habe, indem sie die höheren Schulen in berufsvorbereitende Institutionen
verwandelte. Es seien Berechtigungsanstalten entstanden, die mit der
Idee der Bildung kaum noch etwas zu tun hätten. Obgleich sich diese

Vorwürfe vor allem gegen das Gymnasium richteten, waren die Volksschulen indirekt von dieser Kritik mitbetroffen. Im Unterschied zu den Gymnasien sollten sich die Volksschulen der Massen annehmen und sie so ausbilden, daß sie für die Gesellschaft nützliche Arbeit leisten könnten.

Sowohl Nietzsche als auch Lagarde tadelten die Ausbreitung der Bildung auf weitere Kreise der Bevölkerung. Dieser Weg, den der preußische Staat seit den fünfziger Jahren durch den Ausbau der Bürger- und Realschulen eingeschlagen hatte, erschien ihnen als Verwässerung des genuinen Bildungsauftrages der Gymnasien. Nietzsches Baseler Vorträge ließen keinen Zweifel daran, daß die Bildung der Massen nicht die Aufgabe des Staates sei. Folglich liegt die Verbesserung der Volksschule nicht im Interesse der gebildeten Gesellschaft: „Also, nicht Bildung der Masse kann unser Ziel sein: sondern Bildung der einzelnen ausgelesenen, für große und bleibende Werke ausgerüsteten Menschen: wissen nun einmal, daß eine gerechte Nachwelt den gesamten Bildungsstand eines Volkes nur ganz allein nach jenen großen, einsam schreitenden Helden einer Zeit beurteilen und je nach der Art, wie dieselben erkannt, gefördert, geehrt oder sekretiert, mißhandelt, zerstört worden sind, ihre Stimme abgeben wird. Dem, was man Volksbildung nennt, ist auf direktem Wege, etwa durch allseitig erzwungenen Elementarunterricht, nur ganz äußerlich und roh beizukommen..."[11] Diese Auffassung war, mag dies auch nicht Nietzsches Absicht gewesen sein, mit Stiehls Konzeption der Volksbildung eher zu vereinbaren als mit dem Reformprogramm Falks. Wenn Nietzsche die eigentliche Bildung einer kleinen Elite vorbehalten wissen wollte, meinte er freilich nicht die Art der Auswahl, die die preußische Schulpolitik verfolgt hatte. Gerade gegen das staatliche Berechtigungswesen richteten sich die Baseler Vorträge – die Instrumentalisierung der höheren Schulen, um fein abgestufte gesellschaftliche und ökonomische Privilegien zu gewähren. Berufliche Laufbahnen, so klagte Nietzsche, wurden vorentschieden durch die Anzahl der Klassen, die der Schüler durchlaufen hatte. Mit Recht wandte Nietzsche gegen dieses System ein, daß es mit dem klassischen Bildungsideal nichts zu tun habe, sondern den Bedürfnissen des Staates entsprach, der seinen Apparat mit geeigneten Funktionären zu versorgen hatte. Daher richtete sich Nietzsches Kritik auch nicht so sehr gegen die neuen Realschulen, sondern gegen die zweckentfremdeten Gymnasien. „Dies ist am wenigsten ein Vorwurf gegen die Realschulen, die viel niedrigere, aber höchst notwendige Tendenzen ebenso glücklich als ehrlich bisher verfolgt haben; aber viel weniger ehrlich geht es in der Sphäre des Gymnasiums zu, auch viel weniger glücklich: denn hier lebt etwas von einem instinktiven Gefühl der Beschämung, von einer unbewußten Erkenntnis, daß das ganze Institut schmählich degradiert sei, und daß den klangvollen Bildungsworten kluger apologetischer Lehrer die barbarisch-öde und sterile Wirklichkeit widerspricht."[12]

Ähnlich beurteilte Lagarde das Gymnasium seiner Zeit; auch er war überzeugt, daß die höhere Schule und die Universität keine Bildung vermittelten, sondern nur noch eine oberflächliche Aneignung von Wissen. Wie Nietzsche machte er das staatliche Berechtigungswesen verantwortlich für das Elend der höheren Schulen, denn das Streben nach gesellschaftlichen Vorteilen habe das Gymnasium mit Schülern gefüllt, die für die höhere Bildung nicht geeignet seien: „Da nun noch dazu die Unterrichtsanstalten trotz ihrer großen Zahl sehr überfüllt sind, können selbst geborene Lehrer die Massen nicht, oder nur so lange ihre Kräfte noch völlig frisch sind, durchdringen. Alles Individualisieren beim Unterrichte hört auf, und damit das eigentliche Unterrichten selbst: man individualisiert in jedem Aquarium und jedem zoologischen Garten, aber nicht in einer preußischen Schule, welche in Berechtigungen macht."[13] Freilich zog Lagarde aus seiner Analyse andere Schlüsse als Nietzsche. Während dieser den reinen Begriff der Bildung restituieren wollte, schlug Lagarde die Preisgabe der allgemeinen Bildung und die Einführung des reinen Fachschulwesens vor: „Ich sehe nur Einen Weg der Rettung. Der Staat und die Nation müssen aus allen den so eben aufgeführten Erwägungen ausdrücklich und mit vollem Bewußtsein aufgeben, dem Phantome einer allgemeinen Bildung, noch dazu dem Phantome einer verlebten Epoche angehörigen Bildung nachzujagen, und sie müssen den Muth haben, den öffentlichen Unterricht so weit er nicht lediglich auf persönlicher Liebe ruhender Elementarunterricht ist, auf das Princip zu gründen, auf dem allein alles öffentliche Leben ruht, auf das Princip der Pflicht."[14] So verschieden die Lösungsvorschläge waren, so stimmten sie doch in einem überein: dem Staat wurde das Bildungsmonopol bestritten. Vor allem Nietzsche betonte die Unvereinbarkeit von staatlicher Erziehung und echter Bildung: „Mit dem echten deutschen Geiste und einer aus ihm abzuleitenden Bildung ... befindet sich jene Staatstendenz in offener oder versteckter Fehde: der Geist der Bildung, der jener Staatstendenz wohltut und von ihr mit so reger Teilnahme getragen wird, dessentwegen sie ihr Schulwesen im Auslande bewundern läßt, muß demnach wohl aus einer Sphäre stammen, die mit jenem echten deutschen Geiste sich nicht berührt, mit jenem Geiste, der aus dem innersten Kerne der deutschen Reformation, der deutschen Musik, der deutschen Philosophie so wunderbar zu uns redet, und der, wie ein edler Verbannter, gerade von jener von Staats wegen luxurierenden Bildung so gleichgültig, so schnöde angesehn wird."[15] Bei Nietzsche mündet die Kritik des Bildungswesens in die Kritik der Pseudokultur ein: infolge der durch die Schulen erweckten falschen Bedürfnisse entsteht eine entartete Bildung: „Es ist eine ernste Sache um einen entarteten Bildungsmenschen: und furchtbar berührt es uns, zu beobachten, daß unsre gesamte gelehrte und journalistische Öffentlichkeit das Zeichen dieser Entartung an sich trägt. Wie will man sonst unseren Gelehrten gerecht werden, wenn sie unverdrossen bei dem Werke der journalistischen Volksverführung zuschauen oder gar mithelfen, wie anders, wenn nicht durch die Annahme, daß ihre Gelehrsamkeit etwas Ähnliches für sie sein möge, was für jene die Romanschreiberei, nämlich eine Flucht vor sich selbst, eine asketische Ertötung ihres Bildungstriebs, eine desperate Vernichtung des Individuums."[16] Die humanistische Bildung kann, so schlug Nietzsche vor, nur gerettet werden, wenn sie von den staatlichen Interessen vollkommen getrennt wird. Freilich finden sich in den Baseler Vorträgen kaum mehr als Andeutungen, wie sich diese Erneuerung vollziehen sollte. Nietzsche evozierte am Schluß den Geist der deutschen Burschenschaften, ihren unbedingten Idealismus, um eine Vorstellung von der Energie zu vermitteln, die notwendig wäre, um die Pseudokultur seiner Zeit zu überwinden. Das verstärkte Interesse der literarischen Intelligenz am Bildungswesen spiegelte die Sorge um die kulturelle Entwicklung des Bismarckschen Reichs, auf das die Nationalliberalen ihre Hoffnung gesetzt hatten. Die liberale Intelligenz, die die nationale Einigung als die unverzichtbare Voraussetzung der Emanzipation gefordert hatte und die deshalb auch bereit gewesen war, sich nach 1866 mit Bismarck zu verbünden, hatte damit gerechnet, daß die Reichsgründung der deutschen Nationalkultur endlich die notwendige politische Form geben würde. So sprach beispielhaft David Friedrich Strauß in *Der alte und der neue Glaube* (1872) die Hoffnung aus, den Kulturbegriff des Liberalismus in das neue Reich einbringen zu können. Nietzsches vehementer Einspruch gegen diesen Kulturbegriff in seiner ersten *Unzeitgemäßen Betrachtung* sollte als symptomatisch gelesen werden – nicht nur als Kritik einer stilistischen Formation, sondern als Denunziation einer geschichtlich nicht mehr tragfähigen Lösung. Für Strauß und die gemäßigten Liberalen war das Reich zunächst die Erfüllung ihrer Hoffnungen. Sie übersahen jedoch, daß die Einigung nicht einfach bestehende Kräfte zusammenfaßte, sondern strukturelle Veränderungen auslöste, die keineswegs auf die politische und ökonomische Sphäre beschränkt blieben. Man bemerkte plötzlich, daß man sich in einer veränderten Gesellschaft befand, ohne diesen Wandel auf den Begriff bringen zu können. In der Regel beschränkte sich das Unbehagen auf die Klage über den krassen Materialismus der Gründerjahre.[17] Die unerwarteten Veränderungen ließen sich am ehesten noch durch die Metaphern des Verfalls und der Degeneration beschreiben. Für Nietzsche war schon die Literatur des Jungen Deutschland (Gutzkow) der erste Schritt zum pervertierten Journalismus seiner Zeit. Nicht zu unterschätzen ist in diesem Zusammenhang die Angst der traditionellen Intelligenz, zu der Nietzsche und Lagarde zu zählen wären, vor den Auswirkungen der sozialen Veränderungen auf die eigene gesellschaftliche Position. Für ihren Status war das Bildungssystem von zentraler Bedeutung. Die staatlichen Bildungsinstitutionen verschafften der Intelligenz ihre gesellschaftliche Legitimation. Solange der Staat die Schulen und Universitäten einsetzte, um die bestehenden Verhältnisse zu stabilisieren, war die Intelligenz nicht von unten bedroht, mochte sie auch mit ihrer Lage unzufrieden sein, weil sie nicht an der politischen Macht beteiligt war. Die erworbene Bildung war der Ausweis einer gehobenen gesellschaftlichen Position, auch wenn die ökonomischen Privilegien nicht immer gesichert waren. Solange nur ein kleiner Prozentsatz der Bevölkerung die höheren Schulen besuchte, war die Privilegierung der akademisch Gebildeten offensichtlich. Die Ausweitung des Bildungssystems, etwa die Erweiterung der Realschulen und die Verbesserung der Volksschulen, tendierten jedoch zur Nivellierung des Status. Während die seminargebildeten Volksschullehrer diese Tendenz unterstützten, weil sie ihren gesellschaftlichen Aspirationen entgegenkam, reagierten die Gymnasiallehrer bereits auf die mögliche Gleichstellung der Realschullehrer feindselig.[18] Der Anspruch der Volksschullehrer, unter die Gebildeten gerechnet zu werden, wurde von der humanistischen Intelligenz überwiegend abgelehnt. Nicht zuletzt deshalb war die Schulgesetzgebung in den siebziger Jahren so umstritten. Lagarde setzte zum Beispiel den Ausbau des Schulsystems mit Prestigeverlust des Lehrerstandes gleich. Infolge des umsichgreifenden Berechtigungswesens, so lautete sein Argument, müssen mehr Schulen geschaffen werden. Dadurch entsteht ein größerer Bedarf an Lehrern. Da nicht genügend ausgebildete Lehrer vorhanden seien, würden ungeeignete Kandidaten angestellt. Die Folge sei, daß das Prestige der Lehrer im ganzen sinke.[19] Lagarde sah eine Bildungskatastrophe auf das Deutsche Reich zukommen, die für die Intelligenz ruinös sein mußte.

Auch Nietzsches Kritik des deutschen Bildungssystems läßt die Furcht vor der Nivellierung erkennen. Die Absichten des Staates, durch die vermehrte Einrichtung von weiterführenden Schulen und die Verbesserung der Volksschulen einen größeren Teil der Bevölkerung angemessener auf die zukünftigen Berufe vorzubereiten, wurden von Nietzsche als Einführung einer Pseudobildung denunziert, wenn er auch den praktischen Wert dieser Anstrengungen nicht bestritt. Vor allem aber wehrte sich Nietzsche gegen den Anspruch der Massen, an der klassischen Bildung teilzuhaben. Die dritte *Unzeitgemäße Betrachtung* apostrophiert sie als Herdenmenschen, die zu träge sind, um selbst zu denken und zu handeln und die sich daher auf die öffentliche Meinung verlassen. Wenn es Nietzsche zufolge das Ziel der Kultur ist, das Genie zu zeugen,[20] dann können die Massen an dieser Aufgabe nicht mitwirken. In den Schriften der achtziger Jahre verschärfte sich der Affekt gegen die Ansprüche der Massen auf Gleichberechtigung. Nicht nur ist die allgemeinste Bildung eben die

Barbarei, wie Nietzsche 1872 formuliert hatte, in der *Fröhlichen Wissenschaft* verglich Nietzsche die feudale und die bürgerlich-kapitalistische Kultur und gab der älteren Formation eindeutig den Vorzug, weil sie die Massen besser in Schach hielt. Nietzsche fürchtete, daß die neuen Herren nicht die gleiche Autorität hätten wie die Aristokratie. „Hätten sie (die Fabrikanten und Großunternehmer, P.U.H.) die Vornehmheit des Geburts-Adels im Blick und in der Gebärde, so gäbe es vielleicht keinen Sozialismus der Massen. Denn diese sind im Grunde bereit zur *Sklaverei* jeder Art, vorausgesetzt daß der Höhere über ihnen sich beständig als höher, als zum Befehlen *geboren* legitimiert – durch die vornehme Form!"[21] Diese Kritik des Kapitalismus kam nicht den Massen zugute, im Gegenteil: sie sah in ihnen die größte Bedrohung, die nur durch eine starke Hand bezwungen werden kann. „Zeitalter der größten Dummheit, Brutalität und Erbärmlichkeit der *Massen,* und der *höchsten Individuen*", heißt es bezeichnenderweise in den Nachlaßnotizen der achtziger Jahre.[22] Die Krise des Bismarck-Reiches wurde in der kulturellen Sphäre bereits registriert, bevor sie anläßlich des Sozialistengesetzes (1878) im politischen System sichtbar wurde. In dieser Krise waren politische und ökonomische Ursachen so eng verflochten, daß sie für die zeitgenössischen Beobachter kaum zu trennen waren. Ihre Überwindung jedenfalls schien jenseits der sozio-ökonomischen Sphäre zu liegen – nämlich als eine kulturelle Erneuerung. Gefordert wurde eine Regeneration des deutschen Geistes, etwa in den Frühschriften Nietzsches, vor allem aber in den Werken Lagardes und Julius Langbehns sowie den Veröffentlichungen des Bayreuther Kreises um Hans von Wolzogen.[23] Die Unzufriedenheit mit den Folgen der Industrialisierung, besonders mit ihrer zweiten, im Zeichen der wirtschaftlichen Depression stehenden Phase, drückte sich in dem Wunsch aus, der Logik der wirtschaftlichen Konzentration und der Urbanisierung zu entkommen, indem man sie „überwand". Die industrielle Problematik wurde verschoben, indem man sie zu einer von außen eingedrungenen Schwierigkeit erklärte, die durch die Rückbesinnung auf den eigenen nationalen Geist aufzulösen sei. Die Apologeten des liberalen Kulturbegriffs dagegen sahen sich vor eine schwierige Aufgabe gestellt, denn die ihnen zur Verfügung stehenden theoretischen Modelle waren offenkundig nicht mehr in der Lage, die veränderte Situation angemessen zu formulieren. In der wirtschaftlichen Krise der siebziger Jahre verlor die Theorie des Freihandels ihre Überzeugungskraft, nachdem schon in den sechziger Jahren die Idee der politischen Emanzipation dem autoritären Verwaltungsstaat zum guten Teil geopfert worden war. Die liberale Öffentlichkeitstheorie erwies sich nach der Reichsgründung als nicht mehr vereinbar mit den politischen und gesellschaftlichen Sachverhalten. So änderten sich im letzten Drittel des neunzehnten Jahrhunderts die Begriffe der Öffentlichkeit und der

öffentlichen Meinung. Die Konzepte verloren weitgehend ihren normativen Inhalt und wurden von Theoretikern wie Franz von Holtzendorff,
Albert Schäffle und Gustav Schmoller beschreibend eingesetzt, um die
Wirkungen von Ideen und Ideologien im Publikum zu erfassen. Schäffle
sprach die Öffentlichkeit als sozialpsychologische Naturnotwendigkeit
an, die nicht auf gesetzgeberischer Willkür beruhe, und strich damit den
Gehalt der liberalen Theorie.[24] Die Öffentlichkeit ist nicht mehr der Bereich, in dem sich das mündige Publikum zur Deliberation zusammenfindet, sondern ein Raum, in dem eine übergeordnete Autorität die Massen führt. Der sozialpsychologische Ansatz, der im früheren zwanzigsten
Jahrhundert von Wilhelm Bauer und Ferdinand Tönnies gefördert wurde, ging davon aus, daß die Öffentlichkeit prinzipiell manipulierbar sei.
Die Industrialisierung Deutschlands deckte die Schwäche der liberalen
Öffentlichkeitstheorie auf, die bei scheinbarer Offenheit dem gebildeten
Bürgertum die Vertretung der allgemeinen Interessen zugesprochen hatte. Für die Massen war in dieser Theorie kein Platz. So war es nicht zufällig, daß diese Theorie angesichts der Industriellen Revolution ihren
Geltungsanspruch verlor. Weder die Entwicklung der Presse noch die
neue Gestalt des Theaters oder der Literatur war mit dem klassischen Be-
griffsarsenal noch zu erfassen. Unter diesen Bedingungen blieb nur der
Ausweg, die Theorie den veränderten Umständen anzupassen, wie dies
bei Holtzendorff und Schäffle geschah, oder den Zerfall der Öffentlichkeit zu beklagen.

Die Entstehung der industriellen Kultur

Der im anglo-amerikanischen Kulturbereich eingebürgerte Begriff der
Massenkultur suggeriert einen zeitlosen Gegensatz zwischen der Mehrheit der Bevölkerung auf der einen Seite und einer privilegierten Elite auf
der anderen. Es bleibt dann dem Standpunkt des Beobachters überlassen,
ob er die Massenkultur als Demokratisierung von Kultur begrüßt oder
als Verflachung der authentischen Kultur ablehnt. Der Nachteil dieser
Begriffsbildung ist ihre historische Ungenauigkeit. Sie erlaubt keine Unterscheidung zwischen der Konstellation des frühen und des späten
neunzehnten Jahrhunderts. In dieser Hinsicht ist der von Horkheimer
und Adorno eingeführte Begriff der Kulturindustrie präziser. Er legt die
Genese der neuen kulturellen Formation fest auf den Übergang vom liberalen Konkurrenzkapitalismus zum Monopolkapitalismus. Freilich
wird in der *Dialektik der Aufklärung* dieser Übergang zu spät angesetzt.
Selbst im zurückgebliebenen Deutschland läßt sich die ökonomische
Entwicklung nach 1873 nicht mehr als Konkurrenzkapitalismus verstehen. Ausgelöst durch die wirtschaftliche Depression setzte eine Konzen-

trationsbewegung ein, die innerhalb einer Generation die Struktur der Schwerindustrie grundlegend veränderte.²⁵ In dieser Phase des Organisierten Kapitalismus beschleunigte sich die Urbanisierung Deutschlands, die als der Schlüssel zur Reorganisation der kulturellen Öffentlichkeit anzusehen ist.²⁶ An ausgewählten Beispielen sei diese Neuordnung verfolgt.

Das Theater wird als Medium der Kulturindustrie von Adorno und Horkheimer nicht mehr erwähnt. Der Grund ist offensichtlich: im Vergleich mit dem Film hatte das Theater seine führende Rolle als Massenmedium im 20. Jahrhundert längst verloren. Nur begrenzt war dieses vorindustrielle Medium auf die Bedingungen der Massenrezeption einzustellen. Doch wäre es falsch, zwischen Theater und Film einen starren Gegensatz zu konstruieren. In der zweiten Hälfte des neunzehnten Jahrhunderts hat die Industrialisierung auch das Theater nachhaltig beeinflußt – die Gebäude, die Organisation des Apparats, die Form des Spielens und das Verhältnis zwischen Schauspieler und Publikum. Bemerkenswert sind zunächst die Veränderungen im Grundriß und in der Ausstattung der nach 1885 gebauten Theater.²⁷ Während das Äußere dieser Theater – das Deutsche Theater in Prag (1885) und das Deutsche Schauspielhaus in Hamburg (1900) wären als Beispiele zu nennen – kaum verändert war, wurde der Innenraum den neuen Bedürfnissen angepaßt. Anders gestaltet wurden einmal der Zuschauerraum und zum anderen die Foyers und die Wandelgänge. Der Raum, in dem sich das Publikum vor und nach der Aufführung bewegte, wurde beträchtlich verkleinert. Der Zuschauerraum wurde dagegen erweitert, indem man die Zahl der Logen reduzierte (etwa die Mittellogen ganz abschaffte) und an ihrer Stelle Ränge errichtete. Beide Veränderungen ergänzten einander. Der für die Zuschauer gedachte Raum wurde ökonomischer genutzt. Indem man auf die Logen und die großen Foyers verzichtete, in denen sich die Selbstdarstellung des aristokratischen und großbürgerlichen Publikums abgespielt hatte, konnten mehr Zuschauer an dem Schauspiel teilnehmen, freilich unter Preisgabe des öffentlichen Raums. Nahe liegt die Annahme, daß diese neugeschaffenen Rangplätze für das Kleinbürgertum gedacht waren, das am höfischen Theater überhaupt nicht und am bürgerlichen nur marginal beteiligt gewesen war. Die neue Sitzordnung, die sich nach 1885 durchsetzte, deutet an, daß sich die Zusammensetzung des Publikums veränderte. Während vorher der Adel die Logen und das Bürgertum das Parterre beherrscht hatten, wurde nunmehr die Aristokratie durch das Kleinbürgertum verdrängt, während die Großbourgeosie ihre angestammten Plätze behielt. Die Demokratisierung des Theaters führte jedoch nicht zu einer radikalen kleinbürgerlichen Theateröffentlichkeit, sondern zu einer Ordnung, in der das Publikum seine differenzierenden Kennzeichen mehr und mehr verlor und sich dem Theater unterordnete. Es verzichtete auf seine Selbstdarstellung. Der Vergleich mit Wagners neuem Theater in Bayreuth (1876) liegt in der Tat nahe. Auch dort finden wir (mit wenigen Ausnahmen) den Verzicht auf die Logen und eine Anordnung der Sitze, die das Publikum nicht auf sich, sondern auf die Bühne konzentriert. Die Ausrichtung der Zuschauer auf die Bühne war jedoch nicht gleichbedeutend mit einer Annäherung von Schauspiel und Zuschauer. Das Gegenteil war der Fall. Durch die Beleuchtung und die Einrichtung des Orchestergrabens entstand die Illusion einer anderen Welt auf der Bühne. Die neuen Theater erzielten den gleichen Effekt durch die Vergrößerung des Proszeniums. Die Verdunklung des Zuschauerraums, von Wagner in Bayreuth eingeführt, um die störende Zerstreuung des Publikums zu verhindern, erhöhte die unmittelbare Wirkung des Bühnengeschehens auf den Zuschauer, der gleichsam seine eigene Realität im dunklen Raum verlor und auf die Bühnenwelt fixiert wurde. Die Demokratisierung des Theaters führte mit anderen Worten zur Passivität des Publikums, dessen Anteilnahme am Theater auf das Schauen beschränkt wurde. Schon Wagner bestand in Bayreuth darauf, daß die Vorstellungen nicht durch Szenenapplaus unterbrochen werden sollten, auch die Wiederholung erfolgreicher Szenen wurde verpönt. Durch diese Maßnahmen sollten die profanen Momente des Theaterbesuchs gelöscht werden, so daß die besondere Atmosphäre der Festspiele zur Geltung kam. Doch schon Nietzsche bemerkte, daß die Sakralisierung des Wagnerschen Gesamtkunstwerks nicht notwendig den ästhetischen Eindruck erhöhte, sondern die Zuschauer manipulierte. Wagners Theater, so wandte Nietzsche im *Fall Wagner* ein, geht darauf aus, die Massen zu bewegen, sie durch die Verbindung von Theater und Musik zu überwältigen. Was in Bayreuth das Resultat sorgfältiger Planung war, setzte sich an den städtischen Theatern und den Hofbühnen erst allmählich und keineswegs ohne Widersprüche durch. Verfolgt man aber die Entwicklung des deutschen Theaters von Heinrich Laube bis zu Max Reinhardt, also von der Mitte des neunzehnten bis zum Beginn des zwanzigsten Jahrhunderts, dann zeichnen sich die strukturellen Veränderungen deutlich ab. Während die Form, die Laube dem Burgtheater durch seine Theaterpraxis gab, die Erwartungen des bürgerlichen Publikums genau erfüllte, rechneten die Inszenierungen Max Reinhardts, etwa die Inszenierung des *Ödipus Rex* im Zirkus Schumann (1910), nicht mehr mit einer räsonierenden bürgerlichen Öffentlichkeit. Sie wandten sich an ein massenhaftes, nicht mehr nach gesellschaftlichen Klassen differenziertes Publikum. Die Auflösung des bürgerlichen Theaters – bürgerlich im Sinne einer liberalen Öffentlichkeit – war ein Prozeß, der sich über mehr als zwei Generationen erstreckte, und es wäre problematisch, diese Entwicklung ausschließlich als zunehmende Manipulation der Massen zu deuten. Bestimmte Elemente einer solchen Manipulation sind freilich nicht zu übersehen. Sie lassen sich kennzeichnen als (1) Tendenz zur Unterordnung des dramatischen Textes unter die visuellen Effekte, (2) die Auflösung des Schauspielerensembles und (3) die Herrschaft des Regisseurs.

Die ersten Anzeichen eines veränderten Gebrauchs der Bühne machen sich am Burgtheater unter der Leitung von Dingelstedt bemerkbar.[28] Dingelstedt trat am Burgtheater keineswegs als Revolutionär auf, seine Theaterarbeit wiederholte vielmehr die früheren Erfolge an den Bühnen von München und Weimar. Ob seine Bearbeitungen von Shakespeares Stücken, die den dramatischen Text den eigenen dramaturgischen Vorstellungen unterwarfen, schon als kulturindustrielle Homogenisierung betrachtet werden können, ist umstritten.[29] Dagegen ist die von Dingelstedt eingeführte Ausstattung, die durch raffinierte Lichteffekte das Publikum hypnotisierte, wohl ein Schritt auf dem Wege zur totalen Bühnenillusion. Ähnlich ist das Meininger Theater unter der Leitung von Georg II. von Sachsen-Meiningen zu beurteilen. Es lag sicher nicht in der Absicht des Herzogs, durch seine in der Ausstattung historisch getreuen Aufführungen ein neues, an den Umgang mit Kultur nicht gewöhntes Publikum zu gewinnen; eher darf man dem mediatisierten Herzog die entgegengesetzte Intention unterstellen, nämlich die Bewahrung eines vorbürgerlichen Zustandes, doch stimmt die Wirkung des Meininger Stils mit diesen Absichten nicht notwendig überein. Otto Brahm urteilte anläßlich einer Aufführung des *Julius Caesar* durch die Meininger Truppe, daß die Stärke der Inszenierung in der Massenwirkung lag, während die Leistung des einzelnen Schauspielers mittelmäßig blieb, so daß im vierten und fünften Akt die Spannung deutlich nachließ.[30] Die historische Treue des Kostüms wie die exakte Choreographie der Massenszenen, für die die Meininger berühmt waren, führten jedoch nicht zu einer genaueren Wiedergabe des dramatischen Werkes, sondern zur Forcierung bestimmter Textelemente. Der Eingriff des Regisseurs wird bereits fühlbar, der dem Text wie dem Ensemble der Schauspieler seine Interpretation aufzwingt und damit auch die Zuschauer zur Annahme seiner Konzeption nötigt. Sicher waren es nicht die archäologischen Interessen Georgs II., durch die die Meininger auf spätere Regisseure wirkten; die Anregungen gingen vielmehr von der kalkulierten Gesamtwirkung aus, der das einzelne Element, einschließlich der Schauspieler, unterworfen war. In Deutschland war es vor allem Max Reinhardt, der von den Meiningern lernte und den gewandelten Begriff der Regie durchsetzte. Die neue Konzeption unterwarf sowohl die Schauspieler als auch das Publikum dem Willen des Regisseurs.

Der Aufstieg des Regisseurs zur zentralen Figur des Theaters und der Zerfall des Ensembles gingen im neunzehnten Jahrhundert Hand in Hand.[31] Die Schauspieler des bürgerlichen Theaters bildeten eine kontraktlich verbundene Gesellschaft, in der jedes Mitglied sein Fach hatte. Diese Organisation, wie sie unter der Direktion von Heinrich Laube in Wien funktionierte, entsprach den Vorstellungen des liberalen Kapitalismus. Die dem Schauspieler auferlegten Beschränkungen des Ausdrucks dürfen nicht mit der entfremdeten Situation um 1900 verglichen werden. Es sind dies vielmehr die Grenzen, die dem bürgerlichen Diskurs gesetzt sind, um ihn gegen den aristokratischen Gestus abzuheben. Das Individuum ist nach einer Formulierung von Hays „not missing from the picture, s/he is redefined and integrated into the social whole, just as Laube's actors were integrated into the concept of the performance."[32] In diesem Ensemble des frühbürgerlichen Theaters spielte der Regisseur eine untergeordnete Rolle. Er war nach der Beschreibung von Düringers und Barthels Theaterlexikon von 1841 in der Hauptsache ein technischer Verwalter, jedenfalls hatte er nicht die Funktion, durch seine Inszenierung den dramatischen Text zu interpretieren. Das Verhältnis zwischen dem Schauspielerensemble und dem Leiter des Theaters mag sich ansatzweise schon unter Dingelstedt und dem Herzog von Sachsen-Meiningen geändert haben, doch die neue Konstellation setzte sich erst in den achtziger Jahren allgemein durch. Die Eröffnung des Deutschen Theaters in Berlin (1883) kann als Wendepunkt gelten. Mögen die Fragen der historischen Zuordnung gegenwärtig noch umstritten sein, so ist der Strukturwandel gegen Ende des Jahrhunderts nicht mehr zu übersehen. Der Begriff des Regisseurs erhält seinen gegenwärtigen Inhalt. Die Gestalt des Regisseurs erscheint nunmehr als die zentrale Figur der theatralischen Darstellung. Er vermittelt zwischen dem dramatischen Text und den Schauspielern sowie zwischen der Darstellung und den Zuschauern. Wo der Regisseur als kontrollierender Agent die Gestalt der Aufführung bis ins Detail bestimmt, ist weder für das Ensemble noch für die aktive Teilnahme des Publikums Platz. Der Schauspieler unterwirft sich der Kontrolle durch die Regie, und das Publikum verharrt in dem verdunkelten Theater in einer wesentlich rezeptiven Rolle, aus der es nur an wenigen vorbestimmten Stellen durch Applaus heraustreten darf. Dem Regisseur fällt das Interpretationsmonopol zu. Durch seine Inszenierung, die Schauspieler, Dekorationen, Beleuchtungseffekte etc. einsetzt, bestimmt der Regisseur zu allererst, welche Bedeutung dem gespielten Text zukommt. Damit verschiebt sich die Kommunikation von einer Auseinandersetzung des Publikums mit dem gespielten Stück zu einer Reaktion auf eine vorgelegte Deutung. Offenkundig hat bei dieser Veränderung das Publikum die ihm in der klassischen literarischen Öffentlichkeit zugestandene Rolle aufgegeben. Es ist stumm geworden. Diese Entfremdung zeigte den Übergang zu einer neuen kulturellen Formation an. Die Institution des Theaters bestand um 1900, mit Ausnahme des Regisseurs, aus den gleichen Elementen wie um 1850, aber sie standen in einer radi-

kal veränderten Beziehung zueinander – unabhängig davon, ob es sich
um ein traditionelles Theater oder um eine experimentelle Bühne handelte, ob die Massen als zuschauendes Publikum beteiligt waren oder
nicht. Das Theater machte sich von der literarischen Öffentlichkeit
gleichsam unabhängig, es war nicht mehr dessen Ausdruck, sondern ein
Apparat, mit dem sich diese Öffentlichkeit regulieren und kontrollieren
ließ. Der Zuschauer befand sich bestenfalls in der Rolle des Lernenden,
schlimmstenfalls in der des Indoktrinierten.

Die Presse

In der klassischen liberalen Theorie fiel der Presse die Aufgabe zu, die
öffentliche Meinung zu artikulieren. In diesem Sinne formulierte der
Leipziger Historiker Heinrich Wuttke 1873 noch einmal die Rolle der
Zeitungen: „Und die Aufgabe der Zeitungen ist es, die Vermittelung zwischen den in solchem Geiste zu Führern Berufenen und der Menge des
Volkes zu übernehmen, dieser die erforderlichen Aufklärungen und das
Verständniß zu verschaffen, kraft dessen sie selbstständig urtheilt, so daß
sie der verwirrende Strudel der Vorgänge nicht betäubt, sie vielmehr geneigt wird, den aufwärtsführenden Weg zu wandeln."[33] Es kann in diesem Zusammenhang außer Betracht bleiben, wie weit diese gewundene
Formulierung von der klassischen Definition der Funktion der Presse
schon abweicht (etwa in der Unterscheidung von Führern und Geführten). Wuttke hob das Ziel der Aufklärung hervor, nicht weil er überzeugt
war, daß die zeitgenössische Presse dieser Aufgabe nachkam, sondern
weil er glaubte, daß sie dieser Aufgabe nicht mehr gerecht wurde. Gegen
Ende des Jahrhunderts mehrten sich die kritischen Stimmen. Die Presse,
so folgerten liberale Beobachter, hatte eine Gestalt angenommen, die ihrer Bestimmung als Organ der öffentlichen Meinung mehr und mehr
entgegenstand. Die Umwälzungen, die Wuttke in den frühen siebziger
Jahren beschrieb, waren nur die bescheidenen Anfänge, denn der neue
Zeitungstyp, der Generalanzeiger, setzte sich erst in den achtziger Jahren allgemein durch.[34] Seine massenhafte Verbreitung, die noch eine Generation zuvor als undenkbar erschienen war, verdankte er einmal der
rapiden Entwicklung des Druckwesens, vor allem aber einer neuen wirtschaftlichen Konzeption. Während die älteren Tageszeitungen überwiegend durch den Verkauf im Abonnement finanziert worden waren, lebte
der Typ des Generalanzeigers in erster Linie von Anzeigen. Die Geschäftspresse setzte eine neue Organisation des Anzeigenwesens voraus,
wie sie von Rudolf Mosse und anderen weitblickenden Unternehmern in
den sechziger Jahren eingeführt wurde. Mosse gründete 1867 in Berlin
seine Annoncen-Expedition, die bald Filialen in anderen Großstädten

besaß. Indem er sich als Vermittler zwischen den Zeitungen und dem annoncierenden Publikum anbot, revolutionierte er das Anzeigengeschäft und indirekt auch die Presse. Der Anzeigenteil wurde nunmehr systematisch ausgenutzt, um die Zeitung zu verkaufen. Der Adressat der Zeitung war nicht nur der Leser, sondern gleichzeitig die annoncierende Wirtschaft. Indem Mosse den Anzeigenmarkt organisierte, steigerten sich Produktion und Konsumtion gegenseitig. So konnte August Scherl 1883 seinen *Berliner Lokal-Anzeiger*, zunächst als Wochenblatt, mit einer Startauflage von 200000 herausbringen, ohne auf Abonnements angewiesen zu sein. Die Kosten des Blattes wurden durch Anzeigen gedeckt. Im ersten Jahr fordert Scherl von den Beziehern nur eine Zustellgebühr von 10 Pfennig. Erst als sich die Zahl der Abnehmer 1885 bei ungefähr 150000 eingependelt hatte, ging Scherl zum Abonnement über und verlangte monatlich eine Mark. Die Auflage des *Berliner Lokal-Anzeigers* lag beträchtlich über der der anderen Berliner Zeitungen.[35] Scherl war konsequenter als seine Konkurrenten Mosse und Ullstein, weil er seine Zeitungen vom Anzeigen-, und nicht mehr vom redaktionellen Teil her aufbaute. Während Mosse durch die Einsetzung von profilierten Redakteuren (Artur Levyson, Theodor Wolff) die *Berliner Zeitung* zu einer bemerkenswerten liberalen Zeitung machte, lagen Scherl solche Gesichtspunkte fern. Der *Berliner General-Anzeiger* gehorchte den Bedingungen der Geschäftspresse: der redaktionelle Teil fügte sich den vom Anzeigengeschäft diktierten Gesichtspunkten.

Die Folgen dieser Orientierung hatte Heinrich Wuttke schon zehn Jahre zuvor benannt. Die Zeitung wird vom Anzeigenteil abhängig, und folglich ist sie nicht mehr in der Lage, über Zusammenhänge, in welche die Annoncierenden verwickelt sind, objektiv zu berichten. „Geschäfte, die auf Ausbeuten der Menschen berechnet sind, pflegen einen für die Spalten der eigentlichen Zeitung bestimmten Aufsatz zu übersenden. Das Urtheil der Zeitung wird mithin durch den ‚Inseratentheil' bestimmt."[36] Auch dort, wo eine direkte Beeinflussung nicht vorliegt, steht der redaktionelle Teil der primär profitorientierten Geschäftspresse unter dem Druck, die Wünsche der Kunden zu erfüllen. Die Redaktion konnte sich nicht mehr als Vertreter der Öffentlichkeit verstehen, sondern als ausführendes Organ der Geschäftsleitung. Für sie setzte sich die öffentliche Meinung aus den addierten Wünschen und Interessen der Kunden zusammen, auf die man Rücksicht zu nehmen hatte. Der abstrakte Begriff einer allgemeinen Öffentlichkeit, so illusionär er war, hatte den Journalisten des Frühliberalismus den Rücken gegen den Druck des Marktes gestärkt. Der Leser wurde als räsonierender angesprochen, ob er diese Voraussetzungen mitbrachte oder nicht. Die Rücksichtnahme der Geschäftspresse auf den Leser, seine Interessen und Erwartungen, waren dagegen motiviert durch den Wunsch, den Absatz zu erhöhen.

Nicht zufällig hatte Scherl als Verleger von Kolportageromanen begonnen. Scherl hatte, wie der Publizist Harden grimmig feststellte, eine Meinung nur noch, wenn sie sich verkaufen ließ: „Du stehst jetzt am Scheideweg. Lokalanzeiger, Woche: wunderschön; unzählbare Goldstücke und in der Kulturgeschichte vor Aschinger und hinter Wertheim ein Plätzchen, dicht bei Loeser und Wolff und Tietz. Das war, wird es heißen, ein Mann, der den guten Einfall hatte, die Politik aus der Zeitung zu treiben und die Kundschaft mit Nachrichten und Bildchen zu stopfen, bis sie voll war und in seliger Sattheit entschlief."[37]

Der neue Journalismus hängt mit der Erhöhung der Auflagen eng zusammen, ist jedoch nicht durch die massenhafte Produktion selbst verursacht. Massenhafter Absatz und veränderte redaktionelle Gestaltung sind vielmehr als Variable zu betrachten, die sich aus dem System der Geschäftspresse ergaben. Ob die Presseverlage ältere Blätter aufkauften oder in der Form des Generalanzeigers neue ins Leben riefen: die Veränderung blieb im Kern die gleiche – die Auffüllung der Öffentlichkeit mit privaten Interessen, die als öffentliche Meinung ausgegeben wurden. Die Geschäftspresse trat nicht als der ideologische Gegner der Meinungspresse auf den Plan, sondern als deren illegitimer Erbe. Unter dem Vorwand, die Öffentlichkeit preiswert mit Nachrichten zu beliefern, arrangierte sie die Nachrichten als konsumfähige Waren. Je ausgedehnter der Nachrichtenapparat der großen Zeitungen wurde, je schneller er die aktuellen Ereignisse berichten konnte, desto weniger bedeuteten die einzelnen Nachrichten für den Leser. Dieser wurde durch ihre unzusammenhängende Fülle lediglich überwältigt. An diesem Punkt berühren sich die Verfahren der Geschäftspresse und des neuen Theaters. Sie gestatten den kleinbürgerlichen Massen die Teilnahme, sie laden diese sogar ein, aber sie verhüllen den Preis, den die Massen für die Teilnahme zu entrichten haben: Sie stehen unter dem Zwang, sich so zu verhalten, wie der Apparat es wünscht. Daß die Rezipienten diesen Zwang als ihre eigenen Bedürfnisse ansehen, macht die Überwältigung nur noch stärker. Die Leser fühlen sich durch den Presseapparat vertreten, während dieser ihre Interessen nur solange wahrnimmt, als sie willige Konsumenten bleiben.

An keiner Stelle wurde dies gegen Ende des neunzehnten Jahrhunderts so deutlich wie bei der Entwicklung der Illustrierten. Während die Familienzeitschrift, die historisch bis zu einem gewissen Grade als ihr Vorgänger angesprochen werden kann, noch daran interessiert war, die Meinung ihrer Leser zusammenzufassen und zu artikulieren – zum Beispiel in der *Gartenlaube* den kleinbürgerlichen, liberalen Nationalismus –, wurde die Illustrierte das Medium, das sich sein Publikum erst schuf. Der Ullstein Verlag brachte 1891 mit der *Berliner Illustrirten* das erste Beispiel dieses Typus heraus, der im kommenden Jahrhundert die Presse weitgehend bestimmen sollte. Obgleich in den ersten Jahren die technischen Voraussetzungen für eine illustrierte Zeitung noch nicht gegeben waren und daher die Bebilderung spärlich blieb, erreichte die Zeitung dank des niedrigen Preises von nur 10 Pf. pro Heft bald eine Auflage von 40 000. Der Illustrierten lag ein Konzept zugrunde, das von der Familienzeitschrift Elemente wie den Fortsetzungsroman und die kulturellen und gesellschaftlichen Nachrichten übernahm, sie aber aktuell aufmachte, so daß die Zeitschrift auf der Straße verkauft werden konnte. „Sache der Zeitung", heißt es 1927 in einem historischen Rückblick des Verlags, „mußte es sein, so stark zu fesseln, daß der Wunsch nach einem Wechsel nicht entstand."[38] Doch eben die Bindung des Lesers wurde nicht mehr mit dem herkömmlichen Abonnement erreicht, sondern durch die wöchentliche Konkurrenz des Straßenverkaufs. Daher war die Aufmachung von großer Bedeutung. „In den Anfängen der B.I.Z., und solange sich nicht neue Illustrationsmöglichkeiten erschlossen, war der Text fast wirksamer als die Bilder, übte die in jeder Nummer enthaltene Wochenplauderei einen Hauptreiz aus."[39] Ihre volle Wirkung erreichte die Zeitschrift freilich erst, nachdem die Reproduktionstechniken entwickelt worden waren, mit deren Hilfe Photographien mechanisch vervielfältigt werden konnten. „Die Autotypie, d.h. die auf photographisch-mechanischem Wege übertragene Tonätzung, vollendete rasch ihren Siegeszug und verdrängte den Holzschnitt nicht nur durch ihre größere Billigkeit ..., sondern nicht minder durch die ungleich kürzere Zeit ihrer Herstellung."[40] Was die *Berliner Illustrirte* vor den Tageszeitungen und den Kulturzeitschriften auszeichnete, war die Mischung aus Lokalinformation und kosmopolitischer Berichterstattung, aus literarischer Unterhaltung (Romane unter anderem von Max Kretzer, Rudolf Herzog, Ricarda Huch, Georg von Ompteda, Bernhard Kellermann und Arthur Schnitzler) und populärer Wissenschaft, während die politische Information und Meinungsbildung an den Rand gedrängt wurde. Der unpolitische Konsument war für die Illustrierten nicht weniger das Ideal als für die Generalanzeiger. Das Feuilleton, insbesondere der Feuilletonroman, war, wie auch die sozialdemokratische Presse entdecken mußte, von zentraler Bedeutung für die Frühform der Illustrierten, die an eine extensive Bildberichterstattung mit Textreportage noch nicht denken konnte.

Wenn es das Ziel der neuen Presse war, die literarische Öffentlichkeit zu erweitern, Literatur den Massen zugänglich zu machen, so war das Ergebnis eine Veränderung dieser Öffentlichkeit, deren Gewalt die zeitgenössischen Beobachter schwer einschätzen konnten. Die Klagen über die Kommerzialisierung der Literatur und die Abhängigkeit der Literaturproduzenten von einem industriellen Apparat, geben von dem Wandel nur ein partielles Bild, weil sie zu sehr an dem Warenaspekt ausgerichtet sind. Das restlose Zur-Ware-werden der Kulturgüter, das Adorno und Horkheimer als das Kennzeichen der Kulturindustrie beschrieben, ist nur die Voraussetzung für die neue Struktur, die die allgemeinen Rezeptionsbedingungen veränderte. Diesen Aspekt hatte bereits Walter Benjamin mit Recht gegen die traditionelle Kulturkritik geltend gemacht, freilich zu sehr auf die technische Entwicklung eingeschränkt.[41] Die technische Reproduktion stellte nur das Medium für eine Form der Kommunikation, die der Presseapparat schon antizipiert hatte. Der neue Journalismus rechnete mit einem Leser, der sich schnell informieren wollte und für den die Fülle der Nachrichten in ihrer Heterogenität wichtiger war als die einheitliche Meinungsbildung. In diesen Zusammenhang der Vermittlung mußte sich die Literatur einfügen – die Rezeption erfolgte nicht mehr mit Rücksicht auf die persönliche Bildung, sondern motiviert durch Kuriosität: das Interesse am Fremden, gelegentlich Absonderlichen, in jedem Fall Aufregenden, das der Kolportageroman in den siebziger Jahren auf niedrigstem Niveau in die Literatur eingeführt hatte. Bezeichnenderweise begann die *Berliner Illustrirte* ihre Romanserie mit dem Abdruck der Erinnerungen eines Berliner Polizeileutnants. Die Boulevardzeitung wie die *Berliner Morgenpost* wurde im ganzen, wie Arthur Bernstein feststellte, feuilletonisiert. „Ein Hauptmerkzeichen des neuen Zeitungstyps der Morgenpost war, daß das ‚Feuilleton‘ nicht – wie in anderen Zeitungen – ein bescheidenes Leben ‚unter dem Strich‘ führte, sondern alle Teile des Blattes durchdrang. Der lokale Teil, der Gerichtssaal, auch die Politik waren ‚feuilletonistisch‘ durchsetzt.“[42] Das heißt: um den Leser direkt emotional anzusprechen, wurde die Nachricht zur ‚story‘ aufbereitet. In diesem Verfahren näherten sich in der Tat literarisch-ästhetischer und historisch-pragmatischer Diskurs. Das Merkmal der industriellen Kultur wurde die zunehmende Verzahnung und Verklammerung der Bereiche und Diskurse, vor allem in den großen Zeitungsverlagen, aber auch in den großen Buchverlagen, die durchaus den Anspruch erheben konnten, Industrien darzustellen.

Buchmarkt und Massenliteratur

Die Entwicklung des Buchmarktes nach 1870 gibt hinreichende Aufschlüsse über die Veränderung des literarischen Systems in Deutschland. Während die fünfziger und frühen sechziger Jahre im Zeichen einer lang andauernden Rezession des Buchmarktes gestanden hatten, erholte sich der Markt nach 1867 und nahm in den siebziger und achtziger Jahren einen ungewöhnlichen Aufschwung, obgleich die allgemeine wirtschaftliche Lage in diesen Jahrzehnten alles andere als ermutigend war. Zwischen 1868 und 1877 stieg die Zahl der jährlich publizierten Titel von 10563 auf 13925.[43] Zehn Jahre später war die Siebzehntausend-Marke überschritten. Zwischen 1868 und 1888 steigerte sich die Produktion

(nach Titeln) um 62%. Mit Recht macht freilich Fullerton darauf aufmerksam, daß die Zahl der Titel von der Zunahme kein exaktes Bild entwirft. Daher zieht er zusätzlich die Umsatzzahlen heran. Sie bestätigen
das Bild einer rapiden Expansion. Der Umsatz stieg zwischen 1865 von
25 Millionen auf 55 Millionen Mark. Dem entspricht das Anwachsen der
Buchhandlungen. Während man 1865 3079 Firmen in Deutschland zählte, hatte sich die Zahl 1885 mehr als verdoppelt, es waren 6304 Unternehmen. Dieser Zuwachs überstieg den der Bevölkerung, so daß das literarische Distributionsnetz in den achtziger Jahren dichter war als je
zuvor.

Es lassen sich eine Reihe von Faktoren anführen, die zur Expansion
des Buchhandels beigetragen haben, unter anderem die Entwicklung eines nationalen Postdienstes, die Vermehrung der Universitäten und
Schulen und die Verstädterung der Bevölkerung im ganzen, doch dürften diese Faktoren allein nicht ausschlaggebend gewesen sein, da sie in
anderen ökonomischen Bereichen nicht die gleiche Wirkung gehabt haben. Wichtiger war die strukturelle Veränderung des Buchhandels und
des Verlagswesens – der Übergang von einem gewerblichen Unterneh-
menstypus, der noch mit einem Fuß in der handwerklichen Vergangenheit stand, zu einer auf Massenproduktion eingestellten Produktion.
Mochten die bedeutenden Verlage auch weiterhin als Familienunternehmen geführt werden und nicht die Form einer Aktiengesellschaft haben,
so ist an der Geschichte dieser Unternehmen doch leicht abzulesen, daß
sie in den siebziger Jahren in eine neue Phase eintraten.[44] Die überlieferten Geschäftsgewohnheiten wurden ersetzt durch Praktiken, die sich
nicht mehr von denjenigen anderer kapitalistischer Geschäftszweige unterschieden. Die Sonderstellung des Buchhandels als eines Gewerbes, das
für die Vermittlung von Kultur verantwortlich war, erwies sich mehr und
mehr als hinderlich und wurde von den aktivsten Verlegern abgestoßen.
Etwas später als die Zeitschriftenredakteure, nämlich um 1870, entdeckten die Verleger die lesenden Massen. Es gab eine große Zahl von Lesern
ohne einen gemeinsamen Klassenhintergrund. Der traditionelle liberale
Bildungsbegriff ließ sich mit dem kapitalistischen Prinzip der Umsatzver-
größerung und der Profitmehrung vereinbaren, wenn es gelang, den literarischen Kanon der Klassiker einem massenhaften Publikum preiswert
anzubieten. Genau dies geschah in den Reihen des Brockhaus Verlages
oder Gustav Hempels. Von Hempel wurden zum ersten Mal die Methoden des modernen Marketing voll angewandt, um seine ‚Nationalbiblio-
thek‘ zu verkaufen. Vier Millionen Prospekte und dreihunderttausend
Briefe wurden versandt. Die erste Folge der Serie wurde in großer Menge frei verteilt. Noch bevor die Reihe auf dem Markt erschien, hatte der
Verlag bereits 40 000 Subskribenten angeworben.[45]
Obschon das Verfahren der Subskription sich bei dem Verkauf der

Klassiker als erfolgreich erwies, blieb der größte Erfolg einer neuen Methode vorbehalten. Reclams Universalbibliothek, die 1867 mit Goethes *Faust* begann, bot die Hefte einzeln an, und zwar für einen Preis, der deutlich unter dem der Konkurrenz blieb. Zwar konnte sich der Verlag, nachdem die Reihe einmal eingeführt war, auf ihre Attraktivität verlassen, doch jeder Titel mußte einzeln verkauft werden. Die Auswahl der anzubietenden Werke wurde daher zu einem entscheidenden Kriterium für den Erfolg der Reihe. Reclam war sich dieser Sonderstellung durchaus bewußt und unterstrich in seinen Ankündigungen, daß der Leser sich aus der Reclam'schen Reihe herausnehmen könnte, was ihm persönlich gefiel, und sich so seine individuelle Bibliothek zusammenstellen. Reclams Universalbibliothek hat sich in der Tat den Ruf erworben, die deutschen Klassiker an die Massen herangetragen zu haben. So richtig diese Beobachtung ist, so kennzeichnet sie jedoch den Charakter der Reihe nicht genau. Bezeichnend für die Auswahl war die Mischung von Bildung und Unterhaltung, von kanonisierten Texten, die man gelesen haben mußte, um als gebildet anerkannt zu werden, und solchen, die als Sommer- und Reiselektüre geeignet waren.[46] Unverkennbar wurde durch diese Vermarktung die Literatur im ganzen homogenisiert. Grenzen des Niveaus und des ästhetischen Anspruchs wurden aus ökonomischen Gründen abgeschliffen. Hatte der klassische Bildungsbegriff, wie er in den fünfziger Jahren beispielhaft noch einmal von Adalbert Stifter formuliert worden war, den Kanon der literarischen Klassiker streng gegen die Halbbildung der Metropolen abgegrenzt, so suggerierte der neue Buchhandel seinen Kunden, daß diese Gesichtspunkte ihre Gültigkeit verloren hatten. Machte man die Klassiker nach der Aufhebung des ewigen Urheberschutzes ebenso leicht zugänglich wie die zeitgenössische Unterhaltungsliteratur, so ging diese Angleichung letztlich zu Lasten des idealistischen Bildungsbegriffs, denn dieser ging davon aus, daß ein klassischer literarischer Text durch seine Rezeption seine unverkennbare Aura erhält, die sich auch im Erwerb des Buches niederschlägt. Die Ausgaben des Cotta Verlages hatten diese auratische Qualität respektiert, die die neuen Serien und die Reclamausgaben absichtlich mißachteten. Es ist nicht unsere Absicht, die Zerstörung des klassischen Bildungsbegriffs zu beklagen, der schon in den fünfziger Jahren zur Ideologie geworden war (Bildung als sozialer Status), es handelt sich vielmehr darum, die industrielle Rezeption zu charakterisieren. In der Reclamreihe erhält ein Drama Schillers oder Lessings einen veränderten Stellenwert; an die Stelle der Kontemplation tritt entweder das Studium oder der inhaltliche Konsum. Ausgetrieben wurde die erbauliche Komponente, die dem bürgerlichen Kulturbegriff des neunzehnten Jahrhunderts immer beigemischt war. Durch die neuen Ausgaben wurde ein sachlicheres Verhältnis zur literarischen Tradition nahegelegt. Freilich schloß die Versachlichung die Verdinglichung der Tradition keineswegs aus, im Gegenteil, die kompletten Klassikerserien, die in die Bücherschränke des Mittelstandes wanderten, förderten nicht notwendig den Umgang mit den literarischen Texten.

Solange die Mehrheit der Bevölkerung entweder überhaupt nicht oder nur sehr unvollkommen zu lesen verstand, war für eine massenhafte literarische Kultur (Zeitungen, Zeitschriften, Bücher) kein Raum. Das gilt ohne Zweifel für die erste Hälfte des neunzehnten Jahrhunderts in Deutschland. Die Massen kamen als Leser und zumal als Käufer von Büchern nicht in Frage. Es fehlten sowohl die Bildungs- als auch die ökonomischen Voraussetzungen. Die Wende trat zwischen 1850 und 1870 ein. Während diese beiden Jahrzehnte im ganzen noch durch einen Literaturbegriff geprägt blieben, der die Massen ausschloß, veränderten sich die Bedingungen weitgehend, nachdem die erste Phase der Industrialisierung abgeschlossen war. Es waren großstädtische Industrie- und Handelszentren entstanden, Ballungsgebiete, deren ökonomische und soziale Interaktion die Alphabetisierung der Massen voraussetzte. Und zwar wurden von diesem Prozeß nunmehr auch die proletarischen Schichten ergriffen. Um 1880 war in Preußen, abgesehen von den östlichen Provinzen, das Analphabetentum so gut wie verschwunden.[47] Damit aber war die Bedingung für ein massenhaftes Schrifttum geschaffen. Der populäre Buchmarkt, der natürlich auch schon vorher bestanden hatte, weitete sich nach 1870 aus. Es handelte sich dabei um einen kontinuierlichen Prozeß, der den technischen Fortschritt im Druckgewerbe ausnutzen konnte. Die Schnellpresse und die Verbilligung des Papiers machten es möglich, wohlfeile Massenauflagen herzustellen. Das kam den traditionellen Massenschriften zugute, d. h. den Kalendern, Gesundheitsbüchern, religiösen Traktaten etc., aber auch dem neuen Romantyp, der in den siebziger und achtziger Jahren weitgehend die Freizeitlektüre der proletarischen Massen bildete. Der Kolportageroman, zu dessen Autoren Schriftsteller wie Franz Pistorius, W. Frey und Karl May gehörten, erreichte bekanntlich seine Leser nicht über den regulären Buchhandel, sondern durch den Kolporteur, der die Käufer zum Abonnement verpflichtete und die Hefte wöchentlich auslieferte. Sowohl die Produktion als auch die Distribution wurden von den Verlegern straff organisiert. Von den Autoren wurde erwartet, daß sie sich an bestehende Schemata und Formeln der Handlungsführung und Charakterisierung hielten. Um eine optimale Wirkung auf die Leser zu sichern, behielten sich die Verleger Eingriffe in den Text vor.

Die literarischen Muster für den Kolportageroman lagen in den siebziger Jahren bereits vor. Die Produzenten konnten sich an Sue und Dumas anschließen, mußten freilich, um ihr Publikum zu erreichen, die Effekte noch verstärken. Was immer man über die Praktiken von Verlegern wie Münchmeyer in Dresden, Grosse in Berlin oder Oeser in Neusalza sagen konnte,[48] es gelang ihnen zum ersten Mal, die traditionellen Grenzen des Buchmarktes zu durchbrechen und proletarische Leser als Käufer zu erreichen.[49] Dies wurde möglich durch die neue Distributionsform der wöchentlichen Lieferung, die mit 10 Pfennig erschwinglich war, obgleich der Gesamtpreis für einen Kolportageroman meistens höher ausfiel als ein vergleichbarer Roman im regulären Buchhandel. Während die Familienzeitschriften sich noch an einen bürgerlichen Leser wandten, aber das kleinbürgerliche Publikum schon einschlossen, richtete sich der Kolportageroman primär an einen proletarischen Leser, der andere Bedürfnisse und andere literarische Erwartungen hatte. Daß diese Autoren – unter ihnen Karl May als der bedeutendste – diese Bedürfnisse und Interessen, wenn auch geleitet und kontrolliert von profitorientierten Verlegern, zu treffen vermochten, spricht dafür, daß hier noch einmal, wenn auch in unheiliger Gestalt, ein Zusammenhang zwischen einer Klasse und einem literarischen Genre hergestellt wurde. Problematisch ist die Unterstellung, daß diese Romane im Grunde nicht mehr waren als eine gewandelte Form des älteren Geister- oder Räuberromans.[50] So sicher Motive und Themen von den älteren Formen übernommen wurden, so läßt sich der Kolportageroman in seiner sozialen Einstellung, wie das Beispiel Karl Mays zeigt, nicht auf Vorläufer reduzieren. Einmal strebten die Produzenten danach, ihre Romane zu aktualisieren, indem sie an rezente geschichtliche Ereignisse und Figuren anschlossen, ferner ist die sozialkritische Tendenz ausgeprägter.

Unverkennbar zeigt der Kolportageroman die Kennzeichen industrieller Kultur: massenhafte schematische Produktion, genau kalkulierte Distribution, eine Schreibweise, die sich auf literarische Formeln und Konventionen verläßt, um die Leser zu erreichen. Etliche Züge der amerikanischen Filmindustrie, wie Adorno und Horkheimer sie beschreiben, scheinen hier vorweggenommen. In keinem Fall konnten diese Romane beanspruchen, und das war selbstverständlich den zeitgenössischen Beobachtern klar, autonome Kunstwerke zu sein. Dennoch kann der Kolportageroman nur mit Einschränkungen als Vorläufer der späteren Illustriertenromane oder des Unterhaltungsfilms angesehen werden. Die Tatsache, daß er sich vom Odium der moralischen Verruchtheit niemals hat befreien können, daß die bürgerliche Kritik ihn entweder ignoriert oder moralisch verdammt hat (und das schließt die sozialdemokratische Kritik ein), deutet darauf hin, daß das Genre das kulturelle Ghetto nicht verlassen konnte. Es blieb an das proletarische Milieu gebunden. In den neunziger Jahren hatte der Kolportageroman bereits seinen Höhepunkt überschritten und wurde auf dem Buchmarkt durch Zeitungen und Zeitschriften ersetzt. Doch die neuen Generalanzeiger und die Illustrierten, die ein massenhaftes Publikum ansprechen wollten, waren sorgfältig auf ihre Reputation bedacht. Man braucht nur die Romanautoren der *Berliner Illustrirten Zeitung* mit den Verfassern von Kolportageromanen zu vergleichen, um den Unterschied zu ermessen. Erst nach dem Verschwinden des Kolportageromans um 1900, so können wir die Entwicklung zusammenfassen, ist die literarische Öffentlichkeit bereit für das homogenisierte Angebot, das sich erfolgreich an heterogene soziale Gruppen und Klassen wenden konnte. Das Massenpublikum der Geschäftspresse war ein anderes als das der Kolportageromane; in seinem Kern kleinbürgerlich (Handwerker und Angestellte) erreicht es auf der einen Seite die Bourgeoisie und auf der anderen die Arbeiter. Die Zukunft des Buchmarktes lag in der gleichen Richtung. Das Ziel der Verlage mußte sein, die literarische Produktion so zu steuern, daß sie von klassenspezifischen Bedürfnissen und Erwartungen unabhängig wurde. Das ließ sich jedoch erst erreichen, wenn die Verlage ihren Apparat so ausgebaut hatten, daß sie sowohl die Produktion als auch die Distribution weitgehend manipulieren konnten. Diese Bedingungen waren vor dem Ersten Weltkrieg noch nicht gegeben. Bestseller waren eher das Ergebnis glücklicher, aber nicht kontrollierbarer Umstände als systematischer Planung.

Alternative Öffentlichkeit und Gegenkultur

Ohne Zweifel führte die Industrialisierung Deutschlands, namentlich in ihrer zweiten Phase nach 1870, zur Entstehung einer literarischen Massenkultur, an der die Mehrheit der Bevölkerung teilnahm. Aber ist diese Massenkultur als Kulturindustrie im Sinne der Kritischen Theorie zu verstehen? Handelt es sich mit anderen Worten um eine Kultur, in der die kulturellen Bedürfnisse der Massen durch kapitalistische Großunternehmen systematisch ausgebeutet wurden? Wurde, um es überspitzt zu formulieren, der räsonierende Leser zum Konsumenten? Die Umstrukturierungen im Bereich der Presse, des Buchhandels und des Theaters vermitteln ein widersprüchliches Bild der Entwicklung. Am ehesten läßt sich die Entwicklung der Massenpresse unter den Begriff von Kulturindustrie subsumieren, den Horkheimer und Adorno entwarfen. Hier führte der Aufbau von Großverlagen wie Mosse, Scherl und Ullstein, um nur die bekanntesten zu nennen, zu einer planmäßigen Steuerung der Presse Berlins. Sie reichte von der gediegenen Meinungszeitung bis zum Boulevardblatt. Dagegen blieb die Buchindustrie in zwei nicht miteinander verbundene Märkte aufgespalten, die verschiedene soziale Klassen bedienten. Im Unterschied zu den Presse-Verlagen blieb die ökonomische Größenordnung der Buchverlage im wesentlichen noch auf der Ebene von erweiterten Familienunternehmen, die einzeln den Markt nicht beherrschen konnten. Unter diesen Bedingungen lag den führenden Verlegern mehr an dem literarischen Profil ihres Hauses als an der Belieferung des Massenmarktes.

Schaut man sich die Entwicklung des kulturellen Bereichs im Wilhelminischen Deutschland im ganzen an, erhebt sich die Frage, ob die These, daß sich unter den Bedingungen des Organisierten Kapitalismus eine Kulturindustrie entwickeln müsse, überhaupt haltbar ist. Die Aushöhlung des bürgerlichen Kulturbegriffs ist nicht linear zu korrelieren mit der Entfaltung des Organisierten Kapitalismus. In Deutschland wenigstens ist mit zusätzlichen Faktoren zu rechnen, durch die das Gesamtbild entschieden komplexer wird. Zu berücksichtigen sind auf der einen Seite die Entwicklung einer staatlichen Kulturpolitik, die über bloß negative Maßnahmen (Zensur) hinausgeht, und auf der anderen Seite die Anstrengungen der organisierten Arbeiterklasse, eine kulturelle Gegenöffentlichkeit zu schaffen. Diese beiden Kräfte übten auf die kulturelle Formation des kaiserlichen Deutschlands eine Wirkung aus, die dem Einfluß der kapitalistischen Industrie wohl gleichkommt. Während das staatliche Programm und die Bestrebungen der Sozialisten entgegengesetzte Ziele verfolgten, stimmten sie in einzelnen Forderungen und Maßnahmen – etwa im Kampf gegen Schundliteratur – überein. Von beiden Seiten wurden bestimmte Teile der kapitalistischen Buchindustrie als auszumerzende, weil kulturfeindliche Gegner angesprochen. Es ist unsere These, daß die Gestalt der industriellen Massenkultur wesentlich mitbestimmt worden ist durch die Kulturpolitik des Staates und ihm nahestehender Organisationen. Erst aus dem konfliktreichen Zusammenspiel von kapitalistischer Organisation und staatlichen Eingriffen entwickelte sich diejenige Formation, für die Horkheimer und Adorno im 20. Jahrhundert den Begriff der Kulturindustrie prägten. Die Bedeutung des Staates blieb der klassischen Kritischen Theorie aus zwei Gründen verborgen. Einmal beschäftigten sich Adorno und Horkheimer vor allem mit amerikanischen Verhältnissen, d. h. einer Konstellation, in der historisch der staatliche Einfluß gering war. Es fehlte in den Vereinigten Staaten damals der bürokratische Apparat, um Kultur zu organisieren. Zum anderen läßt sich die Kulturpolitik des Deutschen Reichs nicht ohne weiteres definieren. Selbst innerhalb der im Reich zusammengefaßten Staaten gab es keine einheitliche Kulturpolitik. Das preußische Kultusministerium zum Beispiel befaßte sich mit kirchlichen Angelegenheiten und Fragen der öffentlichen Bildung, dagegen nicht mit der Überwachung der Theater, die der Polizei vorbehalten blieb.

Seit der Aufhebung der Zensur und der Liberalisierung der Pressegesetze (Abschaffung der Kaution und der Stempelsteuer) hatte der Staat seinen restringierenden Einfluß stark reduziert. Diese Maßnahmen kamen vor allem dem Buchhandel zugute. Was trat an die Stelle der negativen Regulierung? Während die literarische Produktion weitgehend dem Spiel des freien Marktes überlassen blieb, griff der Staat auf dem Gebiet des Bildungswesens durch politische und organisatorische Maßnahmen fortwährend in das kulturelle Leben ein. Daneben nehmen sich die anderen positiven staatlichen Maßnahmen, die die kulturelle Öffentlichkeit mitbestimmen, relativ bescheiden aus. Während die Zensurpolitik gegenüber dem Theater weitgehend auf restriktive Operationen beschränkt blieb, war Bismarcks Pressepolitik, die durch den Aufbau eines Apparates und die Manipulation von Nachrichten die öffentliche Meinung planmäßig steuerte, im wesentlichen auf die politische Sphäre beschränkt. Daß sich mit Hilfe kultureller Ereignisse auch die politische Öffentlichkeit beeinflussen ließ, war Bismarck nicht deutlich. Die Möglichkeiten der ästhetischen Politik erkannte er nicht. Es ist bezeichnend, daß Bismarck, das dringende Ersuchen Wagners, die Bayreuther Festspiele zu unterstützen, rundweg ablehnte.[51] Bei dieser Entscheidung spielte sicher eine Rolle, daß die preußische Regierung nicht als Konkurrent des bayerischen Königs auftreten wollte, der als Mäzen Wagners bekannt war. Im Grunde freilich verstand Bismarck Wagners Idee nationaler Festspiele nicht. Hätte er ihre politische Funktion erkannt, hätte er sie vermutlich genutzt und den Wagner-Verein wie den Bayreuther Kreis für seine Zwecke eingesetzt. Auch die Förderung durch Ludwig II. blieb an das Modell des königlichen Mäzenats gebunden, das auf Grund seines persönlichen Charakters die Umsetzung in politische Steuerung nicht ohne weiteres erlaubt.

Die bürgerliche und die neue proletarische Intelligenz verstanden diesen Zusammenhang entschieden besser. Daß die Sozialdemokraten nach ihrem Verbot in kulturelle Organisationen auswichen, sollte nicht ausschließlich als Tarnung der politischen Aktivität verstanden werden, dahinter stand auch die Einsicht, daß Massenpolitik in den Alltag eingreifen muß. Dies aber war über kulturelle Praktiken leichter möglich als durch politische Aktionen. Das offenkundigste Beispiel einer Politisierung der Kultur auf der bürgerlichen Seite war der um die Bayreuther Festspiele sich scharende Kreis der Freunde und Verehrer Wagners. Als Teil der in den achtziger Jahren sich rasch ausbreitenden völkischen Bewegung benutzte der Kreis das Werk des Meisters, um sich für die Reform der deutschen Kultur einzusetzen.[52] Die Übersetzung ästhetischer Anschauungen in politische Ideologie war schon in Wagners Schriften angelegt, zunächst um 1848 in radikal-demokratischer Absicht, später mit völkisch-nationaler Intention. Der Bayreuther Kreis machte sich zur Aufgabe, die Botschaft des Meisters auszubreiten – nach einer Formulierung Glasenapps: „Aber nun sollten wir uns sagen, daß es eben unsere Aufgabe ist, als wahre Apostel und Evangelisten eines neuen Bundes und als lebendige Zeugen das von uns Erschaute weiter zu überliefern."[53] Es ist nicht unsere Aufgabe, die Geschichte des Kreises und die Entwicklung seiner Weltanschauung auch nur zu skizzieren. Wir heben nur einen Punkt hervor: Der Bayreuther Kreis formulierte eine ästhetische Lebensanschauung, die politische Wirkungsabsichten hatte. Die Aufgabe, die man sich gestellt hatte, war die Regeneration der deutschen Kultur aus dem Geist der deutschen Kunst. Die Bayreuther Ästhetik setzte sich emphatisch von dem kommerzialisierten Theater- und Opernbetrieb der Gegenwart ab. Mit der Formel „Kunst als Ausdruck" lieferte Friedrich von Hausegger 1884 den Wagnerianern das Stichwort, um sich gegenüber dem Formalismus abzugrenzen. Die Kunst erscheint als der Ausdruck des nationalen Volkscharakters. So erwartete man von dem großen Künstler die Überwindung der individualistischen liberalen und die Schaffung einer neuen heldischen Kultur, in der das deutsche Volkstum seinen angemessenen Ausdruck finden konnte.

Das Zentrum der staatlichen Kulturförderung blieb die Bildungspolitik. Durch das Monopol der Schulaufsicht, das der Staat wenigstens im Prinzip seit dem frühen neunzehnten Jahrhundert für sich in Anspruch nahm (wenn er es in der Praxis auch mit der Kirche und den lokalen Behörden teilte), hatte er einen unmittelbaren Zugang zur kulturellen Sphäre. Die Auseinandersetzungen um die Schulpolitik geben uns daher ein nicht immer klares, aber doch eindringliches Bild von den Problemen, die die Industrialisierung mit sich brachte. Die Verstärkung der Real- und Oberrealschulen, die mit ihrer Gleichberechtigung mit dem Gymnasium abschloß, sowie die Reform der Volksschulen waren Antworten auf die gesellschaftlichen Veränderungen. Offensichtlich war die traditionelle Trennung von höherer Bildung für eine kleine Elite und Elementarbildung für die Masse der Bevölkerung im Zeitalter der Industrialisierung nicht mehr angemessen. Auf der anderen Seite konnte die Ministerialbürokratie nicht übersehen, daß jede Änderung der Schulstruktur Auswirkungen auf die gesellschaftliche Struktur haben konnte. Wollte man den gesellschaftlichen status quo stabilisieren, so konnte man nur mit großer Vorsicht Veränderungen vornehmen. So schwankte die Bildungspolitik des kaiserlichen Deutschlands zwischen zwei Tendenzen: Auf der einen Seite wollte man der Modernisierung der Gesellschaft auch im Bildungsbereich Rechnung tragen, auf der anderen Seite stand die Bildungspolitik im Dienst der herrschenden sozialen Gruppen, die den Erziehungsapparat benutzten, um die bestehenden Klassenkonflikte einzufrieren.[54] Die siegreiche Restauration hatte nach 1849 die geplante Erweiterung der Volksbildung als eine Bedrohung empfunden und reagierte in Preußen mit den Stiehlschen Regulativen, durch die die Bildung der Volksschüler auf die elementaren Funktionen des Lesens, Schreibens, Rechnens und der religiösen Ausbildung beschränkt wurde. Durch Falks „Allgemeine Bestimmungen" wurde dieser unbefriedigende Zustand

1872 endgültig aufgegeben und ein neuer Plan ausgearbeitet, der „Rücksicht auf den gegenwärtigen Stand der allgemeinen Bildung, auf die dermalige Entwicklung der Industrie und des Ackerbaus, auf die Verhältnisse des öffentlichen Lebens überhaupt"[55] nahm und für einen neuen, den veränderten Bedingungen angemessenen Schultyp plädierte. Falk und seine Mitarbeiter waren mit Recht überzeugt, daß die herkömmliche einklassige Volksschule für die notwendige Wissensvermittlung nicht ausreichte. Die mehrklassige Volksschule wurde die neue, wenn auch keineswegs überall erreichte Norm. Die Lehrpläne für die Mittel- und Oberstufe verstärkten die Realien, d. h. Geschichte, Geographie, Naturbeschreibung und Naturlehre. Freilich waren die Erwartungen auf dem Gebiet der Naturwissenschaften sehr beschränkt. Es fehlten in den Schulen die Lehrmaterialien, die den Kindern einen Eindruck von der technischen Entwicklung hätten vermitteln können. Die Anpassung an die veränderte ökonomische und gesellschaftliche Situation war überdies keineswegs als Revolutionierung gemeint. Falk gab in einer Reichstagsrede zu erkennen, daß er die Schulreform als einen Beitrag zum Kampf gegen die Sozialdemokratie betrachtete.

Die zweifellos durch die Reform angestrebte Literarisierung der Massen, um die berufliche Qualifikation sicherzustellen, wurde freilich durchkreuzt von Anstrengungen, die religiöse und politische Loyalität der Massen gleichzeitig zu erhalten. Auch das Ministerium Falk hielt an der Anschauung fest, daß die sittlich-religiöse Erziehung den Kern der Ausbildung darstelle. Die stärkere finanzielle Unterstützung der Volksschulen und die Verbesserung der Lehrergehälter, von der Öffentlichkeit als steigendes Interesse des Staates an der Elementarschule aufgefaßt, änderte an dieser Grundeinstellung wenig. Die Volksschulpolitik Preußens blieb widersprüchlich. Die Regierung wollte keineswegs die laizistische Trennung von Kirche und Staat, sondern den stützenden Dienst der Kirche für die sittliche Erziehung der Kinder. In diesem Sinne sprach Puttkamer nach dem Rücktritt Falks 1879 davon, „daß die sittlich-religiöse Erziehung und Unterweisung der Jugend in der Schule eine Angelegenheit ist, an welcher der Staat als rechtlicher Träger der Leitung und Beaufsichtigung des gesamten Unterrichtswesens und die Kirche, die evangelische nicht minder als die katholische, als christliche Heilsanstalt ein durch gemeinsame Arbeit auf dem Gebiete der Schule zu betätigendes gleiches Interesse haben."[56] Was für das Gymnasium der deutsche Idealismus darstellte, war für die Volksschule die Religion – der feste Boden, auf dem das Wissensgebäude aufgerichtet werden sollte. Dieser religiöse Bildungsbegriff, der noch weitgehend auf vorbürgerlichen Vorstellungen beruht, war unter anderem als Riegel gegen die Sozialdemokratie gedacht. Diese Politisierung der Schule wurde besonders nach 1889 deutlich.[57] Durch die Ordre Wilhelms II. vom 1. Mai 1889 wurde der

Klassenkampf offiziell in die Schulen hineingetragen. Die Zuspitzung des politischen Konflikts verschob die Prioritäten zugunsten von Maßnahmen, durch die „Gottesfurcht und Liebe zum Vaterland" (Wilhelm II.) gefördert würden. Die Modernisierung der Schulen wurde folglich zu einem ausgesprochenen Politikum. Auf der einen Seite wurde offene Indoktrination gefordert, um den Schülern die Verderblichkeit der sozialdemokratischen Lehren zu zeigen, auf der anderen Seite stellte sich die SPD hinter die Bestrebungen, die Volksschule den Anforderungen des modernen Wirtschaftslebens anzupassen (Wahlaufruf von 1884). Die zunehmend konservative Bildungspolitik des preußischen Staates, die nach 1890 in der Zurückdrängung der Sozialisten ihr primäres Ziel erblickte, kehrte zum Bild des dienenden Bürgers und Untertanen zurück. Die Ausweitung der Bildung, die zum selbständigen Denken angeregt hätte, lag nicht mehr im Interesse des Staates. Konnten die Ansätze der Falkschen Reform als Unterstützung der neuen industriellen Kultur gewertet werden – dementsprechend wurde sie von den Konservativen angegriffen –, so schränkte der sich verschärfende politische Konflikt zwischen den staaterhaltenden Kräften und den Sozialisten die Reformpolitik ein, ohne sie jedoch ganz aufzuheben, da sie den Bedürfnissen einer Industriegesellschaft entsprach. Die Schüler sollten sich mit den bestehenden Verhältnissen identifizieren und zugleich soviel praktische Kenntnisse erwerben, daß sie beruflich qualifiziert waren. Unter diesen Umständen war die Literarisierung der Massen für den Staat, auch dort, wo sie unpolitisch war, wie die Lektüre von Unterhaltungsliteratur, bedenklich. Die Gesetzgebung gegen den Kolportagebuchhandel, dem von seinen bürgerlichen Kritikern Unsittlichkeit vorgeworfen wurde, bezeugt diese Sorgen der Bürokratie.[58]

Der Wilhelminische Staat hatte ein zwiespältiges Verhältnis zur industriellen Massenkultur. Er bekämpfte sie dort, wo sie die bestehenden Zustände in Frage stellte, er stellte sich auf sie ein, ja förderte sie sogar, wo sie versprach, den status quo zu unterstützen. Diese pragmatische Einstellung blieb eigentümlich blind gegenüber den tieferliegenden Veränderungen des kulturellen Bereichs. Indem Kaiser und Regierung die Erziehung so offensichtlich politisierten, verstellten sie sich den Blick für die weiterreichenden Folgen der Massenkultur, die auch dort, wo sie politisch neutral war, das autoritäre System des Kaiserreichs langfristig nicht unterstützte. Außerhalb der Bildungspolitik gab es nicht viele Ansätze, um die neue kulturelle Formation in den Griff zu bekommen. Die Steuerung dieses Bereichs wurde weitgehend lokalen Behörden und nicht-staatlichen Organisationen überlassen, etwa den Kirchen oder Vereinigungen, die sich aus dem einen oder anderen Grund mit der Verbreitung von Kultur beschäftigten. Die Bibliotheksbewegung wäre hier beispielhaft zu nennen.

Während die älteren Volksbibliotheken in der öffentlichen Diskussion der Bibliothekare überwiegend als minderwertig angesehen wurden, entwickelte sich in der Bücherhallenbewegung nach 1895 eine neue Konzeption der öffentlichen Bibliothek, die sich an das Vorbild der amerikanischen Public Libraries anschloß und jede Einschränkung auf eine bestimmte soziale Klasse bewußt vermied. Die neuen Volksbibliotheken sollten vielmehr allen Bürgern offenstehen, die Auswahl der Bücher entsprechend die Bedürfnisse eines breiten Publikums berücksichtigen. Constantin Nörrenberg (1862–1937), einer der führenden Sprecher der Bewegung, forderte, daß die bestehenden Volks-und Stadtbibliotheken zu allgemeinen Bildungsbibliotheken zusammengefaßt werden sollten. „Die Bücher- und Lesehallen sollten als ständige Einrichtungen von den Städten oder Kommunalverbänden, eventuell mit staatlicher Unterstützung, unterhalten werden. Wünschenswert sei die Einrichtung von Zentralstellen zur Beratung von Kommunen oder Vereinen, die Bücher- und Lesehallen gründen wollten."[59] Die Unterstützung dieser neuen Bildungsbibliotheken durch die öffentliche Hand fiel freilich vor dem Ersten Weltkrieg schwächer aus als erwartet. Die Gründung von neuen Bücherhallen ging in den meisten Fällen auf die Initiative von einzelnen oder von Vereinen zurück. Bereits bestehende Organisationen konnten mit kommunaler Unterstützung bis zu einem gewissen Grade rechnen. Zu den fördernden Gesellschaften sind die 1892 gegründete *Gesellschaft für ethische Kultur,* die *Comenius-Gesellschaft* und die ältere *Gesellschaft für die Verbreitung von Volksbildung* zu rechnen. Diese Institutionen betrachteten es als ihre Aufgabe, den Boden für die Gründung von kommunalen Bücherhallen vorzubereiten, und beteiligten sich auch finanziell an der Einrichtung von Bibliotheken, wenn die Städte und Kommunen nicht in der Lage waren, die Kosten zu übernehmen. So wandte sich die *Comenius-Gesellschaft* 1899 an die Magistrate der deutschen Städte mit mehr als hunderttausend Einwohnern. Sie sprach sich dringlich für die Einrichtung von Bücherhallen aus und begründete unter anderem diesen Aufruf damit, daß öffentliche Bibliotheken geeignet wären, die Kosten für die Armenpflege und die Bekämpfung von Kriminalität zu senken. Die Ideologen der Bücherhallenbewegung traten für die öffentliche Unterstützung der Bibliotheken ein, da sie dem sittlichen Ernst der Bevölkerung zugute komme. Der Staat und die Kommunen, so lautete das Argument, hätten für die Bibliotheken als öffentliche Bildungsinstitutionen im gleichen Maße zu sorgen wie für Schulen, Theater und Museen.[60] Den städtischen und staatlichen Verwaltungen wurde nahegelegt, daß durch die Förderung der öffentlichen Bibliotheken soziale Probleme, nicht zuletzt die ungünstige Beeinflussung der Massen durch Schundliteratur, zu lösen seien.

Trotz dieser Propaganda hielten sich die Städte und Gemeinden zurück. Auch der preußische Staat trat nur zögernd an die neue Aufgabe heran. Zwar unterstützte das Kultusministerium die Einrichtung von öffentlichen Bibliotheken in einem Erlaß aus dem Jahre 1899,[61] aber die jährlich ausgeworfenen Mittel (50000 Mark) geben zu erkennen, daß der Staat sich von diesen Bibliotheken keinen nennenswerten Einfluß auf die Bevölkerung versprach. Eine zusammenfassende Kulturpolitik war zu diesem Zeitpunkt offensichtlich noch nicht entwickelt. Man überließ die Initiative bewußt privaten Vereinen und Organisationen, die durch ihre Bildungsarbeit die Massen beruhigen sollten. Die von der Firma Krupp eingerichtete Werksbibliothek, seit 1898 von Paul Ladewig, einem der Führer der Bücherhallenbewegung, geleitet, mochte den staatlichen Wünschen (Abwehr der Sozialdemokratie) bis zu einem gewissen Grade entsprechen; die dagegen durch die *Patriotische Gesellschaft* 1899 in Hamburg ins Leben gerufene Bibliothek entsprach mehr dem Geiste aufklärerischer Pflege des allgemeinen Wohls. Im ganzen blieben die Gemeinden und Städte vor dem Ersten Weltkrieg in der Rolle von wohlwollenden Zuschauern. Die Planung von neuen Bibliotheken und die Ausformulierung der bildungspolitischen Ziele lag dagegen bei den privaten Vereinigungen und ihren Sprechern. Diese setzten die Tradition der Aufklärung fort, die schrittweise das Volk an der Literatur beteiligen wollte. Freilich war um 1900 die Lage grundverschieden von den Verhältnissen des frühen neunzehnten Jahrhunderts. Die alphabetisierten Massen drängten nunmehr auf kulturelle Beteiligung. Es war zu entscheiden, in welcher Gestalt diese Beteiligung zustande kommen sollte. So sehr sich die Volksbibliothekare im allgemeinen gegen die Politisierung der Bücherhallen zur Wehr setzten,[62] so fanden sie sich wiederholt zwischen den Fronten. In bürgerlichen Kreisen wurde mehrfach die Befürchtung ausgesprochen, daß die Lesehallen oppositionellen politischen Kräften dienen könnten. Und auf der anderen Seite waren die Sozialisten überzeugt, daß diese Bibliotheken als Maßnahmen gegen die Arbeiterbibliotheken der Partei und der Gewerkschaften zu betrachten seien.

Die Bücherhallenbewegung war im großen und ganzen von einem traditionellen Bildungsbegriff ausgegangen. Sie betrachtete es als ihre Aufgabe, die Bevölkerung an gute Literatur heranzuführen. Die Frage, ob dieser Bildungsbegriff in der Gegenwart noch anwendbar sei, wurde anfänglich nicht gestellt. Erst in dem seit 1912 ausgetragenen Richtungsstreit zwischen Paul Ladewig und Walter Hoffmann, der unter den Bibliothekaren eine erregte Diskussion auslöste, spielte diese Frage eine bedeutende Rolle. Der Anlaß des Streites war Ladewigs Schrift *Die Politik der Bücherei* (1912). Während Ladewig dem Konzept der amerikanischen Public Library folgte und entsprechend die Bibliotheken als Angelegenheiten des öffentlichen Verkehrs definierte, stellte Hoffmann in seiner Entgegnung den erzieherischen Wert der Bibliothek in den Vordergrund. Er betonte den individuellen Charakter der bibliothekarischen Arbeit (Beratung und Belehrung) und wehrte sich vehement gegen die amerikanischen Methoden, die sich auf einen Massenbetrieb einstellten. Ladewigs Konzeption wich in der Tat von herkömmlichen Vorstellungen ab. Erziehung sei nicht das Ziel, sondern die Folge der Bibliotheksarbeit, argumentiert Ladewig 1914 gegen den Bildungsbegriff Hoffmanns und seiner Schule.[63] Er forderte Bibliotheken, die die Bevölkerung so bedienen sollten wie die Post oder die Eisenbahn. Er ging mit anderen Worten davon aus, daß Kultur nicht mehr Privileg einer sozialen Gruppe sei, sondern eine Sache der Masse. Während Ladewig die lesenden Massen als mündig betrachtete, sah Hoffmann seine Leser als führungsbedürftig an, so daß die Beratung durch den Bibliothekar zentrale Bedeutung erhält. Ausdrücke wie „dekorative Bildungsmechanismen", angewandt auf große Bibliotheken, lassen den Geist der Kulturkritik erkennen.[64] In den unterschiedlichen Kriterien für die Buchauswahl schlugen sich die gegensätzlichen Konzeptionen nieder. Während die um Hoffmann gesammelten Bibliothekare die literarisch-ästhetische Erziehung des Volkes wünschten und entsprechend sowohl den potentiellen Leserkreis als auch die Art der zu entleihenden Bücher beschränken wollten, sprach sich die um Ladewig und Erwin Ackerknecht gruppierte sogenannte Stettiner Richtung für einen neuen Kulturbegriff aus. Man setzte die durch die Industrielle Revolution vollzogene Alphabetisierung der Massen voraus und betrachtete die Literatur als eine Form der Kommunikation unter anderen. Im Gegensatz zu Hoffmann waren Ladewig und Ackerknecht bereit, die zeitgenössische Kultur als eine industrielle Massenkultur anzuerkennen.

Kulturindustrie oder Gegenkultur?

Damit nähern wir uns der zentralen Frage: War die hier aufgezeigte Entwicklung notwendig? War die industrielle Massenkultur unvermeidlich? Es ist bemerkenswert, daß die Sozialdemokratie die Frage nicht in dieser Form stellte.[65] Zweifellos setzte sie sich seit ihren Anfängen für die gleichberechtigte Beteiligung der proletarischen Massen an der Kultur ein, doch lag es ihr fern, die Verbreitung der Kultur im Sinne Nietzsches als industrielle Kultur zu bezeichnen.[66] Es wurde vielmehr unterstellt, daß durch die richtige Anleitung und Erziehung sich das Proletariat die Ergebnisse der bürgerlichen Kultur aneignen würde, ohne daß sich dadurch die Substanz der erworbenen Kulturgüter verändern würde. Insofern teilten die Sozialdemokraten die Sorge der bürgerlichen Intelligenz, daß die (als bürgerlich apostrophierte) Schundliteratur die proletarischen Massen falsch beeinflussen könnte. Die sozialdemokratische Polemik gegen die Unterhaltungsliteratur, z. B. gegen den Kolportageroman, unterscheidet sich nicht wesentlich von der bürgerlichen Kritik.[67] In seinem berühmten Vortrag „Wissen ist Macht – Macht ist Wissen" erläuterte Wilhelm Liebknecht 1872 den Mitgliedern des Leipziger Arbeiterbildungsvereins, daß der von Bismarck gegründete Staat keinesfalls der Kulturstaat sei, als der er sich ausgab. Liebknecht ging sowohl mit der Presse als auch mit der Massenliteratur scharf ins Gericht und urteilte: „Die billigsten Unterhaltungsblätter, welche hauptsächlich unter das Volk kommen – ich rechne die sogenannten Kolportage- oder Lieferungsromane hier mit – sind fast ausnahmslos – ich glaube, man kann sagen: ausnahmslos – der Form nach miserabler Schund und dem Inhalte nach Opium für den Verstand und Gift für die Sittlichkeit."[68] Es kam dem sozialistischen Kritiker nicht in den Sinn, den potentiellen sozialkritischen Gehalt der Kolportageromane auch nur in Erwägung zu ziehen.[69] Die Argumente gegen die neue Massenliteratur, vor der die Arbeiterklasse geschützt werden sollte, glichen den Einwänden der bürgerlichen Kritiker – betont wurden die ästhetische Minderwertigkeit und die moralische Verwerflichkeit. Wenn Liebknecht für die Sozialdemokratie in Anspruch nahm, die Partei der Kultur zu sein, dann berief er sich nicht auf Marx oder Engels, sondern auf Aristoteles. „Was ist Bildung? Nach der klassischen Definition der Griechen das Kalon Kagathon, das Schöne und Gute in der Persönlichkeit zum Ausdruck gebracht – ‚die Entwicklung aller Tugenden‘, wie Aristoteles den Zweck der Erziehung bezeichnet, die harmonische Entwicklung aller in dem Individuum schlummernden Fähigkeiten, der körperlichen sowohl als der geistigen."[70] Diese klassische Bestimmung stand im Mittelpunkt der von Liebknecht formulierten Kulturpolitik, die nachdrücklich auf dem Ausbau und der Umstrukturierung der Volksschulen bestand und emphatisch auf die Verzerrungen der Bildung durch die bürgerliche Klassenherrschaft verwies. Zweifellos wollte Liebknecht die Bildungsprivilegien abbauen, das Wissen zum Gemeingut machen, aber es kam ihm nicht in den Sinn, die Begriffe der Kultur und der Bildung selbst als ideologisch zu verstehen. Die berechtigte Kritik an der falschen Alphabetisierung der Massen, welche, wie Liebknecht hervorhob, nur eine Vorbereitung für den Militärdienst war, hielt daran fest, daß der authentische Begriff der Bildung sich durch politische Strategien wieder herstellen lasse. Die Überwindung der Klassenherrschaft, so ließ Liebknecht am Ende seines Vortrags durchblicken, würde die harmonische Bildung in einer freien Gesellschaft restituieren.[71]

Liebknechts Kulturbegriff fand seine Entsprechung in Ferdinand Lassalles und Franz Mehrings Literaturbegriff,[72] der an die idealistische Tradition anschloß und es zur Aufgabe der neuen Klasse machte, die bürgerliche Literatur zu beerben. Lassalle unterstrich die normative

Bedeutung der Weimarer Klassik, und Mehring gab aus politischen Gründen der frühbürgerlichen Literatur vor dem zeitgenössischen Naturalismus den Vorzug, der sich selbst zum Teil als die literarische Entsprechung des Sozialismus eingeschätzt hatte.[73] Mehring forderte von der sozialkritischen Literatur einen optimistischen, die Gegenwart transzendierenden Ansatz. So schrieb er über den Naturalismus: „Erst wo der Naturalismus die kapitalistische Denkweise selbst durchbrochen hat und die Anfänge einer neuen Welt in ihrem inneren Wesen zu erfassen weiß, wirkt er revolutionär, wird er eine neue Form künstlerischer Darstellung, die schon jetzt keiner früheren an eigentümlicher Größe und Kraft nachsteht und sie dermaleinst alle an Schönheit und Wahrheit zu übertreffen berufen ist."[74] Während Mehring diesen Geist noch in Hauptmanns *Webern* zu entdecken glaubte, überwog später seine Skepsis gegenüber der literarischen Moderne, der er einen tief pessimistischen Charakter zuwies, der mit der Zukunft des Proletariats nicht zu vereinbaren sei.[75] Im ganzen warnte er 1896 vor der Überschätzung der Rolle der Literatur im Emanzipationskampf der Arbeiter und verwies auf den politischen Kampf im Parlament, der dem Bürgertum im achtzehnten Jahrhundert nicht offengestanden hätte.

Aus dieser Einschätzung, die sich auch bei Liebknecht und Bernstein belegen läßt, sollte man freilich nicht folgern, daß die SPD im ausgehenden neunzehnten Jahrhundert den ideologisch-literarischen Kampf unterschätzt und vernachlässigt habe. Dadurch, daß die führenden Theoretiker der Partei sich für einen eher traditionellen Kulturbegriff aussprachen und die Frage des literarischen Erbes in den Mittelpunkt rückten, wurden der Charakter und die Funktion der Arbeiterliteratur nicht genügend diskutiert. Wie sollte sich die Partei zu dieser Literatur verhalten, die im Milieu der Arbeiterbewegung entstanden war? In welcher Beziehung stand diese proletarische Dichtung zu der massenhaft verbreiteten Literatur der Zeit? Sollte man den Kolportageroman bekämpfen oder sich auf diese neue Form einlassen, um neue Leser für die eigenen Zeitschriften zu finden? Kristina Zerges hat mit Recht unterstrichen, daß die Funktionäre der SPD sich der Bedeutung dieser Fragen sehr wohl bewußt waren.[76] Nicht nur auf dem Parteitag von 1896 wurde die literarische Strategie erörtert, vielmehr zog sich diese Debatte, wie Zerges gezeigt hat, über mehrere Jahrzehnte hin. Nach der Aufhebung des Sozialistengesetzes sah sich die Sozialdemokratie mit einer veränderten Form der Presse konfrontiert, nämlich einer massenhaften Geschäftspresse, die auf Grund ihrer Preispolitik in der Lage war, in das Arbeitermilieu einzudringen. Der gewandelten Strategie der bürgerlichen Presse wollte man entgegentreten, indem man sie mit ihren eigenen Waffen schlug. Diese Strategie enthielt jedoch Probleme, die von den sozialistischen Redakteuren nur unzulänglich erfaßt und durchdacht worden waren. Solange man im wesentlichen am Gegensatz von bürgerlicher und proletarischer Kultur festhielt, also vornehmlich den Klassengegensatz betonte, wurden die infolge der Industrialisierung eingetretenen Veränderungen nicht recht sichtbar. Für die Auseinandersetzung mit der neuen Massenpresse lagen noch keine angemessenen Theorien und Methoden vor.

Die SPD reagierte auf die feuilletonisierte Presse mit der Gründung der *Neuen Welt*, einer wöchentlichen Kulturbeilage für die regionalen Parteiblätter. „In Aufbau und Struktur der einzelnen Hefte der *Neuen Welt* kopiert die Redaktion die Aufmachung bürgerlicher Unterhaltungsblätter, insbesondere die der *Gartenlaube*."[77] (Der Text setzte sich zusammen aus der Romanfortsetzung und kürzeren Prosatexten, die sich entweder mit dem literarischen Leben der Zeit beschäftigten oder naturwissenschaftliche Fragen aufgriffen. Hinzu kamen Gedichte. Ab 1892 wurde die letzte Seite der Zeitung aufgelockert durch die Rätselekke und den Briefkasten.) Die leitenden Redakteure, zunächst Curt Baake und später Edgar Steiger, waren überzeugt, daß die klassenbewußte Arbeiterschaft sich deutlich gegenüber dem bürgerlichen Literaturbetrieb abgrenzen müsse. Beide standen dem Naturalismus nahe und wünschten das Bündnis zwischen dem politischen Emanzipationskampf des Proletariats und der radikalen Sozialkritik des Naturalismus. So hieß es in der *Neuen Welt* über die naturalistische Literatur: „So wollen wir von ihr lernen und so uns durch sie in unserem Kampfe anfeuern lassen. Und auch die Stunde ist vielleicht nicht mehr fern, wo sich neben der bürgerlich verzweifelnden die neue, proletarisch-hoffnungsfreudige Poesie erhebt, die Literatur, die wahrhaft Geist von unserem Geist sein wird."[78] Dieses Bündnis mit dem Naturalismus brachte die Zeitung in Schwierigkeiten. Auf dem Parteitag von 1892 wurde die *Neue Welt* kritisiert; die Partei zeigte sich besorgt, daß die Interessen der Redakteure an den Bedürfnissen der Leser vorbeigehen könnten. Vor allem die abgedruckten Romane schienen den Erwartungen der Leser nicht zu entsprechen. Obgleich diese Kritik in der einen oder anderen Form auf jedem Parteitag wiederholt wurde, kam es nie zu einer prinzipiellen Klärung, weil man zwei Konzeptionen miteinander verbinden wollte, die einander ausschlossen. Auf der einen Seite forderten die Delegierten ein populäres Unterhaltungsblatt, das mit der *Gartenlaube* konkurrieren konnte, auf der anderen Seite wünschte man die Veredelung der Leser durch gute Romane und vorbildliche Biographien. In jedem Fall war Kolportageliteratur als Schund unerwünscht. Man berief sich entweder auf den klassischen Kulturbegriff oder aber auf die Interessen der Leser, die den Familienzeitschriften näherstünden als den Klassikern. Beide Konzepte konnten als Volksbildung ausgegeben werden, und es wurde in der Diskussion nicht immer klar erkannt, daß sie inhaltlich sehr verschieden waren.

Im ganzen überwog nach 1896 die Tendenz, die *Neue Welt* zu einer Unterhaltungsbeilage zu entwickeln, die auf den Geschmack ihrer potentiellen Leser Rücksicht nimmt. Dies war nicht mehr das Konzept einer Gegenkultur, sondern einer Parallelkultur, die dem bürgerlichen Apparat den sozialdemokratischen an die Seite stellt, um auf diese Weise die Verbürgerlichung des Proletariats zu verhindern. Ähnliches gilt für die 1897 gegründete Zeitschrift *In Freien Stunden.* Man wollte die Arbeiter von wertlosen Schundromanen abhalten, die die Massenpresse und die Kolportageverlage anboten. So ging man einen Kompromiß ein, indem man sowohl bürgerliche als auch sozialistische Autoren zu Wort kommen ließ. Es wurde zum Beispiel zugleich ein Roman Hugos und Robert Schweichels abgedruckt. Während in den ersten Jahren an einem bestimmten literarischen Niveau festgehalten wurde, versuchten die Redakteure 1899 mit dem Abdruck des Kolportageromans *Töchter des Südens* von Xavier de Montepin den Anschluß an die kapitalistische Konkurrenz zu finden.[79]

Die sozialdemokratische Presse schwankte, wie wir gesehen haben, zwischen einer gegenkulturellen und einer subkulturellen Konzeption. Während die sozialdemokratische Literaturtheorie einen Kulturbegriff favorisierte, der den Gegensatz zum spätbürgerlichen Literaturbetrieb hervorhob, und sich daher entweder auf die frühbürgerliche Literatur berief (Mehring) oder für die naturalistische Avantgarde einsetzte, näherte sich die praktische journalistische Arbeit, nicht zuletzt unter dem Druck der Konkurrenz der neuen Massenpresse, dem Konzept einer Subkultur, die mit den gleichen Formen und Werken umgeht wie die herrschende. Man vergleicht sich mit der Kultur des bürgerlichen Lagers. So unterscheidet sich etwa die Auswahl der Romane in der Zeitschrift *In Freien Stunden* nicht wesentlich von einer bürgerlichen Romanzeitschrift. Es überwiegen bürgerliche Schriftsteller wie Alexis, Grillparzer, Schücking, Gotthelf und Gerstäcker, um nur einige zu nennen. Diese Selektion war zum Teil mitbestimmt durch ökonomische Gründe; um die Honorarkosten zu reduzieren, griff man nicht selten auf Autoren zurück, die unentgeltlich abgedruckt werden konnten,[80] doch ist das Repertoire offensichtlich durch einen Literaturbegriff festgelegt, der dem bürgerlichen Lager entnommen war. Das Bündnis mit der älteren bürgerlichen Kultur wurde als wichtig angesehen, da man einen gemeinsamen Gegner hatte: die als Schundliteratur denunzierte Massenliteratur. Die Sozialdemokratie schloß sich unversehens der bürgerlichen Kulturkritik an, ohne sich zu fragen, ob die Begriffe der klassischen idealistischen Ästhetik für eine sozialistische Kritik noch brauchbar waren. Die Sozialisten verdammten zwar die kapitalistische Massenliteratur, hatten jedoch keine eigenen Kriterien, um wertvolle von wertloser Literatur zu unterscheiden. Dies wäre nur mit Hilfe einer ideologiekritischen Methode möglich gewesen, die in der sozialdemokratischen Literaturtheorie für diesen Bereich nicht zur Verfügung stand. Insofern mußte die Absicht, eine eigene literarische Öffentlichkeit zu schaffen – und diese Absicht war zweifellos vorhanden –, damit enden, die bürgerlich literarische Öffentlichkeit zu kopieren, d. h. ein eigenes Lager zu bilden, das dem bürgerlichen zwar entgegengesetzt, jedoch strukturell ähnlich war.[81]

Die Moralisierung der Literaturkritik, die Furcht vor der Schundliteratur, erwies sich als die Achillesferse der sozialdemokratischen Kulturpolitik, denn sie verhinderte die Auseinandersetzung mit den literarischen Produktionsbedingungen im Rahmen des Organisierten Kapitalismus sowie mit der Rezeptionshaltung der proletarischen Leser. Warum lasen die Arbeiter und ihre Familien die „schlechte" Literatur mit dem gleichen Eifer wie die kleinbürgerlichen Leser? Warum war eine Autorin wie die Marlitt, deren kleinbürgerlicher Standort unschwer auszumachen war, auch bei proletarischen Lesern beliebt? Unverkennbar vollzog sich die Literarisierung der Massen nicht so, wie die SPD es gewünscht hatte. Die Partei hoffte, durch die Einrichtung von Arbeiterbibliotheken nicht nur die Parteimitglieder anzusprechen. Aber es gelang ihr nie, den Literaturkonsum der Arbeiterschaft gänzlich oder auch nur weitgehend zu lenken. Das hing zum Teil mit dem Charakter der Arbeiterbibliotheken zusammen, die nicht immer auf die Lesepräferenzen der Arbeiter eingestellt waren, zum Teil mit der Konkurrenz der kommerziellen Leihbibliotheken und seit 1900 zunehmend mit der Konkurrenz der öffentlichen Bibliotheken. Die Arbeiterschaft machte von ihnen weitgehend Gebrauch, da das Angebot ihren Leseinteressen durchaus entgegenkam. Noch in den neunziger Jahren waren die Arbeiterbibliotheken uneinheitlich organisiert. Es bedurfte beträchtlicher Anstrengungen, um die zahlreichen verstreuten kleinen Bibliotheken zusammenzufassen, da die lokalen Verbände sich oft dagegen wehrten, ihre Sammlungen in einer Zentralbibliothek aufgehen zu lassen. Erst nach 1900 schritt die Konzentration fort, so daß „im Frühjahr 1914 ... nach einer statistischen Erhebung, die vom Zentralbildungsausschuß der SPD vorgenommen worden war, an 748 Orten insgesamt 1147 Arbeiterbibliotheken (bestanden)."[82] Von ihnen waren 51,5% zentralisiert, während 48,5% unter der Verwaltung einzelner Partei- oder Gewerkschaftsorganisationen standen. Die meisten dieser Bibliotheken waren klein und konnten den Arbeitern nur bedingt die Literatur anbieten, nach denen sie suchten.

Die Arbeiterbibliotheken sollten nach einer Definition des Bibliothekars Ernst Koch die Bildungsinstitutionen für das organisierte Proletariat sein; sie sollten die Arbeiter mit dem geistigen Rüstzeug für den Klassenkampf versorgen. Freilich hatten die Bibliothekare mit ähnlichen Problemen zu ringen wie die sozialdemokratischen Zeitungsredakteure. Die Bibliotheken sollten die zukünftige sozialistische Kultur vorbereiten helfen und gleichzeitig die gegenwärtigen Bedürfnisse des Proletariats berücksichtigen. Die Erweiterung der Bibliotheken, die diesen Bedürfnissen Rechnung trug, entsprach nicht notwendig den Zielen des Klassenkampfes. Ähnlich wie die sozialdemokratische Presse gingen die Arbeiterbibliotheken den Weg der Anpassung, es wurde mehr Belletristik angeschafft, als den Wünschen der Partei entsprach. Selbst die Lektüreempfehlungen der führenden Parteifunktionäre, etwa Otto Bauers, hatten keinen nachhaltigen Einfluß auf die Lesegewohnheiten der Arbeiter. Nach den Berechnungen von Langewiesche und Schönhoven entfielen im Zeitraum zwischen 1908 und 1914 63% der Entleihungen auf Belletristik, während die sozialwissenschaftliche Literatur nur mit 4,3% an den Entleihungen beteiligt war.[83] Aus den Quellen geht eindeutig hervor, daß die klassenkämpferische Arbeiterliteratur nur einen Bruchteil unter den Entleihungen ausmachte; die große Masse entfiel auf die bürgerliche Unterhaltungsliteratur, beziehungsweise die kanonisierte bürgerliche Literatur. Obgleich die sozialdemokratische Literaturtheorie, namentlich Mehring, die Klassik besonders hervorhob, war das Interesse an den deutschen Klassikern gering. Dagegen wurden die Vertreter des europäischen Realismus durchaus geschätzt (Zola, Scott, Dickens). Dies ist bemerkenswert, weil es die Befürchtungen widerlegt, die Arbeiter hätten vor allem Schundliteratur gelesen. Unter den zehn meistgelesenen Autoren der sozialdemokratischen Ortsvereinsbibliothek Leipzig befinden sich Heyse und Rosegger, aber auch Zola, Raabe und Anzengruber. Es wurde Dumas gelesen, jedoch auch Tolstoi, Bulwer-Lytton, freilich auch Fontane.[84] Diese Daten unterscheiden sich nicht wesentlich von den Ausleihquoten der öffentlichen Bibliotheken. Die Entleihungen aus der Kruppschen Werksbibliothek lassen sogar erkennen, daß das Interesse der Arbeiter an den kanonisierten Autoren der Tradition (Schiller, Lessing, Kleist, Goethe) größer war als das der Angestellten.[85] Natürlich ist bei solchen Überlegungen das Angebot in Rechnung zu stellen. Der Buchbestand bestimmte die Ausleihmöglichkeiten. Zum Teil verschlossen sich die Bibliothekare Autoren wie Marlitt oder Eschstruth, obwohl sie auch von Arbeitern gern gelesen wurden. Dort, wo Unterhaltungsliteratur angeboten wurde, wie etwa in der Wiener Arbeiterbibliothek, erscheint sie auch in der Statistik. Marlitt, Heimburg und Doyle gehörten zu den meistgelesenen Autoren.[86] Dagegen fand die von der Partei geförderte Arbeiterdichtung sowohl in Österreich als auch in Deutschland nur mäßige Resonanz. Für die zwanziger Jahre formulierte Langewiesche diesen Sachverhalt prägnant: „Literatur von und für Arbeiter, so lehren die Ausleihergebnisse, bildet nicht ohne weiteres die Lektüre der Arbeiter, wie auch generell die Herkunft und die erwünschte Zielgruppe von Literatur nichts über die gruppenspezifische Rezeption dieser Literatur aussagen muß."[87]

Das Leseverhalten der Arbeiter entsprach nicht den Wünschen der sozialistischen Parteien, die vor allem die sozialistische Literatur fördern wollten. Auch die klassenbewußten proletarischen Leser – als solche wird man sich die Benutzer der Arbeiterbibliotheken vorstellen müssen – dachten nicht daran, die Lektüre von Romanen und Dramen als bloße Vorstufe zur wissenschaftlichen Literatur anzusehen. Als ein positives Ergebnis durfte die Partei immerhin ansehen, daß die lesenden Arbeiter, sofern sie die Arbeiterbibliotheken benutzten, mehr gesellschaftskritische Literatur rezipierten als andere Lesergruppen. Daraus wäre freilich kaum zu schließen, daß die Arbeiterbibliotheken eine sozialistische Gegenkultur schufen. Gerade dieses Ziel haben sie nicht erreicht. Doch aus den vorhandenen Daten geht auch nicht hervor, daß sie den kapitalistischen Literaturbetrieb einfach reproduzierten. Das Schwergewicht der Entleihungen lag trotz Überschneidungen anders als in den öffentlichen Bibliotheken. Die Lektüre der klassenbewußten Arbeiter wurde stärker durch das gesellschaftskritische Engagement bestimmt als die von bürgerlichen Gruppen wie z. B. der Angestellten.

Dieser Sachverhalt wirft neues Licht auf das Problem der industriellen Massenkultur. Entgegen den Annahmen von Adorno und Horkheimer, die davon ausgingen, daß es im Monopolkapitalismus klassenspezifische kulturelle Formationen nicht mehr gibt, blieben diese Strukturen bis zu einem gewissen Grade erhalten. Die Kultur wurde nicht in dem Maße homogenisiert, wie die Kritische Theorie unterstellt hatte. Nicht nur die bürgerliche Kulturkritik, sondern auch die sozialdemokratische Literaturkritik wehrte sich gegen die Einebnung der Kultur durch massenhafte Produktion und Distribution. Diese Sorge um die Verbreitung von Kultur an die Arbeitermassen, ihre Hebung und Veredelung, war letztlich eine konservative Haltung, auch wenn sie sich als Mittel im Kampf um die Emanzipation der Arbeiter verstand. Die revisionistische Einstellung der SPD, die in der Theorie an den revolutionären Zielen festhielt und in der Praxis für die Verbesserung der gesellschaftlichen und politischen Bedingungen der Arbeiterklasse kämpfte,[88] wirkte sich auch auf die Kulturpolitik aus. Sie wurde zur Politik eines alternativen Angebots, das aber gerade durch die Herausbildung einer Alternative der Grundstruktur der hegemonialen Kultur verpflichtet blieb. Die Absonderung in einer eigenen Lagerkultur löste die Widersprüche der dominanten Kultur nicht auf, sondern reproduzierte sie. Dies zeigte sich auf der sozialdemokratischen Seite in der Hilflosigkeit gegenüber der literarischen Massenproduktion. Man benutzte moralische, nicht politische und ideologiekritische Argumente. Doch eben auf die Umfunktionierung der Massenliteratur, nicht zuletzt der Kolportageliteratur, wäre es angekommen.

Die Massenkultur im kaiserlichen Deutschland, die wir in der Tat als eine neue kulturelle Formation zu verstehen haben, ist nicht lediglich das

Ergebnis des Organisierten Kapitalismus, es besteht mit anderen Worten nicht eine einfache Korrelation zwischen den Produktionsverhältnissen und der kulturellen Formation. Vielmehr wirkten bei der Entstehung der industriellen Kultur – wir vermeiden den Begriff der Kulturindustrie – eine Reihe von Faktoren mit. Der wichtigste scheint uns der Aufbau von staatlichen und öffentlichen Bürokratien zu sein. So wenig der Staat bereits über eine umfassende Kulturpolitik verfügte, so hatte er schon in bestimmten Sphären, zum Beispiel im Bereich der Bildungspolitik, einen Apparat herausgebildet, der Teile der kulturellen Öffentlichkeit in den Griff bekam und lenkte. Bismarcks Pressepolitik ist ein Indiz dafür, daß der Staat es für sein Recht ansah, die öffentliche Meinung zu steuern.[89] Wenn auch vergleichbare Eingriffe in die kulturelle Öffentlichkeit seltener waren, so gab es doch bemerkenswerte Ansätze zur verwalteten Kultur auf der Ebene von Vereinen und halböffentlichen Verbänden. Diese Organisationen verdankten ihr Entstehen nicht zuletzt der nach 1870 um sich greifenden Kommerzialisierung der Kultur. So war die Bücherhallenbewegung beispielsweise die Antwort auf den massenhaften Buchmarkt und die kommerziellen Leihbibliotheken. Je deutlicher es wurde, daß der kapitalistische Buchmarkt den traditionellen Kulturbegriff nicht mehr unterstützte, sondern langfristig unterminierte, desto lauter wurde der Ruf nach einer Reorganisation der literarischen Öffentlichkeit, auf der sozialistischen Seite nicht weniger als auf der bürgerlichen. Doch gerade dadurch geriet die kulturelle Sphäre mehr und mehr unter den Einfluß von Verwaltungsapparaten, seien es nun staatliche, kommunale Apparate oder Organisationen der Parteien. Ihr Ziel ist die Bekämpfung der kapitalistischen Auswüchse. Doch unabhängig von diesen Intentionen bildeten sich Institutionen heraus, durch die der kulturelle Bereich langfristig umstrukturiert wurde. Das Ergebnis der Reorganisation war die kulturelle Planung durch einen neuen Typus – den berufsmäßigen Kulturfunktionär. Die Entwicklung des öffentlichen Bibliothekswesens ist symptomatisch für diese Bürokratisierung der Kultur. Erst seit 1890 gibt es systematische Bemühungen, den Leser zu erfassen und zu beschreiben. Die Bibliothekare der Bücherhallen und der Arbeiterbibliotheken begannen mit Erhebungen über Ausleihe, Zahl der eingeschriebenen Leser, Lesepräferenzen etc., um den kulturellen Prozeß steuern zu können. Die Ironie der Situation bestand darin, daß diese Lenkungsversuche im Namen einer Kultur unternommen wurden, die autonom sein sollte.

Obwohl die neuere Forschung zur deutschen Arbeiterkultur im Anschluß an die englische Forschung gelernt hat, zwischen der Kultur der Arbeiterpartei und der Kultur des Proletariats zu unterscheiden,[90] und sich eingehender mit der kulturellen Formation der Arbeiterklasse beschäftigt hat,[91] sind wir von einem angemessenen Bild der kulturellen Umstrukturierung noch weit entfernt. Die Übersicht über die literarische

Produktion, die Einsicht in die zahlreichen kulturellen Organisationen (Theaterbünde, Turnvereine, Gesangvereine), die Kenntnis des Bibliothekswesens vermitteln Aspekte dieser Umstrukturierung, ohne jedoch den Prozeß als solchen thematisch zu erfassen. Auch der Lebenszusammenhang, aus dem die neue kulturelle Formation hervorgegangen ist, entzieht sich noch weitgehend unserem Blick. Freilich dürfte deutlich geworden sein, daß die von Horkheimer und Adorno entwickelte Theorie der Kulturindustrie nicht ausreicht, um die Wandlung begreiflich zu machen. Die Annäherung der Kultur an die industriellen Produktionsverfahren dürfte im Vergleich mit ihrer bürokratischen Reorganisation sekundär gewesen sein. Die Industrialisierung Deutschlands wirkte eher im allgemeinen als eine treibende Kraft, insofern sie innerhalb von zwei Generationen die deutsche Bevölkerung verstädterte. Diese Urbanisierung ging zusammen mit der Auflösung älterer, vorkapitalistischer Kulturformationen. Mit der Industrialisierung hing schließlich auch die Veränderung des Lebensrhythmus zusammen, die E. P. Thompson am englischen Beispiel so eindringlich beschrieben hat.[92] Die Trennung von Arbeit und Freizeit machte den Weg frei für das, was wir als industrielle Kultur angesprochen haben. Besonders die Verkürzung der Arbeitszeit nach 1900 schuf für die Masse der Lohnempfänger ein hinreichendes Zeitbudget, das nach Ausfüllung verlangte. Die neue kulturelle Formation ist nicht zu lösen – und das ist keineswegs auf die Arbeiterklasse beschränkt – von der Menge an Zeit, die der Erholung, Regenerierung und Unterhaltung dient. In diesem Zusammenhang kommt dann, wie bereits Horkheimer und Adorno betont haben, dem Kulturmarkt in der Tat eine wichtige Bedeutung zu, denn er liefert für die Gestaltung der Freizeit das Angebot. Wie dieses Angebot in Form von Büchern, Zeitschriften, Broschüren, Filmen, Bildern etc. das Verhalten der Massen bestimmt, ist bislang noch weitgehend unbekannt. Die der Theorie der Kulturindustrie unterliegende These einer restlosen Manipulation ist sicher nicht zu halten. Und auch Jürgen Habermas' These, daß im ausgehenden neunzehnten Jahrhundert die klassische literarische Öffentlichkeit zerfallen sei,[93] begreift die Veränderungen nur in der Negation. Der Ansatz für eine Erforschung des kulturellen Wandels nach 1870 ergäbe sich aus einer neuen Konzeption von industrieller Kultur, die zunächst einmal von allen kulturkritischen Vorbehalten absieht und die Problematik der Korrelation der Produktionsverhältnisse (Organisierter Kapitalismus) mit der gesellschaftlichen Formation und der politischen Struktur (staatliche Intervention) neu erörtert.

Anmerkungen

I. Einleitung: Die Institution der Literatur

1 Groeben, Rezeptionsforschung als empirische Literaturwissenschaft, 2. Aufl., Tübingen 1980, S. 16.
2 Link, Rezeptionsforschung, Stuttgart 1976.
3 Groeben, S. 48.
4 Zum historischen Kontext vgl. Frank Lentricchia, After the New Criticism, Chicago 1980; Vincent B. Leitch, Deconstructive Criticism, New York 1983; David Couzens Hoy, The Critical Circle. Literature, History, and Philosophical Hermeneutics, Berkeley/London 1978.
5 Iser, Der Akt des Lesens, München 1976, besonders S. 50–67.
6 Fish, Is There a Text in This Class? The Authority of Interpretive Communities, Cambridge/London 1980.
7 Tompkins, The Reader in History, in: Reader-Response Criticism, hrsg. Jane P. Tompkins, Baltimore/London 1980, S. 201 f.
8 Iser, Die Appellstruktur der Texte, Konstanz 1970.
9 Jauß, Literaturgeschichte als Provokation der Literaturwissenschaft, Konstanz 1967, in erweiterter Form in dem gleichnamigen Aufsatzband, Frankfurt 1970.
10 Iser, Der implizite Leser, München 1972; Iser, Der Akt des Lesens, besonders S. 12–36.
11 Iser, Appellstruktur, S. 11.
12 Ebda, S. 13.
13 Iser, Der Akt des Lesens, S. 257–355.
14 Iser, Appellstruktur, S. 15.
15 Jauß, Literaturgeschichte als Provokation, 1970, S. 171 f.
16 Ebda, S. 174.
17 Ebda, S. 189.
18 Fish, S. 7.
19 Ebda, S. 11.
20 Ebda, S. 343.
21 Ebda, S. 367.
22 Vgl. Jauß, Ästhetische Erfahrung und literarische Hermeneutik, München 1977.
23 Culler, Structuralist Poetics, Ithaca/London 1975, S. 117.
24 Ebda, S. 124.
25 Culler, The Pursuit of Signs, Ithaca 1981, S. 47–79.
26 Ebda, S. 58.
27 Levin, Literature as an Institution, in: Literary Opinion in America, hrsg. Morton Dauwen Zabel, 3. Aufl., New York und Evanston 1962, Bd. 2, S. 655–666; zuerst 1946 veröffentlicht.

28 Ebda, S.664.
29 Parsons, The Social System, 5.Aufl., The Free Press of Glencoe 1964, S.39.
30 Ebda, S.39.
31 Williams, Marxism and Literature, Oxford 1977, S.110.
32 Gramsci, Philosophie der Praxis, Frankfurt 1967.
33 Louis Althusser, Ideologie und Ideologische Staatsapparate, im gleichnamigen Aufsatzband, Hamburg/Westberlin 1977, S.108–153.
34 Ebda, S.112.
35 Ebda, S.119.
36 Vgl. Habermas, Strukturwandel der Öffentlichkeit, 2.Aufl. Neuwied 1965.
37 Williams, Marxism and Literature, S.118.
38 Renée Balibar/Dominique Laporte, Le français national: Politique et pratiques de la langue nationale sous la révolution française, Paris 1974.
39 Balibar und Laporte haben in Le français national (Paris, 1974) gezeigt, daß die moderne französische Sprache zwei getrennte Praktiken enthält: das auf den Volksschulen gelehrte Grundfranzösisch und das auf den Gymnasien gelehrte Literaturfranzösisch.
40 Étienne Balibar und Pierre Macherey, Présentation, in: Renée Balibar, Les français fictifs, Paris 1974, S.7–61.
41 Habermas, Kultur und Kritik, Frankfurt 1973, S.62.
42 Ebda, S.64.
43 Ebda, S.65.
44 Habermas, Strukturwandel der Öffentlichkeit, besonders Teil V bis VII.
45 Dazu vom Verf., Literaturkritik und Öffentlichkeit, München 1974, S.7–49.
46 Culler, Structuralist Poetics, S.121.
47 Habermas, Theorie des kommunikativen Handelns, 2 Bde, Frankfurt 1981; Apel, Transformation der Philosophie, Bd.2, Das Apriori der Kommunikationsgemeinschaft, Frankfurt 1976.
48 Etwa Brecht, Primat des Apparates, in: Brecht, Schriften zum Theater, Bd.1, Frankfurt 1963, S.190–192.
49 Benjamin, Gesammelte Schriften, Bd.II, 2, Frankfurt 1977, S.683–701.
50 Bürger, Vermittlung – Rezeption – Funktion, Frankfurt 1979, S.176.
51 Ebda.
52 Bürger, Theorie der Avantgarde, Frankfurt 1974, S.29.
53 Bürger, Institution Kunst als literatursoziologische Kategorie, in: Bürger, Vermittlung – Rezeption – Funktion, S.173–199.
54 Bürger, Theorie der Avantgarde, S.29.
55 Bürger, Vermittlung – Rezeption – Funktion, S.190.
56 Benjamin, Das Kunstwerk im Zeitalter seiner technischen Reproduzierbarkeit, in: Benjamin, Gesammelte Schriften, Bd.I, 2, Frankfurt 1974, S.431–469.
57 Bürger, Theorie der Avantgarde, S.35–44.
58 Ebda, S.37.
59 Zimmermann, Literaturrezeption im historischen Prozeß, München 1977, S.62.
60 Tony Bennett, Formalism and Marxism, London 1979, S.133.

61 Ebda, S. 135.
62 Ebda.
63 Ebda, S. 148.
64 Bennett, Texts, Readers, Reading Formations, The Bulletin of the Midwest Modern Language Association 16 (1983), H. 1, S. 12.
65 Ebda, S. 16.
66 Horkheimer/Adorno, Dialektik der Aufklärung, Frankfurt 1969.

II. Bürgerliche Öffentlichkeit

1 Vgl. vom Verf., Vom Nachmärz bis zur Reichsgründung, in: Geschichte der politischen Lyrik in Deutschland, hrsg. Walter Hinderer, Stuttgart 1978, S. 210–231.
2 Habermas, Strukturwandel der Öffentlichkeit, Neuwied und Berlin 1962; zitiert wird im folgenden nach der zweiten Aufl. von 1965.
3 Ebda, S. 160.
4 Ebda, S. 158.
5 Jäger, Öffentlichkeit und Parlamentarismus, Stuttgart 1973.
6 Habermas, Strukturwandel, S. 99.
7 Vgl. Gall, Liberalismus und ‚bürgerliche Gesellschaft‘ in: Liberalismus, hrsg. L. Gall, Köln 1976, S. 162–186.
8 Medick, Naturzustand und Naturgeschichte der bürgerlichen Gesellschaft, Göttingen 1973, S. 222.
9 Gall, S. 165.
10 Gall, S. 173.
11 Vgl. Lothar Gall, Das Problem der parlamentarischen Opposition im deutschen Frühliberalismus, in: Deutsche Parteien vor 1918, hrsg. G. A. Ritter, Köln 1973, S. 192–207, besonders S. 195.
12 Vgl. Hamerow, Die Wahlen zum Frankfurter Parlament, in: Moderne deutsche Verfassungsgeschichte (1815–1918), hrsg. Ernst-Wolfgang Böckenförde, Köln 1972, S. 215–236.
13 Ebda, S. 217.
14 Ebda, S. 229–231.
15 Zitiert nach Jacques Droz, Liberale Anschauungen zur Wahlrechtsfrage und das preußische Dreiklassenwahlrecht, in: Moderne deutsche Verfassungsgeschichte, S. 195–214, dort S. 203.
16 Vgl. Droz, S. 204.
17 Böhme, Prolegomena zu einer Sozial- und Wirtschaftsgeschichte Deutschlands im 19. und 20. Jahrhundert, 4. Aufl., Frankfurt 1972, S. 43 f.
18 Ebda, S. 51 f.
19 Wehler, Das Deutsche Kaiserreich, Göttingen 1973, S. 31; dazu neuerdings auch Thomas Nipperdey, Deutsche Geschichte 1800–1866, München 1983, S. 595–673.
20 Ebda, S. 34.
21 Dahrendorf, Gesellschaft und Demokratie in Deutschland, München 1965, S. 53 und S. 64.

22 Vgl. Geschichte der deutschen Literatur, Bd. 8, Teil 1, hrsg. Kurt Böttcher, Berlin (DDR) 1975.

23 Leppert-Fögen, Die deklassierte Klasse, Frankfurt 1974; Gugel, Industrieller Aufstieg und bürgerliche Herrschaft, Köln 1975.

24 Böhme, Deutschlands Weg zur Großmacht, Köln 1966, S. 117.

25 Gugel, S. 67.

26 Ebda, S. 70.

27 Ebda.

28 6. Juni 1862, zitiert nach Gugel, S. 80.

29 Zitiert nach der Einleitung von Hans-Ulrich Wehler zu Rochau, Grundsätze der Realpolitik, Frankfurt 1972, S. 9.

30 Grundsätze, S. 122.

31 Ebda, S. 122 f.

32 Ebda, S. 138.

33 Ebda, S. 139.

34 Ebda, S. 141.

35 Ebda, S. 141.

36 Ebda, S. 143.

37 Ebda, S. 151.

38 Ebda, S. 125.

39 Ebda, S. 127.

40 Ebda, S. 60.

41 Ebda, S. 42.

42 Ebda, S. 45.

43 Ebda, S. 45.

44 Ebda, S. 45.

45 Ebda, S. 88 f.

46 Ebda, S. 27 f.

47 Ebda, S. 25.

48 Ebda, S. 33.

49 Ebda, S. 35.

50 Ebda, S. 34.

51 Vgl. Gugel, S. 30.

52 Ebda, S. 172, Anm. 87.

53 Vgl. Gugel, S. 174.

54 Staats-Lexikon, hrsg. Rotteck/Welcker, Bd. 10, 1848, S. 247.

55 Ebda, S. 247.

56 Vgl. ebda, S. 254.

57 Ebda, S. 254.

58 Ebda, S. 255.

59 Ebda, S. 255.

60 Ebda, S. 272.

61 Habermas, Strukturwandel, S. 122.

62 Deutsches Staats-Wörterbuch, Bd. 7, S. 345.

63 Ebda, S. 345.

64 Ebda, S. 347.

65 Bd. 3, S. 176–182, Zitate, S. 179.

66 Ebda.
67 Ebda, S. 181.
68 Bd. 11, S. 75.
69 Es sei verwiesen auf die einschlägige Literatur: Ernst Rudolf Huber, Deutsche Verfassungsgeschichte seit 1789, Bd. 3, Stuttgart 1963; Heinrich August Winkler, Preußischer Liberalismus und deutscher Nationalstaat, Tübingen 1964; sowie Gugel, Industrieller Aufstieg und bürgerliche Herrschaft, 1975.
70 Winkler, S. 24–27.
71 Zitiert nach: Der liberale Roman und der preußische Verfassungskonflikt, hrsg. Claus-Dieter Krohn und Bernd Peschken, Stuttgart 1976, S. 98.
72 Zitiert nach: Der Verfassungskonflikt in Preußen. Hrsg. Jürgen Schlumbohm, 1862–1866, Göttingen 1970, S. 27.
73 Ebda, S. 28.
74 Vgl. Huber, Bd. 3, S. 337.
75 Gugel, S. 118 ff.
76 Dazu Böhme, Deutschlands Wege zur Großmacht, und Gugel, S. 154 ff.
77 Preußische Jahrbücher, 1866, S. 146; vgl. auch Winkler, S. 97.
78 Vgl. Huber, Bd. 3, S. 357.
79 Huber, Bd. 3, S. 368.
80 So etwa Gugel, S. 140.

III. Die Kritik der liberalen Öffentlichkeit

1 Preußische Jahrbücher 18 (1866), S. 455–515 und 575–628. Der gesonderte Druck erschien im G. Reimer Verlag.
2 Zur Wirkung siehe Adolf M. Birkes Einleitung zu der Neuausgabe von Baumgartens Schrift: Der deutsche Liberalismus, Frankfurt/Berlin 1974, S. 7–21 sowie die Dokumente S. 153–173.
3 Baumgarten, Der deutsche Liberalismus, 1974, S. 40.
4 Ebda, S. 47.
5 Ebda, S. 48.
6 Ebda, S. 119.
7 Ebda, S. 145.
8 Ebda, S. 44.
9 Rochau, Grundsätze der Realpolitik, Frankfurt/Berlin/Wien 1972, S. 231.
10 Ebda, S. 239.
11 Ebda, S. 240.
12 Ebda, S. 265.
13 Ebda, S. 339.
14 Ebda, S. 340.
15 Ebda, S. 215.
16 Ebda, S. 229.
17 Ebda, S. 229.
18 Stahl, Die gegenwärtigen Parteien, Berlin 1863, S. 73.
19 Ebda, S. 77.
20 Ebda, S. 128.
21 Ebda, S. 196.

22 Lassalle, Gesammelte Reden und Schriften, hrsg. Eduard Bernstein, Berlin 1919, Bd. 2, S. 32.

23 Ebda, S. 105.

24 Ebda, S. 111.

25 Habermas, Strukturwandel der Öffentlichkeit, S. 157–256.

26 Vgl. George L. Mosse, The Crisis of German Ideology, New York 1964; Heinrich August Winkler, Mittelstand, Demokratie und Nationalsozialismus, Köln 1970.

27 Wehler, Bismarck und der Imperialismus, Köln 1969, S. 454ff.; vgl. auch Gugel, S. 241 und 246 ff.

28 Marx, Der achtzehnte Brumaire des Louis Bonaparte, Berlin 1972, S. 40.

29 Ebda, S. 41.

30 Ebda, S. 29.

31 Ebda, S. 100 f.

32 Ebda, S. 124.

33 Zur Diskussion vgl. H. Gollwitzer, Der Cäsarismus Napoleons III. im Widerhall der öffentlichen Meinung Deutschlands, Historische Zeitschrift 173 (1952), S. 23–75.

34 Vgl. Gugel, S. 258.

35 Vgl. Gall, Bismarck und der Bonapartismus, Historische Zeitschrift 223 (1976), S. 618–637.

36 Vgl. Wehler, Kritik und kritische Antikritik, Historische Zeitschrift 225 (1977), S. 347–384.

37 Franz Schneider, Pressefreiheit und politische Öffentlichkeit, Neuwied 1966, S. 308.

38 Staats-Wörterbuch, Bd. 8, S. 228.

39 Fischer-Frauendienst, Bismarcks Pressepolitik, S. 27.

40 Fischer-Frauendienst, S. 56.

41 Vgl. Heinz Schulze, Die Presse im Urteil Bismarcks, Leipzig 1931, S. 69–97.

42 Vgl. Schulze, S. 155.

43 Lassalle, Gesammelte Reden und Schriften, hrsg. Eduard Bernstein, Bd. 2, S. 189.

44 Lassalle, Bd. 2, S. 195.

45 Ebda, S. 197.

46 Vgl. Gustav Mayer, Arbeiterbewegung und Obrigkeitsstaat, Bonn-Bad Godesberg 1972, S. 90.

47 Ebda, S. 91.

48 Ebda, S. 103.

49 Lassalle, Bd. 3, S. 343.

50 Ebda, S. 360.

51 Ebda, S. 366.

52 Ebda, S. 369.

53 Ebda, S. 73.

54 Ebda, S. 81.

55 Ebda, S. 89.

56 Zu einer kritischen Darstellung von Lassalles Politik vgl. Gerd Fesser, Linksliberalismus und Arbeiterbewegung, Berlin 1976, S. 40–49.

57 Zitiert nach Frolinde Balser, Social-Demokratie 1848/49–1863, Stuttgart 1963, Bd. 1, S. 212.
58 Ebda, S. 215.
59 Zitiert nach Balser, Social-Demokratie, S. 51.
60 Vgl. Balser, S. 67 ff.
61 Marx, Politische Schriften, hrsg. Hans-Joachim Lieber, Stuttgart 1960, Bd. 3, 1, S. 249 f.
62 Ebda, Bd. 3, 1, S. 256.
63 Ebda, Bd. 3, 1, S. 534.
64 Oskar Negt/Alexander Kluge, Öffentlichkeit und Erfahrung, Frankfurt 1972, S. 341–355.

IV. Die Institutionalisierung der Literatur und der Kritik

1 Lukács, Deutsche Realisten des 19. Jahrhunderts, Berlin 1952; Lukács, Balzac und der französische Realismus, Berlin 1952; Lukács, Essays über Realismus (Werke, Bd. 4), Neuwied/Berlin 1971.
2 Martini, Deutsche Literatur im bürgerlichen Realismus, 3. Aufl. Stuttgart 1974; Sengle, Biedermeierzeit, Bd. 1, Stuttgart 1971.
3 So vor allem Helmuth Widhammer, Realismus und klassizistische Tradition, Tübingen 1972.
4 So vor allem Ulf Eisele, Realismus und Ideologie, Stuttgart 1976.
5 Vgl. die Einleitung von Ingrid Pepperle zu: Robert Eduard Prutz, Zu Theorie und Geschichte der Literatur, Berlin 1981, S. 9–48.
6 Prutz, Vorlesungen über die deutsche Literatur der Gegenwart, Leipzig 1847, S. 329.
7 Prutz, Die deutsche Literatur der Gegenwart, Bd. 1, Leipzig 1859, S. 3.
8 Robert Prutz, Zwischen Vaterland und Freiheit, hrsg. Hartmut Kircher, Köln 1975, S. 158.
9 Ebda, S. 174.
10 Ebda.
11 Ebda, S. 175.
12 Diesen Aspekt hat Hans Joachim Kreutzer in seinem Nachwort zur Neuausgabe von Prutz: Geschichte des deutschen Journalismus (Göttingen 1971) betont; dagegen betont Hüppauf in seiner Einleitung zu Prutz: Schriften zur Literatur und Politik, Tübingen 1973, die Kontinuität.
13 Prutz, Die deutsche Literatur der Gegenwart, Bd. 1, Leipzig 1859, S. 42.
14 Ebda, S. 51.
15 Ebda, S. 53.
16 Haym, Hegel und seine Zeit, Berlin 1857, S. 6.
17 Ebda, S. 6.
18 Ebda, S. 5.
19 Zusammenfassend Max Bucher, Voraussetzungen der realistischen Literaturkritik in: Realismus und Gründerzeit, Bd. 1, Stuttgart 1976, S. 32–47.
20 Kinder, Poesie als Synthese, Frankfurt 1973, S. 145.
21 Von dort her dogmatisch negativ Erich Auerbach, Mimesis, 3. Aufl., Bern/

München 1964, S. 478–481, historisch differenziert Georg Jäger, Der Realismus, in: Realismus und Gründerzeit, Bd. 1, S. 3–31.

22 Dazu Peter Bürger, Theorie der Avantgarde, Frankfurt 1974, und die Diskussion in: ‚Theorie der Avantgarde'. Antworten auf Peter Bürgers Bestimmung von Kunst und bürgerlicher Gesellschaft, hrsg. W. Martin Lüdtke, Frankfurt 1975.

23 Freytag, Vermischte Aufsätze aus den Jahren 1848 bis 1894, hrsg. Ernst Elster, Leipzig 1901–1903, Bd. 1, S. 34.

24 Dazu Hermann Kinder, Poesie als Synthese, Frankfurt 1973, S. 174.

25 Vgl. Kinder, S. 175–191; ferner Ulf Eisele, Realismus und Ideologie, Stuttgart 1976, S. 48 ff.

26 Vgl. Widhammer, S. 121 ff.; Kinder, S. 178 ff., Eisele, S. 104 ff.

27 Schmidt, Literaturgeschichte, 4. Aufl., 1858, zitiert nach Kinder, S. 185.

28 Preisendanz, Voraussetzungen des poetischen Realismus in der Erzählkunst des 19. Jahrhunderts, in: Formkräfte der deutschen Dichtung vom Barock bis zur Gegenwart, hrsg. H. Steffen, Göttingen 1963, S. 187–210, besonders S. 201.

29 Vgl. Helmut Kreuzer, Zur Theorie des deutschen Realismus zwischen Märzrevolution und Naturalismus, in: Realismustheorien, hrsg. Reinhold Grimm/Jost Hermand, Stuttgart 1975, S. 48–67.

30 Zu Thackeray vgl. Schmidts Rezension der Newcomes in: Grenzboten 1856, 1. Semester, Bd. 1, S. 405–409; zu Balzac in: Grenzboten 1850, 2. Semester, Bd. 1, S. 420–430, Zitat S. 429.

31 Widhammer, S. 120.

32 Dazu vom Verf.: Literaturkritik und Öffentlichkeit, München 1974, besonders S. 7–49; ferner Aufklärung und literarische Öffentlichkeit, hrsg. Christa Bürger, Peter Bürger und Jochen Schulte-Sasse, Frankfurt 1980.

33 Koselleck, Kritik und Krise, Freiburg 1959.

34 Zu dieser Frage vgl. Christa Bürger, Der Ursprung der bürgerlichen Institution Kunst im höfischen Weimar, Frankfurt 1977.

35 Herwegh, Über Literatur und Gesellschaft (1837–1841), hrsg. Agnes Ziegengeist, Berlin 1971, S. 61.

36 Vgl. Hartmut Steinecke, Literaturkritik des Jungen Deutschland, Berlin 1982.

37 Vgl. vom Verf.: Talent oder Charakter: Die Börne-Heine-Fehde und ihre Nachgeschichte, Modern Language Notes 95 (1980), S. 609–626.

38 Börne, Kritische Schriften, hrsg. Edgar Schumacher, Zürich 1964, S. 55.

39 Ebda, S. 57.

40 Zu Börnes Literaturkritik vgl. vom Verf.: Literaturkritik und Öffentlichkeit, S. 102–127.

41 Vgl. Steinecke, S. 29–33.

42 Schlesier, Ueber den gegenwärtigen Zustand der Kritik in Deutschland, Zeitung für die elegante Welt, 2. Januar 1834, S. 1.

43 So Udo Köster, Literarischer Radikalismus, Frankfurt 1972, S. 114 f.

44 Realismus und Gründerzeit, Bd. 2, S. 78.

45 Ebda, S. 79.

46 Ebda, S. 86.

47 Pletzer, zitiert nach Hermann Marggraff, Die Kritik und „Soll und Haben", Blätter für literarische Unterhaltung, 1855, S.662.

48 Blätter für literarische Unterhaltung 1855, S.662.

49 Ebda, S.663.

50 Ebda, S.664.

51 Vgl. Eva D.Becker, Das Literaturgespräch zwischen 1848 und 1870 in Robert Prutz' Zeitschrift „Deutsches Museum", Publizistik 12 (1967), S.16.

52 Zitiert nach Becker, Das Literaturgespräch, S.22.

53 Dazu Ulf Eisele, Realismus und Ideologie, Stuttgart 1976, S.90–92.

54 Deutsches Museum 1852, Bd. 1, S.721–732; zitiert nach: Literaturkritik. Eine Textdokumentation zur Geschichte einer literarischen Gattung, Bd.4, hrsg. Peter Uwe Hohendahl, Vaduz 1984, S.138–148.

55 Ebda, S.139.

56 Ebda, S.141.

57 Ebda, S.144.

58 Ebda, S.144.

59 Die Grenzboten 1852, 1.Semester, Bd.2, S.41–63; im folgenden zitiert nach: Literaturkritik, Bd.4, hrsg. Hohendahl, S.109–130.

60 Ebda, S.109.

61 Ebda, S.109f.

62 Ebda, S.111.

63 Ebda, S.121f.

64 Ebda, S.122.

65 Ebda, S.126.

66 Ebda, S.130.

67 Frankfurter Konversationsblatt 1852, Nr.105–107; im folgenden zitiert nach: Literaturkritik, Bd.4, hrsg. Hohendahl, S.130–137, Zitat S.132f.

68 Ebda, S.137.

69 Ebda, S.133.

70 Die Grenzboten, 1.Semester, Bd.1, S.322–328; im folgenden zitiert nach: Literaturkritik, Bd.4, hrsg. Hohendahl, S.225–232.

71 Ebda, S.227.

72 Ebda, S.227f.

73 Ebda, S.230.

74 Ebda, S.232.

75 Ebda, S.232.

76 Rudolf Gottschall, Karl Gutzkow's „Zauberer von Rom", Blätter für literarische Unterhaltung 16.12.1858, Nr.51, S.925–933.

77 Ebda, S.927.

78 Ebda, S.928.

79 Dazu Russell A.Berman, Between Fontane and Tucholsky. Literary Criticism and the Public Sphere in Imperial Germany, New York/Bern 1983.

V. Literarische Tradition und poetischer Kanon

1 Levin, The Tradition of Tradition, in: Levin, Contexts of Criticism, Cambridge 1957, S. 55–66.
2 Vgl. Die Klassik-Legende, hrsg. Reinhold Grimm/Jost Hermand, Frankfurt 1971.
3 Goethe, Literarischer Sansculottismus, Goethes Werke, Hamburger Ausgabe, Bd. 12, S. 239–244.
4 Gervinus, Geschichte der Deutschen Dichtung, 4. Aufl. Leipzig 1853, Bd. 5, S. 667.
5 Ebda, S. 666.
6 Gottschall, Die deutsche Nationalliteratur in der ersten Hälfte des neunzehnten Jahrhunderts, 2. Aufl. Bd. 1, Breslau 1861, S. VII, aus dem Vorwort zur ersten Auflage von 1854.
7 Zitiert nach: Deutsche Literaturkritik im 19. Jahrhundert, hrsg. Hans Mayer, Frankfurt 1976, S. 272.
8 Ebda.
9 Ebda, S. 272.
10 Ebda, S. 269.
11 Hettner, Die romantische Schule in ihrem inneren Zusammenhang mit Goethe und Schiller, in: Hettner, Schriften zur Literatur, hrsg. Jürgen Jahn, Berlin 1959, S. 53–165.
12 Schmidt, Weimar und Jena in den Jahren 1794–1806, Leipzig 1855, S. 1 f.
13 Scherer, Geschichte der Deutschen Litteratur, Berlin 1883.
14 Dilthey, Die dichterische und philosophische Bewegung in Deutschland 1770 bis 1800. Gesammelte Schriften, Bd. 5, S. 12–27.
15 Peschken, Versuch einer germanistischen Ideologiekritik, Stuttgart 1972, S. 117 ff.
16 Georg Witkowski im vierten Teil der Ausgabe von 1928, Leipzig 1928, S. 326.
17 Haym, Die romantische Schule, Berlin 1870, S. 4.
18 Vgl. Peschken, S. 73–116.
19 Gottschall, S. XII.
20 Heine, Sämtliche Schriften, hrsg. Klaus Briegleb, Bd. 3, München 1971, S. 468.
21 Ebda, S. 468.
22 Bd. 3, S. 585.
23 Bd. 3, S. 638 f.
24 Wolfgang Menzel, Die deutsche Literatur, 2. Aufl., 4. Teil, Stuttgart 1836, S. 125.
25 Zitiert nach: Schiller – Zeitgenosse aller Epochen hrsg. Norbert Oellers, Teil 1, Frankfurt 1970, S. 245.
26 Zitiert nach: Schiller – Zeitgenosse aller Epochen, Teil 1, S. 441.
27 Mayer, Lessing, Mitwelt und Nachwelt, in: Mayer, Von Lessing bis Thomas Mann, Pfullingen 1959, S. 79–109.
28 Gervinus, Geschichte der Deutschen Dichtung, 4. Aufl., Leipzig 1853, Bd. 4, S. 6.

29 Ebda, S. 8.
30 Ebda, S. 10.
31 Ebda, S. 11 f.
32 Ebda, S. 13.
33 Ebda, S. 14.
34 Gervinus, Geschichte, Bd. 4, S. 264.
35 Ebda, S. 265.
36 Ebda, S. 269.
37 Ebda.
38 Ebda, S. 290.
39 Ebda.
40 Ebda, S. 292.
41 Ebda, S. 322.
42 Gervinus, Geschichte, Bd. 5, S. 195.
43 Ebda, S. 195.
44 Ebda.
45 Sprengel, Jean Paul im Urteil seiner Kritiker, München 1980, S. LV f.
46 Gervinus, Geschichte, Bd. 5, S. 546.
47 Ebda, S. 535.
48 Ebda, S. 535.
49 Ebda, S. 554.
50 Ebda, S. 577 f.
51 Ebda, S. 665.
52 Hettner, Schriften zur Literatur, S. 164.
53 Ebda, S. 165.
54 Ebda, S. 60.
55 Ebda, S. 65.
56 Ebda, S. 68.
57 Ebda, S. 69.
58 2. Aufl., Breslau 1861, S. VI.
59 Ebda, S. X.
60 Ebda, S. XII.
61 Weimar und Jena in den Jahren 1794–1806, 2. Aufl., Leipzig 1855, S. 1.
62 Schmidt, Geschichte, Bd. 1, S. XII f.; aus der Vorrede zur ersten Auflage von 1853.
63 „Die Belletristik, die heute zum großen Theil nichts weiter ist, als eine Coterie unreifer Talente." (Ebda, S. VIII).
64 Gottschall, S. XXVI f.
65 Haym, Die romantische Schule, Berlin 1870, S. 4.
66 Ebda, S. 5.
67 Ebda, S. 5.
68 Vgl. ebda, S. 7.
69 Ebda, S. 13.
70 Hettner, Geschichte der deutschen Literatur im 18. Jahrhundert, 3 Bde, Braunschweig 1864–1870.
71 Ebda, Bd. 3, 437.
72 Ebda, Bd. 3, S. 1 f.

73 Ebda, S. 2 f.
74 Dilthey, Die dichterische und philosophische Bewegung in Deutschland 1770–1800, in: Dilthey, Gesammelte Schriften, Bd. 5, 2. Aufl., Stuttgart und Göttingen, 1957, S. 13.
75 Ebda.
76 Ebda, S. 24.
77 Ebda, S. 27.
78 Ebda, S. 17.
79 Ebda, S. 16.
80 Gottschall, Geschichte, S. 3.
81 Ebda.
82 Ebda, S. 17.
83 Ebda, S. 17 f.
84 Dilthey, Über Gotthold Ephraim Lessing, Preußische Jahrbücher 19 (1867), S. 117–161 und 271–294; Zitat S. 122.
85 Ebda, S. 127 f.
86 Ebda, S. 132.
87 Gerade diesen Zusammenhang hat Dilthey später bei der Überarbeitung des Aufsatzes für *Das Erlebnis und die Dichtung* stark erweitert; vgl. 14. Aufl. Göttingen 1965, S. 34–47.
88 Ebda, S. 88.
89 Ebda, S. 293.
90 Ebda, S. 123.
91 Dilthey, Novalis, Preußische Jahrbücher 15 (1865), S. 596–650.
92 Dilthey, Das Erlebnis und die Dichtung, 14. Aufl., S. 324.
93 Ebda, S. 228.
94 Ebda, S. 233.
95 Ebda, S. 240.

VI. Der Literaturkanon des Nachmärz

1 Danzel, Zur Literatur und Philosophie der Goethezeit, hrsg. Hans Mayer, Stuttgart 1962, S. 70.
2 Die Ausnahme bildet Hettners Literaturgeschichte, die sowohl Klopstock als auch Wieland ausführlich würdigt. Wieland wird als der „bedeutendste Mitkämpfer Lessings" bezeichnet (Bd. 2, 1864, S. 461); ihm wird das Verdienst zugesprochen, den deutschen Roman inauguriert zu haben.
3 So Peter Sprengel, Jean Paul im Urteil seiner Kritiker, München 1980, S. LXIII–LXIX.
4 Vgl. Friedrich Sengle, Biedermeierzeit, Stuttgart 1971, Bd. 1, S. 307.
5 Zitiert nach: Jean Paul im Urteil seiner Kritiker, S. LXIV.
6 Schmidt, Jean Paul im Verhältniß zur gegenwärtigen Romanliteratur (1855), in: Jean Paul im Urteil seiner Kritik, S. 173; dieser Satz fehlt in der 2. Aufl. der Literaturgeschichte von 1855.
7 Ebda, S. 180.
8 Ebda, S. 180.

9 Schmidt, Geschichte der Deutschen Literatur im neunzehnten Jahrhundert, 2. Aufl. 1855, Bd. 1, S. 227.
10 Gervinus, Geschichte der Deutschen Dichtung, Bd. 5, S. 215.
11 Zitiert nach: Jean Paul im Urteil seiner Kritiker, S. 227.
12 Planck, Jean Paul's Dichtung im Lichte unserer nationalen Entwicklung. Ein Stück deutscher Kulturgeschichte, Berlin 1867.
13 Gottschall, Bd. 1, S. 141.
14 Ebda, S. 144.
15 Vgl. ebda, S. 158.
16 Ebda, S. 169.
17 Hettner, Bd. 3, 3. Buch, Braunschweig 1870, S. 393.
18 Ebda, S. 411.
19 Vgl. Schiller – Zeitgenosse aller Epochen, hrsg. Norbert Oellers, Teil 1, Frankfurt 1970, S. 428.
20 Vgl. Die Hamburger Schillerfeier. Ein deutsches Volksfest, Hamburg 1859.
21 Vischer, Rede zur hundertjährigen Feier der Geburt Schiller's, Zürich 1859, S. 12.
22 Carriere, Lessing, Schiller, Goethe, Jean Paul. Vier Denkreden auf deutsche Dichter, Gießen 1862, S. 46.
23 Ebda, S. 47.
24 Burckhardt, Gedächtnisrede auf Schiller, zitiert nach: Schiller – Zeitgenosse aller Epochen, Teil 1, S. 418.
25 Vischer, S. 20.
26 Ebda, S. 16.
27 Grimm, Rede auf Schiller, zitiert nach: Schiller – Zeitgenosse aller Epochen, Teil 1, S. 449.
28 Vgl. Dok. 53 in: Schiller – Zeitgenosse aller Epochen, Teil 1.
29 Die Hamburger Schillerfeier, S. 64.
30 Zitiert nach: Schiller – Zeitgenosse aller Epochen, Teil 1, S. 441.
31 Carriere, S. 48.
32 Ebda, S. 48 f.
33 Hehn, Gedanken über Goethe, 2. Aufl. Berlin 1888, S. 170.
34 Hehn, Ueber Goethes Hermann und Dorothea, Stuttgart 1893, S. 37.
35 Ebda, S. 44 f.
36 Ebda, S. 41.
37 Ebda, S. 40.
38 Ebda, S. 25 f.
39 Zitiert nach: Goethe im Urteil seiner Kritiker, hrsg. Karl Robert Mandelkow, Teil 2, München 1977, S. 335.
40 Vgl. Helmuth Widhammer, Realismus und klassizistische Tradition, Tübingen 1972, S. 98.
41 Vgl. dazu neben der Arbeit von Helmuth Widhammer, Hermann Kinder, Poesie als Synthese, Frankfurt 1973 und Ulf Eisele, Realismus und Ideologie, Stuttgart 1976.
42 Danzel, Zur Literatur und Philosophie der Goethezeit, hrsg. Hans Mayer, Stuttgart 1962.

43 Hettner, Goethe's Iphigenie in ihrem Verhältnis zur Bildungsgeschichte des Dichters, in: Hettner, Kleine Schriften, Braunschweig 1884, S. 425–474.

44 Auerbach, Goethe und die Erzählungskunst, Stuttgart 1861, dazu auch Karl Robert Mandelkow, Goethe im Urteil seiner Kritiker, Teil 2, S. LXIII.

45 Siehe seine Rezension von Diltheys *Das Leben Schleiermachers* (1870) in Grenzboten 29 (1870), II, 1, S. 1–3.

46 Grimm, Goethe. Vorlesungen gehalten an der Kgl. Universität zu Berlin, Berlin 1877, Bd. 1, S. 7.

47 Ebda, Bd. 2, S. 160.

48 Ebda, Bd. 1, S. 8.

49 Ebda, Bd. 1, S. 9.

50 Die Monumentalisierung ist bei Grimm schon 1859 in dem Aufsatz „Schiller und Goethe" zu bemerken, doch findet sich hier noch eine zukunftsorientierte Geschichtsauffassung, die später verlorengeht; Grimm, Essays, Hannover 1859.

51 Vgl. Bernd Peschken, Versuch einer germanistischen Ideologiekritik, Stuttgart 1972, S. 88–108.

52 Schöll, Goethe als Staatsmann, Preußische Jahrbücher 10 (1862), S. 423–470 und 585–616.

53 Vgl. Mehring, Die Lessing-Legende, in: Mehring, Gesammelte Schriften, Bd. 9, Berlin 1963, S. 36–44.

54 Gervinus, Geschichte der Deutschen Dichtung, Bd. 4, S. 188.

55 Schmidt, Geschichte der Deutschen Literatur seit Lessing's Tod, 5. Aufl. Leipzig 1866, Bd. 2, Vorrede.

56 So Peschken, S. 126.

57 So Peschken, S. 128.

58 Dilthey, Das Erlebnis und die Dichtung, S. 55.

59 Hettner, II. Teil, Das Zeitalter Friedrich des Großen, Braunschweig 1864, S. 25.

60 Ebda, S. 29.

61 Ebda, S. 33.

62 Ebda, S. 159.

63 Ebda, S. 161.

64 Ebda, S. 105.

65 Grundlegend Georg Jäger, Schule und literarische Kultur, Bd. 1, Stuttgart 1981.

66 Robert Heinrich Hiecke, Leipzig 1842.

67 Hiecke, S. 89 ff.

68 Ebda, S. 106.

69 Vgl. Hans-Georg Herrlitz, Der Lektüre-Kanon des Deutsch-Unterrichts im Gymnasium, Heidelberg 1964, S. 105 ff.

70 In: Karl von Raumer, Geschichte der Pädagogik, dritter Teil, 6. Aufl. Gütersloh 1897, S. 229.

71 Ebda, S. 225.

72 Ebda, S. 232.

73 Ebda.

74 Laas, Der Deutsch-Unterricht auf höheren Lehranstalten, Berlin 1886, S. 268–297.
75 Ebda, S. 295.
76 Vgl. Adolf Matthias, Geschichte des deutschen Unterrichts, München 1907, S. 394.
77 Jäger, Der Deutschunterricht auf Gymnasien 1780 bis 1850, DVjs 47 (1973), S. 145.
78 Vgl. Peter-Martin Roeder, Zur Geschichte und Kritik des Lesebuchs der höheren Schule, Weinheim 1961; Hermann Helmers, Geschichte des deutschen Lesebuchs in Grundzügen, Stuttgart 1970.
79 Vgl. Roeder, S. 114 f.
80 Heinisch/Ludwig, Die Sprache der Prosa, Poesie und Beredsamkeit, theoretisch erläutert und mit vielen Beispielen aus den Schriften der besten deutschen Klassiker versehen, Bamberg 1852.
81 Oltrogge, Deutsches Lesebuch. Zweiter Cursus, 5. verbesserte Auflage, Hannover 1844.
82 Breslau 1850, 2. Aufl. 1853.
83 3. Aufl. Leipzig 1852, 4. vermehrte und verbesserte Aufl. 1862.
84 Ebda, aus dem Vorwort zur 3. Aufl.
85 6. Teil, 14. Aufl., Leipzig 1874, S. III.
86 Masius, Deutsches Lesebuch für höhere Unterrichts-Anstalten, 3. Theil für obere Klassen, Halle 1867.
87 Ebda, S. III.
88 Zunächst unter dem Titel: Sprachmusterstücke. Für den Selbst- und Schulunterricht, später unter dem Titel: Einführung in die deutsche Literatur, vermittelt durch Erläuterung von Musterstücken aus den Werken der vorzüglichsten Schriftsteller.
89 Kluge, Geschichte der deutschen National-Litteratur. Zum Gebrauche an höheren Unterrichtsanstalten, 18. Aufl. Altenburg 1887.
90 H. Kurz, Leitfaden zur Geschichte der deutschen Litteratur, 5. Aufl. bearbeitet von G. Emil Barthel, Leipzig 1878.
91 Strauß, Der alte und der neue Glaube. Ein Bekenntniß, Leipzig 1872, S. 303.
92 Ebda, S. 303.
93 Zitiert nach: Goethe im Urteil seiner Kritiker, Teil 3, München 1979, S. 21.
94 Ebda.
95 Grimm, Goethe, Bd. 1, S. 8.
96 Ebda.
97 Ebda, Bd. 2, S. 300 f.
98 Zitiert nach: Schiller – Zeitgenosse aller Epochen, Teil 2, S. 58.
99 Nietzsche, Werke, hrsg. Schlechta, Bd. 1, S. 578 f.

VII. Die Institutionalisierung der Literaturgeschichte

1 Vgl. Klaus Weimar, Zur Geschichte der Literaturwissenschaft. Forschungsbericht, DVjs 50 (1976), S. 298–364; Ursula Burkhardt, Germanistik in Südwestdeutschland, Tübingen 1976.
2 Haym, Gesammelte Aufsätze, Berlin 1903, S. 83.

3 Hillebrand, G.G.Gervinus, Preußische Jahrbücher 32 (1873), S.379.
4 Schmidt, Neue Bilder aus dem geistigen Leben unserer Zeit, Bd.3, Leipzig 1873, S.344.
5 Hillebrand, S.424.
6 Ebda, S.392.
7 Ebda, S.401.
8 Ebda, S.411.
9 Ebda, S.425.
10 Gervinus, Geschichte der Deutschen Dichtung, Bd.1, 4.Aufl., Leipzig 1853, S.9.
11 Ebda, S.9.
12 Gervinus, Grundzüge der Historik, Leipzig 1837, S.33.
13 Ebda, S.70.
14 Ebda, S.94.
15 Gervinus, Selbstanzeige der Geschichte, in: Gervinus, Gesammelte kleine historische Schriften, Karlsruhe 1838, S.576.
16 Gervinus, Geschichte der Deutschen Dichtung, 4.Aufl. Bd.5, S.666.
17 Gervinus, Einleitung in die Geschichte des neunzehnten Jahrhunderts, Leipzig 1853, S.150f.
18 Bernd Hüppauf, in: Literaturgeschichte zwischen Revolution und Reaktion, Frankfurt 1972, S.3–55.
19 Prutz, Die deutsche Literatur der Gegenwart, Bd.1, Leipzig 1859, S.4.
20 Ebda, S.8.
21 Ebda, S.17.
22 Ebda, S.21.
23 Schmidt, Geschichte der Deutschen Literatur im neunzehnten Jahrhundert, 2.Aufl., Leipzig 1855, Bd.3, S.450.
24 Ebda, S.497.
25 Ebda, S.503.
26 Ebda, S.453.
27 Ebda, S.462.
28 Vgl. ebda, S.506.
29 Schmidt, Bd.1, S.285.
30 Ebda, S.286.
31 Ebda, S.286.
32 So Bernd Hüppauf, Literaturgeschichte zwischen Revolution und Reaktion, Frankfurt 1972, S.50.
33 Schmidt, Geschichte des geistigen Lebens in Deutschland, Leipzig 1862, S.VIII.
34 Peschken, Versuch einer germanistischen Ideologiekritik, Stuttgart 1972, S.83.
35 Schmidt, Bd.1, S.231.
36 Vgl. Schmidts Vorwort zur 5.Aufl. des zweiten Bandes der Geschichte der deutschen Literatur seit Lessings Tod, geschrieben am 7.September 1866; dazu auch Peschken, S.88–104.
37 Gottschall, Die deutsche Nationalliteratur des neunzehnten Jahrhunderts, zitiert nach der 6.Aufl., Leipzig 1891, S.XXIV.

38 Ebda, S. XXV.
39 Dazu Wolfgang Harich in der Einleitung zu Hayms Herder-Buch, Berlin 1954.
40 Danzel, Über die Behandlung der Geschichte der neueren Literatur, zitiert nach: Deutsche Literaturkritik im 19. Jahrhundert, hrsg. Hans Mayer, Frankfurt 1976, S. 318.
41 Ebda.
42 Ebda, S. 319.
43 Ebda, S. 320.
44 Ebda, S. 321.
45 Ebda, S. 323.
46 Ebda, S. 326.
47 Scherer, H. Hettners Literaturgeschichte des 18. Jahrhunderts, in: Methoden der deutschen Literaturwissenschaft, hrsg. Viktor Žmegač, Frankfurt 1971, S. 13.
48 Dazu Klaus Laermann, Was ist literaturwissenschaftlicher Positivismus? in: Zur Kritik literaturwissenschaftlicher Methodologie, hrsg. Viktor Žmegač/ Zdenko Škreb, Frankfurt 1973, S. 51–74.
49 Haym, Hegel und seine Zeit, Berlin 1857, S. 453.
50 Ebda, S. 10.
51 Ebda, S. 12.
52 Vgl. ebda, S. 14.
53 Ebda, S. 447.
54 Ebda, S. 448.
55 Ebda, S. 452.
56 Haym, Die romantische Schule, Berlin 1870, S. 4.
57 Ebda, S. 9.
58 Ebda.
59 Ebda.
60 Scherer, Die neue Generation, in: Methoden der deutschen Literaturwissenschaft, S. 23.
61 Ebda.
62 Scherer, Zur Geschichte der deutschen Sprache, in: Methoden der deutschen Literaturwissenschaft, S. 18.
63 Laermann, S. 59.
64 Ein gutes Beispiel für dieses Suchen nach einer nationalen Tradition ist der Vortrag „Über den Ursprung der deutschen Nationalität" (1873), in: Scherer, Vorträge und Aufsätze zur Geschichte des geistigen Lebens in Deutschland und Oesterreich, Berlin 1874, S. 1–20.
65 Jost Hermand, Synthetisches Interpretieren, München 1968, S. 23.
66 Schmidt, Wege und Ziele der deutschen Litteraturgeschichte, in: Schmidt, Charakteristiken, Berlin 1886, S. 491–498.
67 Gottschall, Die deutsche Nationalliteratur, 2. Aufl., Bd. 1, Breslau 1861, S. XVIII f.
68 Gottschall, Die deutsche Nationalliteratur, 3. Aufl. Leipzig 1871, zitiert nach der 6. Aufl., S. XXVI.
69 Scherer, Poetik, Berlin 1888, S. 43.

70 Dilthey, Gesammelte Schriften, Bd. 11, Leipzig und Berlin 1936, S. 196.
71 Ebda, S. 197.
72 Ebda, S. 198.
73 Vgl. auch Diltheys Rezension von Schmidts Geschichte der deutschen Literatur seit Lessings Tod in: Gesammelte Schriften, Bd. 16, Göttingen 1972, S. 257–260.
74 Dilthey, Bd. 11, S. 154.
75 Ebda.
76 Ebda, S. 157.
77 Ebda, S. 161.
78 Ebda, S. 217.
79 Ebda, S. 218.
80 Die Arbeit über Schleiermacher ist endlich im Druck zugänglich im 14. Band der Gesammelten Schriften.
81 Der junge Dilthey. Ein Lebensbild in Briefen und Tagebüchern 1852–1870, hrsg. Clara Misch, Leipzig und Berlin 1933, S. 92.
82 Ebda, S. 82.
83 Ebda.
84 Ebda, S. 83.
85 Ebda, S. 92.
86 Ebda, S. 93.
87 Ebda, S. 93.
88 Ebda, S. 95.
89 Ebda, S. 147.
90 Ebda, S. 151.
91 Vgl. Peschken, S. 57–72; auch Christofer Zöckler, Dilthey und die Hermeneutik, Stuttgart 1975, S. 227–239.
92 Der junge Dilthey, S. 190.
93 Dilthey, Schriften, Bd. 5, S. 13.
94 Ebda, S. 14.
95 Ebda, S. 15.
96 Ebda, S. 13.
97 Ebda, S. 19.
98 Peschken, S. 71.
99 Zum Verfassungskonflikt vgl. Rainer Wahl, Der preußische Verfassungskonflikt und das konstitutionelle System des Kaiserreichs, in: Moderne deutsche Verfassungsgeschichte (1815–1918), hrsg. Ernst-Wolfgang Bökkenförde, Köln 1972, S. 171–194.
100 Gadamer, Wahrheit und Methode, 2. Aufl. Tübingen 1965, S. 218.
101 Zur Organisation des Faches Philologie und Literaturgeschichte vgl. Rudolf Lehmann in: Das Unterrichtswesen im Deutschen Reich, hrsg. W. Lexis, Bd. 1, Berlin 1904, S. 179–184.
102 Scherer, Geschichte der Deutschen Litteratur, Berlin 1883, S. 3.
103 Karl-Heinz Götze, Die Entstehung der deutschen Literaturwissenschaft als Literaturgeschichte, in: Germanistik und deutsche Nation 1806–1848, hrsg. J. J. Müller, Stuttgart 1974, S. 215.

104 Vgl. Kreuzers Nachwort zu Prutz, Geschichte des deutschen Journalismus, Neudruck, Göttingen 1971, S. 430.

105 Götze, Die Entstehung, S. 185–188.

106 Ebda, S. 186.

107 Unter den Pseudonymen Wilhelm Hoffner und Karl Elkan, wieder abgedruckt in: Gesammelte Schriften, Bd. 15, S. 102–116 und 205–244.

108 Zum Prozeß vgl. Der Hochverratsprozeß gegen Gervinus, hrsg. Walter Boehlich, Frankfurt 1967.

109 Der Anlaß ist die Besprechung von Otto Brahms Arbeit über Gottfried Keller (1883), in: Theodor Fontane, Aufsätze zur Literatur, hrsg. Kurt Schreinert, München 1963, S. 262–271.

VIII. Bildung, Schulwesen und gesellschaftliche Gliederung

1 Spranger, Wilhelm von Humboldt und die Reform des Bildungswesens, 3. Aufl. Tübingen 1965, S. 133–145.

2 Dazu vom Verf.: Roman als Utopie. Die preußische Bildungspolitik 1809–1817, in: Utopieforschung, hrsg. Wilhelm Voßkamp, Stuttgart 1982, Bd. 3, S. 250–272.

3 Jeismann, Das preußische Gymnasium in Staat und Gesellschaft, Stuttgart 1974, S. 361–372 und 395–398.

4 Vgl. Helmut Sienknecht, Der Einheitsschulgedanke. Weinheim/Berlin 1968, besonders S. 41–78.

5 Nietzsche, Musarionausgabe, München 1921, Bd. 4, S. 7.

6 Nietzsche, Werke, hrsg. Schlechta, Bd. 3, S. 193.

7 Ebda.

8 Ebda, S. 231.

9 Ebda, S. 232.

10 Ebda, S. 243.

11 Ebda, S. 244.

12 Ebda, S. 261.

13 Musarion-Ausgabe, Bd. 4, S. 122.

14 Nietzsche, Werke, hrsg. Schlechta, Bd. 1, S. 144.

15 Dazu Sienknecht, S. 123–147; Andreas Flitner, Die politische Erziehung in Deutschland, Tübingen 1957, S. 165–179; Hartmut Titze, Die Politisierung der Erziehung, Frankfurt 1973, S. 197–218.

16 Humboldt, Werke, hrsg. Andreas Flitner und Klaus Giel, Bd. 1, Darmstadt 1960, S. 64.

17 Vgl. Spranger, S. 69–132; Ursula Krautkrämer, Staat und Erziehung, München 1979, S. 29–54.

18 Humboldt, Bd. 1, S. 61 f.

19 Ebda, Bd. 4, S. 168.

20 Ebda, S. 172.

21 Ebda, S. 175.

22 Zu Fichte vgl. Krautkrämer, S. 120–181; Jeismann, S. 224–230.

23 Jeismann, S. 227.

24 Zu Jachmann vgl. H.J. Heydorns instruktives Vorwort zum Neudruck des Archivs, Frankfurt 1969.

25 Titze, S. 99.

26 Der Entwurf Süverns, der nicht mehr durchgesetzt werden konnte, ist erneut abgedruckt bei Gerhardt Giese, Quellen zur deutschen Schulgeschichte seit 1800, Göttingen 1961, S. 93–109.

27 Brief an Caroline von Humboldt, Wilhelm und Caroline von Humboldt in ihren Briefen, Berlin 1909, Bd. 3, S. 260.

28 Zu den Einzelheiten Jeismann, S. 346 ff.

29 Vgl. Titze, S. 106 ff.

30 Bezeichnend für den restaurativen Geist war der Erlaß über den Religionsunterricht vom 28. 6. 1826, vgl. Giese, S. 115–116.

31 Z.B. die Festlegung des Lehrplans durch das Circular-Rescript vom 24. 10. 1837 und das Reglement über die Abiturprüfung vom 4. 6. 1834, vgl. Giese, S. 117–127.

32 Zitiert nach: Politik und Schule von der Französischen Revolution bis zur Gegenwart, hrsg. Berthold Michael und Heinz-Hermann Schepp, Bd. 1, Frankfurt 1973, S. 313.

33 Zitiert nach: Politik und Schule, Bd. 1, S. 315.

34 Ebda, S. 315 f.

35 Ebda, S. 316.

36 Vgl. Giese, S. 147.

37 Vgl. Titze, S. 195.

38 So etwa Friedrich Harkort in seinen Reden im preußischen Abgeordnetenhaus, vgl. Harkort, Schriften und Reden zur Volksschule und Volksbildung, hrsg. Karl-Ernst Jeismann, Paderborn 1969, S. 110–121.

39 Vgl. Gerhard Anschütz, Die Verfassungs-Urkunde für den preußischen Staat, Berlin 1912, S. 370.

40 Ebda, S. 369.

41 Zu den Entwürfen vgl. Helga Romberg, Staat und Höhere Schule, Weinheim 1979, S. 75–89.

42 Doch auch in den preußischen Lehrerverbänden bestand 1848 die Neigung, dem Staat die Sorgepflicht für die Bildung zuzusprechen; vgl. Giese, S. 133.

43 Zitiert nach Romberg, S. 74.

44 Die Gesetzgebung auf dem Gebiete des Unterrichtswesens in Preußen vom Jahre 1817 bis 1868, Berlin 1869, S. 257.

45 Motive zum Gesetzentwurf in: Gesetzgebung S. 226.

46 Diese Einstellung ist schon in der Revolution von 1848 ausgeprägt. In den Anträgen der Lehrer-Konferenzen wird mehrfach gefordert, daß die Schule eine Anstalt des Staates zu sein habe; vgl. Giese, S. 131–133.

47 Schulze-Gaevernitz, Das Preußische Staatsrecht, 2. Aufl. Leipzig 1890, S. 336 f.

48 Ebda, S. 339.

49 Ebda, S. 340.

50 Ebda, S. 341.

51 Rudolf Gneist, Die confessionelle Schule, Berlin 1869.

52 Schulze-Gaevernitz, S. 364.

53 Vgl. Romberg, S. 113.

54 In diesem Sinne auch Johann Caspar Bluntschli, Allgemeines Staatsrecht, 5. Aufl. Stuttgart 1876, S. 470 f., wie auch Medicus in seinem Artikel „Kulturpolizei" im Deutschen Staats-Wörterbuch, hrsg. Bluntschli und Brater, Stuttgart/Leipzig 1861, Bd. 6, S. 149–162.

55 Vgl. Jeismann, Die „Stiehlschen Regulative", in: Dauer und Wandel der Geschichte, Festgabe für Kurt von Raumer, Münster 1965, S. 439.

56 Diesterweg, Schriften und Reden, hrsg. Heinrich Deiters, Berlin/Leipzig 1950, Bd. 1, S. 277–384.

57 Vgl. Wiese, Lebenserinnerungen und Amtserfahrungen, 2 Bde, Berlin 1886.

58 Wiese, Lebenserinnerungen, Bd. 1, S. 184.

59 Vgl. Ludwig Wiese, Das höhere Schulwesen in Preussen, Berlin 1864, Bd. 1, S. 27.

60 Ebda, S. 29.

61 Raumer, Dritter Teil, 6. Aufl., Gütersloh 1897, S. 187.

62 Ebda, S. 208.

63 Ebda, S. 189.

64 Ebda, S. 188 f.

65 Ebda, S. 191.

66 Ferdinand Bünger, Entwicklungsgeschichte des Volksschullesebuches, Leipzig 1898, S. 404.

67 Pommersche Schul- und Hausbuch, Stettin 1857.

68 Zitiert nach Bünger, S. 411.

69 So Christa Bürger in ihrem wichtigen Beitrag: Die Dichotomie von „höherer" und „volkstümlicher" Bildung, in: Germanistik und Deutschunterricht, hrsg. Rudolf Schäfer, München 1979, S. 74–102, besonders S. 75.

70 Raumer, S. 209 f.

71 Ebda, S. 214.

72 Ebda.

73 Ebda, S. 215; diese Kritik zielt vermutlich auf die analytische Methode des Deutschunterrichts, die Hiecke in den dreißiger Jahren eingeführt hatte, vgl. Roeder, S. 113 f.

74 Raumer, S. 225.

75 Ebda.

76 Ebda, S. 229 f.

77 Vgl. Wiese, Das höhere Schulwesen in Preussen, Bd. 1, S. 492 ff.

78 Dazu eingehender Jäger, Buch, Schule und literarische Kultur, Stuttgart 1981.

79 Die bei Jäger, Schule und literarische Kultur, zusammengestellten Lehrpläne zeigen exemplarisch den Abbau der Rhetorik und den Ausbau des Literaturunterrichts. Doch auch hier sind noch beträchtliche Unterschiede festzustellen.

80 Jeismann, Die „Stiehlschen Regulative", S. 428.

81 Quellen zur Schulbewegung bei Giese, S. 131–150 und Michael/Schepp, Politik und Schule, Bd. 1, S. 263–385, zu Eisenach S. 384.

82 Zitiert nach Giese, S. 149.

83 Harkort, Schriften und Reden zur Schule und Volksbildung, Paderborn 1969, S. 110–121.
84 Vgl. Titze, S. 226 ff.; Frank Wenzel, Sicherung von Massenloyalität und Qualifikation der Arbeitskraft als Aufgabe der Volksschule, in: Schule und Staat im 18. und 19. Jahrhundert, hrsg. Klaus L. Hartmann/Hans Waldeyer, Frankfurt 1974, S. 323–386.
85 Ferdinand Stiehl, Meine Stellung zu den drei preußischen Regulativen, Berlin 1872, zitiert nach: Wenzel, Sicherung, S. 323.
86 Der Normallehrplan ist abgedruckt bei Giese, S. 170–172.
87 Giese, S. 172.
88 Denkschrift zur Ausführung des Allerhöchsten Erlasses vom 1. 5. 1889, zitiert nach: Christa Berg, Die Okkupation der Schule, Heidelberg 1973, S. 139.
89 Zum bildungspolitischen Kontext vgl. Berg, S. 91–111.

IX. Das literarische Publikum

1 Wittmann, Das literarische Leben 1848 bis 1880, in: Realismus und Gründerzeit, hrsg. Max Bucher et alii, Bd. 1, Stuttgart 1976, S. 227.
2 Zur Diskussion vgl. Norbert Groeben, Rezeptionsforschung als empirische Literaturwissenschaft, 2. Aufl., Tübingen 1980.
3 Beispielhaft Theodor W. Adorno, Thesen zur Kunstsoziologie, in: Ohne Leitbild, Frankfurt 1967, S. 94–103.
4 Bürger, Vermittlung – Rezeption – Funktion, Frankfurt 1979, S. 173–199.
5 Vgl. Arnold Hauser, Sozialgeschichte der Kunst und Literatur, Bd. 2, München 1953, S. 38–87; Levin L. Schücking, Soziologie der literarischen Geschmacksbildung, 3. Aufl., Bern, 1961.
6 Engelsing, Die Perioden der Lesergeschichte in der Neuzeit, in: Engelsing, Zur Sozialgeschichte deutscher Mittel- und Unterschichten, Göttingen 1973, S. 112–154.
7 Vgl. Georg Jäger, Schule und literarische Kultur. Sozialgeschichte des deutschen Unterrichts an höheren Schulen von der Spätaufklärung bis zum Vormärz, Bd. 1, Stuttgart 1981.
8 Engelsing, Analphabetentum und Lektüre, Stuttgart 1973, S. 96–100.
9 Ebda, S. 97. Die Zahlen dürfen freilich nicht als absolut sicher angesehen werden, denn nach anderen Angaben gab es 1871 in Preußen noch 10% männliche und 15% weibliche Analphabeten.
10 Schenda, Volk ohne Buch, München (dtv) 1977, S. 444 f.
11 Henning, Das westdeutsche Bürgertum in der Epoche der Hochindustrialisierung 1860–1914, Wiesbaden 1972, S. 486.
12 Alle Angaben nach: Sozialgeschichtliches Arbeitsbuch II, hrsg. Gerd Hohorst, Jürgen Kocka, Gerhard A. Ritter, München 1975, S. 157–159.
13 Zum folgenden Titze, Die Politisierung der Erziehung, Frankfurt 1973, S. 203.
14 Vgl. Fritz K. Ringer, Higher Education in Germany in the Nineteenth Century, Journal of Contemporary History 2 (1967), S. 133.

15 Ebda, S. 135.
16 Vgl. die Zahlen bei Ilsedore Rarisch, Industrialisierung und Literatur, Berlin 1976, S. 60 f.
17 Vgl. die Statistik bei Wittmann in: Realismus und Gründerzeit, Bd. 1, S. 167 f.
18 Zu den Buchpreisen siehe: Diedrich Saalfeld, Materialien zur Beurteilung der Buchpreise und Leihgebühren, in: Die Leihbibliothek als Institution des literarischen Lebens, hrsg. Georg Jäger und Jörg Schönert, Hamburg 1980, S. 63–88.
19 Die Daten nach Jürgen Kocka, Management und Angestellte im Unternehmen der Industriellen Revolution, in: Gesellschaft in der industriellen Revolution, hrsg. Rudolf Braun et alii, Köln 1973, S. 184.
20 Vgl. Sozialgeschichtliches Arbeitsbuch II, hrsg. G. Hohorst, J. Kocka, G. A. Ritter, München 1975, S. 113.
21 Zu den Familienzeitschriften vgl. Dieter Barth, Zeitschriften für alle, Münster 1974.
22 Siehe Alberto Martino, Die deutsche Leihbibliothek und ihr Publikum, in: Literatur in der sozialen Bewegung, hrsg. A. Martino, Tübingen 1977, S. 1–26; Die Leihbibliothek der Goethezeit, hrsg. Georg Jäger, Alberto Martino, Reinhard Wittmann, Hildesheim 1979.
23 Dazu Wolfgang Köllmann, Bevölkerung in der industriellen Revolution, Göttingen 1974.
24 Vgl. Alberto Martino, Die deutsche Leihbibliothek und ihr Publikum, S. 19 f.
25 Zitiert nach Martino, S. 22.
26 Vgl. Alberto Martino, Die ‚Leihbibliotheksfrage‘. Zur Krise der deutschen Leihbibliotheken in der zweiten Hälfte des neunzehnten Jahrhunderts, in: Die Leihbibliothek als Institution, S. 89–164.
27 Zitiert nach Jäger/Schönert, S. 27.
28 Martino, Die deutsche Leihbibliothek und ihr Publikum, S. 24.
29 Ebda, S. 25.
30 Die Leihbibliothek der Goethezeit, S. 486.
31 Vgl. ebda, S. 504 f.
32 Jäger/Schönert, Die Leihbibliothek als Institution, S. 19.
33 Vgl. die Angaben bei Wittmann, Das literarische Leben 1848 bis 1880, S. 189.
34 Vgl. Peter Vodosek, Öffentliche Bibliotheken und kommerzielle Leihbibliotheken, in: Die Leihbibliothek als Institution, S. 327–345.
35 Göhre, Drei Monate Fabrikarbeiter, Leipzig 1891, S. 142 f.
36 Göhre, S. 145.
37 Ebda, S. 150.
38 Ebda, S. 151.
39 Vgl. Lothar Schneider, Der Arbeiterhaushalt im 18. und 19. Jahrhundert, Berlin 1967, S. 109–111.
40 Holek, Lebensgang eines deutsch-tschechischen Handarbeiters, Jena 1909, S. 33.
41 Popp, Die Jugendgeschichte einer Arbeiterin, 4. Aufl., München 1930, S. 15.
42 Ebda.
43 Zur Situation der Arbeiter vgl. H. Mehner, Der Haushalt und die Lebenshal-

tung einer Leipziger Arbeiterfamilie (1887), in: Familie und Gesellschaftsstruktur, hrsg. Heidi Rosenbaum, Frankfurt 1974, S. 309–331.
44 Popp, S. 52.
45 Bromme, Lebensgeschichte eines modernen Fabrikarbeiters, Jena 1905,
    S. 168–169.
46 Ebda, S. 223.
47 Lundgreen, Die Eingliederung der Unterschichten in die bürgerliche Gesell-
    schaft durch das Bildungswesen im 19. Jahrhundert, IASL 3 (1978),
    S. 87–107.
48 August Bebel, Aus meinem Leben. Erster Teil, Stuttgart 1910.
49 Ausführlicher dazu das letzte Kapitel, besonders S. 363–368.
50 Neumann, Der Bücherbesitz der Tübinger Bürger von 1750–1850, Diss. Tü-
    bingen 1955.
51 Zur Krise des Handwerks vgl. Gustav Schmoller, Zur Geschichte der deut-
    schen Kleingewerbe im 19. Jahrhundert, Halle 1870.
52 Reinhart Koselleck, Staat und Gesellschaft in Preußen 1815–1848, in: Mo-
    derne deutsche Sozialgeschichte, hrsg. Hans-Ulrich Wehler, 3. Aufl. Köln
    1970, S. 76.
53 Vgl. Schmoller, Zur Geschichte der deutschen Kleingewerbe, S. 335.
54 Vgl. Friedrich Zunkel, Der Rheinisch-Westfälische Unternehmer
    1834–1879, Köln 1962.
55 Diesen Wechsel hat mit Recht betont Gerhard Beier, Arbeiterbildung als
    Prinzip der Arbeiterbewegung, in: Beiträge zur Kulturgeschichte der deut-
    schen Arbeiterbewegung 1848–1918, hrsg. Peter von Rüden, Frankfurt
    1979, S. 45–67.
56 Vgl. Kapitel X.
57 Born, Erinnerungen eines Achtundvierzigers, Berlin/Bonn 1978.
58 Zitiert nach A. Brandenburg, Theoriebildungsprozesse in der deutschen Ar-
    beiterbewegung 1835–1850, Hannover 1977, S. 131.
59 Vgl. Frolinde Balser, Die Anfänge der Erwachsenenbildung in Deutschland
    in der ersten Hälfte des 19. Jahrhunderts, Stuttgart 1959; Karl Birker, Die
    deutschen Arbeiterbildungsvereine 1840–1870, Berlin 1973.
60 Schenda, Volk ohne Buch, S. 457 f.
61 Goethe. Deutsche Sprache, Weimarer Ausgabe, Bd. 41, S. 115 f.
62 Kocka macht auf die abhängige Lage der Angestellten bei Siemens aufmerk-
    sam, gepflegt wurde indes ein bürgerliches Bewußtsein der Pflichterfüllung.
    Vgl. Kocka, Management und Angestellte, in: Gesellschaft in der
    industriellen Revolution, hrsg. Rudolf Braun et alii, Köln 1973, S. 187.
63 Vgl. Dieter Langewiesche/Klaus Schönhoven, Arbeiterbibliotheken und Ar-
    beiterlektüre im Wilhelminischen Deutschland, Archiv für Sozialgeschich-
    te 16 (1976), S. 135–204.
64 Ebda, S. 189–193.
65 Zur Mentalität der Angestellten Jürgen Kocka, Vorindustrielle Faktoren in
    der deutschen Industrialisierung. Industriebürokratie und „neuer Mittel-
    stand", in: Das kaiserliche Deutschland, hrsg. Michael Stürmer, Düsseldorf
    1970, S. 265–286.
66 Schmoller, Zur Geschichte der deutschen Kleingewerbe im 19. Jahrhundert.

67 Heinrich August Winkler, Mittelstand, Demokratie und Nationalsozialismus, Köln 1972, S. 50.
68 Annette Leppert-Fögen, Die deklassierte Klasse, Frankfurt 1974, S. 213.
69 Neuschäfer, Populärromane im 19. Jahrhundert, München 1976.
70 Ebda, S. 35 f.
71 Kienzle, Eugenie Marlitt: Reichsgräfin Gisela (1869), in: Romane und Erzählungen des Bürgerlichen Realismus, hrsg. Horst Denkler, Stuttgart 1980, S. 217–230.
72 Vgl. Jochen Schulte-Sasse/Renate Werner, E. Marlitts ,Im Hause des Kommerzienrates'. Analyse eines Trivialromans in paradigmatischer Absicht, in: Eugenie Marlitt: Im Hause des Kommerzienrates, München 1977, S. 389–434.
73 Bahnbrechend noch immer Siegfried Kracauer, Die Angestellten (1929), in: Kracauer, Schriften, Bd. 1, Frankfurt, 1971.
74 Geiger, Die soziale Schichtung des deutschen Volkes, Stuttgart 1932, S. 100.
75 Ebda, S. 105.
76 Kocka, in: Gesellschaft in der industriellen Revolution, besonders S. 186.
77 Dazu Lucian Hölscher, Die Zukunftsstaatsdebatte im 2. Deutschen Kaiserreich, unveröffentlichtes Arbeitspapier, Bielefeld 1981, besonders S. 44–49.
78 Vgl. vom Verf., Von der Rothaut zum Edelmenschen. Karl Mays Amerikaromane, in: Amerika in der deutschen Literatur, hrsg. Sigrid Bauschinger, Horst Denkler und Wilfried Malsch, Stuttgart 1975, S. 229–245.
79 Dazu Lucian Hölscher, Die Zukunftsstaatsdebatte im 2. Deutschen Kaiserreich.

X. Kultur für das Volk

1 Max Horkheimer/Theodor W. Adorno, Dialektik der Aufklärung, Frankfurt 1969, S. 143.
2 Koselleck, Staat und Gesellschaft in Preußen 1815–1848, in: Moderne deutsche Sozialgeschichte, hrsg. Hans-Ulrich Wehler, 3. Aufl., Köln 1970, S. 71.
3 Vgl. auch Reinhart Koselleck, Preußen zwischen Reform und Revolution, Stuttgart 1967, S. 560–640.
4 Prutz, Schriften zur Literatur und Politik, hrsg. Bernd Hüppauf, Tübingen 1973, S. 11 f.
5 Ebda, S. 19.
6 Ebda, S. 14 f.
7 Ebda, S. 27.
8 Ebda, S. 26.
9 Ebda, S. 31.
10 Baur, Dorfgeschichte. Zur Entstehung und gesellschaftlichen Funktion einer literarischen Gattung im Vormärz, München 1978, S. 29.
11 Auerbach, Gesammelte Schriften, Bd. 19, Stuttgart 1864, S. 222.
12 Ebda, S. 9.
13 Ebda, S. 11.

14 Ebda, S. 10.
15 Ebda, S. 11.
16 Ebda, S. 62 f.
17 Vgl. ebda, S. 72.
18 Ebda, S. 26 f.
19 Ebda, S. 104.
20 Ebda, S. 105 f.
21 Ebda, S. 251.
22 Ebda, S. 239.
23 Ebda, S. 100.
24 Ebda, S. 101.
25 Ebda, S. 102.
26 Ebda, S. 106.
27 Ebda, S. 249.
28 Ebda, S. 246.
29 Ebda, S. 249.
30 Ebda, S. 253.
31 Ebda, S. 255.
32 Zitiert nach Andreas Flitner, Die politische Erziehung in Deutschland, Tübingen 1957, S. 30.
33 Nach Flitner, Die politische Erziehung, S. 52.
34 Zitiert nach Frolinde Balser, Die Anfänge der Erwachsenenbildung in Deutschland in der ersten Hälfte des 19. Jahrhunderts, Stuttgart 1959, S. 44.
35 Harkort, Schriften und Reden zu Volksschule und Volksbildung, hrsg. Karl-Ernst Jeismann, Paderborn 1969, S. 64.
36 Ebda, S. 11.
37 Ebda, S. 68.
38 Ebda, S. 69.
39 Ebda, S. 77.
40 Ebda, S. 101–104.
41 Ebda, S. 86.
42 Ebda, S. 90.
43 Vgl. Eberhard Groß, Erziehung und Gesellschaft im Werk Adolph Diesterwegs, Weinheim 1966, S. 19.
44 Diesterweg, Schriften und Reden, hrsg. Heinrich Deiters, Leipzig 1950, S. 111.
45 Ebda, S. 109.
46 Ebda, S. 117.
47 Ebda, S. 123.
48 Ebda, S. 133 f.
49 Ebda, S. 134.
50 Ebda, S. 154.
51 Vgl. Frolinde Balser, Die Anfänge der Erwachsenenbildung in Deutschland in der ersten Hälfte des 19. Jahrhunderts, Stuttgart 1959, S. 53 f. und 86–99.
52 Vgl. Wolfgang Schieder, Anfänge der deutschen Arbeiterbewegung, Stuttgart 1963.
53 Nach Balser, Die Anfänge der Erwachsenenbildung, S. 88, Anm. 74.

54 Zitiert nach G. Adler, Die Geschichte der ersten sozialpolitischen Arbeiterbewegung in Deutschland, Breslau 1885, S. 30.

55 Zitiert nach Heinrich Laufenberg, Geschichte der Arbeiterbewegung in Hamburg, Altona und Umgebung, Bd. 1, Hamburg 1911, S. 97.

56 Zitiert nach Balser, Die Anfänge der Erwachsenenbildung, S. 93.

57 Vgl. Schieder, Anfänge der deutschen Arbeiterbewegung, S. 174–300.

58 Vgl. Brigitte Emig, Die Veredelung des Arbeiters, Frankfurt/New York 1980, S. 128–153.

59 Vgl. Balser, S. 194–207.

60 Zitiert nach Balser, S. 206.

61 Ferdinand Lassalle, Arbeiterprogramm (1862), Gesammelte Reden und Schriften, hrsg. Eduard Bernstein, Bd. 2, Berlin 1919, S. 187.

62 Ebda, S. 198.

63 Ebda, S. 200.

64 Ebda, S. 194.

65 Zitiert nach Wolfgang Schmierer, Von der Arbeiterbildung zur Arbeiterpolitik, Hannover 1970, S. 58, Anm. 66.

66 So stellten sich die württembergischen Vereine gegen Lassalle und unterstützten Schultze-Delitzsch' Programm. Vgl. Schmierer, ebda, S. 61–65.

67 Liebknecht, Kleine politische Schriften, Leipzig 1976, S. 134.

68 Ebda, S. 134.

69 Titze, Die Politisierung der Erziehung, S. 224.

70 Liebknecht, Kleine politische Schriften, S. 171.

71 Titze, S. 226.

72 Liebknecht, S. 142.

73 Ebda, S. 172 f.

74 Liebknecht, Wissen ist Macht – Macht ist Wissen, 2. Aufl., Leipzig 1875, S. 40.

75 Marx/Engels, MEW, Bd. 4, Berlin 1959, S. 477.

76 Marx, zitiert nach: Politik und Schule von der Französischen Revolution bis zur Gegenwart, hrsg. Berthold Michael/Heinz-Hermann Schepp, Bd. 1, Frankfurt 1973, S. 451.

77 Vgl. Hermann Kinder, Poesie als Synthese, Frankfurt 1973, S. 218–231.

78 Keller, Sämtliche Werke, hrsg. J. Fränkel/C. Helbling, Erlenbach-Zürich 1926–1949, Bd. 21, S. 54.

79 Kinder, Poesie als Synthese, S. 234.

80 Kolping, Ausgewählte pädagogische Schriften, hrsg. Hubert Göbels, Paderborn 1954, S. 5.

81 Vgl. ebda, S. 26.

82 Ebda, S. 83.

83 Ebda, S. 81.

84 Ebda, S. 71.

85 Ebda, S. 86 f.

86 Zunächst der Katholische Volkskalender (1851–53) mit einer Auflage von zehntausend, später der Kalender für das katholische Volk (1854–65) mit vierzehntausend.

87 Vgl. Michael Schmolke, Adolph Kolping als Publizist, Münster 1966, S. 151.

88 Zitiert nach Schmolke, S. 165.
89 Wichern, Sämtliche Werke, hrsg. Peter Meinhold, Berlin/Hamburg 1962, Bd. 1, S. 180.
90 Ebda, S. 251.
91 Vgl. ebda, S. 135.
92 Ebda, S. 139.
93 Ebda, S. 258.
94 Vgl. ebda, S. 275.

XI. Epilog: Auf dem Wege zur industriellen Kultur

1 Nietzsche, Werke, hrsg. Karl Schlechta, Bd. 2, S. 65.
2 Dialektik der Aufklärung, Frankfurt 1969, S. 140f.
3 Dialektik der Aufklärung, S. 129.
4 Vgl. dazu Manfred Brauneck, Literatur und Öffentlichkeit im ausgehenden 19. Jahrhundert, Stuttgart 1974, S. 50–86; Michael Hays, The Public and Performance. Essays in the History of French and German Theatre 1871–1900, Ann Arbor 1981, S. 67–77.
5 Dialektik der Aufklärung, S. 145.
6 Zu Lagarde vgl. Fritz Stern, The Politics of Cultural Despair, University of California Press 1961.
7 Zum folgenden siehe Christa Berg, Die Okkupation der Schule. Eine Studie zur Aufhellung gegenwärtiger Schulprobleme an der Volksschule Preußens (1872–1900), Heidelberg 1973; Folkert Meyer, Schule der Untertanen. Lehrer und Politik in Preußen 1848–1900, Hamburg 1976.
8 Berg, Die Okkupation der Schule, S. 26.
9 Zitiert nach Berg, S. 35.
10 Frantz, Die Religion des Nationalliberalismus, Leipzig 1872, besonders S. 88–125.
11 Nietzsche, Werke, Bd. 3, S. 218.
12 Nietzsche, Werke, Bd. 3, S. 233.
13 Deutsche Schriften, 4. Aufl., Göttingen 1903, S. 164.
14 Ebda, S. 164.
15 Werke, Bd. 3, S. 227.
16 Ebda, S. 258f.
17 Ausführlicher dazu Richard Hamann/Jost Hermand, Deutsche Kunst und Kultur von der Gründerzeit bis zum Expressionismus, Bd. 1, Gründerzeit, Berlin 1965.
18 Berg, Die Okkupation der Schule, S. 48f.; Meyer, Schule der Untertanen, S. 117–151; Detlev K. Müller, Sozialstruktur und Schulsystem, Göttingen 1977, S. 154–178.
19 Lagarde, Deutsche Schriften, S. 163.
20 Werke, Bd. 1, S. 305.
21 Werke, Bd. 2, S. 65.
22 Werke, Bd. 3, S. 911.
23 Zu Langbehn vgl. Stern, The Politics of Cultural Despair, Kap. 8–10, zum

Bayreuther Kreis Winfried Schüler, Der Bayreuther Kreis von seiner Entstehung bis zum Ausgang der Wilhelminischen Ära, Münster 1971.

24 Schäffle, Bau und Leben des socialen Körpers, Bd. 1, Tübingen 1875, S. 448.

25 Siehe Hans-Ulrich Wehler, Der Aufstieg des Organisierten Kapitalismus und Interventionsstaates in Deutschland, in: Organisierter Kapitalismus, hrsg. Heinrich August Winkler, Göttingen 1974, S. 36–57.

26 Statistische Belege bei Gerd Hohorst, Jürgen Kocka und Gerhard A. Ritter, Sozialgeschichtliches Arbeitsbuch. Materialien zur Statistik des Kaiserreichs, 1870–1914, München 1975, S. 45.

27 Zum folgenden Hays, The Public and Performance, S. 67–72.

28 Dazu neuerdings Simon Williams, The Director in the German Theatre: Harmony, Spectacle and Ensemble, New German Critique Nr. 29 (Spring/Summer 1983), S. 107–131.

29 Gegen diese Deutung hat Michael Hays Einspruch erhoben und darauf verwiesen, daß die Bearbeitungen den Zweck verfolgten, Shakespeares Dramen der klassischen Form anzunähern, vgl. Hays, Theatre and Mass Cultur: The Case of the Director, New German Critique, Nr. 29 (Spring/Summer 1983), S. 133–146.

30 Brahm, Kritiken und Essays, hrsg. Fritz Martini, Zürich und Stuttgart 1964, S. 91–94.

31 Zum folgenden Hays' oben genannter Aufsatz.

32 Hays, Theatre and Mass Culture, S. 139.

33 Wuttke, Die deutschen Zeitschriften und die Entstehung der öffentlichen Meinung, 3. Aufl., Leipzig 1875, S. 192.

34 Vgl. Kurt Koszyk, Deutsche Presse im 19. Jahrhundert (Geschichte der deutschen Presse, Teil II), Berlin 1966, S. 267–275.

35 Berliner Tageblatt 74 000 (1871); Berliner Zeitung 25 000 (1878), nach Wilfried B. Lerg/Michael Schmolke, Massenpresse und Volkszeitung, Assen 1968, S. 17 f.

36 Wuttke, Die deutschen Zeitschriften, S. 20.

37 Die Zukunft, 16. Februar 1901, S. 281 f.

38 Kurt Korff, Die ‚Berliner Illustrirte‘, in: 50 Jahre Ullstein 1877–1927, S. 280.

39 Ebda, S. 283.

40 Ebda, S. 286.

41 Benjamin, Das Kunstwerk im Zeitalter seiner technischen Reproduzierbarkeit, in: Gesammelte Schriften, Bd. 1, 2, Frankfurt 1974.

42 50 Jahre Ullstein, S. 160.

43 Fullerton, The development of the german book markets, S. 325.

44 Vgl. Fullerton, The development of the german book markets; Ilsedore Rarisch, Industrialisierung und Literatur, Berlin 1976.

45 Vgl. Fullerton, Development, S. 332–334.

46 Zu den verlegten Autoren gehörten Goethe, Schiller, Lessing, Jean Paul und E. T. A. Hoffmann, aber auch Kotzebue.

47 Vgl. Rolf Engelsing, Analphabetentum und Lektüre, Stuttgart 1973, S. 122–149.

48 Vgl. Fullerton, S. 411.

49 Dazu im einzelnen Herbert Meinke, Produktion, Distribution und Rezep-

tion des deutschen Lieferungsromans nach der Reichsgründung 1870/71, Magisterarbeit, Berlin 1979.

50 So Fullerton, S. 419.

51 Vgl. Michael Karbaum, Studien zur Geschichte der Bayreuther Festspiele (1876–1976), Regensburg 1976, S. 20 f.

52 Vgl. Winfried Schüler, Der Bayreuther Kreis. Von seiner Entstehung bis zum Ausgang der Wilhelminischen Ära, Münster 1971.

53 Brief vom 29. April 1883, zitiert bei Schüler, S. 53.

54 Vgl. Frank Wenzel, Sicherung von Massenloyalität und Qualifikation der Arbeitskraft als Aufgabe der Volksschule, in: Schule und Staat im 18. und 19. Jahrhundert, Frankfurt 1974, S. 323–386.

55 Zitiert nach Berg, Die Okkupation der Schule, S. 69.

56 Zitiert nach Berg, Okkupation, S. 92.

57 Vgl. Titze, Die Politisierung der Erziehung, S. 226–262. Doch schon in den siebziger Jahren unterstrich Moltke die Bedeutung der Volksschule im Abwehrkampf gegen revolutionäre Kräfte. Vgl. Titze, S. 228.

58 Meinke, Produktion, S. 72–88.

59 Wolfgang Thauer/Peter Vodosek, Geschichte der öffentlichen Bücherei in Deutschland, Wiesbaden 1978, S. 45.

60 Vgl. Ernst Schultze, Freie öffentliche Bibliotheken, Volksbibliotheken und Lesehallen, Stettin 1900.

61 Centralblatt für die gesamte Unterrichts-Verwaltung in Preußen, 1899, S. 760–772.

62 Vgl. Thauer/Vodosek, S. 63.

63 Ladewig, Katechismus der Bücherei, Leipzig 1914.

64 Siehe dagegen die positive Beurteilung von Hoffmanns Arbeit bei Werner Picht, Das Schicksal der Volksbildung in Deutschland, Braunschweig 1950, S. 160–176.

65 Vgl. Frank Trommler, Sozialistische Literatur in Deutschland. Ein historischer Überblick, Stuttgart 1976.

66 Vgl. Trommler, Die Kulturpolitik der DDR und die kulturelle Tradition des deutschen Sozialismus, in: Literatur und Literaturtheorie in der DDR, hrsg. P. U. Hohendahl,/P. Herminghouse, Frankfurt 1976, S. 13–72.

67 Vgl. Meinke, Produktion, S. 89–96; Kristina Zerges, Sozialdemokratische Presse und Literatur. Empirische Untersuchungen zur Literaturvermittlung in der Sozialdemokratischen Presse 1876 bis 1933, Stuttgart 1982.

68 Liebknecht, Kleine politische Schriften, Leipzig 1976, S. 149.

69 Zum sozialkritischen Gehalt vgl. Manuel Köppen/Rüdiger Steinlein, Karl May: Der verlorene Sohn oder Der Fürst des Elends (1883–85). Soziale Phantasie zwischen Vertröstung und Rebellion, in: Romane und Erzählungen des Bürgerlichen Realismus, hrsg. H. Denkler, Stuttgart 1980, S. 274–292.

70 Liebknecht, Kleine politische Schriften, S. 166.

71 Vgl. Brigitte Emig, Die Veredelung des Arbeiters, Frankfurt/New York, S. 128–153.

72 Zu Lassalle vgl. Emig, S. 47–61.

73 Vgl. Manfred Brauneck, Literatur und Öffentlichkeit im ausgehenden

19. Jahrhundert, S. 99–116; Dietger Pforte, Die deutsche Sozialdemokratie und die Naturalisten, in: Naturalismus, hrsg. H. Scheuer, Stuttgart 1974, S. 175–205.

74 Franz Mehring, Aufsätze zur deutschen Literaturgeschichte, Leipzig 1972, S. 319.

75 Siehe Mehring, Kunst und Proletariat, Gesammelte Schriften, Bd. 11, S. 135.

76 Zerges, Sozialdemokratische Presse und Literatur, besonders S. 72–117.

77 Zerges, S. 52.

78 Neue Welt 1/1892, S. 6.

79 Die Kritik blieb nicht aus. Sittliche und ethische Erziehung, so hieß es, könne ein solcher Roman nicht leisten. Siehe Zerges, Sozialdemokratische Presse und Literatur, S. 87.

80 Vgl. Zerges, S. 195.

81 Zum Denken in Lagern vgl. Oskar Negt/Alexander Kluge, Öffentlichkeit und Erfahrung, Frankfurt 1972, S. 341–355.

82 Dieter Langewiesche/Klaus Schönhoven, Arbeiterbibliotheken und Arbeiterlektüre im Wilhelminischen Deutschland, Archiv für Sozialgeschichte 16 (1976), S. 135–204, Zitat, S. 159.

83 Ebda, S. 167.

84 Vgl. Langewiesche/Schönhoven, S. 192 f.

85 Siehe Langewiesche/Schönhoven, S. 186.

86 Vgl. Dieter Langewiesche, Zur Freizeit des Arbeiters. Bildungsbestrebungen und Freizeitgestaltung österreichischer Arbeiter im Kaiserreich und in der Ersten Republik, Stuttgart 1980, S. 187.

87 Zur Freizeit des Arbeiters, S. 203 f.

88 Zur politischen Einstellung siehe Dieter Groh, Negative Integration und revolutionärer Attentismus, Frankfurt 1973.

89 Vgl. Irene Fischer-Frauendienst, Bismarcks Pressepolitik, Münster 1963; Heinz Schulze, Die Presse im Urteil Bismarcks, Leipzig 1931.

90 Arbeiterkultur, hrsg. Gerhard A. Ritter, Königstein 1979, besonders die Einleitung des Herausgebers sowie die grundsätzlichen Beiträge von Ritter und Dieter Langewiesche.

91 Vgl. etwa den ergebnisreichen 16. Band des Archivs für Sozialgeschichte (1976) mit Beiträgen von Klaus Tenfelde, Lutz Niethammer, Dieter Langewiesche, Klaus Schönhoven, Jürgen Reulecke, Alfons Labisch und Eckehart Lorenz.

92 Edward P. Thompson, Plebeische Kultur und moralische Ökonomie, Aufsätze zur englischen Sozialgeschichte des 18. und 19. Jahrhunderts, Frankfurt/Berlin/Wien 1980.

93 Habermas, Strukturwandel der Öffentlichkeit, 2. Aufl., Neuwied 1965.

Bibliographie

Adler, Georg: Die Geschichte der ersten sozialpolitischen Arbeiterbewegung in Deutschland, mit besonderer Rücksicht auf die einwirkenden Theorien. Ein Beitrag zur Entwicklungsgeschichte der sozialen Frage. Breslau: E. Trewendt, 1885.

Adorno, Theodor W.: Thesen zur Kunstsoziologie. In: Adorno, Ohne Leitbild. Parva Aesthetica. Frankfurt a. M.: Suhrkamp, 1967, S. 94–103.

Althusser, Louis: Ideologie und ideologische Staatsapparate. Aufsätze zur marxistischen Theorie. Positionen. Hamburg, West-Berlin: Verlag für das Studium der Arbeiterbewegung, 1977.

Anschütz, Gerhard: Die Verfassungs-Urkunde für den preußischen Staat. Vom 31.1. 1850. Ein Kommentar für Wissenschaft und Praxis. 1. Teil. Einleitung: Vom Staatsgebiete und von den Rechten der Preußen. Berlin: O. Haering, 1912.

Apel, Karl Otto: Transformation der Philosophie. Bd. 2: Das Apriori der Kommunikationsgemeinschaft. Frankfurt a. M.: Suhrkamp, 1976.

Arbeiterkultur. Überarbeitete deutsche Ausgabe des Heftes „Workers' Culture" des „Journal of Contemporary History", Bd. 13, Nr. 2, April 1978. Hrsg. von Gerhard Albert Ritter. Königstein/Ts.: Verlagsgruppe Athenäum, Hain, Scriptor, Hanstein, 1979.

Archiv für Sozialgeschichte, 16. Band, 1976. Mit Beiträgen von Klaus Tenfelde et alii. Bonn, Bad Godesberg: Verlag Neue Gesellschaft, 1976.

Auerbach, Berthold: Gesammelte Schriften. 20 Bde. Stuttgart, Augsburg: J. G. Cotta'scher Verlag, 1864.

Auerbach, Berthold: Goethe und die Erzählungskunst. Vortrag, zum Besten des Goethe-Denkmals gehalten in der Sing-Akademie zu Berlin. Stuttgart: J. G. Cotta'scher Verlag, 1861.

Auerbach, Erich: Mimesis. Dargestellte Wirklichkeit in der abendländischen Literatur. 3. Auflage. Bern, München: Francke, 1964.

Auras, R./Gnerlich, G.: Deutsches Lesebuch. Zweite, vermehrte und verbesserte Auflage. Teil 2. Breslau: Ferdinand-Hirts, 1858.

Aus den Anfängen der sozialistischen Dramatik. Textausgaben zur frühen sozialistischen Literatur in Deutschland. Hrsg. von Ursula Münchow. Bd. 1. Berlin: Akademie-Verlag, 1964.

Balibar, Étienne/Macherey, Pierre: Présentation. In: Balibar, avec la collaboration de Geneviève Merlin et Gilles Tret, Les Français Fictifs. Le rapport des styles littéraires au français national. Paris. Hachette, 1974 (Collection Analyse. Série Langue et Littérature).

Balibar, Renée/Laporte, Dominique: Le Français National. Politique et pratiques de la langue nationale sous la Révolution française. Présentation de Étienne

Balibar et Pierre Macherey. Paris: Hachette, 1974 (Collection Analyse. Série Langue et Littérature).

Balser, Frolinde: Die Anfänge der Erwachsenenbildung in Deutschland in der ersten Hälfte des 19. Jahrhunderts. Eine kultursoziologische Deutung. Stuttgart: E. Klett, 1959.

Balser, Frolinde: Social-Demokratie 1848/49–1863. Die erste deutsche Arbeiterorganisation „Allgemeine Arbeiterverbrüderung" nach der Revolution. Quellen. Stuttgart: E. Klett, 1962 (Schriftenreihe des Arbeitskreises für moderne Sozialgeschichte, Bd. 2).

Barth, Dieter: Zeitschriften für alle. Das Familienblatt im 19. Jahrhundert: ein sozialhistorischer Beitrag zur Massenpresse in Deutschland. Münster: Arbeiten aus dem Institut für Publizistik der Universität Münster, Bd. 10, 1974.

Baumgarten, Hermann: Der deutsche Liberalismus. Eine Selbstkritik. In: Preußische Jahrbücher 18 (1866), S. 455–516, 575–628.

Baumgarten, Hermann: Der deutsche Liberalismus. Eine Selbstkritik. Hrsg. von Adolf M. Birke. Frankfurt a. M., Berlin, Wien: Ullstein, 1974.

Baur, Uwe: Dorfgeschichte. Zur Entstehung und gesellschaftlichen Funktion einer literarischen Gattung im Vormärz. München: W. Fink, 1978.

Bebel, August: Aus meinem Leben. Teil 1. Frankfurt a. M.: Europäische Verlagsanstalt, 1964.

Becker, Eva D.: Das Literaturgespräch zwischen 1848 und 1870 in Robert Prutz' Zeitschrift „Deutsches Museum". In: Publizistik 12 (1967), S. 14–36.

Beier, Gerhard: Arbeiterbildung als Prinzip der Arbeiterbewegung. In: Beiträge zur Kulturgeschichte der deutschen Arbeiterbewegung 1848–1918. Hrsg. von Peter von Rüden. Frankfurt a. M., Wien, Zürich: Büchergilde Gutenberg, 1979, S. 45–67.

Benjamin, Walter: Gesammelte Schriften. Hrsg. von Rolf Tiedemann und Hermann Schweppenhäuser unter Mitwirkung von Theodor W. Adorno und Gershom Scholem. 5 Bde. Frankfurt a. M.: Suhrkamp, 1977.

Bennett, Tony: Formalism and Marxism. London: Methuen, 1979.

Bennett, Tony: Texts, Readers, Reading Formations. In: The Bulletin of the Midwest Modern Language Association, 16 (1983), H. 1, S. 3–17.

Berg, Christa: Die Okkupation der Schule. Eine Studie zur Aufhellung gegenwärtiger Schulprobleme an der Volksschule Preußens (1872–1900). Heidelberg: Quelle & Meyer, 1973.

Berman, Russell A.: Between Fontane and Tucholsky, Literary Criticism and the Public Sphere in Imperial Germany. New York, Bern, Frankfurt a. M.: P. Lang, 1983 (New York University Ottendorfer Series, Neue Folge, Bd. 17).

Bildungspolitik in Preußen zur Zeit des Kaiserreichs. Hrsg. von Peter Baumgart. Stuttgart: Klett-Cotta, 1980 (Preußen in der Geschichte, Bd. 1).

Birke, Adolf M.: Einleitung zu: Hermann Baumgarten, Der deutsche Liberalismus. Frankfurt a. M., Berlin, Wien: 1974.

Birker, Karl: Die deutschen Arbeiterbildungsvereine 1840–1870. Mit einem Vorwort von Ernst Schraepler. Berlin: Colloquium Verlag, 1973 (Einzelveröffentl. der Historischen Kommission zu Berlin, Bd. 10).

Bluntschli, Johann Caspar: Allgemeines Staatsrecht. 5. Auflage. 2 Bde. Stuttgart: J. G. Cotta, 1876.

Böhme, Helmut: Deutschlands Weg zur Großmacht. Studien zum Verhältnis von Wirtschaft und Staat während der Reichsgründungszeit 1848–1881. Köln, Berlin: Kiepenheuer & Witsch, 1966.

Böhme, Helmut: Prolegomena zu einer Sozial- und Wirtschaftsgeschichte Deutschlands im 19. und 20. Jahrhundert. 4. Auflage. Frankfurt a. M.: Suhrkamp, 1972.

Börne, Ludwig: Kritische Schriften. Ausgewählt, eingeleitet und erläutert von Edgar Schumacher. Zürich und Stuttgart: Artemis, 1964 (Klassiker der Kritik. Hrsg. von Emil Staiger).

Born, Stephan: Erinnerungen eines Achtundvierzigers. Hrsg. und eingeleitet von Hans J. Schütz. Berlin, Bonn: Dietz, 1978.

Brahm, Otto: Gottfried Keller (1833). In: Theodor Fontane, Aufsätze zur Literatur. Hrsg. von Kurt Schreinert. München: Nymphenburger Verlagshandlung, 1963, S. 262–271.

Brahm, Otto: Kritiken und Essays. Ausgewählt, eingeleitet und erläutert von Fritz Martini. Zürich, Stuttgart: Artemis, 1964.

Brandenburg, Alois Günter: Theoriebildungsprozesse in der deutschen Arbeiterbewegung 1835–1850. Hannover: SAOK, 1977.

Braun, Rudolf (u. a.): Gesellschaft in der industriellen Revolution. Köln: Kiepenheuer & Witsch, 1973 (Neue Wissenschaftliche Bibliothek 56, Geschichte).

Brauneck, Manfred: Literatur und Öffentlichkeit im ausgehenden 19. Jahrhundert. Studien zur Rezeption des naturalistischen Theaters in Deutschland. Stuttgart: J. B. Metzlersche Verlagsbuchhandlung, 1974.

Brecht, Bertolt: Primat des Apparates. In: Schriften zum Theater. 1918–1933. Redaktion: Werner Hecht. Bd. 1. Frankfurt a. M.: Suhrkamp, 1963, S. 100–192.

Bromme, Moritz Theodor William: Lebensgeschichte eines modernen Fabrikarbeiters. Hrsg. von Bernd Neumann. Frankfurt a. M.: Athenäum, 1971 (Nachdruck der Ausgabe von 1905). (Athenäum Paperbacks Germanistik, Bd. 4).

Bucher, Max: Voraussetzungen der realistischen Literaturkritik. In: Realismus und Gründerzeit, Bd. 1, S. 32–47.

Bünger, Ferdinand: Entwicklungsgeschichte des Volksschullesebuches. Leipzig: Dürr'sche Buchhandlung, 1898.

Bürger, Christa: Die Dichotomie von „höherer" und „volkstümlicher" Bildung. In: Germanistik und Deutschunterricht. Hrsg. von Rudolf Schäfer. München: Wilhelm Fink, 1979, S. 74–102.

Bürger, Christa: Der Ursprung der bürgerlichen Institution Kunst im höfischen Weimar. Literatursoziologische Untersuchungen zum klassischen Goethe. Frankfurt a. M.: Suhrkamp, 1977.

Bürger, Peter: Institution Kunst als literatursoziologische Kategorie. Skizze einer Theorie des historischen Wandels der gesellschaftlichen Funktion der Literatur. In: Bürger, Vermittlung – Rezeption – Funktion. Ästhetische Theorie und Methodologie der Literaturwissenschaft. Frankfurt a. M.: Suhrkamp, 1979, S. 173–199 (Suhrkamp, Taschenbuch Wissenschaft, Bd. 288).

Bürger, Peter: Theorie der Avantgarde. Frankfurt a. M.: Suhrkamp, 1974.

Burkhardt, Ursula: Germanistik in Südwestdeutschland. Die Geschichte einer Wissenschaft des 19. Jahrhunderts an den Universitäten Tübingen, Heidelberg und Freiburg. Tübingen: J.C.B.Mohr, 1976 (Contubernium. Beiträge zur Geschichte der Eberhard-Karls-Universität Tübingen, Bd.14).

Carriere, Moriz: Lessing, Schiller, Goethe, Jean Paul. Vier Denkreden auf Deutsche Dichter. Gießen: J.Ricker'sche Buchhandlung, 1862.

Couzens Hoy, David: The Critical Circle. Literature, History, and Philosphical Hermeneutics. Berkeley, Los Angeles, London, 1978.

Culler, Jonathan D.: The Pursuit of Signs. Semiotics, Literature, Deconstruction. Ithaca: Cornell University Press, 1981.

Culler, Jonathan D.: Structuralist Poetics. Structuralism, Linguistics and the Study of Literature. Ithaca: Cornell University Press, 1975.

Dahrendorf, Ralf: Gesellschaft und Demokratie in Deutschland. München: R.Piper, 1965.

Danzel, Theodor Wilhelm: Gesammelte Aufsätze zur Literaturwissenschaft. Hrsg. von Hans Mayer. Stuttgart: Metzlersche Verlagsbuchhandlung, 1962.

Danzel, Theodor Wilhelm: Über die Behandlung der Geschichte der neueren Literatur. In: Deutsche Literaturkritik im 19.Jahrhundert. Von Heine bis Mehring. Hrsg. von Hans Mayer. Frankfurt a.M.: Goverts, 1976, S.317–327.

Deutsche Literaturkritik im 19.Jahrhundert. Von Heine bis Mehring. Frankfurt a.M.: Goverts, 1976.

Deutsche Presseverleger des 18. bis 20.Jahrhunderts. Hrsg. von Heinz-Dietrich Fischer. Pullach bei München: Verlag Dokumentation, 1975 (Publizistik-Historische Beiträge, Bd.4).

Diesterweg, Adolf: Schriften und Reden. Hrsg. von Heinrich Deiters. Bd.1: Schriften. Berlin, Leipzig: Volk und Wissen, 1950.

Der junge Dilthey. Ein Lebensbild in Briefen und Tagebüchern 1852–1870. Zusammengestellt von Clara Misch, geb. Dilthey. Mit einem Jugendbild. Leipzig und Berlin: B.G.Teubner, 1933.

Dilthey, Wilhelm: Gesammelte Schriften. Ab Bd.18 hrsg. von Ulrich Herrmann. 19 Bde. Leipzig, Berlin: B.G.Teubner, und Göttingen: Vandenhoeck & Ruprecht, 1914–82.

Dilthey, Wilhelm: Das Erlebnis und die Dichtung: Lessing, Goethe, Novalis, Hölderlin. 9.Auflage, mit einem Titelbild. Leipzig: B.G.Teubner, 1924.

Dilthey, Wilhelm: Novalis. In: Preußische Jahrbücher 15 (1865), S.596–650.

Dilthey, Wilhelm: Über Gotthold Ephraim Lessing. In: Preußische Jahrbücher 19 (1867), S.117–161.

Droz, Jacques: Liberale Anschauungen zur Wahlrechtsfrage und das preußische Dreiklassenwahlrecht. In: Moderne deutsche Verfassungsgeschichte, S.195–214.

Eibl, Karl: Kritisch-rationale Literaturwissenschaft. Grundlagen zur erklärenden Literaturgeschichte. München: Fink, 1976 (Uni-Taschenbücher 583).

Einführung in die deutsche Litteratur, vermittelt durch Erläuterungen von Musterstücken aus den Werken der vorzüglichsten Schriftsteller. Für den Schul- und Selbstunterricht. Zugleich als Kommentar zu dem Lesebuche für Bürgerschulen von denselben Herausgebern und zu der Auswahl charakteristischer Dichtungen und Prosastücke von A.Lüben. 10., vermehrte und verbesserte Auflage von H.Huth. Hrsg. von August Lüben und Carl Nacke. Leipzig: F.Brandstetter, 1892–96.

Eisele, Ulf: Realismus und Ideologie. Zur Kritik der literarischen Theorie nach 1848 am Beispiel des „Deutschen Museums". Stuttgart: J.B. Metzlersche Verlagsbuchhandlung, 1976.

Emig, Brigitte: Die Veredelung des Arbeiters. Sozialdemokratie als Kulturbewegung. Frankfurt a.M., New York: Campus, 1980.

Engelsing, Rolf: Analphabetentum und Lektüre. Zur Sozialgeschichte des Lesens in Deutschland zwischen feudaler und industrieller Gesellschaft. Mit 12 Abbildungen. Stuttgart: J.B. Metzlersche Verlagsbuchhandlung, 1973.

Engelsing, Rolf: Die Perioden der Lesergeschichte in der Neuzeit. In: Engelsing, Zur Sozialgeschichte deutscher Mittel- und Unterschichten. Göttingen: Vandenhoeck & Ruprecht, 1973 (Kritische Studien zur Geschichtswissenschaft, Bd. 4), S. 112–154.

Fesser, Gerd: Linksliberalismus und Arbeiterbewegung. Die Stellung der Deutschen Fortschrittspartei zur Arbeiterbewegung 1861–1866. Berlin: Akademie-Verlag, 1976 (Schriften des Zentralinstituts für Geschichte, Bd. 48).

Fischer-Frauendienst, Irene: Bismarcks Pressepolitik. Studien zur Publizistik. Münster: C.J. Fahle, 1963 (Bremer Reihe Deutsche Presseforschung, Bd. 4).

Fish, Stanley Eugene: Is There a Text in This Class? The Authority of Interpretive Communities. Cambridge, London: Harvard University Press, 1980.

Flitner, Andreas: Die politische Erziehung in Deutschland. Geschichte und Probleme 1750–1880. Tübingen: Niemeyer, 1957.

Frantz, Konstantin: Die Religion des Nationalliberalismus. Aalen: Scientia, 1970 (Neudruck der Ausgabe Leipzig, 1872).

Freytag, Gustav: Vermischte Aufsätze aus Jahren 1848 bis 1894. Hrsg. von Ernst Elster, 2 Bde. Leipzig: S. Hirzel, 1901–1903.

Frühproletarische Literatur. Die Flugschriften der deutschen Handwerksgesellenvereine in Paris 1832–1839. Hrsg. von Hans-Joachim Ruckhäberle. Kronberg/Ts.: Scriptor, 1977.

50 Jahre Ullstein. 1877–1927. Berlin: Ullstein 1927.

Fullerton, Ronald A.: The development of the german book markets, 1815–1888. Wisconsin-Madison: University Microfilms Intern. 1975 (Diss., The University of Wisconsin-Madison, 1975).

Gadamer, Hans-Georg: Wahrheit und Methode. Grundzüge einer philosphischen Hermeneutik. 2. Auflage, durch einen Nachtrag erweitert. Tübingen: J.C.B. Mohr, 1965.

Gall, Lothar: Bismarck und der Bonapartismus. In: Historische Zeitschrift 223 (1976), S. 618–637.

Gall, Lothar: Liberalismus und „bürgerliche Gesellschaft". Zu Charakter und Entwicklung der liberalen Bewegung in Deutschland. In: Liberalismus. Hrsg. von L. Gall. Köln: Kiepenheuer & Witsch, 1976 (Neue Wissenschaftliche Bibliothek 85, Geschichte), S. 162–186.

Gall, Lothar: Das Problem der parlamentarischen Opposition im deutschen Frühliberalismus. In: Deutsche Parteien vor 1918. Hrsg. von Gerhard A. Ritter. Köln: Kiepenheuer & Witsch, 1973 (Neue Wissenschaftliche Bibliothek 61, Geschichte), S. 192–207.

Geiger, Theodor: Die soziale Schichtung des deutschen Volkes. Soziographischer Versuch auf statistischer Grundlage. Stuttgart: F. Enke, 1932.

Gervinus, Georg Gottfried: Einleitung in die Geschichte des neunzehnten Jahrhunderts. Leipzig: W. Engelmann, 1853.

Gervinus, Georg Gottfried: Geschichte der Deutschen Dichtung. 4., gänzlich umgearbeitete und verbesserte Ausgabe. 5 Bde. Leipzig: W. Engelmann, 1853.

Gervinus, Georg Gottfried: Grundzüge der Historik. Leipzig: W. Engelmann, 1837.

Gervinus, Georg Gottfried: Selbstanzeige der Geschichte der deutschen National-Literatur. In: Gervinus, Gesammelte kleine historische Schriften. Karlsruhe: F. W. Hasper, 1838, S. 573–592.

Geschichte der deutschen Literatur. Von den Anfängen bis zur Gegenwart. Bd. 8, Teil 1: Von 1830 bis zum Ausgang des 19. Jahrhunderts. Hrsg. von Kurt Böttcher. Berlin: Volk und Wissen, 1975.

Die Gesetzgebung auf dem Gebiete des Unterrichtswesens in Preußen. Vom Jahre 1817 bis 1868. Aktenstücke mit Erläuterungen aus dem Ministerium der geistlichen Unterrichts- und Medizinal-Angelegenheiten. Hrsg. von A. W. Friedrich Stiehl. Berlin: Herzt, 1869.

Giese, Gerhardt: Quellen zur deutschen Schulgeschichte seit 1800. Göttingen, Berlin, Frankfurt a. M.: Musterschmidt, 1961 (Quellensammlung zur Kulturgeschichte, Bd. 15).

Gneist, Heinrich Rudolf von: Die confessionelle Schule. Ihre Unzulässigkeit nach Preußischen Landesgesetzen und die Nothwendigkeit eines Verwaltungsgerichtshofes. Berlin: Springer, 1869.

Göhre, Paul: Drei Monate Fabrikarbeiter und Handwerksbursche. Eine praktische Studie. Leipzig: F. W. Grunow, 1891.

Goethe, Johann Wolfgang von: Deutsche Sprache. In: Goethes Werke. Hrsg. im Auftrage der Großherzogin Sophie von Sachsen. Bd. 41, Erste Abteilung. Weimar: H. Böhlaus, 1902, S. 109–117.

Goethe, Johann Wolfgang von: Literarischer Sansculottismus. In: Goethes Werke. Hamburger Ausgabe. Band 12: Schriften zur Kunst, Schriften zur Literatur, Maximen und Reflexionen. München: C. B. Beck, 1981 S. 239–244.

Goethe im Urteil seiner Kritiker. Dokumente zur Wirkungsgeschichte Goethes in Deutschland. Teil 2: 1832–1870. Hrsg., eingeleitet und kommentiert von Karl Robert Mandelkow. München: C. H. Beck, 1977 (Wirkung der Literatur. Deutsche Autoren im Urteil ihrer Kritiker, Bd. 5).

Götze, Karl-Heinz: Die Entstehung der deutschen Literaturwissenschaft als Literaturgeschichte. In: Germanistik und deutsche Nation, 1806–1848. Zur Konstitution bürgerlichen Bewußtseins. Hrsg. von J. J. Müller. Stuttgart: Metzlersche Verlagsbuchhandlung, 1974, S. 167–226.

Gollwitzer, H.: Der Cäsarismus Napoleons III. im Widerhall der öffentlichen Meinung Deutschlands. In: Historische Zeitschrift 173 (1952), S. 23–75.

Goltzsch, E. T.: Pommersche Schul- und Hausbuch. 2. Auflage. Stettin: v. d. Nahmer, 1857.

Gottschall, Rudolph: Die deutsche Nationalliteratur in der ersten Hälfte des neunzehnten Jahrhunderts. 2., vermehrte und verbesserte Auflage. 3 Bde. Breslau: E. Trewendt, 1861.

Gottschall, Rudolph: Karl Gutzkow's „Zauberer von Rom". In: Blätter für literarische Unterhaltung (1858), H. 51, S. 925–933.

Gramsci, Antonio: Philosophie der Praxis. Eine Auswahl. Hrsg. Christian Riechers. Frankfurt am Main: S. Fischer, 1967.

Grimm, Herman Friedrich: Essays. Hannover: Rümpler, 1859.

Grimm, Herman: Goethe. Vorlesungen gehalten in der Kgl. Universität zu Berlin. 2 Bde. Berlin: W. Herzt, 1877.

Grimm, Herman: Rezension von Diltheys „Das Leben Schleiermachers". In: Grenzboten 29 (1870), 2. Semester, Bd. 1, S. 1–3.

Grimm, Jacob: Rede auf Schiller (1859). In: Schiller – Zeitgenosse aller Epochen. Dokumente zur Wirkungsgeschichte Schillers in Deutschland. Teil I: 1782–1859. Hrsg., eingeleitet und kommentiert von Norbert Oellers. Frankfurt a. M.: Athenäum Verlag, 1970 (Wirkung der Literatur. Deutsche Autoren im Urteil ihrer Kritiker. Bd. 2: Schiller, Teil I), S. 439–456.

Die Klassik-Legende. Second Wisconsin Workshop. Hrsg. von Reinhold Grimm und Jost Hermand. Frankfurt a. M.: Athenäum, 1971.

Groeben, Norbert: Rezeptionsforschung als empirische Literaturwissenschaft. Paradigma – durch Methodendiskussion an Untersuchungsbeispielen. Tübingen: Gunter Narr, 1980 (Empirische Literaturwissenschaft, Bd. 1).

Groh, Dieter: Negative Integration und revolutionärer Attentismus. Die deutsche Sozialdemokratie am Vorabend des Ersten Weltkrieges. Frankfurt a. M., Berlin, Wien: Ullstein, 1973.

Groß, Eberhard: Erziehung und Gesellschaft im Werk Adolph Diesterwegs. Die Antwort der Schule auf die soziale Frage. Weinheim/Bergstraße: J. Beltz, 1966.

Gugel, Michael: Industrieller Aufstieg und bürgerliche Herrschaft. Sozialökonomische Interessen und politische Ziele des liberalen Bürgertums in Preußen zur Zeit des Verfassungskonflikts 1857–1867. Köln: Pahl-Rugenstein, 1975 (Sammlung Junge Wissenschaft).

Habermas, Jürgen: Kultur und Kritik. Verstreute Aufsätze. Frankfurt a. M.: Suhrkamp, 1973.

Habermas, Jürgen: Strukturwandel der Öffentlichkeit. Untersuchungen zu einer Kategorie der bürgerlichen Gesellschaft. 2., durchgesehene Auflage. Neuwied a. Rh.: Luchterhand, 1965.

Habermas, Jürgen: Theorie des kommunikativen Handelns. 2 Bde. Frankfurt a. M.: Suhrkamp, 1981.

Hamann, Richard/Hermand, Jost: Deutsche Kunst und Kultur von der Gründerzeit bis zum Expressionismus. Bd. 1: Gründerzeit. Berlin: Akademie-Verlag, 1965.

Die Hamburger Schillerfeier. Ein deutsches Volksfest. Zur Erinnerung an den 11., 12. und 13. November, 1859. Hamburg: F. F. Richter, 1859.

Hamerow, Theodore S.: Die Wahlen zum Frankfurter Parlament. In: Moderne deutsche Verfassungsgeschichte, S. 215–236.

Harich, Wolfgang: Einleitung zu: Rudolf Haym, Herder. Berlin: Aufbau Verlag, 1954.

Harkort, Friedrich: Schriften und Reden zur Volksschule und Volksbildung. Hrsg. von Karl-Ernst Jeismann. Paderborn: Ferdinand Schöningh, 1969.

Hauser, Arnold: Sozialgeschichte der Kunst und Literatur. Bd. 2. München: C. H. Beck, 1953.

Haym, Rudolf: Gesammelte Aufsätze von Rudolf Haym. Hrsg. von Wilhelm Schrader. Berlin: Weidmannsche Buchhandlung, 1903.

Haym, Rudolf: Hegel und seine Zeit. Vorlesungen über Entstehung und Entwicklung, Wesen und Werth der Hegel'schen Philosophie. Berlin: R.Gaertner, 1857.

Haym, Rudolf: Die romantische Schule. Ein Beitrag zur Geschichte des deutschen Geistes. Berlin: R.Gaertner, 1870.

Hays, Michael: The Public and Performance. Essays in the History of French and German Theatre, 1871–1900. Ann Arbor: UMI Research Press, 1981, 1974 (Theatre and Dramatic Studies, No.6).

Hays, Michael: Theatre and Mass Culture: The Case of the Director. In: New German Critique 29 (1983), S. 133–146.

Hehn, Viktor: Gedanken über Goethe. Zweite, verbesserte Auflage. 2 Bde. Berlin: Gebr. Borntraeger, 1888.

Hehn, Viktor: Ueber Goethes Hermann und Dorothea. Aus dessen Nachlaß hrsg. von Albert Leitzmann und Theodor Schiemann. Stuttgart: J.G.Cotta'sche Buchhandlung Nachf., 1893.

Heine, Heinrich: Sämtliche Schriften. Hrsg. von Klaus Briegleb. Bd. 3, hrsg. von Karl Pörnbacher. München: Hanser, 1968–1975.

Heinisch, G. Fr./Ludwig, J. L.: Die Sprache der Prosa, Poesie und Beredsamkeit, theoretisch erläutert und mit vielen Beispielen aus den Schriften der besten deutschen Klassiker versehen. Ein Sprach- und Lesebuch für höhere Lehranstalten und Familien. Bamberg: Buchner'sche Buchhandlung, 1852.

Helmers, Hermann: Geschichte des deutschen Lesebuchs in Grundzügen. Stuttgart: E.Klett, 1970.

Henning, Hansjoachim: Das westdeutsche Bürgertum in der Epoche der Hochindustrialisierung 1860–1914. Soziales Verhalten und soziale Strukturen. Wiesbaden: F.Steiner, 1972 (Kommission der Akademie der Literatur, Bd.4).

Hermand, Jost: Synthetisches Interpretieren. Zur Methodik der Literaturwissenschaft. München: Nymphenburger Verlagshandlung, 1968.

Herrlitz, Hans Georg: Der Lektüre-Kanon des Deutsch-Unterrichts im Gymnasium. Ein Beitrag zur Geschichte der muttersprachlichen Schulliteratur. Heidelberg: Quelle und Meyer, 1964.

Herwegh, Georg: Über Literatur und Gesellschaft (1837–1841). Bearbeitet und eingeleitet von Agnes Ziegengeist. Berlin: Akademie-Verlag, 1971.

Hettner, Hermann: Geschichte der deutschen Literatur im 18.Jahrhundert. 3 Bde. Braunschweig: F.Vieweg, 1864–1872.

Hettner, Hermann: Geschichte der deutschen Literatur im 18.Jahrhundert. Hrsg. von Georg Witkowski. Leipzig: P.List, 1928.

Hettner, Hermann: Goethe's Iphigenie in ihrem Verhältnis zur Bildungsgeschichte des Dichters. In: Hettner, Kleine Schriften. Nach dessen Tode herausgegeben von Anna Hettner. Braunschweig: Friedrich Vieweg und Sohn, 1884, S.452–474.

Hettner, Hermann: Die romantische Schule in ihrem inneren Zusammenhange mit Goethe und Schiller. In: Hettner, Schriften zur Literatur. Hrsg. von Jürgen Jahn. Berlin: Aufbau, 1959, S.53–165.

Heydorn, Heinz-Joachim: Einleitung zum Neudruck von: Archiv Deutscher

Nationalbildung. Hrsg. von Reinhold Bernh. Jachmann und Franz Passow. Frankfurt a. M.: Sauer & Auvermann, 1969 (Paedagogica. Kritisch eingeleitete unveränderte Neudrucke historischer pädagogischer Werke mit pragmatischer Bibliographie. Hrsg. von H. J. Heydorn und G. Koneffke).

Hiecke, Robert Heinrich: Der deutsche Unterricht auf deutschen Gymnasien. Ein pädagogischer Versuch. Leipzig: Eduard Eisenach, 1842.

Hillebrand, Karl: G. G. Gervinus. In: Preußische Jahrbücher 32 (1873), S. 379–428.

Der Hochverratsprozeß gegen Gervinus. Hrsg. von Walter Boehlich. Frankfurt a. M.: Insel, 1967.

Das höhere Schulwesen in Preussen. Historisch-statistische Darstellung, im Auftrage des Ministers der geistlichen, Unterrichts- und Medicinal-Angelegenheiten hrsg. von Ludwig Adolf Wiese. Berlin: Wiegandt und Grieben, 1864.

Hölscher, Lucian: Die Zukunftsstaatsdebatte im 2. Deutschen Kaiserreich. Bielefeld: Unveröffentlichtes Arbeitspapier, 1981.

Hohendahl, Peter Uwe: Literaturkritik und Öffentlichkeit. München: R. Piper, 1974.

Hohendahl, Peter Uwe: Reform als Utopie. Die preußische Bildungspolitik 1809–1817. In: Utopieforschung. Interdisziplinäre Studien zur neuzeitlichen Utopie. Hrsg. von Wilhelm Voßkamp. Bd. 3. Stuttgart: J. B. Metzlersche Verlagsbuchhandlung, 1982, S. 250–272.

Hohendahl, Peter Uwe: Talent oder Charakter: Die Börne-Heine-Fehde und ihre Nachgeschichte. In: Modern Language Notes 95 (1980), S. 609–626.

Hohendahl, Peter Uwe: Vom Nachmärz bis zur Reichsgründung. In: Geschichte der politischen Lyrik in Deutschland. Hrsg. von Walter Hinderer. Stuttgart: P. Reclam, 1978, S. 210–231.

Hohendahl, Peter Uwe: Von der Rothaut zum Edelmenschen. Karl Mays Amerikaromane. In: Amerika in der deutschen Literatur: Neue Welt – Nordamerika – USA. Hrsg. von Sigrid Bauschinger, Horst Denkler, Wilfried Malsch. Stuttgart: Reclam, 1975, S. 229–245.

Hohorst, Gerd/Kocka, Jürgen/Ritter, Gerhard A.: Sozialgeschichtliches Arbeitsbuch. Materialien zur Statistik des Kaiserreichs, 1870–1914. München: Beck, 1975.

Holek, Wenzel: Lebensgang eines deutsch-tschechischen Handarbeiters. Hrsg. von Paul Göhre. Jena: Eugen Diederichs, 1909.

Horkheimer, Max/Adorno, Theodor: Dialektik der Aufklärung. Philosophische Fragmente. Frankfurt a. M.: Fischer, 1969.

Huber, Ernst Rudolf: Deutsche Verfassungsgeschichte seit 1789. Bd. 3. Stuttgart: W. Kohlhammer, 1963.

Humboldt, Wilhelm Freiherr von: Werke. Hrsg. von Andreas Flitner und Klaus Giel. 5 Bde. Stuttgart: Cotta, 1960–81.

Iser, Wolfgang: Der Akt des Lesens. Theorie ästhetischer Wirkung. München: W. Fink, 1976 (Uni-Taschenbücher 636).

Iser, Wolfgang: Die Appellstruktur der Texte. Unbestimmtheit als Wirkungsbedingung literarischer Prosa. Konstanz: Druckerei und Verlagsanstalt Konstanz, Universitätsverlag, 1970 (Konstanzer Universitätsreden, Bd. 28).

Iser, Wolfgang: Der implizite Leser. Kommunikationsformen des Romans von

Bunyan bis Beckett. München: W. Fink, 1972 (Theorie und Geschichte der Literatur und der schönen Künste. Texte und Abhandlungen, Bd. 31).

Jäger, Georg: Der Deutschunterricht auf Gymnasien 1780 bis 1850. In: Deutsche Vierteljahresschrift für Literaturwissenschaft und Geistesgeschichte 47 (1973), S. 120–147.

Jäger, Georg: Der Realismus. In: Realismus und Gründerzeit, Bd. 1, S. 3–31.

Jäger, Georg: Schule und literarische Kultur. Bd. 1: Sozialgeschichte des deutschen Unterrichts an höheren Schulen von der Spätaufklärung bis zum Vormärz. Stuttgart: Metzler, 1981.

Jäger, Georg/Martino, Alberto/Wittmann, Reinhard: Die Leihbibliothek der Goethe-Zeit. Exemplarische Kataloge zwischen 1790 und 1830. Hildesheim: Gerstenberg, 1979 (Texte zum Literarischen Leben um 1800, Bd. 6).

Jäger, Wolfgang: Öffentlichkeit und Parlamentarismus. Eine Kritik an Jürgen Habermas. Stuttgart, Berlin, Köln, Mainz: Kohlhammer, 1973 (Kohlhammer Urban-Taschenbücher, Reihe 80, Bd. 837).

Jauß, Hans Robert: Ästhetische Erfahrung und literarische Hermeneutik. Bd. 1: Versuche im Feld der ästhetischen Erfahrung. München: W. Fink, 1977 (Uni-Taschenbücher 692).

Jauß, Hans Robert: Literaturgeschichte als Provokation der Literaturwissenschaft. In: Jauß, Literaturgeschichte als Provokation. Frankfurt a. M.: Suhrkamp, 1970, S. 144–207.

Jean Paul im Urteil seiner Kritiker. Dokumente zur Wirkungsgeschichte Jean Pauls in Deutschland. Hrsg. von Peter Sprengel. München: Beck, 1980 (Wirkung der Literatur. Deutsche Autoren im Urteil ihrer Kritiker, Bd. 6).

Jeismann, Karl-Ernst: Das preußische Gymnasium in Staat und Gesellschaft. Die Entstehung des Gymnasiums als Schule des Staates und der Gebildeten, 1787–1817. Stuttgart: E. Klett, 1974 (Industrielle Welt. Schriftenreihe des Arbeitskreises für moderne Sozialgeschichte, Bd. 15).

Jeismann, Karl-Ernst: Die „Stiehlschen Regulative". In: Dauer und Wandel der Geschichte. Aspekte europäischer Vergangenheit. Festgabe für Kurt von Raumer zum 15. Dezember 1965. Hrsg. von Rudolf Vierhaus und Manfred Botzenhart. Münster: Aschendorff, 1966 (Neue Münstersche Beiträge zur Geschichtsforschung, Bd. 9), S. 423–447.

Karbaum, Michael: Studien zur Geschichte der Bayreuther Festspiele (1876–1976). Regensburg: Gustav Bosse, 1976 („Neunzehntes Jahrhundert" Forschungsunternehmen der Fritz Thyssen Stiftung, Bd. 3).

Kehrein, Joseph: Deutsches Lesebuch für Gymnasien, Seminarien, Realschulen. Mit sachlichen und sprachlichen Erklärungen nebst vielfachen Andeutungen zu einem praktischen Unterricht in der deutschen Sprache. Vierte, vermehrte und verbesserte Auflage. Leipzig: Wigand, 1869.

Keller, Gottfried: Sämtliche Werke. Hrsg. von Jonas Fränkel und C. Helbling. Auf Grund des Nachlasses besorgte und mit einem wissenschaftlichen Anhang versehene Ausgabe. Bd. 21. Bern: Benteli, 1947.

Kienzle, Michael: Der Erfolgsroman. Zur Kritik seiner poetischen Ökonomie bei Gustav Freytag und Eugenie Marlitt. Stuttgart: J. B. Metzlersche Verlagsbuchhandlung, 1975.

Kienzle, Michael: Eugenie Marlitt: Reichsgräfin Gisela (1869). Zum Verhältnis zwischen Politik und Tagtraum. In: Romane und Erzählungen des Bürgerlichen Realismus. Neue Interpretationen. Hrsg. von Horst Denkler. Stuttgart: P. Reclam, 1980, S. 217–230.

Kinder, Hermann: Poesie als Synthese. Ausbreitung eines deutschen Realismus-Verständnisses in der Mitte des 19. Jahrhunderts. Frankfurt a. M.: Athenäum Verlag, 1973.

Kluge, Hermann: Geschichte der deutschen National-Litteratur. Zum Gebrauche an höheren Unterrichtsanstalten und zum Selbststudium. 18. Auflage. Altenburg: O. Bonde, 1887.

Knilli, Friedrich/Münchow, Ursula: Frühes deutsches Arbeitertheater 1847–1918. Eine Dokumentation mit 10 Abbildungen. München: Hanser, 1970.

Kocka, Jürgen: Management und Angestellte im Unternehmen der Industriellen Revolution. In: Gesellschaft in der industriellen Revolution. Hrsg. von Rudolf Braun, Wolfram Fischer, Helmut Großkreutz, Heinrich Volkmann. Köln: Kiepenheuer & Witsch, 1973, S. 162–201.

Kocka, Jürgen: Vorindustrielle Faktoren in der deutschen Industrialisierung. Industriebürokratie und „neuer Mittelstand". In: Das kaiserliche Deutschland. Politik und Gesellschaft 1870–1918. Hrsg. von Michael Stürmer. Mit Beiträgen von Josef Becker et alii. Düsseldorf: Droste Verlag, 1970, S. 265–286.

Köllmann, Wolfgang: Bevölkerung in der industriellen Revolution. Studien zur Bevölkerungsgeschichte Deutschlands. Göttingen: Vandenhoeck & Ruprecht, 1974 (Kritische Studien zur Geschichtswissenschaft, Bd. 12).

Köppen, Manuel/Steinlein, Rüdiger: Karl May: Der verlorene Sohn oder Der Fürst des Elends (1883–85). Soziale Phantasie zwischen Vertröstung und Rebellion. In: Romane und Erzählungen des bürgerlichen Realismus. Neue Interpretationen. Hrsg. von Horst Denkler. Stuttgart: Reclam, 1980, S. 274–292.

Köster, Udo: Literarischer Radikalismus. Zeitbewußtsein und Geschichtsphilosophie in der Entwicklung vom jungen Deutschland zur Hegelschen Linken. Frankfurt a. M.: Athenäum, 1972.

Kolping, Adolf: Ausgewählte pädagogische Schriften. Hrsg. von Hubert Göbels. Paderborn: Ferdinand Schöningh, 1954.

Korff, Kurt: Die „Berliner Illustrirte". In: 50 Jahre Ullstein. 1877–1927. Berlin: Ullstein, 1927, S. 279–302.

Koselleck, Reinhart: Kritik und Krise. Ein Beitrag zur Pathogenese der Bürgerlichen Welt. Freiburg, München: K. Alber, 1959.

Koselleck, Reinhart: Preußen zwischen Reform und Revolution. Allgemeines Landrecht, Verwaltung und soziale Bewegung von 1791 bis 1848. Stuttgart, E. Klett, 1967 (Industrielle Welt. Schriftenreihe des Arbeitskreises für moderne Sozialgeschichte, Bd. 7).

Koselleck, Reinhart: Staat und Gesellschaft in Preußen 1815–1848. In: Moderne deutsche Sozialgeschichte. Hrsg. von Hans-Ulrich Wehler. Köln, Berlin: Kiepenheuer & Witsch, 1966 (Neue Wissenschaftliche Bibliothek 10, Geschichte), S. 55–84.

Koszyk, Kurt: Deutsche Presse im 19. Jahrhundert. Geschichte der deutschen Presse. Teil 2. Berlin: Colloquium, 1966 (Abhandlungen und Materialien zur Publizistik, Bd. 6).

Kowalski, Werner: Vorgeschichte und Entstehung des Bundes der Gerechten. Mit einem Quellenanhang. Berlin: Rütten und Loening, 1962 (Schriftenreihe des Instituts für deutsche Geschichte an der Martin-Luther-Universität Halle, Bd. 1).

Kracauer, Siegfried: Die Angestellten. Aus dem neusten Deutschland. In: Kracauer, Schriften. Hrsg. von Karsten Witte. Bd. 1. Frankfurt a. M.: Suhrkamp, 1971, S. 205–304.

Krautkrämer, Ursula: Staat und Erziehung. Begründung öffentlicher Erziehung bei Humboldt, Kant, Fichte, Hegel und Schleiermacher. München: J. Berchmans, 1979 (Epimeleia – Beiträge zur Philosophie, Bd. 30).

Kreutzer, Hans Joachim: Nachwort zu: Robert Eduard Prutz, Geschichte des deutschen Journalismus. Teil 1. Göttingen: Vandenhoeck & Ruprecht, 1971 (Faksimiledruck nach der 1. Auflage von 1845. Deutsche Neudrucke. Reihe: Texte des 19. Jahrhunderts).

Kreuzer, Helmut: Zur Theorie des deutschen Realismus zwischen Märzrevolution und Naturalismus. In: Realismustheorien in Literatur, Malerei, Musik und Politik. Hrsg. von Reinhold Grimm, Jost Hermand. Stuttgart, Berlin, Köln, Mainz: Kohlhammer, 1975 (Kohlhammer Urban-Taschenbücher Reihe 80, Bd. 871), S. 48–67.

Kritik der Literaturkritik. Hrsg. von Olaf Schwencke. Stuttgart, Berlin, Köln, Mainz: Kohlhammer, 1973.

Kurz, Heinrich: Leitfaden zur Geschichte der deutschen Litteratur. 5. Auflage, nach des Verfassers Tode überarbeitet und erweitert von G. Emil Barthel. Leipzig: B. G. Teubner, 1878.

Laas, Ernst: Der Deutsche Unterricht auf höheren Lehranstalten. Zweite Auflage, besorgt von J. Imelmann. Berlin: Weidmannsche Buchhandlung, 1886.

Laermann, Klaus: Was ist literaturwissenschaftlicher Positivismus? In: Zur Kritik literaturwissenschaftlicher Methodologie. Hrsg. von Viktor Žmegač, Zdenko Škreb. Frankfurt a. M.: Athenäum Fischer Taschenbuch, 1973, S. 51–74.

Ladewig, Paul: Katechismus der Bücherei. Leipzig: Ernst Wiegandt, 1914.

Lagarde, Paul de: Deutsche Schriften. Gesammtausgabe letzter Hand. 4. Auflage. Göttingen: Lüder Horstmann, 1903.

Langewiesche, Dieter: Zur Freizeit des Arbeiters. Bildungsbestrebungen und Freizeitgestaltung österreichischer Arbeiter im Kaiserreich und in der Ersten Republik. Stuttgart: Klett, 1980 (Industrielle Welt. Schriftenreihe des Arbeitskreises für moderne Sozialgeschichte, Bd. 29).

Langewiesche, Dieter/Schönhoven, Klaus: Arbeiterbibliotheken und Arbeiterlektüre im Wilhelminischen Deutschland. In: Archiv für Sozialgeschichte. Herausgegeben von der Friedrich-Ebert-Stiftung in Verbindung mit dem Institut für Sozialgeschichte Braunschweig-Bonn. Bd. 16. Bonn-Bad Godesberg: Verlag Neue Gesellschaft, 1976, S. 135–204.

Lassalle, Ferdinand: Gesammelte Reden und Schriften. Hrsg. und eingeleitet von Eduard Bernstein. Bd. 2: Die Verfassungsreden, Das Arbeiterprogramm und die anschließenden Verteidigungsreden. Berlin: Paul Cassirer, 1919.

Laufenberg, Heinrich: Geschichte der Arbeiterbewegung in Hamburg, Altona und Umgebung. Bd. 1. Hamburg: Auer, 1911.

Lehmann, Rudolf: Deutsche Philologie und Literaturgeschichte. In: Das Unterrichtswesen im Deutschen Reich. Aus Anlaß der Weltausstellung in St. Louis unter Mitwirkung zahlreicher Fachmänner herausgegeben von Wilhelm Hector Lexis. Bd. 1: Die Universitäten im Deutschen Reich. Berlin: A. Asher, 1904, S. 179–184.

Die Leihbibliothek als Institution des literarischen Lebens im 18. und 19. Jahrhundert. Organisationsformen, Bestände, und Publikum. Hrsg. von Georg Jäger und Jörg Schönert. Hamburg: Dr. Ernst Hauswedell & Co., 1980 (Wolfenbütteler Schriften zur Geschichte des Buchwesens, Bd. 3).

Leitch, Vincent B.: Deconstructive Criticism. An Advanced Introduction. New York: Columbia University Press, 1983.

Lentricchia, Frank: After the New Criticism. Chicago: University of Chicago Press, 1980.

Leppert-Fögen, Annette: Die deklassierte Klasse. Studien zur Geschichte und Ideologie des Kleinbürgertums. Frankfurt a. M.: Fischer Taschenbuch, 1974.

Lerg, B. Winfried/Schmolke, Michael: Massenpresse und Volkszeitung. Zwei Beiträge zur Pressegeschichte des 19. Jahrhunderts. Assen: Van Gorcum u. Comp. N. V., 1968 (Institut für Publizistik der Westfälischen Wilhelms-Universität Münster).

Levin, Harry: Literature as an Institution. In: Literary Opinion in America. Essays Illustrating the Status, Methods, and Problems of Criticism in the United States in the Twentieth Century. Hrsg. von Morton Dauwen Zabel. 3., überarbeitete Auslage. Bd. 2. New York, Evanston: Harper and Row, 1962, S. 655–666.

Levin, Harry: The Tradition of Tradition. In: Levin, Contexts of Criticism. Cambridge: Harvard University Press, 1957 (Harvard Studies in Comparative Literature, Bd. 22), S. 55–66.

Der liberale Roman und der preußische Verfassungskonflikt. Analyseskizzen und Materialien. Hrsg. von Claus-Dieter Krohn und Bernd Peschken, unter Mitarbeit von Elke Neumann. Stuttgart: J. B. Metzlersche Verlagsbuchhandlung, 1976 (Literaturwissenschaft und Sozialwissenschaften, Bd. 7).

Liebknecht, Wilhelm: Kleine politische Schriften. Hrsg. von Wolfgang Schöder. Leipzig: Philipp Reclam, 1976.

Liebknecht, Wilhelm: Wissen ist Macht – Macht ist Wissen. Vortrag gehalten zum Stiftungsfest des Dresdener Arbeiterbildungs-Vereins am 5. Februar 1872 und zum Stiftungsfest des Leipziger Arbeiterbildungs-Vereins am 21. Februar, 1873. 2. Auflage. Leipzig: Genossenschaftsbuchdruckerei, 1875.

Link, Hannelore: Rezeptionsforschung. Eine Einführung in Methoden und Probleme. Stuttgart, Berlin, Köln, Mainz: W. Kohlhammer, 1976 (Urban Taschenbücher, Bd. 215).

Literaturgeschichte zwischen Revolution und Reaktion. Aus den Anfängen der Germanistik 1830–1870. Hrsg. von Bernd Hüppauf. Frankfurt a. M.: Athenäum, 1972.

Literaturkritik. Eine Textdokumentation zur Geschichte einer literarischen Gattung 1750–1975. Hrsg. von Alfred Estermann. Bd. 4: Literaturkritik 1848–1870. Bearbeitet von Peter Uwe Hohendahl. Liechtenstein: Topos, 1984.

Lüben, August/Nacke, Carl: Lesebuch für Bürgerschulen. 6. Teil. 14., verbesserte Auflage. Leipzig: Brandstetter, 1874.

Lukács, Georg: Balzac und der französische Realismus. Berlin: Aufbau-Verlag, 1952.

Lukács, Georg: Deutsche Realisten des 19. Jahrhunderts. Berlin: Aufbau-Verlag, 1952.

Lukács, Georg: Essays über Realismus. Berlin: Aufbau-Verlag, 1948.

Lundgreen, Peter: Die Eingliederung der Unterschichten in die bürgerliche Gesellschaft durch das Bildungswesen im 19. Jahrhundert. In: Internationales Archiv für Sozialgeschichte der deutschen Literatur. Hrsg. von Georg Jäger, Alberto Martino, Friedrich Sengle. Bd. 3. Tübingen: Niemeyer, 1978, S. 87–107.

Marggraff, Hermann: Die Kritik und „Soll und Haben". In: Blätter für literarische Unterhaltung (1855), H. 36.

Martini, Fritz: Deutsche Literatur im bürgerlichen Realismus, 1848–1898. 3., mit einem ergänzten Nachwort versehene Auflage. Stuttgart: Metzler 1974.

Martino, Alberto: Die deutsche Leihbibliothek und ihr Publikum. In: Literatur in der sozialen Bewegung. Aufsätze und Forschungsberichte zum 19. Jahrhundert. Hrsg. von Alberto Martino, in Verbindung mit Günter Häntzschel und Georg Jäger. Tübingen: Niemeyer, 1977, S. 1–26.

Martino, Alberto: Die ‚Leihbibliotheksfrage'. Zur Krise der deutschen Leihbibliotheken in der zweiten Hälfte des neunzehnten Jahrhunderts (mit Quellenauszügen). In: Die Leihbibliothek als Institution des literarischen Lebens, S. 89–164.

Marx, Karl: Der achtzehnte Brumaire des Louis Bonaparte. 5. Auflage. Berlin: Dietz, 1972.

Marx, Karl: Politische Schriften. Hrsg. von Hans-Joachim Lieber. 2 Bde. Stuttgart: Cotta, 1960 (Erschienen im Rahmen der Karl Marx-Ausgabe: Werke. Schriften. Briefe. Bd. III, 1 & 2).

Marx, Karl/Engels, Friedrich: Werke. 39 Bde., mit Ergänzungsband und Marx-Engels-Verzeichnis. Berlin: Dietz, 1958–1968 (Institut für Marxismus-Leninismus beim ZK der SED).

Masius, Hermann: Deutsches Lesebuch für höhere Unterrichts-Anstalten. 3. Theil: für obere Klassen. Halle: Buchhandlung des Waisenhauses, 1867.

Matthias, Adolf: Geschichte des deutschen Unterrichts. München: Beck, 1907.

Mayer, Gustav: Arbeiterbewegung und Obrigkeitsstaat. Hrsg. von Hans-Ulrich Wehler. Bonn-Bad Godesberg: Verlag Neue Gesellschaft, 1972 (Schriftenreihe des Forschungsinstituts der Friedrich-Ebert-Stiftung, Bd. 92).

Mayer, Hans: Lessing, Mitwelt und Nachwelt. In: Mayer, Von Lessing bis Thomas Mann. Wandlungen der bürgerlichen Literatur in Deutschland. Pfullingen: Neske, 1959, S. 79–109.

Medick, Hans: Naturzustand und Naturgeschichte der bürgerlichen Gesellschaft. Die Ursprünge der bürgerlichen Sozialtheorie als Geschichtsphilosophie und Sozialwissenschaft bei Samuel Pufendorf, John Locke und Adam Smith. Göttingen: Vandenhoeck & Ruprecht, 1973 (Kritische Studien zur Geschichtswissenschaft, Bd. 5).

Medicus: Kulturpolizei. In: Deutsches Staats-Wörterbuch. In Verbindung mit deutschen Gelehrten hrsg. von J. C. Bluntschli. Unter Mitredaktion von Karl Brater. Bd. 6. Stuttgart, Leipzig: Expedition des Staats-Wörterbuchs, 1861.

Mehner, H.: Der Haushalt und die Lebenshaltung einer Leipziger Arbeiterfamilie. In: Familie und Gesellschaftsstruktur. Materialien zu den sozioökonomischen Bedingungen von Familienformen. Hrsg. von Heidi Rosenbaum. Frankfurt a. M.: Fischer Taschenbuch, 1974, S. 309–331.

Mehring, Franz: Gesammelte Schriften. Hrsg. von Thomas Höhle, Hans Koch, Josef Schleifstein. 15 Bde. Berlin: Dietz, 1960–1967.

Mehring, Franz: Aufsätze zur deutschen Literaturgeschichte. Hrsg. von Hans Koch. Leipzig: Philipp Reclam, 1972.

Meinke, Herbert: Produktion, Distribution und Rezeption des deutschen Lieferungsromans nach der Reichsgründung 1870/71. Berlin: Magisterarbeit im germanischen Seminar der Freien Universität Berlin, 1979.

Menzel, Wolfgang: Die deutsche Literatur. 2., vermehrte Auflage. 4 Bde. Stuttgart: Hallberger'sche Verlagsbuchhandlung, 1836.

Methoden der deutschen Literaturwissenschaft. Eine Dokumentation. Hrsg. Viktor Žmegač. Frankfurt am Main: Athenäum, 1971.

Meyer, Folkert: Schule der Untertanen. Lehrer und Politik in Preußen 1848–1900. Hamburg: Hoffmann und Campe, 1976 (Reihe: Historische Perspektiven, Bd. 4).

Möller, Helmut: Die kleinbürgerliche Familie im 18. Jahrhundert. Verhalten und Gruppenkultur. Berlin: Walter de Gruyter & Co., 1969 (Schriften zur Volksforschung, Bd. 3).

Moderne deutsche Verfassungsgeschichte (1815–1918). Hrsg. von Ernst-Wolfgang Böckenförde unter Mitarbeit von Rainer Wahl. Köln: Kiepenheuer & Witsch, 1972 (Neue Wissenschaftliche Bibliothek 51, Geschichte).

Mosse, George L.: The Crisis of German Ideology. Intellecutal Origins of the Third Reich. New York: Grosset & Dunlap, 1964.

Müller, Detlef K.: Sozialstruktur und Schulsystem. Aspekte zum Strukturwandel des Schulwesens im 19. Jahrhundert. Göttingen: Vandenhoeck & Ruprecht, 1977 (Studien zum Wandel von Gesellschaft und Bildung im neunzehnten Jahrhundert, Bd. 7).

Naturalismus. Bürgerliche Dichtung und soziales Engagement. Hrsg. von Helmut Scheuer. Stuttgart, Berlin, Köln, Mainz: W. Kohlhammer, 1974.

Negt, Oskar/Kluge, Alexander: Öffentlichkeit und Erfahrung. Zur Organisationsanalyse von bürgerlicher und proletarischer Öffentlichkeit. Frankfurt a. M.: Suhrkamp, 1972.

Neumann, Hildegard: Der Bücherbesitz der Tübinger Bürger von 1750–1850. Ein Beitrag zur Bildungsgeschichte des Kleinbürgertums. Tübingen: (Diss.), 1955.

Neuschäfer, Hans-Jörg: Populärromane im 19. Jahrhundert. Von Dumas bis Zola. München: W. Fink, 1976 (Uni-Taschenbücher 524).

Nietzsche, Friedrich: Gesammelte Werke. Bd. 4: Beiträge, Schriften und Vorlesungen, 1871–1876. Hrsg. von Richard Oehler, Max Oehler und Friedrich Chr. Würzbach. München: Musarion, 1921.

Nietzsche, Friedrich Wilhelm: Werke. Hrsg. von Karl Schlechta. 3 Bde. München: C. Hanser, 1954–56.

Nipperdey, Thomas: Deutsche Geschichte 1800–1866. Bürgerwelt und starker Staat. München: Beck, 1983.

Oltrogge, Carl: Deutsches Lesebuch. Zweiter Cursus. 5., verbesserte Auflage. Hannover: Hahn, 1844.

Parsons, Talcott: The Social System. 5. Auflage. Glencoe: The Free Press of Glencoe, 1964.

Pepperle, Ingrid: Einleitung zu: Robert Eduard Prutz, Zu Theorie und Geschichte der Literatur. Bearbeitet und eingeleitet von I. Pepperle. Berlin: Akademie-Verlag, 1981 (Deutsche Bibliothek. Hrsg. im Auftrag des Zentralinstituts für Literaturgeschichte der Akademie der Wissenschaften der DDR von Hans-Günther Thalheim, Bd. 10).

Peschken, Bernd: Versuch einer germanistischen Ideologiekritik. Goethe, Lessing, Novalis, Tieck, Hölderlin, Heine in Wilhelm Diltheys und Julian Schmidts Vorstellungen. Stuttgart: J. B. Metzlersche Verlagsbuchhandlung, 1972.

Pforte, Dietger: Die deutsche Sozialdemokratie und die Naturalisten. In: Naturalismus. Bürgerliche Dichtung und soziales Engagement. Hrsg. von Helmut Scheuer. Stuttgart, Berlin, Köln, Mainz: W. Kohlhammer, 1974, S. 175–205.

Picht, Werner: Das Schicksal der Volksbildung in Deutschland. Braunschweig, Berlin, Hamburg: Westermann, 1950.

Planck, Karl Christian: Jean Paul's Dichtung im Lichte unserer nationalen Entwicklung. Ein Stück deutscher Kulturgeschichte. Berlin: G. Reimer, 1867.

Politik und Schule von der Französischen Revolution bis zur Gegenwart. Eine Quellensammlung zum Verhältnis von Gesellschaft, Schule und Staat im 19. und 20. Jahrhundert. Hrsg. von Berthold Michael und Heinz-Hermann Schepp. Bd. 1. Frankfurt a. M.: Athenäum Fischer Taschenbuchverlag, 1973.

Popp, Adelheid: Die Jugendgeschichte einer Arbeiterin. 4. Auflage. München: Ernst Reinhardt, 1930.

Preisendanz, Wolfgang: Voraussetzungen des poetischen Realismus in der deutschen Erzählkunst des 19. Jahrhunderts. In: Formkräfte der deutschen Dichtung vom Barock bis zur Gegenwart. Vorträge, gehalten im Deutschen Haus, Paris, 1961/62. Hrsg. von Hans Steffen. Göttingen: Vandenhoeck & Ruprecht, 1963 (Kleine Vandenhoeck-Reihe, Bd. 169), S. 187–210.

Prutz, Robert: Die deutsche Literatur der Gegenwart 1848–1858. Bd. 1. Leipzig: Voigt & Günther, 1859.

Prutz, Robert: Schriften zur Literatur und Politik. Ausgewählt und mit einer Einführung herausgegeben von Bernd Hüppauf. Tübingen: Niemeyer, 1973 (Deutsche Texte, Bd. 27).

Prutz, Robert: Vorlesungen über die deutsche Literatur der Gegenwart. Leipzig: G. Mayer, 1847.

Prutz, Robert: Zwischen Vaterland und Freiheit. Eine Werkauswahl. Hrsg. und kommentiert von Hartmut Kircher. Mit einem Geleitwort von Gustav W. Heinemann. Köln: Informationspresse C. W. Leske, 1975.

Rarisch, Ilsedore: Industrialisierung und Literatur. Buchproduktion, Verlagswesen und Buchhandel in Deutschland im 19. Jahrhundert in ihrem statistischen Zusammenhang. Mit einem Vorwort von Otto Büsch. Berlin: Colloquium, 1976.

Raumer, Karl von: Geschichte der Pädagogik. Vom Wiederaufblühen klassischer Studien bis auf unsere Zeit. 6. Auflage. 4 Bde. Gütersloh: C. Bertelsmann, 1897.

Realismus und Gründerzeit. Manifeste und Dokumente zur deutschen Literatur 1848–1880. Hrsg. von Max Bucher, Werner Hahl, Georg Jäger und Reinhard Wittmann. Bd. 1. Stuttgart: Metzlersche Verlagsbuchhandlung, 1976.

Ringer, Fritz K.: Higher Education in Germany in the Nineteenth Century. In: Journal of Contemporary History 2 (1967), H. 3, S. 123–138.

Rochau, August Ludwig von: Grundsätze der Realpolitik. Angewendet auf die staatlichen Zustände Deutschlands. Hrsg. und eingeleitet von Hans-Ulrich Wehler. Frankfurt a. M., Berlin, Wien: Ullstein, 1972.

Roeder, Peter-Martin: Zur Geschichte und Kritik des Lesebuchs der höheren Schule. Weinheim: Julius Beltz, 1961.

Romberg, Helga: Staat und Höhere Schule. Ein Beitrag zur deutschen Bildungsverfassung vom Anfang des 19. Jahrhunderts bis zum Ersten Weltkrieg. Weinheim, Basel: Beltz, 1979 (Studium und Dokumentationen zur deutschen Bildungsgeschichte, Bd. 11).

Rüden, Peter von: Sozialdemokratisches Arbeitertheater (1848–1914). Ein Beitrag zur Geschichte des politischen Theaters. Frankfurt a. M.: Athenäum, 1973.

Saalfeld, Diedrich: Materialien zur Beurteilung der Buchpreise und Leihgebühren im Rahmen der allgemeinen Preisentwicklung und der Lebenshaltungskosten des 19. Jahrhunderts. In: Die Leihbibliothek als Institution des literarischen Lebens, S. 63–88.

Schäffle, Albert: Bau und Leben des socialen Körpers. Bd. 1. Tübingen: H. Laupp'sche Buchhandlung, 1875.

Schenda, Rudolf: Volk ohne Buch. Studien zur Sozialgeschichte der populären Lesestoffe 1770–1910. München: dtv, 1977.

Scherer, Wilhelm: Geschichte der Deutschen Litteratur. Berlin: Weidmannsche Buchhandlung, 1883

Scherer, Wilhelm: H. Hettners Literaturgeschichte des 18. Jahrhunderts. In: Methoden der deutschen Literaturwissenschaft. Eine Dokumentation. Hrsg. von Viktor Žmegač. Frankfurt a. M.: Athenäum, 1971, S. 13–16.

Scherer, Wilhelm: Poetik. Berlin: Weidmannsche Buchhandlung, 1888.

Scherer, Wilhelm: Über den Ursprung der deutschen Nationalität. Vortrag gehalten im Rathaussaale zu Straßburg am 25. Februar 1873. In: Scherer, Vorträge und Aufsätze zur Geschichte des geistigen Lebens in Deutschland und Oesterreich. Berlin: Weidmannsche Buchhandlung, 1874, S. 1–20.

Scherer, Wilhelm: Zur Geschichte der deutschen Sprache. In: Methoden der deutschen Literaturwissenschaft. Eine Dokumentation. Hrsg. von Viktor Žmegač. Frankfurt a. M.: Athenäum, 1971, S. 17–19.

Schieder, Wolfgang: Anfänge der deutschen Arbeiterbewegung. Die Auslandsvereine im Jahrzehnt nach der Juli-Revolution von 1830. Stuttgart: Klett, 1963 (Industrielle Welt. Schriftenreihe des Arbeitskreises für moderne Sozialgeschichte. Bd. 4).

Schiller – Zeitgenosse aller Epochen. Dokumente zur Wirkungsgeschichte Schillers in Deutschland. Hrsg., eingeleitet und kommentiert von Norbert Oellers. Frankfurt a. M.: Athenäum, 1970.

Schlesier, Gustav: Ueber den gegenwärtigen Zustand der Kritik in Deutschland. In: Zeitung für die elegante Welt, 34 (1834), H. 1, H. 6. Frankfurt a. M.: Athenäum, 1971 (Faksimiledruck der Zeitung für die elegante Welt. Hrsg. von Heinrich Laube, Bd. 3: Januar bis July 1834), S. 1–4, 21–24.

Schmidt, Erich: Wege und Ziele der deutschen Litteraturgeschichte. In: Schmidt, Charakteristiken. Berlin: Weidmann, 1886, S. 480–498.

Schmidt, Julian: Geschichte der Deutschen Literatur im neunzehnten Jahrhundert. 2., durchaus umgearbeitete, um einen Band vermehrte Auflage. 3 Bde. Leipzig: F. L. Herbig, 1855.

Schmidt, Julian: Geschichte der Deutschen Literatur seit Lessing's Tod. 5., durchweg umgearbeitete und vermehrte Auflage. 3 Bde. Leipzig: F. W. Grunow, 1866–1869.

Schmidt, Julian: Geschichte des geistigen Lebens in Deutschland von Leibnitz bis auf Lessing's Tod, 1681–1781. 2 Bde. Leipzig: F. W. Grunow, 1862–1864.

Schmidt, Julian: Jean Paul im Verhältniß zur gegenwärtigen Romantikliteratur (1855). In: Jean Paul im Urteil seiner Kritiker, S. 173–179.

Schmidt, Julian: Neue Bilder aus dem geistigen Leben unserer Zeit. 4 Bde. Leipzig: Duncker & Humblot, 1873.

Schmidt, Julian: Rezension der Newcomes. In: Grenzboten 15 (1856), 1. Semester, Bd. 1, S. 405–409.

Schmidt, Julian: Rezension zu Balzac. In: Grenzboten 9 (1850), 2. Semester, Bd. 1, S. 420–430.

Schmidt, Julian: Weimar und Jena in den Jahren 1794–1806. Supplement zur ersten Auflage der „Geschichte der Deutschen National-Literatur im neunzehnten Jahrhundert". Leipzig: F. L. Herbig, 1855.

Schmierer, Wolfgang: Von der Arbeiterbildung zur Arbeiterpolitik. Die Anfänge der Arbeiterbewegung in Württemberg 1862/63–1878. Hannover: Verlag für Literatur und Zeitgeschehen, 1970 (Schriftenreihe des Forschungsinstituts der Friedrich-Ebert-Stiftung. Historisch-Politische Schriften. Bd. 13).

Schmolke, Michael: Adolph Kolping als Publizist. Ein Beitrag zur Publizistik und zur Verbandsgeschichte des deutschen Katholizismus im 19. Jahrhundert. Münster: Regensberg, 1966.

Schmoller, Gustav: Zur Geschichte der deutschen Kleingewerbe im 19. Jahrhundert. Statistische und nationalökonomische Untersuchungen. Halle: Buchhandlung des Waisenhauses, 1870.

Schneider, Franz: Pressefreiheit und politische Öffentlichkeit. Studien zur politischen Geschichte Deutschlands bis 1848. Neuwied a. Rh., Berlin: Luchterhand, 1966 (Politica. Abhandlungen und Texte zur politischen Wissenschaft, Bd. 24).

Schneider, Lothar: Der Arbeiterhaushalt im 18. und 19. Jahrhundert. Dargestellt am Beispiel des Heim- und Fabrikarbeiters. Berlin: Duncker & Hublot, 1967 (Beiträge zur Ökonomie von Haushalt und Verbrauch. Heft 4).

Schöll, Adolf: Goethe als Staatsmann. In: Preußische Jahrbücher 10 (1862), S. 423–470, 585–616.

Schücking, Levin L.: Soziologie der literarischen Geschmacksbildung. 3., neu bearbeitete Auflage. Bern, München: Francke, 1961.

Schüler, Winfried: Der Bayreuther Kreis. Von seiner Entstehung bis zum Ausgang der Wilhelminischen Ära. Wagnerkult und Kulturreform im Geiste völkischer Weltanschauung. Münster: Aschendorff, 1971 (Neue Münstersche Beiträge zur Geschichtsforschung. Bd. 12).

Schulte-Sasse, Jochen/Werner, Renate: Eugenie Marlitts „Im Hause des Kommerzienrates". Analyse eines Trivialromans in paradigmatischer Absicht. In: Eugenie Marlitt: Im Hause des Kommerzienrates. Illustrationen von Heinrich Schlitt. Mit einem Vor- und Nachwort von Jochen Schulte-Sasse und Renate Werner. München: W.Fink, 1977.

Schultze, Ernst: Freie öffentliche Bibliotheken, Volksbibliotheken und Lesehallen. Hrsg. auf Veranlassung des Instituts für Gemeinwohl in Frankfurt a.M. Stettin: Dannenberg, 1900.

Schulze, Heinz: Die Presse im Urteil Bismarcks. Dargestellt auf Grund seines bisher publizierten Schrifttums, seiner Reden und Gespräche. Leipzig: E.Reinicke, 1931 (Wesen der Zeitung. Bd.2. Heft 2).

Schulze-Gaevernitz, Hermann von: Das Preußische Staatsrecht, auf Grundlage des deutschen Staatsrechts. Dargestellt von Hermann von Schulze-Gaevernitz. 2.Auflage. Bd.2. Leipzig: Breitkopf & Härtel, 1890.

Sengle, Friedrich: Biedermeierzeit. Deutsche Literatur im Spannungsfeld zwischen Restauration und Revolution, 1815–1848. Bd.1. Stuttgart: Metzler, 1971.

Sienknecht, Helmut: Der Einheitsschulgedanke. Geschichtliche Entwicklung und gegenwärtige Problematik. Weinheim, Berlin: Beltz, 1968 (Pädagogische Studien, Bd.16).

Spranger, Eduard: Wilhelm von Humboldt und die Reform des Bildungswesens. 3., unveränderte Auflage. Tübingen: Niemeyer, 1965.

Das Staats-Lexikon. Encyclopädie der sämmtlichen Staatswissenschaften für alle Stände. Neue durchaus verbesserte und vermehrte Auflage. Redigiert von Hermann von Rotteck und Carl Welcker. In Verbindung mit vielen der angesehensten Publicisten Deutschlands hrsg. von Carl von Rotteck und Carl Welcker. Bd.10. Altona: J.F.Hammerich, 1848.

Stahl, Friedrich Julius: Die gegenwärtigen Parteien in Staat und Kirche. Neunundzwanzig akademische Vorlesungen. Berlin: W.Herzt, 1863.

Steinecke, Hartmut: Literaturkritik des Jungen Deutschland. Entwicklungen – Tendenzen – Texte. Berlin: E.Schmidt, 1982.

Stern, Fritz: The Politics of Cultural Despair. A Study in the Rise of the Germanic Ideology. Berkeley and Los Angeles: University of California Press, 1961.

Strauß, David Friedrich: Der alte und der neue Glaube. Ein Bekenntniß. Leipzig: S.Hirzel, 1872.

Thauer, Wolfgang/Vodosek, Peter: Geschichte der öffentlichen Bücherei in Deutschland. Wiesbaden: Otto Harrassowitz, 1978.

„Theorie der Avantgarde". Antworten auf Peter Bürgers Bestimmung von Kunst und bürgerlicher Gesellschaft. Beiträge von W.M.Lüdke et alii. Hrsg. von Werner Martin Lüdke. Frankfurt a.M.: Suhrkamp, 1976.

Thompson, Edward P.: Plebeische Kultur und moralische Ökonomie. Aufsätze zur englischen Sozialgeschichte des 18. und 19.Jahrhunderts. Frankfurt a.M., Berlin, Wien: Ullstein, 1980.

Titze, Hartmut: Die Politisierung der Erziehung. Untersuchungen über die soziale und politische Funktion der Erziehung von der Aufklärung bis zum Hochkapitalismus. Frankfurt a.M.: Fischer Taschenbuch, 1973.

Tompkins, Jane P.: The Reader in History: The Changing Shape of Literary Response. In: Reader-Response Criticism. From Formalism to Post-Structuralism. Hrsg. von J. Tompkins. Baltimore, London: Johns Hopkins University Press, 1980, S. 201–232.

Trommler, Frank: Die Kulturpolitik der DDR und die kulturelle Tradition des deutschen Sozialismus. In: Literatur und Literaturtheorie in der DDR. Hrsg. von Peter Uwe Hohendahl und Patricia Herminghouse. Frankfurt a. M.: Suhrkamp, 1976, S. 13–72.

Trommler, Frank: Sozialistische Literatur in Deutschland. Ein historischer Überblick. Stuttgart: Kröner, 1976.

Der Verfassungskonflikt in Preußen 1862–1866. Ausgewählt und eingeleitet von Jürgen Schlumbohm. Göttingen: Vandenhoeck & Ruprecht, 1970 (Historische Texte 10, Neuzeit).

Vischer, Friedrich: Rede zur hundertjährigen Feier der Geburt Schillers am zehnten November 1859 in der St. Peters-Kirche zu Zürich. Zürich: Orell, Füßli und Comp., 1859.

Vodosek, Peter: Öffentliche Bibliotheken und kommerzielle Leihbibliotheken. Zur Geschichte ihres Verhältnisses vom Ende des 18. Jahrhunderts bis zur Gegenwart. In: Die Leihbibliothek als Institution des literarischen Lebens, S. 327–348.

Vodosek, Peter: Vorformen der öffentlichen Bibliothek. Beiträge zum Büchereiwesen. Hrsg. vom Deutschen Bibliotheksverband e. V. und vom Verein der Bibliothekare an Öffentlichen Bibliotheken e. V. Wiesbaden: Otto Harrassowitz, 1978 (Reihe B, Quellen und Texte, Heft 6).

Wahl, Rainer: Der preußische Verfassungskonflikt und das konstitutionelle System des Kaiserreichs. In: Moderne deutsche Verfassungsgeschichte, S. 171–194.

Wahrnehmungsformen und Protestverhalten. Studien zur Lage der Unterschichten im 18. und 19. Jahrhundert. Mit Beiträgen von E. P. Thompson et alii. Hrsg. von Detlev Puls. Frankfurt a. M.: Suhrkamp, 1979.

Wehler, Hans-Ulrich: Der Aufstieg des Organisierten Kapitalismus und Interventionsstaates in Deutschland. In: Organisierter Kapitalismus. Voraussetzungen und Anfänge. Mit Beiträgen von Gerald D. Feldman et alii. Hrsg. von Heinrich August Winkler. Göttingen: Vandenhoeck & Ruprecht, 1974 (Kritische Studien zur Geschichtswissenschaft, Bd. 9), S. 36–57.

Wehler, Hans-Ulrich: Bismarck und der Imperialismus. Köln, Berlin: Kiepenheuer & Witsch, 1969.

Wehler, Hans-Ulrich: Das Deutsche Kaiserreich: 1871–1918. Göttingen: Vandenhoeck & Ruprecht, 1973 (Deutsche Geschichte, Bd. 9. Kleine Vandenhoeck Reihe, Bd. 1380).

Wehler, Hans-Ulrich: Kritik und kritische Antikritik. In: Historische Zeitschrift 225 (1977), S. 347–384.

Weimar, Klaus: Zur Geschichte der Literaturwissenschaft. Forschungsbericht. In: Deutsche Vierteljahrsschrift für Literaturwissenschaft und Geistesgeschichte 50 (1976), S. 298–364.

Wenzel, Frank: Sicherung von Massenloyalität und Qualifikation der Arbeitskraft als Aufgabe der Volksschule. In: Schule und Staat im 18. und 19. Jahrhundert. Zur Sozialgeschichte der Schule in Deutschland. Hrsg. von Klaus

L. Hartmann, F. Nyssen und Hans Waldeyer. Frankfurt a. M.: Suhrkamp, 1974, S. 323–386.

Wichern, Johann Hinrich: Sämtliche Werke. Hrsg. von Peter Meinhold. 8 Bde. Berlin, Hamburg: Lutherisches Verlagshaus, 1958–1980.

Widhammer, Helmuth: Realismus und klassizistische Tradition. Zur Theorie der Literatur in Deutschland 1848–1860. Tübingen: M. Niemeyer, 1972 (Studien zur deutschen Literatur, Bd. 34).

Wiese, Ludwig Adolf: Lebenserinnerungen und Amtserfahrungen. 2 Bde. Berlin: Wiegandt & Grieben, 1886.

Wiese, Ludwig: Das höhere Schulwesen in Preussen. Historisch-statistische Darstellung im Auftrage des Ministers der geistlichen Unterrichts- und Medicinal-Angelegenheiten Berlin: Wiegandt & Grieben, 4 Bde, 1864–1902.

Wilhelm und Caroline von Humboldt in ihren Briefen. Bd. 3. Hrsg. von Anna von Sydow. Berlin: E. S. Mittler, 1909.

Das wilhelminische Bildungsbürgertum. Zur Sozialgeschichte seiner Ideen. Mit Beiträgen von Gerhard Dilcher et alii. Hrsg. von Klaus Vondung. Göttingen: Vandenhoeck & Ruprecht, 1976.

Williams, Raymond: Marxism and Literature. Oxford: Oxford University Press, 1977.

Williams, Simon: The Director in the German Theatre: Harmony, Spectacle and Ensemble. In: New German Critique 29 (1983), S. 107–132.

Winkler, Heinrich August: Mittelstand, Demokratie und Nationalsozialismus. Die politische Entwicklung von Handwerk und Kleinhandel in der Weimarer Republik. Köln: Kiepenheuer & Witsch, 1972.

Winkler, Heinrich August: Preußischer Liberalismus und deutscher National-staat. Studien zur Geschichte der Deutschen Fortschrittspartei, 1861–1866. Tübingen: J. C. B. Mohr, 1964 (Tübinger Studien zur Geschichte und Politik, Bd. 17).

Wittmann, Reinhard: Das literarische Leben 1848 bis 1880. Mit einem Beitrag von Georg Jäger über die höhere Bildung. In: Realismus und Gründerzeit, S. 161–257.

Wuttke, Heinrich: Die deutschen Zeitschriften und die Entstehung der öffentlichen Meinung. Ein Beitrag zur Geschichte des Zeitungswesens. 3. Auflage. Leipzig: Joh. Wilh. Krüger, 1875.

Zerges, Kristina: Sozialdemokratische Presse und Literatur. Empirische Untersuchungen zur Literaturvermittlung in der Sozialdemokratischen Presse 1876 bis 1933. Stuttgart: Metzler, 1982.

Zimmermann, Bernhard: Literaturrezeption im historischen Prozeß. Zur Theorie einer Rezeptionsgeschichte der Literatur. München: C. H. Beck, 1977.

Zöckler, Christofer: Dilthey und die Hermeneutik. Diltheys Begründung der Hermeneutik als „Praxiswissenschaft" und die Geschichte ihrer Rezeption. Stuttgart: J. B. Metzlersche Verlagsbuchhandlung, 1975.

Zunkel, Friedrich: Der Rheinisch-Westfälische Unternehmer 1834–1879. Ein Beitrag zur Geschichte des deutschen Bürgertums im 19. Jahrhundert. Köln und Opladen: Westdeutscher Verlag, 1962.

Register

Abbt, Thomas 207
Ackerknecht, Erwin 410
Adorno, Theodor W. 34, 46, 53, 54, 303, 340, 376–380, 388 f., 396, 401, 402, 403, 417, 419
Alexis, Willibald 148, 154 ff., 345, 414
Altenstein, Karl Sigmund 283, 285
Althusser, Louis 13, 27, 29–35, 39, 44, 45, 48, 50 ff.
Alxinger, Johann Baptiste 173
Anzengruber, Ludwig 416
Apel, Karl Otto 38
Aristoteles 174, 254, 411
Auerbach, Berthold 205, 319, 343, 344 ff., 347–352, 356
Auerbach, Erich 130, 331
Auras, R. 216

Baake, Curt 413
Bagehot, Walter 58
Balibar, Étienne 32, 33, 34, 39, 51 f.
Balibar, Renée 32, 52
Balzac, Honoré de 121, 151
Bassermann, Friedrich Daniel 64
Bauer, Otto 416
Bauer, Wilhelm 388
Baumgarten, Hermann 90–95, 100, 126
Baur, Uwe 346
Bebel, August 325
Benjamin, Walter 39, 45 ff., 397
Bennett, Tony 51, 53
Bernstein, Arthur 397, 412
Bethmann Hollweg, Moritz August von 288, 293
Bismarck, Otto von 55, 64, 66–69, 86–89, 92, 94, 102, 105, 106–107, 108–110, 112 ff., 206, 209, 219, 227, 247, 251, 264, 325, 333, 366, 382, 385, 404, 411, 418

Blanckenburg, Christian Friedrich 155
Blanqui, Louis Auguste 354
Bluntschli, Johann Caspar 81, 83–85
Bock, Eduard 294
Bodmer, Johann Jacob 189
Böhme, Helmut 65, 67 ff.
Börne, Ludwig 122, 136–138, 144, 167, 169, 175, 196 f., 203, 227, 232, 236
Boie, Heinrich Christian 174
Boileau, Nicolas 135
Bone, Heinrich 215
Born, Stephan 116, 328, 362
Borstell, Fritz 317–318
Brahm, Otto 391
Brecht, Bertolt 39
Bromme, Moritz 324 f.
Brückner, Theodor Johann 174
Buckle, Henry Thomas 250, 366
Büchner, Georg 139, 220
Bürger, Gottfried August 174
Bürger, Peter 40 f., 44–48, 303
Bulwer-Lytton, Edward George, Lord 416
Burckhardt, Jacob 200, 217
Byron, George Gordon Noel, Lord 242

Campe, Joachim Heinrich 353
Carriere, Moriz 148 f., 153 f., 200, 202
Chamisso, Adalbert von 214, 324
Chateaubriand, François René 358
Chomsky, Noam 25
Cicero 81
Claudius, Matthias 174, 300
Comte, Auguste 252, 261
Condorcet, Marie-Jean 353
Cooper, James Fenimore 345
Cotta, Johann Georg von 107
Cramer, Johann Andreas 174